ISBN 978-0-331-88361-9
PIBN 11209539

Amtsblatt

der

Königlichen Regierung zu Potsdam

und der

Stadt Berlin.

Jahrgang 1890.

Potsdam, 1890.
Zu haben bei den Kaiserlichen Postanstalten der Provinz und in Berlin.
Preis 1 Mark 50 Pfennige.
(Der Preis des Alphabetischen Sach- und Namen-Registers vom ganzen Jahrgange beträgt 38 Pfennige.)

Chronologische Uebersicht

der in dem Amtsblatte der Königlichen Regierung

zu Potsdam und der Stadt Berlin

im Jahre 1890

erschienenen Verordnungen und Bekanntmachungen.

Abkürzungen. Die Verordnungen und Bekanntmachungen der Königlichen Ministerien sind durch den Buchstaben M., die des Königlichen Ober-Präsidiums durch die Buchstaben O. Pr., die des Königlichen Regierungs-Präsidenten durch die Buchstaben R. Pr., die der Königlichen Regierung durch den Buchstaben R., die der Königlichen Bezirks-Ausschüsse durch die Buchstaben B. A., die des Königlichen Polizei-Präsidiums zu Berlin durch die Buchstaben P. Pr., die des Staats-Sekretairs des Reichs-Post-Amts bezw. des Reichs-Post-Amts durch die Buchstaben R P. A., die der Kaiserlichen Ober-Post-Direktionen durch die Buchstaben O. P. D., die des Königlichen Konsistoriums der Provinz Brandenburg durch die Buchstaben Ko., die des Königlichen Provinzial-Schul-Kollegiums der Provinz Brandenburg durch den Buchstaben S., die der Königlichen Haupt-Verwaltung der Staatsschulden und Reichsschulden-Verwaltung durch die Buchstaben H. V. und bezw. R. S. V., die der Königlichen Kontrole der Staatspapiere durch den Buchstaben K., die der Königlichen Direktion der Rentenbank für die Provinz Brandenburg zu Berlin durch die Buchstaben R. B., die der Königlichen General-Kommission für die Provinz Brandenburg durch die Buchstaben G K., die der Königlichen Provinzial-Steuer-Direktion zu Berlin durch die Buchstaben P. St. D. die des Königlichen Ober-Berg-Amts zu Halle durch die Buchstaben O. B. A., die der Königlichen Eisenbahn-Direktion zu Berlin durch die Buchstaben E B, die der Königlichen Eisenbahn-Direktion zu Breslau durch die Buchstaben E. Brs., die der Königlichen Eisenbahn-Direktion zu Bromberg durch die Buchstaben E. Br, die der Königlichen Eisenbahn-Direktion zu Magdeburg durch die Buchstaben E. M., die der Königlichen Eisenbahn-Direktion zu Erfurt durch die Buchstaben E. E., die der Königlichen Eisenbahn-Direktion zu Frankfurt a. M. durch die Buchstaben E. F., die des Herrn Landes-Direktors der Provinz Brandenburg zu Berlin durch die Buchstaben L. D. und die der Kreis-Ausschüsse des Regierungs-Bezirks Potsdam durch die Buchstaben K. A. bezeichnet.

Datum	Nummer der Verordnungen und Bekanntmachungen.	Inhalt der Verordnungen und Bekanntmachungen.	Stück des Amtsblatts.	Seitenzahl des Amtsblatts.
1889.				
Juni 30.	(M.)	Siehe Nr. 3 E. M. unterm 28. Dezember 1889.		
Aug. 15.	— — .	Kredit-Institut für Schlesien zu Breslau. — Umtausch gekündigter Pfandbriefe Lit. B.	1	5/6
Oktb. 17.	(M.)	Siehe Nr. 57 R. Pr. unterm 1. März 1890.		
- 17.	(H. V.)	Siehe Nr. 1 R. unterm 21. Oktober 1889.		
- 21.	1. R.	Ausreichung der Zinsscheine Reihe II. zu den Schuldverschreibungen der Preuß. konf. 4% Staatsanleihe von 1880.	3	13
Nov. 14.	2. R. B.	Verloosung von Rentenbriefen	10	81/82
- 29.	— —	Allerhöchster Erlaß, betr. die Anleihe der Stadt Perleberg von 210000 Mark.	2	7/8
Dez. 4.	1. R. B.	Ausfertigung von Entlastungs-Quittungen über abgelöste Renten . .	4	26
- 13.	(M.)	Siehe Nr. 4 R. Pr. unterm 30. Dezember 1889.		
- 13.	1. Ko.	Errichtung einer neuen geistlichen Stelle bei der St. Simeonskirche in Berlin.	4	25
- 14.	1. E. M.	Umtausch von 4% Berlin-Potsdam-Magdeburger Eisenbahn-Prioritäts-Obligationen gegen Staatsschuldverschreibungen.	1	4
-	6. E. M.		3	16/17
- 17.	(M.)	Siehe Nr. 9 P. Pr. unterm 18. Januar 1890.		
- 18.	1. M.	Ausführungsbestimmungen zum Gesetz, betr. die Erwerbs- und Wirthschaftsgenossenschaften vom 1. Mai 1889.	1	1
- 18.	1. R. Pr.	Schußfreie Tage auf dem Schießplatze bei Cummersdorf für das Jahr 1890.	1	1
- 19.	3. P. Pr.	Berichtigung der Polizei-Verordnung über die bauliche Anlage und die innere Einrichtung von Theatern ꝛc. vom 31. Oktober 1889.	1	2/3

Datum	Nummer der Verordnungen und Bekanntmachungen.	Inhalt der Verordnungen und Bekanntmachungen.	Stück des Amtsblatts.	Seitenzahl des Amtsblatts.
Dez. 19.	2. E. M. 7. E. M.	Umtausch von 4% Magdeburg-Halberstädter Eisenbahn-Prioritäts-Obligationen gegen Staatsschuldverschreibungen.	1 3	4/5 17
- 21.	1. B. A.	Schluß der kleinen Jagd im Regierungsbezirk Potsdam	1	2
- 21.	(P. Pr.)	Siehe Nr. 1 Ko. unterm 13. Dezember 1889.		
- 23.	1. E. Br.	Ausnahmetarif für Düngemittel rc.	1	3
- 23.	— —	Amtsgericht Charlottenburg. — Führung der Handels- rc. Register	1	6
- 23.	— —	Amtsgericht Oderberg i. M. — Führung der Handels- rc. Register	1	6
- 23.	— —	Hofkammer zu Berlin. — Forst-Personal-Veränderungen	2	12
- 24.	2. R. Pr.	Verkündigung ortspolizeilicher Verordnungen in der Stadt Biesenthal	1	1
- 24.	1. E. B.	Umtausch von Prioritäts-Obligationen verstaatlichter Eisenbahnen gegen 3½% Staatsschuldverschreibungen.	1	3
- 24.	2. E. Br.	Ermäßigte Beförderungspreise für die II. und III. Wagenklasse	1	4
- 24.	3. E. Br.	Die Eisenbahnhaltestelle Gultowy betr.	1	4
- 28.	3. R. Pr.	Ermittelung des Ernte-Ertrages im Jahre 1889	1	1/2
- 28.	1. P. Pr.	Verbot eines Flugblattes	1	2
- 28.	2. P. Pr.	Desgl.	1	2
- 28.	1. O. P. D.	Einrichtung neuer öffentlicher Fernsprechstellen in Berlin	1	3
- 28.	3. E. M. 4. E. M. 8. E. M.	Kündigung von Eisenbahn-Prioritäts-Obligationen	1 2 3	5 11 17/18
- 30.	— —	Allerhöchste Verordnung wegen Einberufung der beiden Häuser des Landtages.	2	7
- 30.	4. R. Pr.	Arznei-Taxe für 1890	1	2
- 30.	2. O. P. D.	Unter-Abtheilungen der Fernsprech-Vermittelungs-Anstalt I. zu Berlin betr.	1	3
- 31.	1. O. Pr.	Wahl eines Provinzial-Landtags-Abgeordneten	2	8
- 31.	5. R. Pr.	Viehseuchen	1	2
- 31.	6. R. Pr.	Chausseegelderhebung auf der Teltower Kreis Chaussee von Königs-Wusterhausen nach Ragow.	2	8/9
- 31.	5. E. M.	Umtausch von Eisenbahn-Prioritäts-Obligationen gegen Staatsschuldverschreibungen.	2	11
- 31.	1. K. A.	Genehmigung einer Kommunalbezirksveränderung	3	18
1890.				
Jan. 2.	M.	Eröffnungssitzung der beiden Häuser des Landtages	2	7
- 3.	2. O. Pr.	Wahl eines Provinzial-Landtags-Abgeordneten	3	13
- 3.	10. R. Pr.	Schmiede-Innung in Rathenow	2	10
- 3.	1. H. V.	10. Verloosung von Kurmärkischen Schuldverschreibungen	4	25
- 3.	1. K.	Aufgebot eines Staatsschuldscheins	3	16
- 3.	2. K.	Desgl.	3	16
—	— —	Ausweisung von Ausländern aus dem Reichsgebiete nach Nr. 52 des Centralblatts für 1889.	1	6
Jan. 4.	11. R. Pr. u. P. Pr.	Form der ärztlichen Atteste der Medicinalbeamten	2	10/11
- 4.	2. E. B.	Nachträge zu den Tarifheften 1 bis 3 des Galizisch-Norddeutschen Getreideverkehrs.	2	11
- 6. - 6.	5. P. Pr. 8. P. Pr.	Polizei-Verordnung, betr. das Verbot des Haltens von Marktfuhrwerken in verschiedenen Straßen Berlins.	3 4	15 24/25
- 6.	3. O. P. D.	Die Postagentur in Bornim betr.	2	11
- 7.	7. R. Pr.	Viehseuchen	2	9
- 7.	8. R. Pr.	Nachweisung der Markt- rc. Preise im Monat Dezember 1889	2	8/9
- 7.	9. R. Pr.	Desgl. des Monatsdurchschnitts der höchsten Tagespreise einschl. 5% Aufschlag im Monat Dezember 1889.	2	10

Datum	Nummer der Verordnungen und Bekanntmachungen.	Inhalt der Verordnungen und Bekanntmachungen.	Stück des Amtsblatts.	Seitenzahl des Amtsblatts.
Jan. 7.	3. K. A.	Nachweisung der Kommunalbezirksveränderungen im Kreise Teltow im IV. Vierteljahr 1889.	4	26
- 8.	13. R. Pr.	Das Russische General-Konsulat in Berlin betr.	3	14
- 8.	14. R. Pr.	Das Spanische General-Konsulat in Berlin betr.	3	14
- 8.	15. R. Pr.	Das Konsulat für die Republick Nicaragua in Berlin betr.	3	14
- 8.	4. P. Pr.	Berliner und Charlottenburger Preise für den Monat Dezember 1889	3	15
- 8.	7. P. Pr.	Warnung vor den sogenannten Karbon-Natron-Oefen	4	24
- 8.	1. R. P. A.	Postpacketverkehr mit Columbien	4	21
- 9.	17. R. Pr.	Vertrauensmänner der Leder-Industrie-Berufsgenossenschaft	3	14
- 9.	4. K. A.	Kommunalbezirksveränderungen im Kreise Ostprignitz	4	26
—	— —	Inhaltsverzeichniß von Stück 25 bis einschl. 27 des Reichs-Gesetz-Blatts von 1889.	2	7
—	— —	Desgl. von Stück 25 bis einschl. 30 der Gesetz-Sammlung von 1889	2	7
Jan. 10.	2. M.	Auslegung der Wählerlisten zu den Neuwahlen für den Reichstag	3	13
- 10.	6. P. Pr.	Stell- und Rademacher-Innung zu Berlin	3	16
- 10.	2. K. A.	Nachweisung der Kommunalbezirksveränderungen im Kreise Beeskow-Storkow im II. Halbjahr 1889.	4	25
- 11.	12. R. Pr.	Lotterie für die Niederlegung der Schloßfreiheit in Berlin	3	13/14
- 11.	— —	Ausschreiben der von den Mitgliedern der Städte-Feuer-Sozietät der Provinz Brandenburg für das II. Halbjahr 1889 zu entrichtenden Beiträge.	4	27/28
- 14.	16. R. Pr.	Viehseuchen	3	14
- 14.	— —	Königl. Landstallmeister zu Friedrich-Wilhelms-Gestüt. — Stationirung der Landbeschäler für 1890.	4	28/29
- 15.	— —	Feuerkassengelder-Ausschreiben für die Land-Feuer-Sozietät der Kurmark Brandenburg ꝛc. für das II. Halbjahr 1889.	4	27
- 16.	5. O. P. D.	Stadt-Fernsprecheinrichtungen betr.	5	44
	6. O. P. D.		6	49
	10. O. P. D.		7	54
- 17.	3. O. Pr.	Neuwahlen für den Reichstag	4	21
- 17.	18. R. Pr.	General-Konsulat der Vereinigten Staaten von Venezuela in Berlin	4	21
—	— —	Ausweisung von Ausländern aus dem Reichsgebiete nach Nr. 52 des Centralblatts für 1889 und Nr. 1 für 1890.	3	19/20
Jan. 18.	19. R. Pr.	Oesterreichisch-Französische Elementar- und Unfallversicherungs-Gesellschaft „Azienda“ in Wien.	4	21
- 18.	22. R. Pr.	Uebersicht der Infanterie-Truppentheile, welche am 1. April 1890 Einjährig-Freiwillige einstellen.	4	22/23
- 18.	27. R. Pr.	Nachweisung über den Geschäftsbetrieb der städtischen, Landgemeinde- und Kreis-Sparkassen im Regierungsbezirk Potsdam für 1888 bezw. 1888/89.	5	33/40
- 18.	9. P. Pr.	Standesamtliche Meldung von Todtgeburten	5	43
- 18.	2. H. V.	35. Verloosung der Staats-Prämien-Anleihe vom Jahre 1855	5	44
- 18.	6. K. A.	Kommunalbezirksveränderungen im Kreise Oberbarnim	5	45
- 20.	20. R. Pr.	Erhebung einer Abgabe für das Durchschleusen durch die Schleuse bei Prieros.	4	21
- 20.	4. O. P. D.	Die Postagentur in Stralau betr.	5	43/44
- 20.	3. E. B.	Nachträge zum Rumänisch-Norddeutschen Eisenbahn-Verbandstarif	5	44/45
- 21.	3. M.	Polizei-Verordnung für die Eisenbahn von Glöwen nach Havelberg	6	47/48
- 21.	21. R. Pr.	Viehseuchen	4	21
- 21.	23. R. Pr.	Nachweisung der an den Pegeln der Spree und Havel im Monat Dezember 1889 beobachteten Wasserstände.	4	24

Datum	Nummer der Verordnungen und Bekanntmachungen.	Inhalt der Verordnungen und Bekanntmachungen.	Stück des Amtsblatts.	Seitenzahl des Amtsblatts.
Jan. 21.	3. K.	Aufgebot von Schuldverschreibungen	5	44
- 22.	— —	Allerhöchster Erlaß, betr. Berichtigung des Musters zu einem Anleiheschein des Kreises Ostprignitz.	8	57
- 22.	5. M.	Abnahme von Dampfkesseln	8	57
- 22.	24. R. Pr.	Wahl des Deich-Inspektors des Deich-Verbandes der 2. und 3. Division der Prignitz'schen Elbniederung.	5	33
- 22.	28. R. Pr.	Die Vorsitzenden und Vertrauensmänner der Fuhrwerks-Berufsgenossenschaft.	5	41/42
- 22.	2. R.	Benutzung der Schullokale zur Reichstagswahl	5	43
- 23.	25. R. Pr.	Einverleibung bezw. Abtrennung von Grundstücken bei Oranienburg	5	33
- 23.	4. E. Br.	Verzeichniß der von den Gepäckträgern zu beanspruchenden Gebührensätze.	5	45
- 23.	5. K. A.	Kommunalbezirksveränderungen im Kreise Osthavelland	5	45
- 24.	— —	Verzeichniß der Vorlesungen an der Königlichen landwirthschaftlichen Hochschule zu Berlin im Sommerhalbjahr 1890.	8	66
—	— —	Ausweisung von Ausländern aus dem Reichsgebiete nach Nr. 1 und 2 des Centralblatts für 1890.	4	29/32
Jan. 25.	26. R. Pr. u. P. Pr.	Verloosung von Gegenständen der Kunst und des Kunstgewerbes zu Weimar.	5	33
- 25.	30. R. Pr.	Die Wahlen zum Reichstage betr.	5	42
- 25.	2. R. P. A.	Post- und Eisenbahnkarte des Deutschen Reichs	5	43
- 25.	7. O. P. D.	Einrichtung von Posthülfsstellen	6	49
- 27.	— —	(Allerhöchste Verordnung) s. Nr. 69 R. Pr. unterm 13. März 1890.		
- 27.	29. R. Pr.	Aufnahme von Geisteskranken in Privat-Irren-Anstalten	5	42
- 27.	10. P. Pr.	Verfahren bei Errichtung von Dampfkessel-Anlagen	6	48
- 28.	4. M.	Notirung von Terminpreisen an der Börse zu Mannheim	8	57
- 28.	31. R. Pr.	Viehseuchen	5	43
- 29.	— —	(Magistrat zu Charlottenburg) s. Nr. 68 R. Pr. unterm 22. März 1890.		
- 30.	35. R. Pr.	Erledigte Kreiswundarztstelle im Kreise Ostprignitz	7	51
- 31.	4. O. Pr.	Wahl von Direktionsmitgliedern der kurmärkischen Hülfskasse	6	48
- 31.	8. O. P. D	Landbriefbestellbezirksänderung	6	49
- 31.	1. L. D.	Versicherung von Leuchtgas-Anstalten gegen Feuergefahr	7	56
- 31.	— —	Regierung zu Bromberg. — Erledigte Kreisthierarztstelle	7	56
—	4. E. B.	Fahrplan-Aenderung	6	49
—	— —	Ausweisung von Ausländern aus dem Deutschen Reichsgebiete nach Nr. 3 des Centralblatts für 1890.	5	45/46
Febr. 1.	3. R. S. V.	Ausreichung neuer Zinsscheine zu den Schuldverschreibungen der Reichsanleihen von 1878 und 1885.	7	55
- 1	4. K.	Aufgebot eines Staatsschuldscheins	7	55
- 1.	1. O. B. A.	Bergwerkseigenthum „Ruhlsdorf I.“ im Kreise Niederbarnim	6	49
- 3.	— —	Allerhöchster Erlaß, betr. Verleihung des Rechts zur Chausseegeld-Erhebung an den Kreis Teltow.	9	67
- 3.	— —	(Allerhöchster Erlaß) s. Nr. 16 P. Pr. unterm 26. Februar 1890.		
- 4.	32. R. Pr.	Viehseuchen	6	48
- 4.	39. R. Pr. u. P. Pr.	Verloosung von Equipagen, Pferden rc. in Stettin	7	52
- 4.	11. P. Pr.	Eröffnung einer Apotheke in Berlin	7	52
- 4.	5. K.	Aufgebot von Schuldverschreibungen	7	55
- 5.	10. K. A.	Genehmigung von Kommunalbezirksveränderungen im Kreise Niederbarnim.	14	136/139

Datum	Nummer der Verordnungen und Bekanntmachungen.	Inhalt der Verordnungen und Bekanntmachungen.	Stück des Amtsblatts.	Seitenzahl des Amtsblatts.
Febr. 6.	9. O. P. D.	Unbestellbare Einschreibbriefe	7	54
- 6.	6. K.	Aufgebot von Schuldverschreibungen	7	55/56
- 6.	5. E. Br.	Anderweite Berechnung des Personenfahrgeldes und der Gepäckfracht im Fernverkehre nach und von Berlin 2c.	7	56
- 7.	11. O. P. D.	Einrichtung einer Postagentur in Quitzöbel	7	54/55
- 7.	7. K. A.	Kommunalbezirksveränderung im Kreise Niederbarnim	8	62
—	— —	Ausweisung von Ausländern aus dem Deutschen Reichsgebiete nach Nr. 4 des Centralblatts für 1890.	6	50
Febr. 8.	12. P. Pr.	Berliner und Charlottenburger Preise im Monat Januar 1890	7	52/54
- 8.	5. E. B.	Neue Personen- und Gepäckbeförderungspreise	8	61
- 8.	6. E. Br.	Frachtbegünstigung für Ausstellungsgegenstände	8	62
- 8.	7. E. Br.	Ausnahmetarif für Düngemittel 2c	8	62
- 10.	33. R. Pr.	Konsulat der Republik Peru in Berlin	7	51
- 10.	34. R. Pr.	Verlegung einer Chausseegeldhebestelle im Kreise Niederbarnim	7	51
- 10.	15. O. P. D.	Einrichtung einer Postagentur in Nitzow	8	60
- 11.	36. R. Pr.	Viehseuchen	7	51
- 11.	37. R. Pr.	Nachweisung des Monatsdurchschnitts der höchsten Tagespreise einschl. 5% Aufschlag im Monat Januar 1890.	7	51
- 11.	38. R. Pr.	Desgl. der Markt- 2c. Preise im Monat Januar 1890	7	52/53
- 11.	40. R. Pr.	Tischler-Innung zu Wittstock	8	58
- 11.	4. H. V.	Aufruf der zur Einlösung noch nicht eingegangenen Stamm-Aktien und Prioritäts-Obligationen der Münster-Hammer und bezw. der Taunus-Eisenbahn.	8	60
- 11.	9. E. Br.	Nachtrag zum Tarif für die Beförderung von Personen und Reisegepäck, Theil II.	9	71
- 12.	50. R. Pr. u. P. Pr.	Kunstkaffeebohnen betr.	9	69
- 13.	42. R. Pr.	Zurücknahme des Verbotes eines Flugblattes	8	58
- 13.	13. P. Pr.	Entziehung eines Hebammen-Prüfungszeugnisses	8	58
- 14.	5. O. Pr.	Einberufung des 16. Provinzial-Landtages der Provinz Brandenburg	8	57
- 14.	12. O. P. D.	Unanbringliche Postsendungen	8	58/59
- 14.	2. O. B. A.	Bergwerkseigenthum „Dabendorf" im Kreise Teltow	8	60
- 14.	3. O. B. A.	Desgl. „Jühnsdorf" im Kreise Teltow	8	60/61
- 14.	4. O. B. A.	Desgl. „Telz" im Kreise Teltow	8	61
- 14.	5. O. B. A.	Desgl. „Glienick" im Kreise Teltow	8	61
- 14.	6. O. B. A.	Desgl. „Nauen I." im Kreise Osthavelland	8	61
- 15.	24. P. Pr.	und Magistrat Berlin. — Widerruf der Anstellung eines Bezirksschornsteinfegermeisters.	11	95
- 15.	13. O. P. D.	Unanbringliche Briefe mit Werthinhalt	8	59
- 15.	14. O. P. D.	Unanbringliche Postanweisungen	8	59/60
- 15.	— — — —	Königl. Kredit-Institut für Schlesien zu Breslau. — Umtausch gekündigter Pfandbriefe Lit. B.	9 27	72 257
- 16.	41. R. Pr.	Schußfreie Tage auf dem Schießplatze bei Cummersdorf für das Jahr 1890.	8	58
- 16.	15. P. Pr.	Entziehung eines Hebammen-Prüfungszeugnisses	9	70
- 17.	— —	Allerhöchster Erlaß, betr. den Bau zweier Kreischausseeen im Kreise Templin.	13	119
- 17.	— —	Allerhöchstes Privilegium wegen Ausfertigung auf den Inhaber lautender Kreisanleihescheine des Kreises Templin.	13	119/121
- 17.	7. O. B. A	Bergwerkseigenthum „Wühnsdorf" im Kreise Teltow	9	70/71
- 17.	8. O. B. A	Desgl. „Saalow" im Kreise Teltow	9	71

Datum	Nummer der Verordnungen und Bekanntmachungen.	Inhalt der Verordnungen und Bekanntmachungen.	Stück des Amtsblatts.	Seitenzahl des Amtsblatts.
Febr. 17.	8. E. Br.	Frachtbegünstigung für Ausstellungsgegenstände	9	71
- 17.	8. K. A.	Kommunalbezirksveränderung im Kreise Oberbarnim	9	72
- 17.	— —	Königl. Kredit-Institut für Schlesien zu Breslau. — Aufruf verloofter Pfandbriefe Lit. B.	9 27	72/73 257/258
- 18.	43. R. Pr.	Viehseuchen	8	58
- 18.	47. R. Pr.	Polizei-Verordnung, betr. die Abänderung der Baupolizei-Ordnung für die Städte vom $\frac{\text{15. Juli 1868.}}{\text{26. Januar 1872.}}$	9	69
- 18.	48. R. Pr.	Polizei-Verordnung, betr. die Abänderung der Baupolizei-Ordnung für die Vororte Berlins vom 24. Juni 1887.	9	69
- 18.	14. P. Pr.	Die Schornsteinfeger-Prüfungs-Kommission für die Stadt Berlin betr.	9	70
- 18.	16. O. P. D.	Unanbringliche Postsendungen	9	70
- 18.	— —	Allgemeine Vertragsbedingungen für die Ausführung von Garnisonbauten und Bestimmungen für die Bewerbung um Leistungen für Garnisonbauten.	10	83/89
- 19.	— —	(Allerhöchste Kabinetsordre) s. Nr. 56. R. Pr. unterm 4. März 1890.		
- 19.	— —	Allerhöchster Erlaß. — Nachtrag zu den reglementarischen Bestimmungen des Kur- und Neumärkischen Ritterschaftlichen Kredit-Instituts.	12	111/112
- 19.	6. O. Pr.	Wahl eines Provinzial-Landtags-Abgeordneten	9	68
- 19.	49. R. Pr.	Belobigung für Rettung aus Lebensgefahr	9	69
- 19.	51. R. Pr. u. P. Pr.	Verloosung von Equipagen, Pferden ꝛc. in Stettin	9	69
- 19.	3. R. B.	Einlösung fälliger Zinsscheine	10	82
- 20.	(M.)	Siehe R. Pr. und P. Pr. unterm 7. März 1890.		
- 20.	44. R. Pr.	Fischerei-Aufsichtsbeamte	9	68
- 21.	3. R. P. A.	Einrichtung einer Postagentur in Lome (Togo-Schutzgebiet)	10	81
- 21.	17. O. P. D.	Stadt-Fernsprecheinrichtungen	9	70
- 21.	10. E. Br.	Beförderung von Getreide in unverpacktem Zustande	9	71
- 21.	12. E. Br.	Vorausbestellung Berliner Droschken in Küstrin	10	83
—	— —	Ausweisung von Ausländern aus dem Deutschen Reichsgebiete nach Nr. 4, 5 und 6 des Centralblatts für 1890.	8	64/65
Febr. 22.	17. P. Pr.	Errichtung neuer Apotheken in Berlin	10	81
- 22.	5. H. V. 11. H. V. 14. H. V.	Aufgebot einer Schuldverschreibung	10 18 27	81 172 254
- 23.	11. E. Br.	Neue Ausgabe des Ostdeutschen Eisenbahn-Kursbuchs	9	71/72
- 24.	45. R. Pr.	Schifffahrtssperre	9	68
- 24.	46. R. Pr.	Nachweisung der an den Pegeln der Spree und Havel im Monat Januar 1890 beobachteten Wasserstände.	9	68
- 24.	13. E. Br.	Neuer Tarif für die Beförderung von Personen und Reisegepäck, Theil II.	10	83
- 25.	52. R. Pr.	Viehseuchen	9	69/70
- 25.	54. R. Pr.	Ertheilung von Leichenpässen	10	79
- 26.	53. R. Pr.	Zur Invaliditäts- und Alters-Versicherung	10	77/79
- 26.	58. R. Pr.	Anlegung einer Apotheke in Franz.-Buchholz und einer 2. Apotheke in Neu-Weißensee bei Berlin.	10	80
- 26.	16. P. Pr.	Freilegung der Straße Nr. 23 der Abtheilung II. des Bebauungsplans von Berlin und verschiedener anderer Straßen.	10	80/81
- 26.	21. P. Pr.	Verkauf von Obst, Kartoffeln und Torf von Kähnen in Berlin	11	94

Datum	Nummer der Verordnungen und Bekanntmachungen.	Inhalt der Verordnungen und Bekanntmachungen.	Stück des Amts-blatts.	Seitenzahl des Amts-blatts.
—	— —	Inhalts-Verzeichniß von Stück 1 bis 9 des Reichs-Gesetz-Blatts von 1890.	9	67
—	— —	Desgl. von Stück 1 bis 4 der Gesetz-Sammlung von 1890 ...	9	67
Febr. 28.	59. R. Pr. u. P. Pr.	Ausspielung von Handarbeiten, Büchern ꝛc. in Kaiserswerth	10	80
- 28.	18. P. Pr.	Statut der „Allianz", Versicherungs-Aktien-Gesellschaft in Berlin .	11	92
- 28.	7. E. B.	Zeitkartenverkehr auf der Berliner Stadt- und Ringbahn	10	82/83
- 28.	14. E. Br.	Ermäßigte Transportsteuer-Beträge	11	96
- 28.	9. K. A.	Kommunalbezirksveränderungen im Kreise Osthavelland	11	96
—	6. E. B.	Fahrplan-Aenderung	9	72
—	— —	Vorlesungen für das Studium der Landwirthschaft an der Universität Halle im Sommerhalbjahr 1890.	10	90
—	— —	Ausweisung von Ausländern aus dem Deutschen Reichsgebiet nach Nr. 5, 6 und 7 des Centralblatts für 1890.	9	73/76
März 1.	7. O. Pr.	Wahl eines Provinzial-Landtags-Abgeordneten	10	77
- 1.	57. R. Pr.	Mecklenburgische Hagel-Versicherungs-Gesellschaft zu Neu-Brandenburg.	10	80
- 1.	8. E. B.	Frachtstundungen betr.	11	95
- 3.	55. R. Pr.	Namen und Bezirke der Vertrauensmänner der Elbschifffahrts-Berufsgenossenschaft im Regierungsbezirk Potsdam.	10	79
- 3.	19. P. Pr.	Errichtung von Apotheken in Berlin	11	92/93
- 3.	7. K.	Aufgebot von Schuldverschreibungen	11	95
- 4.	56. R. Pr.	Verlockung zur Auswanderung nach Brasilien	10	80
- 4.	60. R. Pr.	Viehseuchen	10	80
- 4.	6. H. V.	Einlösung fälliger Zinsscheine der Preußischen Staatsschulden	12	113
- 4.	8. H. V.	9. Verloosung von $3^1/_2$% Staatsschuldscheinen von 1842	13	129/130
- 5.	23. P. Pr.	Anlage des 3. und 4. Geleises der Berliner Ringbahn vom Bahnhof Wedding bis zum Bahnhof Westend.	11	94/95
- 5.	19. O.P.D.	Unbestellbare Einschreibbriefe	11	95
- 6.	64. R. Pr.	Erledigung der Kreisthierarztstelle im Kreise Templin	11	92
- 6.	22. P. Pr.	Berliner und Charlottenburger Preise für den Monat Februar 1890	11	94
- 6.	16. E. Br.	Frachtbegünstigung für Ausstellungsgegenstände	12	115
- 7.	R. Pr. u. P. Pr.	Anweisung zur Ausführung der §§ 18, 138, 156 bis 161 des Reichsgesetzes, betr. die Invaliditäts- und Altersversicherung vom 22. Juni 1890.	Extrablatt vom 17. März 1890.	
- 7.	66. R. Pr. u. P. Pr.	Ausspielung von Silbersachen ꝛc. in Hamburg	12	112
- 7.	20. P. Pr.	Apotheken-Räumlichkeiten betr.	11	93/94
- 7.	4. R. P. A.	Zulassung von Postaufträgen nach einigen Orten der Levante	12	113
- 7.	15. E. Br.	Tarif für die Beförderung von Personen und Reisegepäck	12	114/115
- 7.	17. E. Br.	Neuer Tarif für die Beförderung von Personen und Reisegepäck ..	12	115
- 8	26. P. Pr.	Eröffnung einer Apotheke in Berlin	12	112
- 8.	9. E. B.	Neuer Galizisch-Norddeutscher Verbandtarif	12	114
- 8.	— —	Elbstrombauverwaltung. — Polizei-Verordnung, betr. den Schutz der Schardeiche an der Elbe gegen den Wellenschlag der Dampfschiffe.	11	96
- 9.	10. E. B.	Güterverkehr zwischen den Eisenbahnen Deutschlands und Oesterreich-Ungarns einerseits und Rumänien andererseits.	12	114
- 10.	62. R. Pr.	Nachweisung des Monatsdurchschnitts der höchsten Tagespreise einschl. 5% Aufschlag im Monat Februar 1890.	11	91
10.	63. R. Pr.	Nachweisung der Markt- ꝛc. Preise im Monat Februar 1890	11	92/93

Datum	Nummer der Verordnungen und Bekanntmachungen.	Inhalt der Verordnungen und Bekanntmachungen.	Stück des Amtsblatts.	Seitenzahl des Amtsblatts.
März 10.	9. O. B. A.	Bergwerkseigenthum „Hugo Hoff" im Kreise Teltow	11	95
- 11.	8. O. Pr.	Reichstagsneuwahl im I. Berliner Wahlkreise	11	91
- 11.	61. R. Pr.	Viehseuchen	11	91
- 11.	20. O.P.D.	Einrichtung von Posthülfsstellen	12	113
- 11.	2. L. D.	Wahl von Mitgliedern des Direktorialraths der Städte-Feuer-Sozietät der Provinz Brandenburg.	12	116
- 12.	25. P. Pr.	Verbot einer Druckschrift	12	112
- 12.	27. P. Pr.	Prüfung für Heilgehülfen	12	112/113
- 12.	7. H. V.	Vorkommen falscher Zinsscheine von Staatsschuldverschreibungen	12	113/114
- 13.	69. R. Pr.	Verordnung, betr. den Verkehr mit Arzneimitteln	13	122/127
- 13.	28. P. Pr	Ausbildung von Hebammen	12	113
- 13.	1. Ko.	Errichtung einer neuen geistlichen Stelle an der Dorotheenstädtischen Kirche in Berlin.	20	185
- 13.	2. Ko.	Desgl. an der St. Johannis-Evangelist-Kirche in Berlin	20	185
- 13.	3. Ko.	Desgl. an der St. Golgathä-Kirche in Berlin	20	185/186
- 13.	8. K.	Aufgebot einer Schuldverschreibung	12	114
- 13.	9. K.	Desgl.	12	114
- 13.	11. E. B.	Ostdeutsch-Oesterreichischer Verband, Theil III.	12	114
- 13.	(L. D.)	Siehe Nr. 5 L D. unterm 30. Mai 1890.		
- 13.	— —	Regierungs-Präsident zu Magdeburg. — Schifffahrtssperre	12	116
- 14.	65. R. Pr.	Erledigte Kreiswundarztstelle im Kreise Zauch-Belzig	12	112
- 14.	29. P. Pr.	Entziehung eines Hebammen-Prüfungszeugnisses	12	113
—	— —	Vorlesungen an der Königl. thierärztlichen Hochschule zu Hannover im Sommerhalbjahr 1890.	11	97
—	— —	Ausweisung von Ausländern aus dem Deutschen Reichsgebiete nach Nr. 8 und 9 des Centralblatts für 1890.	11	98
März 15.	16. M.	Zusatzbestimmungen zum Gebührentarif vom 31. März 1877 zur Bezahlung der Kataster-Auszüge, Abschriften und Handzeichnungen.	25	227
- 15.	5. R. P. A.	Postpacketverkehr mit den Französischen Besitzungen Gabun und Kongo, sowie mit den Seychellen-Inseln.	13	129
- 15.	9. H. V.	Aufruf der zur Einlösung noch nicht eingegangenen Schuldverschreibungen der 4% Staatsanleihen von 1850, 1852, 1853 und 1862.	13	130
- 15.	9. E. M.	Lokal-Güter-Verkehr	12	115/116
- 16.	30. P. Pr.	Errichtung einer neuen Apotheke in Berlin	13	128/129
- 17.	10. M.	Ausführung des Reichsgesetzes, betr. die Invaliditäts- und Altersversicherung, vom 22. Juni 1889.	21	191/192
- 17.	6. R. P. A.	Post- und Eisenbahnkarte des Deutschen Reiches	13	129
- 17.	1. P. St. D.	Abgrenzung von Steuer-Hebebezirken	13	130
- 18.	67. R. Pr.	Viehseuchen	12	112
- 18.	92. R. Pr.	Polizei-Verordnung für den Nuthe-Schau-Verband	17	159/160
- 18.	7. R. P. A.	Postverkehr mit der Deutschen Postagentur in Shanghai (China)	13	129
- 18.	23. O.P.D.	Landbestellbezirksänderung	13	129
- 18.	19. E. Br.	Nachtrag III. zum Staatsbahn-Güter-Tarif Bromberg — Magdeburg.	14	143
- 18.	10. E. M.	Fahrplan-Aenderungen	13	131
	11. E. M.		14	135
- 19.	4. Ko.	Errichtung einer neuen geistlichen Stelle an der St. Lukas-Kirche in Berlin.	20	186
- 19.	5. Ko.	Desgl. an der St. Bartholomäus-Kirche in Berlin	20	186

Datum	Nummer der Verordnungen und Bekanntmachungen.	Inhalt der Verordnungen und Bekanntmachungen.	Stück des Amtsblatts.	Seitenzahl des Amtsblatts.
März 19.	18. E. Br.	Nachtrag IV. zum Lokaltarif und Nachtrag XI. zum Kilometerzeiger.	13	131
- 20.	9. O. Pr.	XIX. Nachtrag zum revidirten Reglement der Land-Feuer-Societät für die Kurmark Brandenburg ꝛc. vom 15. Januar 1855.	15	145/147
- 20.	73. R. Pr.	Oeffentliche Belobigung	14	133
- 20.	8. R. P. A.	Postpacketverkehr mit dem Oranje-Freistaat und der Südafrikanischen Republik.	13	129
- 20.	3. L. D.	Hauptetat der Verwaltung des Provinzial-Verbandes von Brandenburg für 1890/91.	14	140/142
- 21.	6. M.	Ankauf von Remonten für 1890	14	133
	7. M.		16	153
	8. M.		18	169
	9. M.		20	181/182
	13. M.		22	199/200
	15. M.		24	213
	17. M.		26	239
	18. M.		27	251
	19. M.		29	273/274
	20. M.		30	285
- 21.	22. E. Br.	Fahrplan-Aenderung	14	144
—	— —	Ausweisung von Ausländern aus dem Deutschen Reichsgebiet nach Nr. 9 und 10 des Centralblatts für 1890.	12	116/118
März 22.	(M.)	Siehe Nr. 83 R. Pr. unterm 2. April 1890.		
- 22.	68. R. Pr.	Tarif zur Erhebung von Ufer-Anlage-, Krahn- und Wiegegebühren für die Benutzung der öffentlichen städtischen Ausladestelle an der Spree in Charlottenburg.	13	122
- 22.	70. R. Pr.	Frühjahrsschonzeit der Fische	13	127
- 22.	3. R.	Zahlungen von Pensionen ꝛc. für Charlottenburg	13	128
- 22.	31. P. Pr.	Entziehung eines Hebammen-Prüfungs-Zeugnisses	14	135
- 22.	21. O.P.D.	Verlegung des Postamts Nr. 22 in Berlin	13	129
- 22.	22. O.P.D.	Desgl. des Postamts Nr. 54 in Berlin	13	129
- 24.	13. E. B.	Umtausch von Prioritäts-Obligationen verstaatlichter Eisenbahnen gegen $3\frac{1}{2}$% Staatsschuldverschreibungen.	14	142/143
- 25.	(M.)	Siehe Nr. 4 P. St. D. unterm 14. April 1890.		
- 25.	71. R. Pr	Viehseuchen	13	127/128
- 25.	72. R. Pr.	Nachweisung der an den Pegeln der Spree und Havel im Monat Februar 1890 beobachteten Wasserstände.	13	128
- 25.	78. R. Pr.	Namen und Bezirke der Vertrauensmänner der Glas-Berufsgenossenschaft.	14	134
- 25.	(P. Pr.)	Siehe Nr. 3 Ko. unterm 13. März 1890.		
- 25.	20. E. Br.	Nachtrag IX. zum Verbands-Gütertarif zwischen Stationen des Bezirks Bromberg und der Marienburg-Mlawka'er Eisenbahn.	14	143
- 25.	21. E. Br.	Ausnahme-Frachtsätze für Torfstreu und Torfmull	14	143
- 26.	8. O. Pr.	Jahres-Durchschnitts-Marktpreise für 1890/91	13	121
- 26.	(P. Pr.)	Siehe Nr. 2 Ko. unterm 13. März 1890.		
- 27.	79. R. Pr.	Fischerei-Aufsichts-Beamte	14	135
- 27	32. P. Pr.	Eröffnung einer Apotheke in Berlin	15	148
- 27.	(P. Pr.)	Siehe Nr. 1 Ko. unterm 13. März 1890.		
- 27.	24. O.P.D.	Aenderung in der Geldbestellung in Berlin	14	135
- 28.	74. R. Pr.	Oeffnungszeiten der Drehbrücken der Berlin-Potsdam-Magdeburger Eisenbahn bei Potsdam und Werder über die Havel.	14	133/134

Datum	Nummer der Verordnungen und Bekanntmachungen.	Inhalt der Verordnungen und Bekanntmachungen.	Stück des Amtsblatts.	Seitenzahl des Amtsblatts.
März 28.	13. K. A.	Nachweisung von Kommunalbezirksveränderungen des Kreises Ruppin	17	165
—	12. E. B.	Fahrplan-Aenderungen	13	130/131
—	— —	Ausweisung von Ausländern aus dem Deutschen Reichsgebiete nach Nr. 11 des Centralblatts für 1890.	13	132
März 29.	2. B. A.	Grunderwerb für den Rangirbahnhof Pankow	14	135
- 30.	75. R. Pr.	Errichtung einer Wasserbauinspektorstelle in Coepenick	14	134
- 30.	(P. Pr.)	Siehe Nr. 4 Ko. unterm 19. März 1890.		
- 30.	23. E. Br.	Beförderung von Saatgetreide nach dem Kreise Ortelsburg	15	149
- 31.	2. P. St. D.	Erhebung von Schleusen-Abgaben	16	155
- 31.	24. E. Br.	Frachtbegünstigung für Ausstellungsgegenstände	15	150
April 1.	76. R. Pr.	Besetzung der Subaltern- und Unterbeamtenstellen bei Reichs- und Staatsbehörden mit Militäranwärtern.	14	134
- 1.	77. R. Pr.	Viehseuchen	14	134
- 1.	33. P. Pr.	Eröffnung einer Apotheke in Berlin	15	148
- 1.	25. E. Br.	Nachtrag IV. zum Südostpreußischen Verbands-Gütertarif	16	155
- 2.	83. R. Pr.	Den Oder-Spree-Kanal betr.	15	148
- 3.	(K.)	Siehe Nr. 4 R. unterm 29. April 1890.		
- 4.	9. R. P. A.	Einrichtung einer Postagentur in Stephansort (Neu-Guinea)	16	154
- 5.	(M.)	Siehe Nr. 69. P. Pr. unterm 15. August 1890.		
- 5.	84. R. Pr.	Chausseegelderhebung im Kreise Niederbarnim	15	148
- 5.	34. P. Pr.	Berliner und Charlottenburger Preise für den Monat März 1890	15	149
- 5.	10. H. V.	Das Preußische Staatsschuldbuch betr.	16	154/155
- 5.	11. K. A.	Nachweisung der Kommunalbezirksveränderungen im Kreise Teltow im I. Vierteljahr 1890.	16	157
- 6.	25. O. P. D.	Das Postamt in Schlachtensee betr.	16	154
- 7.	26. E. Br.	Frachtbegünstigung für Ausstellungsgegenstände	16	156
- 8.	80. R. Pr.	Viehseuchen	15	147
- 8.	81. R. Pr.	Nachweisung der Markt- ꝛc. Preise im Monat März 1890	15	146/147
- 8.	82. R. Pr.	Desgl. des Monatsdurchschnitts der höchsten Tagespreise einschl. 5% Aufschlag im Monat März 1890.	15	148
- 8.	85. R. Pr. u. P. Pr.	Verloosung von Wagen, Pferden, Reit- und Fahrgeräthen betr.	15	148
- 9.	86. R. Pr.	Ortsbenennung „Carlsheim"	16	153
- 9.	6. Ko.	Errichtung einer neuen geistlichen Stelle bei der Zwölf-Apostel-Kirche in Berlin.	20	186
- 9.	15. E. B.	Fahrpreis-Ermäßigungen	16	155
- 10.	35. P. Pr.	Warnung vor dem Weißmann'schen sogenannten Schlagwasser	17	162
- 10.	(P. Pr.)	Siehe Nr. 5 Ko. unterm 19. März 1890.		
- 10.	7. Ko.	Errichtung einer neuen geistlichen Stelle bei der Heilig-Kreuz-Kirche in Berlin.	20	186
- 10.	10. K.	Aufgebot einer Schuldverschreibung	16	155
- 10.	16. E. B.	Frachtstundungen ꝛc. betr.	16	155
—	— —	Inhalts-Verzeichniß von Stück 10 und 11 des Reichs-Gesetz-Blatts von 1890.	15	145
—	— —	Desgl. von Stück 5 bis 9 der Gesetz-Sammlung von 1890	15	145
April 11.	10. O. Pr.	Wahl eines Provinzial-Landtags-Abgeordneten	16	153
- 11.	26. O. P. D.	Eröffnung einer Telegraphen-Betriebsstelle in Jüterbog (Schießplatz)	16	154
- 11.	12. E. M.	Stationsbenennung „Nowawes-Neuendorf"	16	156
—	14. E. B.	Fahrplan-Aenderung	15	149
—	— —	Ausweisung von Ausländern aus dem Deutschen Reichsgebiete nach Nr. 11, 12 und 13 des Centralblatts von 1890.	15	150/152

Datum	Nummer der Verordnungen und Bekanntmachungen.	Inhalt der Verordnungen und Bekanntmachungen.	Stück des Amtsblatts.	Seitenzahl des Amtsblatts.
April 12.	27. E. Br.	Ausgabe von Rückfahrkarten nach Badeorten	17	164
- 12.	— —	Regierungspräsident zu Merseburg. — Steuerkreditkassenscheine und unverzinsliche Kammerkreditkassenscheine betr.	18	173
- 13.	36. P. Pr.	Geheimmittel	17	162
- 14.	4. P. St. D.	Tarif, nach welchem die Abgabe für die Benutzung des Winterhafens bei Wittenberge zu entrichten ist.	17	163/164
- 15.	87. R. Pr.	Viehseuchen	16	153/154
- 15.	38. P. Pr.	Entziehung eines Hebammen-Prüfungszeugnisses	17	163
- 15.	28. O. P. D.	Einrichtung von Postagenturen	17	161
- 15.	12. K. A.	Bezirksveränderung im Kreise Osthavelland	17	164
- 16.	88. R. Pr.	Polizei-Verordnung, betr. die Ausdehnung der Bau-Polizei-Ordnung vom 24. Juni 1887 auf den Amtsbezirk Mariendorf und die Villenkolonie Grunewald.	17	159
- 16.	(P. Pr.)	Siehe Nr. 6 Ko. unterm 9. April 1890.		
- 16.	3. B. A.	Vorarbeiten für eine Eisenbahn untergeordneter Bedeutung von Schönholz nach Cremmen.	17	162
- 16.	3. P. St. D.	Anderweite Uebertragung einer Stempeldistribution	17	163
- 17.	89. R. Pr.	Sperre der Flößerei auf der Dosse	17	159
- 17.	14. K. A.	Genehmigung einer Kommunalbezirksveränderung im Kreise Niederbarnim.	18	173
- 18.	90. R. Pr.	Abänderungen und Ergänzungen der Deutschen Wehrordnung	17	159
- 18.	91. R. Pr.	Schußfreie Tage auf dem Schießplatze bei Cummersdorf für das Jahr 1890.	17	159
- 18.	37. P. Pr.	Steinsetzer-Innung zu Berlin	17	163
- 18.	15. K. A.	Genehmigung einer Kommunalbezirksveränderung im Kreise Niederbarnim.	18	173
- 19.	27. O. P. D.	Einrichtung einer Reichstelegraphenanstalt in Klockow	17	161
- 19	14. K. A.	Genehmigung einer Kommunalbezirksveränderung im Kreise Niederbarnim.	19	177
- 20.	(P. Pr.)	Siehe Nr. 7 Ko. unterm 10. April 1890.		
- 21.	4. B. A.	Vorarbeiten für eine Eisenbahn untergeordneter Bedeutung von Templin nach Prenzlau.	17	162
- 21.	5. B. A.	Desgl. von Beeskow nach Königs-Wusterhausen und nach Lübben	17	162
- 21.	31. O. P. D.	Anderweite Bezeichnung von Postanstalten	18	172
- 21.	12. K.	Aufgebot von Schuldverschreibungen	18	172
- 22.	93. R. Pr.	Viehseuchen	17	160
- 22.	107. R. Pr.	Polizei-Verordnung, betr. die Schonung des Störs	23	200
- 22.	10. R. P. A.	Postpackteverkehr mit den Bermuda-Inseln	19	176
- 23.	94. R. Pr.	Militairische Fourage-Verabreichungsstellen betr.	18	170
- 23.	39. P. Pr.	Rückgabe der Kaution eines Auswanderungs-Unternehmers	18	170
- 23.	41. P. Pr.	Verbot einer Druckschrift	18	170/171
- 23.	4. R. B.	Ausloosung von Rentenbriefen ꝛc.	18	172
- 23.	19. E. B., E. Brs. u. E. Br.	Ausgabe von Rückfahrkarten mit Gutscheinen nach Berlin	18	172/173
- 24.	40. P. Pr.	Straßenbenennung in Berlin	18	170
- 25.	46. P. Pr.	und Magistrat Berlin. — Anstellung eines Bezirksschornsteinfegermeisters.	21	193
- 25.	30. O. P. D.	Unbestellbare Einschreibbriefe	18	171/172
- 25.	11. K.	Aufgebot einer Schuldverschreibung	18	172
- 25.	16. K. A.	Genehmigung einer Kommunalbezirksveränderung im Kreise Niederbarnim.	20	188

Datum	Nummer der Verordnungen und Bekanntmachungen.	Inhalt der Verordnungen und Bekanntmachungen.	Stück des Amtsblatts.	Seitenzahl des Amtsblatts.
—	17. E. B.	Fahrplan-Aenderung	17	164
—	— —	Ausweisung von Ausländern aus dem Deutschen Reichsgebiete nach Nr. 14 und 15 des Centralblatts für 1890.	17	165/168
April 26.	29. O. P. D.	Einrichtung des Telegraphenbetriebes bei dem Postamt Nr. 78 zu Berlin.	18	171
- 26.	15. K. A.	Genehmigung einer Kommunalbezirksveränderung im Kreise Niederbarnim.	19	177/178
- 27.	32. O. P. D.	Unanbringliche Postanweisungen	19	176/177
- 27.	33. O. P. D.	Unanbringliche Briefe mit Werthinhalt	19	177
- 28.	11. M.	Ausführungsbestimmung zum Reichsgesetz, betr. die Invaliditäts- und Alters-Versicherung vom 22. Juni 1889.	21	192
- 28.	35. O. P. D.	Einrichtung einer Reichstelegraphenanstalt in Rechlin	19	177
- 28.	18. E. B.	Ungarisch-Deutscher Viehverkehr	18	172
- 29.	95. R. Pr.	Viehseuchen	18	170
- 29.	98. R. Pr.	Müller-Innung zu Freienwalde a. O.	19	176
- 29.	4. R.	Liste der 1889/90 der Kontrolle der Staatspapiere als aufgerufen und gerichtlich für kraftlos erklärt nachgewiesenen Staats- und Reichs-Schuldurkunden.	18	169/170
- 29.	42. P. Pr.	Verbot eines Flugblattes	19	176
- 29.	43. P. Pr.	Desgl.	19	176
- 29.	34. O. P. D.	Einrichtung einer Reichstelegraphenanstalt in Schweinrich	19	177
- 29.	36. O. P. D.	Desgl in Züsedom	19	177
- 29.	— —	Regierungspräsident zu Bromberg. — Offene Kreisthierarztstelle	20	188
- 30.	97. R. Pr.	Nachweisung der an den Pegeln der Spree und Havel im Monat März 1890 beobachteten Wasserstände.	19	175
- 30.	— —	Der Reichskanzler. — Abänderung der Postordnung vom 8. März 1879	21	191
Mai 1.	96. R. Pr. u. P. Pr.	Verloosung von Pferden, Wagen ꝛc. in Marienburg	19	175
- 2.	50. P. Pr.	Anhang II. zu den neuen Statuten des „Janus". Wechselseitige Lebens-Versicherungs-Anstalt in Wien.	23	208
- 2.	10. R. P. A.	Zulassung von Postaufträgen im Verkehr mit dem Deutschen Postamt in Constantinopel.	20	185
- 2.	37. O. P. D.	Einrichtung einer Reichstelegraphenanstalt in Harnecop	19	177
- 2.	38. O. P. D.	Desgl. in Petzig	19	177
—	— —	Ausweisung von Ausländern aus dem Deutschen Reichsgebiete nach Nr. 15 des Centralblatts für 1890.	18	174
Mai 3.	39. O. P. D.	Einrichtung einer Reichstelegraphenanstalt in Treskow	19	177
- 3.	28. E. Br.	Die Haltestelle Sehlen betr.	20	187
- 5.	11. O. Pr.	Wahl eines Provinzial-Landtags-Abgeordneten	20	182
- 5.	30. E. Br.	Frachtbegünstigung für Ausstellungsgegenstände	20	187
- 5.	17. K. A.	Genehmigung einer Kommunalbezirksveränderung im Kreise Niederbarnim.	20	188
- 6.	99. R. Pr.	Schifffahrtssperre	19	176
- 6.	100. R. Pr.	Viehseuchen	19	176
- 6.	44. P. Pr.	Berliner und Charlottenburger Preise für Monat April 1890	20	184/185
- 6.	9. Ko.	Errichtung einer neuen geistlichen Stelle in der Kirchengemeinde Stralau, Diözese Berlin I.	24	220
- 7.	— —	(Allerhöchster Erlaß) s. Nr. 49 P. Pr. unterm 23. Mai 1890.		
- 7.	96. R. Pr. u. P. Pr.	Verloosung von Wagen, Pferden, Reit-, Fahr- und Jagdgeräthen	20	182
- 7.	29. E. Br	Beförderung von Getreide im Südostpreußischen Verbande	20	187

Datum	Nummer der Verordnungen und Bekanntmachungen.	Inhalt der Verordnungen und Bekanntmachungen.	Stück des Amtsblatts.	Seitenzahl des Amtsblatts.
Mai 8.	6. B. A.	Eröffnung der Jagd auf wilde Enten	20	184
- 8.	41. O. P. D.	Einrichtung einer Reichstelegraphenanstalt in Wandlitz (Mark)	20	185
- 8.	20. E. B. 23. E. B.	Sonder-Personenzüge	20 21	186/187 196
- 9.	40. O. P. D.	Errichtung öffentlicher Fernsprechstellen	20	185
—	— —	Ausweisung von Ausländern aus dem Deutschen Reichsgebiete nach Nr. 16 und 17 des Centralblatts für 1890.	19	179/180
Mai 10.	(M.)	Siehe Nr. 59 P. Pr. unterm 15. Juni 1890.		
- 10.	42. O. P. D.	Einrichtung einer Reichstelegraphenanstalt in Kröchlendorf	20	185
- 10.	32. E. Br.	Frachtbegünstigung für Ausstellungsgegenstände	22	203
- 10.	21. K. A.	Nachweisung von im Kreise Zauch-Belzig genehmigten Kommunalbezirksveränderungen.	26	245
- 11.	22. E. B.	Beförderung von Wollsendungen nach dem Berliner Wollmarkt	21	195/196
- 12.	47. P. Pr.	Polizei-Verordnung, betr. den Tarif für die Dienstmannschaft in Berlin.	21	194
- 12.	43. O. P. D.	Einrichtung einer Reichstelegraphenanstalt in Manker	21	194
- 12.	8. Ko.	Generalkirchenvisitation in der Diözese Strasburg i. M.	21	195
- 12.	31. E. Br.	Die Haltestelle Tangermünde betr	21	196
- 12.	4. L. D.	Ausschreiben der Beiträge für abgabepflichtige Pferde und Rinder (Reichs-Viehseuchen-Gesetz).	21	195
- 13.	97. R. Pr.	Nachweisung des Monatsdurchschnitts der höchsten Tagespreise einschl. 5% Aufschlag im Monat April 1890.	20	183
- 13.	98. R. Pr.	Desgl. der Markt- rc. Preise im Monat April 1890	20	182/183
- 13.	99. R. Pr.	Viehseuchen	20	184
- 13.	102. R. Pr.	Schlächter-Innung zu Teltow	21	192
- 13.	24. E. B.	Personen-Sonderzug	21	196
- 14.	101. R. Pr.	Wöchentliche Schonzeit der Fische	21	192
- 14.	45. P. Pr.	Glaser-Innung zu Berlin	21	193
- 14.	44. O. P. D.	Einrichtung einer Reichstelegraphenanstalt in Mitzow	21	194
- 14.	2. S.	Rektorats-Prüfung in Berlin	24	221
- 14.	3. S.	Mittelschullehrer-Prüfung in Berlin	24	221
- 15.	20. K. A.	Nachweisung der im Kreise Templin genehmigten Kommunalbezirksveränderungen.	25	233
—	— —	Inhalts-Verzeichniß von Stück 12 und 13 des Reichs-Gesetz-Blatts von 1890.	20	181
—	— —	Desgl. von Stück 10 bis 17 der Gesetz-Sammlung von 1890	20	181
Mai 16.	100. R. Pr.	Polizei-Verordnung, betr. die äußere Heilighaltung der Sonn- und Feiertage.	21	192
- 16.	106. R. Pr.	Erhöhung der Vergütungssätze für den zu den diesjährigen Schießübungen auf dem Artillerie-Schießplatz bei Jüterbog geleisteten Vorspann.	22	200
- 16.	(R.)	Siehe Nr. 9 Ko. unterm 6. Mai 1890.		
- 16.	1. S.	Prüfung für Handarbeits-Lehrerinnen in Berlin	24	220/221
- 16.	4. S.	Prüfung für Sprach-Lehrerinnen in Berlin	24	221/222
- 16.	5. S.	Schulvorsteherinnen-Prüfung in Berlin	24	222
- 16.	8. S.	Lehrerinnen-Prüfung in Berlin	25	230
- 16.	25. E. B.	Verzeichniß der Eisenbahn-Stationen mit gleichlautender oder ähnlicher Namensbezeichnung.	22	203
—	— —	Ausweisung von Ausländern aus dem Deutschen Reichsgebiete nach Nr. 18 des Centralblatts für 1890.	20	189/190

Datum	Nummer der Verordnungen und Bekanntmachungen.	Inhalt der Verordnungen und Bekanntmachungen.	Stück des Amtsblatts.	Seitenzahl des Amtsblatts.
Mai 17.	45. O.P.D.	Stadt-Fernsprecheinrichtungen betr.	22	201
	52. O.P.D.		24	220
- 17.	5. R. B.	Verloosung von Rentenbriefen	22	201/203
	7. R. B.		26	243
	10. R. B.		36	337/339
- 17.	— —	Oberpräsident zu Breslau. — Ernennung von Preisrichtern für die Entwürfe und Modelle für ein am meisten geeignetes Segel- oder Lastschiff zum Befahren der Oder rc.	22	203/204
	— —		23	210/211
	— —		24	225/226
- 17.	— —	Regierungspräsident zu Bromberg. — Offene Kreisthierarztstelle	22	204
- 18.	11. R. P. A.	Postpacketverkehr mit Marokko	22	201
- 18.	6. S.	II. Lehrerprüfung im Schullehrer-Seminar zu Oranienburg	24	222
- 18.	7. S.	Aufnahme-Prüfung ebendaselbst	24	222
- 18.	9. S.	Entlassungs-Prüfung ebendaselbst	25	230
- 20.	103. R. Pr.	Verleihung des Verdienst-Ehrenzeichens für Rettung aus Gefahr	21	192/193
- 20.	105. R. Pr.	Viehseuchen	21	193
- 20.	46. O.P.D.	Einrichtung einer Zweig-Postanstalt auf dem Gesundbrunnen bei Freienwalde a. O.	22	201
- 20.	47. O.P.D.	Einrichtung einer Reichstelegraphenanstalt in Mellenau	22	201
- 20.	6. R. B.	Vernichtung ausgeloofter Rentenbriefe	23	210
- 20.	5. P. St. D.	Herstellung eines Branntwein-Denaturirungsmittels	23	210
- 21.	(M.)	Siehe Nr. 5 L. D. unterm 30. Mai 1890.		
- 21.	104. R. Pr.	Oeffnungszeiten der Drehbrücken der Berlin-Potsdam-Magdeburger Eisenbahn über die Havel bei Potsdam und Werder.	21	193
- 21.	48. P. Pr.	Verbot einer Druckschrift	22	200/201
- 22.	12. M.	Polizei-Verordnung, betr. die Eisenbahn von Frankfurt a. O. nach Angermünde.	22	199
- 23.	— —	Der Reichskanzler. — Abänderung der Postordnung vom 8ten März 1879.	25	227
- 23.	106. R. Pr.	Reichstagsersatzwahl im 5. Wahlkreise des Regierungsbezirks Potsdam	Extrablatt vom 24. Mai 1890.	
- 23.	49. P. Pr.	Freilegung des Lützowplatzes und Umbau der Kurfürsten-(Langen) Brücke.	22	201
- 23.	48. O.P.D.	Unanbringliche Postsendungen	23	209
- 23.	13. K.	Aufgebot einer Schuldverschreibung	23	210
	21. E. B.	Den Eisenbahn-Haltepunkt Baumschulenweg betr.	21	195
Mai 24.	14. M.	Notirung von Terminpreisen auf der Börse zu Leipzig	24	213
- 24.	111. R. Pr.	Belobigung für Rettung aus Lebensgefahr	23	205
- 24.	10. S.	Aufnahme-Prüfung am Schullehrer-Seminar zu Kyritz	25	230
- 24.	11. S.	II. Lehrer-Prüfung ebendaselbst	25	230
- 24.	12. S.	Entlassungsprüfung ebendaselbst	25	230/231
- 24.	13. S.	II. Lehrer-Prüfung am Schullehrer-Seminar zu Berlin	25	231
24.	29. E. B.	Aufruf Berlin-Anhaltischer Eisenbahn-Prioritäts-Obligationen	25	232
- 24.	— —	Elbstrombau-Verwaltung. — Personal-Veränderung	23	211
- 27.	49. O.P.D.	Errichtung einer Postagentur in Marienthal	23	209/210
- 27.	33. E. Br.	Neue Ausgabe des Ostdeutschen Eisenbahn-Kursbuchs	23	210
- 28.	108. R. Pr.	Oeffnungszeiten der Eisenbahndrehbrücke der Berlin-Hamburger Eisenbahn über die Havel bei Spandau.	22	200
- 28	109. R. Pr.	Viehseuchen	22	200
- 28.	52. P. Pr.	Enteignung von Grundstücken behufs Einlegung eines Druckrohres des Radialsystems XII. der allgemeinen Kanalisation von Berlin.	23	208/209

Datum	Nummer der Verordnungen und Bekanntmachungen	Inhalt der Verordnungen und Bekanntmachungen.	Stück des Amtsblatts.	Seitenzahl des Amtsblatts.
Mai 28.	53. P. Pr.	und Magistrat Berlin. — Anstellung von Bezirksschornsteinfegermeistern.	24	218
- 29.	110. R. Pr.	Polizei-Verordnung, betr. Ergänzung der Bau-Polizei-Ordnungen für die Städte vom 26. Januar 1872 und für das platte Land vom 15. März 1872 hinsichtlich der Höhe der Gebäude.	23	205
- 29.	5. R.	Errichtung eines neuen Katasteramts in Brandenburg a. H.	23	206/208
- 29.	51. P. Pr.	Verbot einer Druckschrift	23	208
- 29.	8. R. B.	Entlastungsquittungen über abgelöste Renten	26	243
- 29.	27. E. B.	Abfertigung von Reisegepäck nach Heringsdorf	24	224
- 29.	13. E. M.	Fahrplan-Aenderung	23	210
- 29.	18. K. A.	Kommunalbezirksveränderung im Kreise Jüterbog-Luckenwalde	24	225
—	— —	Inhalts-Verzeichniß von Stück 14 und 15 des Reichs-Gesetz-Blatts von 1890.	22	199
—	— —	Desgl. von Stück 18 und 19 der Gesetz-Sammlung von 1890	22	199
Mai 30.	112. R. Pr.	Personen-Verkehr auf der Drehbrücke der Berlin-Hamburger Eisenbahn über die Havel bei Spandau.	23	205/206
- 30.	113. R. Pr.	Oeffnungszeiten der Drehbrücke der Berlin-Lehrter Eisenbahn über die Havel bei Spandau.	23	206
- 30.	26. E. B.	Frachtstundungen betr.	24	223/224
- 30.	5. L. D.	II. Nachtrag zum revidirten Reglement der Städte-Feuer-Societät der Provinz Brandenburg.	24	224/225
—	— —	Ausweisung von Ausländern aus dem Deutschen Reichsgebiete nach Nr. 19 des Centralblatts für 1890.	22	204
Mai 31.	114. R. Pr.	Die Vorsitzenden der Schiedsgerichte für land- und forstwirthschaftliche Unfallversicherung betr.	23	206
Juni 2.	51. O. P. D.	Unanbringliche Postsendungen	24	219/220
- 2.	34. E. Br.	Frachtbegünstigung für Ausstellungsgegenstände	24	223
- 3.	115. R. Pr.	Viehseuchen	23	206
- 3.	50. O. P. D.	Einrichtung des Telegraphenbetriebs bei den Postämtern Nr. 47, 70 und 95 zu Berlin.	24	219
- 3.	12. H. V.	Einlösung der am 1. Juli 1890 fälligen Zinsscheine der Preußischen Staatsschulden ꝛc.	24	213/214
- 3.	13. H. V.	19. Verloosung von Schuldverschreibungen der 4% Staatsanleihe von 1868. A.	25	231
- 3.	35. E. Br.	Die Eisenbahnhaltestelle Wilkieten betr.	25	232
- 4.	12. O. Pr.	Wahlordnung, betr. die Wahlen der Ausschußmitglieder für die zur Durchführung der Invaliditäts- und Altersversicherung errichtete Versicherungsanstalt des Stadtkreises Berlin.	Extrabeilage zum 24. Stück.	
- 4.	13. O. Pr.	Desgl. der Provinz Brandenburg		
- 4.	117. R. Pr.	Thierärztliche Untersuchung der nach den Nordseehafenstädten zu versendenden Wiederkäuer und Schweine.	24	214/215
- 4.	119. R. Pr.	Fischerei-Aufsicht betr.	24	215
- 4.	122. R. Pr.	Nachweisung der an den Pegeln der Spree und Havel im Monat April 1890 beobachteten Wasserstände.	24	216
- 4.	8. B. A.	Allgemeine Vorarbeiten für die Herstellung eines für Seeschiffe fahrbaren Kanals von der Ostsee nach Berlin und von da nach der Nordsee.	24	218
- 4.	— —	Regierungspräsident zu Hannover. — Verloosung der vormals Hannoverschen 4% Staatsschuldverschreibungen Lit. S.	25	233/234
- 5.	14. O. Pr.	Ernennung eines Oberfischmeisters der Provinz Brandenburg	25	228
- 5.	118. R. Pr.	Ausspielung von Pferden ꝛc. in Zerbst	24	215

Datum	Nummer der Verordnungen und Bekanntmachungen.	Inhalt der Verordnungen und Bekanntmachungen.	Stück des Amtsblatts.	Seitenzahl des Amtsblatts.
Juni 5.	10. O. B. A.	Bergwerkseigenthum „Mellen" im Kreise Teltow	24	222
- 5.	11. O. B. A.	Desgl. „Fritz Glück" im Kreise Teltow	24	222
- 5.	14. E. M.	Lokal-Güterverkehr betr.	25	232
- 6.	54. P. Pr.	Berliner und Charlottenburger Preise im Monat Mai 1890	24	218/219
- 6.	56. P. Pr	Entziehung der Erlaubniß zur Ausübung des Hebammen-Gewerbes	25	229
- 6.	6. L. D.	Die Taubstummen-Anstalt der Provinz Brandenburg zu Guben betr.	25	232
—	— —	Ausweisung von Ausländern aus dem Deutschen Reichsgebiete nach Nr. 19 des Centralblatts für 1890.	23	211/212
Juni 7.	116. R. Pr.	Abhaltung von Schießversuchen auf dem Schießplatze bei Cummersdorf.	24	214
- 7.	55. P. Pr.	Verlegung der Stettiner Bahn zwischen Berlin und Pankow und Anlage eines Rangirbahnhofes bei Pankow.	25	228
- 8.	57. P. Pr.	Entziehung der Befugniß, sich als geprüfter Heildiener zu bezeichnen.	25	229
- 9.	120. R. Pr.	Nachweisung der Markt- rc. Preise im Monat Mai 1890	24	214/215
- 9.	121. R. Pr.	Desgl. des Monatsdurchschnitts der höchsten Tagespreise einschl. 5% Aufschlag im Monat Mai 1890.	24	216
- 9.	7. B. A.	Ferien des Bezirksausschusses zu Potsdam	24	218
	9. B. A.		25	228
	10. B. A.		26	231
- 9.	54. O. P. D.	Das Postamt des X. Deutschen Bundesschießens Berlin N. betr..	25	229
- 9.	14. S.	Prüfung der Zeichenlehrer und Zeichenlehrerinnen	25	231
- 10.	123. R. Pr.	Fischerei-Aufsichtsdienst	24	217
- 10.	124. R. Pr.	Viehseuchen	24	217/218
- 10.	6. R.	Versicherung domainenrentenpflichtiger Gebäude gegen Feuergefahr	26	240
- 10.	19. K. A.	Kommunalbezirksveränderungen im Kreise Niederbarnim	25	232
- 11.	— —	Allerhöchstes Privilegium wegen Ausfertigung von Kreisanleihescheinen des Kreises Teltow.	28	261/263
- 11.	53. O. P. D.	Das Postamt auf dem Ausstellungsplatze der I. allgemeinen Deutschen Pferde-Ausstellung zu Berlin.	25	229
- 11.	55. O. P. D.	Anmeldung von Fernsprech-Anschlüssen	25	229
	57. O. P. D.		26	241
	62. O. P. D.		27	253
- 11.	37. E. Br.	Bestellungen zusammenstellbarer Fahrscheinhefte	26	244
- 12.	125. R. Pr.	Stättegeld-Tarif von Lychen	25	228
- 12.	56. O. P. D.	Anschluß an Stadt-Fernsprecheinrichtungen	25	229/230
	58. O. P. D.		26	241
	64. O. P. D.		27	253
- 12.	7. L. D.	Verwaltungsübersicht der Brandenburg'schen Wittwen- und Waisen-Versorgungs-Anstalt im Jahre 1889/90.	26	246
- 13.	28. E. B.	Eisenbahn-Verkehr mit den Levante-Häfen	25	231/232
- 14	128. R. Pr.	Befugnisse der Dampfkessel-Ingenieure zur Prüfung und Abnahme von Dampfkesseln.	26	239
- 14.	— —	Königliches Kredit-Institut für Schlesien zu Breslau. — 43. Verloosung von Schlesischen Pfandbriefen Litt. B.	26	246/247
- 15.	59. P. Pr.	I. Nachtrag zum revidirten Statut der „Friedrich Wilhelm", Preußische Lebens- und Garantie-Versicherungs-Actien-Gesellschaft zu Berlin.	26	241
- 15	36. E. Br.	Frachtbegünstigung für Ausstellungsgegenstände	26	244
- 16.	— —	Der Reichskanzler. — Abänderungen der Postordnung vom 8. März 1879.	28	263
- 16.	131. R. Pr.	General-Konsulat der Vereinigten Staaten zu Berlin	26	240

Datum	Nummer der Verordnungen und Bekanntmachungen.	Inhalt der Verordnungen und Bekanntmachungen.	Stück des Amtsblatts.	Seitenzahl des Amtsblatts.
Juni 17.	— —	Allerhöchster Erlaß, betr. die Regulirung des Zingergrabens in der Gemarkung Nieder-Schönhausen.	33	309
- 17.	126. R. Pr.	Staatsstipendium zum Besuche der Königl. technischen Hochschule ..	25	228
- 17.	127. R. Pr.	Viehseuchen	25	228
- 18.	58. P. Pr.	Schiffsliegefrist für Obsthandelsschiffe	26	241
- 18.	10. Ko.	Parochial-Verhältniß der in Berlin neu anziehenden evangelischen Glaubensgenossen.	27	253/254
- 18.	14. K.	Aufgebot einer Schuldverschreibung	26	242
- 19.	15. O. Pr.	Wahlbezirks-Eintheilung für die Wahl des Ausschusses der Versicherungs-Anstalt des Stadtkreises Berlin für die Invaliditäts- und Altersversicherung.	Extrabeilage zum 26. Stück.	
- 19.	R. Pr.	Ersatzwahl eines Reichstags-Abgeordneten im 4. Wahlkreise	Extrablatt vom 20. Juni 1890.	
- 19.	60. P. Pr.	Verlegung der Berlin-Stettiner Eisenbahn und Herstellung der Güteranschlüsse nach dem Rangirbahnhofe Pankow.	26	241
- 19.	59. O. P. D.	Einrichtung von Reichs-Telegraphen-Anstalten in Lietzow, Berge und Ribbeck.	26	242
- 19.	61. O. P. D.	Annahme von Postsendungen durch die Landbriefträger	26	242
- 19.	38. E. Br.	Eisenbahn-Verkehr nach den Levante-Häfen	26	244
- 19.	39. E. Br.	Güterverkehr im Herbste	27	255
- 19.	23. K. A.	Kommunalbezirksveränderungen im Kreise Oberbarnim	27	257
—	— —	Inhalts-Verzeichniß von Stück 16 und 17 des Reichs-Gesetz-Blatts von 1890.	25	227
—	— —	Desgl. von Stück 20 bis 23 der Gesetz-Sammlung von 1890....	25	227
Juni 20.	129. R. Pr.	Schußfreie Tage auf dem Schießplatze bei Cummersdorf für das Jahr 1890.	26	239
- 20.	11. B. A.	Ferien des Bezirks-Ausschusses zu Berlin	27	252
- 20.	61. P. Pr.	Warnung vor dem Bandwurmheilkünstler Rohrmann	27	252
- 20	12. R. P. A.	Werthbriefverkehr mit Kamerun	27	253
- 20.	15. S.	Eröffnung des Gymnasiums zu Schöneberg	26	242
- 20.	15. E. M.	Umtausch von Eisenbahn-Prioritäts-Obligationen gegen $3^1/_2$% Staatsschuldverschreibungen.	26	244/245
	16. E. M.		27	256/257
	17. E. M.		28	268/269
—	— —	Ausweisung von Ausländern aus dem Deutschen Reichsgebiete nach Nr. 21 und 22 des Centralblatts für 1890.	25	235/236
Juni 21.	16. O. Pr.	Ernennung des Beauftragten für die Leitung der Wahlen der Ausschußmitglieder für die zur Durchführung der Invaliditäts- und Altersversicherung errichtete Versicherungs-Anstalt der Provinz Brandenburg.	27	251
- 21.	13. R. P. A.	Postpacketverkehr mit Kamerun	27	253
- 21.	30. E. B.	Umtausch von Eisenbahn-Prioritäts-Obligationen gegen $3^1/_2$% Staatsschuldverschreibungen.	27	254/255
- 22.	40. E. Br.	Ferien-Sonderzüge	27	255
- 23.	130. R. Pr.	Nachweisung der an den Pegeln der Spree und Havel im Monat Mai 1890 beobachteten Wasserstände.	26	240
- 23.	60. O. P. D.	Einrichtung einer Reichstelegraphenanstalt in Oehna	26	242
- 23.	41. E. Br.	Frachtbegünstigung für Ausstellungsgegenstände	27	256
- 24.	132. R. Pr.	Viehseuchen	26	240
- 24.	— —	Königl. Polizei-Direktion zu Charlottenburg. — Polizei-Verordnung, betr. das Meldewesen.	29	278/282
- 25.	— —	Stadtausschuß zu Spandau. — Grenzveränderung der Kreise Teltow und Osthavelland.	28	270

Datum	Nummer der Verordnungen und Bekanntmachungen.	Inhalt der Verordnungen und Bekanntmachungen.	Stück des Amtsblatts.	Seitenzahl des Amtsblatts.
Juni 26.	(M.)	Siehe Nr. 136 R. Pr. unterm 5. Juli 1890.		
- 26.	17. O. Pr.	Wahlbezirkseintheilung für die Wahl des Ausschusses der Versicherungsanstalt der Provinz Brandenburg für die Invaliditäts- und Altersversicherung.	27	251/252
- 26.	14. R. P. A.	Einführung der Postanweisungen im Verkehr mit den Deutschen Schutzgebieten von Kamerun und Togo.	28	266
- 26.	24. K. A.	Kommunalbezirksveränderung im Kreise Osthavelland	28	270
- 27.	— —	Allerhöchstes Privilegium zur Ausgabe von Anleihescheinen der Stadt Berlin.	31	291/293
- 27.	63. O. P. D.	Einrichtung von Postagenturen in Blankenfelde und Schildow, Kreis Niederbarnim.	27	253
- 27.	65. O. P. D.	Desgl. einer Reichstelegraphenanstalt in Mesendorf	27	253
- 27.	28. K. A.	Genehmigung von Kommunalbezirksveränderungen im Kreise Niederbarnim.	30	287/288
—	22. K. A.	Desgl. im Kreise Niederbarnim	26	245/246
—	— —	Ausweisung von Ausländern aus dem Deutschen Reichsgebiete nach Nr. 23 und 24 des Centralblatts für 1890.	26	249/250
Juni 28.	8. L. D.	Provinzial-Abgaben für 1890/91	28	269
- 28.	25. K. A.	Nachweisung der Kommunalbezirksveränderungen im Kreise Angermünde im II. Vierteljahr 1890.	28	270
- 29.	— —	Allerhöchster Erlaß, betr. Herabsetzung des Zinsfußes der Westhavelländischen Kreisanleihen.	32	301
- 29.	18. O. Pr.	Ernennung des Beauftragten für die Leitung der Wahlen der Ausschußmitglieder für die zur Durchführung der Invaliditäts- und Altersversicherung errichtete Versicherungsanstalt des Stadtkreises Berlin.	28	263
Juli 1.	133. R. Pr.	Beschluß, betr. Aufhebung einer vom Amtsvorsteher zu Dt.-Wilmersdorf erlassenen Polizei-Verordnung über die äußere Heilighaltung der Sonn- und Festtage.	27	252
- 1.	134. R. Pr.	Viehseuchen	27	252
- 1.	42. E. Br.	Frachtbegünstigung für Ausstellungsgegenstände	28	267/268
- 2.	15. H. V.	11. Verloosung von Kurmärkischen Schuldverschreibungen	30	286/287
- 2.	15. K.	Aufgebot von Konsols	28	266/267
- 3.	43. E. Br.	Ausnahme-Frachtsätze für Torfstreu und Torfmull	28	268
- 3.	— —	Amtsgericht Trebbin. — Führung der Handels- rc. Register	28	270
- 4.	— —	Allerhöchster Erlaß, betr. die Verlegung eines Druckrohres für die Kanalisation von Charlottenburg.	33	309
- 4.	135. R. Pr.	Verpflegung mittelloser bulgarischer Staatsangehöriger	28	263
- 4.	149. R. Pr.	Polizei-Verordnung, betr. Ergänzung der Verordnung über den Betrieb der Personen-Dampfschifffahrt vom 31. März 1884 und der Verordnung über das Befahren der Wasserstraßen mit Frachtdampfbooten und Dampfschleppzügen vom 31. März 1885.	31	294/295
- 4.	31. E. B.	Steigerung des Güterverkehrs im Herbste	29	277
—	— —	Ausweisung von Ausländern aus dem Deutschen Reichsgebiete nach Nr. 24 und 25 des Centralblatts für 1890.	27	258/260
Juli 5.	136. R. Pr.	Ausführungsbestimmungen zum Reichsgesetze, betr. die Invaliditäts- und Altersversicherung vom 22. Juni 1889.	28	264/265
- 5.	140. R. Pr.	Belohnung für Ermittelung der Thäter von Waldbränden	28	266
- 5.	150. R. Pr.	Polizei-Verordnung, betr. Abänderung der Verordnung über den Personentransport auf Böten und Gondeln auf der Havel zwischen Cladow und Tegel vom 4. März 1876.	31	295

Datum	Nummer der Verordnungen und Bekanntmachungen.	Inhalt der Verordnungen und Bekanntmachungen.	Stück des Amtsblatts.	Seitenzahl des Amtsblatts.
Juli 7.	62 P. Pr.	Berliner und Charlottenburger Preise für den Monat Juni 1890..	29	275
- 7.	15. R. P. A.	Versendung von Postpacketen nach Portugal	29	276
- 7.	44. E. Br.	Frachtbegünstigung für Ausstellungsgegenstände	29	277
- 7.	26. K. A.	Nachweisung der vom Kreisausschusse des Kreises Ruppin genehmigten Kommunalbezirksveränderungen.	29	277
- 8.	21. M.	Tarif für Benutzung der von dem Mühlenbesitzer Schumacher zu Oderberg i. M. am Finow-Kanal errichteten Ablage.	31	293
- 8.	137. R. Pr.	Viehseuchen	28	265
- 8.	138. R. Pr.	Nachweisung des Monatsdurchschnitts der höchsten Tagespreise einschl. 5% Aufschlag im Monat Juni 1890.	28	265
- 8.	139. R. Pr.	Nachweisung der Markt- ꝛc. Preise im Monat Juni 1890	28	266/267
- 8.	66. O. P. D.	Landbestellbezirksänderung	29	276
- 8.	16. K.	Aufgebot einer Schuldverschreibung	29	276
- 8.	27. K. A.	Nachweisung der im Kreise Beeskow-Storkow im I. Halbjahr 1890 genehmigten Kommunalbezirksveränderungen.	30	287
- 9.	(M.)	Siehe Nr. 84 P. Pr. unterm 6. November 1890.		
- 10.	141. R. Pr.	Schneider-, Kürschner- und Mützenmacher-Innung zu Havelberg ..	29	274
- 10.	63. P. Pr.	Einlegung eines Druckrohres des Radialsystems XII. der allgemeinen Kanalisation von Berlin.	29	275/276
—	18. E. M.	Fahrplan Aenderung	28	269
—	— —	Ausweisung von Ausländern aus dem Deutschen Reichsgebiete nach Nr. 26 des Centralblatts für 1890.	28	271/272
Juli 12.	67. O. P. D.	Eröffnung von Reichs-Telegraphen-Anstalten in Boberow, Mellen und Zapel.	29	276
- 12.	68. O. P. D.	Desgl in Mahlsdorf	29	276
- 12.	69. O. P. D.	Desgl. in Jylow, Reichenberg und Pritzhagener Mühle	29	276
- 14.	142. R. Pr.	Maler-Innung zu Nauen	29	274
- 14.	70. O. P. D.	Umwandlung der Postagentur in Adlershof in ein Postamt III....	30	286
- 14.	72. O. P. D.	Anschluß an Stadt-Fernsprecheinrichtungen	30	286
- 14.	6. P. St. D.	Steuervergütung für Branntwein	30	287
- 15.	143. R. Pr.	Sperre der Neuhauser Schleuse	29	274
- 15.	144. R. Pr.	Viehseuchen	29	274
- 15.	71. O. P. D.	Landbestellbezirksänderung	30	286
- 15.	— —	Feuerkassengelder-Ausschreiben für die Land-Feuer-Societät der Kurmark Brandenburg ꝛc. für das I. Halbjahr 1890.	30	288/289
- 17.	12. B. A.	Eröffnung der kleinen Jagd	30	286
—	— —	Inhaltsverzeichniß von Stück 18 des Reichs-Gesetz-Blatts von 1890	29	273
—	— —	Desgl. von Stück 24 bis 30 der Gesetz-Sammlung von 1890 ...	29	273
Juli 18.	16. R. P. A.	Postpacketverkehr mit den Fidji-Inseln	31	295
- 18.	77. O. P. D.	Einrichtung von Posthülfstellen	31	297
- 18.	— —	Feuerkassengelder-Ausschreiben der Städte-Feuer-Societät der Provinz Brandenburg für das I. Halbjahr 1890.	31	298/299
- 18.	— —	Amtsgericht Zossen. — Führung der Handels- ꝛc. Register	31	300
—	— —	Ausweisung von Ausländern aus dem Deutschen Reichsgebiete nach Nr. 27 des Centralblatts für 1890.	29	283/284
Juli 19.	145. R. Pr.	Kommunalbezirksveränderungen im Kreise Angermünde	30	285/286
- 19.	16. H. V.	Aufgebot einer Schuldverschreibung	30	287
	21. H. V.	(desgl.)	40	366
	22. H. V.	(desgl.)	49	448
- 19.	10. P. St. D.	Aenderung und Ergänzung des Regulativs für Gewerbsanstalten, in denen unter steuerlicher Kontrole Branntwein gereinigt werden darf.	34	318/324

Datum	Nummer der Verordnungen und Bekanntmachungen.	Inhalt der Verordnungen und Bekanntmachungen.	Stück des Amtsblatts.	Seitenzahl des Amtsblatts.
Juli 21.	73. O. P. D.	Unbestellbare Einschreibbriefe	31	295/296
- 21.	45. E. Br.	Ausnahme-Frachtsätze für Torfstreu und Torfmull	31	298
- 22.	146. R. Pr.	Viehseuchen	30	286
- 22.	74. O. P. D.	Unanbringliche Postanweisungen	31	296
- 22.	75. O. P. D.	Unanbringliche Postsendungen	31	297
- 22.	76. O. P. D.	Unanbringliche Briefe mit Werthinhalt	31	297
- 23.	7 P. St. D.	Verkauf des allgemeinen Branntwein-Denaturirungsmittels und unvermischter Pyridinbasen als besonderes Denaturirungsmittel.	31	297/298
- 24.	19. O. Pr.	Beginn der Jagd auf Rebhühner im Stadtkreise Berlin	31	293
- 24.	148. R. Pr	Nachweisung der an den Pegeln der Spree und Havel im Monat Juni 1890 beobachteten Wasserstände.	31	294
- 24.	151. R. Pr.	Kommunalbezirksveränderung im Kreise Niederbarnim	31	295
- 24.	64. P. Pr	Desinfektion der Wohnungen nach ansteckenden Krankheiten durch städtische Beamte.	32	301/302
- 24.	8. P. St. D.	Veranlagung der Brennereien zum Kontingent	32	303
—	— —	Inhaltsverzeichniß von Stück 19 bis 21 des Reichs-Gesetz-Blatts von 1890.	30	285
—	— —	Desgl. von Stück 31 und 32 der Gesetz-Sammlung von 1890	30	285
Juli 27.	46. E. Br.	Neue Ausgabe des Ostdeutschen Eisenbahn-Kursbuchs	32	304
- 28.	147. R. Pr.	Ortsbenennung „Sommerswalde" im Kreise Osthavelland	31	293/294
- 28.	47. E. Br.	Frachtbegünstigung für Ausstellungsgegenstände	32	304
- 29.	152. R. Pr.	Viehseuchen	31	295
- 29.	9. P. St. D.	Aenderungen und Ergänzungen des amtlichen Waaren-Verzeichnisses zum Zolltarife rc. rc.	32	303
- 29.	32. E. B.	Norddeutscher Güterverkehr nach den unteren Donauländern	32	303/304
- 29.	29. K. A.	Kommunalbezirksveränderung im Kreise Oberbarnim	41	375
- 30.	147. R. Pr.	Thierärztliche Untersuchung der nach den Nordseehafenstädten zu versendenden Wiederkäuer und Schweine.	32	301
- 30.	— —	Uebersicht von den Ergebnissen der Verwaltung der Städte-Feuer-Societät der Provinz Brandenburg im Jahre 1889.	32	305/307
- 31.	148. R. Pr.	Sperre der Potsdamer Eisenbahn-Drehbrücke über die Havel für den Schiffsverkehr.	32	301
- 31.	78. O. P. D.	Einrichtung eines Postamtes im Landesausstellungsparke zu Berlin	32	302
- 31.	17. K.	Aufgebot einer Schuldverschreibung	32	302
Aug. 1.	149. R. Pr.	Generalkonsulat des Oranje-Freistaats	32	301
—	— —	Ausweisung von Ausländern aus dem Deutschen Reichsgebiete nach Nr. 28 des Centralblatts für 1890.	31	299/300
Aug. 2.	18. K.	Aufgebot einer Schuldverschreibung	32	302
- 4.	70. P. Pr.	Concession und Statuten der Bremer Lebens-Versicherungs-Bank	35	331
- 4.	12. Ko.	Errichtung einer neuen geistlichen Stelle bei der St. Johanniskirche in Moabit.	38	351
- 5.	— —	(Der Reichskanzler.) S. Nr. 75 P. Pr. unterm 18. September 1890 und Nr. 229 R. Pr. unterm 25. Oktober 1890.		
- 5.	150. R. Pr.	Berichtigung des Marktpreis-Verzeichnisses für Mai und Juni 1890.	32	301
- 5.	151. R. Pr.	Viehseuchen	32	301
- 5.	7. R.	Uebersicht des Zustandes der Elementarlehrer-Wittwenkasse für 1888/89.	33	312
- 5.	79. O. P. D.	Verlegung des Postamts 64 zu Berlin	33	313
- 7.	152. R. Pr.	Marktverlegungen der Stadt Wendisch-Buchholz	33	310
- 7.	65. P. Pr	Berliner und Charlottenburger Preise für den Monat Juli 1890	33	312/313

Datum	Nummer der Verordnungen und Bekanntmachungen.	Inhalt der Verordnungen und Bekanntmachungen.	Stück des Amtsblatts.	Seitenzahl des Amtsblatts.
Aug. 8.	20. O. Pr.	Ueberweisung eines Betrages aus den Getreide- und Viehzöllen an die Stadt Berlin.	33	309
- 8.	153. R. Pr.	Vorsitz für das Schiedsgericht für Regiebauten in Jüterbog	33	310
—	— —	Vorlesungen an der Königlichen thierärztlichen Hochschule zu Hannover im Winterhalbjahr 1890/91.	32	305
—	— —	Ausweisung von Ausländern aus dem Deutschen Reichsgebiete nach Nr. 28 und 29 des Centralblatts für 1890.	32	307/308
Aug. 9.	157. R. Pr.	Vorsitz in den Schiedsgerichten für land- und forstwirthschaftliche Unfall-Versicherung.	34	317
- 9.	80. O. P. D	Eröffnung einer Reichstelegraphenanstalt in Schenkendorf	33	313
- 10.	17. R. P. A	Errichtung eines Postamts auf der Insel Helgoland	33	313
- 11.	66. P. Pr.	Grundstücksenteignung zur Verbesserung des Spreelaufs innerhalb der Stadt Berlin.	34	325
- 11.	18. R. P. A.	Strandung des Dampfers „Buenos Aires"	34	318
- 11.	48. E. Br.	Frachtbegünstigung für Ausstellungsgegenstände	34	327
- 11.	— —	Regierungspräsident zu Bromberg. — Erledigte Kreisthierarztstelle des Kreises Schubin.	34	327
- 12.	154. R. Pr.	Viehseuchen	33	310
- 12.	155. R. Pr.	Nachweisung des Monatsdurchschnitts der höchsten Tagespreise einschl. 5% Aufschlag im Monat Juli 1890.	33	311
- 12.	156. R.-Pr.	Desgl. der Marktpreise im Monat Juli 1890	83	310/311
- 12.	67. P. Pr.	Kriminal-Inspektoren als Hülfsbeamte der Staatsanwaltschaft	34	325
- 13.	22. M.	Volkszählung am 1. Dezember 1890	37	341
- 13.	159. R. Pr.	Sperrung der Aufzugsöffnung an der Langen Brücke über die Dahme in Cöpenick.	34	317
- 13.	68. P. Pr.	Grundstücksenteignung zum Zwecke des Umbaues der Kurfürsten- (Langen-) Brücke in Berlin.	34	325
- 13.	17. O. B. A.	Bergwerkseigenthum „Zernsdorf I." in den Kreisen Teltow und Beeskow-Storkow.	34	325
- 13.	18. O. B. A.	Desgl. „Zernsdorf II." in den Kreisen Teltow und Beeskow-Storkow.	34	325/326
- 13.	19. O. B. A.	Desgl. „Zernsdorf III." in den Kreisen Teltow und Beeskow-Storkow.	34	326
- 13.	20. O. B. A.	Desgl. „Zernsdorf V." in den Kreisen Teltow und Beeskow-Storkow.	34	326
- 13.	21. O. B. A.	Desgl. „Zernsdorf VII." in den Kreisen Teltow und Beeskow-Storkow.	34	326
- 13.	22. O. B. A.	Desgl. „Zernsdorf VIII." in den Kreisen Teltow und Beeskow-Storkow.	34	326
- 13.	23. O. B. A.	Desgl. „Zernsdorf" in den Kreisen Teltow und Beeskow-Storkow	34	327
- 14.	158. R. Pr.	Nachweisung der den Kommunal-Verbänden aus den Getreide- und Viehzöllen im Rechnungsjahre 1889/90 überwiesenen Beträge.	34	317
- 14.	160. R. Pr.	Ersatzwahl eines Landtags-Abgeordneten	34	317
—	— —	Inhalts-Verzeichniß von Stück 22 und 23 des Reichs-Gesetz-Blatts von 1890.	33	309
—	— —	Desgl. von Stück 33 und 34 der Gesetz-Sammlung von 1890 ..	33	309
Aug. 15.	69. P. Pr.	Auszug aus dem Gesellschaftsvertrage der Aktien-Gesellschaft „The Porous Waterproofing Company, Limited" zu Liverpool.	Extra-Beilage zum 35. Stück.	
- 15.	(P. Pr.)	Siehe Nr. 12 Ko. unterm 4. August 1890.		
- 15.	34. E. B.	Ostdeutsch-Oesterreichischer Verbandstarif, Theil II.	35	331/332
—	11. Ko.	Umwandlung der Hülfspredigerstelle in D.-Rixdorf in ein Diakonat	33	313

Datum	Nummer der Verordnungen und Bekanntmachungen.	Inhalt der Verordnungen und Bekanntmachungen.	Stück des Amtsblatts.	Seitenzahl des Amtsblatts.
—	— —	Vorlesungen für das Studium der Landwirthschaft an der Universität Halle im Winterhalbjahr 1890/91.	33	314
—	— —	Ausweisung von Ausländern aus dem Deutschen Reichsgetiete nach Nr. 30 und 31 des Centralblatts für 1890.	33	315/316
Aug. 16.	8. R.	Abänderung der Quittungsformulare zu den Wittwen-Pensionen der Königl. Preuß. Allgemeinen Wittwen-Verpflegungs-Anstalt.	34	317/318
- 16.	19. R. P. A.	Postpacketverkehr mit Griechenland	35	331
- 16.	9. R. B.	Einlösung fälliger Zinsscheine der Rentenbriefe	35	331
- 18.	(M.)	Siehe Nr. 9 R. unterm 23. August 1890.		
- 18.	81. O. P. D.	Unanbringliche Postsendungen	35	331
- 18.	35. E. B.	Deutscher Levante-Verkehr über Hamburg seewärts	35	332
- 19.	161. R. Pr.	Viehseuchen	34	317
- 19.	165. R. Pr.	Schußfreie Tage auf dem Schießplatze bei Cummersdorf für 1890	35	330
- 19.	167. R. Pr.	Verkündigung ortspolizeilicher Verordnungen in der Stadt Mittenwalde.	35	330
- 20.	23. M.	Ankauf volljähriger Kavallerie-Reit- und Artillerie-Zugpferde	37	341
	25. M.		38	349
	26 M.		39	355
	27. M.		41	371
- 20.	166. R. Pr.	Hebammen-Lehrkurse des Jahres 1890/91	35	330
- 20.	33. E. B.	Beförderung von Hunden auf der Berliner Stadt- und Ringbahn	35	331
- 21.	49. E. Br.	Frachtbegünstigung für Ausstellungsgegenstände	35	332
- 22.	163. R. Pr.	Beauftragte der Berufsgenossenschaft der Bekleidungsindustrie für den Kreis Teltow ꝛc.	35	329
- 22.	164. R. Pr.	Concession und Statuten-Auszug der Versicherungs-Gesellschaft „Oesterreichischer Phönix" zu Wien.	35	329
- 22.	169. R. Pr.	Fischerei-Aufsichts-Beamte	35	330
- 22.	71. P. Pr.	Gewährung von Prämien für Feuer-Meldungen	35	331
—	— —	Ausweisung von Ausländern aus dem Deutschen Reichsgebiete nach Nr. 32 des Centralblatts für 1890.	34	323
Aug. 23.	19. K.	Aufgebot einer Schuldverschreibung	36	337
- 23.	50. E. Br.	Frachtbegünstigung für Ausstellungsgegenstände	36	339
- 25.	162. R. Pr.	Nachweisung der an den Pegeln der Spree und Havel im Monat Juli 1890 beobachteten Wasserstände.	35	329
- 25.	168. R. Pr	Die bei den größeren Truppenübungen fungirenden Gendarmerie-Patrouillen.	35	330
- 26.	170. R. Pr.	Viehseuchen	35	331
- 26.	171. R. Pr.	Dampfkessel-Revisionen im Baukreise Ruppin	36	335
- 27.	173. R. Pr.	Sektion I. der Berufsgenossenschaft der chemischen Industrie	36	335
- 27.	17. R S. V.	Ausreichung neuer Zinsscheine zu den Schuldverschreibungen der Reichsanleihen vom Jahre 1882 und 1886.	36	337
- 28.	172. R. Pr.	Befugnisse der Dampfkessel-Ingenieure zur Prüfung und Abnahme von Dampfkesseln.	36	335
- 28.	72. P. Pr.	Kurpfuscherei des ꝛc. Mohrmann	36	336
- 28.	82. O. P. D.	Landbestellbezirksänderung	36	335
- 29.	174. R. Pr.	Baugewerks-Innung zu Potsdam	36	335/336
- 29.	20. R. P. A.	Postanweisungen nach Britisch Betschuanaland	37	345
—	— —	Vorlesungen an der Königlichen Landwirthschaftlichen Hochschule zu Berlin im Winterhalbjahr 1890/91.	35	333
—	— —	Ausweisung von Ausländern aus dem Deutschen Reichsgebiete nach Nr. 33 des Centralblatts für 1890.	35	334

Datum	Nummer der Verordnungen und Bekanntmachungen.	Inhalt der Verordnungen und Bekanntmachungen.	Stück des Amtsblatts.	Seitenzahl des Amtsblatts.
Aug. 30.	24. M.	Abänderung der Polizei-Verordnung vom 21. Januar 1879, betr. die Zweigbahn vom Personenbahnhofe Berlin der Niederschlesisch-Märkischen Eisenbahn nach den Gasanstalten in der Gitschinerstraße in Berlin.	38	349
- 30.	175. R. Pr.	Chausseegeld-Erhebung auf der Eberswalde-Oderberger Kreischaussee.	36	336
- 30.	176. R. Pr.	Belobigung für Rettung aus Lebensgefahr	36	336
- 30.	51. E. Br.	Nachtrag zum Verbandsgütertarif zwischen Stationen des Bezirks Bromberg und der Marienburg-Mlawka'er Eisenbahn.	37	346
Sept. 1.	22. O. Pr.	Jahresarbeitsverdienst land- und forstwirthschaftlicher Arbeiter im Stadtkreise Berlin.	37	341/342
- 1.	52. E. Br.	Bezeichnung der Eisenbahnhaltestelle Gutowo mit dem Namen Kleparz.	37	346
- 2.	177. R. Pr.	Viehseuchen	36	336
- 3.	21. O. Pr.	Anbringung von Blechtafeln mit aufgedruckter Anweisung zur Wiederbelebung Ertrunkener.	37	341
- 3.	182. R. Pr.	Winterschonzeit, Verbot des Lachsfanges mit Zug- und Treibnetzen und Verbot des Krebsfanges.	37	344
- 3.	19. H. V.	10. Verloosung von 3½% Staatsschuldscheinen von 1842	39	360
- 3.	— —	Amtsgericht Cöpenick. — Führung des Handels- ꝛc. Registers	37	347
- 4.	18. H. V.	Einlösung der am 1. Oktober 1890 fälligen Zinsscheine der Preußischen Staatsschulden ꝛc.	37	345/346
—	— —	Inhaltsverzeichniß von Stück 24 bis 26 des Reichs-Gesetz-Blatts von 1890.	36	335
—	— —	Desgl. von Stück 35 der Gesetz-Sammlung von 1890	36	335
Sept. 5.	178. R. Pr.	Ersatzwahl eines Landtags-Abgeordneten	37	342
- 5.	183. R. Pr.	Belobigung für Rettung aus Lebensgefahr	37	344
- 5.	184. R. Pr.	Desgl.	37	344
- 5.	10. R.	Entwürfe und Zeichnungen zu Schul-Neu- und Erweiterungsbauten	37	344
- 5.	73. P. Pr.	Berliner und Charlottenburger Preise für den Monat August 1890	37	345
—	— —	Ausweisung von Ausländern aus dem Deutschen Reichsgebiete nach Nr. 33 und 34 des Centralblatts für 1890.	36	339/340
Sept. 6.	19. E. M. 20. E. M.	Sonderzüge zur Magdeburger Messe	38 39	352 362/363
- 7.	53. E. Br.	Frachtbegünstigung für Ausstellungsgegenstände	38	352
- 8.	180. R. Pr.	Nachweisung des Monatsdurchschnitts der gezahlten höchsten Tagespreise einschl. 5% Aufschlag im Monat August 1890.	37	343
- 8.	181. R. Pr.	Desgl. der Markt- ꝛc. Preise im Monat August 1890	37	342/343
- 8.	11. R.	Zahlungen aus Domainen- und Forst-Veräußerungen und Ablösungen	38	351
- 8.	20. K.	Aufgebot einer Staatsschuldverschreibung	38	351/352
- 9.	179. R. Pr.	Viehseuchen	37	342
- 9.	78. P. Pr.	Statut des Feuer-Versicherungs-Verbandes Deutscher Fabriken zu Berlin.	Extra-Beilage zum 41. Stück.	
- 9.	— —	Reichs-Versicherungsamt. — Die für die Invaliditäts- nnd Alters-Versicherung zu verwendenden Beitrags- und Zusatz-Marken.	46	413/414
- 10.	74. P. Pr.	Grundstücksenteignung zur Verbesserung des Spreelaufs innerhalb der Stadt Berlin.	38	351
- 10.	21. R. P. A.	Postpacketverkehr mit Siam	38	351
- 10.	— —	Amtsgericht Oranienburg. — Führung des Handels-Registers	39	363
- 12.	187. R. Pr.	Erhöhung der Vergütungssätze für den zu den Herbstübungen gestellten Vorspann.	38	350

Datum	Nummer der Verordnungen und Bekanntmachungen.	Inhalt der Verordnungen und Bekanntmachungen.	Stück des Amtsblatts.	Seitenzahl des Amtsblatts.
—	— —	Ausweisung von Ausländern aus dem Deutschen Reichsgebiete nach Nr. 35 des Centralblatts für 1890.	37	348
Sept. 13.	188. R. Pr.	Grundstücksenteignung zur Anlage des 2. Artillerie-Schießplatzes bei Jüterbog.	38	350
- 13.	9. L. D.	Statut der Brandenburgschen Feuerwehr-Unfallkasse	39	361
- 14.	36. E. B.	Be- und Entladefristen für den Bahnhof Wilmersdorf-Friedenau .	38	352
- 15.	23. O. Pr.	Dank des Generalkommandos für gute Aufnahme der Truppen des Gardekorps gelegentlich der Herbstübungen.	39	355
15	189. R. Pr.	Sachverständige der Brennerei-Berufsgenossenschaft	38	351
- 15.	20. H. V.	36. Verloosung der Staats-Prämien-Anleihe vom Jahre 1855 ..	39	360/361
- 15.	— —	Amtsgericht Strausberg. — Führung des Handels-Registers	39	363
- 16.	185. R. Pr.	Viehseuchen	38	349
- 16.	186. R. Pr.	Nachweisung der an den Pegeln der Spree und Havel im Monat August 1890 beobachteten Wasserstände.	38	350
- 16.	190. R. Pr.	Ersatzwahl eines Landtags-Abgeordneten	38	351
- 16.	191. R. Pr	Einfuhr von Schweinemagen, -Lebern und -Därmen	39	355
- 16.	21. K.	Aufgebot von Staatsschuldverschreibungen	39	361
- 17.	192. R. Pr.	Versendung von Wiederkäuern und Schweinen nach den Nordseehafenstädten.	39	355
- 17.	11. R. B.	Abhebung neuer Zinskoupons von Rentenbriefen	39	361/362
- 17.	— —	Amtsgericht Zehdenick. — Führung des Handels-Registers	39	363
- 18.	193. R. Pr.	Chausseegelderhebung auf der Teltower Kreischaussee Runsdorf-Schönow ꝛc.	39	355/356
- 18.	75. P. Pr.	Bestimmungen über die Anlegung von Dampfkesseln	39	357/359
- 18.	76. P. Pr.	Druckfehlerberichtigungen zur Extrabeilage zum 35sten Stück	39	359
- 18.	24. R. P. A.	Postpacketverkehr mit Echowe (Zululand) und mit Borneo	41	374/375
- 18	83. O. P. D.	Einrichtung einer Telegraphenhülfsstelle in Alexanderhof	39	360
- 18.	57. E. Br.	Eisenbahnhaltestelle Sehlen	39	362
- 19.	194. R. Pr.	Preisverzeichniß der Königlichen Landesbaumschule in Alt-Geltow und bei Potsdam für 1. Oktober 1890/91.	39	356
- 19.	77. P. Pr.	Anlegung neuer Apotheken in Berlin	40	365
- 19.	83. P. Pr.	Aenderungen der revidirten Statuten der Lebensversicherungs- und Ersparnißbank in Stuttgart.	44	393
- 19.	22. R. P. A.	Telegraphische Verbindung mit Ostafrika	39	359/360
—	— —	Ausweisung von Ausländern aus dem Deutschen Reichsgebiete nach Nr. 35 und 36 des Centralblatts für 1890.	38	353/354
Sept. 20.	195. R. Pr.	Oeffnungszeiten der Eisenbahn-Drehbrücken über die Havel bei Potsdam und Werder.	39	356
- 20.	198. R. Pr.	Berichtigung der Marktpreise für August 1890	39	356
- 20.	22. K.	Aufgebot einer Staatsschuldverschreibung	39	361
- 20.	55. E. Br.	Frachtbegünstigung für Ausstellungsgegenstände	40	366/367
- 20.	— —	Amtsgericht Liebenwalde. — Führung des Handelsregisters	39	363
- 22.	196. R. Pr.	Einstellung der Beiträge zum II. Kurmärkischen Kriegsschuldensteuer-Verbande.	39	356
- 22.	197. R. Pr.	Jahrmarkts-Verlegung in Pritzerbe	39	356
- 22.	84. O. P. D.	Verlegung des Postamts in Reinickendorf	40	365
- 22.	24. O. B. A	Verleihung des Bergwerkseigenthums unter dem Namen „Mahlow“ im Kreise Teltow.	40	366
- 22.	21. E. M.	Fahrplan-Aenderung	40	367
- 22.	— —	Amtsgericht Berlin II. — Führung des Handels-Registers	39	363
- 23	28. M.	Ausführungsbestimmungen zum Gesetze, betr. die Gewerbegerichte, vom 29. Juli 1890.	41	371/373

Datum	Nummer der Verordnungen und Bekanntmachungen.	Inhalt der Verordnungen und Bekanntmachungen.	Stück des Amtsblatts.	Seitenzahl des Amtsblatts.
Sept. 23.	199. R. Pr.	Viehseuchen	39	356/357
- 23.	88. O. P. D.	Aenderung in der Geldbestellung in Berlin	40	366
- 23.	— —	Amtsgericht Templin. — Führung des Handels-Registers	40	368
- 24.	230. R. Pr.	Aufhebung einer Polizei-Verordnung des Amtsbezirks Steglitz über die Lagerung von Theerölen.	45	402
- 24.	85. O. P. D.	Aufhebung des Postamts Nr. 50 in Berlin	40	365
- 24.	86. O. P. D.	Verlegung des Postamts in Weißensee bei Berlin	40	365
- 24.	90. O. P. D.	Desgl. des Postamts Nr. 45 in Berlin	40	366
- 24.	58. E. Br.	Ausgabe von Schülerzeitkarten	40	367
- 24.	59. E. Br.	Nachtrag 12 zum Kilometerzeiger und Ausnahmefrachtsätze für Getreide und Holz.	40	367
- 25.	200. R. Pr.	Konsulat der Vereinigten Staaten von Nordamerika in Guben	40	365
- 25.	89. O. P. D.	Verlegung der Postagentur Nr. 32 in Berlin	40	366
- 25.	56. E. Br.	Frachtbegünstigung für Ausstellungsgegenstände	40	367
- 25.	57. E. Br.	Neue Ausgabe des Ostdeutschen Eisenbahn-Kursbuchs	40	367
- 25.	— —	Amtsgericht Königs-Wusterhausen. — Führung des Handels-Registers	40	368
- 26.	201. R. Pr.	Dampfkessel-Revisionen im Baukreise Prenzlau	40	365
—	37. E. B.	Eisenbahn-Station Rummelsburg-Rangirbahnhof	39	362
—	— —	Ausweisung von Ausländern aus dem Deutschen Reichsgebiete nach Nr. 37 des Centralblatts für 1890.	39	364
Sept. 27.	79. P. Pr.	Liegefrist der Obsthandelsschiffe in Berlin	41	374
- 27.	91. O. P. D.	Einrichtung einer Postagentur im Kirchdorfe Kleinow	40	366
- 27.	14. Ko.	Errichtung einer neuen geistlichen Stelle bei der Dankeskirche in Berlin	43	389
- 27.	60. E. Br.	Güterladestelle Glowno	40	367
- 27.	— —	Amtsgericht Cremmen. — Führung des Handels-Registers	40	368
- 28.	87. O. P. D.	Verlegung des Postamts Nr. 90 in Berlin	40	365
- 29.	(M.)	Siehe Nr. 11 P. St. D. unterm 10. Oktober 1890.		
- 29.	61. E. Br.	Eisenbahnhaltestelle Kamlarken	41	375
- 29.	— —	Amtsgericht Rixdorf. — Führung des Handels-Registers	40	368
- 30.	203. R. Pr.	Viehseuchen	40	365
- 30.	204. R. Pr.	Ernennung des II. Beauftragten der Brauerei- und Mälzerei-Berufsgenossenschaft.	41	373
- 30.	92. O. P. D.	Postamt Schlachtensee betr.	41	375
—	38. E. B.	Eisenbahnhaltestelle Alt-Ranft	40	366
—	— —	Königliche Bergrevierbeamte zu Frankfurt a. O. — Büreauverlegung	40	368
Okt. 1.	202. R. Pr.	Wahl des Graben-Inspektors für den Havelländischen Luchgraben-schau-Verband.	40	365
- 1.	208. R. Pr.	Ertheilung von Wandergewerbescheinen	41	374
- 1.	23. R. P. A.	Eröffnung einer Telegraphenanstalt in Dar-es-Salaam	41	374
1.	25. O. B. A.	Berg-Polizei-Verordnung, betr. die Sicherung der Salzlagerstätten vor Wassersgefahr.	41	375
- 1.	10. L. D.	Allgemeine Bedingungen für die Versicherung beweglicher Sachen bei der Städte-Feuer-Societät.	41	375
- 2.	24. O. Pr.	Polizei-Verordnung für die Provinz Brandenburg, betr. Abänderung der über die Untersuchung des Schweinefleisches auf Trichinen erlassenen Polizei-Verordnung vom 17. März 1886.	43	385
- 2.	26. O. Pr.	Desgl.	46	405/406
- 2.	30. K. A.	Kommunalbezirksveränderungen im Kreise Templin	42	381
- 3.	25. O. Pr.	Polizei-Verordnung über die Benutzung der Hunde als Zugthiere	43	383/386
- 3.	12. P. St. D.	Erhebung der Wildpretsteuer von Rebhühnern und wilden Gänsen beim Eingange in die Stadt Potsdam.	46	412

Datum	Nummer der Verordnungen und Bekanntmachungen.	Inhalt der Verordnungen und Bekanntmachungen.	Stück des Amtsblatts.	Seitenzahl des Amtsblatts.
—	— —	Ausweisung von Ausländern aus dem Deutschen Reichsgebiete nach Nr. 38 des Centralblatts für 1890.	40	369/370
Oktb. 4.	205. R. Pr.	Fischerei-Aufsicht betr.	41	373
- 4.	209. R. Pr.	Dampfkessel-Revisionen im Baukreise Zehdenick	41	374
- 4.	23. K.	Aufgebot von Staatsschuldverschreibungen	42	379
- 4.	31. K. A.	Nachweisung der Gemeinde- und Gutsbezirksveränderungen im Kreise Prenzlau im III. Vierteljahr 1890.	42	381
- 4.	32. K. A.	Desgl. im Kreise Ostprignitz	42	381
- 4.	— —	Amtsgericht Fehrbellin. — Führung der Handels-Register	41	376
- 6.	213. R. Pr.	Belobigung für Rettung aus Lebensgefahr	42	377
- 6.	26. O. B. A.	Verleihung des Bergwerkseigenthums unter dem Namen „Zernsdorf VI.“ in den Kreisen Teltow und Beeskow-Storkow.	42	379
- 6.	40. E. B.	Nachtrag zum Tarif für den Deutschen Levante-Verkehr über Hamburg seewärts.	42	379/380
- 6.	33. K. A.	Nachweisung der Gemeinde- und Gutsbezirksveränderungen im Kreise Teltow im III. Vierteljahr 1890.	43	388
- 7.	206. R. Pr.	Nachweisung der Markt- 2c. Preise im Monat September 1890	41	372/373
- 7.	207. R. Pr.	Nachweisung der höchsten Tagespreise einschl. 5% Aufschlag im Monat September 1890.	41	374
- 7.	210. R. Pr.	Viehseuchen	41	374
- 7.	214. R. Pr.	Beauftragter der Sektion II. der Norddeutschen Edel- und Unedel-Metall-Industrie-Berufsgenossenschaft.	42	377
- 7.	— —	Amtsgericht Brandenburg a. H. — Gerichtstage in Lehnin	44	397
- 8.	215. R. Pr.	Oeffnungszeiten der Drehbrücke im Zuge der Berlin-Lehrter Eisenbahn über die Havel bei Spandau.	42	377
- 8.	80. P. Pr.	Berliner und Charlottenburger Preise im Monat September 1890.	42	378/379
- 8.	(P. Pr.)	Siehe Nr. 14. Ko. unterm 27. September 1890.		
- 8.	82. P. Pr.	Vorschriften für die öffentlich anzustellenden Metall-Probirer in Berlin.	44	392/393
- 8.	34. K. A.	Nachweisung der Gemeinde- und Gutsbezirksveränderungen im Kreise Angermünde im III. Vierteljahr 1890.	43	389
- 9.	93. O. P. D.	Verlegung der Post-Zollabfertigungsstelle III. in Berlin	42	379
- 9.	39. E. B.	Be- und Entladungsfristen für den Bahnhof Wilmersdorf-Friedenau	42	379
- 9.	35. K. A.	Nachweisung der Gemeinde- und Gutsbezirksveränderungen im Kreise Niederbarnim im II. Vierteljahr 1890/91.	43	389
- 10.	216. R. Pr.	Märkte in der Stadt Wittenberge	42	378
- 10.	25. R. P. A.	Einrichtung Deutscher Postagenturen in Zanzibar, Bagamoyo und Dar-es-Salaam.	43	387
- 10.	11. P. St. D.	Tarif, nach welchem die Abgabe für die Benutzung des Winterhafens bei Wittenberge zu entrichten ist.	42	380/381
- 10.	62. E. Br.	Eisenbahnhaltestelle Biskupitz	42	380
—	— —	Ausweisung von Ausländern aus dem Deutschen Reichsgebiete nach Nr. 39 des Centralblatts für 1890.	41	376
Oktb. 11.	211. R. Pr.	Märkte in der Stadt Lenzen	42	377
- 11.	212. R. Pr.	Errichtung eines neuen Vieh- und Pferdemarktes in der Stadt Jüterbog.	42	377
- 11.	— —	Amtsgericht Perleberg. — Gerichtstage in Warnow	44	397
- 12.	41. E. B.	Frachtstundungen	43	390
- 13.	24. K.	Aufgebot einer Staatsschuldverschreibung	43	389
- 13.	36. K. A.	Nachweisung der im Kreise Zauch-Belzig genehmigten Kommunalbezirksveränderungen.	44	396

Datum	Nummer der Verordnungen und Bekanntmachungen.	Inhalt der Verordnungen und Bekanntmachungen.	Stück des Amtsblatts.	Seitenzahl des Amtsblatts.
Oktb. 13.	— —	Amtsgericht Lindow. — Führung des Handels-Registers	42	383
- 14.	217. R. Pr.	Viehseuchen	42	378
- 14.	12. R.	Versicherung von Gebäuden, auf denen Renten für den Domainen-Fiskus haften, gegen Feuersgefahr.	44	392
- 14.	81. P. Pr.	Bestimmungen über die Genehmigung, Prüfung und Revision der Dampfkessel.	43	386/387
- 14.	— — — —	Königliches Kredit-Institut für Schlesien zu Breslau. — Ausreichung von Zinsscheinen.	43 45	390 404
- 15.	63. E. Br.	Nachtrag zum Staatsbahn-Güter-Tarif Bromberg-Magdeburg	44	395/396
- 15.	— —	Königliches Eisenbahn-Kommissariat zu Berlin. — Kommunalabgabenpflichtiges Reineinkommen verschiedener Eisenbahnen.	43	390
- 15.	— —	Amtsgericht Lychen. — Führung des Handels-Registers	43	390
- 15.	— —	Amtsgericht Pritzwalk. — Gerichtstage in Putlitz	44	397
- 16.	13. B. A.	Schluß der Jagd auf Rebhühner	43	386
- 16.	15. Ko.	Errichtung einer neuen geistlichen Stelle an der St. Andreas-Kirche in Berlin.	47	420
- 17.	219. R. Pr.	Chausseegelderhebung auf der Königs-Wusterhausen-Ragow'er Kreis-Chaussee.	43	386
—	13. Ko.	General-Kirchen-Visitation in der Diözese Potsdam II.	42	379
—	— —	Ausweisung von Ausländern aus dem Deutschen Reichsgebiete nach Nr. 39 und 40 des Centralblatts für 1890.	42	383/384
Oktb. 18.	218. R. Pr.	Schußfreie Tage auf dem Schießplatze bei Cummersdorf für das Jahr 1890.	43	386
- 18.	221. R. Pr.	Schätzung der wegen Rotzverdachts getödteten Pferde	44	391
- 19.	37. K. A.	Veränderung von Gemeinde- und Gutsbezirksgrenzen im Kreise Ruppin	45	403
- 20.	25. K.	Aufgebot von Staatsschuldverschreibungen	44	395
- 21.	220. R. Pr.	Viehseuchen	43	386
- 21.	17. Ko.	Errichtung einer neuen geistlichen Stelle bei der St. Paulskirche in Berlin.	50	456
- 22.	29. M.	Eröffnung der beiden Häuser des Landtages	44	391
- 22.	222. R. Pr.	Anderweite Abgrenzung der Baukreise Perleberg und Nauen	44	391
- 22.	12. R. B.	Vernichtung ausgelooster Rentenbriefe	44	395
- 23.	223. R. Pr.	Beauftragter der Tiefbau-Berufsgenossenschaft	44	391
- 23.	224. R. Pr.	Desgl. der Berufsgenossenschaft der Feinmechanik	44	391
- 23.	94. O. P. D.	Unanbringliche Briefe mit Werthinhalt	44	393/394
- 23.	95. O. P. D.	Unanbringliche Postanweisungen	44	394
- 23.	96. O. P. D.	Unbestellbare Einschreibbriefe	44	394/395
- 23.	97. O. P. D.	Einrichtung des Telegraphenbetriebes auf dem Postamt Berlin 90	44	395
- 25.	225. R. Pr.	Erhebung einer Abgabe am Lieper See	44	391
- 25.	229. R. Pr.	Allgemeine polizeiliche Bestimmungen über die Anlegung von Dampfkesseln.	45	400/402
- 25.	98. O. P. D.	Verlegung des Postamts Nr. 48 in Berlin	44	395
- 25.	64. E. Br.	Eisenbahnhaltestelle Lusin	45	404
- 26.	(P. Pr.)	Siehe Nr. 15 Ko. unterm 16. Oktober 1890.		
- 27.	13. P. St. D.	Anderweite Uebertragung einer Stempeldistribution	46	412
- 28.	226. R. Pr.	Viehseuchen	44	391/392
- 28.	(H. V.)	Siehe Nr. 13 R. unterm 6. November 1890.		
- 29.	47. E. Br.	Ungarisch-österreichisch-deutscher Holz- und Borkeverkehr	46	412
- 31.	227. R. Pr. u. P. Pr.	Fähigkeits-Zeugnisse für beamtete Thierärzte	45	399
- 31.	— —	(Reichsversicherungs-Amt) siehe R. Pr. unterm 25. November 1890.		

Datum	Nummer der Verordnungen und Bekanntmachungen.	Inhalt der Verordnungen und Bekanntmachungen.	Stück des Amtsblatts.	Seitenzahl des Amtsblatts.
—	42. E. B.	Sendungen mit Nachnahmebelastung	44	395
—	— —	Ausweisung von Ausländern aus dem Deutschen Reichsgebiete nach Nr. 41 des Centralblatts für 1890.	44	397/398
Nov. 1.	228. R. Pr.	Nachweisung der an den Pegeln der Spree und Havel im Monat September 1890 beobachteten Wasserstände.	45	399
- 1.	231. R. Pr.	Anweisung, betr. das Verfahren bei der Ausstellung und dem Umtausch von Quittungskarten.	45	402
- 1.	18. S.	Lehrerinnen-Prüfung zu Potsdam	47	421
- 1.	21. S.	Mittelschullehrer-Prüfung zu Berlin	47	421/422
- 1.	29. S.	Rektorats-Prüfung zu Berlin	47	423
- 1.	26. K.	Aufgebot von Staatsschuldverschreibungen	46	412
- 1.	63. E. Br.	Errichtung einer Königl. Eisenbahn-Güter-Nebenstelle	46	412/413
- 3.	— —	(Allerhöchster Erlaß) s. Nr. 90 P. Pr. unterm 18. November 1890.		
- 3.	232. R. Pr.	Ernennung eines Schiedsgerichts-Vorsitzenden bezw. Stellvertreters	45	402/403
- 3.	86. P. Pr.	Prüfung für Heilgehülfen	46	411/412
- 3.	16. S.	Prüfung für den Unterricht in weiblichen Handarbeiten	47	420/421
- 3.	17. S.	Schulvorsteherinnen-Prüfung zu Berlin	47	421
- 3.	19. S.	Lehrerinnen-Prüfung zu Berlin	47	421
- 3.	20. S.	Prüfung für Lehrerinnen der französischen und englischen Sprache zu Berlin.	47	421
- 3.	48. E. B.	Erweiterung der Abfertigungs-Befugnisse der Station Rummelsburg-Rangirbahnhof.	46	412
- 4.	30. M.	Kommunalabgabenpflichtiges Reineinkommen der Preußischen Staatseisenbahnen 2c.	47	417
- 4.	234. R. Pr.	Berichtigung des Marktpreis-Verzeichnisses für den Monat April 1888	45	403
- 4.	235. R. Pr.	Viehseuchen	45	403
- 4.	237. R. Pr.	Revision der Dampfkessel im Bezirk der Wasserbau-Inspektion Fürstenwalde a. Spree.	46	406
- 4.	238. R. Pr.	Belobigung für Rettung aus Lebensgefahr	46	406/407
- 4.	239. R. Pr.	Aenderungen des Pferde-Aushebungs-Reglements für Preußen	46	407
- 4.	99. O.P.D.	Postagentur Schöpfurth wird in ein Postamt III. umgewandelt	46	412
- 4.	27. S.	Aufnahme-Prüfung am Königl. Schullehrer-Seminar zu Cöpenick	47	422/423
- 4.	28. S.	2. Lehrer-Prüfung ebendaselbst	47	423
- 4.	30. S.	Entlassungs-Prüfung ebendaselbst	47	423
- 4.	32. S.	Aufnahme-Prüfung im Königl. Lehrerinnen-Seminar zu Berlin	47	423/424
- 5.	(M.)	Siehe Nr. 249 R. Pr. unterm 17. November 1890.		
- 5.	233. R. Pr.	Schifffahrtssperre	45	403
- 5.	242. R. Pr.	Nachweisung der Namen 2c. der Vertrauensmänner der Elbschifffahrts-Berufsgenossenschaft im Regierungsbezirk Potsdam.	46	409
- 5.	31. S.	Prüfung der Lehrer an Taubstummen-Anstalten zu Berlin	47	423
- 6.	236. R. Pr.	Jahresdurchschnittsverdienst land- und forstwirthschaftlicher Arbeiter	46	406
- 6.	13. R. 15. R.	Ausreichung der Zinsscheine Reihe XXI. zu den Preußischen 3½% Staatsschuldscheinen von 1842 2c. 2c.	46 52	410 471/472
- 6.	84. P. Pr.	3. Nachtrag zu dem Statute des „Nordstern, Unfall- und Altersversorgungs-Actien-Gesellschaft zu Berlin".	46	410/411
- 6.	68. E. Br.	Die Haltestelle Stempuchowo betr.	47	425
- 6.	— —	Königl. Direktion für die Verwaltung der direkten Steuern zu Berlin. — Anmeldung von Neubauten 2c.	47	426
- 6.	— —	Verwaltungs-Resultate der Land-Feuer-Sozietät für die Kurmark Brandenburg 2c. für 1889.	47	429/430
- 7.	85. P. Pr.	Berliner und Charlottenburger Preise im Monat Oktober 1890	46	411

Datum	Nummer der Verordnungen und Bekanntmachungen.	Inhalt der Verordnungen und Bekanntmachungen.	Stück des Amtsblatts.	Seitenzahl des Amtsblatts.
Nov. 7.	16. Ko.	Errichtung einer neuen geistlichen Stelle bei der Nazareth-Kirche in Berlin.	49	448
- 7.	27. K.	Aufgebot einer Staatsschuldverschreibung	47	424
- 7.	— —	Königl. Gestüt-Direktion zu Friedrich-Wilhelms-Gestüt — Nachweisung der im Jahre 1889 gedeckten Stuten und der im Jahre 1890 gefallenen Fohlen.	47	428
—	— —	Ausweisung von Ausländern aus dem Reichsgebiete nach Nr. 42 des Centralblatts für 1890.	45	404
Nov. 8.	28. K.	Aufgebot eines Staatsschuldscheins	47	424
- 8.	67. E. Br.	Frachtbegünstigung für Ausstellungsgegenstände	47	425
- 9.	(P. Pr.)	Siehe Nr. 17 Ko. unterm 21. Oktober 1890.		
- 10.	22. S.	Aufnahme-Prüfung am Königl. Schullehrer-Seminar zu Neu-Ruppin	47	422
- 10.	23. S.	Desgl. am Königl. Seminar für Stadtschullehrer zu Berlin	47	422
- 10.	24. S.	Entlassungs-Prüfung am Königl. Schullehrer-Seminar zu Neu-Ruppin	47	422
- 10.	25. S.	2. Lehrer-Prüfung ebendaselbst	47	422
- 10.	26. S.	Entlassungs-Prüfung am Königl. Schullehrer-Seminar zu Berlin ..	47	422
- 10.	69. E. Br	Nachtrag zum Tarife für die Beförderung von Personen und Reisegepäck.	47	425
- 11.	240. R. Pr.	Nachweisung der Markt- ꝛc. Preise im Monat Oktober 1890 ...	46	408/409
- 11.	241. R. Pr.	Desgl. der höchsten Tagespreise einschl. 5 % Aufschlag im Monat Oktober 1890.	46	408
- 11.	243. R. Pr.	Viehseuchen	46	409/410
- 11.	87. P. Pr.	Bestellung eines Metallprobirers	47	419
- 11.	88. P. Pr.	Bäcker-Innung zu Berlin	47	419/420
- 12.	29. K.	Aufgebot einer Staatsschuldverschreibung	47	424
- 13.	(M.)	Siehe Nr. 96. P. Pr. unterm 28. November 1890.		
- 13.	246. R. Pr.	300 Mark Belohnung für die Entdeckung von Brandstiftern	47	418
- 13.	50. E. B.	Ablauf der Gültigkeit der einfachen Fahrkarten auf der Berliner Stadt- und Ringbahn.	47	424
- 13.	66. E. Br.	Nachtrag 13 zum Kilometerzeiger ꝛc.	47	424
- 13.	— —	Königl. Prüfungs-Kommission für Einjährig-Freiwillige. — Nachsuchung der Berechtigung.	47	425/426
—	— —	Inhalts-Verzeichniß von Stück 27 bis 29 des Reichs-Gesetz-Blatts für 1890.	46	405
—	— —	Desgl. der Gesetz-Sammlung Stück 36 bis 39 für 1890	46	405
Nov. 14.	26. O. Pr.	Volkszählung am 1. Dezember 1890	47	417
- 14.	244. R. Pr.	Oeffnungszeiten der Drehbrücke der Berlin-Hamburger Eisenbahn über die Havel bei Spandau.	47	417
—	— —	Ausweisung von Ausländern aus dem Deutschen Reichsgebiete nach Nr. 42, 43 und 44 des Centralblatts für 1890.	46	415/416
Nov. 15.	247. R. Pr.	Verkehr durch die Spreebrücke bei Spandau im Zuge der Berlin-Hamburger Eisenbahn.	47	418
- 15.	248. R. Pr.	Theilweise Sperrung der Havelbrücke bei Werder	47	418
- 15.	254. R. Pr.	Dampfkessel-Revisionen in den Baukreisen Perleberg und Nauen ..	48	437
- 15.	89. P. Pr.	Verlängerung der Concession eines Auswanderer-Beförderungs-Unternehmers.	47	420
- 17.	249. R. Pr.	Mecklenburgische Hagel-Versicherungs-Gesellschaft zu Neubrandenburg	47	418/419
- 17.	250. R. Pr.	Nachweisung der ländlichen Polizeibezirke, in welchen öffentliche Fleischbeschauer bisher noch nicht angestellt worden sind.	47	419
- 17.	12. R. B. 14. R. B.	Verloosung von Rentenbriefen	48 52	439/440 474/475

Datum	Nummer der Verordnungen und Bekanntmachungen.	Inhalt der Verordnungen und Bekanntmachungen.	Stück des Amtsblatts.	Seitenzahl des Amtsblatts.
Nov. 17.	— —	Amtsgericht Angermünde. — Abhaltung der Gerichtstage in Gramzow	49	452
- 18.	245. R. Pr.	Nachweisung der an den Pegeln der Spree und Havel im Monat Oktober 1890 beobachteten Wasserstände.	47	418
- 18.	251. R. Pr.	Befugnisse von Dampfkessel-Ingenieuren zur Prüfung und Abnahme von Dampfkesseln.	47	419
- 18.	252. R. Pr.	Desgl.	47	419
- 18.	253. R. Pr.	Viehseuchen	47	419
- 18.	90. P. Pr.	Enteignung von Grundstücken zur Verbesserung des Spreelaufs innerhalb der Stadt Berlin.	48	438
- 18.	(P. Pr.)	Siehe Nr. 16 Ko. unterm 7. November 1890.		
- 18.	100. O.P.D.	Einrichtung der Postanstalt Berlin NW. 23	48	438
- 19	13. R. B.	Vernichtung ausgelooster Rentenbriefe	49	448
- 20.	255. R. Pr.	Stellmacher-Innung in Perleberg	48	437
- 20.	101. O.P.D.	Unanbringliche Postsendungen	48	438/439
- 20.	102. O.P.D.	Desgl.	48	439
- 20.	— —	Oberpräsident zu Magdeburg. — Polizei-Verordnung, betr. die Benutzung des fiskalischen Winterhafens bei Wittenberge.	49	450/452
- 20.	— —	Amtsgericht Templin. — Gerichtstage in Boitzenburg und Gerswalde.	50	462
—	— —	Inhalts-Verzeichniß von Stück 30 und 31 des Reichs-Gesetz-Blatts für 1890.	47	417
—	— —	Desgl. von Stück 40 der Gesetzsammlung für 1890	47	417
Nov. 21.	(M.)	Siehe Nr. 262 R. Pr. u. P. Pr. unterm 1. Dezember 1890.		
- 21.	R. Pr.	Rechtzeitige Erneuerung der Bestellung des Amtsblatts für 1891	48	437
	— —		49	445
	— —		50	453
- 21.	91. P. Pr.	Polizei-Verordnung über die Metallbrennereien (Metallbeizen) für den Stadtkreis Berlin.	49	446/447
- 21.	103. O.P.D.	Landbriefbestellbezirksänderung	48	439
- 21.	104. O.P.D.	Einrichtung einer Postagentur im Kirchdorfe Premnitz	48	439
—	49. E. B.	Fahrplan-Aenderung	47	424
—	— —	Ansprache an die Bevölkerung über das Wesen und die Bedeutung der Volkszählung am 1. Dezember 1890.	47	426/427
	— —		48	441/442
—	— —	Ausweisung von Ausländern aus dem Deutschen Reichsgebiete nach Nr. 45 des Centralblatts für 1890.	47	430/431
Nov. 22.	93. P. Pr.	Widerruf der Anstellung eines Bezirks-Schornsteinfegermeisters ...	50	455
- 24.	22. E. M.	Nachtrag zum Lokal-Gütertarif	49	449/450
- 24.	— —	(Reichs-Versicherungs-Amt) s. Nr. 264 R. Pr. unterm 6. Dezember 1890.		
- 25.	256. R. Pr.	Anleitung, betr. den Kreis der nach dem Invaliditäts- und Altersversicherungsgesetz versicherten Personen.	48	437
- 25.	257. R. Pr.	Einfuhr von lebenden Schweinen aus Italien in die öffentlichen Schlachtanstalten zu Brandenburg und Spandau.	48	437/438
- 25.	258. R. Pr.	Viehseuchen	48	438
- 25.	R. Pr.	Anleitung, betr. den Kreis der nach dem Invaliditäts- und Altersversicherungsgesetz versicherten Personen.	Extrabeilage zum 48. Stück.	
- 25.	— —	Oberpräsident zu Magdeburg. — Bestellung des Aufsichtsbeamten für den fiskalischen Winterhafen bei Wittenberge.	49	452
- 26.	259. R. Pr.	Ersatzwahl eines Landtags-Abgeordneten im 8. Wahlbezirk	48	444
- 27.	26. R.P.A.	Wegfall der gestempelten Briefumschläge und Streifbänder	49	447
- 27.	27. R.P.A.	Einziehung der Postwerthzeichen älterer Art	49	447

Datum	Nummer der Verordnungen und Bekanntmachungen.	Inhalt der Verordnungen und Bekanntmachungen.	Stück des Amtsblatts.	Seitenzahl des Amtsblatts.
Nov. 27.	28. R. P. A. 29. R. P. A.	Die Weihnachtssendungen betr.	49 51	447 468
- 27.	52. E. B.	Deutscher Levante-Verkehr über Hamburg seewärts	49	449
- 27.	— —	Amtsgericht Eberswalde. — Gerichtstage in Joachimsthal	50	462
- 28.	96. P. Pr.	Assoziations-Artikel rc. der Actien-Gesellschaft Davenière & Comp. limited zu London.	Extrabeilage zum 51. Stück.	
- 28.	14. P. St. D.	Tarif für die Fähre über die Havel bei Caputh	49	448/449
- 28.	— —	Regierungspräsident zu Bromberg. — Schifffahrtssperre	50	459/460
—	51. E. B.	Die Eisenbahnstation Adlershof betr.	48	440/441
—	— —	Ausweisung von Ausländern aus dem Deutschen Reichsgebiete nach Nr. 46 des Centralblatts für 1890.	48	443/444
Nov. 29.	105. O. P. D.	Benennung des Postamts in Nowawes mit dem Namen „Nowawes-Neuendorf".	49	447/448
- 29.	30. K.	Aufgebot einer Staatsschuldverschreibung	50	459
- 29.	15. P. St. D.	Entziehung der Befugniß des Steueramts zu Zossen zur Erhebung von Reichsstempel-Abgaben.	51	469
—	53. E. B.	Fahrplan-Aenderung	50	457
Dez. 1.	260. R. Pr.	Schifffahrtssperre	49	445
- 1.	261. R. Pr.	Standesamtsbezirksveränderung	49	445
- 1.	262. R. Pr. u. P. Pr.	Arzneibuch für das Deutsche Reich. III. Ausgabe	49	445/446
- 1.	14. R.	Parochial-Verhältnisse der in Alt-Landsberg anziehenden evangelischen Einwohner.	50	455
- 1.	— —	Amtsgericht Wittstock. — Führung des Handelsregisters rc.	50	462
- 1.	— —	Amtsgericht Lenzen a. E. — Desgl.	50	462
- 1.	— —	Amtsgericht Königs-Wusterhausen. — Desgl.	50	462
- 1.	— —	Amtsgericht Perleberg. — Desgl.	52	478
- 2.	263. R. Pr.	Viehseuchen	49	445
- 2.	23. H. V.	Ausreichung der am 1. Januar 1891 fälligen Zinsscheine Preußischer Staatsschulden rc.	51	468/469
- 2.	24. H. V.	20. Verloosung von 4% Staatsschuldverschreibungen von 1868A.	52	474
- 2.	27. O. B. A.	Bergwerkseigenthum „Zernsdorf X." in den Kreisen Teltow und Beeskow-Storkow.	50	458
- 2.	28. O. B. A.	Desgl. „Zernsdorf XI." in denselben Kreisen	50	458/459
- 2.	29. O. B. A.	Desgl. „Zernsdorf XII." in denselben Kreisen	50	459
- 2.	30. O. B. A.	Desgl. „Zernsdorf XIII." in denselben Kreisen	50	459
- 2.	31. O. B. A.	Desgl. „Zernsdorf XIV." in denselben Kreisen	50	459
- 2.	— —	Amtsgericht Jüterbog. — Führung des Handelsregisters rc.	50	462
- 2.	— —	Amtsgericht Potsdam. — Desgl.	50	462
- 4.	— —	Amtsgericht Kyritz. — Desgl.	50	460
- 4.	— —	Amtsgericht Trebbin. — Desgl.	50	462
- 4.	— —	Amtsgericht Strausberg. — Desgl.	51	470
- 4.	— —	Amtsgericht Oranienburg. — Desgl.	51	470
- 4.	L. D.	Errichtung einer „Invaliditäts- und Altersversicherungsanstalt der Provinz Brandenburg" zu Berlin.	51	469
- 5.	R. Pr. R. Pr.	Rechtzeitige Fertigstellung des letzten (52.) Stücks des Jahrgangs 1890	50 51	453 463
- 5.	1. G. K.	Nachweisung der Martini-Durchschnitts-Marktpreise für das Jahr 1890	50	457
- 5.	2. G. K.	Nachweisung der 24jährigen Martini-Durchschnitts-Marktpreise für das Jahr 1890.	50	458
- 5.	70. E. Br.	Die Eisenbahn-Haltestelle Neuendorf-Friedheim betr.	51	469

Datum	Nummer der Verordnungen und Bekanntmachungen.	Inhalt der Verordnungen und Bekanntmachungen.	Stück des Amtsblatts.	Seitenzahl des Amtsblatts.
Dez. 5.	— —	Amtsgericht Gransee. — Führung des Handelsregisters ꝛc.	51	469
- 5.	— —	Amtsgericht Cöpenick. — Desgl.	51	469/470
- 5.	— —	Amtsgericht Zossen. — Desgl.	52	476/477
- 5.	— —	Amtsgericht Cremmen. — Desgl.	52	477
- 5.	— —	Amtsgericht Templin. — Desgl.	52	477
- 6.	28. O. Pr.	Wahl der Mitglieder und Stellvertreter der Aerztekammer für die Provinz Brandenburg und den Stadtkreis Berlin.	51	463/464
- 6.	264. R. Pr.	Prämientarife für die Versicherungsanstalten der Tiefbau-Berufsgenossenschaft ꝛc.	50	453/454
- 6.	94. P. Pr.	Berliner und Charlottenburger Preise im Monat November 1890.	50	456
- 6.	95. P. Pr.	Aberkennung eines Hebammen-Prüfungs-Zeugnisses	50	456
- 6.	— —	Amtsgericht Baruth. — Führung des Handelsregisters ꝛc.	51	470
- 6.	— —	Amtsgericht Rathenow. — Desgl.	51	470
- 7.	27. O. Pr.	Eröffnung des Communal-Landtages der Kurmark	50	453
- 8.	265. R. Pr.	Sperrung der Stadtschleuse zu Brandenburg a. H.	50	455
- 8.	92. P. Pr.	Polizei-Verordnung, betr. Desinfektion bei Tuberculose-Erkrankungen	50	455
- 8.	— —	Amtsgericht Zehdenick. — Führung des Handelsregisters ꝛc.	51	470
- 8.	— —	Amtsgericht Belzig. — Gerichtstage in Niemegk	52	476
- 8.	— —	Amtsgericht Dahme. — Führung des Handelsregisters ꝛc.	52	478
- 9.	266. R. Pr.	Viehseuchen	50	455
- 9.	106.O.P.D.	Verlegung des Postamts Berlin No. 11 (Anhalter Bahnhof)	51	468
- 9.	— —	Amtsgericht Schwedt. — Führung des Handelsregisters ꝛc.	51	470
- 10.	29. O. Pr.	Inkrafttreten des Artikels III. des II. Nachtrages zum revidirten Reglement der Städte-Feuer-Societät.	51	464
- 10.	— —	Amtsgericht Werder a. H. — Führung des Handelsregisters ꝛc. ..	51	470
- 11.	268. R. Pr.	Schifffahrtssperre	51	464
- 11.	269. R. Pr. u. P. Pr	Verloosung von Pferden, Equipagen und Pferdegeschirren ꝛc.	51	465
- 11.	270. R. Pr.	Veränderung der Laichschon-Reviere in den der Stadt Lychen gehörigen Seen betr.	51	465
- 11	97. P. Pr.	Statuten-Aenderung der Preußischen Hypotheken-Aktien-Bank in Berlin.	51	467/468
- 11.	55. E. B.	Ablauf der Gültigkeit einfacher Fahrkarten ꝛc. für den inneren Verkehr der Berliner Stadtbahn und Ringbahn.	51	469
- 11.	— —	Amtsgericht Eberswalde. — Gerichtstage in Biesenthal.	52	476
- 12.	— —	Amtsgericht Beelitz. — Führung des Handelsregisters ꝛc.	51	469
- 12.	— —	Amtsgericht Alt-Landsberg. — Desgl.	52	477
—	54. E. B	Eisenbahnhaltepunkt Neuhof i. d. M.	50	457
—	— —	Ausweisung von Ausländern aus dem Deutschen Reichsgebiete nach Nr. 47 des Centralblatts für 1890.	50	461
Dez. 13.	31. K.	Aufgebot einer Staatsschuldverschreibung	52	474
- 13.	— —	Amtsgericht Alt-Landsberg. — Gerichtstage in Alt-Grund	52	476
- 13.	— —	Amtsgericht Fehrbellin. — Führung des Handelsregisters ꝛc.	52	478
- 14.	— —	Amtsgericht Storkow. — Desgl.	52	477
- 15.	272. R. Pr.	Nachweisung der höchsten Tagespreise einschl. 5 % Aufschlag im Monat November 1890.	51	465
- 15.	273. R. Pr.	Desgl. der Markt- ꝛc. Preise im Monat November 1890	51	466/467
- 15.	274. R. Pr.	Vermehrung der Pferdemärkte in Neu-Weißensee	51	466
- 15.	18 Ko.	Uebersicht der 14jährigen Martini-Marktpreise des Roggens für 1890	52	473
- 15.	32 K.	Aufgebot von Staatsschuldverschreibungen	52	474
- 15.	— —	Amtsgericht Meyenburg. — Führung des Handelsregisters ꝛc.	52	477

Datum	Nummer der Verordnungen und Bekanntmachungen.	Inhalt der Verordnungen und Bekanntmachungen.	Stück des Amtsblatts.	Seitenzahl des Amtsblatts.
Dez. 15.	— —	Amtsgericht Rheinsberg. — Führung des Handelsregisters ꝛc.	52	477
- 15.	— —	Amtsgericht Brandenburg a. H. — Desgl. ...	52	477/478
- 16.	30. O. Pr	Wahl eines Provinzial-Landtags-Abgeordneten ...	52	471
- 16.	271. R. Pr.	Zuständigkeit in Strom- und Schifffahrts-Polizei-Angelegenheiten an der Havelmündung.	51	465
- 16.	275. R. Pr.	Ermittelung des Ernte-Ertrages im Jahre 1890 ...	51	466
- 16.	276. R. Pr.	Viehseuchen ...	51	466/467
- 16.	277. R. Pr.	Schußfreie Tage auf dem Schießplatze bei Cummersdorf für 1890	52	471
- 16.	98. P. Pr.	Gastwirthe-Innung zu Berlin ...	52	472
- 16.	38. K. A.	Nachweisung von im Kreise Ruppin genehmigten Communalbezirks-veränderungen.	52	472
- 17.	267. R. Pr.	Einführung der obligatorischen Kranken-Versicherungspflicht land- und forstwirthschaftlicher Arbeiter im Gemeindebezirk Rixdorf.	51	464
- 17.	— —	Oberpräsident zu Magdeburg. — Verleihung des Charakters als Baurath an den Wasserbauinspektor Fischer zu Wittenberge.	52	476
- 17.	— —	Amtsgericht Lindow. — Führung des Handelsregisters ꝛc. ...	52	477
- 17.	— —	Amtsgericht Berlin I. — Desgl. ...	52	477
- 17.	— —	Amtsgericht Liebenwalde. — Desgl. ...	52	478
- 17.	— —	Amtsgericht Charlottenburg. — Desgl. ...	52	478
- 17.	— —	Amtsgericht Rixdorf — Desgl. ...	52	478
- 18.	14. B. A.	Schluß der kleinen Jagd ...	52	472
—	— —	Inhaltsverzeichniß von Stück 32 und 33 des Reichs-Gesetz-Blatts für 1890.	51	463
—	— —	Desgl. von Stück 41 der Gesetzsammlung für 1890 ...	51	463
Dez. 22.	278. R. Pr.	Viehseuchen ...	52	471
—	23. E. M.	Fahrplan-Aenderung ...	52	472
—	— —	Ausweisung von Ausländern aus dem Deutschen Reichsgebiete nach Nr. 48 und 49 des Centralblatts für 1890.	52	478/480

Potsdam, gedruckt in der Buchdruckerei von A. W. Hayn's Erben.

Amtsblatt

der Königlichen Regierung zu Potsdam und der Stadt Berlin.

Stück 1. Den 3. Januar **1890.**

Bekanntmachungen der Königlichen Ministerien.

Bekanntmachung.

1. Zur Ausführung des Gesetzes, betreffend die Erwerbs- und Wirthschaftsgenossenschaften vom 1. Mai 1889 (R.-G.-Bl. S. 55), wird auf Grund des § 171 Abs. 2 desselben bestimmt:

1) Als Staatsbehörde gilt für Genossenschaften, deren Bezirk sich über die Grenzen eines Kreises nicht hinauserstreckt, der Landrath, in allen übrigen Fällen der Regierungs-Präsident desjenigen Bezirks, in welchem die Genossenschaft ihren Sitz hat. An Stelle des Regierungs-Präsidenten tritt für den Stadtkreis Berlin der Polizei-Präsident, und in der Provinz Posen bis zum 1. April 1890 die Regierung.

2) Als höhere Verwaltungsbehörde gilt der Regierungs-Präsident, für den Stadtkreis Berlin der Polizei-Präsident und in der Provinz Posen bis zum 1. April 1890 die Regierung.

Berlin, den 18. Dezember 1889.

Für den Minister für Handel und Gewerbe.
v. Boetticher.

Der Minister für Landwirthschaft, Domänen u. Forsten.
Frhr. Lucius v. Ballhausen.

Der Minister des Innern.
Herrfurth.

№ A. 3360 Fzm.
" I. 20313 M. f. L. A.
" II. 16120 M. d. J.

Bekanntmachungen des Königlichen Regierungs-Präsidenten.

Betrifft die schußfreien Tage auf dem Schießplatze bei Cummersdorf für 1890.

1. Unter Hinweis auf die Polizei-Verordnung vom 2. November 1875 — Amtsblatt Seite 366 — bringe ich hierdurch zur öffentlichen Kenntniß, daß die **schußfreien** Tage auf dem Schießplatze bei Cummersdorf für das Jahr 1890 wie folgt festgesetzt worden sind:

Januar: 1., 2., 5., 8., 9., 12., 15., 16., 19., 22., 23., 26, 27., 30.
Februar: 2., 5., 6., 9., 12., 13., 16., 19., 20., 23., 26., 27.
März: 2., 3., 5., 9., 10., 12., 16., 17., 19, 23., 24., 26, 30.
April: 2., 4., 6., 7., 9., 13., 14, 16., 20., 21., 23., 27., 28., 30.
Mai: 4, 5, 7., 11., 14., 15., 18, 19., 21., 25, 26., 28.
Juni: 1., 4., 5, 8., 9., 11., 15., 16, 18., 22., 23., 25, 29., 30.
Juli: 2, 6., 7, 9., 13, 14., 16., 20, 21., 23., 27., 28., 30.
August: 3., 4, 6., 10, 11., 13., 17., 18., 20, 24., 25., 27., 31.
September: 1., 3., 7., 8., 10., 14., 15., 17., 21., 22., 24., 28., 29.
Oktober: 1., 5., 6, 8., 12., 13., 15., 19., 20, 22, 26., 27., 29.
November: 2., 3., 5., 9., 10., 12., 16., 17., 19., 23., 24., 26., 30.
Dezember: 3., 4., 7., 10., 11., 14., 17., 18., 21., 24., 25., 26., 28., 31.

Potsdam, den 18. Dezember 1889.
Der Regierungs-Präsident.

Verkündigung ortspolizeilicher Verordnungen in der Stadt Biesenthal.

2. Auf Grund des § 144 Absatz 2 des Gesetzes über die allgemeine Landesverwaltung vom 30. Juli 1883 bestimme ich hierdurch unter Vorbehalt des jederzeitigen Widerrufs, daß die von der Polizei-Verwaltung zu Biesenthal in Gemäßheit des § 5 des Gesetzes über die Polizei-Verwaltung vom 11. März 1850 zu erlassenden ortspolizeilichen Vorschriften ihrem ganzen Inhalte nach in das in Biesenthal unter dem Titel „Biesenthaler Post" erscheinende Blatt aufzunehmen sind und daß hiervon ihre Gültigkeit abhängen soll. Im Uebrigen verbleibt es bei den Bestimmungen der Verordnung vom 25. Juni 1886 — Beilage zum 28. Stück des Amtsblatts.

Potsdam, den 24. Dezember 1889.
Der Regierungs-Präsident.

Ermittelung des Ernteertrages im Jahre 1889.

3. Wie seit einiger Zeit alljährlich findet auch für das Jahr 1889 eine Ermittelung des Ernteertrages statt, welche den Zweck hat, durch direkte Anfrage bei den Betheiligten möglichst zuverlässige Angaben über die 1889 wirklich geerntete Menge an Bodenprodukten zu gewinnen.

Die Ermittelung wird in der zweiten Hälfte des Monats Februar k. J. vorgenommen werden.

In Anbetracht der Wichtigkeit dieser Ernte-Ermittelungen spreche ich die Hoffnung aus, daß allseitig eine bereitwillige Mitwirkung zur Beschaffung des Materials erfolgen möge und daß insbesondere die Mitglieder der landwirthschaftlichen Vereine, sowie alle übrigen darum ersuchten Landwirthe und angesessenen Ortseinwohner den ev. zu bildenden Schätzungs-Kommissionen zur Hand gehen und zu ihrem Theile mit für die pünktliche und zuverlässige Ausfüllung der Erhebungsformulare beitragen mögen.

Potsdam, den 28. Dezember 1889.

Der Regierungs-Präsident.

Arzneitaxe für 1890.

4. Unter Berücksichtigung der in den Einkaufspreisen mehrerer Drogen und Chemikalien eingetretenen Veränderungen und der hierdurch nothwendig gewordenen Aenderung in den Taxpreisen der betreffenden Arzneimittel habe ich eine Prüfung der Arznei-Taxe angeordnet und hiernach eine neue Auflage derselben anfertigen lassen.

Außerdem hat bei der Taxe für Arbeiten bei dem Abschnitt „Comprimiren" bezüglich der Berechnung käuflicher Tabletten, bei № 6 der allgemeinen Bestimmungen bezüglich der Berechnung von Aqua destillata bei Zubereitungen für Thiere ein Zusatz stattgefunden und im Anhange sind einige nothwendige Veränderungen vorgenommen, auch Vorschriften zu einzelnen Mitteln hinzugefügt, für welche bereits Preise in der Taxe angegeben waren.

Die demnach abgeänderte Taxe tritt mit dem 1. Januar 1890 in Kraft.

Berlin, den 13. Dezember 1889.

Der Minister der geistlichen, Unterrichts- und Medizinal-Angelegenheiten.

In Vertretung Nasse.

* * *

Vorstehende Bekanntmachung wird hierdurch mit dem Bemerken zur öffentlichen Kenntniß gebracht, daß die Arzneitaxe in der R. Gaertner'schen Verlagsbuchhandlung (Hermann Heyfelder) in Berlin erschienen und in allen inländischen Buchhandlungen zum Preise von 1 M. 20 Pf. zu beziehen ist.

Potsdam und Berlin, den 30. Dezember 1889.

Der Königliche Regierungs-Präsident.

Der Königliche Polizei-Präsident.

Viehseuchen.

5. Festgestellt ist:

die Maul- und Klauenseuche unter dem Rindviehbestande des Bauerhofsbesitzers Samuel Aue zu Lüdersdorf, Kreis Angermünde;

unter dem Rindvieh des Bauergutsbesitzers Horning zu Rosenthal, Kreis Niederbarnim;

unter den Rindern des Anbauers Carl Schulze zu Egsdorf, des Gutsbesitzers Max List zu Telz, des Kossäthen Friedrich Pasche I., des Gastwirths Mielitz und der Wittwe Henning zu Löwenbruch, Kreis Teltow.

Erloschen ist:

die Maul- und Klauenseuche unter dem Rindvieh der Wittwe Hebecker zu Vierraden, des Bauergutsbesitzers Zimmermann zu Dobberzin und des Rittergutes Kerkow, Kreis Angermünde;

in den Ortschaften Nieder-Schönhausen und Zehlendorf, unter dem Rindvieh des Ackerbürgers Wegener zu Bernau, unter den Rindviehbeständen des Dorfes Liebenthal und der Domäne Krummensee, Kreis Niederbarnim;

in den Ortschaften Tremmen, Ribbeck und Brädikow, Kreis Westhavelland;

unter den Rindern des Rittergutes Britz, Kreis Teltow.

Potsdam, den 31. Dezember 1889.

Der Regierungs-Präsident.

Bekanntmachungen der Bezirksausschüsse.

Schluß der kleinen Jagd.

1. Für den Regierungsbezirk Potsdam wird die Jagd auf

Auer-, Birk- und Fasanen-Hennen, Haselwild, Wachteln und Hasen

mit Ablauf des

Sonnabend, des 18. Januar 1890

geschlossen.

Potsdam, den 21. Dezember 1889.

Der Bezirks-Ausschuß.

Bekanntmachungen des Königlichen Polizei-Präsidiums zu Berlin.

Verbot eines Flugblattes.

1. Auf Grund des § 12 des Reichsgesetzes gegen die gemeingefährlichen Bestrebungen der Sozialdemokratie vom 21. Oktober 1878 wird hierdurch zur öffentlichen Kenntniß gebracht, daß das Flugblatt „Arbeitslos!" beginnend mit den Worten: „Wie schrecklich schallt Dir das Wort in die Ohren" und schließend mit den Worten: „Gerechtigkeit für Alle" ohne Angabe des Druckers und Verlegers nach § 11 des gedachten Gesetzes durch den Unterzeichneten von Landespolizeiwegen verboten worden ist.

Berlin, den 28. Dezember 1889.

Der Königliche Polizei-Präsident.

Verbot eines Flugblattes.

2. Auf Grund des § 12 des Reichsgesetzes gegen die gemeingefährlichen Bestrebungen der Sozialdemokratie vom 21. Oktober 1878 wird hierdurch zur öffentlichen Kenntniß gebracht, daß das in deutscher und czechischer Sprache gedruckte Flugblatt mit der Ueberschrift: „11. November!!!" „Proletariat!" beginnend mit den Worten: „Dieses Flugblatt, welches Du in Deiner Hand hältst", und schließend mit den Worten: „Aug' um Aug', Zahn um Zahn! Hoch die Anarchie!" ohne Angabe des Druckers und Verlegers nach § 11 des gedachten Gesetzes durch den Unterzeichneten von Landespolizeiwegen verboten worden ist.

Berlin, den 28. Dezember 1889.

Der Königliche Polizei-Präsident.

Bekanntmachung.

3. In den amtlichen Veröffentlichungen der Polizei-Verordnung, betreffend die bauliche Anlage und die innere Einrichtung von Theatern, Circusgebäuden und öffentlichen Versammlungsräumen, vom 31. Oktober 1889, und zwar im Amtsblatt der Königlichen Re-

gierung zu Potsdam und der Stadt Berlin, zweite Extra-Beilage zum 47. Stück vom 22. November 1889, sowie im Berliner Intelligenzblatt № 273 zweite Beilage vom 21. November 1889 befinden sich Druckfehler. welche hiermit, wie folgt, berichtigt werden:

1) Im Amtsblatt fehlt im § 25 Zeile 1 vor dem Worte: Mineralölen das Wort: von, im § 81 № 1 Zeile 3 ist anstatt 45 m zu lesen: 45 cm.

2) Im Intelligenzblatt ist im § 41 Absatz 2 Zeile 5 anstatt: derart zu lesen: derartig.

Berlin, den 19. Dezember 1889.

Der Polizei-Präsident Freiherr von Richthofen.

Bekanntmachungen der Kaiserlichen Ober-Postdirektion zu Berlin.

Einrichtung neuer öffentlicher Fernsprechstellen.

1. Bei den Kaiserlichen Postämtern SW. 12 (Zimmerstraße), NW. 21 (Thurmstraße), N. 39 (Wedding) und N. 58 (Danzigerstraße) treten am 1. Januar 1890 **öffentliche Fernsprechstellen** in Wirksamkeit. Für die Benutzung dieser Stellen kommen die für solche Einrichtungen allgemein gültigen Bedingungen in Anwendung.

Berlin C., den 28. Dezember 1889.

Der Kaiserliche Ober-Postdirektor.

Unter-Abtheilungen der Fernsprech-Vermittelungs-Anstalt I. zu Berlin betreffend.

2. Die bei der Fernsprech-Vermittelungsanstalt I. (Französischestraße) seither bestandenen beiden Unterabtheilungen Ia. und Ib. werden vom 3. Januar k. J. ab aufgehoben. Vom bezeichneten Tage ab werden daher sämmtliche Fernsprechverbindungen, bei welchen seither die Unterabtheilungen Ia. und Ib. mitzuwirken hatten, vom Amte I. unmittelbar ausgeführt. **Eine Aenderung in den Anschlußnummern tritt aus diesem Anlaß nicht ein.** Die Unterabtheilung Ic. der Vermittelungsanstalt I. bleibt bis auf Weiteres bestehen.

Berlin C., 30. Dezember 1889.

Der Kaiserliche Ober-Postdirektor.

Bekanntmachungen der Königlichen Eisenbahn-Direktion zu Berlin.

Umtausch von Prioritäts-Obligationen verstaatlichter Eisenbahnen gegen 3½ prozentige Staats-Schuldverschreibungen.

1. Die Inhaber der **4%igen Prioritäts-Obligationen**

La. B. der Berlin-Görlitzer,
II. Em. der Berlin-Anhaltischen,
Serie VI. der Thüringischen,
I. Emiss. der Berlin-Hamburger und der Schleswig'schen

Eisenbahn werden aufgefordert, ihre Obligationen, **soweit diese zum Umtausche gegen Schuldverschreibungen der konsolidirten 3½%igen Staatsanleihe abgestempelt worden sind,** zur Ausführung des Umtausches vom **2. Januar 1890** ab bei der Königlichen Eisenbahn-Hauptkasse hier, Leipziger-Platz Nr. 17, oder bei den Königlichen Eisenbahn-Betriebskassen zu Breslau (Direktionsbezirk Berlin), Cottbus, Hamburg, Guben, Görlitz, Stettin und Stralsund einzureichen.

Mit den Obligationen müssen zugleich **die am 1. Juli 1890 und später fällig werdenden Zinsscheine nebst Zinsschein-Anweisung** abgegeben werden, bezw. ist der Werth eines jeden fehlenden Zinsscheines baar einzuzahlen.

Ferner ist mit den Obligationen ein Nummern-Verzeichniß in **einfacher** Ausfertigung vorzulegen. **Vordruckbogen zu derartigen Verzeichnissen werden seitens der vorgenannten Kassen unentgeltlich verabfolgt; Verzeichnisse anderer Art können nicht angenommen werden.**

Die zur Ausreichung gelangenden Staatsschuldverschreibungen sind in Stücken zu 5000, 2000, 1000, 500, 300 und 200 M., außerdem zum Umtausche der Obligationen der Berlin-Hamburger Anleihe in Stücken zu 150 M. ausgefertigt und mit Zinsscheinen über Zinsen vom 1. Januar 1890 ab versehen. Wünsche auf Zutheilung von Stücken einer bestimmten Gattung werden, soweit möglich, berücksichtigt werden.

Der Umtausch erfolgt nicht Zug um Zug, vielmehr erhält der persönlich erscheinende Einlieferer oder dessen Beauftragter vorläufig eine Empfangs-Bescheinigung. Später wird ein Quittungs-Entwurf **portopflichtig** übersandt werden, den der Obligations-Einreicher mit seiner Unterschrift zu versehen hat und gegen dessen Rückgabe unter Beifügung der vorerwähnten Empfangs-Bescheinigung die Staatsschuldverschreibungen ausgehändigt werden.

Erfolgt die Einreichung der Obligationen durch die Post, so wird eine Empfangsbestätigung nur ertheilt werden, wenn solche in dem Begleitschreiben beansprucht ist; anderenfalls wird nur der Quittungs-Entwurf zur Unterschrift übersandt, nach dessen Wiedereingang die Schuldverschreibungen mit den Zinsscheinen unter voller Werthangabe zur Uebersendung gelangen, sofern eine andere Bewerthung nicht ausdrücklich verlangt ist.

Die Einlieferung der Obligationen bei den vorgenannten Eisenbahn-Betriebskassen ist nur bis Ende Januar 1890 zulässig und muß von da ab seitens der Besitzer unmittelbar bei der Königlichen Eisenbahn-Hauptkasse hier, Leipziger Platz Nr. 17, bewirkt werden.

Berlin, den 24. Dezember 1889.

Königliche Eisenbahn-Direktion.

Bekanntmachungen der Königlichen Eisenbahn-Direktion zu Bromberg.

Ausnahmetarif für Düngemittel ꝛc.

1. Unter Bezugnahme auf unsere Bekanntmachung vom 14. d. M. bringen wir zur Kenntniß, daß der am 1. Januar 1890 einzuführende Ausnahme-Tarif für bestimmte Düngemittel, Erden, Kartoffeln ꝛc. auch auf Preßrückstände von Kartoffeln Anwendung findet.

Bromberg, den 23 Dezember 1889.

Königliche Eisenbahn-Direktion.

Ermäßigte Beförderungspreise für die II und III. Wagenklasse.

2. Am 10. Januar 1890 treten im Verkehre zwischen den Vororten Lichtenberg-Friedrichsfelde, Biesdorf, Kaulsdorf, Hoppegarten, Neuenhagen, Fredersdorf, Rüdersdorf und Strausberg einerseits und den Stationen und Haltestellen der Berliner Stadtbahn andererseits ermäßigte Beförderungspreise für die II. und III. Wagenklasse in Kraft. Letztere sind bei den Fahrkarten-Ausgaben vorgenannter Stationen zu erfahren.

Bromberg, den 24. Dezember 1889.

Königliche Eisenbahn-Direktion.

Die Haltestelle Gultowy betreffend.

3. Vom 1. Januar 1890 wird die zwischen Kostschin und Nekla gelegene Haltestelle Gultowy für den unbeschränkten Personen- und Gepäck-Verkehr eröffnet. Die auf der Bahnstrecke Posen-Wreschen verkehrenden Züge werden behufs Vermittelung des Personen-Verkehrs in Gultowy anhalten; die Abfahrt der Züge von der Haltestelle Gultowy findet wie folgt statt:

Richtung nach Nekla-Wreschen.

Zug 551 um 6 Uhr 14 Min. Vorm.
„ 553 „ 12 „ 19 „ Nachm.
„ 555* „ 5 „ 19 „ „

Richtung nach Kostschin-Posen.

Zug 552* um 7 Uhr 51 Min. Vorm.
„ 554 „ 2 „ 7 „ Nachm.
„ 556 „ 6 „ 51 „ „

Die mit einem * bezeichneten Züge halten nur im Bedarfsfalle.

Die Berechnung der Beförderungspreise erfolgt auf Grund der Entfernungen des Kilometerzeigers und der Preistafel des Lokal-Personen-Tarifs für den Eisenbahn-Direktionsbezirk Bromberg.

Näheres ist auf allen Stationen und Haltestellen zu erfahren.

Bromberg, den 24. Dezember 1889.

Königliche Eisenbahn-Direktion.

Bekanntmachungen der Königlichen Eisenbahn-Direktion zu Magdeburg.

Umtausch von 4% Berlin-Potsdam-Magdeburger Eisenbahn-Prioritäts-Obligationen gegen Staatsschuldverschreibungen.

1. Die zum Umtausch gegen Schuldverschreibungen der $3\frac{1}{2}$% konsolidirten Preuß. Staatsanleihe abgestempelten

4% Berlin-Potsdam-Magdeburger Eisenbahn-Prioritäts-Obligationen Lit. C. neue Emission

sind **vom 2. Januar 1890 ab**
bei der Königlichen Eisenbahn-Hauptkasse zu Magdeburg,
welche den Umtausch bewirkt,
oder
bei den Königlichen Eisenbahn-Betriebskassen zu Berlin (auf dem Potsdamer Bahnhof), zu Halberstadt und zu Braunschweig,
welche den Umtausch vermitteln,
einzureichen.

Die umzutauschenden Obligationen sind mit den Talons und mit den Zinsscheinen über die **vom 1. Januar 1890** ab laufenden Zinsen einzuliefern.

Gleichzeitig weisen wir darauf hin, daß diejenigen Obligationen der vorgedachten Gattung, welche nicht zum Umtausch abgestempelt sind und daher als gekündigt gelten, vom 2. Januar 1890 ab gegen Einlieferung der Stücke nebst Talons und Zinsscheinen über die Zinsen vom 1. Januar 1890 ab laufend bei der Königlichen Eisenbahn-Hauptkasse zu Magdeburg und bei der Königlichen Eisenbahn-Hauptkasse, Abtheilung für Werthpapiere, in Berlin, Leipzigerplatz 17, zum Nennwerth eingelöst werden.

Für fehlende Zinsscheine wird der entsprechende Betrag bei Baarauszahlung gekürzt, beim Umtausch gegen Staatsschuldverschreibungen, welche mit Zinsscheinen vom 1. Januar 1890 ab laufend ausgehändigt werden, ist der Betrag baar einzuzahlen, oder bei Einsendung der Obligationen durch die Post der Postsendung beizufügen.

Außer Kurs gesetzte Obligationen müssen vor der Einlieferung wieder in Kurs gesetzt sein.

Die Einreichung der Obligationen hat mittelst eines Verzeichnisses, in welches dieselben in aufsteigender Nummerfolge einzutragen sind, zu erfolgen. Dieser Nummernfolge entsprechend müssen die Obligationen und Zinsscheine geordnet und je mit einem Papierstreifen umschlossen sein, auf welchem die Anzahl der Stücke und der Name des Einlieferers anzugeben ist. Formulare zu diesen Verzeichnissen werden von den Eingangs genannten Kassen unentgeltlich verabfolgt.

Ueber die eingereichten umzutauschenden Obligationen und Zinsscheine werden, Falls der Umtausch nicht Zug und Zug erfolgen kann, von den annehmenden Kassen Empfangsbescheinigungen ausgestellt, welche bei der durch dieselbe Kasse erfolgenden Aushändigung der Staatsschuldverschreibungen zurückzugeben sind. Sobald Letztere zur Abholung bereit liegen, werden die Einlieferer portopflichtig davon benachrichtigt.

Ueber die durch die Post eingehenden umzutauschenden Obligationen werden Empfangsbescheinigungen nur auf Verlangen ertheilt. Für die mit der Post eingesandten Obligationen werden die Staatsschuldverschreibungen gleichfalls durch die Post unter voller Werthangabe übersandt, Falls ein Anderes nicht bestimmt wird. Der Empfänger hat **umgehend** Quittung zu ertheilen.

Für den Umtausch stehen Staatsschuldverschreibungen in Stücken zu 5000, 2000, 1000, 500, 300 und 200 Mark in beschränkter Anzahl zur Verfügung und sollen bezügliche Wünsche der Obligations-Inhaber thunlichst berücksichtigt werden. Magdeburg, 14. Dezember 1889.

Königliche Eisenbahn-Direktion.

Umtausch von 4prozentigen Magdeburg-Halberstädter Eisenbahn-Prioritäts-Obligationen gegen Staatsschuldverschreibungen.

2. Die zum Umtausch gegen Schuldverschreibungen der $3\frac{1}{2}$%. konsolidirten Preußischen Staats-Anleihe abgestempelten 4%. **Magdeburg-Halberstädter**

Eisenbahn-Prioritäts-Obligationen vom Jahre 1865 sind **vom 2. Januar 1890 ab bei der Königlichen Eisenbahn-Hauptkasse zu Magdeburg,** welche den Umtausch bewirkt, oder **bei den Königlichen Eisenbahn-Betriebskassen zu Berlin (auf dem Potsdamer Bahnhof), zu Halberstadt und zu Braunschweig,** welche den Umtausch vermitteln, einzureichen.

Die umzutauschenden Obligationen sind mit den Talons und mit den Zinsscheinen über die **vom 1. Januar 1890 ab** laufenden Zinsen einzuliefern.

Gleichzeitig weisen wir darauf hin, daß diejenigen Obligationen der vorgedachten Gattung, welche nicht zum Umtausch abgestempelt sind und daher als gekündigt gelten, **vom 2. Januar 1890 ab** gegen Einlieferung der Stücke nebst Talons und den Zinsscheinen über die Zinsen vom 1. Januar 1890 ab laufend bei der Königlichen Eisenbahn-Hauptkasse zu Magdeburg und bei der Königlichen Eisenbahn-Hauptkasse, Abtheilung für Werthpapiere, zu Berlin, Leipzigerplatz 17, zum Nennwerth eingelöst werden.

Für fehlende Zinsscheine wird der entsprechende Betrag bei Baarauszahlung gekürzt; beim Umtausch gegen Staatsschuldverschreibungen, welche mit Zinsscheinen vom 1. Januar 1890 ab laufend ausgehändigt werden, ist der Betrag baar einzuzahlen, oder bei Einsendung der Obligationen durch die Post der Postsendung beizufügen.

Außer Kurs gesetzte Obligationen müssen vor der Einlieferung wieder in Kurs gesetzt sein.

Die Einreichung der Obligationen hat mittels eines Verzeichnisses, in welches dieselben in aufsteigender Nummerfolge einzutragen sind, zu erfolgen. Dieser Nummerfolge entsprechend müssen die Obligationen und Zinsscheine geordnet und se mit einem Papierstreifen umschlossen sein, auf welchem die Anzahl der Stücke und der Name des Einlieferers anzugeben ist.

Formulare zu diesen Verzeichnissen werden von den obengenannten Kassen unentgeltlich verabfolgt.

Ueber die eingereichten umzutauschenden Obligationen und Zinsscheine werden, Falls der Umtausch nicht Zug um Zug erfolgen kann, von den annehmenden Kassen Empfangsbescheinigungen ausgestellt, welche bei der durch dieselbe Kasse erfolgenden Aushändigung der Staatsschuldverschreibungen zurückzugeben sind. Sobald Letztere zur Abholung bereit liegen, werden die Einlieferer portopflichtig davon benachrichtigt.

Ueber die durch die Post eingehenden umzutauschenden Obligationen werden Empfangsbescheinigungen nur auf Verlangen ertheilt. Für die mit der Post eingesandten Obligationen werden die Staatsschuldverschreibungen gleichfalls durch die Post unter voller Werthangabe übersandt, Falls ein Anderes nicht bestimmt wird. Der Empfänger hat **umgehend** Quittung zu ertheilen.

Für den Umtausch stehen Staatsschuldverschreibungen in Stücken zu 5000, 2000, 1000, 500, 300 und 200 Mark in beschränkter Anzahl zur Verfügung und sollen bezügliche Wünsche der Obligations-Inhaber thunlichst berücksichtigt werden.

Magdeburg, den 19. Dezember 1889.

Königliche Eisenbahn-Direktion.

Kündigung von Eisenbahn-Prioritäts-Obligationen.

3. Auf Grund der Ermächtigung im § 4 des Gesetzes vom 20. Dezember 1879 (Ges.-S. S. 635), bezw. im dritten Absatze des § 5 des Gesetzes vom 17. Mai 1884 (Ges.-S. S. 129) und der Bestimmungen der betreffenden Privilegien kündige ich hiermit

1) die vierprozentigen Magdeburg—Halberstädter Eisenbahn-Prioritäts-Obligationen de 1873 (Privilegium vom 8 August 1873) und
2) die vierprozentigen Magdeburg—Leipziger Prioritäts-Obligationen der Magdeburg—Halberstädter Eisenbahn La. B. (Privilegium vom 21. Juni 1876),

soweit nicht deren Inhaber auf den durch meine Bekanntmachung vom 15. November d. J. angebotenen Umtausch gegen $3^1/_2$ prozentige Staatsschuldverschreibungen rechtzeitig eingegangen sind, zur baaren Rückzahlung am 1. Juli 1890.

Die Auszahlung des Nominalbetrages der gekündigten Obligationen erfolgt vom 1. Juli 1890 ab bei den Königlichen Eisenbahn-Hauptkassen zu Magdeburg und Berlin (Leipzigerplatz 17) gegen Ausantwortung der Obligationen selbst und der dazu gehörigen noch nicht fälligen Zinskoupons und der Talons.

Der Geldbetrag etwa fehlender Zinsscheine wird von dem Betrage der zu leistenden Zahlung gekürzt.

Die Verpflichtung zur Verzinsung der Obligationen erlischt mit dem 30. Juni 1890.

Der Finanz-Minister. Scholz.

* * *

Die durch vorstehende Bekanntmachung des Herrn Finanz-Ministers zur baaren Rückzahlung gekündigten Eisenbahn-Prioritäts-Obligationen sind mit den dazu gehörigen noch nicht fälligen Zinsscheinen und den Talons mittelst Verzeichnisses unter Bezeichnung der etwa fehlenden Zinsscheine vom 1. Juli 1890 ab an eine der genannten Eisenbahn-Hauptkassen einzureichen.

Formulare zu den Verzeichnissen werden von den genannten Kassen unentgeltlich verabfolgt.

Wegen Einreichung der zum Umtausche gegen $3^1/_2$ % Staatsschuldverschreibungen abgestempelten Obligationen wird später das Erforderliche veranlaßt werden.

Magdeburg, den 28. Dezember 1889.

Königliche Eisenbahn-Direktion.

Bekanntmachungen anderer Behörden.

Umtausch gekündigter Pfandbriefe Lit. B.

Die Inhaber der nachbezeichneten, von dem Königlichen Kredit-Institut für Schlesien ausgefertigten 4 % Pfandbriefe Lit. B., haftend auf dem im Schlesien im Breslau'er Kreise belegenen Gute Heydaenichen:

№ 44848 über 500 Thaler,

№ 51665 und 51666 à 200 Thaler,

№ 64401, 64407 und 64408 à 100 Thaler,
№ 79333 über 50 Thaler

werden hierdurch wiederholt aufgefordert, diese Pfandbriefe in coursfähigem Zustande mit den laufenden Zinsscheinen Ser. XI. an die Königliche Institutenkasse hierselbst — im Regierungsgebäude am Lessingplatz — zum Umtausch gegen andere Pfandbriefe Lit. B. von gleichem Betrage und mit gleichen Zinsscheinen versehen, einzureichen.

Sollte die Präsentation nicht **bis zum 15. Februar 1890** erfolgen, so werden die Inhaber dieser Pfandbriefe nach § 50 der Verordnung vom 8. Juni 1835 mit ihrem Realrechte auf die in den Pfandbriefen ausgedrückte Spezial-Hypothek präkludirt, die Pfandbriefe für vernichtet erklärt, in unserem Register, sowie im Grundbuche gelöscht und die Inhaber mit ihren Ansprüchen lediglich an die in unserem Gewahrsam befindlichen Umtausch-Pfandbriefe verwiesen werden.

Breslau, den 15. August 1889.

Königl. Kredit-Institut für Schlesien.

Personal-Chronik.

Im Kreise Prenzlau ist der Bauergutsbesitzer **Schütte** zu Güstow zum Amtsvorst.her-Stellvertreter des 15 Bezirks Güstow ernannt worden.

Die Lehrerinnen **Stechert, Herzog, Pielsticker, von Lagerström, Bockeloh, Stiller, Meier, Fuhlrott, Movius** sind als Gemeindeschullehrerinnen in Berlin angestellt worden.

Vermischte Nachrichten.

Führung der Handels- 2c Register

Die Veröffentlichung der Eintragungen in das Handels- und Genossenschafts-Register erfolgt für den diesseitigen Gerichts-Bezirk während des Jahres 1890 durch 1) den Deutschen Reichs- und Königlich Preußischen Staatsanzeiger, 2) die Berliner Börsenzeitung, 3) die hiesige Zeitung „Neues Charlottenburger Intelligenzblatt", 4) die hiesige Zeitung „Neue Zeit".

Charlottenburg, den 23. Dezember 1889.

Königliches Amtsgericht.

Das Handels-, Genossenschafts- und Musterregister wird vom 1. Januar 1890 ab durch den Gerichtsassessor **Thomaczewski** unter Mitwirkung des Secretairs **Bode** geführt. Die Veröffentlichung der Eintragungen in die Register erfolgt durch den Deutschen Reichs- und Preußischen Staatsanzeiger, das Amtsblatt der Königlichen Regierung zu Potsdam, die Oderberger Zeitung und die Berliner Börsenzeitung.

Oderberg i. M., den 23. Dezember 1889.

Königliches Amtsgericht

Ausweisung von Ausländern aus dem Reichsgebiete.

Laufd. Nr.	Name und Stand	Alter und Heimath	Grund der Bestrafung.	Behörde, welche die Ausweisung beschlossen hat.	Datum des Ausweisungs-Beschlusses.
	des Ausgewiesenen.				
1.	2.	3.	4.	5.	6.
	Auf Grund des § 362 des Strafgesetzbuchs:				
1	Christian Hansen, Schuhmachergeselle,	geboren am 11. Juni 1832 zu Schüskau, Dänemark, ortsangehörig ebendaselbst,	Betteln im wiederholten Rückfall,	Königlich Preußischer Regierungspräsident zu Düsseldorf,	9. November 1889.
2	Johann Zilacek, Handarbeiter,	geboren im Jahre 1834 zu Zichovice, Bezirk Schüttenhofen, Böhmen, ortsangehörig ebendaselbst,	Landstreichen, Betteln Beleidigung und Widerstand gegen die Staatsgewalt,	Königlich Bayerisches Bezirksamt Viechtach,	1. Oktober 1889.
3	Eva Wrba, Handarbeiterin,	geboren im Jahre 1826 zu Marsowitz, Bezirk Schüttenhofen, Böhmen, ortsangehörig ebendaselbst,	Landstreichen, Betteln u. Beleidigung,	dasselbe,	desgleichen.
4	Franz Forst, Fabrikarbeiter,	geboren am 16. April 1869 zu Marsowitz, Bezirk Beneschau, Böhmen, ortsangehörig ebendaselbst,	Diebstahl, Betteln im wiederholten Rückfall u Führung falscher Legitimationspapiere,	Königlich Bayerisches Bezirksamt Miesbach,	6. November 1889.

Hierzu Drei Oeffentliche Anzeiger.

(Die Insertionsgebühren betragen für eine einspaltige Druckzeile 20 Pf. Belagsblätter werden der Bogen mit 10 Pf. berechnet.)

Redigirt von der Königlichen Regierung zu Potsdam.

Potsdam, Buchdruckerei der A. W. Hayn'schen Erben (E. Hayn, Hof-Buchdrucker).

Amtsblatt

der Königlichen Regierung zu Potsdam und der Stadt Berlin.

Stück 2. Den 10. Januar **1890.**

Reichs-Gesetzblatt.

(Stück 25.) № 1875. Bekanntmachung, betreffend den Aufruf und die Einziehung der Einhundertmarknoten der Bremer Bank in Bremen. Vom 25. Oktober 1889.

№ 1876. Bekanntmachung, betreffend den Antheil der Reichsbank an dem Gesammtbetrage des steuerfreien ungedeckten Notenumlaufs. Vom 25. Oktober 1889.

(Stück 26.) № 1877. Gesetz, betreffend die Abänderung des Bankgesetzes vom 14. März 1875. Vom 18. Dezember 1889.

(Stück 27.) № 1878. Deklaration zur internationalen Reblaus-Konvention. Vom 15. April 1889.

Gesetz-Sammlung für die Königlichen Preußischen Staaten.

(Stück 25.) № 9358. Verfügung des Justizministers, betreffend die Anlegung des Grundbuchs für einen Theil der Bezirke der Amtsgerichte Düsseldorf und Waldbröl. Vom 2. Oktober 1889.

(Stück 26.) № 9359. Verordnung, betreffend die Verwaltung des provinzialständischen Verbandes der Provinz Posen. Vom 5. November 1889.

(Stück 27.) № 9360. Verfügung des Justizministers, betreffend die Anlegung des Grundbuchs für einen Theil der Bezirke der Amtsgerichte München-Gladbach, Crefeld, Waldbröl, Coblenz und Trier. Vom 1. November 1889.

(Stück 28.) № 9361. Verfügung des Justizministers, betreffend die Anlegung des Grundbuchs für einen Theil des Bezirks des Amtsgerichts Osterode am Harz. Vom 16. November 1889.

(Stück 29.) № 9362. Verfügung des Justizministers, betreffend die Anlegung des Grundbuchs für einen Theil der Bezirke der Amtsgerichte Adenau, Sobernheim, Stromberg, Saarlouis und Cleve. Vom 2. Dezember 1889.

(Stück 30.) № 9363. Nachtragsvertrag zu dem Vertrage zwischen Preußen und den Thüringischen Staaten, betreffend die Errichtung gemeinschaftlicher Schwurgerichte zu Gera und Meiningen, vom 11. November 1878 (Gesetz-Samml. 1879 S. 216). Vom 30. März 1889.

Verordnung wegen Einberufung der beiden Häuser des Landtages.

Wir **Wilhelm**, von Gottes Gnaden König von Preußen 2c.

verordnen in Gemäßheit des Artikels 51 der Verfassungs-Urkunde vom 31. Januar 1850, auf den Antrag des Staats-Ministeriums, was folgt:

Die beiden Häuser des Landtages der Monarchie, das Herrenhaus und das Haus der Abgeordneten, werden auf den 15. Januar 1890 in Unsere Haupt- und Residenzstadt Berlin zusammenberufen.

Das Staats-Ministerium wird mit der Ausführung dieser Verordnung beauftragt.

Urkundlich unter Unserer Höchsteigenhändigen Unterschrift und beigedrucktem Königlichen Insiegel.

Gegeben Schloß zu Berlin, den 30. Dezember 1889.

(L. S.) **Wilhelm.**

Fürst von Bismarck. von Boetticher. von Maybach. Freiherr Lucius von Ballhausen. von Goßler. von Scholz. Graf von Bismarck. Herrfurth. von Schelling. von Verdy.

* * *

Bekanntmachung.

Mit Bezug auf die Allerhöchste Verordnung vom 30. Dezember d. J., durch welche die beiden Häuser des Landtages der Monarchie, das Herrenhaus und das Haus der Abgeordneten, auf den 15. d. M. in die Haupt- und Residenzstadt Berlin zusammenberufen worden sind, mache ich hierdurch bekannt, daß die besondere Benachrichtigung über den Ort und die Zeit der Eröffnungssitzung in dem Bureau des Herrenhauses und in dem Bureau des Hauses der Abgeordneten am 14. d. M. in den Stunden von 8 Uhr früh bis 8 Uhr Abends und am 15. d. M. in den Morgenstunden von 8 Uhr ab offen liegen wird. In diesen Bureaux werden auch die Legitimationskarten zu der Eröffnungssitzung ausgegeben und alle sonst erforderlichen Mittheilungen in Bezug auf dieselbe gemacht werden.

Berlin, den 2. Januar 1890.

Der Minister des Innern.
Herrfurth.

Allerhöchster Erlaß, betreffend die Anleihe der Stadt Perleberg von 210 000 Mark.

Auf den Bericht vom 19. November d. J. will Ich hierdurch genehmigen, daß der Zinsfuß derjenigen Anleihe im Betrage von 210 000 Mark, zu deren Aufnahme die Stadt Perleberg, im Regierungsbezirke Potsdam, durch das Privilegium vom 23. März 1881 (Ges.-Samml. S. 284) ermächtigt worden ist, von vier auf drei und einhalb Prozent herabgesetzt werde, mit der Maßgabe, daß die in dem Privilegium festgesetzte Tilgungsfrist inne gehalten werde, sowie daß die noch nicht getilgten Anleihescheine den Inhabern derselben rechtzeitig für den Fall zu kündigen sind, daß die Anleihescheine dem Magistrate der Stadt Perleberg nicht bis zu einem von demselben festzusetzenden Termine zur Abstempelung auf 3½ Prozent eingereicht werden.

Breslau, den 29. November 1889.

gez. Wilhelm R.

ggz. von Scholz. Herrfurth.

An die Minister der Finanzen und des Innern.

I. B. 9778/9.

Bekanntmachungen des Königlichen Ober-Präsidenten der Provinz Brandenburg.

Wahl eines Provinzial-Landtagsabgeordneten.

1. An Stelle des verstorbenen Königlichen Landraths von der Hagen zu Stoelln ist der Königliche Appellationsgerichts-Rath a. D., Rittergutsbesitzer Otto Graf von Bredow zu Goerne zum Provinzial-Landtagsabgeordneten des Kreises West-Havelland gewählt worden. Solches wird gemäß § 21 der Provinzial-Ordnung vom 29. Juni 1875 hiermit bekannt gemacht.

Potsdam, den 31. Dezember 1889.

Der Ober-Präsident der Provinz Brandenburg,
Staatsminister von Achenbach.

Bekanntmachungen des Königlichen Regierungs-Präsidenten.

Chausseegelderhebung auf der Teltower Kreis-Chaussee von Königswusterhausen über Deutsch-Wusterhausen nach Ragow.

6. Dem Kreise Teltow ist Seitens des Herrn Ministers der öffentlichen Arbeiten durch Erlaß vom 12. Dezember l. Js. die Genehmigung ertheilt worden, an der Einmündung der Ragow—Königs-Wusterhausen'er Kreis-Chaussee in die Mittenwalde—Klein-Ziethen'er Kreis-Chaussee bei der Püttkemühle eine Hebestelle zu errichten und an derselben das tarifmäßige Chausseegeld für eine Meile für beide Chausseestrecken zu erheben, jedoch mit den folgenden Maßgaben für die die Chaussee Mittenwalde—Klein-Ziethen Benutzenden.

1) Wer an sich zur Entrichtung eines zweimeiligen

8. **Nachweisung der Markt- 2c.**

Laufende Nummer	Namen der Städte	Getreide: Weizen M.	Pf.	Roggen M.	Pf.	Gerste M.	Pf.	Hafer M.	Pf.	Uebrige Markt-: Erbsen M.	Pf.	Speisebohnen M.	Pf.	Linsen M.	Pf.	Kartoffeln M.	Pf.	Richtstroh M.	Pf.	Krummstroh M.	Pf.	Heu M.	Pf.	Es kostet: Rindfleisch von der Keule M.	Pf.	Bauchfleisch M.	Pf.
		Es kosten je 100 Kilogramm																									
1	Angermünde	18	71	17	03	17	34	15	80	28	—	30	—	35	—	3	75	6	75	4	58	6	25	1	40	1	10
2	Beeskow	17	50	16	80	15	10	16	10	27	50	27	50	37	50	2	70	7	—	—	—	6	80	1	20	1	—
3	Bernau	19	10	17	60	17	58	16	96	26	—	30	—	44	25	5	—	7	72	—	—	6	70	1	25	1	09
4	Brandenburg	19	05	17	65	15	28	16	87	35	—	35	—	50	—	3	30	6	45	—	—	6	05	1	40	1	20
5	Dahme	18	82	17	26	16	42	17	—	25	—	32	—	45	—	2	50	6	50	4	—	7	50	1	—	1	—
6	Eberswalde	18	47	16	50	18	—	16	65	24	—	24	—	32	—	3	—	7	50	—	—	6	—	1	40	1	—
7	Havelberg	19	51	17	16	14	83	17	42	26	—	51	67	62	—	3	50	6	50	3	25	6	50	1	30	1	10
8	Jüterbog	18	50	18	13	16	—	17	50	28	—	30	—	50	—	3	—	7	—	—	—	7	—	1	20	1	10
9	Luckenwalde	18	06	16	94	15	—	16	15	36	—	36	—	40	—	3	10	6	33	—	—	6	50	1	20	1	20
10	Perleberg	19	16	16	94	16	60	17	05	32	—	35	—	50	—	3	50	6	40	—	—	6	40	1	40	1	20
11	Prenzlau	18	93	16	93	17	79	15	82	22	—	30	—	30	—	3	50	5	50	4	—	5	—	1	20	—	95
12	Potsdam	18	—	17	29	16	32	17	06	28	—	33	—	43	—	3	66	7	11	—	—	6	15	1	35	1	10
13	Pritzwalk	18	47	16	76	15	67	16	10	19	—	25	—	39	—	2	44	6	—	4	75	5	—	1	30	1	05
14	Rathenow	19	36	17	38	16	—	16	38	30	—	35	—	44	—	2	90	6	08	—	—	5	25	1	40	1	20
15	Neu-Ruppin	19	—	16	69	16	30	16	46	30	—	32	—	50	—	2	77	8	—	—	—	6	—	1	40	1	15
16	Schwedt	19	—	17	69	17	—	16	89	26	67	37	50	31	25	3	—	6	50	—	—	6	30	1	20	1	—
17	Spandau	19	—	17	25	15	25	17	50	29	—	39	—	51	—	4	—	8	—	—	—	6	50	1	45	1	20
18	Strausberg	19	—	17	—	19	50	17	50	19	—	30	50	35	—	3	—	8	86	—	—	7	64	1	20	1	10
19	Teltow	18	89	17	51	17	51	16	75	40	—	20	—	45	—	3	50	7	25	6	—	7	75	1	40	1	—
20	Templin	19	—	17	—	17	50	17	50	17	—	50	—	60	—	3	—	8	—	—	—	7	—	1	20	1	—
21	Treuenbrietzen	18	90	17	50	15	70	16	50	24	—	26	—	30	—	3	—	6	—	—	—	5	50	1	20	1	—
22	Wittstock	18	70	17	30	15	50	16	16	20	—	36	—	44	—	2	44	5	—	4	—	5	—	1	—	—	90
23	Wriezen a. O.	18	10	16	98	18	21	16	39	23	—	27	—	30	—	3	—	7	75	6	—	5	50	1	30	1	—
	Durchschnitt	18	75	17	19	16	54	16	72	—	—	—	—	—	—	3	20	6	88	—	—	6,	27	—	—	—	—

Potsdam, den 7. Januar 1890.

Chausseegeldes in Klein-Ziethen verpflichtet ist, hat in Zukunft dort nur ein einmeiliges Chausseegeld zu erlegen, wenn der Nachweis geführt wird, daß er bereits in Ragow Chausseegeld für eine Meile bezahlt hat.

2) Wer bei der Hebestelle Ragow nachweist, daß er bereits in Klein-Ziethen Chausseegeld für zwei Meilen entrichtet hat, ist bei Ragow in der Richtung nach Mittenwalde zollfrei zu lassen.

3) Die Fuhrwerke und Thiere aus den Ortschaften Klein-Kienitz, Brusendorf, Ragow und Deutsch-Wusterhausen zahlen bei der Hebestelle Ragow im Verkehre nach Mittenwalde und zurück nur je halbmeiliges Chausseegeld.

Potsdam, den 31. Dezember 1889.

Der Regierungs-Präsident.

Viehseuchen.

7. Festgestellt ist:

die Maul- und Klauenseuche unter dem Rindvieh der Bauerhofbesitzer Retzlaff und Tancré in Grimme, Kreis Prenzlau;

unter dem Rindvieh des Eigenthümers Christian Runge und des Bauergutsbesitzers Wilhelm Braband in Kunow, Kreis Ostprignitz;

unter den Rindern des Gemeindevorstehers List, des Bauerhofbesitzers Liefegang, des Schmiedemeisters Sameisky und des Gastwirths Grüneberg in Groß-Schulzendorf und des Dominiums Löwenbruch, Kreis Teltow.

Erloschen ist:

die Maul- und Klauenseuche in Bietznitz, Selbelang, Retzow I., II., IV. Antheils, Grabow (Ziegelei) und Kl. Kreutz, Kreis Westhavelland; in Groß-Woltersdorf, Kreis Ostprignitz;

unter den Rindern des Gemeindevorstehers Ferdinand Paul zu Groß-Beeren, Kreis Teltow.

Potsdam, den 7. Januar 1890.

Der Regierungs-Präsident.

Preise im Monat Dezember 1889.

	Artikel						Ladenpreise in den letzten Tagen des Monats											
	kostet je 1 Kilogramm					Ein Schock Eier.	Es kostet je 1 Kilogramm.											
							Mehl		Gerste						Java-Kaffee mittler / gelber in gebr. Bohnen			
	Schweinefleisch	Kalbfleisch	Hammelfleisch	Speck	Butter		Weizen Nr. 1	Roggen Nr. 1	Graupe	Grütze	Buchweizengrütze	Hafergrütze	Hirse	Reis, Java	mittler	gelber	Speisesalz	Schweineschmalz, hiesig.
	M. Pf.	M. Pf.	M. Pf.	M. Pf.	M. Pf.	M. Pf.	M. Pf.	M. Pf.	M. Pf.	M. Pf.	M. Pf.	M. Pf.	M. Pf.	M. Pf.	M. Pf.	M. Pf.	M. Pf.	M. Pf.
	1 40	— 90	1 05	1 90	2 30	4 53	— 35	— 35	— 60	— 40	— 45	— 60	— 60	— 60	3 40	3 60	— 20	2 —
	1 50	— 75	— 95	1 80	2 30	3 90	— 40	— 26	— 50	— 60	— 50	— 80	— 60	— 60	2 60	3 60	— 20	1 60
	1 45	1 28	1 15	1 90	2 43	4 63	— 40	— 25	— 50	— 50	— 50	— 50	— 60	— 45	2 60	3 20	— 20	1 60
	1 35	1 15	1 15	1 80	2 30	4 —	— 40	— 30	— 50	— 40	— 50	— 50	— 50	— 50	3 60	4 —	— 20	1 60
	1 40	— 80	1 —	1 80	2 —	2 40	— 32	— 26	— 60	— 40	— 50	—	— 50	— 50	2 80	3 60	— 20	1 40
	1 40	1 20	1 —	1 60	2 40	4 80	— 30	— 28	— 60	— 60	— 50	—	— 60	— 60	3 20	3 40	— 20	1 80
	1 45	1 30	1 05	2 —	2 31	4 10	— 38	— 26	— 50	— 55	— 60	— 60	— 50	— 60	2 80	4 —	— 20	1 80
	1 40	— 90	1 20	1 80	2 40	4 40	— 32	— 28	— 40	— 50	— 40	— 60	— 40	— 40	3 —	3 60	— 20	1 60
	1 50	1 —	1 20	1 60	2 30	4 —	— 36	— 24	— 50	— 40	— 40	— 60	— 36	— 60	3 20	3 60	— 20	1 60
	1 40	1 30	1 15	1 95	1 94	3 50	— 50	— 36	— 50	— 40	— 50	— 50	— 40	— 50	3 80	3 60	— 20	2 —
	1 40	— 90	1 10	1 80	2 40	4 40	— 32	— 30	— 60	— 40	— 55	— 60	— 55	— 60	3 20	3 60	— 20	2 —
	1 41	1 12	1 25	1 63	2 26	5 02	— 40	— 35	— 50	— 50	— 50	—	— 50	— 65	3 —	3 80	— 20	1 80
	1 40	1 —	1 —	1 90	1 95	3 47	— 26	— 25	— 40	— 40	— 40	— 50	— 40	— 50	3 20	3 60	— 20	1 80
	1 50	1 —	1 20	1 60	2 60	4 50	— 32	— 29	— 40	— 44	— 45	— 44	— 40	— 60	3 50	3 80	— 20	1 60
	1 30	1 10	1 10	1 70	2 20	4 80	— 40	— 30	— 60	— 60	— 50	— 60	— 50	— 60	3 25	3 58	— 20	1 60
	1 20	— 90	1 20	2 —	2 —	4 80	— 35	— 25	— 50	— 40	— 50	— 50	— 50	— 60	3 50	3 60	— 20	2 —
	1 60	1 28	1 25	1 80	2 50	5 50	— 40	— 30	— 50	— 50	— 55	— 50	— 55	— 65	3 40	3 80	— 20	1 40
	1 40	1 10	1 20	1 60	2 40	4 80	— 35	— 25	— 55	— 50	— 45	— 50	— 50	— 60	3 —	3 80	— 20	1 40
	1 50	1 30	1 15	1 70	2 10	4 20	— 45	— 30	— 55	— 50	— 50	— 60	— 50	— 60	3 —	3 —	— 20	1 20
	1 40	— 80	1 —	1 80	2 40	4 —	— 30	— 25	— 60	— 50	— 60	— 60	— 40	— 50	3 40	3 80	— 20	1 80
	1 40	— 95	1 20	1 60	2 20	4 —	— 32	— 26	— 50	—	— 40	— 50	— 30	— 50	3 20	3 40	— 20	1 80
	1 28	— 71	— 98	1 80	2 10	3 67	— 28	— 26	— 50	— 50	— 50	— 60	— 50	— 50	3 20	3 60	— 20	1 80
	1 30	1 10	1 15	1 80	2 20	4 40	— 25	— 26	— 50	— 40	— 40	— 50	— 50	— 50	3 25	3 50	— 20	1 40
	— —	— —	— —	— —	— —	— —	— —	— —	— —	— —	— —	— —	— —	— —	— —	— —	— —	— —

Der Regierungs-Präsident.

9.

Nachweisung

des Monatsdurchschnitts der gezahlten höchsten Tagespreise einschließlich 5 % Aufschlag im Monat Dezember 1889 in den Hauptmarktorten der Kreise des Regierungs-Bezirks Potsdam.

Laufende Nummer.	Es kosteten je 50 Kilogramm.	Beeskow für Kreis Beeskow-Storkow. M.	Pf.	Brandenburg für Brandenburg und Kreis Westhavelland. M.	Pf.	Luckenwalde für Kreis Jüterbog-Luckenwalde. M.	Pf.	Perleberg für Kreis West-Prignitz. M.	Pf.	Potsdam für Potsdam und Kreis Zauch-Belzig. M.	Pf.	Prenzlau für die Kreise Prenzlau und Templin. M.	Pf.	Neu-Ruppin für Kreis Ruppin. M.	Pf.	Schwedt für Kreis Angermünde. M.	Pf.	Wittstock für Kreis Ost-Prignitz. M.	Pf.	Bemerkungen.
1.	Hafer	8	50	9	11	8	68	9	05	9	24	8	53	8	72	8	86	8	49	Für die Kreise Ober-Barnim, Nieder-Barnim, Osthavelland und Teltow, und für Stadt Spandau gilt Berlin als Haupt-Marktort.
2.	Heu	3	57	3	44	3	68	3	53	3	78	3	15	3	15	3	30,5	2	62,5	
3.	Richtstroh	3	67	3	52	3	51	3	53	3	96	3	15	4	20	3	41	2	62,5	

Potsdam, den 7. Januar 1890.

Der Regierungs-Präsident.

Die Schmiede-Innung in Rathenow betreffend.

10. Der Schmiede-Innung in Rathenow ist auf Grund der §§ 1 und 2 des Gesetzes vom 18. Juni 1884, betreffend den Betrieb des Hufbeschlaggewerbes, und des Ministerialerlasses vom 23. Januar 1885 von mir widerruflich die Berechtigung zur Ertheilung von Prüfungszeugnissen für den Betrieb des Hufbeschlaggewerbes beigelegt worden.

Die Prüfungs-Commission besteht aus folgenden Herren:

1) den Kreisthierarzt Oberroßarzt a. D. Dalchow als Vorsitzenden;
2) den Obermeister W. Lindemann;
3) den Schmiedemeister W. Brösicke in Rathenow.

Die genannte Commission tritt in Wirksamkeit für den Bezirk der Innung im Kreise Westhavelland.

Potsdam, den 3. Januar 1890.

Der Regierungs-Präsident.

Betrifft die Form der ärztlichen Atteste der Medizinal-Beamten.

11. Durch das Circular-Reskript vom 20. Januar 1853 hat der Herr Minister der geistlichen, Unterrichts- und Medizinal-Angelegenheiten von Raumer, Excellenz, für die ärztlichen Atteste der Medizinal-Beamten vorgeschrieben, daß die amtlichen Atteste und Gutachten der Medizinal-Beamten jedesmal enthalten sollen:

1) die bestimmte Angabe der Veranlassung zur Ausstellung des Attestes, des Zweckes, zu welchem dasselbe gebraucht, und der Behörde, welcher es vorgelegt werden soll;
2) die etwanigen Angaben des Kranken oder der Angehörigen desselben über seinen Zustand;
3) bestimmt gesondert von den Angaben zu 2, die eigenen thatsächlichen Wahrnehmungen des Beamten über den Zustand des Kranken;
4) die aufgefundenen wirklichen Krankheits-Erscheinungen;
5) das thatsächlich und wissenschaftlich motivirte Urtheil über die Krankheit, über die Zulässigkeit eines Transportes oder einer Haft, oder über die sonst gestellten Fragen;
6) die dienstleidliche Versicherung, daß die Mittheilungen des Kranken oder seiner Angehörigen (ad 2) richtig in das Attest aufgenommen sind, daß die eigenen Wahrnehmungen des Ausstellers (ad 3 und 4) überall der Wahrheit gemäß sind und daß das Gutachten auf Grund der eigenen Wahrnehmungen des Ausstellers nach dessen besten Wissen abgegeben ist.

Außerdem müssen die Atteste mit vollständigem Datum, vollständiger Namens-Unterschrift, insbesondere mit dem Amts-Charakter des Ausstellers und mit einem Abdruck des Dienstsiegels versehen sein.

Mittelst Reskripts vom 11. Februar 1858 ist überdies auch angeordnet, daß die gedachten Atteste in Zukunft jedesmal, außer dem vollständigen Datum der Ausstellung, auch den Ort und den Tag der stattgefundenen ärztlichen Untersuchungen enthalten müssen, und daß obige Bestimmungen auch auf diejenigen Atteste der Medizinal-Beamten Anwendung finden, welche von ihnen in ihrer Eigenschaft als praktische Aerzte zum Gebrauch vor Gerichts-Behörden ausgestellt werden.

Indem wir Vorstehendes hiermit zur Kenntniß bringen, machen wir den Herren Medizinal-Beamten die genaue Befolgung dieser Vorschriften zur Pflicht, indem wir dieselben darauf aufmerksam machen, daß bei Ausstellung von Zeugnissen in Haft-Angelegenheiten die Wahrscheinlichkeit einer Verschlimmerung des Zustandes eines Arrestanten bei sofortiger Freiheits-Entziehung kein genügender Grund ist, die einstweilige Aussetzung der Strafvollstreckung oder Schuldhaft als nothwendig zu bezeichnen.

Es müssen vielmehr die Medizinal-Beamten selbst überzeugt sein und nach den Grundsätzen der Wissenschaft durch die selbst wahrgenommenen Krankheits-Erscheinungen motiviren können, daß von der Haft-

Vollstreckung eine nahe bedeutende und nicht wieder gut zu machende Gefahr für Leben und Gesundheit zu besorgen ist.

Potsdam und Berlin, den 26. März 1856.

Königliche Regierung. Abtheilung des Innern.	Königliches Polizei-Präsidium.

*

Vorstehende Verordnung wird hiermit zur Beachtung wiederholt in Erinnerung gebracht.

Potsdam und Berlin, den 4. Januar 1890.

Der Königliche Regierungs-Präsident.	Der Königliche Polizei-Präsident.

Bekanntmachungen der Kaiserlichen Ober-Post-Direktion zu Potsdam.

Die Postagentur in Bernim betreffend.

3. Die Postagentur mit Telegraphenbetrieb in Bornim (Mark) ist in ein Postamt III. umgewandelt worden. Potsdam, den 6. Januar 1890.

Der Kaiserliche Ober-Postdirektor.

Bekanntmachungen der Königlichen Eisenbahn-Direktion zu Berlin.

Nachträge zu den Tarifheften 1 bis 3 des Galizisch-Norddeutschen Getreideverkehrs.

2. Am 1. Februar d. J. treten zu den Tarifheften 1 bis 3 des Galizisch-Norddeutschen Getreide-Verkehrs Nachträge in Kraft, welche neben Tarifberichtigungen und Aufnahme weiterer deutschen Stationen die Durchführung des Frachtausgleiches sofort bei der Reexpedition im Kartirungswege für die in den Stationen Czernowitz und Suczawa reexpedirten Sendungen enthalten. Exemplare der Nachträge sind im hiesigen Auskunftsbüreau auf dem Stadtbahnhof Alexanderplatz und bei der Güterkasse zu Stettin unentgeltlich zu haben. Berlin, den 4. Januar 1890.

Königliche Eisenbahn-Direktion.

Bekanntmachungen der Königlichen Eisenbahn-Direktion zu Magdeburg.

Kündigung von Eisenbahn-Prioritäts-Obligationen.

4. Auf Grund der Ermächtigung im § 4 des Gesetzes vom 20. Dezember 1879 (Ges.-S. S. 635), bezw. im dritten Absatze des § 5 des Gesetzes vom 17. Mai 1884 (Ges.-S. S. 129) und der Bestimmungen der betreffenden Privilegien kündige ich hiermit

1) die vierprozentigen Magdeburg—Halberstädter Eisenbahn-Prioritäts-Obligationen de 1873 (Privilegium vom 8. August 1873) und
2) die vierprozentigen Magdeburg—Leipziger Prioritäts-Obligationen der Magdeburg—Halberstädter Eisenbahn La. B. (Privilegium vom 21. Juni 1876),

soweit nicht deren Inhaber auf den durch meine Bekanntmachung vom 15. November d. J. angebotenen Umtausch gegen 3½ prozentige Staatsschuldverschreibungen rechtzeitig eingegangen sind, zur baaren Rückzahlung am 1. Juli 1890.

Die Auszahlung des Nominalbetrages der gekündigten Obligationen erfolgt vom 1. Juli 1890 ab bei den Königlichen Eisenbahn-Hauptkassen zu Magdeburg und Berlin (Leipzigerplatz 17) gegen Auslieferung der Obligationen selbst und der dazu gehörigen noch nicht fälligen Zinskupons und der Talons.

Der Geldbetrag etwa fehlender Zinsscheine wird von dem Betrage der zu leistenden Zahlung gekürzt.

Die Verpflichtung zur Verzinsung der Obligationen erlischt mit dem 30. Juni 1890.

Der Finanz-Minister. Scholz.

*

Die durch vorstehende Bekanntmachung des Herrn Finanz-Ministers zur baaren Rückzahlung gekündigten Eisenbahn-Prioritäts-Obligationen sind mit den dazu gehörigen noch nicht fälligen Zinsscheinen und den Talons mittelst Verzeichnisses unter Bezeichnung der etwa fehlenden Zinsscheine vom 1. Juli 1890 ab an eine der genannten Eisenbahn-Hauptkassen einzureichen.

Formulare zu den Verzeichnissen werden von den genannten Kassen unentgeltlich verabfolgt.

Wegen Einreichung der zum Umtausche gegen 3½ % Staatsschuldverschreibungen abgestempelten Obligationen wird später das Erforderliche veranlaßt werden.

Magdeburg, den 28. Dezember 1889.

Königliche Eisenbahn-Direktion.

Umtausch von Eisenbahn-Prioritäts-Obligationen betr.

5. Die zum Umtausch gegen 3½ % Staatsschuldverschreibungen abgestempelten

4 % Magdeburg-Halberstädter Eisenbahn-Prioritäts-Obligationen vom Jahre 1865 und 4 % Berlin-Potsdam-Magdeburger Eisenbahn-Prioritäts-Obligationen La. C. neue Emission

werden **vom 2. Januar 1890 ab** für die ersten 6 Wochen des Umtauschgeschäfts außer von den in unseren Bekanntmachungen vom 14. und 19. d. M. bezeichneten Kassen auch von

der Königlichen Eisenbahn-Hauptkasse in Frankfurt a. M. und der Königlichen Eisenbahn-Betriebskasse in Hamburg

angenommen. Magdeburg, den 31. Dezember 1889.

Königliche Eisenbahn-Direktion.

Personal-Chronik.

Des Kaisers und Königs Majestät haben Allergnädigst geruht, dem Forstkassen-Rendanten Schulze zu Oranienburg den Character „Rechnungs-Rath“ zu verleihen.

Im Kreise Teltow ist der Administrator Lange in Dsdorf auf's Neue zum Amtsvorsteher-Stellvertreter des 35. Bezirks Marienfelde ernannt worden.

Der Civil-Anwärter Wilhelm Gehrmann ist zum Regierungs-Civil-Supernumerarius ernannt worden.

Dem Förster Lauterbach zu Glashütte ist vom 1. Januar 1890 ab die probeweise Verwaltung der Forstkasse zu Gransee übertragen worden.

An Stelle des verstorbenen Kreisboniteurs Amtsvorstehers Dahms zu Storkow ist der Gutsbesitzer Suhr zu Claushagen zum Kreisboniteur für den Kreis Templin bestellt worden.

Bei der Königlichen Direction für die Verwaltung der directen Steuern in Berlin sind: 1) die Militair-Anwärter Gaede und Bonigk als Kanzlei-Diätare angenommen und 2) die Kanzlei-Diener Hoppe und Müller pensionirt.

Der bisherige Pfarrer Robert Friedrich Theodor Stein in Warnow, Diözese Lenzen, ist zum Pfarrer der Parochie Groß-Berge, Diözese Putlitz, bestellt worden.

Die unter dem Patronate des Dom-Kapitels zu Brandenburg a. H. stehende Pfarrstelle zu Tremmen, Diözese Dom-Brandenburg, kommt durch die nach altem Rechte erfolgende Emeritirung des Pfarrers Schumann zum 1. April 1890 zur Erledigung.

Die Lehrer Koepp, Knabe, Johannes Jahn, Grahl, Albert Jahn, Fast, Löwe, Jähns, Christ, Fritze, Pösche, Wittke und Schwanitz sind als Gemeindeschullehrer in Berlin angestellt worden.

Personalveränderungen im Bezirke des Kammergerichts in dem Monat November 1889.

I. Richterliche Beamte.

Ernannt sind: der Landgerichtsrath Bauer in Berlin zum Kammergerichtsrath, der Amtsgerichtsrath Dr. Bischoff in Cüstrin zum Landgerichtsdirektor bei dem Landgericht in Cottbus, die Gerichtsassessoren Dr. Dobberstein zum Amtsrichter bei dem Amtsgericht in Storkow, Gohr zum Amtsrichter bei dem Amtsgericht in Lübben, Kühnas zum Amtsrichter bei dem Amtsgericht in Flatow. Pensionirt ist der Kammergerichtsrath Berger. Verstorben sind: der Landgerichtsrath Buttler in Guben und der Amtsgerichtsrath Siefart in Berlin.

II. Assessoren.

Zu Gerichtsassessoren sind ernannt: die Referendare Schoenermarck, Ollenroth, Retzlaff, Hoburg, Augustin.

III. Rechtsanwälte und Notare.

Gelöscht ist in der Liste der Rechtsanwälte der Rechtsanwalt Dr. Hüch bei dem Landgericht zu Frankfurt a. O. Eingetragen sind in die Liste der Rechtsanwälte der Gerichtsassessor Perrin bei dem Amtsgericht in Luckenwalde der Gerichtsassessor Demler bei dem Amtsgericht in Cüstrin, der Gerichtsassessor Isidor Goldschmidt bei dem Landgericht in Cottbus, der Gerichtsassessor a. D. Sluzewski, und die Gerichtsassessoren Dr. Mushack, Morris, Kagermann und Dr. Koppel bei dem Landgericht I. in Berlin

IV. Referendare.

Zu Referendaren sind ernannt: die bisherigen Rechtskandidaten Schlingmann, Magnus, Levy, von Groß, v. d. Hagen, Lepenau, Dassis, Dr. phil. Kassel, Schiff, Sponholz, von Drigalski.

Versetzt ist von Keudell in den Bezirk des Oberlandesgerichts zu Königsberg i. Pr. Entlassen sind: Graf von Pourtalès, Asch und Bunsen auf ihren Antrag, Freiherr von Lüdinghausen, gen. Wolff, Zwecks Uebertritts in den Verwaltungsdienst.

V. Subalternbeamte.

Ernannt sind: der etatsmäßige Gerichtsschreibergehülfe Ternant in Luckenwalde zum Gerichtsschreiber bei dem Amtsgericht in Lippehne, der etatsmäßige Assistent von Gülich bei der Staatsanwaltschaft des Landgerichts I. in Berlin zum Gerichtsschreiber bei dem Amtsgericht in Züllichau, der Aktuar Schuh zum etatsmäßigen Assistenten bei der Staatsanwaltschaft des Landgerichts I. zu Berlin (Amtsanwaltschaft), der Militäranwärter Schwerdfeger zum Gerichtsvollzieher bei dem Amtsgericht in Triebel. Die Dienstentlassung des Sekretärs Bombe bei der Staatsanwaltschaft in Prenzlau ist rückgängig gemacht worden. Versetzt sind: der etatsmäßige Gerichtsschreibergehülfe Liehr in Treuenbrietzen an das Landgericht in Potsdam, der etatsmäßige Gerichtsschreibergehülfe Rudolph vom Amtsgericht I. als Assistent an die Staatsanwaltschaft I. in Berlin, der etatsmäßige Assistent Rodkroh von der Staatsanwaltschaft I. als Gerichtsschreibergehülfe an das Amtsgericht I. in Berlin. Pensionirt ist der Kanzlist Schirmer bei der Staatsanwaltschaft des Landgerichts in Potsdam. Entlassen ist der etatsmäßige Gerichtsschreibergehülfe Zahn in Sonnenburg Zwecks Uebertritts in den Bezirk des Oberlandesgerichts in Breslau. Verstorben sind die Kanzlisten Kahlbaum bei der Staatsanwaltschaft des Landgerichts in Guben und Graebner bei der Staatsanwaltschaft des Landgerichts I. in Berlin.

Personalveränderungen im Bezirke der Kaiserlichen Ober-Postdirektion in Potsdam.

Angenommen ist der Stationsaufseher Plath in Chorin (Mark) zum Postverwalter.

Ernannt sind die Postsecretaire Gaedke in Templin, Held in Strasburg (Uckermark), Pfeiffer in Belzig und Reinicke in Glöwen zu Postmeistern.

Freiwillig ausgeschieden ist der Postverwalter Rohloff in Chorin (Mark).

Bekanntmachung.

Im Verwaltungs-Bezirk der Königlichen Hofkammer der Königlichen Familiengüter ist der Förster Rosa zu Prieros in der Hausfideicommiß-Oberförsterei Hammer unter Verleihung des Charakters als „Königlicher Hegemeister" aus dem Dienst geschieden, der Förster Behrens bisher in der Kronfideicommiß-Forst Erdmannsdorf nach Prieros versetzt.

Berlin, den 23. Dezember 1889.

Königliche Hofkammer der Königlichen Familiengüter.

Hierzu Drei Oeffentliche Anzeiger.

(Die Insertionsgebühren betragen für eine einspaltige Druckzeile 20 Pf. Belagsblätter werden der Bogen mit 10 Pf. berechnet.)

Redigirt von der Königlichen Regierung zu Potsdam.

Potsdam, Buchdruckerei der A. W. Hayn'schen Erben (E. Hayn, Hof-Buchdrucker).

Amtsblatt

der Königlichen Regierung zu Potsdam und der Stadt Berlin.

Stück 3. Den 17. Januar **1890.**

Bekanntmachungen der Königlichen Ministerien.

Auslegung der Wählerlisten zu den Neuwahlen für den Reichstag.

2. Nachdem durch Kaiserliche Verordnung vom 8ten d. Mts. bestimmt worden ist, daß die Neuwahlen für den Reichstag am 20. Februar d. Js. vorzunehmen sind, setze ich auf Grund des § 2 des Reglements vom 28. Mai 1870 (Bundesgesetzblatt Seite 275) den Tag, an welchem die Auslegung der Wählerlisten zu beginnen hat, **auf den 28. Januar d. Js.** hierdurch fest.

Berlin, den 10. Januar 1890.

Der Minister des Innern. Herrfurth.

Bekanntmachungen des Königlichen Ober-Präsidenten der Provinz Brandenburg.

Wahl eines Provinziallandtags-Abgeordneten.

2. An Stelle des verstorbenen Rittergutsbesitzers, Königlichen Kammerherrn Grafen Philipp zu Eulenburg auf Liebenberg ist der Hauptmann a. D. von Rathenow zu Plaenitz zum Provinziallandtags-Abgeordneten des Kreises Ruppin gewählt worden. Solches wird gemäß § 21 der Provinzial-Ordnung vom 29. Juni 1875 hiermit bekannt gemacht.

Potsdam, den 3. Januar 1890.

Der Ober-Präsident der Provinz Brandenburg, Staatsminister v. Achenbach.

Bekanntmachungen der Königlichen Regierung.

Ausreichung der Zinsscheine Reihe II. zu den Schuldverschreibungen der Preußischen konsolidirten 4 prozentigen Staatsanleihe von 1880.

1. Die Zinsscheine Reihe II. № 1 bis 20 zu den Schuldverschreibungen der Preußischen konsolidirten 4 prozentigen Staatsanleihe von 1880 über die Zinsen für die Zeit vom 1. Januar 1890 bis 31. Dezember 1899 nebst den Anweisungen zur Abhebung der folgenden Reihe werden **vom 2. Dezember d. J. ab** von der Kontrolle der Staatspapiere hierselbst, Oranienstraße Nr. 92/94 unten links, Vormittags von 9 bis 1 Uhr, mit Ausnahme der Sonn- und Festtage und der letzten drei Geschäftstage jeden Monats, ausgereicht werden.

Die Zinsscheine können bei der Kontrolle selbst in Empfang genommen oder durch die Regierungs-Hauptkassen, sowie in Frankfurt a. M. durch die Kreiskasse bezogen werden.

Wer die Empfangnahme bei der Kontrolle selbst wünscht, hat derselben persönlich oder durch einen Beauftragten die zur Abhebung der neuen Reihe berechtigenden Zinsschein-Anweisungen mit einem Verzeichnisse zu übergeben, zu welchem Formulare ebenda und in Hamburg bei dem Kaiserlichen Postamte № 1 unentgeltlich zu haben sind. Genügt dem Einreicher eine numerirte Marke als Empfangsbescheinigung, so ist das Verzeichniß einfach, wünscht er eine ausdrückliche Bescheinigung, so ist es doppelt vorzulegen. Im letzteren Falle erhalten die Einreicher das eine Exemplar, mit einer Empfangsbescheinigung versehen, sofort zurück. Die Marke oder Empfangsbescheinigung ist bei der Ausreichung der neuen Zinsscheine zurückzugeben.

In Schriftwechsel kann die Kontrolle der Staatspapiere sich mit den Inhabern der Zinsscheinanweisungen nicht einlassen.

Wer die Zinsscheine durch eine der oben genannten Provinzialkassen beziehen will, hat derselben die Anweisungen mit einem doppelten Verzeichnisse einzureichen.

Das eine Verzeichniß wird, mit einer Empfangsbescheinigung versehen, sogleich zurückgegeben und ist bei Aushändigung der Zinsscheine wieder abzuliefern.

Formulare zu diesen Verzeichnissen sind bei den gedachten Provinzialkassen und den von den Königlichen Regierungen in den Amtsblättern zu bezeichnenden sonstigen Kassen unentgeltlich zu haben.

Der Einreichung der Schuldverschreibungen bedarf es zur Erlangung der neuen Zinsscheine nur dann, wenn die Zinsscheinanweisungen abhanden gekommen sind; in diesem Falle sind die Schuldverschreibungen an die Kontrolle der Staatspapiere oder an eine der genannten Provinzialkassen mittelst besonderer Eingabe einzureichen. Berlin, den 17. Oktober 1889.

Königliche Hauptverwaltung der Staatsschulden.

* * *

Vorstehende Bekanntmachung wird mit dem Bemerken zur öffentlichen Kenntniß gebracht, daß Formulare zu den Verzeichnissen von unserer Hauptkasse, den Königlichen Kreis- und Forstkassen und den Königlichen Haupt-Steuerämtern bezogen werden können.

Potsdam, den 21. Oktober 1889.

Königliche Regierung.

Bekanntmachungen des Königlichen Regierungs-Präsidenten.

Betrifft die Lotterie für die Niederlegung der Schloßfreiheit zu Berlin.

12. Des Kaisers und Königs Majestät haben geruht, dem Komitee für die Niederlegung der Schloßfreiheit zu Berlin mittelst Allerhöchsten Erlasses vom 27. Dezember v. J. die Erlaubniß zu ertheilen, im Jahre 1890 eine Geldlotterie zu dem bezeichneten Zwecke zu veranstalten und die Loose im gesammten Staatsgebiete zu vertreiben.

Die Lotterie wird bei 10000 Gewinnen zum Gesammtbetrage von 27,4 Millionen Mark 200000 Loose zum Preise von je **200 Mark** enthalten, welche in fünf Klassen und je nachdem als volle Loose oder in Antheilen von Halben, Viertel- und Achtel-Loosen zum Verkaufe gelangen sollen.

Potsdam, den 11. Januar 1890.

Der Regierungs-Präsident.

Das Russische General-Consulat in Berlin betr.

13. An Stelle des nach Stockholm versetzten Wirklichen Staatsraths und General-Consuls Kondriaschew ist der Collegienrath und Kammerjunker Kazarinoff zum Russischen Generalconsul in Berlin ernannt worden.

Potsdam, den 8. Januar 1890.

Der Regierungs-Präsident.

Das Spanische General-Consulat in Berlin betr.

14. Der Dr. Eduard Hahn-Echenagucia ist zum Kanzler bei dem Spanischen Generalkonsulate in Berlin ernannt und in dieser Amtseigenschaft zur Vertretung des Generalkonsuls Landau in Fällen der Abwesenheit desselben befugt.

Potsdam, den 8. Januar 1890.

Der Regierungs-Präsident.

Das Consulat für die Republik Nicaragua in Berlin betr.

15. Der Kaufmann Otto Schiffmann zu Berlin ist zum Consul der Republik Nicaragua ernannt und demselben das Exequatur ertheilt worden, was hiermit zur öffentlichen Kenntniß gebracht wird.

Potsdam, den 8. Januar 1890.

Der Regierungs-Präsident.

Viehseuchen.

16. Festgestellt ist:

der Milzbrand bei einer Kuh des Erbsitzers Bartel zu Kreuzbruch im Kreise Niederbarnim;

die Maul- und Klauenseuche in dem Rindviehbestande des Ritterguts Gutenpaaren, Kreis Westhavelland;

unter dem Rindvieh des Gutes Ellershagen, Kreis Ostprignitz.

In letzterem Orte ist die Guts- und Feldmarksperre angeordnet worden.

Erloschen ist:

die Maul- und Klauenseuche unter den Schweinen des Mühlenbesitzers Thiele zu Frauenhagen, Kreis Angermünde;

unter dem Rindvieh des Ritterguts Schöneiche und in Krummensee, Kreis Niederbarnim;

in Neu-Schadow, Kreis Beeskow-Storkow;

unter dem Rindvieh in der O.tschaft Dechtow, Kreis Osthavelland;

in Weseram, Kreis Westhavelland;

in Glienicke, Kreis Ostprignitz;

in den Ortschaften des Kreises Westprignitz.

Potsdam, den 14. Januar 1890.

Der Regierungs-Präsident.

Vertrauensmänner der Unfall-Berufsgenossenschaft betreffend.

17. Im Anschlusse an meine Amtsblatt-Bekanntmachungen vom 23. Oktober, 1., 7. und 15. November 1889 (Amtsblatt für 1889 Stück 44 Seite 388, Stück 46 Seite 315 und 405 und Stück 48 Seite 422) veröffentliche ich hiermit die Namen der Vertrauensmänner der Lederindustrie-Berufsgenossenschaft für den diesseitigen Bezirk:

	Bis Ende 1889.		Vom 1. Januar 1890 bis 31. Dezember 1891.	
Bezirke.	Vertrauensmänner.	Vertrauensmanns-Stellvertreter.	Vertrauensmänner.	Vertrauensmanns-Stellvertreter.
I. Stadt Potsdam Kreis Niederbarnim " Teltow " Beeskow-Storkow	Georg Straub in Berlin, Neue Jacobstr. 9.	August Anders in Berlin N. 20, Prinzen-Allee 47.	Georg Straub in Berlin, Neue Jacobstr. 9.	August Anders in Berlin N. 20, Prinzen-Allee 47.
II. Kreis West- und Ostprignitz " Ruppin " Templin	Karl Siegelkow in Damm-Hast b. Zehdenick.	L. Borchardt i. F. Otto Borchardt & Söhne. in Pritzwalk.	Karl Siegelkow in Damm-Hast bei Zehdenick.	L. Borchardt i. F. Otto Borchardt & Söhne in Pritzwalk.
III. Kreis Prenzlau, " Angermünde " Oberbarnim	August Arendsee i. F. Gebr. Arendsee in Wriezen.	N. Jacobsohn in Prenzlau.	August Arendsee i. F. Gebr. Arendsee in Wriezen.	N. Jacobsohn in Prenzlau.
IV. Kreis West- und Osthavelland " Zauch-Belzig " Jüterbog-Luckenwalde	Hermann Jahn i. F. G. Jahn in Brandenburg a. H.	Oscar Brerendorf in Brandenburg a. H.	Hermann Jahn i. F. G. Jahn in Brandenburg a. H.	Oscar Brerendorf in Brandenburg a. H.

Potsdam, den 9. Januar 1890.

Der Regierungs-Präsident.

Bekanntmachungen des Königlichen Polizei-Präsidiums zu Berlin.

Berliner und Charlottenburger Preise pro Monat Dezember 1889.

4.

A. Engros-Marktpreise im Monatsdurchschnitt.

In Berlin:

für	100	Klgr.	Weizen (gut)	19	Mark	41	Pf.,
„	„	„	do. (mittel)	19	„	01	„
„	„	„	do. (gering)	18	„	60	„
„	„	„	Roggen (gut)	17	„	71	„
„	„	„	do. (mittel)	17	„	55	„
„	„	„	do. (gering)	17	„	40	„
„	„	„	Gerste (gut)	19	„	40	„
„	„	„	Gerste (mittel)	17	„	66	„
„	„	„	do. (gering)	15	„	93	„
„	„	„	Hafer (gut)	17	„	29	„
„	„	„	do. (mittel)	16	„	92	„
„	„	„	do. (gering)	16	„	55	„
„	„	„	Erbsen (gut)	20	„	—	„
„	„	„	do. (mittel)	19	„	—	„
„	„	„	do. (gering)	18	„	—	„
„	„	„	Richtstroh	7	„	64	„
„	„	„	Heu	6	„	87	„

Monats-Durchschnitt der höchsten Berliner Tagespreise **einschließlich 5 % Aufschlag** für 50 kg

	Hafer	Stroh	Heu
im Monat Dezember	9,32 Mk.,	4,21 Mk.,	4,05 Mk.

B. Detail-Marktpreise im Monatsdurchschnitt.

1) In Berlin:

für	100	Klgr.	Erbsen (gelbe z. Kochen)	26	Mark	—	Pf.,
„	„	„	Speisebohnen (weiße)	30	„	—	„
„	„	„	Linsen	44	„	42	„
„	„	„	Kartoffeln	5	„	—	„
„	1	Klgr.	Rindfleisch v. d. Keule	1	„	25	„
„	1	„	„ (Bauchfleisch)	1	„	10	„
„	1	„	Schweinefleisch	1	„	43	„
„	1	„	Kalbfleisch	1	„	27	„
„	1	„	Hammelfleisch	1	„	15	„
„	1	„	Speck (geräuchert)	1	„	68	„
„	1	„	Eßbutter	2	„	41	„
„	60	Stück	Eier	4	„	70	„

2) In Charlottenburg:

für	100	Klgr.	Erbsen (gelbe z. Kochen)	32	Mark	66	Pf.,
„	„	„	Speisebohnen (weiße)	35	„	—	„
„	„	„	Linsen	45	„	—	„
„	„	„	Kartoffeln	4	„	25	„
„	1	Klgr.	Rindfleisch v. d. Keule	1	„	30	„
„	1	„	„ (Bauchfleisch)	1	„	—	„
„	1	„	Schweinefleisch	1	„	50	„
„	1	„	Kalbfleisch	1	„	35	„
„	1	„	Hammelfleisch	1	„	10	„
„	1	„	Speck (geräuchert)	1	„	60	„
„	1	„	Eßbutter	2	„	36	„
„	60	Stück	Eier	4	„	50	„

C. Ladenpreise in den letzten Tagen des Monats Dezember 1889:

1) In Berlin:

für	1	Klgr.	Weizenmehl № 1			34	Pf.,
„	1	„	Roggenmehl № 1			32	„
„	1	„	Gerstengraupe			50	„
„	1	„	Gerstengrütze			40	„
„	1	„	Buchweizengrütze			42	„
„	1	„	Hirse			40	„
„	1	„	Reis (Java)			70	„
„	1	„	Java-Kaffee (mittler)	2	Mark	75	„
„	1	„	„ (gelb in gebr. Bohnen)	3	„	78	„
„	1	„	Speisesalz			20	„
„	1	„	Schweineschmalz (hiesiges)	1	„	40	„

2) In Charlottenburg:

für	1	Klgr.	Weizenmehl № 1			50	Pf.,
„	1	„	Roggenmehl № 1			40	„
„	1	„	Gerstengraupe			60	„
„	1	„	Gerstengrütze			50	„
„	1	„	Buchweizengrütze			50	„
„	1	„	Hirse			50	„
„	1	„	Reis (Java)			80	„
„	1	„	Java-Kaffee (mittler)	2	„	80	„
„	1	„	„ (gelb in gebr. Bohnen)	3	„	80	„
„	1	„	Speisesalz			20	„
„	1	„	Schweineschmalz (hiesiges)	1	„	30	„

Berlin, den 8. Januar 1890.

Königl. Polizei-Präsidium. Erste Abtheilung.

Polizei-Verordnung.

5. Auf Grund der §§ 5 und 6 des Gesetzes über die Polizei-Verwaltung vom 11. März 1850 (Gesetz-Sammlung Seite 265) und der §§ 143 und 144 des Gesetzes über die allgemeine Landesverwaltung vom 30. Juli 1883 (Gesetz-Sammlung Seite 195) wird unter Zustimmung des Gemeindevorstandes für den Stadtkreis Berlin Folgendes verordnet:

§ 1. Das Halten von Marktfuhrwerken aller Art ist von 10 Uhr Vormittags bis 1 Uhr Nachmittags in folgenden Straßen verboten:

in der Panoramastraße, Rochstraße, Gontardstraße, in der Kaiser Wilhelmstraße vom Neuen Markt bis zur Münzstraße, in der Neuen Friedrichstraße von der Panorama- bis zur Rochstraße und in der Straße An der Stadtbahn von der Straße An der Spandauerbrücke bis zur Königstraße.

§ 2. Uebertretungen dieser Vorschrift werden mit einer Geldstrafe bis zu 30 Mark oder im Unvermögensfalle mit verhältnißmäßiger Haft bestraft.

§ 3. Diese Verordnung tritt am 15. Januar 1890 in Kraft. Mit demselben Tage treten die Polizei-Verordnungen vom 29. Juli und 25. September 1889 außer Kraft.

Berlin, den 6. Januar 1890.

Der Polizei-Präsident. Freiherr von Richthofen.

Stell- und Rademacher-Innung zu Berlin.

6. Nachstehende Bestimmung:

Auf Grund des § 100e. der Reichs-Gewerbe-Ordnung bestimme ich hiermit für den Bezirk der Stell- und Rademacher-Innung zu Berlin, daß

1) Streitigkeiten aus den Lehrverhältnissen der im § 120a. der Reichs-Gewerbeordnung bezeichneten Art auf Anrufen eines der streitenden Theile von der zuständigen Innungsbehörde (§ 43 des Innungsstatuts) und zwar, so lange die Innung dem Innungsausschuß der vereinigten Innungen zu Berlin angehört, von dem engeren Ausschuß des letzteren (Schiedsgericht für Lehrlingsstreitigkeiten) auch dann zu entscheiden sind, wenn der Arbeitgeber, obwohl er ein in dieser Innung vertretenes Gewerbe betreibt und selbst zur Aufnahme in dieselbe fähig sein würde, gleichwohl der Innung nicht angehört;
2) die sämmtlichen von der bezeichneten Innung erlassenen Vorschriften über die Regelung des Lehrlingsverhältnisses, sowie über die Ausbildung und Prüfung der Lehrlinge auch dann bindend sind, wenn deren Lehrherr zu den unter Ziffer 1 bezeichneten Arbeitgebern gehört;
3) daß Arbeitgeber der unter Ziffer 1 bezeichneten Art vom 1. Januar 1888 ab Lehrlinge nicht mehr annehmen dürfen.

Diese Bestimmung tritt mit dem 1. Januar 1888 in Kraft.

Berlin, den 15. November 1887.

Der Königliche Polizei-Präsident.

wird hierdurch mit dem Hinzufügen wiederholt bekannt gemacht, daß der Bezirk der Stell- und Rademacher-Innung zu Berlin von dem 1. Februar 1890 ab die Stadtgemeinde **Berlin**, die Amtsbezirke **Schöneberg**, **Rixdorf**, **Tempelhof**, **Pankow**, **Lichtenberg**, **Friedrichsfelde**, **Treptow**, **Stralau**, **Wilmersdorf**, **Tegel** und **Reinickendorf** sowie den Gemeindebezirk **Dalldorf** umfaßt.

Berlin, den 10. Januar 1890.

Der Polizei-Präsident.

Bekanntmachungen der Königl. Kontrolle der Staatspapiere.

Aufgebot eines Staatsschuldscheins.

1. In Gemäßheit des § 20 des Ausführungsgesetzes zur Civilprozeßordnung vom 24. März 1879 (G.-S. S. 281) und des § 6 der Verordnung vom 16. Juni 1819 (G.-S. S. 157) wird bekannt gemacht, daß dem früheren Armenkassen-Rendanten Bernard Kersting zu Olsen der ursprünglich der dortigen Armenverwaltung gehörige Staatsschuldschein Lit. H. № 48229 über 25 Thaler angeblich abhanden gekommen ist. Es wird Derjenige, welcher sich im Besitze dieser Urkunde befindet, hiermit aufgefordert, solches der unterzeichneten Kontrolle der Staatspapiere oder der Tochter des nunmehr verstorbenen ꝛc. Kersting, Krämerin Frau Josefa Kersling zu Olsen, welche durch Erstattung der Valuta das Recht auf den Staatsschuldschein erworben hat, anzuzeigen, widrigenfalls das gerichtliche Aufgebotsverfahren behufs Kraftloserklärung der Urkunde beantragt werden wird.

Berlin, den 3. Januar 1890.

Königliche Kontrolle der Staatspapiere.

Aufgebot eines Staatsschuldscheins.

2. In Gemäßheit des § 20 des Ausführungsgesetzes zur Civilprozeßordnung vom 24. März 1879 (G.-S. S. 281) und des § 6 der Verordnung vom 16. Juni 1819 (G.-S. S. 157) wird bekannt gemacht, daß der Staatsschuldschein von 1842 Lit. H. № 58512 über 25 Thlr. in dem Nachlaß des am 31. Dezember 1880 zu Landstuhl, im bayerischen Regierungsbezirk Pfalz, verstorbenen Kaufmanns und Oekonomen Jacob Martin angeblich vermißt ist. Es wird Derjenige, welcher sich im Besitze dieser Urkunde befindet, hiermit aufgefordert, solches der unterzeichneten Kontrolle der Staatspapiere oder der verwittweten Frau Jacob Martin, geb. Schmidt zu Deidesheim in Bayern anzuzeigen, widrigenfalls das gerichtliche Aufgebotsverfahren behufs Kraftloserklärung der Urkunde beantragt werden wird.

Berlin, den 3. Januar 1890.

Königliche Kontrolle der Staatspapiere.

Bekanntmachungen der Königlichen Eisenbahn-Direktion zu Magdeburg.

Umtausch von 4% Berlin-Potsdam-Magdeburger Eisenbahn-Prioritäts-Obligationen gegen Staatsschuldverschreibungen.

3. Die zum Umtausch gegen Schuldverschreibungen der $3\frac{1}{2}$% konsolidirten Preuß. Staatsanleihe abgestempelten

4% Berlin-Potsdam-Magdeburger Eisenbahn-Prioritäts-Obligationen Lit. C. neue Emission

sind **vom 2. Januar 1890 ab**
bei der Königlichen Eisenbahn-Hauptkasse zu Magdeburg,
welche den Umtausch bewirkt,
oder
bei den Königlichen Eisenbahn-Betriebskassen zu Berlin (auf dem Potsdamer Bahnhof), zu Halberstadt und zu Braunschweig,
welche den Umtausch vermitteln,
einzureichen.

Die umzutauschenden Obligationen sind mit den Talons und mit den Zinsscheinen über die vom **1. Januar 1890** ab laufenden Zinsen einzuliefern.

Gleichzeitig weisen wir darauf hin, daß diejenigen Obligationen der vorgedachten Gattung, welche nicht zum Umtausch abgestempelt sind und daher als gekündigt gelten, vom 2. Januar 1890 ab gegen Einlieferung der Stücke nebst Talons und Zinsscheinen über die Zinsen vom 1. Januar 1890 ab laufend bei der Königlichen Eisenbahn-Hauptkasse zu Magdeburg und bei der Königlichen Eisenbahn-Hauptkasse, Abtheilung für Werthpapiere, in Berlin, Leipzigerplatz 17, zum Nennwerth eingelöst werden.

Für fehlende Zinsscheine wird der entsprechende Betrag bei Baarauszahlung gekürzt, beim Umtausch gegen Staatsschuldverschreibungen, welche mit Zinsscheinen vom 1. Januar 1890 ab laufend ausgehändigt werden, ist der Betrag baar einzuzahlen, oder bei Einsendung der Obligationen durch die Post der Postsendung beizufügen.

Außer Kurs gesetzte Obligationen müssen vor der Einlieferung wieder in Kurs gesetzt sein.

Die Einreichung der Obligationen hat mittelst eines Verzeichnisses, in welches dieselben in aufsteigender Nummerfolge einzutragen sind, zu erfolgen. Dieser Nummerfolge entsprechend müssen die Obligationen und Zinsscheine geordnet und je mit einem Papierstreifen umschlossen sein, auf welchem die Anzahl der Stücke und der Name des Einlieferers anzugeben ist. Formulare zu diesen Verzeichnissen werden von den Eingangs genannten Kassen unentgeltlich verabfolgt.

Ueber die eingereichten umzutauschenden Obligationen und Zinsscheine werden, Falls der Umtausch nicht Zug und Zug erfolgen kann, von den annehmenden Kassen Empfangsbescheinigungen ausgestellt, welche bei der durch dieselbe Kasse erfolgenden Aushändigung der Staatsschuldverschreibungen zurückzugeben sind. Sobald Letztere zur Abholung bereit liegen, werden die Einlieferer portopflichtig davon benachrichtigt.

Ueber die durch die Post eingehenden umzutauschenden Obligationen werden Empfangsbescheinigungen nur auf Verlangen ertheilt. Für die mit der Post eingesandten Obligationen werden die Staatsschuldverschreibungen gleichfalls durch die Post unter voller Werthangabe übersandt, Falls ein Anderes nicht bestimmt wird. Der Empfänger hat umgehend Quittung zu ertheilen.

Für den Umtausch stehen Staatsschuldverschreibungen in Stücken zu 5000, 2000, 1000, 500, 300 und 200 Mark in beschränkter Anzahl zur Verfügung und sollen bezügliche Wünsche der Obligations-Inhaber thunlichst berücksichtigt werden. Magdeburg, 14. Dezember 1889.

Königliche Eisenbahn-Direktion.

Umtausch von 4prozentigen Magdeburg-Halberstädter Eisenbahn-Prioritäts-Obligationen gegen Staatsschuldverschreibungen.

7. Die zum Umtausch gegen Schuldverschreibungen der 3½ %. konsolidirten Preußischen Staats-Anleihe abgestempelten 4 %. **Magdeburg-Halberstädter Eisenbahn-Prioritäts-Obligationen vom Jahre 1865** sind **vom 2. Januar 1890 ab bei der Königlichen Eisenbahn-Hauptkasse zu Magdeburg**, welche den Umtausch bewirkt, oder **bei den Königlichen Eisenbahn-Betriebskassen zu Berlin (auf dem Potsdamer Bahnhof), zu Halberstadt und zu Braunschweig**, welche den Umtausch vermitteln, einzureichen.

Die umzutauschenden Obligationen sind mit den Talons und mit den Zinsscheinen über die **vom 1. Januar 1890 ab** laufenden Zinsen einzuliefern.

Gleichzeitig weisen wir darauf hin, daß diejenigen Obligationen der vorgedachten Gattung, welche nicht zum Umtausch abgestempelt sind und daher als gekündigt gelten, **vom 2. Januar 1890 ab** gegen Einlieferung der Stücke nebst Talons und den Zinsscheinen über die Zinsen vom 1. Januar 1890 ab laufend bei der Königlichen Eisenbahn-Hauptkasse zu Magdeburg und bei der Königlichen Eisenbahn-Hauptkasse, Abtheilung für Werthpapiere, zu Berlin, Leipzigerplatz 17, zum Nennwerth eingelöst werden.

Für fehlende Zinsscheine wird der entsprechende Betrag bei Baarauszahlung gekürzt; beim Umtausch gegen Staatsschuldverschreibungen, welche mit Zinsscheinen vom 1. Januar 1890 ab laufend ausgehändigt werden, ist der Betrag baar einzuzahlen, oder bei Einsendung der Obligationen durch die Post der Postsendung beizufügen.

Außer Kurs gesetzte Obligationen müssen vor der Einlieferung wieder in Kurs gesetzt sein.

Die Einreichung der Obligationen hat mittels eines Verzeichnisses, in welches dieselben in aufsteigender Nummerfolge einzutragen sind, zu erfolgen. Dieser Nummerfolge entsprechend müssen die Obligationen und Zinsscheine geordnet und je mit einem Papierstreifen umschlossen sein, auf welchem die Anzahl der Stücke und der Name des Einlieferers anzugeben ist.

Formulare zu diesen Verzeichnissen werden von den obengenannten Kassen unentgeltlich verabfolgt.

Ueber die eingereichten umzutauschenden Obligationen und Zinsscheine werden, Falls der Umtausch nicht Zug um Zug erfolgen kann, von den annehmenden Kassen Empfangsbescheinigungen ausgestellt, welche bei der durch dieselbe Kasse erfolgenden Aushändigung der Staatsschuldverschreibungen zurückzugeben sind. Sobald Letztere zur Abholung bereit liegen, werden die Einlieferer portopflichtig davon benachrichtigt.

Ueber die durch die Post eingehenden umzutauschenden Obligationen werden Empfangsbescheinigungen nur auf Verlangen ertheilt. Für die mit der Post eingesandten Obligationen werden die Staatsschuldverschreibungen gleichfalls durch die Post unter voller Werthangabe übersandt, Falls ein Anderes nicht bestimmt wird. Der Empfänger hat umgehend Quittung zu ertheilen.

Für den Umtausch stehen Staatsschuldverschreibungen in Stücken zu 5000, 2000, 1000, 500, 300 und 200 Mark in beschränkter Anzahl zur Verfügung und sollen bezügliche Wünsche der Obligations-Inhaber thunlichst berücksichtigt werden.

Magdeburg, den 19. Dezember 1889.

Königliche Eisenbahn-Direktion.

Kündigung von Eisenbahn-Prioritäts-Obligationen.

8. Auf Grund der Ermächtigung im § 4 des Gesetzes vom 20. Dezember 1879 (Ges.-S. S. 635), bezw. im dritten Absatze des § 5 des Gesetzes vom 17. Mai 1884 (Ges.-S. S. 129) und der Bestimmungen der betreffenden Privilegien kündige ich hiermit

1) die vierprozentigen Magdeburg—Halberstädter Eisenbahn-Prioritäts-Obligationen de 1873 (Privilegium vom 8. August 1873) und

2) die vierprozentigen Magdeburg—Leipziger Prioritäts-Obligationen der Magdeburg—Halberstädter Eisenbahn Lit. B. (Privilegium vom 21. Juni 1876),

soweit nicht deren Inhaber auf den durch meine Bekanntmachung vom 15. November d. J. angebotenen Umtausch gegen $3^1/_2$ prozentige Staatsschuldverschreibungen rechtzeitig eingegangen sind, zur baaren Rückzahlung am 1. Juli 1890.

Die Auszahlung des Nominalbetrages der gekündigten Obligationen erfolgt vom 1. Juli 1890 ab bei den Königlichen Eisenbahn-Hauptkassen zu Magdeburg und Berlin (Leipzigerplatz 17) gegen Aushändigung der Obligationen selbst und der dazu gehörigen noch nicht fälligen Zinskoupons und der Talons.

Der Geldbetrag etwa fehlender Zinsscheine wird von dem Betrage der zu leistenden Zahlung gekürzt.

Die Verpflichtung zur Verzinsung der Obligationen erlischt mit dem 30. Juni 1890.

Der Finanz-Minister. Scholz.

* * *

Die durch vorstehende Bekanntmachung des Herrn Finanz-Ministers zur baaren Rückzahlung gekündigten Eisenbahn-Prioritäts-Obligationen sind mit den dazu gehörigen noch nicht fälligen Zinsscheinen und den Talons mittelst Verzeichnisses unter Bezeichnung der etwa fehlenden Zinsscheine vom 1. Juli 1890 ab an eine der genannten Eisenbahn-Hauptkassen einzureichen.

Formulare zu den Verzeichnissen werden von den genannten Kassen unentgeltlich verabfolgt.

Wegen Einreichung der zum Umtausche gegen $3^1/_2$ % Staatsschuldverschreibungen abgestempelten Obligationen wird später das Erforderliche veranlaßt werden.

Magdeburg, den 28. Dezember 1889.

Königliche Eisenbahn-Direktion.

Bekanntmachungen der Kreis-Ausschüsse.

Genehmigung.

1. Auf Grund des § 1 Abschnitt 4 des Gesetzes vom 14. April 1856, betreffend die Landgemeinde-Verfassungen in Verbindung mit § 25 des Zuständigkeits-Gesetzes vom 1. August 1883 genehmigen wir hiermit, daß 1) die von dem Kaufmann Oskar Liepack zu Berlin erworbenen, zuvor dem Königlich Preußischen Forstfiskus gehörigen, in den Grundsteuer-Katastern Kartenblatt 5 Parzelle $\frac{191}{56}$ und Parzelle $\frac{192}{56}$ der Gemarkung Cöpenick Forst verzeichneten Vorlandflächen am Flakensee bei Woltersdorf von 83 qm und 2 ar 21 qm Größe und 2) die von dem Buhnenmeister Carl Hildebrandt zu Woltersdorf erworbene, zuvor dem Königlich Preußischen Forstfiskus gehörige, in den Grundsteuer-Katastern Kartenblatt 5 Parzelle $\frac{197}{56}$ der Gemarkung Cöpenick Forst verzeichnete Vorlandfläche am Flakensee bei Woltersdorf von 94 qm Größe von dem Gutsbezirke der Königlichen Cöpenicker Forst abgetrennt und in den Gemeindebezirk Woltersdorf einverleibt werden.

Berlin, den 31. Dezember 1889.

Der Kreisausschuß des Kreises Niederbarnim.

Personal-Chronik.

Im Kreise Teltow ist der Gemeindevorsteher, Rechnungs-Rath Rönneberg zu Friedenau aufs Neue zum Amtsvorsteher-Stellvertreter des 2. Amtsbezirks Deutsch-Wilmersdorf ernannt worden.

Im Kreise Osthavelland sind der Gemeindevorsteher Schlöcke zu Sommerfeld aufs Neue zum Amtsvorsteher und der Gemeinde-Vorsteher Vogler zu Berz aufs Neue zum Amtsvorsteher-Stellvertreter für den VI. Bezirk Berz ernannt worden.

Im Kreise Ostprignitz ist an Stelle des Ritterschafts-Direktors von Kröcher zu Vogtsbrügge, welcher sein Amt niedergelegt hat, der Rittergutsbesitzer, Rittmeister a. D. von Kröcher zu Babe zum Amtsvorsteher-Stellvertreter des 1. Bezirks Lohm ernannt worden.

Der Polizei-Inspektor Jaeckel ist zum Stellvertreter des Amts-Anwalts und der Forst-Assessor Graf Korff gen. Schmiesing-Kerßenbrock zum Vertreter des Forst-Amts-Anwalts des Königlichen Forstbezirks Coepenick bei dem Königlichen Amts-Gericht daselbst ernannt.

Die Pfarrstelle zu Alt-Trebbin, Diözese Wriezen, kommt durch die Versetzung des Pfarrers Schöppenthau zum 1. März d. J. zur Erledigung. Das Besetzungsrecht steht der Gemeinde zu und sind desfallsige Meldungen an den Gemeinde-Kirchenrath zu richten.

Dem Oberlehrer am Falk-Realgymnasium in Berlin Dr. Albert Güth ist der Professortitel verliehen worden.

Personalveränderung im Bezirke der Königl. Eisenbahn-Direction in Bromberg.

Der Stations-Vorsteher II. Klasse von Jakowski in Rügenwalde ist nach Fredersdorf versetzt worden.

Personalveränderungen im Bezirk der Kaiserlichen Ober-Postdirection in Berlin.

Im Laufe des Monats Dezember 1889 sind

ernannt: zu Ober-Postassistenten die Postassistenten Grasenack, Priese und Stegmeh, zu Ober-Telegraphenassistenten die Telegraphenassistenten Beyer, Dammann, Dobbert, Roß, Scherff und Schwierzy;

angestellt: als Postsecretaire die Postpraktikanten Drees, Eckert, Göcke, Rösener, Schäffer, Schnee, G. L. Schulze und Unverferdt, als Postassistenten die Postassistenten Ahl, Lüdeke, Reckzeh, Stephan, Voß, Weilandt und Werner;

versetzt: von Berlin der Postdirektor Wrede nach Eisennach, die Postsecretaire Albrecht nach Coblenz,

Berkenbusch nach Hannover, nach Berlin: der Postdirector Böhm von Liegnitz, der Postsecretair Mendelsohn von Bartenstein (Ostpr.);
in den Ruhestand versetzt: der Ober-Telegraphensecretair Bliesener;
gestorben: der Ober-Postsecretair Lange, die Postsecretaire Gressel, Lemke und Wendland, der Telegraphensecretair Windemuth, der Ober-Telegraphenassistent Rabe, die Postassistenten Wilhelm Engel, Racke und Ulmer.

Ausweisung von Ausländern aus dem Reichsgebiete.

Lauf. Nr.	Name und Stand des Ausgewiesenen.	Alter und Heimath des Ausgewiesenen.	Grund der Bestrafung.	Behörde, welche die Ausweisung beschlossen hat.	Datum des Ausweisungs-Beschlusses.
1.	2.	3.	4.	5.	6.
		Auf Grund des § 362 des Strafgesetzbuchs:			
1	Johann Cerny, Fabrikarbeiter,	50 Jahre alt, geboren und ortsangehörig zu Strebecin, Bezirk Prestitz, Böhmen,	Landstreichen und Betteln,	Königlich Bayerisches Bezirksamt Traunstein,	19. November 1889.
2	Franz Pernsteiner, Bäckergeselle,	geboren am 27. November 1868 zu Gallneukirchen, Bezirk Linz, Oesterreich, ortsangehörig zu Hellmonsoed, ebendaselbst,	Beleidigung, Widerstand gegen die Staatsgewalt und Betteln im wiederholten Rückfall,	Königlich Bayerisches Bezirksamt Wasserburg,	21. November 1889.
3	Johanna Mráz, verwittwete Tagelöhnerin,	geboren am 16. September 1842 zu Welhartitz, Bez. Schüttenhofen, Böhmen, ortsangehörig zu Wittingau, Böhmen, wohnhaft zuletzt in Laufen, Bayern,	Landstreichen, Betteln und Fälschung eines Legitimationspapiers,	Königlich Bayerisches Bezirksamt Laufen,	23. November 1889.
4	Josef Krause, Sattler,	geboren am 25. Juli 1859 zu Schröbersdorf, Bezirk Schüttenhofen, Böhmen, ortsangehörig ebendaselbst,	Landstreichen,	Königlich Bayerisches Bezirksamt Neustadt a. W. N.	28. November 1889.
5	Emil Beringer, Erdarbeiter,	geboren am 24. November 1870 zu Zürich, Schweiz, ortsangehörig ebendaselbst,	Landstreichen und Betteln,	Kaiserlicher Bezirks-Präsident zu Metz,	5. Dezember 1889.
6	Josef Byt, Arbeiter,	geboren am 6. März 1844 zu Schweitowitz, Bezirk Trautenau, Böhmen, ortsangehörig ebendaselbst,	Betteln im wiederholten Rückfall,	Königlich Preußischer Regierungspräsident zu Breslau,	10. Dezember 1889.
7	Ferdinand Scholz, Tagearbeiter,	geboren am 21. April 1868 zu Dittersbach, Bezirk Königgrätz, Böhmen, ortsangehörig ebendaselbst,	Landstreichen u. Betteln,	derselbe,	desgleichen.
8	Wenzel Moeldner, Eisendreher,	geboren am 24. Juli 1861 zu Rochlitz, Bezirk Starkenbach, Böhmen, ortsangehörig ebendaselbst,	Betteln im wiederholten Rückfall,	derselbe,	18. Dezember 1889.
9	Franz Baudisch, Formenstecher,	geboren am 8. Juli 1849 zu Kriesdorf, Kreis Jung-Bunzlau, Böhmen,	desgleichen,	Königlich Preußischer Regierungspräsident zu Frankfurt a. O.,	22. November 1889.

Laufende Nr.	Name und Stand des Ausgewiesenen.	Alter und Heimath des Ausgewiesenen.	Grund der Bestrafung.	Behörde, welche die Ausweisung beschlossen hat.	Datum des Ausweisungs-Beschlusses.
1.	2.	3.	4.	5.	6.
10	Theophil Norrenberg, Müllergeselle,	geboren im Jahre 1862 zu Lubin, Gouvernement Warschau, Russisch-Polen, ortsangehörig ebendaselbst,	Landstreichen und Betteln,	Königlich Preußischer Regierungspräsident zu Düsseldorf,	14. Dezember 1889.
11	Peter Fuhrmann, Schlosser und Schmied,	geboren am 12. Mai 1850 zu Volchen, Elsaß Lothringen, durch Option Französischer Staatsangehöriger,	Betteln im wiederholten Rückfall,	Königlich Preußischer Regierungspräsident zu Trier,	20. November 1889.
12	Amalie Dutz, ledige Dienstmagd,	geboren am 25. Mai 1861 zu Karlsbad, Böhmen, ortsangehörig ebendaselbst,	Diebstahl, gewerbsmäßige Unzucht, falsche Namensangabe und Landstreichen,	Stadtmagistrat Bayreuth, Bayern,	9. Oktober 1889.
13	Josef Beiganz, Fabrikarbeiter,	geboren am 21. Oktober 1865 zu Ansfelden, Bezirk Linz, Oesterreich, ortsangehörig zu Allkofen, Bezirk Wels, ebendaselbst,	Landstreichen und Betteln,	Königlich Bayerisches Bezirksamt Miesbach,	25. November 1889.
14	Anton Werber (Wrba), Drechsler,	geboren am 20. Oktober 1867 zu Gföhl, Bezirk Krems, Oesterreich, ortsangehörig zu Prawowitz, Bezirk Klattau, Böhmen,	Landstreichen und Führung falscher Zeugnisse,	dasselbe,	26. November 1889.
15	Georg Lachmaier, Metzger,	geboren am 6. Oktober 1869 zu Neuhofen, Bezirk Steyr, Oesterreich, ortsangehörig zu Ried, ebendaselbst,	desgleichen,	dasselbe,	5. Dezember 1889.
16	Anna Maria Kluczniak, ledige Tagelöhnerin,	geboren am 2. Februar 1838 zu Johannesdorf, Gemeinde Polanka, Bezirk Troppau, Oesterr.-Schlesien, ortsangehörig ebendaselbst,	Landstreichen,	Königlich Bayerisches Bezirksamt Laufen,	1. Dezember 1889.
17	Joseph Skorkowsky, Tuchmacher,	geboren am 16. September 1845 zu Humpoletz, Bezirk Deutschbrod, Böhmen, ortsangehörig ebendaselbst,	Betteln im wiederholten Rückfall,	Königlich Sächsische Kreishauptmannschaft zu Zwickau,	13. November 1889.
18	Heinrich van Wewers, Bierbrauer,	geboren am 18. April 1856 zu Mastricht, Niederlande, ortsangehörig ebendaselbst,	desgleichen,	Großherzoglich Hessisches Kreisamt Darmstadt,	desgleichen.

Hierzu Drei Oeffentliche Anzeiger.

(Die Insertionsgebühren betragen für eine einspaltige Druckzeile 20 Pf. Belagsblätter werden der Bogen mit 10 Pf. berechnet.)

Redigirt von der Königlichen Regierung zu Potsdam.

Potsdam, Buchdruckerei der A. W. Hayn'schen Erben (E. Hayn, Hof-Buchdrucker).

Amtsblatt

der Königlichen Regierung zu Potsdam und der Stadt Berlin.

Stück 4. Den 24. Januar **1890.**

Bekanntmachungen des Königlichen Ober-Präsidenten der Provinz Brandenburg.

Die Neuwahlen für den Reichstag betreffend.

8. Nachdem durch Kaiserliche Verordnung vom 8. d. M. bestimmt worden ist, daß die Neuwahlen für den Reichstag am 20. Februar d. J. vorzunehmen sind, bringe ich in Gemäßheit des § 24 des Reglements vom 28. Mai 1870 zur Ausführung des Wahlgesetzes für den Reichstag vom 31. Mai 1869 hierdurch zur öffentlichen Kenntniß, daß ich zu Wahlkommissarien für die Reichstagswahlen in der Stadt Berlin ernannt habe

für den I. Wahlkreis
den Herrn Stadtrath Kochhann,
für den II. Wahlkreis
den Herrn Stadtrath Schaefer,
für den III. Wahlkreis
den Herrn Stadtrath Weise,
für den IV. Wahlkreis
den Herrn Stadtrath Kaempf,
für den V. Wahlkreis
den Herrn Stadtrath Mamroth,
für den VI. Wahlkreis
den Herrn Stadtrath Friedel

und zu Stellvertretern im Fall der Behinderung eines der Wahlkommissarien die Herren Stadträthe Bail und Dr. Weigert.

Potsdam, den 17. Januar 1890.

Der Ober-Präsident, Staatsminister von Achenbach.

Bekanntmachungen des Staatssekretairs des Reichs-Postamts.

Postpacketverkehr mit Columbien.

1. Von jetzt ab können Postpackete ohne Werthangabe im Gewichte bis 5 kg nach der Republik Columbien versandt werden.

Die Postpackete müssen frankirt werden. Die Taxe beträgt, ohne Rücksicht auf das Gewicht, 3 M. für jedes Packet.

Ueber die Versendungsbedingungen ertheilen die Postanstalten auf Verlangen Auskunft.

Berlin W., 8. Januar 1890.

Der Staatssecretair des Reichs-Postamts.

Bekanntmachungen des Königlichen Regierungs-Präsidenten.

General-Consulat der Vereinigten Staaten von Venezuela in Berlin.

18. Hiermit bringe ich zur öffentlichen Kenntniß, daß der Herr Martin Zulvaga y Fovar zum General-Consul der Vereinigten Staaten von Venezuela in Berlin ernannt und demselben das Exequatur ertheilt worden ist.

Potsdam, den 17. Januar 1890.

Der Regierungs-Präsident.

Die Oesterreichisch Französische Elementar- und Unfallversicherungs-Gesellschaft „Azienda" in Wien betreffend.

19. Die „Azienda" Oesterreichisch-Französische Elementar- und Unfallversicherungs-Gesellschaft in Wien hat infolge ihrer Verschmelzung mit der k. k. privilegirten Versicherungs-Gesellschaft Oesterreichischer Phönix in Wien, welche alle ihre Rechte und Verbindlichkeiten übernommen hat, ihren Geschäftsbetrieb aufgegeben.

Die der „Azienda" unter dem 29. September 1882 ertheilte Erlaubniß zum Betriebe der Transportversicherung in Preußen ist hierdurch erloschen.

Potsdam, den 18. Januar 1890.

Der Regierungs-Präsident.

Erhebung einer Abgabe für das Durchschleusen durch die Schleuse bei Prieros.

20. Im Einverständniß mit dem Herrn Provinzial-Steuer-Director bringe ich hiermit zur öffentlichen Kenntniß, daß der Allerhöchsten Ortes unter dem 29. Dezember 1879 festgesetzte Tarif für die Erhebung der Schleusenabgabe an der Prieroser Schleuse auf weitere fünf Jahre unverändert fortbestehen bleibt.

Potsdam, den 20. Januar 1890.

Der Regierungs-Präsident.

Viehseuchen.

21. Festgestellt ist:

der Milzbrand bei einer Kuh des Kossäthen Kehlin zu Tietzow, Kreis Osthavelland;

die Maul- und Klauenseuche unter den Kühen der Bauergutsbesitzerin Wittwe Gebert in Malchow, Kreis Niederbarnim;

unter dem Rindviehstande des Bauerguts-besitzers Sommerfeldt in Bagow, Kreis Westhavelland;

unter dem Rindvieh des Bauerhofbesitzers Wilhelm Schulz zu Bergholz, Kreis Prenzlau.

Erloschen ist:

die Maul- und Klauenseuche unter dem Rindvieh in der Ortschaft Dallgow, Kreis Osthavelland;

in Schwaneberg (Gut), Kreis Prenzlau;

auf dem Gehöft des Bauern A. Knaak zu Groß-Welle, Kreis Ostprignitz.

Potsdam, den 21. Januar 1890.

Der Regierungs-Präsident.

Uebersicht der Infanterie-Truppentheile, welche am 1. April 1890 Einjährig-Freiwillige einstellen

22. Nachstehend wird die Uebersicht derjenigen Truppentheile bekannt gemacht, welche gemäß W.-O. § 94, ¹ von den Königlichen Generalkommandos zur Einstellung Einjährig-Freiwilliger am 1. April 1890 bestimmt worden sind.

Im Auftrage.

Nr. 56|12. 89. A. I. v. Falckenstein.

Armee-korps.	Garnison.	Truppentheil	Bemerkungen.
Garde.	Potsdam	1. Garde-Regiment zu Fuß.	
	Berlin	2. Garde-Regiment zu Fuß. Kaiser Alexander Garde-Grenadier-Regiment Nr. 1. Kaiser Franz Garde-Grenadier-Regiment Nr. 2. Garde-Füsilier-Regiment. 3. Garde-Regiment zu Fuß.	
	Spandau Charlottenburg	3. Garde-Grenadier-Regiment Königin Elisabeth.	
	Coblenz	4. Garde-Grenadier-Regiment Königin.	
I.	Königsberg i. Pr.	Grenadier-Regiment König Friedrich III. (1. Ostpreußisches) Nr. 1, II. und Füsilier-Bataillon. Grenadier-Regiment König Friedrich Wilhelm I. (2. Ostpreußisches) Nr. 3, II. und Füsilier-Bataillon.	
	Allenstein	Grenadier-Regiment König Friedrich II. (3. Ostpreußisches) Nr. 4 I. Bataillon.	
	Danzig	Grenadier-Regiment König Friedrich I. (4. Ostpreußisches) Nr. 5 I. Bataillon.	
II.	Greifswald	Infanterie-Regiment Prinz Moritz von Anhalt-Dessau (5. Pommersches) Nr. 42 III. Bataillon.	
	Thorn	Infanterie-Regiment von der Marwitz (8. Pommersches) Nr. 61 I. Bataillon.	
	Bromberg	Infanterie-Regiment Nr. 129.	
III.	Wittenberg	Infanterie-Regiment Graf Tauentzien von Wittenberg (3. Brandenburgisches) Nr. 20.	
	Neu-Ruppin Havelberg	Infanterie-Regiment Großherzog Friedrich Franz II. von Mecklenburg-Schwerin (4. Brandenburgisches) Nr. 24.	
	Cüstrin	Infanterie-Regiment von Stülpnagel (5. Brandenburgisches) Nr. 48.	
	Crossen Cottbus	6. Brandenburgisches Infanterie-Regiment Nr. 52,	
IV.	Halle	Magdeburgisches Füsilier-Regiment Nr. 36 I. Bataillon.	
	Magdeburg	3. Magdeburgisches Infanterie-Regiment Nr. 66 I. Bataillon.	
V.	Posen	Grenadier-Regiment Graf Kleist von Nollendorf (1. Westpreußisches) Nr. 6 I. Bataillon.	
	Liegnitz	Grenadier-Regiment König Wilhelm I. (2. Westpreußisches) Nr. 7 I. Bataillon.	
	Krotoschin	Füsilier-Regiment von Steinmetz (Westfälisches) Nr. 37 I. Bataillon.	
	Glogau	3 Posensches Infanterie-Regiment Nr. 58 I. Bataillon.	
VI.	Breslau	Grenadier-Regiment König Friedrich Wilhelm II. (1. Schlesisches) Nr. 10 I. und II. Bataillon.	
	Neiße	4. Oberschlesisches Infanterie-Regiment Nr. 63. I. und II. Bataillon.	
VII.	Höxter	Infanterie-Regiment Graf Bülow von Dennewitz (6. Westfälisches) Nr. 55 I. Bataillon.	
	Wesel	Infanterie-Regiment Herzog Ferdinand von Braunschweig (8. Westfälisches) Nr. 57 III. Bataillon	

Armee-korps.	Garnison.	Truppentheil.	Bemerkungen.
VIII.	Bonn	Infanterie-Regiment von Goeben (2. Rheinisches) Nr. 28 II. Bataillon.	Nur Studirende der Universität Bonn.
	Trier	Infanterie-Regiment von Horn (3. Rheinisches) Nr. 29 II. Bataillon.	
	Saarlouis	Infanterie-Regiment Graf Werder (4. Rheinisches) Nr. 30 III. Bataillon.	
	Cöln	5. Rheinisches Infanterie-Regiment Nr. 65 I. Bataillon.	
	Diez	6. Rheinisches Infanterie-Regiment Nr. 68 II. Bataillon.	
IX.	Kiel	Infanterie-Regiment Herzog von Holstein (Holsteinsches) Nr. 85 III. Bataillon.	
	Flensburg	Schleswig-Holsteinsches Füsilier-Regiment Nr. 86 I. Bataillon.	
	Rostock	Großherzoglich Mecklenburgisches Füsilier-Regiment Nr. 90 I. und III. Bataillon.	
X.	Hannover	Füsilier-Regiment Generalfeldmarschall Prinz Albrecht von Preußen (Hannoversches) Nr. 73.	
		1. Hannoversches Infanterie-Regiment Nr. 74.	
	Celle.	2. Hannoversches Infanterie-Regiment Nr. 77.	
	Hildesheim	Infanterie-Regiment von Voigts-Rhetz (3. Hannoversches) Nr. 79 I. und II. Bataillon.	
	Göttingen	2. Hessisches Infanterie-Regiment Nr. 82 I. Bataillon.	
	Oldenburg	Oldenburgisches Infanterie-Regiment Nr. 91.	
	Braunschweig	Braunschweigisches Infanterie-Regiment Nr. 92 I. und II. Bataillon.	
XI.	Frankfurt a. M.	1. Hessisches Infanterie-Regiment Nr. 81.	
	Cassel	Infanterie-Regiment von Wittich (3. Hessisches) Nr. 83 I. und II. Bataillon.	
	Jena	5. Thüringisches Infanterie-Regiment Nr. 94 (Großherzog von Sachsen) III. Bataillon.	
	Gießen	2. Großherzoglich Hessisches Infanterie-Regiment (Großherzog) Nr. 116.	
XIV.	Heidelberg	2. Badisches Grenadier-Regiment Kaiser Wilhelm I. Nr. 110 II. Bataillon.	
	Freiburg	5. Badisches Infanterie-Regiment Nr. 113.	
	Mülhausen i. E.	*)	*) Das Bataillon, welches Einjährig-Freiwillige in Mülhausen einstellt, wird später bezeichnet werden. Gesuche um Einstellung sind bis zu dem Zeitpunkte der Bekanntmachung an das Kommando der 58 Infanterie-Brigade in Mülhausen i. E. zu richten.
XV.	Metz	4. Magdeburgisches Infanterie-Regiment Nr. 67.	
	Straßburg i. E.	6 Königlich Sächsisches Infanterie-Regiment Nr. 105.	
		Infanterie-Regiment Nr. 138.	

* * *

Vorstehendes Verzeichniß derjenigen Infanterie-Truppentheile, welche am 1. April 1890 Einjährig-Freiwillige einstellen, wird unter Bezugnahme auf § 94 der Wehrordnung hiermit zur öffentlichen Kenntniß gebracht. Potsdam, den 18. Januar 1890.

Der Regierungs-Präsident.

23. Nachweisung der an den Pegeln der Spree und Havel im Monat Dezember 1889 beobachteten Wasserstände.

Datum.	Berlin. Ober- N. N. Wasser.	Berlin. Unter- N. N. Wasser.	Spandau. Ober- Wasser.	Spandau. Unter- Wasser.	Potsdam.	Baumgartenbrück.	Brandenburg. Ober- Wasser	Brandenburg. Unter- Wasser	Rathenow. Ober- Wasser.	Rathenow. Unter- Wasser.	Havelberg.	Plauer Brücke.
	Meter.	Meter.	Meter.	Meter.	Meter.	Meter.	Meter.	Meter.	Meter.	Meter.	Meter.	Meter.
1	32,70	30,92	2,48	1,02	1,32	0,83	2,16	1,86	1,72	1,50	2,28	2,26
2	32,66	30,92	2,48	1,06	1,30	0,83	2,14	1,84	1,72	1,50	2,24	2,26
3	32,63	30,90	2,48	1,04	1,30	0,82	2,14	1,82	1,74	1,52	2,22	2,24
4	32,65	30,92	2,46	1,06	1,29	0,81	2,20	1,84	1,74	1,52	2,22	2,24
5	32,67	30,86	2,46	0,98	1,27	0,80	2,20	1,84	1,74	1,52	2,26	2,24
6	32,66	30,96	2,44	1,02	1,26	0,80	2,18	1,82	1,74	1,52	2,28	2,24
7	32,64	30,94	2,44	1,00	1,25	0,80	2,16	1,80	1,74	1,52	2,26	2,24
8	32,60	30,88	2,46	0,92	1,25	0,80	2,16	1,76	1,54	1,30	2,20	2,22
9	32,54	30,82	2,46	0,96	1,25	0,80	2,12	1,72	1,52	1,30	2,12	2,22
10	32,48	30,88	2,46	1,12	1,25	0,79	2,16	1,78	1,62	1,26	1,62	2,22
11	32,48	30,76	2,44	0,96	1,26	0,79	2,16	1,78	1,62	1,26	2,10	2,22
12	32,48	30,76	2,44	0,98	1,26	0,79	2,18	1,78	1,68	1,36	2,16	2,22
13	32,44	30,76	2,44	0,98	1,25	0,79	2,16	1,76	1,70	1,48	2,08	2,22
14	32,48	30,76	2,44	0,92	1,25	0,79	2,18	1,76	1,70	1,48	2,10	2,22
15	32,48	30,78	2,44	0,88	1,24	0,78	2,18	1,74	1,70	1,48	2,08	2,20
16	32,48	30,78	2,46	0,92	1,23	0,78	2,18	1,74	1,70	1,48	2,08	2,20
17	32,48	30,80	2,46	0,96	1,23	0,78	2,18	1,74	1,72	1,50	2,10	2,20
18	32,50	30,78	2,48	0,96	1,24	0,77	2,18	1,72	1,72	1,50	2,10	2,18
19	32,50	30,80	2,48	0,96	1,24	0,77	2,20	1,72	1,72	1,50	2,12	2,18
20	32,52	30,80	2,50	0,96	1,23	0,77	2,20	1,74	1,72	1,50	2,14	2,16
21	32,52	30,80	2,50	0,96	1,23	0,76	2,18	1,72	1,72	1,50	2,16	2,16
22	32,50	30,76	2,52	0,88	1,23	0,76	2,20	1,72	1,74	1,52	2,18	2,16
23	32,50	30,78	2,58	0,94	1,24	0,77	2,22	1,70	1,74	1,52	2,22	2,14
24	32,54	30,80	2,60	0,98	1,26	0,77	2,24	1,72	1,74	1,52	2,24	2,14
25	32,50	30,86	2,64	0,96	1,25	0,78	2,24	1,70	1,74	1,52	2,26	2,12
26	32,54	30,78	2,66	0,94	1,25	0,79	2,26	1,70	1,74	1,52	2,30	2,12
27	32,55	30,78	2,66	0,96	1,24	0,80	2,28	1,66	1,74	1,52	2,24	2,12
28	32,48	30,58	2,64	0,88	1,25	0,80	2,24	1,62	1,60	1,32	2,20	2,12
29	32,48	30,88	2,62	1,00	1,27	0,82	2,08	1,60	1,54	1,16	2,12	2,14
30	32,44	30,78	2,64	1,06	1,29	0,83	2,06	1,64	1,48	1,08	2,10	2,14
31	32,38	30,72	2,62	1,00	1,29	0,84	2,12	1,70	1,48	1,08	2,10	2,16

Potsdam, den 21. Januar 1890. Der Regierungs-Präsident.

Bekanntmachungen des Königlichen Polizei-Präsidiums zu Berlin.

Die sog. Carbon Natron-Oefen betreffend.

7. Unter der Bezeichnung Carbon-Natron-Oefen sind in den letzten Jahren Heiz-Einrichtungen an den Markt gebracht und mit dem Hinweis darauf empfohlen worden, daß dieselben ohne Erzeugung von Rauch und Geruch Wärme liefern und daher für Räume ohne Schornsteinanlage zu verwenden seien. Sofern es sich um Wohnräume handele, würden die Oefen mit einer überall leicht anzubringenden Abzugsvorrichtung behufs Abführung etwa sich entwickelnder schädlicher Gase zu versehen sein. Während des Winters 1887/88 sind dessenungeachtet in hiesiger Stadt ein, in Wiesbaden zwei Fälle von Kohlenoxyd-Vergiftung in Folge Aufstellung jener Carbon-Natron-Oefen herbeigeführt worden; durch einschlägige Prüfungen im hiesigen hygienischen Institut ist festgestellt worden, daß der gedachte Ofen als eine äußerst gefährliche, unter Umständen todtbringende Heizvorrichtung zu bezeichnen ist. Diese Thatsachen bringe ich hierdurch zur öffentlichen Kenntniß und warne das Publikum vor der Verwendung der Carbon-Natron-Oefen zur Beheizung von geschlossenen Räumen, welche zum dauernden Aufenthalt für Menschen dienen, insbesondere von Schlafzimmern.

Berlin, den 8. Januar 1890.

Der Polizei-Präsident.

Polizei-Verordnung.

8. Auf Grund der §§ 5 und 6 des Gesetzes über die Polizei-Verwaltung vom 11. März 1850 (Gesetz-Sammlung Seite 265) und der §§ 143 und 144 des Gesetzes über die allgemeine Landesverwaltung vom 30. Juli 1883 (Gesetz-Sammlung Seite 195) wird unter Zustimmung des Gemeindevorstandes für den Stadtkreis Berlin Folgendes verordnet:

§ 1. Das Halten von Marktfuhrwerken aller Art ist von 10 Uhr Vormittags bis 1 Uhr Nachmittags in folgenden Straßen verboten:

in der Panoramastraße, Kochstraße, Gontardstraße, in der Kaiser-Wilhelmstraße vom Neuen Markt bis zur Münzstraße, in der Neuen Friedrichstraße von der Panorama- bis zur Kochstraße und in der Straße An der Stadtbahn von der Straße An der Spandauer Brücke bis zur Königstraße.

§ 2. Uebertretungen dieser Vorschrift werden mit einer Geldstrafe bis zu 30 Mark oder im Unvermögensfalle mit verhältnißmäßiger Haft bestraft.

§ 3. Diese Verordnung tritt am 15. Januar 1890 in Kraft. Mit demselben Tage treten die Polizei-Verordnungen vom 29. Juli und 25. September 1889 außer Kraft.

Berlin, den 6. Januar 1890.

Der Polizei-Präsident. Freiherr v. Richthofen.

Bekanntmachungen des Königlichen Konsistoriums der Provinz Brandenburg.

Errichtung einer neuen geistlichen Stelle bei der St. Simeons-Kirche in Berlin.

1. Mit der im Einverständnisse des Herrn Ministers der geistlichen, Unterrichts- und Medizinal-Angelegenheiten ertheilten Genehmigung des Evangelischen Ober-Kirchenraths und auf Grund der Beschlüsse der Gemeindeorgane der St. Simeons-Kirche in Berlin vom 23. September und 14. Oktober 1889 wird in der Parochie dieser Kirche eine zweite geistliche Stelle, welche als Diakonat neben die Pfarrstelle tritt, mit dem Sitz in Berlin errichtet. Die Besetzung des Diakonats erfolgt gemäß dem Kirchengesetze, betreffend das im § 32 № 2 der Kirchengemeinde- und Synodal-Ordnung vom 10. September 1873 und im Allerhöchsten Erlaß vom 28. Juli 1876 vorgesehene Pfarrwahlrecht vom 15. März 1886.

Berlin, den 21. Dezember 1889.	Berlin, den 13. Dezember 1889.
Der Königliche Polizei-Präsident.	Das Königliche Konsistorium der Provinz Brandenburg.

Errichtungs-Dekret.

O. 31721.

Bekanntmachungen der Königlichen Hauptverwaltung der Staatsschulden.

10. Verloosung von Kurmärkischen Schuldverschreibungen.

1. Bei der heute in Gegenwart eines Notars öffentlich bewirkten 10. Verloosung von Kurmärkischen Schuldverschreibungen sind die in der Anlage verzeichneten Nummern gezogen worden. Dieselben werden den Besitzern mit der Aufforderung gekündigt, die in den ausgeloosten Nummern verschriebenen Kapitalbeträge vom 1. Mai 1890 ab gegen Quittung und Rückgabe der Schuldverschreibungen und der nach dem 1. Mai d. Js. fällig werdenden Zinsscheine Reihe XIII. № 6 bis 8 nebst Zinsscheinanweisungen bei der Staatsschulden-Tilgungskasse, Taubenstraße Nr. 29 hierselbst, zu erheben. Die Zahlung erfolgt von 9 Uhr Vormittags bis 1 Uhr Nachmittags, mit Ausschluß der Sonn- und Festtage und der letzten drei Geschäftstage jeden Monats.

Die Einlösung geschieht auch bei den Regierungs-Hauptkassen und in Frankfurt a. M. bei der Kreiskasse. Zu diesem Zwecke können die Effekten einer dieser Kassen schon vom 1. April d. J. ab eingereicht werden, welche sie der Staatsschulden-Tilgungskasse zur Prüfung vorzulegen hat und nach erfolgter Feststellung die Auszahlung vom 1. Mai 1890 ab bewirkt.

Der Betrag der etwa fehlenden Zinsscheine wird vom Kapitale zurückbehalten.

Mit dem 1. Mai 1890 hört die Verzinsung der verloosten Kurmärkischen Schuldverschreibungen auf.

Zugleich werden die bereits früher ausgeloosten, auf der Anlage verzeichneten, noch rückständigen Kurmärkischen Schuldverschreibungen wiederholt und mit dem Bemerken aufgerufen, daß die Verzinsung derselben mit den Kündigungsterminen aufgehört hat.

Die Staatsschulden-Tilgungskasse kann sich in einen Schriftwechsel mit den Inhabern der Schuldverschreibungen über die Zahlungsleistung nicht einlassen.

Formulare zu den Quittungen werden von sämmtlichen obengedachten Kassen unentgeltlich verabfolgt.

Berlin, den 3. Januar 1890.

Hauptverwaltung der Staatsschulden.

Bekanntmachungen der Kreis-Ausschüsse.

2.

Nachweisung

der vom Kreis-Ausschusse des Kreises Beeskow-Storkow im II. Halbjahr 1889 genehmigten Communal-Bezirks-Veränderungen.

Datum der Genehmigung.	Bezeichnung des Grundstücks	Bezeichnung des Besitzers	Bezeichnung des jetzigen Gemeinde-Verbandes	Bezeichnung des künftigen Gemeinde-Verbandes	Bemerkungen. Größe des Grundstücks: ha	a	qm
12. September 1889.	Dorfauen-Parzelle.	Kgl. Domainen-Fiscus.	Kgl. Domainen-Fiscus.	Pfaffendorf.	—	3	62
dgl.	dgl.	dgl.	dgl.	Görsdorf bei Beeskow.	—	1	67

Beeskow, den 10. Januar 1890.

Der Vorsitzende des Kreis-Ausschusses.

3. **Nachweisung**

der Seitens des Kreisausschusses des Kreises Teltow auf Grund des § 1 des Gesetzes vom 14. April 1856 in Verbindung mit dem § 25 Absatz 1 des Zuständigkeits-Gesetzes vom 1. August 1883 genehmigten Veränderungen von Gemeinde- und Gutsgrenzen pro IV. Quartal 1889.

Lfd. №	Bezeichnung des in Betracht kommenden Grundstücks.	Bezeichnung des seitherigen Gemeinde- resp. Gutsbezirks.	Bezeichnung des künftigen Gemeinde- resp. Gutsbezirks.	Bemerkungen.
1	Der dem Kaufmann Robert Perl in Berlin, Kochstraße Nr. 54, gehörige, in der Grundsteuermutterrolle des Gutsbezirks Teupitz unter Artikel № 1 mit Parzelle № 25 des Kartenblatts № 2 bezeichnete 13 ha 56 a große sogenannte „Große Karbuschsee".	Gutsbezirk Teupitz.	Gemeinde Gr. Köris.	a I. 8286.
2	Die von dem Königlichen Domainenfiskus an die Gemeinde Rehagen veräußerte, im Grundbuche von Rehagen Kartenblatt 2 № 331/105 verzeichnete 0,0315 ha große Parzelle der Dorfaue von Rehagen.	Domainenfiscus.	Gemeinde Rehagen.	a I. 3729.

Berlin, den 7. Januar 1890.

Der Landrath des Kreises Teltow.

---

4. **Zusammenstellung**

der vom Kreisausschuß des Kreises Ostprignitz genehmigten Bezirks-Veränderungen.

Lfd. №	Tag der Genehmigung	Bezeichnung der Grundstücke	seitheriger Kommunalverband.	zukünftiger Kommunalverband.
1	7. Januar 1890.	Die bisher dem Königlichen Domänen-Fiskus gehörigen, an die benachbarten Besitzer veräußerten Vorlandsparzellen am Schwarzen See und Großen See bei Zechlin, und zwar		
		a. Kartenblatt 2 № 444/105, 445/105, 446/105, 447/105, 448/105, 449/105, 452/105, 453/105, 454/105, 455/105, 456/105, 457/105, 458/105, 459/105, 460/105, 461/105, 463/105, 464/105 465/105, 466/105, 468/105, 469/105 u. 470/105 der Gemarkungskarte von zusammen 1 ha 25 a 26 qm Größe,	domänenfiskalischer Gutsbezirk Amt Zechlin	Gemeinde Flecken Zechlin.
		b. Kartenblatt 3 № 188/33, 190/33, 191/33, 192/33, 193/33, 196/33 und 197/33 von zusammen 2 ha 70 a 01 qm Größe	desgl.	desgl.
		c. Kartenblatt 4 № 18/1 von 1 ha 19 a 62 qm Größe	desgl.	Gemeinde Dorf Zechlin.
		d Kartenblatt 4 № 5/1, 7/1, 9/1 und 10/1 von zusammen 10 ha 76 a 92 qm Größe	desgl.	Gemeinde Repente.
2	7. Januar 1890.	Die bisher dem Rittergutsbesitzer von Rohr zu Dannenwalde gehörigen, von diesem veräußerten, Band I Blatt № 4 des Grundbuchs von Dannenwalde verzeichneten Grundstücke Kartenblatt 3 Parzellen № 1 und 46 von zusammen 43 a 40 qm Größe.	Gutsbezirk Dannenwalde	Gemeinde Dannenwalde.

Kyritz, den 9. Januar 1890.

Namens des Kreis-Ausschusses: Der Vorsitzende.

Bekanntmachungen der Königl. Direktion der Rentenbank der Provinz Brandenburg.

Ausfertigung von Entlastungs-Quittungen über abgelöste Renten.

1. Denjenigen Grundbesitzern, welche die an die Rentenbank zu entrichtenden Renten am 30. September d. J. durch Kapitalzahlung abgelöst haben, wird hierdurch bekannt gemacht, daß wir die gemäß § 27 des Rentenbank-Gesetzes vom 2. März 1850 ausgefertigten Entlastungsquittungen den betreffenden Königlichen Kreis-Kassen zugesandt haben, um sie den zuständigen Königlichen Amtsgerichten Behufs der kostenfreien Löschung des Vermerks der Rentepflicht im Grundbuche zuzustellen.

Berlin, den 4. Dezember 1889.

Königliche Direktion
der Rentenbank für die Provinz Brandenburg.

Bekanntmachungen anderer Behörden.

Feuerkassengelder-Ausschreiben für die Land-Feuer-Societät der Kurmark Brandenburg, des Markgrafthums Niederlausitz und der Distrikte Jüterbog und Belzig für das II. Semester 1889.

Für das Jahr 1889 sind von den Societäts-Mitgliedern überhaupt aufzubringen:

a.	Vergütigungsgelder für Immobiliar-Brandschäden inkl. Abschätzungskosten	987 971	M.	31	Pf.
b.	desgl. „ Mobiliar- „ „ „	49 151	„	36	„
c.	Spritzen-Prämien	15 300	„	—	„
d.	Wasserwagen-Prämien	4 760	„	—	„
e.	Pertinenzschäden-Vergütungen	11 085	„	26	„
f.	Verwaltungskosten	109 649	„	30	„
g.	Extraordinaria	42 993	„	67	„
h.	Reisekosten	5 017	„	60	„
	Summa	1 225 928	M.	50	Pf.

Hiervon kommen in Abzug:

a.	das nach dem Ausschreiben pro II. Semester 1888 verbliebene Guthaben von	100 894	M.	71	Pf.				
b.	die bereits pro I. Semester 1889 aufgebrachten	414 424	„	76	„				
c.	die Beiträge der Mobiliar-Versicherten pro 1889 von	100 224	„	49	„				
d.	an Zinsen	25 596	„	10	„				
e.	„ extraordinairen Einnahmen	19 361	„	82	„				
f.	„ zu erstattenden Vorschüssen	175	„	70	„				
	zusammen					660 677	„	58	„
	so daß aufzubringen bleiben					565 250	M.	92	Pf.

Zur Deckung dieser Summe werden für Gebäude der

I. Klasse	6 Pf.	für 100 M. Versicherung
II. „	12 „	
III. „	42 „	
IV. „	72 „	

ausgeschrieben und sind demnach aufzubringen für Gebäude der

I. Klasse von	283 849 150	M.	Versicherungskapital	170 309	M.	49	Pf.
II. „ „	130 026 375	„	„	156 031	„	65	„
III. „ „	70 117 075	„	„	294 491	„	72	„
IV. „ „	268 125	„	„	1 930	„	50	„
Zusammen von	484 260 725	M.	Versicherungskapital	622 763	M.	36	Pf.
			also gegen obige Bedarfssumme von	565 250	„	92	„
mehr				57 512	M.	44	Pf.

welcher Betrag den Societätsgenossen bei Erlaß des Feuerkassengelder-Ausschreibens pro I. Semester 1890 zu Gute gerechnet werden wird. Die Societätsmitglieder werden hierdurch veranlaßt, die von ihnen zu leistenden Beiträge nach Maßgabe der besonderen Aufforderungen der betreffenden Kreis-Feuer-Societäts-Direktionen, beziehungsweise Ortserheber ungesäumt zu entrichten.

Berlin, den 15. Januar 1890.

Ständische General-Direktion der Land-Feuer-Societät der Kurmark und der Niederlausitz.

Ausschreiben der von den Mitgliedern der Städte-Feuer-Societät der Provinz Brandenburg für das II. Halbjahr 1889 zu entrichtenden Feuer-Societätsbeiträge.

Der Direktorialrath der Städte-Feuer-Societät der Provinz Brandenburg hat die Beiträge der Mitglieder der Societät für das II. Halbjahr 1889 für 100 M. Versicherungssumme festgesetzt:

in Klasse	I A.	auf	2,1 Pf.	(0,21 pro mille),
„ „	I.	„	3 „	(0,3 „ „),
„ „	I B.	„	3,9 „	(0,39 „ „),
„ „	II A.	„	6 „	(0,6 „ „),
„ „	II.	„	9 „	(0,9 „ „),
„ „	II B.	„	12 „	(1,2 „ „),
„ „	III.	„	21 „	(2,1 „ „),
„ „	III B.	„	30 „	(3 „ „),
„ „	IV.	„	42 „	(4,2 „ „),
„ „	IV B.	„	66 „	(6,6 „ „),

Demzufolge werden nunmehr ausgeschrieben:

	Versicherungssumme			Klasse	Beitrag			
von	41 388 450	M. Versicherungssumme	in Klasse	I A.	8 691	M.	57	Pf.,
"	327 665 025	"	" "	I.	98 299	"	51	"
"	22 781 525	"	" "	I B.	8 884	"	79	"
"	5 508 775	"	" "	II A.	3 305	"	27	"
"	145 425 800	"	" "	II.	130 883	"	22	"
"	18 724 975	"	" "	II B.	22 469	"	97	"
"	19 769 800	"	" "	III.	41 516	"	58	"
"	6 283 275	"	" "	III B.	18 849	"	82	"
"	1 608 750	"	" "	IV.	6 756	"	75	"
"	1 429 675	"	" "	IV B.	9 435	"	86	"
überhaupt von	590 586 050	M. beitragspflichtiger Versicherungssumme			349 093	M.	34	Pf.
Dazu von	398 325	M. Explosionsversicherungssumme	zu	1 Pf.	39	"	83	"
"	148 700	"	"	2 "	29	"	74	"
					349 162	M.	91	Pf.

Den Mitgliedern in 25 Städten sind wegen der guten Löscheinrichtungen der letzteren auf Grund des § 65 des Reglements 20 bezw. 15, 12 und 10 % ihrer Beiträge erlassen mit — 15 491 " 18 "

333 671 M. 73 Pf.

Dagegen wird von den Mitgliedern in einer Stadt auf Grund des § 65 Abs. 2 des Reglements ein Zuschlag von 25 % der Beiträge erhoben mit — 797 " 29 "

334 469 M. 02 Pf.

Hiervon stehen den Magistraten 5 % zu mit — 16 723 " 45 "

so daß zur Deckung des Bedarfs verfügbar sind — 317 745 M. 57 Pf.

Dieser Bedarf beläuft sich für die in den Monaten Juli bis Dezember 1889 stattgehabten, von der Societät zu vergütenden 127 Brand- und 13 Blitzschäden, einschließlich der Spritzen- und Wasserwagen-Preise und Abschätzungskosten auf — 208 249 M. 48 Pf.

und außerdem sind für Schäden an unversicherten Gegenständen, Postporto, Zuschüsse an die Feuerwehren ꝛc. erforderlich — 16 550 " 92 "

zusammen also — 224 800 M. 40 Pf.

Das obige Ausschreiben ergiebt — 317 745 " 57 "

Es verbleiben mithin zur Ergänzung des Betriebsfonds — 92 945 M. 17 Pf.

Die Magistrate der betheiligten Städte wollen hiernach die von den Mitgliedern der Societät zu entrichtenden Beiträge ungesäumt einziehen und binnen 4 Wochen — § 70 Abs. 3 des Reglements — an die Brandenburgsche Landeshauptkasse hierselbst abführen lassen.

Berlin, den 11. Januar 1890.

Der Direktor der Städte-Feuer-Societät der Provinz Brandenburg.

Personal-Chronik.

Im Kreise Ostprignitz sind die Gutspächter Wollesen zu Berlitt und Mewes zu Koetzlin nach Ablauf ihrer Dienstzeit von Neuem zum Amtsvorsteher bezw. dessen Stellvertreter für den 40. Bezirk Berlitt ernannt worden.

An Stelle des jetzigen Kämmerers Kautzsch ist der int. Stadt- und Polizei-Sekretär Auersch zu Wriezen zum Stellvertreter des Amts-Anwalts bei dem Amts-Gericht daselbst ernannt.

Die unter Königlichem Patronat stehende Pfarrstelle zu Zerrenthin, Diözese Prenzlau II., ist durch das Ableben des Pfarrers Thiele am 23. Dezember 1889 zur Erledigung gekommen. Die Wiederbesetzung der Stelle erfolgt im vorliegenden Falle durch das Kirchenregiment.

Das unter magistratualischem Patronat stehende Diakonat zu Perleberg, Diözese gleichen Namens, kommt durch die Versetzung des Diakonus Graefe in nächster Zeit zur Erledigung.

Der ordentliche Lehrer Dr. Boetticher am Lessing-Gymnasium zu Berlin ist zum Oberlehrer an derselben Anstalt befördert worden.

Der Gemeindeschullehrer Hermann Schubert ist als Gemeindeschulrektor in Berlin angestellt worden.

Vermischte Nachrichten.

Stationirung der Landbeschäler pro 1890.

Im Regierungs-Bezirk Potsdam werden auf den nachstehend genannten Stationen im Jahre 1890 von Anfang Februar bis Ende Juni Beschäler des Brandenburgischen Landgestüts aufgestellt werden und kann die Bedeckung der Stuten an den bezeichneten Terminen ihren Anfang nehmen.

Stationsort.	Kreis.	Anzahl der Beschäler.	Tag des Eintreffens auf der Station.	Tag des Anfanges der Stutenbedeckung.
Friedr.=Wilh.=Gestüt	Ruppin	6	—	3. Febr.
Herzberg	=	3	3. Febr.	5. =
Blandikow	Ost=Prignitz	3	1. =	3. =
Trieglitz	=	2	2. =	4. =
Dannenwalde	=	2	1. =	3. =
Barenthin	=	3	1. =	3. =
Lenzen	West=Prignitz	4	3. =	5. =
Blüthen	=	3	3. =	5. =
Wilsnack	=	2	2. =	4. =
Cumlosen	=	3	3. =	5. =
Dallmin	=	1	3. =	5. =
Kotzen	West=Havelland	2	1. =	3. =
Tarmow	Ost=Havelland	2	31. Jan.	3. =
Buchholz	Zauch=Belzig	2	4. Febr.	6. =
Metzdorf	Ober=Barnim	3	5. =	7. =
Eberswalde	=	2	4 =	6. =
Bernau	Nieder=Barnim	2	3. =	5. =
Gr. Schönebeck	=	2	3. =	5 =
Hoppegarten	=	1	29. Jan.	30. Jan.
Falkenthal.	Templin	3	3. Febr	5. Febr.
Boitzenburg	=	3	5. =	7. =
Templin	=	2	4. =	6. =
Angermünde	Angermünde	3	5 =	7. =
Gramzow	=	3	6. =	8. =
Jützen	=	1	6. =	8. =
Prenzlau	Prenzlau	3	6. =	8. =
Rossow	=	3	7. =	10. =
Neuensund	=	1	7. =	10. =
Malchow	=	1	6. =	8. =
Kl. Luckow	=	1	7. =	10. =
Beeskow	Beeskow=Storkow	3	6. =	8. =
Storkow	=	2	5. =	7. =
Zossen	Teltow	2	4. =	6 =
Dahme	Jüterbog	2	6. =	8. =

Hinsichtlich der Bedingungen, unter welchen die Stutenbedeckung stattfinden kann, wird Seitens der Herren Stationshalter die nöthige Auskunft ertheilt werden, im Uebrigen aber noch Folgendes bemerkt:

1) Die Nationale der Beschäler unter Angabe der Deckpreise werden im Stationsstall zur Einsicht aushängen.

2) Stuten, welche alt, schwach, mit Erbfehlern behaftet, an Druse oder sonstigen Krankheiten leiden, oder aus Orten sind, in denen ansteckende Krankheiten unter den Pferden herrschen oder unlängst geherrscht haben, dürfen den Beschälern nicht zugeführt werden.

3) Falls eine Stute bei Gelegenheit der Bedeckung durch den Hengst verletzt werden sollte, kann Seitens der Gestüt=Verwaltung in keiner Weise irgend eine Entschädigung gewährt werden, da die Zuführung von Stuten zu den Königlichen Landbeschälern auf einem Act der freien Uebereinkunft beruht und die Stutenbesitzer selbst bei eigener Verantwortlichkeit darauf zu achten haben, daß vor, während und nach dem Deckact etwaige Unglücksfälle vermieden werden.

4) Im Friedrich=Wilhelms=Gestüt selbst werden außer einigen Halbbluthengsten die Vollblutbeschäler

1) **Alpenkoenig,** Fuchs, vom Breadalbane aus der Miss-Alice, geb. 1880,

2) **Mango,** braun, vom Mandrake aus der Fortress, geb. 1874,

aufgestellt werden. Die hier zu deckenden Stuten können während der Deckzeit hier in Stallverpflegung Aufnahme finden. Die Futterkosten werden nach dem Einkaufspreise, sowie für Wartung 40 Pfg. pro Tag und Pferd berechnet.

Für jede solche **hier** aufzustellende Stute sind **vor deren Aufnahme** „150 Mark" bei der Gestüt=Kasse zu deponiren.

Friedrich=Wilhelms=Gestüt bei Neustadt a. Dosse, den 14. Januar 1890.

Der Königl. Landstallmeister Wettich.

Ausweisung von Ausländern aus dem Reichsgebiete.

Lauf. Nr.	Name und Stand des Ausgewiesenen.	Alter und Heimath des Ausgewiesenen.	Grund der Bestrafung.	Behörde, welche die Ausweisung beschlossen hat.	Datum des Ausweisungs-Beschlusses.
1.	2.	3.	4.	5.	6.
		a. Auf Grund des § 39 des Strafgesetzbuchs:			
1	Adolf Groß, Hausirer,	42 Jahre alt, geboren und ortsangehörig zu Czaila, Komitat Preßburg, Ungarn,	wiederholter schwerer Diebstahl und Versuch des schweren Diebstahls (6 Jahre Zuchthaus laut Erkenntniß vom 7. Dezember 1883),	Königlich Bayerisches Bezirksamt Bamberg II.,	12. November 1889.

Lauf. Nr.	Name und Stand des Ausgewiesenen.	Alter und Heimath des Ausgewiesenen.	Grund der Bestrafung.	Behörde, welche die Ausweisung beschlossen hat.	Datum des Ausweisungs-Beschlusses
1.	2	3	4	5.	6
2	Guiseppe Ballabent, Erdarbeiter,	geboren am 6. März 1859 zu Gualtieri, Kreis Guastalla, Provinz Reggio Emilia, Italien, ortsangehörig ebendaselbst,	Raub (6 Jahre Zuchthaus laut Erkenntniß vom 18. Dezember 1883),	Königlich Württembergische Regierung des Donaukreises zu Ulm,	17. Dezember 1889.
3	Axel Alexander Björling, Reepschlägergehülfe,	geboren am 6. März 1862 zu Gefle, Schweden, schwedischer Staatsangehöriger,	Raub (2 Jahre Zuchthaus laut Erkenntniß vom 25. Oktober 1887),	Chef der Polizei in Hamburg,	2. November 1889.
		b. Auf Grund des § 362 des Strafgesetzbuchs:			
1	Johann Baptist Floribert Dusacquier, Schreiner,	geboren am 2. September 1850 zu Ittro, ortsangehörig zu Idre, Provinz Hainaut, Belgien, angeblich französischer Staatsangehöriger,	Landstreichen,	Großherzoglich Hessisches Kreisamt Büdingen,	27. November 1889.
2	Josef Schramm, Stuhlmacher,	46 Jahre alt, geboren und ortsangehörig zu Prosmik, Oesterreich,	Betteln im wiederholten Rückfall,	Großherzoglich Oldenburgisches Staatsministerium, Departement des Innern, zu Oldenburg,	12. November 1889.
3	Friedrich Burri, Schneidergeselle,	39 Jahre alt, aus Täuffelen, Schweiz,	Landstreichen und Betteln,	Kaiserlicher Bezirks-Präsident zu Straßburg,	25. November 1889.
4	Albert Salzmann, Schneidergeselle,	20 Jahre alt, aus Eggiwyl, Schweiz,	desgleichen,	derselbe,	desgleichen.
5	Johann Miczack, Arbeiter (Drahtbinder),	geboren am 1. Juli 1865 zu Neßlusa, Komitat Trencsin, Ungarn,	Landstreichen und Betteln,	Königlich Preußischer Regierungspräsident zu Frankfurt a. O.,	9. Dezember 1889.
6	Marie Unger, unverehelicht,	geboren am 17. Juli 1867 zu Trautenau, Böhmen, ortsangehörig ebendaselbst, wohnhaft zuletzt in Breslau, Schlesien,	gewerbsmäßige Unzucht,	Königlich Preußischer Regierungspräsident zu Breslau,	21. Dezember 1889.
7	Peppi (Josefine) Lapatsch (Lapaczka), unverehelichte Zigeunerin,	circa 21 Jahre alt, geboren und ortsangehörig zu Klogsdorf, Bezirk Neutitschein, Mähren,	Landstreichen,	Königlich Preußischer Regierungspräsident zu Oppeln,	7. Dezember 1889.
8	Die Zigeuner:				
a	Johanna Ferko, geb. Balasch,	a 28, b. 14, c 24, d. 20 Jahre alt, sämmtlich geboren zu Czichowitz, Kreis Bielitz-Biala, Oesterreich,	desgleichen,	derselbe,	12. Dezember 1889.
b.	Franz Ferko,				
c.	Matthias Ferko,				
d	Anna Ferko,				

Lauf. Nr.	Name und Stand	Alter und Heimath	Grund der Bestrafung.	Behörde, welche die Ausweisung beschlossen hat.	Datum des Ausweisungs-Beschlusses.
	des Ausgewiesenen.				
1.	2.	3.	4.	5.	6.
9	Niels Johannsen, Bäckergeselle,	geboren am 28. Dezember 1859 zu Randers, Jütland, ortsangehörig ebendaselbst,	Landstreichen,	Königlich Preußischer Regierungspräsident zu Lüneburg,	26. Dezember 1889.
10	Friedrich Christian Herrmann, Bäckergeselle,	geboren am 6. Dezember 1871 zu Aarhus, Dänemark, ortsangehörig ebendaselbst,	desgleichen,	derselbe,	desgleichen.
11	Johann Junger, Kellner,	geboren am 12. März 1873 zu Wien, Oesterreich, ortsangehörig ebendaselbst,	desgleichen,	Königlich Preußischer Regierungspräsident zu Stade,	6. November 1889.
12	Franz Ruzicka, Kesselschmied,	geboren am 2. April 1846 zu Prag, Böhmen, ortsangehörig ebendaselbst,	Landstreichen, Führung falscher Legitimation und falsche Namensangabe,	Stadtmagistrat Passau, Bayern,	9. November 1889.
13	Josef Richli, Bäcker,	geboren am 30. März 1870 zu Bütschwyl, Kanton St. Gallen, Schweiz, ortsangehörig ebendaselbst,	Betteln im wiederholten Rückfall,	Königlich Bayerisches Bezirksamt Sonthofen,	13. November 1889.
14	Isidor Stengel, (Johann Bind), Holzschnitzer,	geboren am 3. April 1856 zu Stubenbach, Bezirk Schüttenhofen, Böhmen, ortsangehörig ebendaselbst,	Betteln im wiederholten Rückfall, Führung falscher Legitimation und falsche Namensangabe,	Königlich Bayerisches Bezirksamt Altötting,	4. Dezember 1889.
15	Leo Pukl, Tischler,	geboren am 10. April 1827 zu Leschkau, Bezirk Pilsen, ortsangehörig zu Rokytzan, ebendaselbst,	Landstreichen u. Betteln,	Königliche Polizei-Direktion München,	9. Dezember 1889.
16	Jakob Roth, Hausknecht,	geboren am 21. September 1874 zu Speicher, Kanton Appenzell, Schweiz, ortsangehörig zu Ganterschwyl, Kanton St. Gallen, ebendaselbst,	Landstreichen, Betteln und falsche Namensangabe,	Königliche Polizei-Direktion München,	13. Dezember 1889.
17	Josef Konvalinka, Bäcker,	22 Jahre alt, geboren und ortsangehörig zu Schüttenhofen, Böhmen,	Landstreichen,	Königlich Bayerisches Bezirksamt Stadtamhof,	12. Dezember 1889.
18	Josef Zbarsky, Maurer,	geboren am 17. März 1849 zu Wien, Oesterreich, ortsangehörig zu Klattau, Böhmen,	Betteln im wiederholten Rückfall,	Königlich Bayerisches Bezirksamt Erding,	16. Dezember 1889.
19	Emanuel Riha, Schuhmacher,	geboren im Dezember 1863 zu Elkovic, Bezirk Strakonitz, Böhmen, ortsangehörig zu Semeslic, Bezirk Moldauthein, ebendaselbst,	desgleichen,	Königlich Bayerisches Bezirksamt Eggenfelden,	21. Dezember 1889.

Lauf. Nr.	Name und Stand des Ausgewiesenen	Alter und Heimath des Ausgewiesenen	Grund der Bestrafung	Behörde, welche die Ausweisung beschlossen hat	Datum des Ausweisungs-Beschlusses.
1	2	3	4	5.	6
20	Karl Erdmann, Brauergehilfe,	geboren am 4. November 1850 zu Nürnberg, Bayern, ortsangehörig zu Gleisdorf, Bezirk Weiz, Oesterreich,	Landstreichen,	Königlich Bayerisches Bezirksamt Laufen,	22. Dezember 1889.
21	Karl Moravec, Schreiner,	geboren am 26. März 1869 zu Grünberg, Gemeinde Kloster, Bezirk Prestitz, Böhmen, ortsangehörig ebendaselbst,	Landstreichen, falsche Namensangabe und Führung falscher Legitimationspapiere,	Königlich Bayerisches Bezirksamt Bogen,	23. Dezember 1889.
22	Mathias Tichy, Metzger,	28 Jahre alt, geboren zu G. infarren, Niederösterreich, ortsangehörig zu Marschowitz, Bezirk Schüttenhofen, Böhmen,	Landstreichen und Betteln,	Großherzoglich Badischer Landeskommissär zu Mannheim,	30. Dezember 1889.
23	Adolf Rousseau, Arbeiter,	geboren am 1. Mai 1860 zu Lüttich, Belgien, belgischer Staatsangehöriger,	Betteln im wiederholten Rückfall,	Chef der Polizei zu Hamburg,	19. Dezember 1889.
24	Julius Albert, ohne Stand,	41 Jahre alt, aus Termil, Frankreich,	Landstreichen,	Kaiserlicher Bezirks-Präsident zu Colmar,	24. Dezember 1889.
25	Marie Hyppolit Boelsel, ohne Stand,	35 Jahre alt, aus Foucherol, Frankreich,	desgleichen,	derselbe,	desgleichen.
26	Emil Pretot, ohne Stand,	18 Jahre alt, aus St. Barthelmi, Frankreich,	desgleichen,	derselbe,	desgleichen.
27	Arthur Tournier, ohne Stand,	19 Jahre alt, aus Fraisse, Frankreich,	desgleichen,	derselbe,	desgleichen.
28	Jakob Hirsch, Marmorschleifer,	geboren am 3. Oktober 1827 zu Reimelingen, Elsaß-Lothringen, ortsangehörig zu Paris, Frankreich,	Landstreichen und Betteln,	Kaiserlicher Bezirks-Präsident zu Metz,	19. Dezember 1889.
29	Susanna Kolbach, Dienstmagd,	geboren am 29. September 1868 zu Fischbach, Luxemburg, ortsangehörig ebendaselbst,	Landstreichen,	derselbe,	27. Dezember 1889.

(Hierzu eine Beilage, enthaltend das Verzeichniß der in der 10. Verloosung gezogenen, durch die Bekanntmachung der Königlichen Hauptverwaltung der Staatsschulden vom 3. Januar 1890 zur baaren Einlösung am 1. Mai 1890 gekündigten Kurmärkischen Schuldverschreibungen und das Verzeichniß der aus früheren Verloosungen noch rückständigen Kurmärkischen Schuldverschreibungen sowie Vier Oeffentliche Anzeiger).

(Die Insertionsgebühren betragen für eine einspaltige Druckzeile 20 Pf. Belagsblätter werden der Bogen mit 10 Pf. berechnet.)

Redigirt von der Königlichen Regierung zu Potsdam.

Potsdam, Buchdruckerei der A. W. Hayn'schen Erben (E. Hayn, Hof-Buchdrucker).

Amtsblatt

der Königlichen Regierung zu Potsdam und der Stadt Berlin.

Stück 5. Den 31. Januar **1890.**

Bekanntmachungen des Königlichen Regierungs-Präsidenten.

Wahl des Deich-Inspectors des Deich-Verbandes der 2. und 3ten Division der Prignitz'schen Elb-Niederung.

24. Nachdem in der am 16. Dezember 1889 zu Lenzen a. E. abgehaltenen Wahl-Versammlung derjenigen Mitglieder des Deichamtes, welche die Vertretung der Deichgenossen bei demselben bilden, der Königliche Wasserbauinspektor Fischer zu Wittenberge auf einen ferneren Zeitraum von 6 Jahren — 1. Januar 1890 bis dahin 1896 — zum Deichinspektor des Deich-Verbandes der II. und III. Division der Prignitz'schen Elb-Niederung wiedergewählt worden ist, ist diese Wahl gemäß §§ 22, 21 der Allerhöchsten Verordnung, betreffend die Revision des Deichwesens in der Prignitz, vom 4. Dezember 1861 von mir bestätigt worden.

Potsdam, den 22. Januar 1890.

Der Regierungs-Präsident.

Einverleibung bezw. Abtrennung von Grundstücken betreffend.

25. Auf Antrag der Königlichen Regierung Abtheilung für directe Steuern, Domänen und Forsten in Potsdam hat der Bezirksausschuß in der Sitzung vom 28. November 1889 nach Anhörung des Kreistages des Kreises Nieder-Barnim und nach ertheilter Einwilligung der städtischen Behörden zu Oranienburg sowie des Eigenthümers der in Betracht kommenden Grundstücke

I. die Abtrennung des zum Gemeindebezirke der Stadt Oranienburg gehörenden, von dem bisherigen Eigenthümer Maschinenfabrikanten Luis Dechert zu Oranienburg laut Tauschvertrag vom 15. September 1888 an den Königlichen Forst-Fiscus übereigneten, im Grundbuche von Oranienburg Band II P. Blatt 629, in der Grundsteuermutterrolle auf Artikel № 576 eingetragenen Parzelle № 843/105 Kartenblatt № 1 mit einem Flächeninhalte von 9 ar 62 qm aus dem Gemeindebezirke der Stadt Oranienburg und die Einverleibung dieses Grundstücks in den Gutsbezirk Oranienburg Königliche Forst,

II. die Abtrennung des zum Gutsbezirk Oranienburg Königliche Forst gehörenden, von dem Königlichen Forst-Fiscus durch den genannten Tauschvertrag an den Maschinenfabrikanten Dechert übereigneten, im Grundbuche von Oranienburg II O. Blatt 577, in der Grundsteuermutterrolle auf Artikel № 294 eingetragenen Parzelle № 844/103 Kartenblatt № 1 mit einem Flächeninhalte von 2 ar 50 qm aus dem Gutsbezirke Oranienburg Königliche Forst und die Einverleibung dieses Grundstücks in den Gemeindebezirk der Stadt Oranienburg

beschlossen, was hierdurch zur öffentlichen Kenntniß gebracht wird.

Potsdam, den 23. Januar 1890.

Der Regierungs-Präsident.

Verloosung von Gegenständen der Kunst und des Kunstgewerbes zu Weimar.

26. Des Königs Majestät haben dem Vorstande der ständigen Ausstellung für Kunst und Kunstgewerbe zu Weimar mittelst Allerhöchster Ordre vom 6. d. M. die Erlaubniß zu ertheilen geruht, zu der von ihm mit Genehmigung der Großherzoglich Sächsischen Staatsregierung im Jahre 1890 wiederum zu veranstaltenden Ausspielung von Gegenständen der Kunst und des Kunstgewerbes auch im diesseitigen Staatsgebiete, und zwar im ganzen Bereiche desselben, Loose zu vertreiben. Es werden 400000 Loose je 1 M. ausgegeben. Die Gewinne betragen 6760 im Werthe von 200000 Mark. Die erste Ziehung findet in der Zeit vom 7. bis 9. Juni, die zweite vom 13. bis 16. Dezember 1890 statt. Die Polizeibehörden werden angewiesen, den Vertrieb der Loose nicht zu beanstanden.

Potsdam und Berlin, den 25. Januar 1890.

Der Regierungs-Präsident. Der Polizei-Präsident.

Nachweisung über den Geschäftsbetrieb der städtischen, Landgemeinde- und Kreis-Sparkassen im Regierungsbezirk Potsdam für 1888 bezw. 1888/89.

27. Nachstehende Nachweisungen werden hiermit zur öffentlichen Kenntniß gebracht.

Potsdam, den 18. Januar 1890.

Der Regierungs-Präsident.

*

Laufende №	1. Domicil der Sparkasse.	2. Zeit der Errichtung der Kasse.	3. Zahl ihrer Filial- oder Nebenkassen.	Sammel- oder Annahmestellen.	4. Einlagen: niedrigste auf ein Buch bei Beginn eines Kontos M.	höchste Abschluß M.	5. Betrag der Einlagen am Schlusse des Rechnungs-Vorjahres. M.	Pf.	6. Zuwachs während Rechnungs- durch Zuschreibung von Zinsen M.	Pf.
	Städtische Sparkassen.									
1	Angermünde	1886	—	—	1,00	3000	19741	43	892	67
2	Belzig	1885	1	—	1,00	unbeschr.	130359	05	5184	77
3	Biesenthal	1859	—	—	1,00	desgl.	469578	25	15737	22
4	Brandenburg	1830	—	—	1,00	3000	3805077	52	116666	38
5	Charlottenburg	1887	—	—	1,00	3000	—	—	5403	84
6	Dahme	1877	—	—	0,50	unbeschr.	967755	38	31038	01
7	Eberswalde	1877	—	—	0,50	desgl.	2146061	90	64286	75
8	Fehrbellin	1857	—	—	1,00	1200	370919	76	12642	03
9	Havelberg	1848	—	—	1,00	9000	3410477	84	95287	67
10	Jüterbog	1878	—	—	1,00	1500	279863	63	9165	33
11	Ketzin	1880	—	—	1,00	1200	136720	53	4020	67
12	Kyritz	1886	—	—	1,00	3000	41061	18	1131	14
13	Lenzen	1854	—	—	0,50	900	554206	92	18093	57
14	Luckenwalde	1884	—	—	1,00	3000	620529	80	19057	15
15	Nauen	1857	—	—	1,00	900	1650894	14	54268	12
16	Niemegk	1883	—	—	1,00	3000	74775	23	2372	04
17	Perleberg	1854	—	—	1,00	3000	1614141	51	47558	27
18	Plaue	1883	—	—	1,00	1500	139555	05	4739	65
19	Potsdam	1840	—	—	1,00	2000	3770505	62	130182	62
20	Prenzlau	1888	—	—	1,00	2000	—	—	772	77
21	Pritzwalk	1882	—	—	0,50	3000	185540	52	6230	83
22	Putlitz	1884	—	—	1,00	3000	31591	98	1623	77
23	Rathenow	1852	—	2	1,00	3000	554184	67	20320	96
24	Neu-Ruppin	1887	—	—	1,00	3000	31639	29	357	31
25	Schwedt	1830	—	—	1,00	unbeschr.	1868475	73	48083	20
26	Spandau	1852	—	—	1,00	1500	3354849	75	112562	07
27	Strasburg	1857	—	—	0,50	1500	413415	72	14264	50
28	Strausberg	1872	—	—	1,00	unbeschr.	833563	45	25573	82
29	Treuenbrietzen	1851	—	—	1,00	1500	650922	41	22479	65
30	Werder	1886	—	—	1,00	3000	42100	13	641	96
31	Wilsnack	1874	—	—	1,00	1000	462265	93	15656	22
32	Wittenberge	1862	—	—	0,50	3000	567125	08	19743	59
33	Wittstock	1849	—	—	1,00	unbeschr.	993342	38	32318	96
34	Wriezen	1878	—	—	0,50	1800	331467	93	10834	25
35	Wusterhausen a. D.	1886	—	—	1,00	3000	85433	92	3004	76
36	Zehdenick	1883	—	—	1,00	unbeschr.	468825	06	11022	05
1	Velten { Landgemeinde-Sparkasse }	1887	—	—	1,00	3000	56228	72	2920	37
	Kreis-Sparkassen.									
1	Angermünde	1856	—	9	0,50	unbeschr.	2516830	85	89455	56
2	Berlin (N.-Barn.)	1857	—	15	1,00	desgl.	5067655	03	169854	03
3	Freienwalde	1851	—	12	1,00	2000	4206529	52	145786	02
4	Beeskow	1855	5	—	1,00	3000	2269632	96	76936	46
5	Rathenow	1857	12	—	1,00	3000	1208979	53	42129	66
6	Jüterbog	1848	—	6	1,00	unbeschr.	8306470	59	273277	46
7	Prenzlau	1842	—	2	0,50	desgl.	3316467	15	107585	86
8	Kyritz	1856	5	—	1,00	9000	1516348	23	47693	50
9	Neu-Ruppin	1848	—	7	1,00	1500	3667603	10	124663	57
10	Berlin (Teltow)	1858	—	19	0,50	unbeschr.	6668343	69	222604	80
11	Templin	1858	—	—	0,50	6000	816660	96	28162	57
12	Belzig	1858	—	3	1,50	600	1135029	54	169885	94
	Summa		23	75	—	—	71829748	56	2484174	37

7. des abgelaufenen Jahres durch neue Einlagen. M.	Pf.	8. Ausgabe während des abgelaufenen Rechnungsjahres für zurückgezogene Einlagen. M.	Pf.	9. Betrag der Einlagen nach dem Abschlusse des abgelaufenen Rechnungsjahres M.	Pf	10. Betrag des Separat- oder Sparfonds. (§ 12 des Reglements vom 12. Dezbr. 1838.) M.	Pf.	11. Betrag des Reservefonds, wie er am Schlusse des abgelaufenen Rechnungsjahres zu Buche stand. M.	Pf.	12. Betrag der Zinsüberschüsse des abgelaufenen Rechnungsjahres. M.	Pf.	13. Betrag des eigenen Vermögens der Kassen. M.	Pf.
38275	36	11826	15	47083	31	—	—	180	22	152	75	—	—
112242	36	49658	34	198127	84	—	—	754	16	1132	22	—	—
107147	33	80803	77	511659	03	—	—	37558	75	6657	79	—	—
1386221	50	1016064	20	4291901	20	—	—	406743	23	57014	06	—	—
420310	48	62870	45	362843	87	—	—	—	—	1042	43	—	—
171185	40	218971	20	951007	59	—	—	34677	69	10010	63	—	—
1420338	94	1136320	51	2494367	08	—	—	125008	19	16131	45	—	—
125979	92	69237	32	440304	39	—	—	27849	35	6279	55	—	—
1261145	78	1305456	76	3461454	53	—	—	442509	51	46903	68	—	—
48832	69	48576	77	289284	88	—	—	13100	33	3693	65	—	—
60387	95	34732	25	166396	90	—	—	4776	24	1469	52	—	—
33130	39	32765	74	42556	97	—	—	2041	53	227	95	—	—
191977	77	150811	83	613466	43	—	—	67898	55	6747	28	—	—
262142	95	191746	95	709982	95	—	—	14160	65	8457	64	—	—
411334	83	289577	40	1826919	69	—	—	198800	96	21384	14	—	—
28358	25	12787	18	92718	34	—	—	173	10	820	76	—	—
476863	65	405484	63	1733078	80	—	—	189307	95	21605	01	—	—
61747	98	39881	47	166161	21	—	—	5399	72	5649	67	—	—
1433058	59	1025770	24	4307976	59	—	—	410785	65	43136	35	—	—
84188	33	3972	56	80988	54	—	—	—	—	119	26	—	—
156868	97	113960	64	234679	68	—	—	3709	35	2573	23	—	—
39003	76	9047	75	63171	76	—	—	208	98	109	26	—	—
211390	46	139756	53	646139	56	—	—	60478	19	6828	86	—	—
36957	70	16482	41	52471	89	—	—	513	23	501	13	—	—
569755	58	448475	73	2037838	78	—	—	196869	36	19993	29	—	—
954626	62	607126	66	3814911	76	—	—	342576	17	40572	86	—	—
123260	50	71316	02	479624	70	—	—	26159	34	4091	59	—	—
278351	45	185064	64	952424	08	—	—	78846	99	12035	24	—	—
182082	59	103225	76	752258	89	—	—	83755	09	7641	33	—	—
78230	79	23698	56	97274	32	—	—	860	92	918	37	—	—
122896	58	85296	79	515521	94	—	—	35912	80	3808	98	—	—
232781	88	136874	96	682775	59	—	—	46481	96	7049	09	—	—
461483	08	367625	77	1119518	65	—	—	115453	86	10654	05	—	—
103008	92	77775	69	367535	41	—	—	19519	60	2878	90	—	—
87696	10	49865	30	126269	48	—	—	80	21	931	76	—	—
345704	49	202059	71	623491	89	—	—	11241	47	4579	61	—	—
85722	99	35065	47	109806	61	—	—	19	90	559	21	—	—
890225	80	496962	61	2999549	60	—	—	166311	60	22763	91	—	—
1355734	55	796912	03	5796331	58	—	—	481047	33	58200	10	—	—
1270728	06	845877	46	4777166	14	—	—	378669	61	46155	81	—	—
684066	13	358998	72	2671636	83	—	—	283917	63	26045	15	—	—
544930	92	372409	44	1423630	67	—	—	76346	63	12753	—	—	—
1516709	11	1227181	28	8869275	88	—	—	978243	90	97650	40	—	—
787891	11	539799	92	3672144	20	—	—	349545	11	30018	35	—	—
482323	50	367966	85	1678398	38	—	—	181617	23	20823	97	—	—
1094422	69	769514	94	4117174	42	—	—	355689	05	28656	82	—	—
2270684	13	1413738	25	7747894	37	—	—	416873	75	61234	83	—	—
220761	19	113135	52	952449	20	7200	—	48764	17	7807	06	—	—
37082	70	174192	64	1167805	54	—	—	111182	10	18097	90	—	—
23360252	80	16336723	79	81337451	94	7200	—	6832621	31	814569	85	—	—

Laufende №	1. Domicil der Sparkasse.	14. Aus dem Reservefonds sind zu öffentlichen Zwecken verwendet: seit dem Bestehen der Kassen. M.	Pf.	15. im abgelaufenen Rechnungsjahre. M.	Pf.	16. Zinsen, welche die Kassen für Einlagen gewähren Prozent.	für ausgeliehene Kapitalien erhalten Prozent.
	Städtische Sparkassen.						
1	Angermünde	—	—	—	—	$3^1/_2$	3,5—5
2	Belzig	—	—	—	—	$3^1/_2$	4—5
3	Biesenthal	—	—	—	—	$3^1/_2$	4—5
4	Brandenburg	266328	94	—	—	3	3,84
5	Charlottenburg	—	—	—	—	3	3,5—4,5
6	Dahme	—	—	—	—	$3^2/_3$	4,25—6
7	Eberswalde	—	—	—	—	3,5	3,5—5
8	Fehrbellin	—	—	—	—	$3^1/_2$	3,5—5
9	Havelberg	214141	—	13750	—	3	4
10	Jüterbog	—	—	—	—	$3^1/_2$	4,25—6
11	Ketzin	—	—	—	—	$3^1/_2$	3,5—4,5
12	Kyritz	—	—	—	—	$3^1/_2$	4—5
13	Lenzen	74978	95	2623	61	$3^1/_2$	4—4,5
14	Luckenwalde	—	—	—	—	$3^1/_2$	3,5—4,25
15	Nauen	60015	96	20023	80	$3^1/_2$	3,5—5
16	Niemegk	—	—	—	—	$3^1/_2$	4—5
17	Perleberg	125773	64	19941	64	3	3—4
18	Plaue	—	—	—	—	$3^1/_2$	3,5—6
19	Potsdam	139059	50	—	—	$3^1/_2$	$3^4/_5$
20	Prenzlau	—	—	—	—	$3^1/_2$	3,5—4,5
21	Pritzwalk	—	—	—	—	$3^1/_2$	4—5
22	Putlitz	—	—	—	—	3 5	4,5—5
23	Rathenow	28351	21	—	—	3,5	4—4,5
24	Neu-Ruppin	—	—	—	—	3,5	3,5—4,25
25	Schwedt	277563	05	8560	—	$3^1/_2$	3,5—4
26	Spandau	220082	—	5000	—	$3^1/_2$	3,5—5
27	Strasburg	—	—	—	—	$3^1/_2$	3,5—5
28	Strausberg	—	—	—	—	$3^1/_2$	3,5—6
29	Treuenbrietzen	23943	20	3000	—	$3^1/_2$	3,5—4,5
30	Werder	—	—	—	—	$3^1/_2$	4,25—5
31	Wilsnack	—	—	—	—	$3^1/_2$	3,5—4,5
32	Wittenberge	24162	65	—	—	$3^1/_2$	4—5
33	Wittstock	51000	—	6000	—	$3^1/_2$	3,5—4
34	Wriezen	—	—	—	—	$3^1/_2$	3,5—5
35	Wusterhausen a. D.	—	—	—	—	$3^1/_2$	4—4,5
36	Zehdenick	—	—	—	—	$3^1/_2$	3 5—4,5
1	Velten (Landgemeinde-Sparkasse)	—	—	—	—	$3^1/_2$	4—5
	Kreis-Sparkassen.						
1	Angermünde	—	—	—	—	$3^1/_2$	3,5—4
2	Berlin (N.-Barn.)	—	—	—	—	$3^1/_2$	4,20
3	Freienwalde	69000	—	15000	—	$3^1/_2$	3,88
4	Beeskow	60000	—	10000	—	$3^1/_2$	$3^1/_2$—5
5	Rathenow	—	—	—	—	$3^1/_2$	3,5—4,5
6	Jüterbog	160459	32	24480	32	$3^1/_2$	3—6
7	Prenzlau	135790	17	—	—	$3^1/_2$	3,5—4
8	Kyritz	—	—	—	—	$3^1/_2$	4—5
9	Neu-Ruppin	42083	93	—	—	$3^1/_2$	3,5—5
10	Berlin (Teltow)	51148	81	998	—	$3^1/_2$	4
11	Templin	—	—	—	—	$3^1/_2$	4
12	Belzig	—	—	—	—	$3^1/_2$	3,5—5
	Summa	2023882	33	129317	37	—	—

in der Panoramastraße, Rochstraße, Gontardstraße, in der Kaiser-Wilhelmstraße vom Neuen Markt bis zur Münzstraße, in der Neuen Friedrichstraße von der Panorama- bis zur Rochstraße und in der Straße An der Stadtbahn von der Straße An der Spandauer Brücke bis zur Königstraße.

§ 2. Uebertretungen dieser Vorschrift werden mit einer Geldstrafe bis zu 30 Mark oder im Unvermögensfalle mit verhältnißmäßiger Haft bestraft.

§ 3. Diese Verordnung tritt am 15. Januar 1890 in Kraft. Mit demselben Tage treten die Polizei-Verordnungen vom 29. Juli und 25. September 1889 außer Kraft.

Berlin, den 6. Januar 1890.

Der Polizei-Präsident. Freiherr v. Richthofen.

Bekanntmachungen des Königlichen Konsistoriums der Provinz Brandenburg.

Errichtung einer neuen geistlichen Stelle bei der St. Simeons-Kirche in Berlin.

1. Mit der im Einverständnisse des Herrn Ministers der geistlichen, Unterrichts- und Medizinal-Angelegenheiten ertheilten Genehmigung des Evangelischen Ober-Kirchenraths und auf Grund der Beschlüsse der Gemeindeorgane der St. Simeons-Kirche in Berlin vom 23. September und 14. Oktober 1889 wird in der Parochie dieser Kirche eine zweite geistliche Stelle, welche als Diakonat neben die Pfarrstelle tritt, mit dem Sitz in Berlin errichtet. Die Besetzung des Diakonats erfolgt gemäß dem Kirchengesetze, betreffend das im § 32 № 2 der Kirchengemeinde- und Synodal-Ordnung vom 10. September 1873 und im Allerhöchsten Erlaß vom 28. Juli 1876 vorgesehene Pfarrwahlrecht vom 15. März 1886.

Berlin, den 21. Dezember 1889.	Berlin, den 13. Dezember 1889.
Der Königliche Polizei-Präsident.	Das Königliche Konsistorium der Provinz Brandenburg.

Errichtungs-Dekret.

C. 31721.

Bekanntmachungen der Königlichen Hauptverwaltung der Staatsschulden.

10. Verloosung von Kurmärkischen Schuldverschreibungen.

1. Bei der heute in Gegenwart eines Notars öffentlich bewirkten 10. Verloosung von Kurmärkischen Schuldverschreibungen sind die in der Anlage verzeichneten Nummern gezogen worden. Dieselben werden den Besitzern mit der Aufforderung gekündigt, die in den ausgeloosten Nummern verschriebenen Kapitalbeträge vom 1. Mai 1890 ab gegen Quittung und Rückgabe der Schuldverschreibungen und der nach dem 1. Mai d. Js. fällig werdenden Zinsscheine Reihe XIII. № 6 bis 8 nebst Zinsscheinanweisungen bei der Staatsschulden-Tilgungskasse, Taubenstraße Nr. 29 hierselbst, zu erheben. Die Zahlung erfolgt von 9 Uhr Vormittags bis 1 Uhr Nachmittags, mit Ausschluß der Sonn- und Festtage und der letzten drei Geschäftstage jeden Monats.

Die Einlösung geschieht auch bei den Regierungs-Hauptkassen und in Frankfurt a. M. bei der Kreiskasse. Zu diesem Zwecke können die Effekten einer dieser Kassen schon vom 1. April d. J. ab eingereicht werden, welche sie der Staatsschulden-Tilgungskasse zur Prüfung vorzulegen hat und nach erfolgter Feststellung die Auszahlung vom 1. Mai 1890 ab bewirkt.

Der Betrag der etwa fehlenden Zinsscheine wird vom Kapitale zurückbehalten.

Mit dem 1. Mai 1890 hört die Verzinsung der verloosten Kurmärkischen Schuldverschreibungen auf.

Zugleich werden die bereits früher ausgeloosten, auf der Anlage verzeichneten, noch rückständigen Kurmärkischen Schuldverschreibungen wiederholt und mit dem Bemerken aufgerufen, daß die Verzinsung derselben mit den Kündigungsterminen aufgehört hat.

Die Staatsschulden-Tilgungskasse kann sich in einen Schriftwechsel mit den Inhabern der Schuldverschreibungen über die Zahlungsleistung nicht einlassen.

Formulare zu den Quittungen werden von sämmtlichen obengedachten Kassen unentgeltlich verabfolgt.

Berlin, den 3. Januar 1890.

Hauptverwaltung der Staatsschulden.

Bekanntmachungen der Kreis-Ausschüsse.

2. **Nachweisung**

der vom Kreis-Ausschusse des Kreises Beeskow-Storkow im II. Halbjahr 1889 genehmigten Communal-Bezirks-Veränderungen.

Datum der Genehmigung.	Bezeichnung des Grundstücks	Besitzers	jetzigen Gemeinde-Verbandes	künftigen Gemeinde-Verbandes	Bemerkungen. Größe des Grundstücks: ha	a	qm
12. September 1889.	Dorfauen-Parzelle.	Kgl. Domainen-Fiscus.	Kgl. Domainen-Fiscus.	Pfaffendorf.	—	3	62
dgl.	dgl.	dgl.	dgl.	Görsdorf bei Beeskow.	—	1	67

Beeskow, den 10. Januar 1890. Der Vorsitzende des Kreis-Ausschusses.

Laufende №	1. Domicil der Sparkasse.	24. in Hypotheken: auf städtische Grundstücke M.	Pf.	25. auf ländliche Grundstücke M.	Pf.	26. Von dem Vermögen der …n auf den Inhaber lautenden Papieren: Nennwerth. M.	Kurswerth am Schlusse des abgelaufenen Rechnungsjahres. M.	Pf.
	Städtische Sparkassen.							
1	Angermünde	11250	—	1100	—	10000	10137	3[illegible]
2	Belzig	37183	52	114757	46	4500	4770	—
3	Biesenthal	332889	58	35900	—	89500	92901	—
4	Brandenburg	1337034	75	270260	—	2914950	3011395	45
5	Charlottenburg	166000	—	—	—	190700	200005	25
6	Dahme	594522	—	171712	51	44150	45957	60
7	Eberswalde	737637	78	93953	16	1395700	1431844	50
8	Fehrbellin	127000	—	180768	64	77100	82172	—
9	Havelberg	680123	—	628029	06	1865000	1996992	—
10	Jüterbog	171657	58	40375	—	56200	60066	80
11	Ketzin	72050	—	19200	—	59900	60819	09
12	Kyritz	19460	—	—	—	17200	18361	—
13	Lenzen	100357	34	328149	72	188400	202662	—
14	Luckenwalde	538840	—	51525	—	109025	114231	63
15	Nauen	712587	99	271105	—	869800	908362	15
16	Niemegk	44435	11	25055	—	6000	6450	—
17	Perleberg	745325	—	229075	—	602600	628535	70
18	Plaue	79475	—	4200	—	78600	83698	—
19	Potsdam	1293425	—	—	—	2982300	3154963	55
20	Prenzlau	6900	—	2400	—	67400	68343	6[illegible]
21	Pritzwalk	74350	—	61350	—	42000	44593	50
22	Putlitz	6975	—	8900	—	36900	38886	60
23	Rathenow	226700	—	76500	—	148600	159148	5[illegible]
24	Neu-Ruppin	33850	—	—	—	11100	11485	9[illegible]
25	Schwedt	1382284	95	76575	—	696900	742929	3[illegible]
26	Spandau	2062469	03	61575	—	1478650	1584455	4[illegible]
27	Strasburg	172180	—	41500	—	235650	248149	10
28	Strausberg	440848	32	130591	—	250600	256[illegible]9	20
29	Treuenbrietzen	249100	—	183375	—	372400	390347	50
30	Werder	21300	—	900	—	9200	9825	—
31	Wilsnack	149880	—	258609	25	89600	94124	50
32	Wittenberge	576095	—	—	—	78600	84595	90
33	Wittstock	697350	—	146750	—	290975	308014	4[illegible]
34	Wriezen	116025	—	33400	—	210100	222755	5[illegible]
35	Wusterhausen a. D.	38197	—	40572	—	37000	38494	—
36	Zehdenick	200988	—	76150	—	309400	323396	5[illegible]
1	Velten { Landgemeinde-Sparkasse }	—	—	30000	—	32000	34100	—
	Kreis-Sparkassen.							
1	Angermünde	1005450	—	789500	—	1260225	1301706	70
2	Berlin (N.-Barn.)	701150	—	1540058	31	3348800	3596580	50
3	Freienwalde	1907450	—	1251750	—	1288800	1335449	80
4	Beeskow	462597	50	315214	—	1260350	1302829	55
5	Rathenow	252900	—	69400	—	770500	815934	70
6	Jüterbog	3119709	80	1621378	48	3464400	3564213	10
7	Prenzlau	257840	—	81900	-	3601725	3681591	55
8	Kyritz	334530	—	297512	—	676700	721946	60
9	Neu-Ruppin	647500	—	775445	—	1991000	2029052	—
10	Berlin (Teltow)	243300	—	111633	09	4862575	5045651	05
11	Templin	72750	—	16500	—	661800	669790	05
12	Belzig	216880	86	430673	86	368825	380683	98
	Summa	23478804	11	10998277	56	39534600	41221510	91

27.		28.		29.		30.		31.		32.	
Sparkassen (Spalten 9 bis 13) sind zinsbar angelegt:											
auf Schuldscheine:				gegen Wechsel.		gegen Faustpfand.		bei öffentlichen Instituten und Korporationen.		überhaupt. (Inhaberpapiere zum Kurswerthe eingestellt)	
ohne Bürgschaft M.	Pf.	gegen Bürgschaft M.	Pf.	M.	Pf	M.	Pf.	M	Pf.	M.	Pf.
—	—	5600	—	4805	—	—	—	—	—	32892	30
—	—	12274	90	—	—	13840	—	12000	—	194825	88
—	—	62642	30	—	—	—	—	—	—	527332	88
—	—	—	—	—	—	—	—	—	—	4618690	18
—	—	—	—	—	—	—	—	—	—	366005	25
—	—	—	—	90156	—	43150	—	—	—	945498	11
—	—	157500	—	81004	84	38235	—	8862	50	2549037	78
—	—	37969	—	—	—	12525	—	21900	—	462334	64
255616	—	1000	—	14750	—	12230	—	196000	—	3784740	08
—	—	—	—	22324	—	—	—	—	—	294423	38
—	—	—	—	6800	—	3350	—	—	—	162219	09
—	—	—	—	—	—	2100	—	—	—	39921	—
—	—	11428	70	—	—	900	—	22742	68	666240	44
—	—	—	—	1500	—	—	—	—	—	706096	63
—	—	6062	—	—	—	9548	—	102592	—	2010257	17
—	—	12127	68	—	—	—	—	—	—	88067	79
—	—	—	—	—	—	—	—	287800	—	1890735	70
—	—	675	—	500	—	700	—	—	—	169248	—
—	—	—	—	—	—	—	—	240400	—	4688808	55
—	—	—	—	—	—	600	—	—	—	78243	60
—	—	32834	—	—	—	5719	—	6743	57	225590	07
—	—	—	—	7360	—	—	—	—	—	62121	60
—	—	30000	—	—	—	—	—	203900	—	696248	50
—	—	—	—	2400	—	—	—	—	—	47735	90
—	—	—	—	—	—	—	—	—	—	2201789	25
—	—	20020	—	—	—	148100	—	260258	28	4136877	71
—	—	2600	—	—	—	—	—	43500	—	507929	10
—	—	—	—	56625	—	3500	—	120675	—	1010328	52
—	—	—	—	—	—	—	—	—	—	822822	50
—	—	1900	—	—	—	—	—	16600	—	50525	—
—	—	2150	—	—	—	3000	—	26000	—	533763	75
—	—	—	—	—	—	—	—	52900	—	713590	80
—	—	2346	—	—	—	51060	—	—	—	1205520	40
—	—	5000	—	—	—	—	—	—	—	377180	50
—	—	—	—	—	—	—	—	—	—	117263	—
—	—	—	—	—	—	—	—	11760	—	612296	50
—	—	8000	—	26946	—	4800	—	—	—	103846	—
—	—	2550	—	—	—	23850	—	74700	—	3197756	70
—	—	—	—	—	—	—	—	298735	—	6136523	81
—	—	—	—	—	—	—	—	686300	—	5180949	80
—	—	71673	—	—	—	16850	—	779081	99	2948246	04
—	—	—	—	—	—	15000	—	322470	—	1475704	70
—	—	—	—	38273	—	—	—	1332087	47	9675661	85
—	—	—	—	—	—	—	—	—	—	4021331	55
—	—	87974	—	—	—	—	—	350862	—	1792824	60
—	—	26480	—	70575	—	31560	—	813839	21	4394451	21
—	—	—	—	—	—	—	—	2706548	98	8107133	12
—	—	—	—	—	—	—	—	217600	—	976640	05
—	—	3000	—	—	—	111752	—	83829	—	1226819	70
255616	—	603806	58	424018	84	552369	—	9300687	68	86835090	68

Laufende №	1. Domicil der Sparkasse.	33. Im abgelaufenen Rechnungsjahre im Wege der Zwangsversteigerung erworbene Immobilien: Erwerbspreis. M.	Pf	34. Hypothekarisch darauf haftende Sparkassengelder. M.	Pf	35. Werth sämmtl. bisher erworbenen Mobilien am Schlusse des Rechnungsjahres M.	Pf.	36. Betrag des baaren Kassenbestandes am Schlusse des Rechnungsjahres: im allgemeinen Sparkassenfonds. M.	Pf.	37. im Reservefonds. M.	Pf.	38. Betrag der Verwaltungskosten im abgelaufenen Rechnungsjahre. M.	Pf.
	Städtische Sparkassen.												
1	Angermünde	—	—	—	—	—	—	14661	28	—	—	—	—
2	Belzig	—	—	—	—	—	—	4056	12	—	—	513	99
3	Biesenthal	—	—	—	—	—	—	20201	37	—	—	377	45
4	Brandenburg	—	—	—	—	—	—	81663	25	—	—	5647	98
5	Charlottenburg	—	—	—	—	2078	95	813	27	—	—	8752	29
6	Dahme	—	—	—	—	1000	—	40187	17	—	—	1775	88
7	Eberswalde	—	—	—	—	3967	—	61894	43	—	—	4906	56
8	Fehrbellin	—	—	—	—	550	—	5819	10	—	—	540	15
9	Havelberg	—	—	—	—	2192	80	94721	22	—	—	4709	80
10	Jüterbog	—	—	—	—	—	—	7961	83	—	—	1289	76
11	Ketzin	—	—	—	—	—	—	8955	05	—	—	162	45
12	Kyritz	—	—	—	—	—	—	4677	50	—	—	71	85
13	Lenzen	—	—	—	—	945	—	13643	95	—	—	900	—
14	Luckenwalde	—	—	—	—	—	—	17618	02	—	—	905	25
15	Nauen	—	—	—	—	1000	—	15463	48	—	—	3053	66
16	Niemegk	—	—	—	—	—	—	4670	65	20	10	354	43
17	Perleberg	—	—	—	—	450	—	31651	05	—	—	2823	18
18	Plaue	—	—	—	—	—	—	—	—	79	77	249	95
19	Potsdam	—	—	—	—	—	—	29953	69	—	—	10029	—
20	Prenzlau	—	—	—	—	470	25	2306	—	—	—	3	20
21	Pritzwalk	—	—	—	—	—	—	12797	96	—	—	691	69
22	Putlitz	—	—	—	—	—	—	1142	16	318	24	267	35
23	Rathenow	—	—	—	—	38	—	39	56	10329	69	1146	37
24	Neu-Ruppin	—	—	—	—	—	—	5734	24	513	23	—	—
25	Schwedt	—	—	—	—	—	—	39412	94	—	—	4910	53
26	Spandau	—	—	—	—	1200	—	101192	56	—	—	5457	10
27	Strasburg	—	—	—	—	—	—	9928	04	—	—	1506	94
28	Strausberg	—	—	—	—	—	—	18561	51	—	—	4577	60
29	Treuenbrietzen	—	—	—	—	—	—	3217	08	—	—	1160	57
30	Werder	—	—	—	—	—	—	47610	24	—	—	57	45
31	Wilsnack	—	—	—	—	300	50	10973	87	—	—	565	05
32	Wittenberge	—	—	—	—	610	50	13842	25	—	—	827	40
33	Wittstock	—	—	—	—	600	—	29452	11	—	—	1889	13
34	Wriezen	—	—	—	—	—	—	9646	81	—	—	988	42
35	Wusterhausen a. D.	—	—	—	—	—	—	8575	78	80	21	495	95
36	Zehdenick	—	—	—	—	600	—	22075	11	—	—	2251	54
1	Velten Landgemeinde-Sparkasse	—	—	—	—	673	20	4344	08	19	90	1200	—
	Kreis-Sparkassen.												
1	Angermünde	—	—	—	—	800	—	7357	95	—	—	5144	42
2	Berlin (N.-Barn.)	—	—	—	—	2316	—	127588	27	12273	37	25993	60
3	Freienwalde	—	—	—	—	—	—	1641	14	13139	61	7906	03
4	Beeskow	—	—	—	—	500	—	3571	38	—	—	4715	45
5	Rathenow	—	—	—	—	—	—	23360	67	911	93	5506	57
6	Jüterbog	—	—	—	—	2030	—	167296	75	—	—	16064	95
7	Prenzlau	—	—	—	—	—	—	—	—	357	76	13525	48
8	Kyritz	—	—	—	—	487	50	70191	01	—	—	5813	79
9	Neu-Ruppin	—	—	—	—	—	—	60781	04	—	—	10576	13
10	Berlin (Teltow)	—	—	—	—	6700	—	27765	80	10046	95	18215	20
11	Templin	—	—	—	—	530	—	32563	37	7807	06	2062	90
12	Belzig	5800	—	3296	02	1530	65	52167	94	—	—	6739	31
	Summa	5800	—	3296	02	31570	35	1373750	02	55897	82	197353	74

Die Vorsitzenden und Vertrauensmänner der Fuhrwerksberufsgenossenschaft betreffend.

28. Nachstehend werden die Namen der Vorsitzenden und der Vertrauensmänner der Fuhrwerksberufsgenossenschaft, soweit dieselben für den diesseitigen Bezirk in Betracht kommen, veröffentlicht:

Genossenschafts-Vorstand:

Vorsitzender: H. Scharfenberg, Fuhrherr, Berlin NO., Georgenkirchstraße Nr. 46,

Vorstand der Section 3:

Vorsitzender: Abfuhrunternehmer E. Wünn in Potsdam.

Vertrauensmänner:

Bezirk.	Vertrauensmann.	Stellvertreter.
1. Kreis Prenzlau.	1. Posth. Schönian in Prenzlau, Friedrichstraße.	1. Fuhrh. E. Olm in Prenzlau, Kiez 24.
	2. Fuhrherr Heinrich Schulz in Strasburg (Uckermark).	2. Fuhrherr Ernst Merten in Brüssow.
2. Kreis Templin.	Posth. August Krause in Boitzenburg.	1. Fuhrherr Gustav Eßmann in Templin.
		2. Fuhrherr Karl Trambow in Zehdenick.
3. Kreis Angermünde.	1. Posth. Fr. Haehn in Joachimsthal.	1. Fuhrherr Seeger in Oderberg i. M.
	2. Posthalter E F. Heine in Schwedt a. O.	2. Posthalter Wilhelm Scheiblich in Vierraden.
		3. Fuhrherr J. Graff in Greiffenberg Ukm.
4. Kreis Oberbarnim.	1. Fuhrherr F. Laue in Freienwalde.	1. Fuhrherr Wilh. Ruschke in Freienwalde a. O.
	2. Posthalter Bolle in Eberswalde.	2. Posthalter Wilh. Eggert in Wriezen a. O.
	3. Fuhrherr Friedr. Lange in Straußberg.	3. Fuhrherr Anton Otte in Werneuchen.
5. Kreis Niederbarnim.	1. Fuhrherr Wilh. Schulze in Pankow.	1. —
	2. Fuhrherr Fiedler in Reinickendorf.	2. Fuhrherr Wilh. Geduld in Reinickendorf.
	3. Fuhrherr Korn in Bernau.	3. Hotelbesitzer Eiters in Oranienburg.
	4. Fuhrherr Oskar Rosenbaum in Lichtenberg.	4. Fuhrherr Aug. Hintze in Friedrichshagen.
6 Kreis Teltow excl. Nowawes und Rixdorf.	1. Fuhrherr Gustav Glaesig in Schoeneberg.	1. Fuhrherr S. Rockel in Friedenau.
	2. Fuhrherr Karl Eichelkraut in Zehlendorf.	2. Fuhrherr Rudolph Ahlburg in Steglitz.
	3. Fuhrherr Degener in Königs-Wusterhausen.	3. Fuhrunternehmer Johannes Seiffert in Trebbin.
7. Kreis Beeskow-Storkow.	Fuhrherr Franz Tribbensee in Storkow.	Fuhrherr C. Roggatz in Beeskow.
8. Kreis Jüterbog-Luckenwalde.	Fuhrherr Johannes Burius in Luckenwalde.	1. Posthalter Imme in Jüterbog.
		2. Fuhrherr Ed. Hause in Dahme.
9. Kreis Zauch-Belzig.	1. Hotelbesitzer Seebald in Beelitz.	1. Hotelbesitzer A. Reichert in Treuenbrietzen.
	2. Fuhrherr Schmiedechen in Werder a. H.	2. Fuhrherr Jung in Lehnin.
10. Kreis Potsdam mit Nowawes und Neuendorf.	1. Fuhrherr Ernst Wünn in Potsdam, Spandauerstraße 2/3.	1. Fuhrherr Hagen in Nowawes.
	2. Fuhrherr Fritz Merten in Potsdam, Am Kanal 14.	2. Fuhrherr Karl Schubotz in Potsdam, Burgstraße 41.
11. Kreis Osthavelland.	Fuhrherr Karl Boltz in Nauen.	1. Fuhrherr Franz Hoffert in Cremmen.
		2. Fuhrherr Christian Friese in Fehrbellin.

Bezirk.	Vertrauensmann.	Stellvertreter.
12. Kreis West-Havelland.	Fuhrherr Aug. Taege in Brandenburg a. H.	1. Fuhrherr L. Maaß in Brandenburg a. H. 2. Posthalter W. Blume in Friesack.
13. Kreis Ruppin.	Posth. Hahnzog in Gransee.	1. Fuhrherr Scholz in Wusterhausen a. D. 2. Fuhrherr Osti in Rheinsberg.
14. Kreis Ostprignitz.	Hotelbesitzer Karl Zimmermann in Wittstock.	1. Fuhrherr Fritz Rohrlack in Kyritz. 2. Albert Lemke in Pritzwalk.
15. Kreis Westprignitz.	1. Fuhrherr C. Welt i. F. C. F. Deter in Havelberg. 2. Posthalter W. Röhl in Wittenberge.	Hotelier W. Hoffmann in Perleberg.
16. Stadtkreis Spandau.	Fuhrherr Theodor Degenhardt in Spandau.	Fuhrh. Wilh. Doß in Spandau.
17. Stadt Charlottenburg.	Fuhrherr E. Hertling in Charlottenburg, Berlinerstraße 52.	Fuhrherr Aug. Hoffmann in Charlottenburg, Wilmersdorferstraße 162.
18. Rixdorf.	Fuhrherr Karl Scheller in Rixdorf, Kottbuserdamm 68.	1. Fuhrherr Gustav Schöneberg in Rixdorf. 2. Fuhrherr Paul Frahm in Rixdorf. 3. Fuhrherr Karl Mieck in Rixdorf.

Potsdam, den 22. Januar 1890.

Der Regierungs-Präsident.

Aufnahme von Geisteskranken in Privat-Irrenanstalten betreffend.

29. Unter Bezugnahme auf den Erlaß der Herren Minister des Innern, der Justiz, der geistlichen, Unterrichts- und Medizinal-Angelegenheiten, Privat-Irrenanstalten betreffend, vom 19. Januar 1888 — abgedruckt in der Extrabeilage zum Stück 8 des Amtsblatts vom Jahre 1888 — wird hiermit zur allgemeinen Kenntniß gebracht, daß nach einem Erlaß der vorgenannten Herren Minister vom 16. Januar 1890 für die Aufnahme von Geisteskranken aus dem Auslande oder aus den übrigen deutschen Bundesstaaten in diesseitige Privat-Irrenanstalten die Beibringung derjenigen amtlich beglaubigten Bescheinigungen genügt, welche in ihrem Heimathsstaate für die Aufnahme von Geisteskranken in Privat-Irrenanstalten erforderlich sind.

Nach der dieser Bestimmung gemäß erfolgten Aufnahme eines Ausländers in eine diesseitige Privat-Irrenanstalt bedarf es auch der Untersuchung desselben durch einen Physikus oder Kreiswundarzt, wie sie für andere Fälle durch den Erlaß vom 19. Januar 1888 unter I. 1 c. angeordnet worden ist, nicht. Diese Untersuchung muß jedoch erfolgen, wenn Zweifel darüber bestehen, ob die beigebrachten Bescheinigungen den Forderungen des Abs. 1 des vorliegenden Erlasses entsprechen.

Potsdam, den 27. Januar 1890.

Der Regierungs-Präsident.

Die Wahlen zum Reichstage betreffend.

30. Nachdem durch Kaiserliche Verordnung vom 8ten d. M. bestimmt worden ist, daß die Neuwahlen für den Reichstag am 20. Februar d. Js. vorzunehmen sind, bringe ich auf Grund des § 24 des Reglements vom 28. Mai 1870 zur Ausführung des Wahlgesetzes für den Reichstag vom 31. Mai 1869 hierdurch zur öffentlichen Kenntniß, daß ich zu Wahlkommissarien für die Reichstagswahl ernannt habe

für den I. Wahlkreis (Kreis Westprignitz) den Herrn Landrath, Geheimen Regierungs-Rath von Jagow zu Perleberg,

für den II. Wahlkreis (Kreis Ostprignitz) den Herrn Landrath Graf von Bernstorff zu Kyritz,

für den III. Wahlkreis (Kreis Ruppin-Templin) den Herrn Landrath von Arnim zu Templin,

für den IV. Wahlkreis (Kreis Prenzlau-Angermünde) den Herrn Landrath, Geheimen Regierungs-Rath von Winterfeld zu Prenzlau,

für den V. Wahlkreis (Kreis Oberbarnim) den Herrn Kreis-Deputirten, Frhrn. von Eckardstein auf Proetzel bei Strausberg,

für den VI. Wahlkreis (Kreis Niederbarnim) den Herrn Landrath, Geheimen Regierungs-Rath Scharnweber zu Berlin,

für den VII. Wahlkreis (Städte Potsdam und Spandau und Kreis Osthavelland) den Herrn Oberbürgermeister Boie in Potsdam,

für den VIII. Wahlkreis (Kreis Westhavelland und Stadt Brandenburg) den Herrn Landrath von Löbell in Rathenow,

für den IX. Wahlkreis (Kreis Zauch-Belzig und Jüterbog-Luckenwalde) den Herrn Landrath von Stülpnagel zu Belzig,

für den X. Wahlkreis (Kreis Teltow und Beeskow-Storkow, sowie Stadt Charlottenburg) den Herrn Landrath Stubenrauch zu Berlin.

Potsdam, den 25. Januar 1890.

Der Regierungs-Präsident.

Viehseuchen.

31. Festgestellt ist:

der Milzbrand bei einem Ochsen des Dominiums Mahlow, Kreis Teltow;

die Maul- und Klauenseuche unter dem Rindviehstande des Bauerguts besitzers Friedrich Wolff zu Golzow, Kreis Angermünde;

auf dem zum Rittergute Selbelang gehörigen Vorwerk Bienenfarm, Kreis Westhavelland;

unter dem Rindviehstande des Rittergutes Dyrotz, Kreis Osthavelland.

Die Ortschaft Dyrotz ist daher gegen das Durchtreiben von Wiederkäuern und Schweinen gesperrt.

Ausgebrochen ist ferner

die Räude unter den Schafen des Dominiums Waßmannsdorf, Kreis Teltow.

Erloschen ist:

die Maul- und Klauenseuche unter dem Rindviehstande des Bauerhofbesitzers Samuel Aue zu Lüdersdorf, Kreis Angermünde;

unter dem Rindvieh in den Ortschaften Priort, Boetzow, Rohrbeck, Hoppenrade, Buchow-Carpzow und Hakenberg, Kreis Osthavelland;

in Kunow, Kreis Ostprignitz.

Potsdam, den 28 Januar 1890.

Der Regierungs-Präsident.

Bekanntmachungen der Königlichen Regierung.

Benutzung der Schullokale zur Reichstagswahl

2. Wie in früheren Jahren wird auch bei der diesjährigen, am 20. Februar stattfindenden Reichstagswahl es nicht zu umgehen sein, daß **mangels anderweiter geeigneter Wahlräume** in einzelnen Fällen die Schulzimmer zur Vornahme der Wahlen seitens der Herren Landräthe in Anspruch werden genommen werden müssen.

Die Schuldeputationen und Schulvorstände fordern wir hierdurch auf, jedem derartigen Ansuchen der betr. Herren Landräthe, bezw. Polizei-Präsidenten Folge zu geben und die Leiter (ersten Lehrer) der Schulen mit entsprechender Anweisung rechtzeitig zu versehen.

Der Unterricht fällt an dem Tage der Reichstagswahlen nur für diejenigen Klassen aus, deren Lehrzimmer für den Vollzug der Wahlen wirklich benutzt werden.

Potsdam, den 22. Januar 1890.

Königliche Regierung,
Abtheilung für Kirchen und Schulwesen.

Bekanntmachungen des Königlichen Polizei-Präsidiums zu Berlin.

Standesamtliche Meldung von Todtgeburten.

9. Der Werth der auf den standesamtlichen Eintragungen beruhenden Geburten-Statistik wird dadurch geschädigt, daß den Standesbeamten die Anzeigen von Todtgeburten nicht überall unter gleicher Abgrenzung des Begriffs der letzteren erstattet werden, insbesondere seitens eines Theils der Hebammen auch solche Todtgeburten, welche vor Ablauf des 7ten Kalendermonats der Entwickelung der Frucht stattgefunden haben, zur Anzeige gelangen. Zur Beseitigung dieser Mißstände ersuche ich Ew. Hochwohlgeboren ergebenst, gefälligst dafür Sorge zu tragen, daß alle Hebammen des dortigen Verwaltungs-Bezirks unter Hinweisung auf die §§ 42 und 71 des preußischen Hebammenlehrbuchs darüber belehrt werden, daß alle diejenigen Leibesfrüchte zur Eintragung in die Standesregister nicht anzumelden sind, welche erkennbar vor Ablauf des 7ten Kalendermonats oder des 210ten Tages der Entwickelung im Mutterleibe todtgeboren werden.

Berlin, den 17. Dezember 1889.

Ministerium
der geistlichen, Unterrichts- u. Medizinal-Angelegenheiten.
In Vertretung. gez. Nasse.

M. № 9196.

An den Königlichen Polizei-Präsidenten Herrn Freiherrn von Richthofen Hochwohlgeboren hier.

* * *

Vorstehender Erlaß, betreffend die standesamtliche Meldung von Todtgeburten, wird hierdurch zur Kenntniß der Hebammen gebracht.

Berlin, den 18. Januar 1890.

Der Polizei-Präsident.

Bekanntmachungen des Staatssekretairs des Reichs-Postamts.

Post- und Eisenbahnkarte des Deutschen Reichs.

2. Von der im Kursbüreau des Reichs-Postamts bearbeiteten neuen Post- und Eisenbahnkarte des Deutschen Reichs sind jetzt die Blätter XI. und XX. erschienen. Im Laufe des künftigen Monats werden die beiden letzten Blätter XVI. und XIX. zur Ausgabe gelangen. Blatt XI. umfaßt die nördlichen Theile von Baden und Elsaß-Lothringen, den südlichen Theil von Hessen, die Rheinpfalz, die Rheinprovinz südlich der Linie Aachen—Cöln, Luxemburg und die angrenzenden Theile von Belgien und Frankreich. Blatt XX. enthält sämmtliche Kartons zu der Karte. Die Blätter können im Wege des Buchhandels zum Preise von 2 M. für das unausgemalte Blatt und 2 M. 25 Pf. für jedes Blatt mit farbiger Angabe der Grenzen von dem Verleger der Karten, dem Berliner Lithographischen Institut von Julius Moser (Berlin W., Potsdamerstraße 110), bezogen werden.

Berlin W., 25. Januar 1890.

Der Staatssecretair des Reichs-Postamts.

Bekanntmachungen der Kaiserlichen Ober-Postdirektion zu Berlin.

Die Postagentur in Stralau betreffend.

4. Mit dem 1. Februar wird die Postagentur in Stralau in ein Postamt III. umgewandelt.

Die Dienststunden dieses Postamts für den Verkehr mit dem Publikum sind festgesetzt

für die Wochentage von 7 (im Winterhalbjahre von 8) Uhr Vormittags bis 1 Uhr Nachmittags und von 3 Uhr Nachmittags bis 8 Uhr Nachmittags;

für die Sonn- und gesetzlichen Feiertage von 7 (bz.)

Laufende №	1. Domicil der Sparkasse.	2. Zeit der Errichtung der Kasse.	3. Zahl ihrer Filial- oder Neben-kassen.	3. Zahl ihrer Sammel- oder Annahme-stellen.	4. Einlagen: niedrigste auf ein Buch bei Beginn eines Kontos M.	4. Einlagen: höchste auf ein Buch bei Abschluß eines Kontos M.	5. Betrag der Einlagen am Schluße des Rechnungs-Vorjahres. M.	Pf.	6 Zuwachs während Rechnungs- durch Zuschreibung von Zinsen M.	Pf.
	Städtische Sparkassen.									
1	Angermünde	1886	—	—	1,00	3000	19741	43	892	67
2	Belzig	1885	1	—	1,00	unbeschr.	130359	05	5184	77
3	Biesenthal	1859	—	—	1,00	desgl.	469578	25	15737	22
4	Brandenburg	1830	—	—	1,00	3000	3805077	52	116666	38
5	Charlottenburg	1887	—	—	1,00	3000	—	—	5403	84
6	Dahme	1877	—	—	0,50	unbeschr.	967755	38	31038	01
7	Eberswalde	1877	—	—	0,50	desgl.	2146061	90	64286	75
8	Fehrbellin	1857	—	—	1,00	1200	370919	76	12642	03
9	Havelberg	1848	—	—	1,00	9000	3410477	84	95287	67
10	Jüterbog	1878	—	—	1,00	1500	279863	63	9165	33
11	Ketzin	1880	—	—	1,00	1200	136720	53	4020	67
12	Kyritz	1886	—	—	1,00	3000	41061	18	1131	14
13	Lenzen	1854	—	—	0,50	900	554206	92	18093	57
14	Luckenwalde	1884	—	—	1,00	3000	620529	80	19057	15
15	Nauen	1857	—	—	1,00	900	1650894	14	54268	12
16	Niemegk	1883	—	—	1,00	3000	74775	23	2372	04
17	Perleberg	1854	—	—	1,00	3000	1614141	51	47558	27
18	Plaue	1883	—	—	1,00	1500	139555	05	4739	65
19	Potsdam	1840	—	—	1,00	2000	3770505	62	130182	62
20	Prenzlau	1888	—	—	1,00	2000	—	—	772	77
21	Pritzwalk	1882	—	—	0,50	3000	185540	52	6230	83
22	Putlitz	1884	—	—	1,00	3000	31591	98	1623	77
23	Rathenow	1852	—	2	1,00	3000	554184	67	20320	96
24	Neu-Ruppin	1887	—	—	1,00	3000	31639	29	357	31
25	Schwedt	1830	—	—	1,00	unbeschr.	1868475	73	48083	20
26	Spandau	1852	—	—	1,00	1500	3354849	75	112562	07
27	Strasburg	1857	—	—	0,50	1500	413415	72	14264	50
28	Strausberg	1872	—	—	1,00	unbeschr.	833563	45	25573	82
29	Treuenbrietzen	1851	—	—	1,00	1500	650922	41	22479	65
30	Werder	1886	—	—	1,00	3000	42100	13	641	96
31	Wilsnack	1874	—	—	1,00	1000	462265	93	15656	22
32	Wittenberge	1862	—	—	0,50	3000	567125	08	19743	59
33	Wittstock	1849	—	—	1,00	unbeschr.	993342	38	32318	96
34	Wriezen	1878	—	—	0,50	1800	331467	93	10834	25
35	Wusterhausen a. D.	1886	—	—	1,00	3000	85433	92	3004	76
36	Zehdenick	1883	—	—	1,00	unbeschr.	468825	06	11022	05
1	Velten { Landgemeinde-Sparkasse }	1887	—	—	1,00	3000	56228	72	2920	37
	Kreis-Sparkassen.									
1	Angermünde	1856	—	9	0,50	unbeschr.	2516830	85	89455	56
2	Berlin (N.-Barn.)	1857	—	15	1,00	desgl.	5067655	03	169854	03
3	Freienwalde	1851	—	12	1,00	2000	4206529	52	145786	02
4	Beeskow	1855	5	—	1,00	3000	2269632	96	76936	46
5	Rathenow	1857	12	—	1,00	3000	1208979	53	42129	66
6	Jüterbog	1848	—	6	1,00	unbeschr.	8306470	59	273277	46
7	Prenzlau	1842	—	2	0,50	desgl.	3316467	15	107585	86
8	Kyritz	1856	5	—	1,00	9000	1516348	23	47693	50
9	Neu-Ruppin	1848	—	7	1,00	1500	3667603	10	124663	57
10	Berlin (Teltow)	1858	—	19	0,50	unbeschr.	6668343	69	222604	80
11	Templin	1858	—	—	0,50	6000	816660	96	28162	57
12	Belzig	1858	—	3	1,50	600	1135029	54	169885	94
	Summa		23	75	—	—	71829748	56	2484174	37

hiesigen Auskunftsbüreau auf dem Stadtbahnhofe Alexanderplatz, sowie die Nachträge zu den Tarifheften 1 der Theile II. und III. kostenfrei von der Güterkasse in Stettin zu beziehen.

Berlin, den 20. Januar 1890.

Königliche Eisenbahn-Direktion.

Bekanntmachungen der Königlichen Eisenbahn-Direktion zu Bromberg.

Verzeichniß der von den Gepäckträgern zu beanspruchenden Gebührensätze.

4. An Stelle des vom 16. November 1882 gültigen Tarifs für Gepäckträger tritt mit sofortiger Gültigkeit ein neuer Tarif, betitelt: „Verzeichniß der von den Gepäckträgern zu beanspruchenden Gebührensätze" in Kraft, welcher auf allen Bahnhöfen ausgehängt ist.

Bromberg, den 23. Januar 1890.

Königliche Eisenbahn-Direktion.

Bekanntmachungen der Kreis-Ausschüsse.

Kommunal-Bezirks-Veränderung.

5. Der unterzeichnete Kreisausschuß hat genehmigt, daß die auf der Handzeichnung des Königlichen Katasteramts Berlin II. vom 5. November 1889 dargestellten, innerhalb der Gemarkung Charlottenburg belegenen und zum Gemeindebezirk Dt.-Wilmersdorf gehörigen Grundstücke, Kartenblatt 5 Parzellen № 205 490/206 d., 491/206 d., 1681/206, 1696/206, 2013/206, 2032/206, 2033/206, 2034/206, 2035/206, 2059/206, 2064/206, 2058/206, 2112/206, 2113/206, 2114/206, 1971/206 im Gesammtflächeninhalte von 2 Hektaren 87 Aren und 8 Quadratmetern aus dem Gemeindebezirk Deutsch-Wilmersdorf ausscheiden und in den Gemeindebezirk Charlottenburg aufgenommen worden.

Nauen, den 23. Januar 1890.

Der Kreis-Ausschuß des Kreises Osthavelland.

Communalbezirks-Veränderungen.

6. Auf Antrag der Betheiligten und auf Grund des § 25 des Zuständigkeitsgesetzes vom 1. August 1883 haben wir genehmigt, daß 1) die Katasterparzelle 858/443 Kartenblatt 2 von Steinfurth aus dem Kommunalverbande der Gemeinde Steinfurth ausscheide und dem Bezirk des domainenfiskalischen Gutsbezirks Eberswalde einverleibt werde, sowie 2) die Katasterparzelle 856/448 Kartenblatt 2 von Steinfurth aus dem Verbande des domainenfiskalischen Gutsbezirks Eberswalde ausscheide und dem Gemeindebezirk Steinfurth einverleibt werde.

Freienwalde a. O., den 18. Januar 1890.

Der Kreisausschuß des Kreises Oberbarnim.

Personal-Chronik.

An Stelle des Beigeordneten Schwarz ist der Ziegeleibesitzer Schultze in Mittenwalde zum Stellvertreter des Amtsanwalts bei dem Königlichen Amtsgericht daselbst ernannt worden.

Die unter privatem Patronat stehende Pfarrstelle zu Schönwerder, Diözese Prenzlau I., kommt durch die Versetzung des Pfarrers Kanzow am 1. April d. J. zur Erledigung.

Der bisherige Hülfsprediger Karl Friedrich Hermann Feller ist zum Pfarrer der Parochie Merzdorf, Diözese Baruth, bestellt worden.

Den Oberlehrern an dem Luisenstädtischen Real-Gymnasium zu Berlin Dr. Pardon und Dr. Proehle ist der Professortitel verliehen worden.

An dem Sophien-Realgymnasium zu Berlin ist der ordentliche Lehrer Roeder zum Oberlehrer befördert und der wissenschaftliche Hülfslehrer Johannesson als ordentlicher Lehrer angestellt worden.

Der Gemeindeschullehrer Friedrich Wilhelm Glaser zu Berlin ist als Vorschullehrer am Friedrichs-Gymnasium daselbst angestellt worden.

Ausweisung von Ausländern aus dem Reichsgebiete.

Lauf. Nr.	Name und Stand des Ausgewiesenen.	Alter und Heimath des Ausgewiesenen.	Grund der Bestrafung.	Behörde, welche die Ausweisung beschlossen hat.	Datum des Ausweisungs-Beschlusses.
1.	2.	3.	4.	5.	6.
		a. Auf Grund des § 39 des Strafgesetzbuchs:			
1	Lorenz Korzec (Korczyk), Arbeiter,	geboren am 5. Juli 1857 zu Devory, Bezirk Biala, Galizien, ortsangeh. ebendas.,	zwei schwere Diebstähle (3 Jahre Zuchthaus laut Erkenntniß vom 13. Dezember 1886),	Königlich Preußischer Regierungspräsident zu Oppeln,	23. Septembr. 1889.
		b. Auf Grund des § 362 des Strafgesetzbuchs:			
1	Franz Prokop, Schlosser,	geboren im Jahre 1857 zu Drenice, Bezirk Krudim, Böhmen, ortsangehörig ebendaselbst,	Landstreichen und Betteln,	Königlich Preußischer Regierungspräsident Potsdam,	31. Dezember 1889.
2	Johann Müller, Arbeiter,	geboren am 2. Juli 1870 zu Glemkau, Bezirk Jägerndorf, Oesterreichisch-Schlesien, ortsangeh. ebendaselbst,	Landstreichen,	derselbe,	desgleichen.

Lauf. Nr.	Name und Stand des Ausgewiesenen	Alter und Heimath des Ausgewiesenen	Grund der Bestrafung.	Behörde, welche die Ausweisung beschlossen hat.	Datum des Ausweisungs-Beschlusses
1	2.	3	4	5	6
3	Franz Tonn, Weber,	geboren am 7. September 1841 zu Glasdörfl, Bezirk Schönberg, Mähren, ortsangehörig ebendaselbst,	Landstreichen und Betteln,	Königlich Preußischer Regierungspräsident zu Breslau,	31. Dezember 1889.
4	Ruschanitz Bonifacio Börder, Arbeiter,	23 Jahre alt, geboren zu Ruabit, Bezirk Bugoslo, Russisch-Polen,	desgleichen,	Königlich Preußischer Regierungspräsident zu Lüneburg,	3. Januar 1890.
5	Moritz Steiner, Handlungsgehülfe,	geboren am 12. Februar 1870 zu Geszel, Komitat Arrad, Ungarn, ortsangeh. ebendaselbst,	desgleichen,	Königlich Preußischer Regierungspräsident zu Osnabrück,	4. Januar 1890.
6	Adam Poellmann (Böhm), Weber,	geboren am 15. August 1865, ortsangehörig zu Haslau, Bezirk Asch, Böhmen,	Diebstahl, Landstreichen und Betteln,	Königlich Bayerisches Bezirksamt Ansbach,	19. November 1889.
7	Wenzl Nowack, Tagelöhner,	geboren am 16. Mai 1868 zu Lieboritz, Bezirk Podersam, Böhmen, ortsangehörig ebendaselbst,	Betteln im wiederholten Rückfall,	Königlich Bayerisches Bezirksamt Laufen,	12. Dezember 1889.
8	Johann Smeykal, Drechsler,	40 Jahre alt, geboren in Slapanow, Bezirk Deutschbrod, Böhmen, ortsangehörig zu Pfaffendorf, ebendaselbst,	desgleichen,	Königlich Bayerisches Bezirksamt Traunstein,	20. Dezember 1889.
9	Karl Grendelmeier, Zuckerbäcker,	geboren am 31. Oktober 1850 zu Dietikon, Kanton Zürich, Schweiz, ortsangehörig ebendaselbst,	Landstreichen u. Betteln,	Kaiserlicher Bezirks-Präsident zu Straßburg,	4. Januar 1890.

(Hierzu eine Beilage, enthaltend die Liste der Prämien, welche in der vom 15. bis 18. Januar erfolgten 35. Verloosung auf die am 16. September 1889 gezogenen 45 Serien der Schuldverschreibungen der Staats-Prämien-Anleihe vom Jahre 1855 gefallen sind, sowie Vier Oeffentliche Anzeiger.)

(Die Insertionsgebühren betragen für eine einspaltige Druckzeile 20 Pf. Belagsblätter werden der Bogen mit 10 Pf. berechnet.)

Redigirt von der Königlichen Regierung zu Potsdam.

Potsdam, Buchdruckerei der A. W. Hayn'schen Erben (E. Hayn, Hof-Buchdrucker).

Amtsblatt
der Königlichen Regierung zu Potsdam und der Stadt Berlin.

Stück 6. Den 7. Februar **1890.**

Bekanntmachungen der Königlichen Ministerien.

Polizei-Verordnung.

3. Auf Grund des § 74 des Bahnpolizei-Reglements für die Eisenbahnen Deutschlands vom 30. November 1885 ist mit Zustimmung des Reichs-Eisenbahn-Amts die Anwendung der Bahnordnung für Deutsche Eisenbahnen untergeordneter Bedeutung vom 12. Juni 1878 — veröffentlicht in № 24 des Centralblattes für das Deutsche Reich vom 14. Juni 1878 und in Stück 29 des Amtsblattes der Königlichen Regierung zu Potsdam vom 19. Juli 1878 — auf die Eisenbahn von Glöwen nach Havelberg von mir genehmigt worden.

Zugleich sind in Gemäßheit des § 45 dieser Bahnordnung, welche mit dem Tage der Eröffnung des Betriebes auf der bezeichneten Bahn für dieselbe in Kraft tritt, die nachstehenden Anordnungen getroffen worden, deren Uebertretung der Strafandrohung des § 45 unterliegt.

§ 1. Das Betreten des Planums der Bahn, der dazu gehörigen Böschungen, Dämme, Gräben, Brücken und sonstigen Anlagen ist ohne Erlaubnißkarte nur der Aufsichtsbehörde und deren Organen, den in der Ausübung ihres Dienstes befindlichen Forstschutz-, Zoll-, Steuer-, Telegraphen-, Polizeibeamten, den Beamten der Staatsanwaltschaft und den zur Rekognoszirung dienstlich entsendeten Offizieren gestattet; dabei ist jedoch die Bewegung wie der Aufenthalt innerhalb der Fahr- und Rangirgeleise zu vermeiden.

Das Publikum darf die Bahn nur an den zu Ueberfahrten und Uebergängen bestimmten Stellen überschreiten und zwar nur solange, als sich kein Zug nähert. Dabei ist jeder unnöthige Verzug zu vermeiden.

Es ist untersagt, die Barrieren oder sonstigen Einfriedigungen eigenmächtig zu öffnen, zu überschreiten oder zu übersteigen, oder etwas darauf zu legen oder zu hängen.

§ 2. Außerhalb der bestimmungsmäßig dem Publikum für immer oder zeitweise geöffneten Räume darf Niemand den Bahnhof ohne Erlaubnißkarte betreten, mit Ausnahme der in Ausübung ihres Dienstes befindlichen Chefs der Militair- und Polizeibehörde, sowie der im § 1 gedachten und der Postbeamten.

Die Wagen, welche Reisende zur Bahn bringen oder daher abholen, müssen auf den Vorplätzen der Bahnhöfe an den dazu bestimmten Stellen auffahren. Die Ueberwachung der Ordnung auf den für diese Wagen bestimmten Vorplätzen, soweit dies den Verkehr mit Reisenden und deren Gepäck betrifft, steht den Bahnpolizei-Beamten zu, insofern in dieser Beziehung nicht besondere Vorschriften ein Anderes bestimmen.

§ 3. An der Quaianlage des Bahnhofes Havelberg dürfen nur solche Schiffe festmachen, welche Waaren an die Bahn abgeben oder von derselben empfangen. Die Befestigung der Schiffe darf nur an den hierfür bestimmten Schutzpfählen geschehen. Die Bedingungen für die Benutzung der Quaianlage werden durch die Eisenbahnverwaltung festgesetzt und veröffentlicht.

§ 4. Das Hinüberschaffen von Pflügen, Eggen und anderen Geräthen, sowie von Baumstämmen und anderen schweren Gegenständen über die Bahn darf, sofern solche nicht getragen werden, nur auf Wagen oder untergelegten Schleifen erfolgen.

§ 5. Vor dem Ueberschreiten von Straßenübergängen, bei welchen die Bahn von den anschließenden Wegestrecken aus nicht oder nicht genügend übersehen werden kann, haben die Führer von Fuhrwerk und Vieh in angemessener Entfernung zu halten und sich durch den Augenschein davon zu überzeugen, daß kein Zug herannaht.

Für das Betreten der Bahn und der dazu gehörigen Anlagen durch Vieh bleibt Derjenige verantwortlich, welchem die Aufsicht über dasselbe obliegt.

§ 6. Alle Beschädigungen der Bahn und der dazu gehörigen Anlagen, mit Einschluß der Telegraphen, sowie der Betriebsmittel nebst Zubehör, ingleichen das Auflegen von Steinen, Holz und sonstigen Sachen auf das Planum, oder das Anbringen sonstiger Fahrhindernisse sind verboten, ebenso die Erregung falschen Alarms, die Nachahmung von Signalen, die Verstellung von Ausweiche-Vorrichtungen und überhaupt die Vornahme aller, den Betrieb störender Handlungen.

§ 7. Das Einsteigen in einen bereits in Gang gesetzten Zug, der Versuch, sowie die Hülfeleistung dazu, ingleichen das eigenmächtige Oeffnen der Wagenthüren, während der Zug sich noch in Bewegung befindet, ist verboten.

§ 8. Die Bahnpolizei-Beamten sind befugt, einen Jeden vorläufig festzunehmen, der auf der Uebertretung der in den §§ 43—45 der Bahnordnung für Deutsche Bahnen untergeordneter Bedeutung, sowie der in dieser Polizei-Verordnung enthaltenen Bestimmungen betroffen oder unmittelbar nach der Uebertretung verfolgt wird und sich über seine Person nicht auszuweisen vermag.

Derselbe ist mit der Festnahme zu verschonen, wenn

er eine angemessene Sicherheit bestellt. Die Sicherheit darf den Höchstbetrag der angedrohten Strafe nicht übersteigen.

Enthält die strafbare Handlung ein Verbrechen oder Vergehen, so kann sich der Schuldige durch eine Sicherheitsbestellung der vorläufigen Festnahme nicht entziehen.

Jeder Festgenommene ist ungesäumt an die nächste Polizeibehörde oder an das zuständige Königliche Amtsgericht abzuliefern.

§ 9. Den Bahnpolizei-Beamten ist gestattet, die festgenommenen Personen durch Mannschaften aus dem auf der Eisenbahn befindlichen Arbeitspersonale in Bewachung nehmen und an den Bestimmungsort abliefern zu lassen. In diesem Falle hat der Bahnpolizeibeamte eine, mit seinem Namen und mit seiner Diensteigenschaft bezeichnete Festnehmungskarte mitzugeben, welche vorläufig die Stelle der aufzunehmenden Verhandlung vertritt, die in der Regel an demselben Tage, an dem die Uebertretung konstatirt wurde, spätestens aber am Vormittag des folgenden Tages an die Polizeibehörde oder das zuständige Königliche Amtsgericht eingesendet werden muß.

§ 10. Ein Abdruck dieser Polizei-Verordnung, der §§ 43—46 der Bahnordnung für Deutsche Eisenbahnen untergeordneter Bedeutung, sowie der §§ 13, 14, 22 Absatz 2 und 5 und des § 23 des Betriebs-Reglements ist in den Wartesälen auszuhängen.

Mit Bezug auf § 136 des Gesetzes über die allgemeine Landesverwaltung vom 30. Juli 1883 (G.-S. S. 195 u. ff) wird diese Polizei-Verordnung hierdurch zur öffentlichen Kenntnißnahme gebracht.

Berlin, den 21. Januar 1890.

Der Minister der öffentlichen Arbeiten.

Bekanntmachungen des Königlichen Ober-Präsidenten der Provinz Brandenburg.

Wahl von Direktionsmitgliedern der Kurmärkischen Hülfskasse.

4. Von dem 62. Kommunal-Landtage der Kurmark ist am 25 d. M. 1) an Stelle des verstorbenen Haupt-Ritterschafts-Direktors von Tettenborn auf Reichenberg der Rittergutsbesitzer Baron von Knobelsdorff—Schoeneiche zum ersten Mitgliede der Direktion der Kurmärkischen Hülfskasse und 2) an Stelle des Königlichen Major a. D. von Rochow auf Plessow, welcher sein Amt niedergelegt hat, der Rittergutsbesitzer, Hauptmann a. D. von Thümen auf Stangenhagen zum Stellvertreter des ersten Direktions-Mitgliedes für den Rest der Wahlzeit bis zum 1. Juli 1893 gewählt worden, was hiermit zur öffentlichen Kenntniß gebracht wird.

Potsdam, den 31. Januar 1890.

Der Ober-Präsident, Staatsminister von Achenbach.

Bekanntmachungen des Königlichen Regierungs-Präsidenten.

Viehseuchen.

32. Festgestellt ist:

die Influenza (Brustseuche) unter den Pferden des Fuhrherrn Mechelke zu Freienwalde a. O., Kreis Ober-Barnim, und bei einem Pferde des Fouragehändlers Reinhold Schmidt zu Steglitz, Kreis Teltow;

die Maul- und Klauenseuche unter dem Rindvieh des Lehnschulzengutsbesitzers Böttcher zu Kagel, des Bauergutsbesitzers Aug. Silberberg und des Büdners Gebert zu Malchow, Kreis Niederbarnim, und des Bauerhofbesitzers Christian Grose zu Bergholz, Kreis Prenzlau.

Erloschen ist:

die Maul- und Klauenseuche unter dem Rindviehstande des Rittergutes Frauenhagen, Kreis Angermünde; des Bauergutsbesitzers August Schneider zu Malchow, Kreis Niederbarnim; unter dem Rindviehstande in Heckelberg, Kreis Oberbarnim; unter dem Rindvieh in Wustermark, Kreis Osthavelland; in Grimme, Kreis Prenzlau; unter dem Rindvieh des Gutes Ellershagen, Kreis Ostprignitz; unter den Rindern des Kossäthen Friedrich Pasche I., des Gastwirths Mielitz und der Wittwe Henning zu Löwenbruch, unter den Rindern in Groß-Schulzendorf, des Dominiums Löwenbruch, des Gutsbesitzers Max List zu Telz und des Anbauers Karl Schulze zu Egsdorf, Kreis Teltow.

Potsdam, den 4. Februar 1890.

Der Regierungs-Präsident.

Bekanntmachungen des Königlichen Polizei-Präsidiums zu Berlin.

Verfahren bei Errichtung von Dampfkessel-Anlagen.

10. Durch den Erlaß der Herren Minister für Handel und Gewerbe sowie des Innern vom 3. Dezember 1889 ist bestimmt worden, daß dem Absatz 2 der № 51 der Anweisung zur Ausführung der Gewerbe-Ordnung vom 19. Juli 1884 (Ministr. Bl. d. i. Verwaltung S. 164), betreffend das Verfahren bei Errichtung von Dampfkessel-Anlagen folgende veränderte Fassung gegeben werde: „Die Beschlußfassung über das Genehmigungsgesuch erfolgt nach den in № 41 gegebenen Vorschriften mit der Maßgabe, daß bei dem Vorhandensein der im § 117 des Gesetzes über die allgemeine Landesverwaltung vom 30. Juli 1883 geforderten Voraussetzungen den Vorsitzenden der Kreis- (Stadt-) Ausschüsse der Erlaß eines Vorbescheides gestattet ist. In diesem Falle ist dem Unternehmer, sofern dem Antrage nicht oder nur unter Bedingungen entsprochen wird, zu eröffnen, daß er befugt sei, innerhalb zwei Wochen auf Beschlußfassung durch das Kollegium anzutragen. Kann dagegen die Genehmigung nach dem Antrage des Unternehmers ohne Bedingungen oder Einschränkungen ertheilt werden, so bedarf es der Zustellung des Vorbescheides nicht, sondern der Vorsitzende des Kreis- (Stadt-) Ausschusses fertigt alsbald die Genehmigungsurkunde Namens des Kollegiums aus."

Berlin, den 27. Januar 1890.

Der Polizei-Präsident.

Bekanntmachungen der Kaiserlichen Ober-Post-Direktion zu Potsdam.

Stadt-Fernsprecheinrichtungen betreffend.

6. Diejenigen Personen, welche für das bevorstehende Frühjahr **Anschluß an eine der Stadt-Fernsprecheinrichtungen** in Potsdam, Spandau, Cöpenick, Steglitz, Groß-Lichterfelde, Oranienburg, Grünau, Wannsee und Ludwigsfelde wünschen, werden ersucht, ihre Anmeldungen recht bald, **spätestens bis Ende Februar**, an das Postamt in dem betreffenden Orte zu richten.

Bei den bezeichneten Postämtern können die Bedingungen für den Anschluß eingesehen und Formulare für die Anmeldung in Empfang genommen werden.

Potsdam, den 16 Januar 1890.

Der Kaiserliche Ober-Postdirector.

Einrichtung von Posthülfstellen.

7. In nachbezeichneten Landorten sind **Posthülfstellen** eingerichtet worden: Dabendorf Bestellbezirk Zossen, Dahlhausen Bestellbezirk Blumenthal (Prignitz), Damme Bestellbezirk Drense, Eickstädt Bestellbezirk Drense, Genshagen Bestellbezirk Ludwigsfelde, Gröben Bestellbezirk Ludwigsfelde, Groß-Schulzendorf Bestellbezirk Ludwigsfelde, Löwenbruch Bestellbezirk Ludwigsfelde, Münchehofe Bestellbezirk Wend. Buchholz, Nächst-Neuendorf Bestellbezirk Zossen, Rietdorf Best.-Bezirk Dahme, Schlunkendorf Bestellbezirk Beelitz (Mark), Schulzenhöhe Bestellbezirk Kalkberge-Rüdersdorf.

Potsdam, den 25. Januar 1890.

Der Kaiserliche Ober-Postdirektor.

Landbriefbestellbezirksänderung.

8. Das im Kreise Teltow belegene Gut **Madeland** ist von dem Landbriefbestellbezirke des Postamts in Grünau (Mark) abgezweigt und dem Bezirke der Postagentur in **Hankelsablage** zugetheilt worden.

Potsdam, den 31. Januar 1890.

Der Kaiserliche Ober-Postdirector.

Bekanntmachungen des Königlichen Oberbergamts zu Halle.

1. Nachstehende Verleihungsurkunde:

„Im Namen des Königs.

Auf Grund der am 30. November 1888 mit Präsentationsvermerk versehenen Muthung wird dem Ingenieur Gustav Stuckenholz zu Berlin, Lutherstraße 12, unter dem Namen **Ruhlsdorf I.** das Bergwerkseigenthum in dem Felde, dessen Begrenzung auf dem heute von uns beglaubigten Situationsrisse mit den Buchstaben: r s y z bezeichnet ist, und welches, einen Flächeninhalt von 2189000 qm, geschrieben: Zwei Millionen einhundert neun und achtzig Tausend Quadratmeter umfassend, in den Gemarkungen Ruhlsdorf, Zerpenschleuse, Klandorf, Groß-Schönebeck, Gutsbezirk Groß-Schönebecker Forst, Domäne Liebenwalde und Königl. Liebenwalder Forst im Kreise Niederbarnim des Regierungsbezirks Potsdam und im Oberbergamtsbezirke Halle gelegen ist, zur Gewinnung der in dem Felde vorkommenden Braunkohlen hierdurch verliehen",

urkundlich ausgefertigt am heutigen Tage, wird mit dem Bemerken, daß der Situationsriß in dem Büreau des Königlichen Bergrevierbeamten zu Eberswalde zur Einsicht offen liegt, unter Verweisung auf die Paragraphen 35 und 36 des Allgemeinen Berggesetzes vom 24. Juni 1865 hierdurch zur öffentlichen Kenntniß gebracht.

Halle a. S., den 1. Februar 1890.

Königliches Oberbergamt.

Bekanntmachungen der Königlichen Eisenbahn-Direktion zu Berlin.

Fahrplan-Aenderung.

4. Vom 15. Februar d. J. ab wird der Vorortzug 737 um 14 Minuten früher als bisher und zwar wie folgt verkehren:

Spandau ab 3 37 Nachm., Westend ab 3 51, Charlottenburg ab 4 01, Zoologischer Garten ab 4 06, Friedrichstraße ab 4 16, Alexanderplatz ab 4 22, Schlesischer Bahnhof ab 4 29, Stralau—Rummelsburg ab 4 35, Kietz-Rummelsburg ab 4 38, Sadowa ab 4 49, Cöpenick ab 4 54, Friedrichshagen ab 4 59, Rahnsdorf ab 5 05, Erkner an 5 18 Nachmittag.

Berlin, im Januar 1890.

Königliche Eisenbahn-Direktion.

Personal-Chronik.

Im Kreise Niederbarnim ist der Rechnungsführer Grüner zu Falkenberg auf's Neue zum Amtsvorsteher-Stellvertreter für den 22. Bezirk Falkenberg ernannt worden.

Der Civil-Anwärter Hans Kressin ist zum Regierungs-Civil-Supernumerarius ernannt worden.

Bei der Königlichen Ministerial-Bau-Kommission zu Berlin sind im Laufe des vierten Kalenderquartals 1889 die Königlichen Regierungs-Bauführer: Alexander Silbermann, Karl Theodor Stobbe und Andreas Christian Thomas Jessen vereidigt worden.

Der Konsistorial-Assessor Karl Friedrich Otto Müller, bisher Mitglied des Königlichen Konsistoriums der Provinz Brandenburg, ist an das Königliche Konsistorium zu Kiel versetzt worden.

Der Gerichts-Assessor Goßner ist als Hülfsarbeiter von dem Königlichen Konsistorium der Provinz Schlesien in Breslau an das Königliche Konsistorium der Provinz Brandenburg in Berlin versetzt worden.

Der bisherige Pfarrer zu Sellnow, Diözese Arnswalde, Friedrich Wilhelm Müller, ist zum Pfarrer der Parochie Netzen, Diözese Neustadt-Brandenburg, bestellt worden.

Der bisherige Prediger Carl Friedrich Vogel ist zum Pfarrer der Parochie Zerpenschleuse, Diözese Bernau, bestellt worden.

Der bisherige Diakonus an der St. Nicolai-Kirche zu Spandau Max Julius Otto Wilhelm Kneisel ist zum Archidiakonus an derselben Kirche und ersten Prediger an der Filialkirche zu Staaken, Diözese Spandau, bestellt worden.

Der bisherige Archidiakonus an der St. Nicolai-Kirche zu Spandau Otto Karl Ludwig Recke ist zum Oberpfarrer an derselben Kirche, Diözese Spandau, bestellt worden.

Die unter Königlichem Patronat stehende Pfarrstelle zu Derwitz, Diözese Neustadt-Brandenburg, ist durch das am 24. Dezember 1889 erfolgte Ableben des Pfarrers Bournot zur Erledigung gekommen. Die Wiederbesetzung derselben erfolgt im vorliegenden Falle durch das Kirchenregiment.

Der bisherige Predigtamts-Candidat Christian Albert Bernhard Foertsch ist zum Diakonus bei der evangelischen Gemeinde zu Pritzwalk und zum Pfarrer bei den evangelischen Gemeinden zu Sarnow und Boddin, Diözese Pritzwalk, bestellt worden.

Dem Oberlehrer an der Charlottenschule zu Berlin Völkerling ist das Prädikat „Professor" verliehen worden.

Der Gemeindeschullehrer Laube ist als Gemeindeschulrektor in Berlin angestellt worden.

Ausweisung von Ausländern aus dem Reichsgebiete.

Lauf. Nr.	Name und Stand des Ausgewiesenen.	Alter und Heimath des Ausgewiesenen.	Grund der Bestrafung.	Behörde, welche die Ausweisung beschlossen hat.	Datum des Ausweisungs-Beschlusses.
1.	2.	3.	4.	5.	6.
		a. Auf Grund des § 39 des Strafgesetzbuchs:			
1	Stanislaus Gutowsky, Galanteriewaarenhändler,	geboren im April 1836 zu Bochnia, Galizien, ortsangehörig ebendaselbst,	einfacher Diebstahl im Rückfall (1 Jahr 3 Monate Zuchthaus laut Erkenntniß vom 24. September 1888),	Königlich Bayerisches Bezirksamt Ansbach,	25. November 1889.
2	Johann Michelini, (alias Alfonso Barotti oder Zoratti), Ziegelarbeiter,	geboren am 14. November 1858 zu Pozzuolo (Sanmardechia), Provinz Udine, Italien, ortsangehörig ebendaselbst,	drei Diebstähle (2 Jahre Zuchthaus laut Erkenntniß vom 29. Dezember 1887),	dasselbe,	26. November 1889.
3	Antoine van den Berghe, Geldwechsler,	geboren am 26. Juni 1862 zu Ixelles bei Bruxelles, Belgien, ortsangehörig ebendaselbst,	schwerer Diebstahl (drei Jahre 4 Monate Zuchthaus laut Erkenntnisse vom 21. Januar 1887 und 27. Juli 1887),	Großherzoglich Badischer Landeskommissär zu Karlsruhe,	17. Dezember 1889.
		b. Auf Grund des § 362 des Strafgesetzbuchs:			
1	Josef Fügner, Tischler,	geboren am 14. März 1828 zu Kleische, Bezirk Aussig, Böhmen, ortsangehörig ebendas.,	Landstreichen und Betteln,	Königlich Preußischer Regierungspräsident zu Breslau,	10. Januar 1890.
2	Albin Heinisch, Handschuhmacher,	geboren am 10. August 1851 zu Brünn, Mähren, ortsangehörig ebendaselbst,	Diebstahl und Betteln im wiederholten Rückfall,	Königlich Preußischer Regierungspräsident zu Cöslin,	30. Septembr. 1889.
3	Samuel Schikety, Böttcher,	geboren am 8. August 1863 zu Bakabanya, Ungarn, ortsangehörig ebendaselbst,	Landstreichen,	Königlich Preußischer Regierungspräsident zu Hannover,	11. Januar 1890.
4	Emanuel Jarolin, Schuhmacher,	geboren im Jahre 1869 zu Wilimow, Bezirk Zaslau, Böhmen, ortsangehörig ebendaselbst,	Landstreichen, Betteln und Hehlerei,	Stadtmagistrat Passau, Bayern,	14. Dezember 1889.

Hierzu Vier Oeffentliche Anzeiger.

(Die Insertionsgebühren betragen für eine einspaltige Druckzeile 20 Pf. Belagsblätter werden der Bogen mit 10 Pf. berechnet.)

Redigirt von der Königlichen Regierung zu Potsdam.

Potsdam, Buchdruckerei der A. W. Hayn'schen Erben (E. Hayn, Hof-Buchdrucker).

Die Vorsitzenden und Vertrauensmänner der Fuhrwerksberufsgenossenschaft betreffend.

28. Nachstehend werden die Namen der Vorsitzenden und der Vertrauensmänner der Fuhrwerksberufsgenossenschaft, soweit dieselben für den diesseitigen Bezirk in Betracht kommen, veröffentlicht:

Genossenschafts-Vorstand:

Vorsitzender: H. Scharfenberg, Fuhrherr, Berlin NO., Georgenkirchstraße Nr. 46,

Vorstand der Section 3:

Vorsitzender: Abfuhrunternehmer E. Wünn in Potsdam.

Vertrauensmänner:

Bezirk.	Vertrauensmann.	Stellvertreter.
1. Kreis Prenzlau.	1. Posth. Schönian in Prenzlau, Friedrichstraße. 2. Fuhrherr Heinrich Schulz in Strasburg (Uckermark).	1. Fuhrh. C. Olm in Prenzlau, Kiez 24. 2. Fuhrherr Ernst Merten in Brüssow.
2. Kreis Templin.	Posth. August Krause in Boitzenburg.	1. Fuhrherr Gustav Eßmann in Templin. 2. Fuhrherr Karl Trambow in Zehdenick.
3. Kreis Angermünde.	1. Posth. Fr. Haehn in Joachimsthal. 2. Posthalter C F. Heine in Schwedt a. O.	1. Fuhrherr Seeger in Oderberg i. M. 2. Posthalter Wilhelm Scheiblich in Vierraden. 3. Fuhrherr J. Graff in Greiffenberg Ukm.
4. Kreis Oberbarnim.	1. Fuhrherr F. Laue in Freienwalde. 2. Posthalter Bolle in Eberswalde. 3. Fuhrherr Friedr. Lange in Straußberg.	1. Fuhrherr Wilh. Ruschke in Freienwalde a. O. 2. Posthalter Wilh. Eggert in Wriezen a. O. 3. Fuhrherr Anton Otte in Werneuchen.
5. Kreis Niederbarnim.	1. Fuhrherr Wilh. Schulze in Pankow. 2. Fuhrherr Fiedler in Reinickendorf. 3. Fuhrherr Korn in Bernau. 4. Fuhrherr Oskar Rosenbaum in Lichtenberg.	1. — 2. Fuhrherr Wilh. Geduld in Reinickendorf. 3. Hotelbesitzer Eiters in Oranienburg. 4. Fuhrherr Aug. Hintze in Friedrichshagen.
6 Kreis Teltow excl. Nowawes und Rixdorf.	1. Fuhrherr Gustav Glaesig in Schoeneberg. 2. Fuhrherr Karl Eichelkraut in Zehlendorf. 3. Fuhrherr Degener in Königs-Wusterhausen.	1. Fuhrherr G. Rockel in Friedenau. 2. Fuhrherr Rudolph Ahlburg in Steglitz. 3. Fuhrunternehmer Johannes Seiffert in Trebbin.
7. Kreis Beeskow-Storkow.	Fuhrherr Franz Tribbensee in Storkow.	Fuhrherr C. Roggatz in Beeskow.
8. Kreis Jüterbog-Luckenwalde.	Fuhrherr Johannes Burius in Luckenwalde.	1. Posthalter Imme in Jüterbog. 2. Fuhrherr Ed. Hause in Dahme.
9. Kreis Zauch-Belzig.	1. Hotelbesitzer Seebald in Beelitz. 2. Fuhrherr Schmiedechen in Werder a. H.	1. Hotelbesitzer A. Reichert in Treuenbrietzen. 2. Fuhrherr Jung in Lehnin.
10. Kreis Potsdam mit Nowawes und Neuendorf.	1. Fuhrherr Ernst Wünn in Potsdam, Spandauerstraße 2/3. 2. Fuhrherr Fritz Merten in Potsdam, Am Kanal 14.	1. Fuhrherr Hagen in Nowawes. 2. Fuhrherr Karl Schubotz in Potsdam, Burgstraße 41.
11. Kreis Osthavelland.	Fuhrherr Karl Boltz in Nauen.	1. Fuhrherr Franz Hoffert in Cremmen. 2. Fuhrherr Christian Friese in Fehrbellin.

38. **Nachweisung der Markt- 2c.**

Laufende Nummer	Namen der Städte	Getreide								Uebrige Markt-																	
		Es kosten je 100 Kilogramm																						Es			
																								Rindfleisch			
		Weizen		Roggen		Gerste		Hafer		Erbsen		Speisebohnen		Linsen		Kartoffeln		Richtstroh		Krummstroh		Heu		von der Keule		Bauchfleisch	
		M.	Pf.	M.	Pf.	M.	Pf.	M.	Pf.	M.	Pf.	M.	Pf	M.	Pf.	M.	Pf.	M.	Pf	M.	Pf.	M.	Pf.	M.	Pf	M.	Pf.
1	Angermünde	18	93	17	17	17	17	15	97	27	60	28	86	35	—	3	75	6	75	4	56	6	15	1	40	1	10
2	Beeskow	17	50	17	46	15	10	16	41	27	50	27	50	37	50	2	90	7	—	—	—	6	80	1	20	1	—
3	Bernau	19	—	17	70	17	60	17	28	26	—	30	—	44	—	5	—	7	56	—	—	7	15	1	25	1	10
4	Brandenburg	19	20	18	—	15	62	17	64	32	50	35	—	45	—	3	27	6	40	—	—	6	05	1	40	1	20
5	Dahme	18	82	17	26	16	43	17	—	25	—	32	—	45	—	2	50	6	50	4	—	7	50	1	—	1	—
6	Eberswalde	18	88	17	20	18	44	16	65	24	—	24	—	32	—	3	20	8	—	—	—	6	—	1	40	1	10
7	Havelberg	19	60	17	75	15	06	17	84	25	37	45	—	55	—	3	50	6	50	3	25	6	50	1	30	1	10
8	Jüterbog	18	90	18	20	17	—	17	50	28	—	30	—	50	—	3	—	7	—	—	—	7	—	1	20	1	10
9	Luckenwalde	19	11	17	64	15	85	16	79	36	—	36	—	40	—	3	08	6	16	—	—	6	75	1	20	1	20
10	Perleberg	19	50	17	64	16	75	16	89	27	—	35	—	50	—	3	50	6	16	—	—	6	16	1	40	1	20
11	Potsdam	18	95	17	59	16	67	17	62	28	—	33	—	42	—	3	78	7	38	—	—	6	28	1	35	1	10
12	Prenzlau	19	40	17	25	18	55	16	33	22	—	30	—	30	—	3	50	5	50	4	—	5	—	1	26	—	96
13	Pritzwalk	18	85	17	—	16	12	15	85	19	—	28	75	39	—	2	50	6	25	5	25	5	50	1	30	1	—
14	Rathenow	19	50	17	50	16	50	16	50	30	—	35	—	44	—	3	—	6	17	—	—	5	50	1	40	1	20
15	Neu-Ruppin	19	—	17	—	16	27	16	43	30	—	32	—	50	—	2	86	7	80	—	—	6	—	1	40	1	15
16	Schwedt	18	50	17	80	17	—	17	20	26	67	31	25	31	25	3	—	6	50	—	—	6	20	1	20	1	—
17	Spandau	19	—	17	25	15	25	17	25	28	—	39	-	48	—	4	—	7	25	—	—	6	50	1	45	1	20
18	Strausberg	19	81	17	77	19	75	17	69	19	—	30	50	35	—	3	—	8	16	—	—	7	96	1	20	1	10
19	Teltow	19	05	17	68	17	66	17	21	40	—	40	—	55	—	4	25	7	75	6	—	7	75	1	50	1	10
20	Templin	18	50	17	—	17	—	17	—	17	50	50	—	60	—	3	—	8	—	—	—	7	—	1	20	1	—
21	Treuenbrietzen	19	15	17	58	15	70	16	50	24	75	25	25	30	—	3	—	6	—	—	—	5	50	1	20	1	—
22	Wittstock	18	80	17	33	16	10	16	44	19	25	36	—	44	—	2	40	6	—	4	—	4	75	1	03	—	89
23	Wriezen a. O.	17	91	17	39	18	80	16	—	22	—	27	60	30	80	3	—	7	25	5	71	5	50	1	30	1	—
	Durchschnitt	18	95	17	48	16	80	16	87	—	—	—	—	—	—	3	26	6	87	—	—	6	37	—	—	—	—

Potsdam, den 11. Februar 1890.

Verloosung von Equipagen, Pferden 2c. in Stettin

39. Der Herr Minister des Innern hat dem Komitee des für den 19. bis 22. April d. J. geplanten Pferdemarktes zu Stettin die Genehmigung ertheilt, bei Gelegenheit des letzteren eine öffentliche Verloosung von Equipagen, Pferden, Pferdegeschirren 2c. zu veranstalten und die in Aussicht genommenen 200 000 Loose zu je 1 Mark im ganzen Bereiche der Monarchie zu vertreiben.

Potsdam und Berlin, den 4. Fibruar 1890.

Der Regierungs-Präsident. Der Polizei-Präsident.

Bekanntmachungen des Königlichen Polizei-Präsidiums zu Berlin.

Eröffnung einer Apotheke.

11. Die auf Grund der von dem Herrn Ober-Präsidenten unter dem 30. Juli 1889 ertheilten Konzession von dem Apotheker Paul Springer in dem Hause Manteuffelstraße 99 eingerichtete Apotheke ist heute nach vorschriftsmäßiger Revision eröffnet worden.

Berlin, den 4. Februar 1890.

Der Polizei-Präsident.

Berliner und Charlottenburger Preise pro Monat Januar 1890

12. A. Engros-Marktpreise im Monatsdurchschnitt.

In Berlin:

für 100 Klgr.	Weizen (gut)	19 Mark	49	Pf.,
" " "	do. (mittel)	18 "	98	"
" " "	do. (gering)	18 "	48	"
" " "	Roggen (gut)	17 "	83	"
" " "	do. (mittel)	17 "	68	"
" " "	do. (gering)	17 "	53	"
" " "	Gerste (gut)	19 "	46	"
" " "	do. (mittel)	17 "	64	"
" " "	do. (gering)	15 "	77	"
" " "	Hafer (gut)	17 "	65	"
" " "	do. (mittel)	17 "	22	"
" " "	do. (gering)	16 "	80	"
" " "	Erbsen (gut)	19 "	51	"
" " "	do. (mittel)	18 "	68	"
" " "	do. (gering)	17 "	85	"
" " "	Richtstroh	7 "	63	"
" " "	Heu	6 "	98	"

Preise im Monat Januar 1890.

Artikel						Ladenpreise in den letzten Tagen des Monats											
kostet je 1 Kilogramm					Ein Schock Eier.	Es kostet je 1 Kilogramm.											
						Mehl		Gerste						Java-Kaffee mittler / gelber in gebr. Bohnen			
Schweinefleisch	Kalbfleisch	Hammelfleisch	Speck	Butter		Weizen Nr. 1.	Roggen Nr. 1.	Graupe	Grütze	Buchweizengrütze	Hafergrütze	Hirse	Reis, Java	mittler	gelber	Speisesalz	Schweineschmalz, hiesig.
M. Pf.	M. Pf.	M. Pf.	M. Pf.	M. Pf.	M. Pf.	M. Pf.	M. Pf.	M. Pf.	M. Pf.	M. Pf.	M. Pf.	M. Pf.	M. Pf.	M. Pf.	M. Pf.	M. Pf.	M. Pf.
1 32	— 90	1 05	1 90	2 30	4 40	— 35	— 30	— 55	— 45	— 45	— 60	— 60	— 60	3 40	3 60	— 20	2 —
1 30	— 75	— 95	1 80	1 83	3 58	— 40	— 26	— 50	— 60	— 50	— 80	— 60	— 60	2 60	3 60	— 20	1 60
1 45	1 30	1 15	1 70	2 33	4 68	— 35	— 20	— 45	— 45	— 55	— 45	— 55	— 40	2 70	3 30	— 20	1 70
1 35	1 15	1 15	1 80	2 30	4 —	— 40	— 30	— 50	— 40	— 50	— 50	— 50	— 50	3 60	3 80	— 20	1 60
1 40	— 80	1 —	1 80	2 —	2 40	— 32	— 26	— 60	— 40	— 50	—	— 50	— 50	2 80	3 60	— 20	1 40
1 40	1 —	1 —	2 —	2 40	4 80	— 32	— 30	— 60	— 50	— 50	—	— 50	— 60	3 20	3 60	— 20	1 80
1 45	1 30	1 05	1 93	1 87	3 65	— 38	— 26	— 50	— 55	— 60	— 60	— 50	— 60	2 80	4 —	— 20	1 80
1 40	— 90	1 20	1 80	2 20	4 —	— 33	— 29	— 40	— 50	— 40	— 60	— 40	— 40	3 —	3 60	— 20	1 60
1 40	— 95	1 20	1 60	2 30	4 —	— 36	— 24	— 50	— 40	— 40	— 60	— 36	— 60	3 20	3 60	— 20	1 60
1 40	1 30	1 15	1 95	1 58	3 50	— 50	— 36	— 50	— 40	— 50	— 50	— 40	— 50	3 80	3 80	— 20	2 —
1 42	1 13	1 22	1 74	2 18	4 81	— 41	— 35	— 50	— 50	— 50	— 50	— 50	— 70	3 —	3 80	— 20	1 80
1 40	— 90	1 10	1 90	2 23	3 98	— 32	— 30	— 60	— 40	— 55	— 60	— 55	— 60	3 20	3 60	— 20	2 —
1 31	— 93	1 05	2 —	1 60	3 12	— 25	— 24	— 40	— 40	— 40	— 50	— 40	— 50	3 20	3 60	— 20	1 60
1 50	1 —	1 20	1 60	2 60	3 75	— 32	— 29	— 40	— 44	— 45	— 44	— 40	— 60	3 25	3 50	— 20	1 60
1 30	1 10	1 10	1 70	2 20	4 03	— 40	— 30	— 60	— 60	— 50	— 60	— 50	— 60	3 25	3 58	— 20	1 60
1 20	— 90	1 20	1 90	1 80	4 —	— 35	— 25	— 50	— 40	— 50	— 50	— 50	— 60	3 20	3 40	— 20	2 —
1 60	1 30	1 25	1 80	2 40	5 40	— 40	— 30	— 50	— 50	— 55	— 50	— 50	— 65	3 40	3 80	— 20	1 40
1 40	1 10	1 20	1 60	2 40	4 65	— 35	— 25	— 55	— 50	— 45	— 50	— 50	— 60	3 —	3 80	— 20	1 40
1 50	1 30	1 25	1 60	2 22	4 20	— 45	— 30	— 55	— 50	— 45	— 60	— 50	— 60	2 40	3 60	— 20	1 20
1 40	— 80	1 —	1 80	2 40	3 50	— 30	— 25	— 60	— 50	— 60	— 60	— 40	— 50	3 40	3 80	— 20	1 80
1 40	— 96	1 20	1 60	2 20	4 —	— 32	— 26	— 50	— —	— 40	— 50	— 30	— 50	3 30	3 60	— 20	1 80
1 29	— 70	— 99	1 80	1 78	3 37	— 28	— 26	— 50	— 50	— 50	— 60	— 50	— 50	3 20	3 60	— 20	1 80
1 30	1 10	1 15	1 80	2 20	3 67	— 25	— 27	— 50	— 40	— 40	— 50	— 50	— 50	3 25	3 50	— 20	1 40
— —	— —	— —	— —	— —	— —	— —	— —	— —	— —	— —	— —	— —	— —	— —	— —	— —	— —

Der Regierungs-Präsident.

Monats-Durchschnitt der höchsten Berliner Tagespreise einschließlich 5 % Aufschlag für 50 kg

	Hafer	Stroh	Heu
im Monat Januar	9,47 Mk.,	4,18 Mk.,	4,17 Mk.

B. Detail-Marktpreise im Monatsdurchschnitt.

1) In Berlin:

für 100	Klgr.	Erbsen (gelbe z. Kochen)	26	Mark	—	Pf.
"	"	Speisebohnen (weiße)	30	"	—	"
"	"	Linsen	44	"	33	"
"	"	Kartoffeln	5	"	—	"
" 1	Klgr.	Rindfleisch v. d. Keule	1	"	25	"
" 1	"	" (Bauchfleisch)	1	"	10	"
" 1	"	Schweinefleisch	1	"	43	"
" 1	"	Kalbfleisch	1	"	30	"
" 1	"	Hammelfleisch	1	"	15	"
" 1	"	Speck (geräuchert)	1	"	65	"
" 1	"	Eßbutter	2	"	39	"
" 60	Stück	Eier	4	"	73	"

2) In Charlottenburg:

für 100	Klgr.	Erbsen (gelbe z. Kochen)	32	Mark	50	Pf.,
"	"	Speisebohnen (weiße)	35	"	—	"
"	"	Linsen	45	"	—	"
"	"	Kartoffeln	4	"	25	"
" 1	Klgr.	Rindfleisch v. d. Keule	1	"	48	"
" 1	"	" (Bauchfleisch)	1	"	—	"
" 1	"	Schweinefleisch	1	"	50	"
" 1	"	Kalbfleisch	1	"	35	"
" 1	"	Hammelfleisch	1	"	10	"
" 1	"	Speck (geräuchert)	1	"	60	"
" 1	"	Eßbutter	2	"	40	"
" 60	Stück	Eier	4	"	50	"

C. Ladenpreise in den letzten Tagen des Monats Januar 1890:

1) In Berlin:

für 1	Klgr.	Weizenmehl № 1	36 Pf.,
" 1	"	Roggenmehl № 1	34 "
" 1	"	Gerstengraupe	43 "
" 1	"	Gerstengrütze	40 "
" 1	"	Buchweizengrütze —	45 "

für 1	Klgr.	Hirse			40	Pf.
„ 1	„	Reis (Java)			70	„
„ 1	„	Java-Kaffee (mittler)	2	Mark	75	„
„ 1	„	„ (gelb in gebr. Bohnen)	3	„	78	„
„ 1	„	Speisesalz			20	„
„ 1	„	Schweineschmalz (hiesiges)	1	„	40	„

2) In Charlottenburg:

für 1	Klgr.	Weizenmehl № 1			50	Pf.,
„ 1	„	Roggenmehl № 1			40	„
„ 1	„	Gerstengraupe			60	„
„ 1	„	Gerstengrütze			50	„
„ 1	„	Buchweizengrütze			50	„
„ 1	„	Hirse			40	„
„ 1	„	Reis (Java)			70	„
„ 1	„	Java-Kaffee (mittler)	2	„	80	„
„ 1	„	„ (gelb in gebr. Bohnen)	3	„	80	„
„ 1	„	Speisesalz			20	„
„ 1	„	Schweineschmalz (hiesiges)	1	„	30	„

Berlin, den 8. Februar 1890.

Königl. Polizei-Präsidium. Erste Abtheilung.

Bekanntmachungen der Kaiserlichen Ober-Postdirektion zu Berlin.

Unbestellbare Einschreibbriefe.

9. Bei der Ober-Postdirektion in Berlin lagern folgende im Jahre 1889 an den angegebenen Tagen zur Post gegebene Einschreibbriefe:

A. aufgeliefert in Berlin mit dem Bestimmungsorte Berlin.

an Jäschke 17. Juli, Kursan 3. August, Hörning & Krause 5. August, Brückner 2 September, Levy 8. September, Müller 9. September, Kietzmann & Co. 12. September, Besser 14. September, Herrmann 15. September, Altmann 18. September, Gerlach 19. September, Frl. Martha Schulz 21. September, Meyer 22. September, Klaus 26. September, Bohle 28. September, Jacobi 28 September, Frl Bertha Katz 30. September, Laue 1. Oktober, Demuth 1. Oktober, Rost 7. Oktober, Dr. Grube 8. Oktober, Förster 9. Oktober, Kottke 14. Oktober, C. Petzold 15. Oktober, Oberkellner 16. Oktober, Eugen Gogers 21. Oktober, Jeka de la Grange 24 Oktober, H. Wietzmann 25. Oktober, Dittrich 4 November, Frau Anna Wegener 10. November, Carl Jaddatz 11. November, Wilh. Harz 14. November, Joh. Hainschuh 25. November, Alfred Meyer 27. November.

B. aufgeliefert in Berlin mit anderen Bestimmungsorten:

an Carlos Wodke in Spora (Mexiko) 14. Januar, D. Leopoldina Procopia de Jasus in Rio de Janeiro 25. Mai, Eduard Coqui in Warschau 4. Juni, Berghoff in New-York 15. August, Israel Reinhold in Ostrowo (Psn.) 16. August, Hilscher in Paderborn 23. August, Keßler in Stockholm 27 August, Schram in Konstanz 28. August, Krupke in Gollnow 29. August, Habel in Hamburg 30. August, Gadein in Breslau 11. September, Julius Kart in Zehdenick 13. September, Voigt in Gut Rohrbeck b. Sellnow (Mark) 18. September, Schollwind in Wien 20. September, Julius Bodendorfer in Paris 21. September, Kiesewetter in Hamburg 24. September, Moritz Frank in Jauer (Schles.) 28 September, Alfons Meyer in Mülhausen (Els.) 29. September, Paul Winterfeldt in Liebau (Schles.) 30. September, Jos. Lanell in München 1. Oktober, Leop. Boehnke in Hannover 8. Oktober, Guthierlet in Frankfurt (Main) 9. Oktober, Marie Koß in Szegedin 9. Oktober, Marie Schulz in Rixdorf 12. Oktober, F. Lehmann in Schönfließ N.-M. 15. Oktober, Otto Groß in Stettin 17. Oktober, von Müller in Wiesbaden 19. Oktober, Johanna Lewin in Alt-Banzin b. Baß (Pomm.) 22. Oktober, Aug. Adler in Blumberg 23. Oktober, Carl Nisch in Lyck 14. November, Frau Heinrich Hartwig in Stettin 16. November, Hugo Lorenz in Budapest 18. November, A. Behrmann in Potsdam 21. November, Leonie Boguslawska in Warschau 24 November.

C aufgeliefert in Friedrichsberg:

an Frau Bade in Berlin 12. November.

Die unbekannten Absender der vorbezeichneten Sendungen werden ersucht, zur Empfangnahme derselben spätestens innerhalb vier Wochen — vom Tage des Erscheinens gegenwärtiger Bekanntmachung an gerechnet — bei der hiesigen Ober-Postdirektion schriftlich sich zu melden, widrigenfalls mit den Sendungen nach den gesetzlichen Vorschriften verfahren werden wird.

Berlin C., den 6. Februar 1890.

Der Kaiserliche Ober-Postdirektor.

Bekanntmachungen der Kaiserlichen Ober-Post-Direktion zu Potsdam.

Stadt-Fernsprecheinrichtungen betreffend.

10. Diejenigen Personen, welche für das bevorstehende Frühjahr **Anschluß an eine der Stadt-Fernsprecheinrichtungen** in Potsdam, Spandau, Cöpenick, Steglitz, Groß-Lichterfelde, Oranienburg, Grünau, Wannsee und Ludwigsfelde wünschen, werden ersucht, ihre Anmeldungen recht bald, **spätestens bis Ende Februar**, an das Postamt in dem betreffenden Orte zu richten.

Bei den bezeichneten Postämtern können die Bedingungen für den Anschluß eingesehen und Formulare für die Anmeldung in Empfang genommen werden.

Potsdam, den 16 Januar 1890.

Der Kaiserliche Ober-Postdirector.

Einrichtung einer Postagentur in Quitzöbel

11. In dem im Kreise **Westprignitz** belegenen Orte **Quitzöbel** wird am 15. d. M. eine **Postagentur** eingerichtet, welche mit dem Kaiserlichen Postamt in Wilsnack durch Landbriefträgerfuhrwerk in Verbindung gesetzt werden soll

Dem Landbriefbestellbezirke der neuen Postagentur werden die bisher zum Bestellbezirke von Wilsnack gehörenden Wohnstätten Lennewitz, Krügerswerder, Rodan, Quitzöbel Ausbau, Mühle und Ziegelei zugetheilt. Die bisherige Posthülfstelle in Quitzöbel tritt vom bezeichneten Zeitpunkte ab außer Wirksamkeit.

Potsdam, den 7. Februar 1890.

Der Kaiserliche Ober-Postdirektor.

Bekanntmachungen der Reichsschuldenverwaltung.

Ausreichung neuer Zinsscheine zu den Schuldverschreibungen der Reichsanleihen vom Jahre 1878 und 1885.

3. Die Zinsscheine Reihe IV. № 1 bis 8 zu den Schuldverschreibungen der Deutschen 4 prozentigen Reichsanleihe von 1878 und Reihe II. № 1 bis 8 zu den Schuldverschreibungen der Deutschen $3\frac{1}{2}$ prozentigen Reichsanleihe von 1885 über die Zinsen für die vier Jahre vom 1. April 1890 bis 31. März 1894 nebst den Anweisungen zur Abhebung der folgenden Reihe werden von der Königlich Preußischen Kontrolle der Staatspapiere hierselbst, Oranienstraße Nr. 92/94 unten links, **vom 3. März d. J. ab** Vormittags von 9 bis 1 Uhr, mit Ausnahme der Sonn- und Festtage und der letzten drei Geschäftstage jedes Monats, ausgereicht werden.

Die Zinsscheine können bei der Kontrolle selbst in Empfang genommen oder durch die Reichsbankhauptstellen und Reichsbankstellen, sowie durch diejenigen Kaiserlichen Oberpostkassen, an deren Sitz sich eine solche Bankanstalt nicht befindet, bezogen werden.

Wer die Empfangnahme bei der Kontrolle selbst wünscht, hat derselben persönlich oder durch einen Beauftragten die zur Abhebung der neuen Reihe berechtigenden Zinsschein-Anweisungen für jede Anleihe mit einem besonderen Verzeichnisse zu übergeben, zu welchem Formulare ebenda unentgeltlich zu haben sind. Genügt dem Einreicher der Zinsscheinanweisungen eine numerirte Marke als Empfangsbescheinigung, so ist das Verzeichniß einfach, wünscht er eine ausdrückliche Bescheinigung, so ist es doppelt vorzulegen. In letzterem Falle erhält der Einreicher das eine Exemplar, mit einer Empfangsbescheinigung versehen, sofort zurück. Die Marke oder Empfangsbescheinigung ist bei der Ausreichung der neuen Zinsscheine zurückzugeben.

In Schriftwechsel kann die Kontrolle der Staatspapiere sich mit den Inhabern der Zinsscheinanweisungen nicht einlassen.

Wer die Zinsscheine durch eine der oben genannten Bankanstalten oder Oberpostkassen beziehen will, hat derselben die Anweisungen für jede Anleihe mit einem doppelten Verzeichnisse einzureichen.

Das eine Verzeichniß wird, mit einer Empfangsbescheinigung versehen, sogleich zurückgegeben und ist bei Aushändigung der Zinsscheine wieder abzuliefern.

Formulare zu diesen Verzeichnissen sind bei den gedachten Ausreichungsstellen unentgeltlich zu haben.

Der Einreichung der Schuldverschreibungen bedarf es zur Erlangung der neuen Zinsscheine nur dann, wenn die Zinsscheinanweisungen abhanden gekommen sind; in diesem Falle sind die Schuldverschreibungen an die Kontrolle der Staatspapiere oder an eine der genannten Bankanstalten und Oberpostkassen mittelst besonderer Eingabe einzureichen.

Schließlich wird darauf aufmerksam gemacht, daß die nächsten Zinsscheinreihen zu den Schuldverschreibungen der Deutschen Reichsanleihen von 1878 und 1885 die Zinsscheine für die zehn Jahre vom 1. April 1894 bis 31. März 1904 umfassen werden und daß die mit den Zinsscheinreihen IV. bezw. II. ausgegebenen Anweisungen eine dementsprechende Fassung erhalten haben. Berlin, den 1. Februar 1890.

Reichsschuldenverwaltung.

Bekanntmachungen der Königl. Kontrolle der Staatspapiere.

Aufgebot eines Staatsschuldscheins.

4. In Gemäßheit des § 20 des Ausführungsgesetzes zur Civilprozeßordnung vom 24. März 1879 (G.-S. S. 281) und des § 6 der Verordnung vom 16. Juni 1819 (G.-S. S. 157) wird bekannt gemacht, daß von dem Gemeindevorsteher Ernst Schulze zu Eixleben, Kreis Neuhaldensleben, der Staatsschuldschein Lit. G. № 22240 über 50 Thlr angeblich aus Unvorsichtigkeit verbrannt ist. Es wird Derjenige, welcher sich etwa im Besitze dieser Urkunde befindet, hiermit aufgefordert, solches der unterzeichneten Kontrolle der Staatspapiere oder dem Gemeindevorsteher Schulze anzuzeigen, widrigenfalls das gerichtliche Aufgebotsverfahren behufs Kraftloserklärung der Urkunde beantragt werden wird.

Berlin, den 1. Februar 1890.

Königliche Kontrolle der Staatspapiere.

Aufgebot von Schuldverschreibungen.

5. In Gemäßheit des § 20 des Ausführungsgesetzes zur Civilprozeßordnung vom 24. März 1879 (G.-S. S. 281) und des § 6 der Verordnung vom 16. Juni 1819 (G.-S. S. 157) wird bekannt gemacht, daß dem Rentier Friedrich Klier zu Falkenthal bei Loewenberg in der Mark die Schuldverschreibungen der konsolidirten 4 %igen Staatsanleihe von 1880 Lit. E. № 260609, 451017 und 451018 über je 300 M. angeblich im Jahre 1888 gestohlen worden sind. Es werden Diejenigen, welche sich im Besitze dieser Urkunden befinden, hiermit aufgefordert, solches der unterzeichneten Kontrolle der Staatspapiere oder dem Rentier Klier anzuzeigen, widrigenfalls das gerichtliche Aufgebotsverfahren behufs Kraftloserklärung der Urkunden beantragt werden wird.

Berlin, den 4. Februar 1890.

Königliche Kontrolle der Staatspapiere.

Aufgebot von Schuldverschreibungen.

6. In Gemäßheit des § 20 des Ausführungsgesetzes zur Civilprozeßordnung vom 24. März 1879 (G.-S. S. 281) und des § 6 der Verordnung vom 16. Juni 1819 (G.-S. S. 157) wird bekannt gemacht, daß in dem Nachlaß der zu Friesack verstorbenen unverehelichten Wilhelmine Krieg die Schuldverschreibungen der konsolidirten 4 %igen Staatsanleihe a. von 1876/79 Lit. F. № 1715, b. von 1882 Lit. F. № 194065, 203142, 235736, c. von 1883 Lit. F.

№ 276487, d. von 1885 Lit. F. № 354361 und 354764 über je 200 M. angeblich vermißt werden. Es werden Diejenigen, welche sich im Besitze dieser Urkunden befinden, hiermit aufgefordert, solches der unterzeichneten Kontrolle der Staatspapiere oder dem Sattler **Adolf Krieg** zu Berlin, Lübbenerstraße 16, II., vom 1. April d. J. ab Lübbenerstraße 20, Hof, 1 Treppe wohnhaft, anzuzeigen, widrigenfalls das gerichtliche Aufgebotsverfahren behufs Kraftloserklärung der Urkunden beantragt werden wird.

Berlin, den 6. Februar 1890.

Königliche Kontrolle der Staatspapiere.

Bekanntmachungen der Königlichen Eisenbahn-Direktion zu Bromberg.

Anderweite Berechnung des Personen-Fahrgeldes und der Gepäckfracht im Fern-Verkehre nach und von Berlin ꝛc.

5. Im diesseitigen Lokalverkehre (Tarif vom 1 Januar 1886, Theil II), sowie im direkten Personen- und Gepäck-Verkehre mit Stationen 1) der Königlich Preußischen Staats-Eisenbahnen (Tarif vom 1. April 1889, Theil II), 2) der Ostpreußischen Südbahn (Tarif vom 1. April 1877), 3) der Marienburg-Mlawkaer Eisenbahn (Tarif vom 16 Oktober 1881), 4) der Stargard-Cüstriner und Glasow-Berlinchener Eisenbahn (Tarif vom 1 Februar 1887), sowie 5) der Warschau-Wiener und Warschau-Bromberger Eisenbahn (Tarif vom 1. August 1879) erfolgt vom 1. April 1890 die Berechnung des Personen-Fahrgeldes und der Gepäckfracht im Fern-Verkehre nach und von Berlin Charlottenburg, Zoologischer Garten, Friedrichstraße, Alexanderplatz und Schlesischer Bahnhof für die Preußischen Staatsbahnstrecken — unter Wegfall der bisherigen festen Zuschläge — auf Grund der Entfernung der Station Berlin Friedrichstraße bezw., soweit es sich um die Durchfahrt durch Berlin über die Stadtbahn handelt, unter Einrechnung der Stadtbahnlänge Im Fern-Verkehre zwischen Berlin Schlesischer Bahnhof einerseits und den östlich hiervon gelegenen diesseitigen Stationen bis einschließlich Landsberg a. W. andererseits bleiben jedoch die bisherigen Beförderungspreise bis auf Weiteres in Kraft. Durch die neue Berechnungsweise treten neben einzelnen geringen Erhöhungen zahlreiche Ermäßigungen der Beförderungspreise ein. Bis zur Herausgabe der betreffenden Tarif-Nachträge ertheilt die unterzeichnete Behörde nähere Auskunft

Bromberg, den 6. Februar 1890.

Königliche Eisenbahn-Direktion.

Bekanntmachungen des Landes-Direktors der Provinz Brandenburg.

Bekanntmachung.

1. Mit Genehmigung des Provinzial-Ausschusses hat der Direktorialrath der Städte-Feuer-Societät nach § 37 Abs. 2 des Reglements Anstalten zur Herstellung von Leuchtgas zur Versicherung zugelassen, so daß im Absatz 1 daselbst unter Ziffer 12 das Wort „Leuchtgas“ fortfällt.

Berlin, den 31. Januar 1890.

Der Landesdirektor der Provinz Brandenburg
von Levetzow.

Bekanntmachungen anderer Behörden.

Erledigte Kreisthierarztstelle.

Die mit einem jährlichen Gehalt von 600 Mark und einer Stellenzulage von jährlich 300 Mark verbundene Kreisthierarztstelle des Kreises Mogilno mit dem Amtswohnsitz in der gleichnamigen Kreisstadt ist erledigt und soll sogleich wieder besetzt werden. Geeignete Bewerber wollen sich unter Einreichung ihrer Zeugnisse und eines kurzen Lebenslaufs binnen vier Wochen bei uns melden.

Bromberg, den 31. Januar 1890.

Königliche Regierung, Abtheilung des Innern

Personal-Chronik.

Der Magistrats-Sekretär **Valenthin** zu Wittstock ist zum Stellvertreter des Amts-Anwalts bei dem Königlichen Amtsgericht daselbst ernannt.

Der bisherige Hilfsprediger **Karl Wilhelm Paul Textor** ist zum Diakonus der Parochie Biesenthal, Diözese Bernau, bestellt worden.

Der Lehrer **Wolle** ist als Gemeindeschullehrer in Berlin angestellt worden.

Personalveränderungen im Bezirk der Kaiserlichen Ober-Postdirection in Berlin.

Im Laufe des Monats Januar 1890 sind

ernannt zu Ober-Telegraphensecretairen die Telegraphensecretaire **Kretschmar** und **Hackethal**,

versetzt von Berlin der Postinspector **Tamm** nach Wiesbaden, der Postbauinspector **Schäffer** nach Hannover, der Telegraphenamtskassirer **Hanssen** nach Coblenz, der Ober-Postsecretair **Kayser** nach Dresden, der Postsecretair **Klose** nach Beuthen (Obschl.), nach Berlin der Postdirector **Weberstedt** von Darmstadt, der Postinspector **Treichel** von Liegnitz, der Ober-Postdirectionssecretair **Vollmer** von Minden (Westf.), der Postsecretair **Falk** von Neustettin,

in den Ruhestand versetzt der Postdirector **Rietz**, der Postsecretair **Heims**, der Telegraphensecretair **Hoeck**, der Ober-Postassistent **Scholz**, die Ober-Telegraphenassistenten **Kistner** und **Wiersze**,

gestorben der Postsecretair **Dorneck**.

Hierzu Vier Oeffentliche Anzeiger.

(Die Insertionsgebühren betragen für eine einspaltige Druckzeile 20 Pf.
Belagsblätter werden der Bogen mit 10 Pf. berechnet.)

Redigirt von der Königlichen Regierung zu Potsdam.

Potsdam, Buchdruckerei der A. W. Hayn'schen Erben (E. Hayn, Hof-Buchdrucker).

Amtsblatt
der Königlichen Regierung zu Potsdam und der Stadt Berlin.

Stück 8. Den 21. Februar 1890.

Allerhöchster Erlaß.

Auf den Bericht vom 14. Januar d. J. will Ich hiermit genehmigen, daß zum Zwecke der Durchführung der Auslosung der Anleihescheine des Kreises Ost-Prignitz im Regierungsbezirke Potsdam, zu deren Ausgabe dem genannten Kreise das erforderliche Privilegium unterm 14. Oktober v. Js. ertheilt worden ist, im 2. Absatze des demselben beigefügten Musters zu diesen Anleihescheinen anstatt des Wortes Dezember das Wort September gesetzt werde. Dieser Erlaß ist nach Vorschrift des Gesetzes vom 10. April 1872 (Ges.-S. S. 357) zu veröffentlichen.

Berlin, den 22. Januar 1890.

gez. Wilhelm R.

gegz. von Scholz. Herrfurth.

An die Minister der Finanzen und des Innern.

Bekanntmachungen der Königlichen Ministerien.

Bekanntmachung,
die Notirung von Terminpreisen betreffend.

4. In Verfolg unserer Bekanntmachung vom 5. Oktober 1885 bringen wir zur öffentlichen Kenntniß, daß an der Börse zu Mannheim für Weizen, Roggen und Hafer Terminpreise notirt werden.

Berlin, den 28. Januar 1890.

Der Minister für Handel und Gewerbe.
In Vertretung: gz. Magdeburg.
Der Finanz-Minister.
Im Auftrage: gz. Schomer.

M. f. H. 2c. C. 388.
F. M. III. 18864/89.

Abnahme von Dampfkesseln.

5. Behufs Herbeiführung eines einheitlichen Verfahrens bei der Ausstellung und Behändigung der Bescheinigungen über die Abnahme von Dampfkesseln (vergl. № 6 Abs. 2 folg. der Anweisung zur Ausführung der Gewerbeordnung vom $\frac{\text{4. September 1869}}{\text{19. Juli 1884}}$ — Min.-Bl. von 1869, S. 202 ff. und von 1884 S. 164 ff. —) bestimmen wir Folgendes:

Die mit der Untersuchung von Dampfkessel-Anlagen betrauten Königlichen Baubeamten haben dem Inhaber einer solchen Anlage die Abnahme-Bescheinigung auszustellen und zu behändigen. Sie haben zu derselben den gesetzmäßigen Stempel von 1,50 M. zu verwenden, dessen Erstattung bei der Vorlage der Gebühren-Liquidation bei der vorgesetzten Dienstbehörde zu beantragen ist. Abschrift der Bescheinigung ist derjenigen Polizeibehörde mitzutheilen, welche die Untersuchung veranlaßt hat.

Die entgegenstehende Bestimmung der Dienstanweisung für die Königlichen Bauinspectoren der Hochbauverwaltung (S. 69 erste Zeile) kommt in Wegfall.

In übereinstimmender Weise haben auch die sonstigen Kesselrevisionsbeamten, sowie die Vereins-Ingenieure in allen Fällen, in welchen stempelpflichtige Abnahmezeugnisse gemäß § 24 der Gewerbeordnung auszustellen sind, fortan zu verfahren.

Berlin, den 22. Januar 1890.

Der Minister für Handel und Gewerbe.	Der Minister der öffentlichen Arbeiten.
In Vertretung:	Im Auftrage:
gez. Magdeburg.	gez. Schultz.

Der Finanz-Minister.
Im Auftrage: gez. Schomer.

An die Herren Oberpräsidenten zu Danzig, Breslau, Magdeburg und Coblenz als Chefs der Strombauverwaltungen,
die sämmtlichen Herren Regierungs-Präsidenten bezw. Königlichen Regierungen und den Herrn Polizei-Präsidenten hierselbst.

III. 464. M. d. ö. A.
B. 5705. H.-M.
III. 477. F.-M.

Bekanntmachungen des Königlichen Ober-Präsidenten der Provinz Brandenburg.

Einberufung
des 16. Provinzial-Landtages der Provinz Brandenburg.

6. Des Königs Majestät haben mittelst Allerhöchster Ordre vom 8. d. M. die Einberufung des 16. Provinzial-Landtages der Provinz Brandenburg zum 2. März d. J. zu bestimmen geruht. Die Mitglieder desselben sind in Folge dessen eingeladen worden, sich an dem gedachten Tage Mittags 12 Uhr im Landeshause zu Berlin zur Eröffnungs-Sitzung zu versammeln. Den Herren Abgeordneten wird, wie früher, Gelegenheit geboten sein, gemeinsam an dem Sonntags-Gottesdienste im Dom Theil zu nehmen.

Potsdam, den 14. Februar 1890.

Der Oberpräsident der Provinz Brandenburg.
Staatsminister von Achenbach.

Bekanntmachungen des Königlichen Regierungs-Präsidenten.

Die Tischler-Innung zu Wittstock betreffend.

40. Auf Grund des § 100e. der Reichs-Gewerbe-Ordnung bestimme ich hierdurch für den Bezirk der Tischler-Innung zu Wittstock:

1) daß Streitigkeiten aus den Lehrverhältnissen der im § 120a. a. a. O. bezeichneten Art auf Anrufen eines der streitenden Theile von der zuständigen Innungsbehörde auch dann zu entscheiden sind, wenn der Arbeitgeber, obwohl er das in der Innung vertretene Gewerbe betreibt und selbst zur Aufnahme in die Innung fähig sein würde, gleichwohl der Innung nicht angehört,
2) daß die von der Innung erlassenen Vorschriften über die Regelung des Lehrlings-Verhältnisses, sowie über die Ausbildung und Prüfung der Lehrlinge auch dann bindend sind, wenn deren Lehrherr zu den unter № 1 bezeichneten Arbeitgebern gehört,
3) daß Arbeitgeber der unter № 1 bezeichneten Art vom 1. Oktober 1890 ab Lehrlinge nicht mehr annehmen dürfen.

Der Bezirk dieser Innung umfaßt den Amtsgerichtsbezirk Wittstock.

Potsdam, den 11. Februar 1890.

Der Regierungs-Präsident.

Betrifft die schußfreien Tage auf dem Schießplatze bei Cummersdorf für 1890.

41. Unter Hinweis auf die Polizei-Verordnung vom 2. November 1875 — Amtsblatt Seite 366 — bringe ich hierdurch zur öffentlichen Kenntniß, daß die **schußfreien** Tage auf dem Schießplatze bei Cummersdorf für das Jahr 1890 wie folgt festgesetzt worden sind:

Februar: 23., 26., 27.
März: 2., 3., 5., 9., 10., 12, 16., 17., 19, 23., 24., 26., 30.
April: 2., 4., 6, 7., 9., 13., 14, 16., 20., 21., 23., 27., 28., 30.
Mai: 4, 5, 7., 11., 14., 15., 18., 19., 21., 25., 26., 28.
Juni: 1., 4., 5., 8., 9., 11., 15., 16, 18., 22., 23., 25., 29., 30.
Juli: 2., 6., 7, 9., 13., 14., 16., 20., 21., 23., 27., 28., 30.
August: 3., 4., 6., 10., 11., 13., 17., 18., 20., 24., 25., 27., 31.
September: 1., 3., 7., 8., 10., 14., 15., 17., 21., 22., 24., 28., 29.
Oktober: 1., 5., 6., 8., 12., 13., 15., 19., 20., 22. 26., 27., 29.
November: 2., 3., 5., 9., 10., 12., 16., 17., 19., 23., 24., 26., 30.
Dezember: 3., 4., 7., 10., 11., 14., 17., 18., 21., 24., 25., 26., 28., 31.

Potsdam, den 16. Februar 1890.

Der Regierungs-Präsident.

Zurücknahme des Verbotes eines Flugblattes.

42. Das auf Grund der §§ 11 und 12 des Reichsgesetzes gegen die gemeingefährlichen Bestrebungen der Socialdemokratie vom 21. Oktober 1878 erlassene Verbot des am 6. Januar d. J. in mehreren Ortschaften des Kreises Teltow verbreiteten Flugblattes mit der Ueberschrift: „An die Wähler des Reichstagswahlkreises Teltow—Beeskow—Storkow—Charlottenburg" und mit dem Schlußsatze: „Stimmt für den Candidaten der Social-Demokratie den Buchdrucker Wilhelm Werner in Berlin" wird hierdurch zurückgenommen.

Potsdam, den 13. Februar 1890.

Der Regierungs-Präsident.

Viehseuchen.

43. Festgestellt ist die Maul- und Klauenseuche unter dem Rindviehbestande des Bauergutsbesitzers Wilhelm Wegener zu Schmachtenhagen, Kreis Niederbarnim, und des Dominiums Lüdersdorf, Kreis Oberbarnim.

Wegen Influenza (Brustseuche) getödtet ist ein Pferd des Ackerbürgers Henkel in Oderberg, Kreis Angermünde; das an derselben Seuche erkrankte Pferd des Halbbauern C. Behrendt ist gefallen.

Potsdam, den 18. Februar 1890.

Der Regierungs-Präsident.

Bekanntmachungen des Königlichen Polizei-Präsidiums zu Berlin.

Entziehung eines Hebammen-Prüfungszeugnisses.

13. Der Frau Therese Anna **Mix**, geschiedenen Hanke, geborenen Schacht, **zuletzt Kronenstraße Nr. 26** hierselbst **wohnhaft**, ist durch rechtskräftiges Erkenntniß des Bezirks-Ausschusses zu Berlin vom 10. Dezember 1889 das **Hebammen-Prüfungs-Zeugniß entzogen** worden. Die ꝛc. Mix ist deshalb als **Hebamme** nicht mehr anzusehen.

Berlin, den 13. Februar 1890.

Der Polizei-Präsident.

Bekanntmachungen der Kaiserlichen Ober-Postdirektion zu Berlin.

Unanbringliche Postsendungen.

12. Bei der Ober-Postdirektion in Berlin lagern:

A. Packete in Berlin zur Post gegeben:

an Wolf in Berlin, Wienerstraße 20, 4 kg, 18. Juni 1889, an Radschat in Berlin, Köpenickerstraße 21, 3 kg, 18. Juni 1889, an Scheier in Berlin, Köpenickerstraße 165, 4 kg, 18. Juni 1889, an Bahnhofsrestaurateur in Lauterberg, 4½ kg, 20. Juni 1889, an v. d. Heydt in Lübeck, ½ kg, 16. Juli 1889, an Jahn in Stettin, ½ kg, 28. August 1889, an Holz in Jena, ½ kg, 2. September 1889, an Clavon in Magdeburg, 4½ kg, 7. September 1889, an Goldbeck in Hohenplack bei Goslar, 5 kg, 20. September 1889, an Leuschner in Kiel, 4½ kg, 22. September 1889, an Jausen in Berlin, Gneisenaustraße 124, ½ kg, 29. Oktober 1889, an Janecke in Magdeburg, 5 kg, 30. Oktober 1889.

B. Gegenstände, welche in Packeten ohne Aufschrift enthalten gewesen bz. Postsendungen entfallen oder bei hiesigen Postanstalten aufgefunden worden sind:

Schlüsselschilder, mehrere Portemonnaies, mehrere Ringe, ein Hut, mehrere Bücher: „Les mémoires de Sarah Barnum“, „La seconde mère“, „Königl. Wahrheiten“, „Botanik für Mediciner“, „Collection of British Authers“, „Postbuch von Berlin 1889“, „Plötz Grammatik“, „Xenophons Anabasis“, „Die alte Garde“, „Die Hausfrau“, „Rathgeber für Beamte“, „Schweizerisches Ortsverzeichniß“, „Geschichtliche Skizzen“, „Ansiedelung in Paraguay“, Papierbuchstaben, Preisschilder, mehrere Uhrketten, 1 Signalpfeife, Metallkugeln, 2 Radirscheiben, mehrere Kalender, Cigarren, Perlen, Herrenkragen, 1 Schürze, 6 Rosetten, Schlüsselringe, 1 Paar Damenstiefelschäfte, Schnur, Dochte, Knöpfe mit der Aufschrift „Amtsdiener“, 1 Meerschaumspitze, Rosen, Metallhaken, 1 Sammetkragen, kleine Metallplatten, 2 Broches „Souvenir de Paris 1889“, schwarze Spitze, 2 Kinnketten, Wollgarn, Manschettenknöpfe, Metallhülsen und Schwefel, mehrere Vorhängeschlösser mit Schlüssel, Denkmünzen, Taschenfeuerzeug, Wollspitze, Damenmäntelschlösser, 1 Messer mit Futteral, Etuischlösser, 1 Kavallerie-Säbel, 1 Photographie, 1 Schachtel Bartwachs, 3 Körbe, 1 Stemmeisen, 1 Scheere, 1 Charnier, 25 Stück Filze, 1 Uhrschlüssel, einige Stoffnadeln, 1 Weste, 1 Kamm, 1 Damen-Umhang, 1 Stickerei-Schablone, 1 Leinewandkissen, 3 Uhrgewichte, 4 Paar Strümpfe, 1 wollenes Umschlagetuch, 2 Bunde graues Schnur, 1 Karabinerhaken, 3 aschgraue Damenfilzhüte, 1 Rolle Seidenband, Knöpfe, 1 Rolle Draht, 3 Clichés, 5 Kaiserbilder, 1 lederne Uhrschnur, 1 Päckchen Thee, Seidengarn, 4 Stück trockener Leim, Schrauben, 2 Rollen Nähgarn, 1 Unterkleid, Papiermuster, 1 Suspensorium, 1 Haarbürste, 1 Schuhanzieher, 1 Bleistifthalter, 1 Schlips, 21 Pfeifenschläuche, 1 Taschenmesser, 2 Enden Strohmatte, 1 wollene Kindermütze, schwarze Farbe, 1 hölzerne Cigarrenspitze, Schnallen zu Pferdegeschirr, Gummimanschetten, eine Waarenprobe Zucker, 1 Dtzd. Stück Leinenband, 1 Compaß von Nickel, 3 kleine Stahlhäkchen, Schrauben, Schraubenmuttern, 4 Eisenstäbchen, 1 Dtzd. Mützenschirme, 1 Rolle rohe Seide, 1 Stück Wachs, 1 Blechbüchsenöffner, 1 gehäkelte Kante, eine Schachtel Putzpomade, 1 Päckchen Nägel, 3 Stückchen Chocolade, 4 Päckchen Schnallen, 3 Armbänder, Glasperlen, 7 künstliche Zähne, Portemonnaiebügel von Metall, Lederproben zu Treibriemen, 1 Notizbuch, 2 Rollen wollenen Garn, 1 Maschinentheil, 1 neues Testament, 7 Zinnkreuze, Strumpfgarn, 4 Paar Stiefel, 1 Rolle Band, Gries, 1 Geldtäschchen, 1 Dtzd. Sarghandgriffe und Aufhängeösen dazu, 1 Rolle Papier, 5 Plakate: „Willkommen“ und „Euren Eingang segne Gott“, 1 alte Münze, 2 Theile einer Tabakspfeife, 1 Puppe, 1 Taschentuch, 6 eiserne Thürgriffe, 1 Mütze, 1 Weste, 1 Beinkleid, 1 Jaquet, 1 Vorlegestange mit Schloß, 6 Drahtfallen, 1 silberner Löffel, 1 theilbares Kunstschloß, 1 Flasche, enthaltend „Sybeticon“, ein Typensatz, 1 150 Gramm Stück, 1 Halskreuzchen, 9 Griffe zu Häkelhaken, 1 Blechpfeife, 1 Stück Holz in Form einer Falle, 1 Stück Butter, 1 Stück Schlackwurst, 1 Stück Speck, 1 Pröschen Salz und 1 Blechflasche mit Flüssigkeit.

Die unbekannten Absender bz. Eigenthümer der vorbezeichneten Sendungen werden aufgefordert, spätestens innerhalb vier Wochen — vom Tage des Erscheinens gegenwärtiger Bekanntmachung an gerechnet — bei der Ober-Postdirektion schriftlich sich zu melden, widrigenfalls die Gegenstände zum Besten des Post-Armenfonds werden versteigert werden.

Berlin C., den 14. Februar 1890.

Der Kaiserliche Ober-Postdirektor.

Unanbringliche Briefe mit Werthinhalt.

13. Bei der Ober-Postdirektion in Berlin lagern folgende, bei hiesigen Postanstalten an den bezeichneten Tagen ausgelieferte Briefe, in welchen bei der Eröffnung die daneben vermerkten Beträge vorgefunden worden sind: an Otto Hay in Cöln (Rh.) mit 1 M., 14ten August 1889, Kohn in Berlin, Alte Jacobstraße, mit 60 Pf, 7. September 1889, Schulze in Berlin, Krankenhaus Moabit, mit 50 Pf., 9. September 1889, Kohlmetz in Bromberg mit 1 M, 9. September 1889, Frl. Strybel in Sonnenburg mit 5 M., 23. September 1889, Sergeant Knopff in Berlin, Scharnhorststraße, mit 20 M., 28. September 1889, Japanus in Japan mit 10 Pf., 30 September 1889, Kanow in Berlin, a. neuen Markt 5 mit 1 M. 10 Pf., 1. Oktober 1889, Grünberger in Wien mit 17 M., 2. Oktober 1889, Paul Gniesel in Gr.-Schönebeck mit 1 M. 50 Pf., 5 Oktober 1889, Oscar Sembach in Zwickau mit 1 M. 10 Pf., 9. Oktober 1889, Kramme & Meyer in Leipzig 1 Gutschein über 15 M. 5 Pf., 10. Oktober 1889, Gebr. Richter in Hamburg mit 2 M. 90 Pf., 17. Oktober 1889, Malecki in Bromberg mit 90 Pf, 29. Oktober 1889, Arthur Hoffmann in Halberstadt mit 50 Pf, 2 November 1889, Frau Joh. Schult in Lenzen (Elbe) mit 50 Pf., 17. November 1889, Exped. d. Charl. Tagebl. in Charlottenburg, mit 70 Pf, 1. Dezember 1889.

Die unbekannten Absender der vorbezeichneten Briefe werden ersucht, spätestens innerhalb vier Wochen — vom Tage des Erscheinens gegenwärtiger Bekanntmachung an gerechnet — bei der Ober-Postdirektion sich zu melden, widrigenfalls die in den Sendungen vorgefundenen Beträge der Post-Armenkasse überwiesen werden.

Berlin C., den 15. Februar 1890.

Der Kaiserliche Ober-Postdirektor.

Unanbringliche Postanweisungen.

14. Bei der Ober-Postdirection in Berlin lagern folgende, an den angegebenen Tagen in Berlin aufgelieferte unanbringliche Postanweisungen an: Piparello in Oran über 8 M. 10 Pf., 8 Dezember 1888, Creiril (?) in Paris über 8 M. 10 Pf, 6. Februar 1889, v. Hoeven in Rotterdam über 2 M. 89 Pf.,

12. Februar 1889, Klötzer in Berlin, Dieffenbachstraße 56, über 19 M. 3 Pf., 1. Juni 1889, Gerichtsvollzieher Kerckow in Berlin, Thurmstraße 8, 2 M. 75 Pf., 5. Juni 1889, Exped. d. „Kanone" in Lüdenscheid über 2 M. 55 Pf., 12. Juni 1889, Radowitz in Leipzig 1 M. 20 Pf., 17. Juni 1889, A. Nercke, Stadtnachtwächter in Berlin, Lothringerstraße, 3 M. 20 Pf., 6. Juli 1889, Funke in Teupitz über 2 M. 95 Pf., 29. Juli 1889, Hoffmann in Magelwitz b. Brieg über 10 M., 6. September 1889, das Amtsvorsteher-Amt in Tegel über 3 M. 20 Pf., 10. September 1889, die Kgl. Gerichtskasse in Berlin Kölln. Rathhaus Zimmer Nr. 19, über 3 M., 10. September 1889, Braun in Berlin, Nollendorfstraße, über 5 M., 15. September 1889, Zerath in Herne postl. über 9 M., 18. September 1889, die Gerichtskasse in Berlin, Jüdenstraße 59, über 4 M., 19. September 1889, Frau Emma Löhde in Berlin, Ackerstraße 15, über 5 M., 24. September 1889, Frl. Emma Brune in Hannover über 10 M., 28. September 1889, Rorper in Frankfurt (Main) über 6 M., 28. Oktober 1889, Frl. Auguste Michael in Dresden A. über 5 M., 1. November 1889, Lehrer Reinicke in Berlin, Treskowstraße 11, über 4 M., 28. November 1889.

Die unbekannten Absender der vorbezeichneten Postanweisungen werden ersucht, spätestens innerhalb vier Wochen — vom Tage des Erscheinens gegenwärtiger Bekanntmachung an gerechnet — bei der Ober-Postdirektion schriftlich sich zu melden, widrigenfalls die Beträge dem Post-Anweisungsfonds überwiesen werden.

Berlin C., 15. Februar 1890.

Der Kaiserliche Ober-Postdirektor.

Bekanntmachungen der Kaiserlichen Ober-Post-Direktion zu Potsdam.

Einrichtung einer Postagentur in Nitzow.

15. In dem zum Kreise Westprignitz gehörenden Orte Nitzow wird am 15. d. M. eine Postagentur eingerichtet. Dieselbe erhält Verbindungen durch die Schaffnerbahnposten, welche auf der am 15. zu eröffnenden neuen Bahnstrecke Glöwen—Havelberg verkehren werden. Dem Landbriefbestellbezirke von Nitzow werden die bisher zum Bestellbezirke des Kaiserlichen Postamts in Havelberg gehörenden, ebenfalls im Kreise Westprignitz gelegenen Wohnstätten Dahlen, sowie das Forsthaus und das Chausseehaus bei Nitzow zugetheilt. Die bisherige Posthülfstelle in Nitzow tritt außer Wirksamkeit.

Potsdam, den 10. Februar 1890.

Der Kaiserliche Ober-Postdirektor.

Bekanntmachungen der Königlichen Hauptverwaltung der Staatsschulden.

Aufruf der zur Einlösung noch nicht eingegangenen Stamm-Aktien und Prioritäts-Obligationen der Münster-Hammer und bezw. der Taunus-Eisenbahn.

4. Die nachstehend verzeichneten, zur baaren Rückzahlung gekündigten Stamm-Aktien und Prioritäts-Obligationen der Münster-Hammer und bezw. der Taunus-Eisenbahn, welche zur Einlösung noch nicht eingereicht sind, werden hierdurch wiederholt mit dem Bemerken aufgerufen, daß ihre Verzinsung mit dem betreffenden Kündigungstermine aufgehört hat.

I. Münster-Hammer Eisenbahn.

A. Stamm-Aktien über je 100 Thlr. = 300 M.

11. Verloosung. Gekündigt zum 1. Januar 1881.
Abzuliefern mit Zinsscheinen Reihe VII. № 5 bis 8 und Anweisung zur Abhebung der Reihe VIII.
№ 3906.

B. Prioritäts-Obligationen über je 100 Thlr. = 300 M.

Restkündigung. Gekündigt zum 1. Januar 1887.
Abzuliefern mit Zinsscheinen Reihe VII № 3 bis 8 und Anweisungen zur Abhebung der Reihe VIII.
№ 1008 1331 1569.

II. Taunus-Eisenbahn.

Prioritäts-Obligationen von 1862.

Restkündigung. Gekündigt zum 1. Oktober 1888.
Abzuliefern mit Zinsscheinen Reihe II. № 13 bis 20 und Anweisung zur Abhebung der Reihe III.
Lit. A. zu 1000 Fl № 265.

Berlin, den 11. Februar 1890.

Hauptverwaltung der Staatsschulden.

Bekanntmachungen des Königlichen Oberbergamts zu Halle.

2. Nachstehende Verleihungsurkunde:

„Im Namen des Königs.

Auf Grund der am 16. November 1889 mit Präsentationsvermerk versehenen Muthung wird dem Kaufmann Leopold Falk zu Berlin W., Leipzigerstraße Nr. 29, unter dem Namen **Dabendorf** das Bergwerkseigenthum in dem Felde, dessen Begrenzung auf dem heute von uns beglaubigten Situationsrisse mit den Buchstaben a b c d e a bezeichnet ist, und welches, einen Flächeninhalt von 2 187 189 qm, geschrieben: Zwei Millionen einhundertsiebenundachtzig Tausend einhundertneunundachtzig Quadratmeter umfassend, in den Gemarkungen Töpchin, Schöneiche, Zossen, Haus Zossen und Königliche Forst Cummersdorf im Kreise Teltow des Regierungsbezirks Potsdam und im Oberbergamtsbezirke Halle gelegen ist, zur Gewinnung der in dem Felde vorkommenden Braunkohlen hierdurch verliehen",

urkundlich ausgefertigt am heutigen Tage, wird mit dem Bemerken, daß der Situationsriß in dem Büreau des Königl. Bergrevierbeamten zu Eberswalde zur Einsicht offen liegt, unter Verweisung auf die Paragraphen 35 und 36 des Allgemeinen Berggesetzes vom 24. Juni 1865 hierdurch zur öffentlichen Kenntniß gebracht.

Halle a. S., den 14. Februar 1890.

Königl. Oberbergamt.

3. Nachstehende Verleihungsurkunde:

„Im Namen des Königs.

Auf Grund der am 21. November 1889 mit Präsentationsvermerk versehenen Muthung wird dem Kaufmann Leopold Falk zu Berlin W., Leipzigerstraße Nr. 29, unter dem Namen **Jühnsdorf** das Bergwerkseigenthum in dem Felde, dessen Begrenzung auf dem heute von uns beglaubigten Situationsrisse mit den Buchstaben: a b c d a bezeichnet ist, und welches, einen Flächeninhalt von 2 188 962 qm, geschrieben: Zwei Millionen einhundertachtundachtzig Tausend neunhundertzweiundsechszig Quadratmeter umfassend, in den Gemarkungen Töpchin mit der in dieser Gemarkung liegenden Enclave zu Rittergut Haus Zossen, Schöneiche (Haus Zossen), Zehrensdorf und Königlichen Forst Cummersdorf im Kreise Teltow des Regierungsbezirks Potsdam und im Oberbergamtsbezirke Halle gelegen ist, zur Gewinnung der in dem Felde vorkommenden Braunkohlen hierdurch verliehen",

urkundlich ausgefertigt am heutigen Tage, wird mit dem Bemerken, daß der Situationsriß in dem Büreau des Königlichen Bergrevierbeamten zu Eberswalde zur Einsicht offen liegt, unter Verweisung auf die Paragraphen 35 und 36 des Allgemeinen Berggesetzes vom 24. Juni 1865 hierdurch zur öffentlichen Kenntniß gebracht.

Halle a. S., den 14. Februar 1890.

Königliches Oberbergamt.

4. Nachstehende Verleihungsurkunde:

„Im Namen des Königs.

Auf Grund der am 16. November 1889 mit Präsentationsvermerk versehenen Muthung wird dem Kaufmann Leopold Falk zu Berlin W., Leipzigerstraße Nr. 29, unter dem Namen Telz das Bergwerkseigenthum in dem Felde, dessen Begrenzung auf dem heute von uns beglaubigten Situationsrisse mit den Buchstaben a b c d e f g a bezeichnet ist, und welches, einen Flächeninhalt von 2 189 000 qm, geschrieben: Zwei Millionen einhundertneunundachtzigtausend Quadratmeter umfassend, in den Gemarkungen Töpchin, Schöneiche und Callinchen im Kreise Teltow des Regierungsbezirks Potsdam und im Oberbergamtsbezirke Halle gelegen ist, zur Gewinnung der in dem Felde vorkommenden Braunkohlen hierdurch verliehen",

urkundlich ausgefertigt am heutigen Tage, wird mit dem Bemerken, daß der Situationsriß in dem Büreau des Königlichen Bergrevierbeamten zu Eberswalde zur Einsicht offen liegt, unter Verweisung auf die Paragraphen 35 und 36 des Allgemeinen Berggesetzes vom 24. Juni 1865 hierdurch zur öffentlichen Kenntniß gebracht.

Halle a. S., den 14. Februar 1890.

Königliches Oberbergamt.

5. Nachstehende Verleihungsurkunde:

„Im Namen des Königs.

Auf Grund der am 21. November 1889 mit Präsentationsvermerk versehenen Muthung wird dem Kaufmann Leopold Falk zu Berlin W., Leipzigerstraße Nr. 29, unter dem Namen Glienick das Bergwerkseigenthum in dem Felde, dessen Begrenzung auf dem heute von uns beglaubigten Situationsrisse mit den Buchstaben: a b c d a bezeichnet ist, und welches, einen Flächeninhalt von 2 185 244 qm, geschrieben: Zwei Millionen einhundertfünf und achtzig Tausend zweihundert vier und vierzig Quadratmeter umfassend, in den Gemarkungen Töpchin (Haus Zossen), Schöneiche (Haus Zossen), Zehrensdorf, Zossen und Königliche Forst Cummersdorf im Kreise Teltow des Regierungsbezirks Potsdam und im Oberbergamtsbezirke Halle gelegen ist, zur Gewinnung der in dem Felde vorkommenden Braunkohlen hierdurch verliehen",

urkundlich ausgefertigt am heutigen Tage, wird mit dem Bemerken, daß der Situationsriß in dem Büreau des Königl. Bergrevierbeamten zu Eberswalde zur Einsicht offen liegt, unter Verweisung auf die Paragraphen 35 und 36 des Allgemeinen Berggesetzes vom 24. Juni 1865 hierdurch zur öffentlichen Kenntniß gebracht.

Halle a. S., den 14. Februar 1890.

Königliches Oberbergamt.

6. Nachstehende Verleihungsurkunde:

„Im Namen des Königs.

Auf Grund der am 5. Oktober 1889 mit Präsentationsvermerk versehenen Muthung wird dem Kaufmann Franz Prien zu Berlin NW., Dorotheenstraße Nr. 11, unter dem Namen Nauen I. das Bergwerkseigenthum in dem Felde, dessen Begrenzung auf dem heute von uns beglaubigten Situationsrisse mit den Buchstaben: a b c d e f g h i k l m n o p q r s t a bezeichnet ist, und welches, einen Flächeninhalt von 2 189 000 qm, geschrieben: Zwei Millionen einhundert neun und achtzig Tausend Quadratmeter umfassend, in der Gemarkung Nauen im Kreise Osthavelland des Regierungsbezirks Potsdam und im Oberbergamtsbezirke Halle gelegen ist, zur Gewinnung der in dem Felde vorkommenden Braunkohlen hierdurch verliehen",

urkundlich ausgefertigt am heutigen Tage, wird mit dem Bemerken, daß der Situationsriß in dem Büreau des Königlichen Bergrevierbeamten zu Eberswalde zur Einsicht offen liegt, unter Verweisung auf die Paragraphen 35 und 36 des Allgemeinen Berggesetzes vom 24. Juni 1865 hierdurch zur öffentlichen Kenntniß gebracht.

Halle a. S., den 14. Februar 1890.

Königliches Oberbergamt.

Bekanntmachungen der Königlichen Eisenbahn-Direktion zu Berlin.

Neue Personen- und Gepäckbeförderungspreise.

5. Mit dem 1. April d. J. gelangen im Fernverkehr nach und von Berlin, Schles. und Görlitzer Bhf., Alexanderplatz, Friedrichstraße, Zoologischer Garten und Charlottenburg, sowie im Durchgangsverkehr über Berlin Stadtbahn neu berechnete Personen- und Gepäckbeförderungspreise zur Einführung, durch welche vielfach Ermäßigungen und nur in einzelnen Fällen geringe Erhöhungen gegen die bisherigen Beförderungspreise eintreten.

Berlin, den 8. Februar 1890.

Königliche Eisenbahn-Direktion.

Bekanntmachungen der Königlichen Eisenbahn-Direktion zu Bromberg.

Frachtbegünstigung für Ausstellungsgegenstände.

6. Für die in der nachstehenden Zusammenstellung näher bezeichneten Gegenstände, welche auf den daselbst erwähnten Ausstellungen ausgestellt werden und unverkauft bleiben, wird eine Frachtbegünstigung in der Art gewährt, daß nur für die Hinbeförderung die volle tarifmäßige Fracht berechnet wird, die Rückbeförderung an die Versand-Station und den Aussteller aber frachtfrei erfolgt, wenn durch Vorlage des ursprünglichen Frachtbriefes bezw. des Duplikat-Transportscheines für den Hinweg, sowie durch eine Bescheinigung der dazu ermächtigten Stelle nachgewiesen wird, daß die Gegenstände ausgestellt gewesen und unverkauft geblieben sind, und wenn die Rückbeförderung innerhalb der unten angegebenen Zeit stattfindet.

In den ursprünglichen Frachtbriefen bezw. Duplikat-Transportscheinen für die Hinsendung ist ausdrücklich zu vermerken, daß die mit denselben aufgegebenen Sendungen durchweg aus Ausstellungsgut bestehen.

№	Art der Ausstellung	Ort	Zeit 1890	Die Frachtbegünstigung wird gewährt für	auf den Strecken der	Zur Ausfertigung der Bescheinigung sind ermächtigt	Die Rückbeförderung muß erfolgen innerhalb	
1	Ausstellung von Fahrrädern u. Fahrradgeräthen,	Leipzig,	22. Februar bis 2. März,	nebenbezeichnete Gegenstände,	Preußischen Staatsbahnen u Eisenbahnen in Elsaß-Lothringen	Ausstellungs-Commission,	4 Wochen	nach Schluß der Ausstellung.
2	Geflügel-Ausstellung,	Saarbrücken,	9 bis 11. März,	Geflügel und Geräthe zur Geflügelzucht,	Preußischen Staatsbahnen,	desgl.	4 Wochen	

Bromberg, den 8. Februar 1890. Königl. Eisenbahn-Direktion.

Ausnahmetarif für Düngemittel 2c.

7. Unter Bezugnahme auf unsere Bekanntmachung vom 14. Dezember v. J bringen wir zur Kenntniß, daß der am 1. Januar 1890 eingeführte Ausnahme-Tarif für bestimmte Düngemittel, Erden, Kartoffeln 2c. vom 10. d. M. ab auch auf Schlackensand Anwendung findet.

Bromberg, den 8 Februar 1890.

Königliche Eisenbahn-Direktion.

Bekanntmachungen der Kreis-Ausschüsse.

Communalbezirksveränderung.

7. Auf Grund des § 25 Abs. 1 des Zuständigkeitsgesetzes vom 1. August 1883 in Verbindung mit § 1 Abschnitt 4 des Gesetzes über die Landgemeinde-Verfassungen vom 14 April 1856 genehmigen wir hiermit, daß das von der Stadtgemeinde Berlin als Besitzerin des Rittergutes Blankenburg an den Gärtnereibesitzer Wilhelm Neubauer zu Blankenburg verkaufte, im Grundbuche in Blankenburg Band II Blatt № 63 in einer Größe von 50 ar 42 qm Gartenland und 14 ar 98 qm Hofraum verzeichnete Gärtnerei-Grundstück von dem Gutsbezirke des Rittergutes Blankenburg losgelöst und dem Gemeindebezirk der Dorfgemeinde Blankenburg einverleibt werde.

Berlin, den 7. Februar 1890.

Der Kreis-Ausschuß des Kreises Niederbarnim.

Personal-Chronik.

Im Kreise Prenzlau sind der Rittergutsbesitzer und Rittmeister a. D. von Winterfeldt zu Damerow und der Gutspächter Franz zu Nieden nach Ablauf ihrer bisherigen Amtszeit auf's Neue zum Amtsvorsteher bezw. Stellvertreter für den 30. Amtsbezirk Damerow ernannt worden.

Im Kreise Beeskow-Storkow sind der Rittergutspächter Baltzer zu Groß-Rietz auf's Neue zum Amtsvorsteher des Amtsbezirks VIII. Groß-Rietz, der Rittergutspächter Schade zu Rietz-Neuendorf auf's Neue zum Amtsvorsteher-Stellvertreter desselben Bezirks und der Gutsbesitzer Schade zu Buckow auf's Neue zum Amtsvorsteher-Stellvertreter des Amtsbezirks IXX. Buckow ernannt worden.

Der Königliche Regierungs-Bauführer Max Fritsch, z. Z. in Berlin, ist am 3. Februar d. J als solcher vereidigt worden.

Die unter privatem Patronat stehende und mit dem Pfarramte von Petershagen verbundene Pfarrstelle zu Fredersdorf, Diözese Berlin Land I., kommt durch die nach neuem Rechte erfolgende Emeritirung des Pfarrers Ideler am 1 Oktober d. J. zur Erledigung. Der künftige Stelleninhaber ist verpflichtet, sich die Abtrennung der Pfarre Petershagen mit einem Einkommen von 2131 M. ohne Entschädigung gefallen zu lassen.

Der bisherige Pfarrer Heinrich Max Richard von Lattorff in Saderbeck ist zum Pfarrer bei den Evangelischen Gemeinden der Parochie Lindenberg, Diözese Pritzwalk, bestellt worden.

Der ordentliche Lehrer Heyden an der Luisenstädtischen Oberrealschule ist zum Oberlehrer an derselben Anstalt befördert worden.

Der bisherige Hilfslehrer Grüß II. ist als Gemeindeschullehrer in Berlin angestellt worden.

Personalveränderung im Bezirke der Königl. Eisenbahn-Direction in Bromberg.

Der Stations-Vorsteher II. Classe Tietz in Fredersdorf ist pensionirt worden.

Personalveränderungen im Bezirke der Kaiserlichen Ober-Postdirektion in Potsdam.

Etatsmäßig angestellt sind die Postassistenten Saffe in Rathenow und Seggelke in Havelberg.

Ernannt sind der Postassistent Michael in Potsdam zum Ober-Postassistenten, der Telegraphenassistent Sömmer in Prenzlau zum Ober-Telegraphenassistenten.

Versetzt sind der Postdirector Hertel von Havelberg nach Groß Strehlitz, der Postsecretair Feist als comm Ober-Postsecretair von Rathenow nach Cöslin, der Postsecretair Rossignol als pr. Postmeister von Schwedt nach Gifhorn und der Postassistent Prager von Angermünde nach Leipzig.

Personalveränderungen
im Bezirke des Kammergerichts in den Monaten Dezember 1889 und Januar 1890.

I. Richterliche Beamte.

Ernannt sind: die Kaufleute Felix Bruck, Emil Latz, Emil Jacob und Benzki in Berlin zu stellvertretenden Handelsrichtern in Berlin; der Direktor der Preußischen Hypotheken-Versicherungs-Aktien-Gesellschaft Dannenbaum in Berlin zum Handelsrichter daselbst; der Gerichtsassessor Zeeden zum Amtsrichter bei dem Amtsgericht in Muskau, der Gerichtsassessor Möhring zum Amtsrichter bei dem Amtsgericht Cottbus.

Versetzt sind: der Amtsrichter Dr. Hartmann in Guben als Landrichter an das Landgericht daselbst, der Amtsrichter Jacke in Zossen als Landrichter an das Landgericht I. in Berlin, der Amtsrichter Grabs von Haugsdorf in Charlottenburg als Landrichter an das Landgericht II. in Berlin.

Pensionirt sind: der Amtsgerichtsrath Stubenrauch in Zielenzig, der Landgerichtsrath Asche in Berlin und der Kammergerichtsrath Dr. Prinz.

Verstorben ist: der Landgerichtsrath Johl in Berlin.

II. Assessoren.

Zu Gerichtsassessoren sind ernannt die Referendare Bolze, Loewenhardt, Ferber, Petersen, Dr. Ballien, Wähle, Ludwig, Dr. Baumann, Dr. Eiswaldt, Nußbaum, Dr. Ascher, von Uklanski, Zutz, von Treskow, Hirsch, Dressel, Wilke

Entlassen sind: Hasselbach zwecks Uebertritts in die allgemeine Staats-Verwaltung, Brandt zwecks Uebertritts in die Verwaltung der indirekten Steuern, Knitter zwecks Uebertritts in den Kommunaldienst.

Verstorben ist: Just.

III. Rechtsanwälte und Notare.

Gelöscht ist in der Liste der Rechtsanwälte der Rechtsanwalt Mendelsohn bei dem Amtsgericht in Rixdorf.

Eingetragen sind in die Liste der Rechtsanwälte der Rechtsanwalt Mankiewitz aus Mühlhausen i. Th., der Gerichtsassessor Dr. Julius Isaac, der Rechtsanwalt Tallert aus Breslau, der Rechtsanwalt Rosenheim aus Danzig und die Gerichtsassessoren Wreschner, Dr. Liepschütz und Schwarz bei dem Landgericht I. in Berlin; der Gerichtsassessor Schönermark bei dem Amtsgericht in Perleberg, der Amtsrichter a. D. Laué beim Kammergericht, der Gerichtsassessor Ludwig Lewin beim Landgericht II. in Berlin, der Gerichtsassessor Kayser beim Amtsgericht II in Berlin unter Gestattung seines Wohnsitzes in Weißensee, der Gerichtsassessor Hermann Jacobi beim Landgericht in Frankfurt a. O.

Zum Notar ist ernannt: der Rechtsanwalt Dr. Kessel in Luckau.

Verstorben sind: die Rechtsanwälte und Notare Justizräthe von Kraynicki in Berlin und Kuhlmeyer in Brandenburg.

IV. Referendare.

Zu Referendaren sind ernannt die bisherigen Rechtskandidaten Schönlank, Maud, Schellong, Büttner, von Türk, Freiherr von Maltzahn, Daniel, von Usedom, Otto, Karsten, Schulz, Lentze, Lezius, Boehlau, Hoffmann, Jacobi, Bernhardi, Bartels, Münzer, von Schroeder, Moser, Wegner, Graf von Schwerin-Putzar, Volz, Badewitz, Hirte.

Uebernommen ist: Tosche aus dem Bezirke des Oberlandesgerichts zu Stettin.

Versetzt ist: Karbe in den Bezirk des Oberlandesgerichts zu Kiel.

Entlassen sind: Wahnschaffe, Dr. Regenborn, Dr. von Doetinchem de Rande, Graf von Pückler, Kreidel, Freiherr Roeder von Diersburg, Bartsch zwecks Uebertritts in den Verwaltungsdienst; Dammann auf seinen Antrag.

V. Subalternbeamte.

Ernannt sind: der etatsmäßige Gerichtsschreibergehülfe Sudrow beim Amtsgericht I. in Berlin zum Gerichtsschreiber bei derselben Behörde; der etatsmäßige Gerichtsschreibergehülfe Adrian beim Amtsgericht I. in Berlin zum Gerichtsschreiber bei dem Amtsgericht in Werder; der Gefängniß-Sekretär Teike zu Berlin zum Rendanten bei dem Strafgefängniß zu Plötzensee; der Büreau-Assistent Richter in Plötzensee zum Sekretär bei dem Strafgefängniß daselbst; zu etatsmäßigen Gerichtsschreibergehülfen: der Aktuar Stoppel bei dem Amtsgericht in Treuenbrietzen, der Aktuar Grell bei dem Amtsgericht I. in Berlin, der Aktuar Gottschalk bei dem Amtsgericht in Sonnenburg, die Militäranwärter Haase bei dem Amtsgericht in Luckenwalde, Bölke bei dem Amtsgericht I. in Berlin, Bleidorn bei dem Amtsgericht in Havelberg; der Büreau-Diätar Lorenz hierselbst zum Büreau-Assistenten bei dem Untersuchungsgefängniß hierselbst.

Versetzt sind: die Gerichtsschreiber Kaphengst in Wittstock an das Amtsgericht in Friedeberg N.-M., Maerten in Friedeberg N.-M. an das Amtsgericht in Wittstock, Kolbe in Coepenick an das Amtsgericht in Soldin, Drogolin in Soldin an das Amtsgericht in Coepenick.

Entlassen sind: der etatsmäßige Gerichtsschreibergehülfe Hiller in Rathenow auf seinen Antrag, der Gerichtsvollzieher Greffin bei dem Amtsgericht I. zu Berlin.

Verstorben sind: der Gerichtsschreiber Lencer in Brandenburg a. H. und der etatsmäßige Gerichtsschreibergehülfe Kluge in Rathenow.

Ausweisung von Ausländern aus dem Reichsgebiete.

Lauf. Nr.	Name und Stand des Ausgewiesenen.	Alter und Heimath des Ausgewiesenen.	Grund der Bestrafung.	Behörde, welche die Ausweisung beschlossen hat.	Datum des Ausweisungs-Beschlusses.
1.	2.	3.	4.	5.	6.
		a. Auf Grund des § 39 des Strafgesetzbuchs:			
1	Adolf Neubauer, Weber,	geboren im Dezember 1841 zu Schluckenau, Böhmen, ortsangehörig ebendaselbst,	vorsätzliche Brandstiftung (7 Jahre Zuchthaus laut Erkenntniß vom 26. Januar 1883),	Königlich Sächsische Kreishauptmannschaft zu Bautzen,	15. August 1889.
		b. Auf Grund des § 362 des Strafgesetzbuchs:			
1	Josef Poetzl, Schmiedegeselle,	geboren am 13. April 1863 zu Weserau, Bezirk Tepl, Böhmen, ortsangehörig ebendas.,	Landstreichen und Führung falscher Legitimationspapiere,	Stadtmagistrat Bayreuth, Bayern,	18. Dezember 1889.
2	Franz Lenz, Hufschmied,	geboren am 16. Januar 1858 zu Kleinstrndorf Gem. Kammersdorf, Bezirk Oberhollabrunn, Oesterreich, ortsangehörig ebendaselbst,	Betteln im wiederholten Rückfall,	Königlich Bayerisches Bezirksamt Landsberg,	28. Dezember 1889.
3	Eduard Josef Fischer, Handarbeiter,	geboren am 27. Dezember 1869 zu Teplitz, Böhmen,	desgleichen,	Königlich Sächsische Kreishauptmannschaft zu Dresden,	19. Dezember 1889.
4	Franz Zemanek, Schuhmachergeselle,	geboren im Jahre 1837 zu Priwlak, Bezirk Starkenbach, Böhmen, ortsangehörig ebendas.,	desgleichen,	Königlich Sächsische Kreishauptmannschaft zu Bautzen,	desgleichen.
5	Karl Wiery, Fabrikarbeiter,	geboren am 23. Mai 1863 zu Grafenstein, Bezirk Klagenfurt, Oesterreich, ortsangehörig ebendaselbst,	desgleichen,	Großherzoglich Badischer Landeskommissär zu Konstanz,	1. Dezember 1889.
6	Julius Herrmann, Konditor,	geboren am 3. Januar 1868 zu Chiesch, Oesterreich, ortsangehörig ebendaselbst,	desgleichen,	derselbe,	desgleichen.
7	Hans Buchmann, Sattler,	geboren am 10. Dezember 1865 zu Aarau, Kanton Aargau, Schweiz, ortsangehörig zu Veltheim, Bezirk Brugg, ebendaselbst,	Landstreichen,	derselbe,	23. Dezember 1889.
8	Marie Madeleine Burgaud, led. Tagelöhnerin,	geboren am 14. Oktober 1836 zu Chateauneuf, Departement Vendée, Frankreich, ortsangehörig ebendaselbst,	Landstreichen und Betteln,	Großherzoglich Badischer Landeskommissär zu Freiburg,	10. Januar 1890.
9	Ferdinand Anton Brun, Bürstenmacher,	geboren am 4. Dezember 1870 zu Wyhlen, Baden, ortsangehörig zu Schupfheim, Kanton Luzern, Schweiz,	Landstreichen,	Kaiserlicher Bezirks-Präsident zu Colmar,	11. Januar 1890.

Lauf. Nr.	Name und Stand des Ausgewiesenen	Alter und Heimath	Grund der Bestrafung	Behörde, welche die Ausweisung beschlossen hat.	Datum des Ausweisungs-Beschlusses.
1	2.	3	4	5.	6.
10	Ignatz Sikorski, Schuhmacher,	geboren am 14. Juni 1851 zu Rosprza, Gouvernement Petrikau, Rußland, ortsangehörig ebendaselbst, wohnhaft zuletzt in Berlin,	Betteln im wiederholten Rückfall,	Königlicher Polizei-Präsident zu Berlin,	18. Dezember 1889.
11	Andreas Halot, Arbeiter,	31 Jahre alt, geboren zu Oschek, Galizien,	desgleichen,	Königlich Preußischer Regierungspräsident zu Oppeln,	4. Januar 1890.
12	Heinrich Kapucian, Büchsenmacher,	geboren am 24 Juli 1852 zu Brünn, Mähren,	desgleichen,	Königlich Preußischer Regierungspräsident zu Breslau,	15. Januar 1890.
13	Andreas Vogel, Schmied,	geboren am 8. Dezember 1823 zu Sattel, Bezirk Neustadt a. M., Böhmen, ortsangehörig ebendaselbst,	desgleichen,	derselbe,	16 Januar 1890.
14	Andreas Mihankewitsch, Arbeiter,	geboren am 14. Februar 1834 zu Calis bei Warschau, Russisch-Polen, ortsangehörig ebendaselbst,	Landstreichen und Betteln,	Königlich Preußischer Regierungspräsident zu Lüneburg,	9. Januar 1890.
15	Josef Schwez, Schlosser,	geboren am 10. August 1836 zu Welhartitz, Bezirk Schüttenhofen, Böhmen, ortsangehörig ebendaselbst,	Betteln im wiederholten Rückfall,	Königlich Bayerisches Bezirksamt Stadtamhof,	19. Dezember 1889.
16	Krescenz Hirsch, ledige Dienstmagd,	geboren am 1. Mai 1870 zu Oberthal, Bezirk Braunau, Böhmen, ortsangehörig zu Stadler Antheil, Bezirk Schüttenhofen, ebendaselbst,	Landstreichen und Betteln,	Königlich Bayerisches Bezirksamt Erding,	26. Dezember 1889.
17	Josef Johann Böhm, Handschuhmachergehülfe,	geboren am 9. Mai 1868 zu Postelberg, Bezirk Saaz, Böhmen, ortsangehörig zu Leneschitz, Bezirk Laun, ebendaselbst,	Betteln im wiederholten Rückfall und Widerstand gegen die Staatsgewalt,	Königlich Sächsische Kreishauptmannschaft zu Zwickau,	14. Dezember 1889.
18	Franz Christl, Maurergeselle,	geboren am 8. Januar 1859 zu Scheibenradisch, Bezirk Tepl, Böhmen, ortsangehörig ebendaselbst,	Betteln im wiederholten Rückfall,	Königlich Sächsische Kreishauptmannschaft zu Bautzen,	21. Dezember 1889.
19	Mendel Garn, Händler,	geboren im Jahre 1819 zu Ropczyce, Kreis Tarnow, Galizien, ortsangehörig ebendaselbst,	Landstreichen,	Großherzoglich Mecklenburg-Schwerinsches Ministerium des Innern zu Schwerin,	13. Dezember 1889.

Vermischte Nachrichten.

Verzeichniß der Vorlesungen

an der Königlichen Landwirthschaftlichen Hochschule zu Berlin, Invalidenstraße Nr. 42, **im Sommer-Semester 1890.**

1. Landwirthschaft, Forstwirthschaft und Gartenbau.

Professor Dr. Orth: Spezieller Acker- und Pflanzenbau. Bonitirung des Bodens. Praktische Uebungen zur Bodenkunde. Leitung agronomischer und agriculturchemischer Untersuchungen in Verbindung mit Assistent Dr. Berju. — Landwirthschaftliche Excursionen. — Professor Dr. Werner: Abriß der landwirthschaftlichen Productionslehre (Betriebslehre) Theil II. Rindviehzucht. Repititorium der Betriebslehre. Demonstrationen am Rinde und landwirthschaftliche Excursionen. — Professor Dr. Lehmann: Pferdezucht. Molkereiwesen. Schweinezucht. Repetitorium der Thierzuchtlehre incl. Fütterungslehre. — Ingenieur Schotte: Landwirthschaftliche Maschinenkunde. Maschinen und bauliche Anlagen für Brauerei, Brennerei, Stärke- und Zuckerfabrikation Feldmessen und Nivelliren für Landwirthe (Vortrag und Uebungen). Zeichen- und Constructions-Uebungen. — Forstmeister Krieger: Spezielle Holzkenntniß. Forstbenutzung (Hauptnutzung). Forstliche Excursionen. — Garteninspector Lindemuth: Gemüsebau.

2. Naturwissenschaften.

a. Botanik und Pflanzenphysiologie. Professor Dr. Kny: Morphologie der Pflanzen. Botanisch-mikroskopischer Cursus. Arbeiten für Fortgeschrittenere im botanischen Institut. — Professor Dr. Frank: Experimental-Physiologie der Pflanzen. Anleitung zu pflanzenphysiologischen Untersuchungen im Gebiete der Landwirthschaft. Arbeiten für Fortgeschrittenere im pflanzenphysiologischen Institut. — Professor Dr. Wittmack: land- und forstwirthschaftliche Botanik Ueber Getreidezüchtung. Bestimmen der Gräser und Futterpflanzen. Botanische Excursionen — Privatdocent Dr. Tschirch: Botanisch-mikroskopische Uebungen, mit specieller Berücksichtigung praktischer Fragen. Angewandte Pflanzen-Anatomie.

b. Chemie und Technologie. Geheimer Regierungs-Rath, Professor Dr. Landolt: Organische Experimentalchemie. Großes chemisches Prakticum. Kleines chemisches Prakticum. — Professor Dr. Delbrück: Spiritusfabrication nebst Uebungen. — Dr. Herzfeld: Fabrication des Rübenzuckers. — Privatdocent Dr. Hayduck: Gährungs-Chemie. — Privatdocent Dr. Marckwald: analytische Chemie.

c. Mineralogie, Geologie und Geognosie. Prof. Dr. Gruner: Mineralogie und Gesteinslehre. Der Boden Deutschlands Grundzüge der allgemeinen Chemie. Mineralogisch-pedologisches Prakticum. Geognostische Excursionen.

d. Physik. Professor Dr. Börnstein: Experimental-Physik, II. Theil. Physikalische Uebungen. Ausgewählte Kapitel der mathematischen Physik.

e. Zoologie und Thierphysiologie. Professor Dr. Nehring: Zoologie und Geschichte der Hausthiere. Ueber Fischzucht. Zoologisches Colloquium. — Dr. Karsch: Ueber die der Landwirthschaft nützlichen und schädlichen Insecten, mit besonderer Berücksichtigung von Bienenzucht und Seidenbau. — Professor Dr. Zuntz: Ueberblick der gesammten Thierphysiologie. Arbeiten im thierphysiologischen Laboratorium.

3. Veterinärkunde.

Prof. Dr. Dieckerhoff: Die inneren Krankheiten der Hausthiere. — Professor Dr. Möller: Aeußere Krankheiten der Hausthiere. — Professor Müller: Ueber Anatomie der Hausthiere (Knochen, Muskeln, Nervensystem, Sinnesorgane), verbunden mit Demonstrationen. — Oberroßarzt Küttner: Hufbeschlagslehre.

4. Rechts- und Staatswissenschaft.

Professor Dr. Sering: Allgemeine National-Oekonomie. National-ökonomische Uebungen.

5. Culturtechnik und Baukunde.

Meliorations-Bauinspector Gerhardt: Culturtechnik. Entwerfen von Ent- und Bewässerungs-Anlagen. — Professor Schlichting: Bauconstructionslehre. Erdbau. Wasserbau. Landwirthschaftliche Baulehre. Entwerfen von Bauwerken des Wasser-, Wege- und Brückenbaues.

6. Geodäsie und Mathematik.

Professor Dr. Vogler: Traciren Praktische Geometrie. Zeichenübungen. Geodätische Rechenübungen in zwei Gruppen (mit dem Assistenten Boedecker). Uebungen im Ausgleichen, in zwei Gruppen (mit dem Assistenten Hegemann). Meßübungen im Freien bei Westend. — Professor Dr. Börnstein: Algebra. Mathematische Uebungen. — Professor Dr. Reichel: Analytische Geometrie der Ebene und Differentialrechnung. Trigonometrie. Mathematische Uebungen. Uebungen zur Analysis (mit den Assistenten Hegemann und Boedecker).

Das Sommer-Semester beginnt am 16. April 1890. — Programme sind durch das Secretariat zu erhalten.

Berlin, den 24. Januar 1890.

Der Rector der Königl. Landwirthschaftlichen Hochschule.

Hierzu Drei Oeffentliche Anzeiger.

(Die Insertionsgebühren betragen für eine einspaltige Druckzeile 20 Pf. Belagsblätter werden der Bogen mit 10 Pf. berechnet.)

Redigirt von der Königlichen Regierung zu Potsdam.

Potsdam, Buchdruckerei der A. W. Hayn'schen Erben (E. Hayn, Hof-Buchdrucker).

präkludirt und mit ihren Ansprüchen lediglich an die bei der Königlichen Instituten-Kasse hierselbst deponirte Kapitals-Valuta verwiesen werden.

Aus früheren Verloosungen sind Pfandbriefe Lit. B noch rückständig und bereits präkludirt:

à $3^{1}/_{2}$ %

aus der 20. Verloosung:

№ 18581 Hausdorf über 100 Thlr.

à 4 %

aus der 35. Verloosung:

№ 82257 Herrschaft Fürstenstein rc. über 25 Thlr.,

aus der 38 Verloosung:

№ 82226 Herrschaft Groß Stein rc über 25 Thlr.,

aus der 40. Verloosung:

№ 50376 Herrsch. Gr. Stein rc. über 200 Thlr.,
№ 50904 do. = 200 Thlr.,
№ 51976 Poln. Krawarn u. Mackau = 200 Thlr.,
№ 52032 do. = 200 Thlr.,
№ 52034 do. = 200 Thlr.,
№ 52221 Med. Herz. Ratibor = 200 Thlr.,
№ 63515 Herrsch. Gr. Stein rc. = 100 Thlr.,
№ 64342 O. u. N. Miechowitz = 100 Thlr.,
№ 64842 Poln. Krawarn u. Mackau = 100 Thlr.,
№ 64949 Med. Herz. Ratibor = 100 Thlr.,

aus der 41. Verloosung:

№ 51624 O u. N. Miechowitz über 200 Thlr.,
№ 52010 Poln. Krawarn u. Mackau = 200 Thlr.,
№ 52257 Med. Herz. Ratibor = 200 Thlr.,
№ 64364 O. u. N. Miechowitz = 100 Thlr.,
№ 64857 Poln. Krawarn u. Mackau = 100 Thlr.,
№ 65004 Med. Herz. Ratibor = 100 Thlr.,
№ 79287 Niklasdorf = 50 Thlr.,
№ 82227 Herrsch. Gr. Stein rc. = 25 Thlr.,
№ 82450 Poln. Krawarn u. Mackau = 25 Thlr.,
№ 82451 do. = 25 Thlr.

Breslau, den 17. Februar 1890.

Königliches Kredit-Institut für Schlesien.

Personal-Chronik.

Den Domänenpächtern Wilhelm Fischer zu Badingen und Rudolf Büttner zu Lodeoffund ist von dem Herrn Minister für Landwirthschaft, Domänen und Forsten der Character: „Königlicher Oberamtmann" verliehen worden.

Im Kreise Niederbarnim ist an Stelle des Königlichen Hegemeisters Neugebauer zu Schönwalde, welcher sein Amt niedergelegt hat, der Königliche Förster Hahn I. zu Neumühl zum Amtsvorsteher-Stellvertreter des Amtsbezirks 35 Schönwalde ernannt worden.

Der Amtsgerichts-Sekretär Lobvogel in Brandenburg a. H. ist zum Stellvertreter des Amts-Anwalts bei dem Königlichen Amtsgericht daselbst ernannt worden.

Die Ernennung des Ziegeleibesitzers Schultze zu Mittenwalde zum Stellvertreter des Amtsanwalts daselbst ist auf den Antrag des rc. Schultze zurückgenommen.

Der bisherige Domhülfsprediger Ludwig August Hermann Max Stolte ist zum Pfarrer der Parochie Groß-Behnitz, Diözese Altstadt Brandenburg, bestellt worden.

Der bisherige Predigtamts-Kandidat Gottfried Carl Louis Scheele zu Blönsdorf ist zum Diakonus in Belzig und Prediger bei der Filialgemeinde Preußnitz Diözese Belzig, bestellt worden.

Das unter Königlichem Patronat stehende Archidiakonat an der St Jacobi-Kirche zu Berlin, Diözese Cöln Stadt, ist durch das Ableben des Archidiakonus Laacke am 7. Januar 1890 zur Erledigung gekommen.

Die unter dem Patronat des Magistrats von Prenzlau stehende Pfarrstelle zu Blindow, Diözese Prenzlau II, ist durch das Ableben des Pfarrers Heintze am 29. Januar 1890 zur Erledigung gekommen.

Der Schulamtskandidat Dr. Riese ist als ordentlicher Lehrer am Lessing-Gymnasium zu Berlin angestellt worden.

Ausweisung von Ausländern aus dem Reichsgebiete.

Lauf. Nr.	Name und Stand des Ausgewiesenen.	Alter und Heimath des Ausgewiesenen.	Grund der Bestrafung.	Behörde, welche die Ausweisung beschlossen hat.	Datum des Ausweisungs-Beschlusses.
1.	2.	3.	4.	5.	6.
		Auf Grund des § 362 des Strafgesetzbuchs:			
1	Karl Friedrich Schmid, Tagner,	geboren im Jahre 1850 zu Bern, Schweiz, ortsangehörig zu Rüggisberg, ebendaselbst,	Landstreichen,	Kaiserlicher Bezirks-Präsident zu Colmar,	7. Januar 1890.
2	Friedrich Kneubühl, Gärtner,	geboren am 8. März 1867 zu Auschlen, Schweiz, ortsangehörig ebendaselbst,	desgleichen,	derselbe,	9. Januar 1890.
3	Andreas Moser, Maler,	geboren am 23. Juli 1862 zu Basel, Schweiz, ortsangehörig ebendas.,	desgleichen,	derselbe,	desgleichen.

Bekanntmachungen des Königlichen Ober-Präsidenten der Provinz Brandenburg.

Wahl eines Provinzial-Landtags-Abgeordneten.

6. An Stelle des verstorbenen Gutsbesitzers, Hauptmanns a. D. Winkler zu Siebenbeuthen ist der Rittergutsbesitzer, Ritterschaftsrath und Kreisdeputirte **Freiherr von Blomberg** zu Liebthal zum Provinzial-Landtags-Abgeordneten des Kreises Crossen gewählt worden. **Solches wird gemäß § 21 der Provinzialordnung vom 29. Juni 1875 hiermit bekannt gemacht.**

Potsdam, den 19. Februar 1890.

Der Ober-Präsident der Provinz Brandenburg,
Staatsminister von Achenbach.

Bekanntmachungen des Königlichen Regierungs-Präsidenten.

Fischerei-Aufsicht.

44. Im Anschluß an die Bekanntmachung vom 20. September 1889 (Amtsbl. S. 352) wird hierdurch zur öffentlichen Kenntniß gebracht, daß an Stelle des verstorbenen Königlichen Försters Schröder zu Forsthaus Fristow der **Königliche Förster Hübel** zum nebenamtlichen **Fischerei-Aufseher** für das im **nordöstlichen Winkel des Zermützel-See's** eingerichtete Laichschon-Revier bestellt worden ist.

Potsdam, den 20. Februar 1890.

Der Regierungs-Präsident.

Schifffahrtssperre.

45. Unter Bezugnahme auf meine Bekanntmachungen vom 31. Oktober und 21. November v. J. — Amtsblatt Stück 45 beziehentlich Stück 48 — benachrichtige ich hierdurch die Schifffahrt treibende Bevölkerung, daß **die Havel bei der Brandenburger Stadtschleuse** nicht wie angegeben war, bis zum 1. März d. J., sondern **bis zum 15. März d. J. für die Schifffahrt und Flößerei gesperrt ist.**

Potsdam, den 24. Februar 1890.

Der Regierungs-Präsident.

46. Nachweisung der an den Pegeln der Spree und Havel im Monat Januar 1890 beobachteten Wasserstände.

Datum.	Berlin. Ober-Wasser N. N.	Berlin. Unter-Wasser N. N.	Spandau. Ober-Wasser	Spandau. Unter-Wasser	Potsdam.	Baumgartenbrück.	Brandenburg. Ober-Wasser	Brandenburg. Unter-Wasser	Rathenow. Ober-Wasser	Rathenow. Unter-Wasser	Havelberg.	Plauer Brücke.
	Meter.	Meter.	Meter.	Meter.	Meter.	Meter.	Meter.	Meter.	Meter.	Meter.	Meter.	Meter.
1	32,37	30,72	2,64	0,90	1,29	0,84	2,20	1,72	1,52	1,22	2,08	2,16
2	32,34	30,70	2,66	0,96	1,28	0,84	2,20	1,74	1,62	1,40	1,90	2,18
3	32,36	30,70	2,64	0,88	1,27	0,83	2,20	1,74	1,62	1,40	1,86	2,18
4	32,38	30,66	2,62	0,86	1,25	0,81	2,20	1,76	1,70	1,48	1,78	2,18
5	32,38	30,63	2,60	0,82	1,24	0,80	2,20	1,76	1,72	1,50	1,74	2,20
6	32,40	30,66	2,62	0,86	1,22	0,78	2,18	1,74	1,72	1,50	1,76	2,20
7	32,42	30,68	2,62	0,88	1,22	0,77	2,18	1,74	1,74	1,52	1,80	2,20
8	32,44	30,70	2,60	0,86	1,21	0,76	2,18	1,72	1,76	1,54	1,86	2,22
9	32,44	30,78	2,56	0,90	1,21	0,75	2,18	1,70	1,76	1,54	1,92	2,22
10	32,44	30,80	2,54	0,96	1,22	0,76	2,18	1,70	1,78	1,56	1,98	2,22
11	32,40	30,77	2,54	0,96	1,24	0,77	2,18	1,70	1,78	1,56	2,08	2,22
12	32,44	30,78	2,54	0,88	1,23	0,77	2,24	1,66	1,78	1,56	2,16	2,20
13	32,48	30,74	2,56	0,92	1,25	0,78	2,20	1,70	1,78	1,56	2,24	2,20
14	32,48	30,80	2,56	1,00	1,26	0,79	2,20	1,70	1,78	1,56	2,30	2,18
15	32,48	30,82	2,54	1,04	1,27	0,80	2,18	1,72	1,78	1,56	2,34	2,18
16	32,48	30,82	2,56	1,04	1,29	0,80	2,22	1,72	1,78	1,56	2,40	2,16
17	32,50	30,80	2,58	1,02	1,29	0,81	2,24	1,72	1,80	1,58	2,44	2,16
18	32,50	30,86	2,60	1,04	1,30	0,81	2,26	1,72	1,80	1,58	2,46	2,16
19	32,50	30,86	2,64	1,04	1,31	0,82	2,28	1,70	1,80	1,58	2,48	2,18
20	32,52	30,86	2,66	1,08	1,31	0,84	2,26	1,74	1,80	1,58	2,54	2,18
21	32,52	30,82	2,60	1,12	1,34	0,85	2,26	1,74	1,76	1,54	2,58	2,20
22	32,54	30,82	2,60	1,14	1,35	0,85	2,24	1,72	1,76	1,54	2,62	2,20
23	32,54	30,84	2,60	1,16	1,37	0,87	2,20	1,76	1,76	1,54	2,68	2,22
24	32,52	30,82	2,64	1,16	1,43	0,89	2,12	1,80	1,78	1,56	2,70	2,22
25	32,54	30,90	2,64	1,24	1,42	0,91	2,28	1,78	1,78	1,56	2,74	2,24
26	32,52	30,96	2,62	1,26	1,43	0,92	2,26	1,82	1,78	1,56	2,78	2,24
27	32,55	30,94	2,66	1,26	1,45	0,94	2,16	1,82	1,78	1,56	2,82	2,26
28	32,52	30,92	2,64	1,28	1,49	0,97	2,16	1,84	1,78	1,56	2,88	2,26
29	32,54	30,98	2,66	1,30	1,49	0,98	2,26	1,88	1,80	1,58	3,02	2,28
30	32,58	31,00	2,64	1,32	1,49	0,98	2,24	1,90	1,80	1,58	3,14	2,28
31	32,60	30,96	2,64	1,30	1,48	0,97	2,26	1,92	1,82	1,60	3,30	2,30

Potsdam, den 24. Februar 1890. **Der Regierungs-Präsident.**

Polizei-Verordnung,

betreffend die Abänderung der Baupolizei-Ordnung für die Städte des Regierungsbezirks Potsdam vom $\frac{\text{15. Juli 1868}}{\text{26. Januar 1872}}$

47. Auf Grund des § 137 des Gesetzes über die allgemeine Landesverwaltung vom 30. Juli 1883 — Ges.-S. S. 195 — und der §§ 6, 12 und 15 des Gesetzes über die Polizei-Verwaltung vom 11. März 1850 — Ges.-S. S. 265 — wird unter Zustimmung des Bezirksausschusses für den Regierungsbezirk Potsdam folgende Polizei-Verordnung erlassen:

Einziger Artikel.

Der vorletzte Satz des § 6 der Bau-Polizeiordnung für die Städte des Regierungsbezirks Potsdam vom $\frac{\text{15. Juli 1868}}{\text{26. Januar 1872}}$ beginnend mit „Ist der" und schließend mit „zu lassen" und der letzte Satz des § 8 beginnend mit „Handelt es sich" werden aufgehoben.

Potsdam, den 18. Februar 1890.

Der Regierungs-Präsident Graf Hue de Grais.

Polizei-Verordnung,

betreffend die Abänderung der Baupolizei-Ordnung für die Vororte von Berlin vom 24. Juni 1887.

48. Auf Grund des § 137 des Gesetzes über die allgemeine Landesverwaltung vom 30. Juli 1883 — Ges.-S. S. 195 — und der §§ 6, 12 und 15 des Gesetzes über die Polizei-Verwaltung vom 11. März 1850 — Ges.-S. S. 265 — wird unter Zustimmung des Bezirksausschusses folgende Polizei-Verordnung erlassen:

Einziger Artikel.

Der letzte Satz des § 39 der unterm 24. Juni 1887 — Amtsblatt S. 245 — erlassenen Baupolizei-Ordnung für die Vororte von Berlin, beginnend mit „Wo nach dem Ermessen" wird aufgehoben.

Potsdam, den 18. Februar 1890.

Der Regierungs-Präsident Graf Hue de Grais.

Belobigung für Rettung aus Lebensgefahr.

49. Die Fabrikarbeiter Karl Kleinfeldt und Gustav Bendlin zu Oranienburg haben am 5. Januar d. J. den elfjährigen Schulknaben Fritz Fechner aus der „Faulen Havel" bei Oranienburg vom Tode des Ertrinkens gerettet. Diese von Muth und Entschlossenheit zeugende That wird hiermit belobigend zur öffentlichen Kenntniß gebracht.

Potsdam, den 19. Februar 1890.

Der Regierungs-Präsident.

Kunstkaffeebohnen betreffend.

50. Seit einiger Zeit werden sogenannte Kunstkaffeebohnen, welche durch besondere Maschinen hergestellt werden, insbesondere unter dem Namen „Gassen's Kunstkaffee" in den Handel gebracht, welcher den gebrannten natürlichen Kaffeebohnen so ähnlich ist, daß eine **betrügerische Beimengung** zu den letzteren stattfinden kann.

Auch gedruckte Anweisungen zur „Fabrikation von Kunstkaffeebohnen in Form naturgetreuer Kaffeebohnen" werden ausgegeben.

In jenen Anweisungen wird auf die **Täuschung des Publikums** noch besonders hingewiesen.

Die Kunstbohnen unterscheiden sich von den echten Bohnen dadurch, daß jene in Aether sofort untersinken, während die echten Bohnen wegen ihres Fettgehaltes größtentheils zunächst obenauf schwimmen. Werden Kaffeebohnen in eine heiße, stark oxydirende Flüssigkeit (Königswasser oder dergl.) geworfen, so werden die echten Bohnen viel schneller entfärbt, als die künstlichen.

Mit der Fabrikation und dem Vertriebe des Gassen'schen Kunstkaffees ist also lediglich eine Täuschung und Uebervortheilung des Kaffee konsumirenden Publikums bezweckt.

Indem wir dies zur öffentlichen Kenntniß bringen, **warnen wir die interessirten Handel- und Gewerbetreibenden noch besonders vor dem Vertriebe jenes Kunstkaffees** mit dem Hinzufügen, daß im Betretungsfalle **unnachsichtlich auf Grund der §§ 10 und 11 des Nahrungsmittel-Gesetzes vom 14. Mai 1879** (Reichs-Gesetz-Blatt Seite 145) **strafrechtlich eingeschritten werden wird.**

Potsdam und Berlin, den 12. Februar 1890.

Der Regierungs-Präsident. Der Polizei-Präsident.

Verloosung von Equipagen, Pferden ꝛc. in Stettin.

51. Die in der Bekanntmachung vom 4. d. M. — Amtsbl. S. 52 — bezeichnete Verloosung von Equipagen, Pferden ꝛc. in Stettin findet infolge Verlegung des ursprünglich auf die Tage vom 19. bis 22. April d. J. festgesetzten Pferdemarktes zu Stettin erst in den Tagen vom 17. bis 20. Mai d. J. statt.

Potsdam und Berlin, den 19. Februar 1890.

Der Regierungs-Präsident. Der Polizei-Präsident.

Viehseuchen.

52. Festgestellt ist der Milzbrand bei einer Kuh des Bauergutsbesitzers Liere in Zachow, Kreis Westhavelland;

die Maul- und Klauenseuche unter dem Rindviehbestande des Vorwerks Gottesgabe, Kreis Oberbarnim;

bei dem Rindvieh- und Schweinebestande des Schiffers Gustav Kunowsky zu Wend. Rietz und bei dem Rindviehbestande des Rittergutsbesitzers Buchholz zu Cossenblatt, Kreis Beeskow-Storkow.

Das Vorwerk Gottesgabe, Kreis Oberbarnim, und dessen Feldmark ist gegen das Durchtreiben von Wiederkäuern und Schweinen gesperrt worden.

Festgestellt ist ferner die Brustseuche unter den Pferden der 1. Compagnie des Brandenburgischen Train-Bataillons № 3 in Spandau;

verendet ist an der Influenza (Lungenentzündung) ein Pferd des Kaufmanns Schulemann in Deutsch-Wilmersdorf, Kreis Teltow.

Erloschen ist die Maul- und Klauenseuche

[illegible]	[illegible]	[illegible]	[illegible]	[illegible]	[illegible]
	[illegible]				
1	2	3	4	5	6
[illegible]	[illegible]	[illegible]	[illegible]	[illegible]	[illegible]
[illegible]	[illegible]	[illegible]	[illegible]	[illegible]	[illegible]
[illegible]	[illegible]	[illegible]	[illegible]	[illegible]	[illegible]

[illegible]

[illegible]

[illegible]

[illegible]

Tausend Quadratmeter umfassend, in den Gemarkungen Töpchin, Callinchen und Schöneiche im Kreise Teltow des Regierungsbezirks Potsdam und im Oberbergamtsbezirke Halle gelegen ist, zur Gewinnung der in dem Felde vorkommenden Braunkohlen hierdurch verliehen",

urkundlich ausgefertigt am heutigen Tage, wird mit dem Bemerken, daß der Situationsriß in dem Büreau des Königlichen Bergrevierbeamten zu Eberswalde zur Einsicht offen liegt, unter Verweisung auf die Paragraphen 35 und 36 des Allgemeinen Berggesetzes vom 24. Juni 1865 hierdurch zur öffentlichen Kenntniß gebracht.

Halle a. S., den 17. Februar 1890.

Königliches Oberbergamt.

8. Nachstehende Verleihungsurkunde:

„Im Namen des Königs.

Auf Grund der am 16. November 1889 mit Präsentationsvermerk versehenen Muthung wird dem Kaufmann Leopold Falk zu Berlin W., Leipzigerstraße Nr. 29, unter dem Namen **Saalow** das Bergwerkseigenthum in dem Felde, dessen Begrenzung auf dem heute von uns beglaubigten Situationsrisse mit den Buchstaben a b c d e f a bezeichnet ist, und welches, einen Flächeninhalt von 2 186 742 qm, geschrieben: Zwei Millionen einhundertsechsundachtzig Tausend siebenhundertzweiundvierzig Quadratmeter umfassend, in den Gemarkungen Töpchin, Callinchen und Schöneiche im Kreise Teltow des Regierungsbezirks Potsdam und im Oberbergamtsbezirke Halle gelegen ist, zur Gewinnung der in dem Felde vorkommenden Braunkohlen hierdurch verliehen",

urkundlich ausgefertigt am heutigen Tage, wird mit dem Bemerken, daß der Situationsriß in dem Büreau des Königl. Bergrevierbeamten zu Eberswalde zur Einsicht offen liegt, unter Verweisung auf die Paragraphen 35 und 36 des Allgemeinen Berggesetzes vom 24. Juni 1865 hierdurch zur öffentlichen Kenntniß gebracht.

Halle a. S., den 17. Februar 1890.

Königl. Oberbergamt.

Bekanntmachungen der Königlichen Eisenbahn-Direktion zu Bromberg.

Frachtbegünstigung für Ausstellungsgegenstände.

8. Für diejenigen Gegenstände, welche auf der vom 20. bis 22. d. Mts. in Berlin stattfindenden ersten Deutschen Fachausstellung für Steinstraßen-Baumaterialien, Handwerkzeug und Transportmittel ausgestellt werden und unverkauft bleiben, wird auf den Strecken der Preußischen Staatseisenbahnen eine Frachtbegünstigung in der Art gewährt, daß nur für die Hinbeförderung die volle tarifmäßige Fracht berechnet wird, die Rückbeförderung an die Versandstation und den Aussteller aber frachtfrei erfolgt, wenn durch Vorlage des ursprünglichen Frachtbriefes für den Hinweg, sowie durch eine Bescheinigung der Ausstellungs-Commission nachgewiesen wird, daß die Gegenstände ausgestellt gewesen und unverkauft geblieben sind, und wenn die Rückbeförderung innerhalb 4 Wochen nach Schluß der Ausstellung stattfindet. In den ursprünglichen Frachtbriefen für die Hinsendung ist ausdrücklich zu vermerken, daß die mit denselben aufgegebenen Sendungen durchweg aus Ausstellungsgut bestehen.

Bromberg, den 17. Februar 1890.

Königl. Eisenbahn-Direktion.

Nachtrag zum Tarif für die Beförderung von Personen und Reisegepäck, Theil II.

9. Am 1. April 1890 tritt der I. Nachtrag zum Tarif für die Beförderung von Personen und Reisegepäck, Theil II. für den Verkehr von Stationen des Eisenbahn-Direktionsbezirks Bromberg nach Stationen der übrigen Königlich Preußischen Staatseisenbahnen vom 1. April 1889 in Kraft.

Derselbe erthält außer bereits veröffentlichten Tarifänderungen ermäßigte Beförderungspreise für den Verkehr von Alexandrowo, sowie Ergänzungen und Berichtigungen des Tarifs.

Näheres ist bei den Fahrkarten-Ausgaben zu erfahren.

Bromberg, den 11. Februar 1890.

Königliche Eisenbahn-Direktion.

Beförderung von Getreide in unverpacktem Zustande.

10. Im Lokal- und gegenseitigen Verkehr der preußischen Staatseisenbahnen wird vom 1. März d. J. ab die Beförderung von Getreide (Weizen, Roggen, Hafer, Gerste, Mais) und Kleie in Wagenladungen auch in unverpacktem Zustande (in loser Schüttung) unter den nachfolgenden Bedingungen bis auf Weiteres versuchsweise gestattet: 1) Die Beförderung erfolgt in gewöhnlichen bedeckten Wagen. 2) Die Verladung und die Sicherung des verladenen Gutes gegen Verstreuen ist Sache des Versenders. 2) Die hierzu verwendeten Geräthschaften werden nach Maßgabe der allgemeinen Tarifvorschriften unter B. III. 9 des deutschen Eisenbahn-Güter-Tarifs, Theil I. frachtfrei an den Versender zurückbefördert. 3) Die unverpackte Aufgabe ist von dem Versender nach der Vorschrift des § 47 (und Anl. A.) des Betriebs-Reglements für die Eisenbahnen Deutschlands besonders zu erklären. 4) Bei bahnseitiger Entladung auf Antrag des Empfängers oder nach Ablauf der Entladefrist wird neben den Kosten für etwa erfolgte Beschaffung oder Anmiethung von Säcken eine besondere, aus dem Lokal-Güter-Tarife der in Betracht kommenden Verwaltung zu ersehende Gebühr erhoben. Die besonderen Bestimmungen, welche für russisches Getreide bezüglich der Umladung an den Grenzübergangsstationen bezw. bei Entladung auf den Empfangsstationen getroffen sind, bleiben bis auf Weiteres in Kraft.

Bromberg, den 21. Februar 1890.

Königliche Eisenbahn-Direktion.

Neue Ausgabe des Ostdeutschen Eisenbahn-Kursbuchs.

11. Am 1. März d. J. erscheint eine neue Ausgabe des Ostdeutschen Eisenbahn-Kursbuchs, enthaltend die neuesten Fahrpläne der Eisenbahnstrecken östlich der Linie Stralsund—Berlin—Dresden, sowie Auszüge der Fahrpläne der anschließenden Bahnen von Mittel-

Lauf. Nr.	Name und Stand des Ausgewiesenen.	Alter und Heimath des Ausgewiesenen.	Grund der Bestrafung.	Behörde, welche die Ausweisung beschlossen hat	Datum des Ausweisungs-Beschlusses
1	2.	3.	4	5.	6
4	Florentin Constantin Pillonel, Tagner,	geboren am 1. Oktober 1854 zu Bollion, Kanton Freyburg, Schweiz, ortsangehörig ebendas.,	Landstreichen u. Betteln,	Kaiserlicher Bezirks-Präsident zu Colmar,	17. Januar 1890.
5	Jakob Szaserowicz, Barbier,	18 Jahre alt, geboren zu Warschau, Russisch-Polen,	Landstreichen und Betteln,	Königlich Preußischer Regierungspräsident zu Potsdam,	24. Januar 1890.
6	Franziska Chlad, ledige Kellnerin,	geborn am 24. Janua 1864 zu Kratenau, Kreis Königgrätz, Böhmen, ortsangehörig ebendaselbst, wohnhaft zuletzt in Magdeburg, Preußen,	gewerbsmäßige Unzucht,	Königlich Preußischer Regierungspräsident zu Magdeburg,	desgleichen.
7	Johann Rychlowsky, Arbeiter,	geboren am 19. April 1862 zu Nieder-Stepanitz, Bezirk Starkenbach, Böhmen, ortsangehörig ebendaselbst,	Landstreichen und Betteln,	Königlich Preußischer Regierungspräsident zu Breslau,	20. Januar 1890.
8	Aron Steinberg, Handelsmann,	24 Jahre alt, geboren und ortsangehörig zu Myschenitz, Kreis Ostrolenka, Gouvernement Lomza, Russisch-Polen,	desgleichen,	Königlich Preußische Regierung zu Bromberg,	5. Septembr. 1889.
9	Adolf Kramer, Zimmergeselle,	geboren am 2 Februar 1848 zu Budapest, Ungarn, ortsangehörig ebendaselbst,	Betrug und Landstreichen,	Königlich Preußischer Regierungspräsident zu Hildesheim,	23. Januar 1890.
10	Franz Heumann, Schuhmacher,	44 Jahre alt, geboren zu Minitz, Bezirk Prag, Böhmen, ortsangehörig zu Niedergrund, Bezirk Tetschen, ebendaselbst,	Landstreichen,	Königlich Bayerisches Bezirksamt Traunstein,	28. Septembr. 1889.
11	Vincenz Sier, Weber,	70 Jahre alt, geboren und ortsangehörig zu Marklow, Bezirk Starkenbach, Böhmen,	desgleichen,	dasselbe,	8. Januar 1890.
12	Abraham Malicki, Religionslehrer,	geboren im Jahre 1852 zu Opatow, Gouvernement Radom, Russisch-Polen, ortsangehörig zu Stopnica, Gouvernement Kielce, ebendaselbst,	Landstreichen, falsche Namensangabe und Führung falscher Papiere,	Königliche Polizei-Direktion zu München, Bayern,	3. Januar 1890.
13	Josef Martin Wüst, Ziegler,	geboren am 31. Oktober 1834 zu Montlingen, Gemeinde Oberriet, Kanton St. Gallen, Schweiz, ortsangehörig ebendaselbst,	Landstreichen und Betteln,	dieselbe,	9. Januar 1890.

Amtsblatt
der Königlichen Regierung zu Potsdam und der Stadt Berlin.

Stück 10. Den 7. März **1890.**

Bekanntmachungen des Königlichen Ober-Präsidenten der Provinz Brandenburg.

Wahl eines Provinzial-Landtags-Abgeordneten.

7. An Stelle des verstorbenen Kaufmanns und Stadtverordneten Parlasca hierselbst ist der Königliche Hoflieferant und Stadtverordnete Schroeder hierselbst zum Provinzial-Landtags-Abgeordneten der Stadt Potsdam gewählt worden. Solches wird gemäß § 21 der Provinzialordnung vom 29. Juni 1875 hiermit bekannt gemacht.

Potsdam, den 1. März 1890.

Der Ober-Präsident der Provinz Brandenburg, Staatsminister von Achenbach.

Bekanntmachungen des Königlichen Regierungs-Präsidenten.

Zur Invaliditäts- und Altersversicherung.

(Reichsgesetz vom 22. Juni 1889.)

I.

58. Die durch die nachstehende Verordnung:

Wir Wilhelm, von Gottes Gnaden Deutscher Kaiser, König von Preußen 2c.

verordnen auf Grund des § 162, Absatz 2 des Gesetzes, betreffend die Invaliditäts- und Altersversicherung, vom 22. Juni 1889 (Reichs-Gesetzbl. S. 97) im Namen des Reichs, mit Zustimmung des Bundesraths, was folgt:

Die §§ 18 und 140 des Gesetzes, betreffend die Invaliditäts- und Altersversicherung, vom 22. Juni 1889 (Reichs-Gesetzbl. S. 97) treten mit dem Tage der Verkündung dieser Verordnung in Kraft.

Urkundlich unter Unserer Höchsteigenen Unterschrift und beigedrucktem Kaiserlichen Insiegel.

Gegeben Berlin, den 30. Dezember 1889.

(Siegel.) gez. Wilhelm.

ggez. von Bötticher.

in Kraft gesetzten §§ 18 und 140 des Gesetzes, betreffend die Invaliditäts- und Altersversicherung lauten:

§ 18.

Zum Nachweise einer Krankheit (§ 17) genügt die Bescheinigung des Vorstandes derjenigen Krankenkasse (§ 135), beziehungsweise derjenigen eingeschriebenen oder auf Grund landesrechtlicher Vorschriften errichteten Hülfskasse, welcher der Versicherte angehört hat, für diejenige Zeit aber, welche über die Dauer der von den betreffenden Kassen zu gewährenden Krankenunterstützung hinausreicht, sowie für diejenigen Personen, welche einer derartigen Kasse nicht angehört haben, die Bescheinigung der Gemeindebehörde. Die Kassenvorstände sind verpflichtet, diese Bescheinigungen auszustellen und können hierzu von der Aufsichtsbehörde durch Geldstrafe bis zu 100 M. angehalten werden.

Für die in Reichs- und Staatsbetrieben beschäftigten Personen können die vorstehend bezeichneten Bescheinigungen durch die vorgesetzte Dienstbehörde ausgestellt werden.

Der Nachweis geleisteter Militärdienste erfolgt durch Vorlegung der Militärpapiere.

§ 140.

Alle zur Begründung und Abwickelung der Rechtsverhältnisse zwischen den Versicherungsanstalten einerseits und den Arbeitgebern und Versicherten andererseits erforderlichen schiedsgerichtlichen und außergerichtlichen Verhandlungen und Urkunden sind gebühren- und stempelfrei. Dasselbe gilt für privatschriftliche Vollmachten und amtliche Bescheinigungen, welche auf Grund dieses Gesetzes zur Legitimation oder zur Führung von Nachweisen erforderlich werden.

II.

Allgemeine Grundsätze der Invaliditäts- und Altersversicherung.

(Reichsgesetz vom 22. Juni 1889.)

1) Der Invaliditäts- und Altersversicherung sind kraft Gesetzes vom vollendeten sechszehnten Lebensjahre ab unterworfen:
   a. die gegen Lohn oder Gehalt beschäftigten Arbeiter (sowohl der Industrie wie der Landwirthschaft), Gehülfen, Gesellen, Lehrlinge, Dienstboten, Seeleute,
   b. diejenigen Betriebsbeamten, sowie diejenigen Handlungsgehülfen und Lehrlinge (ausschließlich der in Apotheken beschäftigten), deren Jahresarbeitsverdienst an Lohn oder Gehalt 2000 M. nicht übersteigt,
2) Betriebsunternehmer, welche nicht wenigstens regelmäßig einen Lohnarbeiter beschäftigen (namentlich kleine Handwerker und Landwirthe) sowie alle Hausindustriellen sind berechtigt, der staatlichen Versicherung beizutreten, sofern sie noch nicht 40 Jahre alt und noch nicht invalide sind.
3) Die Versicherten erhalten bei eintretender Invalidität eine Invalidätsrente, bei einem Alter von 70 Jahren eine Altersrente.
4) Voraussetzung der Invaliditätsrente ist
   a. der Nachweis der Erwerbsunfähigkeit,
   b. eine Wartezeit von mindestens 5 Beitragsjahren,

Die Erwerbsunfähigkeit gilt dann als vorhanden, wenn in Folge des körperlichen oder geistigen Zustandes des Versicherten sein Lohn oder Verdienst sich bis etwa $^1/_3$ vermindert hat.

5) Voraussetzung der Altersrente ist außer dem zurückgelegten 70. Lebensjahre eine Wartezeit von 30 Beitragsjahren.

6) Als Beitragsjahr gelten 47 Beitragswochen, während deren der Versicherte in einem die Versicherungspflicht begründenden Dienst- oder Arbeitsverhältnisse gestanden hat.

7) Als Beitragszeit wird ferner in Anrechnung gebracht
 a. die Zeit militärischer Dienstleistungen,
 b. bis zu einem Jahre die Dauer einer bescheinigten mit Erwerbsunfähigkeit verbundenen, länger als 7 Tage währenden Krankheit.

8) Die Höhe der Invaliditäts- und der Altersrente ist abhängig von der Lohnklasse, welcher der Versicherte angehört hat.

9) Nach der Höhe des Jahresarbeitsverdienstes werden 4 Lohnklassen gebildet

Klasse I. bis 350 M.,
 " II. von 350 bis 550 M.,
 " III. " 550 bis 850 M.,
 " IV. " mehr als 850 M.

Die freiwillig Versicherten (Ziffer 2) gehören der 2. Lohnklasse an.

10) Die Altersrente beträgt

für Lohnklasse I. 106,40 M.,
 " " II. 134,60 "
 " " III. 162,80 "
 " " IV. 191,— "

11) Die Invaliditätsrente steigt mit der Zahl der Beitragsjahre resp. Beitragswochen. Ihr Mindestbetrag (nach fünfjähriger Wartezeit) stellt sich

in der I. Lohnklasse auf 114,70 M.,
 " " II. " " 124,00 "
 " " III. " " 131,15 "
 " " IV. " " 144,00 "

Die Rente steigt mit jeder weiteren Beitragswoche in Klasse I. um 2 Pf., in Klasse II. um 6 Pf., in Klasse III. um 9 Pf., in Klasse IV. um 13 Pf., beträgt also nach 50 Beitragsjahren:

für die I. Lohnklasse 157,00 M.,
 " " II. " 251,00 "
 " " III. " 321,50 "
 " " IV. " 415,50 "

12) Neben der Invaliditätsrente wird eine Altersrente nicht gewährt. Die Letztere kommt in Wegfall, sobald der Empfänger Invaliditätsrente erhält.

13) Für jede Rente, die an eine kraft Gesetzes versicherte Person zu zahlen ist, gewährt das Reich einen Zuschuß in Höhe von 50 M. Die ferneren Mittel, welche zur Durchführung der Versicherung erforderlich sind, werden durch Beiträge gedeckt, welche den Arbeitgebern und den Versicherten zu gleichen Theilen zur Last fallen.

14) Die Einzahlung der Beiträge erfolgt durch die Arbeitgeber in der Weise, daß sie Marken in der Höhe des geschuldeten Betrages auf die dem Versicherten gehörende und auf seinen Namen lautende Quittungskarte kleben.

15) Die Arbeitgeber sind berechtigt, die Hälfte des Werthes der Marken, die sie in die Quittungskarte eines Arbeiters geklebt haben, diesem bei der Lohnzahlung in Abzug zu bringen.

16) Die Beiträge für Arbeitgeber und Versicherten zusammen betragen wöchentlich

für die I. Lohnklasse 14 Pf.,
 " " II. " 20 "
 " " III. " 24 "
 " " IV. " 30 "

17) Freiwillig Versicherte (Ziffer 2) haben die in Ziffer 16 aufgeführten Beiträge allein zu tragen und außerdem in ihre Quittungskarte wöchentlich eine Zusatzmarke im Werthe von 8 Pf. einzukleben, letzteres, weil das Reich zu Gunsten der freiwillig Versicherten Zuschüsse nicht gewährt.

18) Eine Rückerstattung der Arbeiterbeiträge findet statt
 a. an weibliche Personen, welche eine Ehe eingehen, bevor sie in den Genuß einer Rente gelangt sind,
 b. an Wittwen und Waisen, soweit die letzteren noch nicht 15 Jahre alt sind, falls deren Ehemann resp. Vater (bei vaterlosen Waisen die Mutter) gestorben ist, ohne in den Genuß einer Rente gelangt zu sein.

Voraussetzung ist in beiden Fällen, daß Beiträge für mindestens fünf Beitragsjahre entrichtet worden sind. Im Falle a. ist außerdem erforderlich, daß der Anspruch binnen drei Monaten nach der Verheirathung geltend gemacht wird.

19) Die Inkraftsetzung des Gesetzes erfolgt durch Kaiserliche Verordnung, welche noch aussteht.

III.

Die Uebergangsbestimmungen des Gesetzes betreffend die Invaliditäts- und Altersversicherung.

Um die Wohlthaten des Gesetzes, betreffend die Invaliditäts- und Altersversicherung, der arbeitenden Bevölkerung möglichst bald zu Theil werden zu lassen, sind Uebergangsbestimmungen getroffen, welche eine Anrechnung der vor dem Inkrafttreten des Gesetzes liegenden Dienst- und Arbeitszeit ermöglichen.

1) Der Anspruch auf Invaliditätsrente entsteht während der ersten fünf Jahre nach dem Inkrafttreten des Gesetzes unter der Voraussetzung, daß
 a. für mindestens ein Jahr (47 Beitragswochen) die gesetzlichen Beiträge entrichtet sind,
 b. der Versicherte schon vor dem Inkrafttreten des Gesetzes — aber innerhalb 5 Jahren vor Eintritt der Erwerbsunfähigkeit — so viele Wochen in einem Arbeits- oder Dienstverhältnisse ge-

standen hat, als nach Abzug der Beitragswochen zu a. an fünf Beitragsjahren fehlen.

2) Während d.e Wartezeit für die Altersrente in der Regel dreißig Beitragsjahre beträgt, verkürzt sie sich für die zur Zeit des Inkrafttretens des Gesetzes über 40 Jahre alten Versicherten um soviele Jahre, als diese über 40 Jahre alt sind, unter der Voraussetzung, daß solche Personen während der — dem Inkrafttreten des Gesetzes unmittelbar vorausgehenden — drei Kalenderjahre mindestens 141 Wochen hindurch thatsächlich in einem Dienst- oder Arbeitsverhältnisse gestanden haben.

3) Auf die nach Ziffer 1 und 2 nachzuweisende Arbeitszeit vor dem Inkrafttreten des Gesetzes kommen militärische Dienstleistungen und länger als 7 Tage währenden Krankheiten in gleicher Weise in Anrechnung wie auf die Beitragszeit (s. oben Ziffer 7).

4) Die Uebergangsbestimmungen finden nur auf die kraft Gesetzes versicherten, nicht auf die freiwillig versicherten Personen Anwendung.

5) Der Nachweis der vor dem Inkrafttreten des Gesetzes liegenden Dienst- oder Arbeitsverhältnisse (Ziffer 1 und 2), sowie der in Anwendung kommenden militärischen Dienstleistungen und der Krankheiten (Ziffer 3) ist Sache des Versicherten. Er wird durch Bescheinigungen geführt, welche gebühren- und stempelfrei ertheilt werden.

6) Die Bescheinigungen über die Dauer eines Dienst- oder Arbeitsverhältnisses (Ziffer 1 und 2) sind von den Arbeitsgebern auszustellen und von einer öffentlichen Behörde (Gemeindevorstand—Ortspolizeibehörde) zu beglaubigen. Auch können diese Bescheinigungen von der unteren Verwaltungsbehörde ausgestellt werden.

7) Die Bescheinigung einer Krankheit erfolgt durch den Vorstand derjenigen Krankenkasse beziehungsweise derjenigen eingeschriebenen Hilfskasse, welcher der die Bescheinigung Nachsuchende angehört. Für die Zeit, welche über die Dauer der von den betreffenden Kassen zu gewährenden Krankenunterstützung hinausgeht, sowie für diejenigen Personen, welche einer derartigen Kasse nicht angehören, wird die Bescheinigung durch die Gemeindebehörde ausgestellt.

Für die in Reichs- und Staatsbetrieben beschäftigten Personen können Krankheitsbescheinigungen von der vorgesetzten Dienstbehörde ertheilt werden.

8) Der Nachweis geleisteter Militärdienste erfolgt durch Vorlegung der Militärpapiere.

IV.

Die betheiligten Bevölkerungskreise werden wohlthun, sich die erforderlichen Nachweise und Bescheinigungen über ihre Dienst- und Arbeitsverhältnisse sowie Krankheitsfälle aus den letzten Jahren vor dem Inkrafttreten des Alters- und Invalidenversicherungsgesetzes, also etwa seit dem 1. Oktober 1886 bei Zeiten zu beschaffen, und darf die Erwartung ausgesprochen werden, daß sie bei diesem Vorhaben bei allen Arbeitgebern bereitwillige Unterstützung finden.

Eine zweckmäßige Anleitung findet Jedermann in der kleinen Schrift von Pfafferoth: „Was muß ein Jeder schon jetzt zur Sicherung seiner Ansprüche auf Invaliden- und Altersrenten thun?' (Preis 25 Pf.) sowie in der Schrift „die Arbeiterfamilie und die gesetzliche Invaliditäts- und Altersversicherung" von Hermann Gebhard und Paul Geibel (Altenburg, Stephan Geibel, Verlagsbuchhandlung, Preis 35 Pf.).

V.

Alle nachgeordneten Beamten werden ersucht, bei jeder sich darbietenden Gelegenheit die betheiligten Bevölkerungskreise mit den für sie maßgebenden Vorschriften des Gesetzes bekannt zu machen.

Potsdam, den 26. Februar 1890.

Der Regierungs-Präsident.

Ertheilung von Leichenpässen

54. Im Anschluß an meine Bekanntmachung vom 1. November v. J. — Amtsblatt S. 395 — bringe ich hierdurch zur öffentlichen Kenntniß, daß nach einem Erlaß der Herren Minister des Innern und der geistlichen, Unterrichts- und Medicinal-Angelegenheiten vom 7. Februar d. J. auch die Direktoren der Königlichen Universitäts-Kliniken berechtigt sein sollen, bei Leichenpässen die erforderliche Bescheinigung über die Todesursache und darüber, daß gesundheitliche Bedenken gegen die Beförderung der Leiche nicht vorliegen, auszustellen.

Potsdam, den 25. Februar 1890.

Der Regierungs-Präsident.

55. **Die Namen und Bezirke der Vertrauensmänner der Elbschifffahrts-Berufsgenossenschaft im Regierungsbezirk Potsdam**

werden hiermit veröffentlicht:

Vertrauensmännerbezirke.	Kreise	Vertrauensmänner.	Wohnort.	Vertrauens-Ersatzmänner.	Wohnort.
VII a.	Zauch-Belzig, Potsdam (Stadtkreis).	Fr. Galle.	Lehnin.	A. Gebhardt.	Potsdam.
VII b.	Osthavelland.	Schleusenmeister Borch.	Spandau.	J. G. Lange (Firma Lene & Co)	Spandau.
VII c	Westhavelland, West- und Ost-Prignitz.	Ferdinand Schoppe.	Havelberg.	Buhnenmeister F. Schütze.	Havelberg.

Potsdam, den 3. März 1890.

Der Regierungs-Präsident.

Allerhöchste Cabinetsordre.

56. Aus Ihrem Berichte vom 18. Februar d. J. habe Ich mit Mißfallen entnommen, daß in wiederholten Fällen, namentlich in den Regierungsbezirken Stettin und Köslin, Landbewohner durch falsche Vorspiegelungen zur Auswanderung nach Brasilien verlockt worden sind und heimlich nach Bremen sich begeben haben, in der trügerischen Hoffnung, von dort aus nach Brasilien weiterbefördert zu werden. Ich will, daß dem gemeingefährlichen Treiben der Auswanderungsagenten, durch welches ein Theil Meiner Unterthanen verlockt wird, unter Nichtachtung ihrer Pflichten gegen das Vaterland, unter Schädigung ihrer Angehörigen und unter Bruch ihrer Arbeitsverträge sich dem Elende preiszugeben, mit allen zu Gebote stehenden Mitteln entgegengetreten und insbesondere auch in geeigneter Weise auf Belehrung der Betheiligten hingewirkt wird. Ich beauftrage Sie, dementsprechend die Regierungspräsidenten in Stettin und Köslin mit den erforderlichen Weisungen zu versehen. Dieser Erlaß ist durch die Kreisblätter bekannt zu machen.

Berlin, den 19. Februar 1890.

gez. **Wilhelm** R.

ggez. Herrfurth. Frhr. von Berlepsch.

An die Minister des Innern und für Handel und Gewerbe.

ad I. B. 1417.

* * *

Vorstehende Allerhöchste Cabinetsordre wird hierdurch zur öffentlichen Kenntniß gebracht.

Potsdam, den 4. März 1890.

Der Regierungs-Präsident.

Die Mecklenburgische Hagel-Versicherungs-Gesellschaft zu Neu-Brandenburg betreffend.

57. Der in der General-Versammlung der Mecklenburgischen Hagel-Versicherungs-Gesellschaft vom 4. März d. J. gefaßte, Seitens der beiden Großherzoglich Mecklenburgischen Landesregierungen zu Neustrelitz und Schwerin am 12. bezw. 25. April d. J. bestätigte Beschluß,

> wonach in Abänderung des Artikels 2 des Gesellschaftsstatuts der Geschäftsbereich der Gesellschaft bis auf eine Entfernung von 400 km (bisher 300 km) von Neubrandenburg ausgedehnt wird,

wird hierdurch auch diesseits genehmigt.

Die Concession zum Geschäftsbetriebe in dem hiernach in Betracht kommenden Theile Preußens kann zu jeder Zeit und ohne daß es der Angabe von Gründen bedarf, lediglich nach dem Ermessen der Preußischen Staatsregierung zurückgenommen und für erloschen erklärt werden.

Berlin, den 17. Oktober 1889.

(L. S.)

Der Minister für Landwirthschaft, Domänen und Forsten.

In Vertretung.

(Unterschrift.)

Genehmigungsurkunde

ad I. 17634.

*

Vorstehende Genehmigungsurkunde wird hierdurch zur öffentlichen Kenntniß gebracht.

Potsdam, den 1. März 1890.

Der Regierungs-Präsident.

Anlegung einer Apotheke in Franz. Buchholz und einer zweiten Apotheke in Neu-Weißensee bei Berlin.

58. In Französisch Buchholz im Kreise Niederbarnim und zwar in dem nördlichen Theil des Ortes soll eine Apotheke angelegt werden.

Auch soll eine zweite Apotheke in Neu-Weißensee bei Berlin ungefähr am Treffpunkte der Gustav-Adolphstraße und des Heinersdorfer Weges errichtet werden.

Bewerbungen um die bezüglichen Concessionen nehme ich bis zum 10. April d. J. entgegen. Die Bewerber haben ihre Approbation, eine kurze aber vollständige Lebensbeschreibung und amtlich bestätigte Zeugnisse über ihre bisherige Beschäftigung und Führung einzureichen, auch die Versicherung zu geben, daß sie eine Apotheke bisher nicht besessen haben, oder andernfalls die vorschriftsmäßige Genehmigung zu ihrer Bewerbung vorzulegen; ferner den amtlich beglaubigten Nachweis zu führen, daß ihnen die zur Errichtung der Apotheke und zum Ankaufe des dazu erforderlichen Grundstücks nothwendigen Geldmittel zur Verfügung stehen.

Potsdam, den 26. Februar 1890.

Der Regierungs-Präsident.

Ausspielung von Handarbeiten, Büchern 2c. in Kaiserswerth.

59. Der Herr Minister des Innern hat der Direktion der Diakonissen-Anstalt zu Kaiserswerth die Erlaubniß ertheilt, zum Besten der Anstalt im Laufe dieses Jahres eine Ausspielung beweglicher Gegenstände (Handarbeiten, Bücher, Bilder 2c.) zu veranstalten und die zu derselben auszugebenden 15000 Loose zu je 50 Pf. im ganzen Bereiche der Monarchie zu vertreiben.

Potsdam und Berlin, den 28. Februar 1890.

Der Regierungs-Präsident. Der Polizei-Präsident.

Viehseuchen.

60. Erloschen ist: Die Maul- und Klauenseuche unter dem Rindvieh der Bauerhofbesitzer Wilhelm Schulz und Christian Grose zu Bergholz, Kreis Prenzlau; unter dem Rindvieh auf dem Rittergut Dyrotz, Kreis Osthavelland, und in Lietzow, Bagow und Bienenfarm, Kreis Westhavelland.

Potsdam, den 4. März 1890.

Der Regierungs-Präsident.

Bekanntmachungen des Königlichen Polizei-Präsidiums zu Berlin.

Allerhöchster Erlaß.

16. Auf Ihren Bericht vom 26. Januar d. J. verleihe Ich der Stadtgemeinde Berlin das Recht, die zur Freilegung der Straße № 23 der Abtheilung II. des Bebauungsplanes der Umgebungen Berlin's, der Wollinerstraße zwischen der Demminer- und der Bernauerstraße, der Straße № 15 der Abtheilung XII. des Bebauungsplanes zwischen der Danziger-Straße und der Straße № 13, und der Straße № 58 der Abtheilung XIII[2] des Bebauungsplanes zwischen der Liebig- und der Proskauer-Straße erforderlichen Grund-

stücksthelle im Wege der Enteignung zu erwerben. Die überreichten Uebersichtspläne und Lagepläne erfolgen anbei zurück.

Berlin, den 3. Februar 1890.

gez. **Wilhelm** R.

ggez. von Maybach.

* * *

Vorstehender Allerhöchster Erlaß wird in Gemäßheit des § 2 des Enteignungsgesetzes vom 11. Juni 1874 hierdurch zur öffentlichen Kenntniß gebracht.

Berlin, den 26 Februar 1890.

Der Polizei-Präsident.

Errichtung von neuen Apotheken in Berlin.

17. Der Herr Ober-Präsident der Provinz Brandenburg hat durch Erlaß vom 14. dieses Monats die Errichtung von **neuen Apotheken in Berlin** an folgenden Punkten genehmigt:

1) ungefähr an der Ecke der Lübecker- und Perlebergerstraße,
2) ungefähr an der Ecke der Paul-, Melanchthon- und Flemmingstraße,
3) am Treffpunkte der Anton- und Moxstraße,
4) ungefähr an der Ecke der Fenn- und Tegelerstraße,
5) ungefähr an der Ecke der Rheinsberger- und Strelitzerstraße.

Geeignete Bewerber werden zur Meldung binnen einer **Präklusivfrist von 6 Wochen** mit dem Bemerken hierdurch aufgefordert, daß **persönliche Vorstellungen zwecklos** sind und **die an mich zu richtenden Bewerbungen lediglich schriftlich** zu geschehen haben.

Der Meldung sind beizufügen:

a. Approbation und sonstige **physikatlich beglaubigte** Zeugnisse,
b. Lebenslauf,
c. **amtlich beglaubigter** Nachweis über die zur Uebernahme bezw Einrichtung einer Apotheke erforderlichen Mittel,
d. ein polizeiliches Führungs-Attest.

Der Bewerber hat außerdem pflichtgemäß zu versichern, daß er eine Apotheke bisher nicht besessen hat, oder — falls dies der Fall sein sollte — die Genehmigung des Herrn Ministers der geistlichen, Unterrichts- und Medizinal-Angelegenheiten zur abermaligen Bewerbung um Apotheken-Neuanlagen vorzulegen.

Gleichzeitig weise ich darauf hin, daß Gesuche von Bewerbern, welche 10 und mehr Jahre sich vom Apothekenfache abgewandt haben oder welche erst nach dem Jahre 1875 approbirt sind, bei der großen Zahl mehr berechtigter Bewerber zur Zeit keine Aussicht auf Erfolg haben.

Solche Apotheker stehen deshalb zur Vermeidung unnöthigen Schreibwerkes 2c. am Besten von der Bewerbung ab.

Berlin, den 22. Februar 1890.

Der Polizei-Präsident.

Bekanntmachungen des Staatssekretairs des Reichs-Postamts.

Einrichtung einer Postagentur in Lome (Togo-Schutzgebiet).

3. In Lome (Deutsches Togo-Schutzgebiet) wird zum 1. März d. J. eine Kaiserliche Postagentur eingerichtet, welche sich mit der Beförderung von Briefsendungen jeder Art und von Postpacketen bis 5 kg befaßt. Für Sendungen aus Deutschland nach Lome beträgt das Porto: für frankirte Briefe 20 Pf. für je 15 g, für Postkarten 10 Pf., für Drucksachen, Waarenproben und Geschäftspapiere 5 Pf. für je 50 g, mindestens jedoch 10 Pf. für Waarenproben und 20 Pf. für Geschäftspapiere, zu welchen Sätzen gegebenenfalls die Einschreibgebühr von 20 Pf. hinzutritt, für Postpackete bis 5 kg 1 M. 60 Pf.

Berlin W., den 21. Februar 1890.

Der Staatssecretair des Reichs-Postamts.

Bekanntmachungen der Kaiserlichen Ober-Post-Direktion zu Potsdam.

Einrichtung einer Reichs-Telegraphenanstalt in Cumlosen.

18. In Cumlosen wird am 5. März eine Reichs-Telegraphenanstalt in Wirksamkeit treten.

Potsdam, den 2. März 1890.

Der Kaiserliche Ober-Postdirector.

Bekanntmachungen der Königlichen Hauptverwaltung der Staatsschulden.

Aufgebot einer Schuldverschreibung.

5. Der Gutsbesitzer Seuffert in Tryppehna bei Möckern, Regierungsbezirk Magdeburg, hat auf Umschreibung der Schuldverschreibung der 4prozentigen konsolidirten Staatsanleihe von 1883 Lit. D. № 454299 über 500 M. angetragen, weil die obere rechte Ecke abgerissen ist. In Gemäßheit des § 3 des Gesetzes vom 4. Mai 1843 (Ges.-S. S. 177) wird deshalb Jeder, der an diesem Papier ein Anrecht zu haben vermeint, aufgefordert, dasselbe binnen 6 Monaten und spätestens **am 8. September 1890** uns anzuzeigen, widrigenfalls das Papier kassirt und dem 2c. Seuffert ein neues kursfähiges ausgehändigt werden wird. Berlin, den 22. Februar 1890.

Hauptverwaltung der Staatsschulden.

Bekanntmachungen der Königl. Direktion der Rentenbank der Provinz Brandenburg.

Verloosung von Rentenbriefen.

2. Bei der in Folge unsrer Bekanntmachung vom 18. v. M. heute geschehenen öffentlichen Verloosung **von Rentenbriefen der Provinz Brandenburg** sind folgende Apoints gezogen worden:

Litt. A. zu 3000 M. (1000 Thlr.) 157 Stück

und zwar die Nummern:

12 295 319 1012 1230 1383 1791 1919 2064 2137
2240 2376 2748 2772 2902 2925 2930 3013 3027
3148 3639 3915 3966 4247 4449 4620 4678 5241
5379 5427 5587 5871 5873 5925 6128 6154 6193
6218 6254 6381 6520 6630 6644 6656 6749 6886
6986 7332 7501 7521 7786 7892 8332 8355 8487
8507 8579 8767 8823 8830 8905 9135 9144 9149
9164 9340 9883 9959 10172 10216 10292 10466

10554 10652 10954 11027 11066 11083 11173
11345 11408 11475 11553 11559 11748 11837
12104 12367 12378 12440 12538 12710 12863
12912 12922 13215 13395 13547 13677 13697
13853 14022 14026 14348 14383 14393 14424
14668 14743 14829 14865 14882 14922 15067
15186 15211 15480 15489 15968 16182 16259
16330 16429 16525 16671 16682 16696 17247
17281 17409 17458 17471 17722 17788 17825
17833 17906 17926 17933 17946 17994 18134
18171 18190 18247 18342 18465 18695 18715
18746 18835 18872 18893 19000 19090 19113
19134.

Litt. B. zu 1500 M. (500 Thlr.) 53 Stück
und zwar die Nummern:

83 215 298 365 414 565 816 853 1580 1603 1607
1662 1695 1817 1947 1978 2240 2241 2378 2567
3120 3246 3452 3594 3791 3813 3819 3842 4062
4064 4151 4325 4336 4678 4772 4793 4839 4915
5125 5378 5379 5451 5504 5859 6189 6255 6494
6543 6550 6675 6784 6803 6817.

Litt. C. zu 300 M. (100 Thlr.) 206 Stück
und zwar die Nummern:

167 170 263 485 511 546 574 664 921 1123 1153
1203 1373 1379 1471 1472 2314 2632 2669 2712
2761 2976 3298 3384 3480 3548 3828 4057 4273
4494 4662 5124 5207 5439 5485 5789 5840 6037
6227 6539 6700 6884 7105 7262 7408 7795 7825
7864 7916 8322 8425 8535 8605 9125 9163 9343
9347 9401 9449 9830 9900 10268 10387 10505
10565 10621 10652 10682 10723 10884 11022
11028 11118 11337 11382 11425 11491 11585
11705 11877 11973 12078 12094 12118 12184
12301 12308 12342 12417 12509 12528 12754
13020 13089 13248 13314 13366 13397 13437
13488 13547 13633 13640 13740 13897 13951
13996 14098 14131 14406 14519 14565 14628
14960 15314 15369 15501 15621 15688 16107
16171 16216 16355 16389 16446 16823 16884
16895 16949 17251 17260 17293 17313 17558
17615 17655 17997 18052 18094 18462 18496
18528 18595 18729 18866 18890 19063 19172
19224 19228 19235 19248 19300 19346 19430
19541 19584 19603 19620 19804 19859 19894
20058 20109 20191 20199 20227 20480 20862
21025 21062 21274 21373 21469 21495 21530
22027 22057 22094 22280 22415 22527 22529
22629 22666 22745 22759 22796 22865 22917
22971 22980 23097 23152 23197 23368 23477
23617 23681 23706 23781 23788 23850 23887
24455 24510.

Litt. D. zu 75 M. (25 Thlr.) 175 Stück
und zwar die Nummern:

37 244 461 786 817 1027 1281 1725 1775 1780
1936 1993 2057 2560 2644 2693 2781 3095 3132
3208 3295 3302 3542 3702 3762 4037 4083 4122
4417 4660 4715 4758 4925 5042 5045 5109 5216
5233 5521 5732 6199 6313 6400 6441 6462 6543
6695 6704 6907 6972 7171 7216 7240 7254 7281
7398 7528 7534 7635 7747 7849 7883 7946 7976
8124 8890 9012 9103 9184 9187 9322 9402 9512
9690 9715 10072 10242 10253 10472 10480 10549
10682 11098 11130 11267 11523 11539 11682
11727 11806 11828 12179 12212 12321 12420
12512 12670 12807 13083 13180 13391 13415
13458 13551 13612 13630 13690 13725 13748
14015 14468 14698 14701 14884 15152 15175
15209 15221 15227 15283 15368 15420 15477
15803 15895 16107 16262 16315 16543 16557
16581 16734 16788 16890 16916 17137 17214
17353 17479 17875 17930 18373 18494 18538
18569 18620 18626 18662 18675 18682 18689
18719 18771 18786 18878 18914 18924 18926
19167 19176 19299 19331 19334 19463 19510
19662 19679 19888 19938 19952 19953 20003
20296 20307 20347.

Die Inhaber dieser Rentenbriefe werden aufgefordert, dieselben in coursfähigem Zustande mit dem dazu gehörigen Coupon Serie V. № 16 und Talon bei der hiesigen Rentenbank-Kasse, Klosterstraße Nr. 76 I., vom 1. April k. J. ab an den Wochentagen von 9 bis 1 Uhr einzuliefern, um hiergegen und gegen Quittung den Nennwerth der Rentenbriefe in Empfang zu nehmen. Vom 1. April k. J. ab hört die Verzinsung der ausgeloosten Rentenbriefe auf, diese selbst verjähren mit dem Schlusse des Jahres 1900 zum Vortheil der Rentenbank.

Die Einlieferung ausgelooster Rentenbriefe an die Rentenbank-Kasse kann auch durch die Post, portofrei, und mit dem Antrage erfolgen, daß der Geldbetrag auf gleichem Wege übermittelt werde. Die Zusendung des Geldes geschieht dann auf Gefahr und Kosten des Empfängers und zwar bei Summen bis zu 400 M. durch Postanweisung. Sofern es sich um Summen über 400 M. handelt, ist einem solchen Antrage eine ordnungsmäßige Quittung beizufügen.

Berlin, den 14. November 1889.

Königliche Direction
der Rentenbank für die Provinz Brandenburg.

Einlösung fälliger Zinsscheine.

8. Die Rentenbank-Kasse, Klosterstraße Nr. 76 I. hierselbst, wird a. die am 1. April d. J. fälligen Zinsscheine der Rentenbriefe **aller** Provinzen schon vom 19. bis einschließlich 24. März d. J. und b. die ausgeloosten, am 1. April d. J. fälligen Rentenbriefe der **Provinz Brandenburg** vom 21. bis einschließlich 26. März d. J. einlösen und demnächst vom 1. April d. J. ab mit der Einlösung fortfahren.

Berlin, den 19. Februar 1890.

Königliche Direktion
der Rentenbank für die Provinz Brandenburg.

Bekanntmachungen der Königlichen Eisenbahn-Direktion zu Berlin.

Zeitkarten-Verkehr auf der Berliner Stadt- und Ringbahn.

7. Vom 1. März d. J. ab wird der neue Personengeld-Tarif der Stadt- und Ringbahn auf den

Zeitkartenverkehr dieser Strecken derartig übertragen, daß für die noch laufenden Zeitkarten Anträgen auf Aenderung der Strecke, der Wagenklasse, der Geltungsdauer und des Preises für die Zeit von dem Eingangs gedachten Tage ab stattgegeben werden wird. Derartige Anträge sind unter Beifügung der noch gültigen Zeitkarten an die betreffenden Fahrkarten-Ausgabestellen zu richten.

Berlin, den 28. Februar 1890.

Königliche Eisenbahn-Direktion.

Bekanntmachungen der Königlichen Eisenbahn-Direktion zu Bromberg.

Vorausbestellung Berliner Droschken in Cüstrin.

12. Reisende nach Berlin über Kreuz—Cüstrin können vom 15. März d. J. ab auf dem Bahnhofe in Cüstrin bei dem dienstthuenden Stationsbeamten durch Lösung einer Bestellkarte zum Preise von 25 Pfennig sich eine Droschke auf den Fernstationen der Berliner Stadtbahn telegraphisch vorausbestellen. Nach Ankunft in Berlin erhalten die Reisenden am Ausgange des Bahnhofs von dem Schutzmann gegen Abgabe der Bestellkarte die Marke der bestellten Droschke. Das Fahrgeld ist von dem Reisenden selbst an den Führer der Droschke zu entrichten. Die genannte Gebühr kommt für die telegraphische Uebermittelung der Bestellung zur Erhebung und wird daher auch nicht zurückgezahlt, wenn die Bestellung in Berlin wegen Mangels an Droschken nicht ausgeführt werden kann.

Bromberg, den 21. Februar 1890.

Königliche Eisenbahn-Direktion.

Neuer Tarif für die Beförderung von Personen und Reisegepäck, Theil II.

13. Am 1. April 1890 tritt ein neuer Tarif für die Beförderung von Personen und Reisegepäck, Theil II., zwischen den Stationen des Eisenbahn-Direktionsbezirks Bromberg in Kraft. Durch denselben werden außer Kraft gesetzt: 1) Der Lokal-Tarif des Eisenbahn-Direktionsbezirks Bromberg für die Beförderung von Personen, Reisegepäck und Hunden vom 1. Januar 1886 nebst Nachträgen. 2) Die in dem seit dem 1. April 1889 giltigen Tarife des Eisenbahn-Direktionsbezirks Berlin für die Beförderung von Personen und Reisegepäck, Theil II., betreffs des Verkehrs der Stationen der Bahnstrecke Stargard i. Pm.-Stettin untereinander, sowie die in diesem Tarife für den Verkehr zwischen den Stationen Alt-Damm, Carolinenhorst und Stettin einerseits und Stationen des Eisenbahn-Direktionsbezirks Bromberg andererseits enthaltenen Beförderungspreise. 3) Die in dem seit dem 1. April 1889 giltigen Tarife für die Beförderung von Personen und Reisegepäck, Theil II., von Stationen des Eisenbahn-Direktionsbezirks Bromberg nach Stationen der übrigen Königl. Preußischen Staats-Eisenbahnen für den Verkehr über Stargard i. Pm. nach Alt-Damm, Carolinenhorst und Stettin enthaltenen Beförderungspreise. Mit Ausnahme der durch unsere Bekanntmachung vom 6. Februar d. J. bereits veröffentlichten anderweitigen Berechnungsweise des Personen-Fahrgeldes und der Gepäckfracht im Fernverkehre mit Berlin tritt eine Aenderung der Beförderungspreise durch den neuen Tarif nicht ein. Letzterer kann für 1,40 M. durch Vermittelung der Fahrkarten-Ausgaben des diesseitigen Bezirks bezogen werden.

Bromberg, den 24. Februar 1890.

Königliche Eisenbahn-Direktion.

Bekanntmachungen anderer Behörden.

Allgemeine Vertragsbedingungen für die Ausführung von Garnisonbauten.

1. Gegenstand des Vertrages.

Den Gegenstand des Unternehmens bildet die im Vertrage bezeichnete Leistung. Im einzelnen bestimmt sich Art und Umfang der dem Unternehmer obliegenden Verpflichtungen nach den Verdingungsanschlägen, den zugehörigen Zeichnungen und sonstigen als zum Vertrage gehörig bezeichneten Unterlagen. Die in den Verdingungsanschlägen angenommenen Vordersätze unterliegen jedoch denjenigen Aenderungen, welche — ohne wesentliche Abweichung von den dem Vertrage zu Grunde gelegten Bauentwürfen — bei der Ausführung der betreffenden Bauwerke sich ergeben.

Abänderungen der Bauentwürfe selbst anzuordnen, bleibt der Bauleitung vorbehalten. Leistungen, welche in den Bauentwürfen nicht vorgesehen sind, können dem Unternehmer nur mit seiner Zustimmung übertragen werden.

2. Berechnung der Vergütung.

Die dem Unternehmer zukommende Vergütung wird nach den wirklichen Leistungen unter Zugrundelegung der vertragsmäßigen Einheitspreise berechnet.

Die Vergütung für Tagelohnarbeiten erfolgt nach den vertragsmäßig vereinbarten Lohnsätzen.

3. Ausschluß einer besonderen Vergütung für Nebenleistungen, Vorhalten von Werkzeug, Geräthen, Rüstungen.

Insoweit in den Verdingungsanschlägen für Nebenleistungen sowie für das Vorhalten von Werkzeug und Geräthen, Rüstungen u. s. w. nicht besondere Preisansätze vorgesehen sind, umfassen die vereinbarten Preise und Tagelohnsätze zugleich die Vergütung für die zur planmäßigen Herstellung des Bauwerks gehörenden Nebenleistungen aller Art, insbesondere auch für die Heranschaffung der zu den Bauarbeiten erforderlichen Materialien aus den auf der Baustelle befindlichen Lagerplätzen nach der Verwendungsstelle am Bau, sowie die Entschädigung für Vorhaltung von Werkzeug, Geräthen u. s. w.

Auch die Gestellung der zu den Absteckungen, Höhenmessungen und Abnahmevermessungen erforderlichen Arbeitskräfte und Geräthe liegt dem Unternehmer ob, ohne daß demselben eine besondere Entschädigung hierfür gewährt wird.

4. Mehrleistung gegen den Vertrag.

Ohne ausdrückliche schriftliche Anordnung oder Genehmigung des Garnison-Baubeamten darf der Unternehmer keinerlei vom Vertrage abweichende oder im Verdingungsanschlage nicht vorgesehene Leistungen ausführen.

Diesem Verbot zuwider von dem Unternehmer bewirkte Leistungen ist die Bauleitung befugt, auf dessen Gefahr und Kosten wieder beseitigen zu lassen; auch hat der Unternehmer nicht nur keinerlei Vergütung für derartige Leistungen zu beanspruchen, sondern muß auch für allen Schaden aufkommen, welcher etwa durch diese Abweichungen vom Vertrage entstanden ist.

5. Minderleistung gegen den Vertrag.

Bleiben die ausgeführten Leistungen zufolge der von dem Garnison-Baubeamten getroffenen Anordnungen unter einer im Vertrage festverdungenen Menge zurück, so hat der Unternehmer Anspruch auf den Ersatz des ihm nachweislich hieraus entstandenen wirklichen Schadens.

Nöthigenfalls entscheidet hierüber das Schiedsgericht (25).

6. Beginn, Fortführung und Vollendung der Leistungen, Versäumnißstrafe.

Der Beginn, die Fortführung und Vollendung der Arbeiten und Lieferungen hat nach den in den besonderen Bedingungen festgesetzten Fristen zu erfolgen.

Ist über den Beginn der Leistung in den besonderen Bedingungen eine Vereinbarung nicht enthalten, so hat der Unternehmer spätestens 14 Tage nach schriftlicher Aufforderung seitens des bauleitenden Beamten zu beginnen.

Die Leistung muß im Verhältniß zu den bedungenen Vollendungsfristen fortgesetzt angemessen gefördert werden.

Die Zahl der zu verwendenden Arbeitskräfte und Geräthe, sowie die Vorräthe an Materialien müssen allezeit den übernommenen Leistungen entsprechen.

Eine im Vertrage bedungene Versäumnißstrafe gilt nicht für erlassen, wenn die verspätete Vertragserfüllung ganz oder theilweise ohne Vorbehalt angenommen worden ist.

Eine tageweise zu berechnende Versäumnißstrafe für verspätete Ausführung von Bauarbeiten bleibt für die in die Zeit einer Verzögerung fallenden Sonntage und allgemeinen Feiertage außer Ansatz.

7. Hinderungen der Bauausführung.

Glaubt der Unternehmer sich in der ordnungsmäßigen Fortführung der übernommenen Leistungen durch Anordnungen des Garnison-Baubeamten oder des bauleitenden Beamten oder durch das nicht gehörige Fortschreiten der Leistungen anderer Unternehmer behindert, so hat er bei dem bauleitenden Beamten hiervon schriftliche Anzeige zu erstatten.

Andernfalls werden schon wegen der unterlassenen Anzeige keinerlei auf die betreffenden, angeblich hindernden Umstände begründete Ansprüche oder Einwendungen zugelassen.

Nach Beseitigung derartiger Hinderungen sind die Leistungen ohne weitere Aufforderung ungesäumt wieder aufzunehmen.

Der Behörde, welche den Vertrag genehmigt hat, bleibt vorbehalten, falls die bezüglichen Beschwerden des Unternehmers für begründet zu erachten sind, eine angemessene Verlängerung der im Vertrage festgesetzten Vollendungsfristen — längstens bis zur Dauer der betreffenden Arbeitshinderung — zu bewilligen.

Für die bei Eintritt einer Unterbrechung der Bauausführung bereits ausgeführten Leistungen erhält der Unternehmer die den vertragsmäßig bedungenen Preisen entsprechende Vergütung. Ist für verschiedenwerthige Leistungen ein nach dem Durchschnitt bemessener Einheitspreis vereinbart, so ist, unter Berücksichtigung des höheren oder geringeren Werthes der ausgeführten Leistungen gegenüber den noch rückständigen, ein von dem verabredeten Durchschnittspreis entsprechend abweichender neuer Einheitspreis für das Geleistete besonders zu ermitteln und danach die zu gewährende Vergütung zu berechnen.

Außerdem kann der Unternehmer im Fall einer Unterbrechung oder gänzlichen Abstandnahme von der Bauausführung den Ersatz des ihm nachweislich entstandenen wirklichen Schadens beanspruchen, wenn die eine Fortsetzung des Baues hindernden Umstände entweder von der Behörde, welche den Vertrag genehmigt hat und deren Organen verschuldet sind, oder, insoweit zufällige, von dem Willen der Behörde unabhängige Umstände in Frage stehn, sich auf Seiten derselben zugetragen haben.

Eine Entschädigung für entgangenen Gewinn kann in keinem Falle beansprucht werden.

In gleicher Weise ist der Unternehmer zum Schadenersatz verpflichtet, wenn die betreffenden, die Fortführung des Baues hindernden Umstände von ihm verschuldet sind, oder auf seiner Seite sich zugetragen haben.

Auf die gegen den Unternehmer geltend zu machenden Schadenersatzforderungen kommen die etwa eingezogenen oder verwirkten Versäumnißstrafen in Anrechnung. Ist die Schadenersatzforderung niedriger als die Versäumnißstrafe, so kommt nur die letztere zur Einziehung.

In Ermangelung gütlicher Einigung entscheidet über die bezüglichen Ansprüche das Schiedsgericht (25).

Dauert die Unterbrechung der Bauausführung länger als 6 Monate, so steht jeder der beiden Vertragsparteien der Rücktritt vom Vertrage frei. Die Rücktrittserklärung muß schriftlich und spätestens 14 Tage nach Ablauf jener 6 Monate dem anderen Theile zugestellt werden; anderenfalls bleibt — unbeschadet der inzwischen etwa erwachsenen Ansprüche auf Schadenersatz oder Versäumnißstrafe — der Vertrag mit der Maßgabe in Kraft, daß die in demselben ausbedungene Vollendungsfrist um die Dauer der Bauunterbrechung verlängert wird.

8. Güte der Leistung.

Die Leistungen müssen den besten Regeln der Baukunst und den besonderen Bestimmungen des Verdingungsanschlages und des Vertrages entsprechen.

Bei den Arbeiten dürfen nur tüchtige und geübte Arbeiter beschäftigt werden.

Leistungen, welche der Garnison-Baubeamte den gedachten Bedingungen nicht entsprechend findet, sind sofort zu beseitigen und durch untadelhafte zu ersetzen. Für hierbei entstehende Verluste an Materialien hat der Unternehmer die Baukasse schadlos zu halten.

Arbeiter, welche nach dem Urtheile der Bauleitung untüchtig sind, müssen auf Verlangen entlassen und durch tüchtige ersetzt werden. Personen, welche an gemeingefährlichen Bestrebungen in irgend einer Weise betheiligt sind, dürfen bei Garnisonbauten nicht beschäftigt werden.

Materialien, welche dem Anschlage bezw. den besonderen Bedingungen oder den dem Vertrage zu Grunde gelegten Proben nicht entsprechen, sind auf Anordnung des Garnison-Baubeamten innerhalb einer von ihm zu bestimmenden Frist von der Baustelle zu entfernen.

Dem von dem Unternehmer als Bezugsquelle bezeichneten Fabrikanten wird von dem bauleitenden Beamten Mittheilung gemacht, wenn sich Anstände bezüglich der Ausführung der betreffenden Lieferungen ergeben.

Behufs Ueberwachung steht dem Garnison-Baubeamten oder den von demselben zu beauftragenden Personen jederzeit während der Arbeitsstunden der Zutritt zu den Arbeitsplätzen und Werkstätten frei, in welchen zu dem Unternehmen gehörige Arbeiten angefertigt werden.

9. Erfüllung der Verbindlichkeiten, welche dem Unternehmer Handwerkern und Arbeitern gegenüber obliegen.

Der Unternehmer hat dem bauleitenden Beamten über die mit Handwerkern und Arbeitern in Betreff der Ausführung der Arbeit geschlossenen Verträge jederzeit auf Erfordern Auskunft zu ertheilen.

Sollte das angemessene Fortschreiten der Arbeiten dadurch in Frage gestellt werden, daß der Unternehmer Handwerkern oder Arbeitern gegenüber die Verpflichtungen aus dem Arbeitsvertrage nicht oder nicht pünktlich erfüllt, so ist die Behörde, welche den Vertrag genehmigt hat, berechtigt, die von dem Unternehmer geschuldeten Beträge für dessen Rechnung unmittelbar an die Berechtigten zu zahlen. Der Unternehmer hat die hierzu erforderlichen Unterlagen, Lohnlisten u. s. w. dem bauleitenden Beamten zur Verfügung zu stellen.

Der Unternehmer ist ferner verpflichtet, für die Errichtung einer Baukrankenkasse für die auf dem Bau beschäftigten Arbeiter Sorge zu tragen, resp. Letztere nach Maßgabe des Gesetzes vom 15. Juni 1883 — Reichsgesetzblatt № 9 pro 1883 — betreffend die Krankenversicherung der Arbeiter, bei einer Orts- oder Gemeinde-Krankenkasse zu versichern. Unternehmer haftet der Militär-Verwaltung für Ausführung dieser Bestimmung, sowie auch für alle Nachtheile, welche der Militär-Verwaltung etwa durch Unterlassung in Beziehung auf die Krankenversicherung der Arbeiter entstehen, mit der von ihm deponirten Kaution, sowie mit seinem ganzen übrigen Vermögen. Eine besondere Entschädigung wird für die durch Vorstehendes übernommene Verpflichtung Seitens der Militär-Verwaltung nicht gewährt.

10. Entziehung der Leistung.

Die Stelle, welche den Zuschlag ertheilt hat, ist berechtigt, den Vertrag aufzuheben, wenn sich nach Abschluß desselben herausstellt, daß der Unternehmer vorher mit Anderen Verabredungen behufs Enthaltung von der Verdingung oder sonst zum Schaden der Baukasse getroffen hatte; dieselbe Stelle ist befugt, dem Unternehmer die Arbeiten und Lieferungen ganz oder theilweise zu entziehen, sowie den noch nicht vollendeten Theil auf seine Kosten ausführen zu lassen oder selbst für seine Rechnung auszuführen, wenn

a. seine Leistungen untüchtig sind oder
b. die Arbeiten nach Maßgabe der verlaufenen Zeit nicht genügend gefördert sind, oder
c. der Unternehmer den gemäß 9 getroffenen Anordnungen nicht nachkommt.

Vor der Entziehung der Leistung ist der Unternehmer durch eingeschriebenen Brief unter Androhung der Entziehung zur Beseitigung der vorliegenden Mängel, bezw. zur Befolgung der getroffenen Anordnungen unter Bewilligung einer angemessenen Frist aufzufordern.

Von der verfügten Entziehung wird dem Unternehmer durch eingeschriebenen Brief Eröffnung gemacht.

Auf die Berechnung der für die ausgeführten Leistungen dem Unternehmer zustehenden Vergütung und den Umfang der Verpflichtung desselben zum Schadenersatz finden die Bestimmungen in 7 gleichmäßige Anwendung.

Nach beendeter Leistung wird dem Unternehmer eine Abrechnung über die für ihn sich ergebende Forderung und Schuld mitgetheilt.

Abschlagszahlungen können im Falle der Entziehung dem Unternehmer nur innerhalb desjenigen Betrages gewährt werden, welcher als sicheres Guthaben desselben unter Berücksichtigung der entstandenen Gegenansprüche ermittelt ist.

Ueber die infolge der Entziehung etwa zu erhebenden vermögensrechtlichen Ansprüche entscheidet in Ermangelung gütlicher Einigung das Schiedsgericht (25).

11. Ordnungsvorschriften.

Der Unternehmer oder dessen Vertreter muß sich zufolge Aufforderung des bauleitenden Beamten auf der Baustelle einfinden, so oft nach dem Ermessen des letzteren die zu treffenden baulichen Anordnungen ein mündliches Benehmen auf der Baustelle erforderlich machen. Die sämmtlichen auf dem Bau beschäftigten Bevollmächtigten, Gehülfen und Arbeiter des Unternehmers sind bezüglich der Bauausführung und der Aufrechterhaltung der Ordnung auf dem Bauplatze den Anordnungen des bauleitenden Beamten bezw. dessen Stellvertreters unterworfen. Im Falle des Ungehorsams kann ihre sofortige Entfernung von der Baustelle verlangt werden.

Der Unternehmer hat, wenn nicht ein Anderes ausdrücklich vereinbart worden ist, für das Unterkommen seiner Arbeiter, insoweit dies von dem bauleitenden Beamten für erforderlich erachtet wird, selbst zu sorgen. Er muß für seine Arbeiter auf eigene Kosten an den ihm angewiesenen Orten die nöthigen Abtritte herstellen, sowie für deren regelmäßige Reinigung, Desinfection und demnächstige Beseitigung Sorge tragen.

Für die Bewachung seiner Gerüste, Werkzeuge, Geräthe, sowie seiner auf der Baustelle lagernden Materialien Sorge zu tragen, ist lediglich Sache des Unternehmers.

12. Mitbenutzung von Rüstungen.

Die von dem Unternehmer hergestellten Rüstungen sind während ihres Bestehens auch anderen Bauhandwerkern unentgeltlich zur Benutzung zu überlassen. Aenderungen an den Rüstungen im Interesse der bequemeren Benutzung seitens der übrigen Bauhandwerker vorzunehmen, ist der Unternehmer nicht verpflichtet.

13. Beobachtung polizeilicher Vorschriften, Haftung des Unternehmers für seine Angestellten.

Für die Befolgung der bei Bauausführungen zu beachtenden polizeilichen Vorschriften und der etwa besonders ergehenden polizeilichen Anordnungen ist der Unternehmer für den ganzen Umfang seiner vertragsmäßigen Verpflichtungen verantwortlich. Kosten, welche ihm dadurch erwachsen, sowie Kosten der Arbeiterversicherung können der Baukasse nicht in Rechnung gestellt werden.

Der Unternehmer trägt insbesondere die Verantwortung für die gehörige Stärke und sonstige Tüchtigkeit der Rüstungen. Dieser Verantwortung unbeschadet ist er aber auch verpflichtet, eine von dem bauleitenden Beamten angeordnete Ergänzung und Verstärkung der Rüstungen unverzüglich und auf eigene Kosten zu bewirken.

Für alle Ansprüche, die wegen einer ihm selbst oder seinen Bevollmächtigten, Gehülfen oder Arbeitern zur Last fallenden Vernachlässigung polizeilicher Vorschriften an die Verwaltung erhoben werden, hat der Unternehmer in jeder Hinsicht aufzukommen.

Ueberhaupt haftet er in Ausführung des Vertrages für alle Handlungen und Unterlassungen seiner Bevollmächtigten, Gehülfen und Arbeiter persönlich. Er hat insbesondere jeden Schaden an Person oder Eigenthum zu vertreten, welcher durch ihn oder seine Organe Dritten oder der Baukasse zugefügt wird.

14. Aufmessung während des Baues und Abnahme.

Der bauleitende Beamte ist berechtigt, zu verlangen, daß über alle später nicht mehr nachzumessenden Leistungen von beiderseits Beauftragten während der Ausführung gegenseitig anzuerkennende Aufzeichnungen gemacht werden, welche demnächst der Berechnung zu Grunde zu legen sind.

Von der Vollendung der Leistungen hat der Unternehmer dem bauleitenden Beamten durch eingeschriebenen Brief Anzeige zu machen, worauf der Termin für die Abnahme mit thunlichster Beschleunigung anberaumt und dem Unternehmer schriftlich gegen Behändigungsschein oder mittelst eingeschriebenen Briefes bekannt gegeben wird.

Ueber die Abnahme wird in der Regel eine Verhandlung aufgenommen; auf Verlangen des Unternehmers muß dies geschehen. Die Verhandlung ist von dem Unternehmer bezw. dem für denselben etwa erschienenen Stellvertreter mit zu vollziehen.

Von der über die Abnahme aufgenommenen Verhandlung wird dem Unternehmer auf Verlangen beglaubigte Abschrift mitgetheilt.

Erscheint in dem zur Abnahme anberaumten Termine, gehöriger Benachrichtigung ungeachtet, weder der Unternehmer selbst, noch ein Bevollmächtigter desselben, so gelten die durch die Organe der bauleitenden Behörde bewirkten Aufzeichnungen, als anerkannt.

Auf die Feststellung des von dem Unternehmer Geleisteten finden im Falle der Entziehung (10) diese Bestimmungen gleichmäßige Anwendung.

Müssen Theilleistungen sofort abgenommen werden, so bedarf es einer besonderen Benachrichtigung des Unternehmers hiervon nicht, vielmehr ist es Sache desselben, für seine Anwesenheit oder Vertretung bei der Abnahme Sorge zu tragen.

15. Rechnungsaufstellung.

Bezüglich der formellen Aufstellung der Rechnung, welche in Form, Ausdrucksweise, Bezeichnung der Räume und Reihenfolge der Ansätze, genau nach dem Verdingungsanschlage einzurichten ist, hat der Unternehmer den von dem bauleitenden Beamten gestellten Anforderungen zu entsprechen.

Etwaige Mehrarbeiten sind in besonderer Rechnung nachzuweisen, unter deutlichem Hinweis auf die schriftlichen Vereinbarungen, welche bezüglich derselben getroffen sind.

16. Tagelohnrechnungen.

Werden im Auftrage des bauleitenden Beamten seitens des Unternehmers Arbeiten im Tagelohn ausgeführt, so ist die Liste der hierbei beschäftigten Arbeiter dem bauleitenden Beamten oder dessen Vertreter behufs Prüfung ihrer Richtigkeit täglich vorzulegen. Etwaige Ausstellungen dagegen werden dem Unternehmer binnen längstens 8 Tagen mitgetheilt.

Die Tagelohnrechnungen sind längstens von 2 zu 2 Wochen dem bauleitenden Beamten einzureichen.

17. Zahlung.

Die Schlußzahlung erfolgt auf die vom Unternehmer einzureichende Kostenrechnung alsbald nach vollendeter Prüfung und Feststellung derselben.

Abschlagszahlungen werden dem Unternehmer in angemessenen Fristen auf Antrag, nach Maßgabe des jeweilig Geleisteten, bis zu der von dem Garnison-Baubeamten mit Sicherheit vertretbaren Höhe gewährt.

Bleiben bei der Schlußabrechnung Meinungsverschiedenheiten bestehen, so soll das dem Unternehmer unbestritten zustehende Guthaben demselben gleichwohl nicht vorenthalten werden.

18. Verzicht auf spätere Geltendmachung aller nicht ausdrücklich vorbehaltenen Ansprüche.

Vor Empfangnahme des als Restguthaben zur Auszahlung angebotenen Betrages muß der Unternehmer alle Ansprüche, welche er aus dem Vertragsverhältniß über die behördlicherseits anerkannten hinaus etwa noch zu haben vermeint, bestimmt bezeichnen und sich vorbehalten, widrigenfalls die Geltendmachung dieser Ansprüche später ausgeschlossen ist.

19. Zahlende Kasse.

Alle Zahlungen erfolgen an der in den besonderen Bedingungen bezeichneten Kasse der Behörde.

20. Haftpflicht.

Die in den besonderen Bedingungen des Vertrages vorgesehene, in Ermangelung solcher nach den allgemeinen gesetzlichen Vorschriften sich bestimmende Frist für die dem Unternehmer obliegende Haftpflicht für die Güte der Leistung beginnt mit dem Zeitpunkte der Abnahme.

Der Einwand nicht rechtzeitiger Anzeige von Mängeln gelieferter Waaren (Art. 347 des Handelsgesetzbuches)*) ist nicht statthaft.

21. Sicherheitsstellung, Bürge.

Bürgen haben nach dem Ermessen der Aufsichtsbehörde als Selbstschuldner in den Vertrag mit einzutreten.

22. Sicherheitsstellung (Kaution).

Kautionen können in baarem Gelde, guten Werthpapieren, Sparkassenbüchern oder nach dem Ermessen der Aufsichtsbehörde auch in sicheren — gezogenen — Wechseln bestellt werden.

Kautionsfähige Papiere sind folgende:

1) Die Schuldverschreibungen, welche vom deutschen Reiche oder von einem deutschen Bundesstaate mit gesetzlicher Ermächtigung ausgestellt sind,
2) die Schuldverschreibungen, deren Verzinsung vom deutschen Reiche oder von einem deutschen Bundesstaate gesetzlich garantirt ist,
3) die Rentenbriefe der zur Vermittelung der Ablösung von Renten in Preußen bestehenden Rentenbanken,
4) die Schuldverschreibungen, welche von deutschen kommunalen Korporationen (Provinzen, Gemeinden, Kreisen rc.) oder von deren Kreditanstalten ausgestellt und entweder seitens der Inhaber kündbar sind oder einer regelmäßigen Amortisation unterliegen,
5) die Sparkassenbücher von öffentlichen, obrigkeitlich bestätigten Sparkassen,
6) sichere Hypotheken und Pfandbriefe.

Die Annahme von Wechseln erfolgt nur, wenn die Aufsichtsbehörde solche für ganz zweifellos sicher erachtet.

Baar hinterlegte Kautionen werden nicht verzinst. Zinstragenden Werthpapieren sind die Anweisungen (Talons) und Zinsscheine, insoweit bezüglich der letzteren in den besonderen Bedingungen nicht etwas Anderes bestimmt wird, beizufügen. Die Zinsscheine werden so lange, als nicht eine Veräußerung der Werthpapiere zur Deckung entstandener Verbindlichkeiten in Aussicht genommen werden muß, an den Fälligkeitsterminen dem Unternehmer ausgehändigt. Für den Umtausch der Anweisungen (Talons), die Einlösung und den Ersatz ausgeloosster Werthpapiere, sowie den Ersatz abgelaufener Wechsel hat der Unternehmer zu sorgen

Falls der Unternehmer in irgend einer Beziehung seinen Verbindlichkeiten nicht nachkommt, kann die Behörde zu ihrer Schadloshaltung auf dem einfachsten gesetzlich zulässigen Wege die hinterlegten Werthpapiere und Wechsel veräußern bezw. einkassiren.

Die Rückgabe der Kaution, soweit dieselbe für Verbindlichkeiten des Unternehmers nicht in Anspruch zu nehmen ist, erfolgt, nachdem der Unternehmer die ihm obliegenden Verpflichtungen vollständig erfüllt hat, und insoweit die Kaution zur Sicherung der Haftverpflichtung dient, nachdem die Haftzeit abgelaufen ist. In Ermangelung anderweiter Verabredung gilt als bedungen, daß die Kaution in ganzer Höhe zur Deckung der Haftverbindlichkeit einzubehalten ist.

23. Uebertragbarkeit des Vertrages.

Ohne Zustimmung der Behörde, welche den Vertrag genehmigt hat, darf der Unternehmer seine vertragsmäßigen Verpflichtungen nicht auf Andere übertragen.

Verfällt der Unternehmer vor Erfüllung des Vertrages in Konkurs, so ist diese Behörde berechtigt, den Vertrag mit dem Tage der Konkurs-Eröffnung aufzuheben.

Bezüglich der in diesem Falle zu gewährenden Vergütung, sowie der Gewährung von Abschlagszahlungen finden die Bestimmungen in 10 sinngemäße Anwendung.

Für den Fall, daß der Unternehmer mit Tode abgehen sollte, bevor der Vertrag vollständig erfüllt ist, hat die Behörde die Wahl, ob sie das Vertragsverhältniß mit den Erben desselben fortsetzen oder dasselbe als aufgelöst betrachten will.

24. Gerichtsstand.

Für die aus dem Vertrage entspringenden Rechtsstreitigkeiten hat der Unternehmer — unbeschadet der in 25 vorgesehenen Zuständigkeit eines Schiedsgerichts — bei dem für den Ort der Bauausführung zuständigen Gerichte Recht zu nehmen.

---

*) Art. 347 des Handelsgesetzbuches lautet: „Ist die Waare von einem anderen Orte übersendet, so hat der Käufer ohne Verzug nach der Ablieferung, soweit dies nach dem ordnungsmäßigen Geschäftsgange thunlich ist, die Waare zu untersuchen, und wenn sich dieselbe nicht als vertragsmäßig oder gesetzmäßig (Art. 335) ergiebt, dem Verkäufer sofort davon Anzeige zu machen.

Versäumt er dies, so gilt die Waare als genehmigt, soweit es sich nicht um Mängel handelt, welche bei der sofortigen Untersuchung nach ordnungsmäßigem Geschäftsgange nicht erkennbar waren.

Ergeben sich später solche Mängel, so muß die Anzeige ohne Verzug nach der Entdeckung gemacht werden, widrigenfalls die Waare auch rücksichtlich dieser Mängel als genehmigt gilt.

Die vorstehende Bestimmung findet auch auf den Verkauf auf Besicht oder Probe, oder nach Probe Anwendung, insoweit es sich um Mängel der übersendeten Waare handelt, welche bei ordnungsmäßigem Besicht oder ordnungsmäßiger Prüfung nicht erkennbar waren."

63. Nachweisung der Markt- 2c.

Laufende Nummer	Namen der Städte	Getreide								Uebrige Markt-																	
		Es kosten je 100 Kilogramm																						Es			
																								Rindfleisch			
		Weizen		Roggen		Gerste		Hafer		Erbsen		Speisebohnen		Linsen		Eßkartoffeln		Richtstroh		Krummstroh		Heu		von der Keule		Bauchfleisch	
		M.	Pf.	M.	Pf.	M.	Pf.	M.	Pf.	M.	Pf.	M.	Pf.	M.	Pf.	M.	Pf.	M.	Pf.	M.	Pf.	M.	Pf.	M.	Pf.	M.	Pf.
1	Angermünde	18	78	16	85	16	37	15	85	28	—	28	—	35	—	3	75	6	75	4	58	5	—	1	40	1	10
2	Beeskow	17	50	17	22	—	—	16	50	27	50	27	50	37	50	2	90	7	—	—	—	6	80	1	20	1	—
3	Bernau	18	98	17	46	17	57	17	26	26	—	30	—	44	—	5	—	7	10	—	—	6	75	1	25	1	10
4	Brandenburg	19	20	17	83	15	65	17	72	32	50	35	—	45	—	3	10	6	40	—	—	6	05	1	40	1	20
5	Dahme	18	82	17	26	16	43	17	—	25	—	32	—	45	—	2	50	6	50	4	—	7	50	1	—	1	—
6	Eberswalde	18	93	17	30	18	50	16	65	24	—	24	—	32	—	3	20	8	—	—	—	6	—	1	40	1	10
7	Havelberg	19	28	17	40	15	50	18	50	25	—	45	—	55	—	3	50	6	50	3	25	6	50	1	30	1	—
8	Jüterbog	18	90	18	23	17	—	17	50	28	—	30	—	50	—	3	—	7	—	—	—	7	—	1	20	1	10
9	Luckenwalde	18	89	17	79	—	—	17	64	36	—	36	—	40	—	3	10	6	34	—	—	6	75	1	20	1	20
10	Perleberg	18	74	17	13	14	59	16	98	27	—	35	—	50	—	3	50	6	57	—	—	6	57	1	40	1	20
11	Potsdam	18	95	17	81	16	69	17	95	28	—	33	—	42	—	3	83	7	13	—	—	6	—	1	35	1	10
12	Prenzlau	19	01	16	87	17	65	16	25	22	—	30	—	30	—	3	50	6	50	5	—	5	—	1	30	—	95
13	Pritzwalk	18	67	16	88	16	28	15	98	19	—	30	—	39	—	2	50	6	25	5	25	5	50	1	30	1	—
14	Rathenow	19	50	17	50	16	50	19	—	30	—	35	—	44	—	2	96	5	91	—	—	5	10	1	40	1	20
15	Neu-Ruppin	19	—	17	—	16	32	16	76	30	—	32	—	50	—	2	74	8	—	—	—	6	—	1	40	1	15
16	Schwedt	19	—	17	73	17	—	17	18	26	67	31	25	31	25	3	—	6	50	—	—	6	10	1	20	1	—
17	Spandau	18	75	17	25	15	25	17	25	28	—	37	—	46	—	4	—	7	25	—	—	6	50	1	45	1	20
18	Strausberg	19	75	17	65	19	25	17	94	19	—	30	50	35	—	3	—	8	32	—	—	7	97	1	20	1	10
19	Teltow	19	—	17	36	17	60	17	82	40	—	40	—	55	—	4	25	7	46	6	17	7	48	1	50	1	10
20	Templin	18	50	17	—	17	—	17	—	17	50	50	—	60	—	3	—	8	—	—	—	7	—	1	20	1	—
21	Treuenbrietzen	19	90	17	80	15	70	16	50	26	—	24	—	30	—	3	—	6	—	—	—	5	50	1	20	1	—
22	Wittstock	18	63	17	19	15	50	16	30	18	—	36	—	44	—	2	57	6	—	4	—	4	53	1	—	—	90
23	Wriezen a. O.	18	16	17	56	18	36	16	25	22	—	30	50	34	—	3	—	6	—	4	69	5	50	1	30	1	—
	Durchschnitt	18	91	17	39	15	94	17	07	—	—	—	—	—	—	3	26	6	85	—	—	6	22	—	—	—	—

Potsdam, den 10. März 1890.

Erledigung einer Kreisthierarztstelle.

64. Die Stelle des Kreisthierarztes im Kreise Templin ist durch das Ableben des bisherigen Inhabers erledigt.

Bewerber, welche die Prüfung als Kreisthierarzt abgelegt haben, wollen sich unter Vorlegung ihrer Zeugnisse und eines Lebenslaufs bis zum 15. April d. J. bei mir melden.

Der bisherige Inhaber der Stelle hat, außer dem Gehalte von 600 M., noch ein Nebeneinkommen von 540 M. jährlich aus Kreis- und aus städtischen Mitteln gehabt.

Potsdam, den 6. März 1890.

Der Regierungs-Präsident.

Bekanntmachungen des Königlichen Polizei-Präsidiums zu Berlin.

Statut der „Allianz", Versicherungs-Actien-Gesellschaft in Berlin.

18. Diesem Stück des Amtsblattes ist eine Extra-Beilage beigefügt, welche das Statut der „Allianz", Versicherungs-Actien-Gesellschaft in Berlin, nebst dem dazu gehörigen Wechselformular, sowie die darauf bezügliche Genehmigungsurkunde vom 13. Januar 1890 enthält. Berlin, den 28. Februar 1890.

Der Polizei-Präsident.

Errichtung von Apotheken

19. Der Herr Ober-Präsident der Provinz Brandenburg hat durch Erlaß vom 26. v. M. die Verlegung der von Jacubowski'schen Apotheke, Möckernstraße Nr. 117, nach dem Grundstücke Yorkstraße Nr. 18, sowie die Errichtung einer neuen Apotheke in der Königgrätzerstraße südöstlich von der Großbeerenstraße mit Ausschluß der Ecke der Letzteren und der derselben gegenüber liegenden Häuser genehmigt. Geeignete Bewerber um die letztgedachte Neuanlage werden zur Meldung binnen einer **Präklusivfrist von 6 Wochen** mit dem Bemerken hierdurch aufgefordert, daß persönliche Vorstellungen zwecklos sind und **die an mich zu richtenden Bewerbungen lediglich schriftlich** zu geschehen haben. Der Meldung sind beizufügen: a. Approbation und sonstige **physikatlich beglaubigte** Zeugnisse, b. Lebenslauf, c. **amtlich beglaubigter** Nachweis über die zur Ueber-

Preise im Monat Februar 1890.

Artikel kostet je 1 Kilogramm: Schweinefleisch M. Pf.	Kalbfleisch M. Pf.	Hammelfleisch M. Pf.	Speck M. Pf.	Butter M. Pf.	Ein Schock Eier M. Pf.	Ladenpreise in den letzten Tagen des Monats. Es kostet je 1 Kilogramm. Mehl: Weizen Nr. 1 M. Pf.	Mehl: Roggen Nr. 1 M. Pf.	Gerste: Graupe M. Pf.	Gerste: Grütze M. Pf.	Buchweizengrütze M. Pf.	Hafergrütze M. Pf.	Hirse M. Pf.	Reis, Java M. Pf.	Java-Kaffee mittler in gebr. Bohnen M. Pf.	Java-Kaffee gelber in gebr. Bohnen M. Pf.	Speisesalz M. Pf.	Schweineschmalz, hiesig. M. Pf.
1 30	— 90	1 05	1 90	2 10	3 40	— 35	— 30	— 55	— 45	— 45	— 60	— 60	— 60	3 40	3 60	— 20	2 —
1 30	— 75	— 95	1 80	2 —	3 23	— 40	— 26	— 50	— 60	— 50	— 80	— 60	— 60	2 60	3 60	— 20	1 60
1 40	1 26	1 15	2 33	1 75	3 88	— 30	— 20	— 50	— 50	— 60	— 40	— 50	— 35	2 60	3 20	— 20	1 60
1 35	1 15	1 15	1 80	2 30	4 20	— 40	— 30	— 50	— 40	— 50	— 50	— 50	— 50	3 60	3 80	— 20	1 60
1 40	— 90	1 —	1 80	2 —	2 40	— 32	— 26	— 60	— 40	— 50	—	— 50	— 50	2 80	3 60	— 20	1 40
1 46	1 —	1 —	2 —	2 40	4 10	— 32	— 30	— 60	— 60	— 50	—	— 60	— 60	3 20	3 60	— 20	2 —
1 32	1 25	1 05	1 85	2 10	3 42	— 38	— 26	— 50	— 55	— 60	— 60	— 50	— 60	2 80	4 —	— 20	1 80
1 40	— 90	1 20	1 80	2 20	3 40	— 34	— 29	— 40	— 50	— 40	— 60	— 40	— 40	3 —	3 60	— 20	1 60
1 40	1 —	1 20	1 60	2 20	3 60	— 36	— 24	— 50	— 40	— 40	— 60	— 36	— 60	2 50	3 60	— 20	1 60
1 40	1 30	1 15	1 95	1 79	3 50	— 50	— 36	— 50	— 40	— 50	— 50	— 40	— 50	3 80	3 80	— 20	2 —
1 50	1 15	1 25	1 80	2 15	4 08	— 42	— 35	— 50	— 50	— 50	— 50	— 45	— 70	3 —	3 80	— 20	2 —
1 40	— 90	1 10	1 90	2 20	3 16	— 32	— 30	— 60	— 40	— 55	— 60	— 55	— 60	3 20	3 60	— 20	2 —
1 38	1 —	1 10	2 —	1 88	2 80	— 25	— 24	— 40	— 40	— 40	— 50	— 40	— 50	3 40	3 60	— 20	1 60
1 50	1 —	1 20	1 60	2 60	3 20	— 32	— 29	— 40	— 44	— 45	— 44	— 40	— 60	3 25	3 50	— 20	1 60
1 30	1 10	1 10	1 70	2 20	3 50	— 40	— 30	— 60	— 60	— 50	— 60	— 50	— 60	3 25	3 58	— 20	1 60
1 20	— 90	1 20	1 90	1 80	4 —	— 35	— 25	— 50	— 40	— 50	— 50	— 50	— 60	3 20	3 40	— 20	2 —
1 60	1 28	1 25	1 80	2 50	3 50	— 40	— 30	— 50	— 50	— 50	— 50	— 50	— 65	3 40	3 80	— 20	1 40
1 40	1 10	1 20	1 60	2 40	3 72	— 35	— 25	— 55	— 50	— 45	— 50	— 50	— 50	3 —	3 80	— 20	1 40
1 50	1 30	1 25	1 60	2 30	5 06	— 40	— 30	— 60	— 60	— 50	— 60	— 50	— 60	2 40	2 80	— 20	1 20
1 40	— 80	1 —	1 80	2 40	3 50	— 30	— 25	— 60	— 50	— 60	— 60	— 40	— 50	3 40	3 80	— 20	1 80
1 40	1 —	1 20	1 60	2 20	4 —	— 32	— 26	— 50	— —	— 40	— 50	— 30	— 50	3 30	3 60	— 20	1 80
1 28	— 70	1 04	1 80	1 98	2 87	— 28	— 26	— 50	— 50	— 50	— 60	— 50	— 50	3 20	3 60	— 20	1 80
1 30	1 10	1 15	1 80	2 20	3 30	— 25	— 27	— 50	— 40	— 40	— 50	— 50	— 50	3 25	3 50	— 20	1 40
— —	— —	— —	— —	— —	— —	— —	— —	— —	— —	— —	— —	— —	— —	— —	— —	— —	— —

Der Regierungs-Präsident.

nahme bezw. Einrichtung einer Apotheke erforderlichen Mittel, d. ein polizeiliches Führungs-Attest. Der Bewerber hat außerdem pflichtgemäß zu versichern, daß er eine Apotheke bisher nicht besessen hat oder — falls dies der Fall sein sollte — die Genehmigung des Herrn Ministers der geistlichen, Unterrichts- und Medizinal-Angelegenheiten zur abermaligen Bewerbung um Apotheken-Neuanlagen vorzulegen. Gleichzeitig weise ich darauf hin, daß Gesuche von Bewerbern, welche 10 und mehr Jahre sich vom Apothekenfache abgewandt haben oder welche erst nach dem Jahre 1875 approbirt sind, bei der großen Zahl mehr berechtigter Bewerber zur Zeit keine Aussicht auf Erfolg haben. Solche Apotheker stehen deshalb zur Vermeidung unnöthigen Schreibwerkes ꝛc. am Besten von der Bewerbung ab.

Berlin, den 3. März 1890.

Der Polizei-Präsident.

Apotheken-Räumlichkeiten betreffend.

20. Im Verlaufe der letzten Jahre sind mehrfach Apotheken-Räumlichkeiten ohne meine Genehmigung nach Ausdehnung oder Lage verändert worden.

Die für die Anlage einer Apotheke in Aussicht genommenen Räume werden von der Aufsichtsbehörde vor ihrer Einrichtung nicht allein bau- sondern stets auch medizinalpolizeilich darauf geprüft, ob dieselben ihrer künftigen Bestimmung überhaupt, wie insbesondere nach räumlicher Ausdehnung und Lage zu einander entsprechend gewählt sind. Erst nachdem die Aufsichtsbehörde sich mit der getroffenen Wahl einverstanden erklärt hat, darf die Einrichtung der Räume beginnen. Dieses Verfahren hat den Zweck, Unzuträglichkeiten für den Apothekenbesitzer bei der Eröffnungsrevision zu verhüten, bei welcher die Offizin wie die Nebenräume auch in Ansehung des Raumes (Instruktion für das Verfahren bei Apotheken-Revisionen vom 21. Oktober 1819 Ziffer 7 und 8) zu besichtigen sind. Jede Veränderung jener Räume bedarf daher der Genehmigung der Aufsichtsbehörde d. h. für Berlin und Charlottenburg des Unterzeichneten.

Die Herren Apotheken-Besitzer und Verwalter mache ich hierauf unter Hinweis auf § 132 des Gesetzes über die allgemeine Landesverwaltung vom

30. Juli 1883 (Gesetz-Sammlung Seite 195) und die daraus eventuell sich ergebenden Folgen ausdrücklich aufmerksam.

Berlin, den 7. März 1890.

Der Polizei-Präsident.

Verkauf von Obst, Kartoffeln und Torf von Kähnen.

21. Der Verkauf von Obst, Kartoffeln und Torf von Kähnen auf den zum Polizeibezirk von Berlin gehörigen Wasserstraßen ist vom 1. Mai 1890 ab nicht mehr gestattet.

Die strompolizeilichen Bekanntmachungen vom 20. September 1878 und 29. Juli 1884 (Sammlung der Polizei-Verordnungen und polizeilichen Vorschriften für Berlin von 1887 Seite 634 und 635, bezw. Seite 636 und 637) werden zum 1. Mai 1890 aufgehoben. Berlin, den 26. Februar 1890.

Der Polizei-Präsident.

Berliner und Charlottenburger Preise für Monat Februar 1890.

22. A. Engros-Marktpreise im Monatsdurchschnitt.

In Berlin:

für 100 Klgr.	Weizen	(gut)	19	Mark	65 Pf.,
„ „ „	do.	(mittel)	19	„	— „
„ „ „	do.	(gering)	18	„	30 „
„ „ „	Roggen	(gut)	17	„	78 „
„ „ „	do.	(mittel)	17	„	46 „
„ „ „	do.	(gering)	17	„	14 „
„ „ „	Gerste	(gut)	20	„	06 „
„ „ „	do.	(mittel)	17	„	73 „
„ „ „	do.	(gering)	14	„	94 „
„ „ „	Hafer	(gut)	17	„	83 „
„ „ „	do.	(mittel)	17	„	21 „
„ „ „	do.	(gering)	16	„	50 „
„ „ „	Erbsen	(gut)	20	„	14 „
„ „ „	do.	(mittel)	18	„	19 „
„ „ „	do.	(gering)	17	„	27 „
„ „ „	Richtstroh		7	„	20 „
„ „ „	Heu		6	„	61 „

Monats-Durchschnitt der höchsten Berliner Tagespreise einschließlich 5 % Aufschlag für 50 kg

	Hafer	Stroh	Heu
im Monat Februar	9,47 Mk.,	4,02 Mk.,	3,94 Mk.

B. Detail-Marktpreise im Monatsdurchschnitt.

1) In Berlin:

für 100	Klgr.	Erbsen (gelbe z. Kochen)	26	Mark	83 Pf.
„ „	„	Speisebohnen (weiße)	30	„	04 „
„ „	„	Linsen	43	„	88 „
„ „	„	Kartoffeln	5	„	— „
„ 1	Klgr.	Rindfleisch v. d. Keule	1	„	25 „
„ 1	„	„ (Bauchfleisch)	1	„	10 „
„ 1	„	Schweinefleisch	1	„	42 „
„ 1	„	Kalbfleisch	1	„	26 „
„ 1	„	Hammelfleisch	1	„	15 „
„ 1	„	Speck (geräuchert)	1	„	65 „
„ 1	„	Eßbutter	2	„	31 „
„ 60	Stück	Eier	3	„	99 „

2) In Charlottenburg:

für 100	Klgr.	Erbsen (gelbe z. Kochen)	32	Mark	50 Pf.,
„ „	„	Speisebohnen (weiße)	35	„	— „
„ „	„	Linsen	45	„	— „
„ „	„	Kartoffeln	4	„	75 „
„ 1	Klgr.	Rindfleisch v. d. Keule	1	„	35 „
„ 1	„	„ (Bauchfleisch)	1	„	— „
„ 1	„	Schweinefleisch	1	„	50 „
„ 1	„	Kalbfleisch	1	„	35 „
„ 1	„	Hammelfleisch	1	„	10 „
„ 1	„	Speck (geräuchert)	1	„	60 „
„ 1	„	Eßbutter	2	„	40 „
„ 60	Stück	Eier	3	„	75 „

C. Ladenpreise in den letzten Tagen des Monats Februar 1890:

1) In Berlin:

für 1	Klgr.	Weizenmehl № 1			36 Pf.,
„ 1	„	Roggenmehl № 1			34 „
„ 1	„	Gerstengraupe			43 „
„ 1	„	Gerstengrütze			40 „
„ 1	„	Buchweizengrütze			45 „
„ 1	„	Hirse			40 „
„ 1	„	Reis (Java)			70 „
„ 1	„	Java-Kaffee (mittler)	2	Mark	75 „
„ 1	„	„ (gelb in gebr. Bohnen)	3	„	78 „
„ 1	„	Speisesalz			20 „
„ 1	„	Schweineschmalz (hiesiges)	1	„	40 „

2) In Charlottenburg:

für 1	Klgr.	Weizenmehl № 1			50 Pf.,
„ 1	„	Roggenmehl № 1			40 „
„ 1	„	Gerstengraupe			60 „
„ 1	„	Gerstengrütze			50 „
„ 1	„	Buchweizengrütze			50 „
„ 1	„	Hirse			50 „
„ 1	„	Reis (Java)			80 „
„ 1	„	Java-Kaffee (mittler)	2	„	80 „
„ 1	„	„ (gelb in gebr. Bohnen)	3	„	60 „
„ 1	„	Speisesalz			20 „
„ 1	„	Schweineschmalz (hiesiges)	1	„	50 „

Berlin, den 6. März 1890.

Königl. Polizei-Präsidium. Erste Abtheilung.

Anlage des 3ten und 4ten Geleises der Berliner Ringbahn vom Bahnhof Wedding bis Bahnhof Westend.

23. Durch den Allerhöchsten Erlaß vom 10. April 1889 (G.-S. S. 95) ist verordnet worden, daß für die in dem Gesetze vom 8. April 1889 § 2 I. 2 (G.-S. S. 71) vorgesehenen Anlage des 3ten und 4ten Geleises der Berliner Ringbahn vom Bahnhof Wedding bis Bahnhof Westend das Recht zur Enteignung und dauernden Beschränkung derjenigen Grundstücke Platz greift, welche zur Bauausführung nach den von dem Minister der öffentlichen Arbeiten festzustellenden Plänen nothwendig sind.

Nachdem der für diese Bauausführung ausgearbeitete Plan für die Strecke von Bahnhof Wedding bis Bahnhof Westend durch den Erlaß des Herrn

Amtsblatt

der Königlichen Regierung zu Potsdam und der Stadt Berlin.

Stück 11. Den 14. März **1890.**

Bekanntmachungen des Königlichen Ober-Präsidenten der Provinz Brandenburg.

Reichstagsneuwahl im I. Berliner Wahlkreise.

8. Der Rechtsanwalt Traeger zu Nordhausen hat die im I. Berliner Wahlkreise auf ihn gefallene Wahl zum Reichstagsabgeordneten abgelehnt.

In Folge dessen habe ich in Gemäßheit des § 34 des Reglements vom 28. Mai 1870 zur Ausführung des Wahlgesetzes vom 31. Mai 1869 den Termin zur Neuwahl auf **Montag, den 24. März Js.**, unter Genehmigung des Herrn Ministers des Innern anberaumt und den Stadtrath Kochhann zu Berlin zum Wahlkommissar, sowie den Stadtrath Bail daselbst zu dessen Stellvertreter ernannt, was gemäß § 8 des Reglements hierdurch zur öffentlichen Kenntniß gebracht wird.

Potsdam, den 11. März 1890.

Der Ober-Präsident, Staatsminister von Achenbach.

Bekanntmachungen des Königlichen Regierungs-Präsidenten.

Viehseuchen.

61. Festgestellt ist:

der Milzbrand bei einer verendeten Kuh des Erbsitzers Wilke zu Neuholland, Kreis Niederbarnim;

die Maul- und Klauenseuche unter dem Rindvieh des Ackerbürgers Lange zu Bernau, Kreis Niederbarnim; unter dem Rindviehstande des Bauern Dahms zu Boetzow, Kreis Osthavelland; unter dem Rindviehbestande des Gutsbesitzers Hauffe zu Waldau, Kreis Jüterbog-Luckenwalde; unter dem Rindviehbestande des Rittergutsbesitzers Bolle zu Rauschendorf, Kreis Ruppin; unter den Rindern des Kaufmanns Göricke zu Rixdorf, Kreis Teltow;

die Influenza bei einem Pferde des Butterhändlers Hertzberg zu Hakenberg, Kreis Osthavelland;

die Räude bei einem Pferde des Schlächters Ziemer zu Lichtenberg, Kreutzigerstraße 2, Kreis Niederbarnim.

Erloschen ist:

der Milzbrand auf dem Dominium Mahlow, Kreis Teltow;

die Maul- und Klauenseuche unter dem Rindvieh des Dorfes Malchow, Kreis Niederbarnim; in Drahendorf und Tauche, Kreis Beeskow-Storkow.

Die wegen Rotzverdachts über die in Potsdam in den Ställen zwischen dem Nauener und Jägerthor befindlichen Remonten des 1. Garde-Ulanen- und des Regiments der Gardes du Corps auf 6 Monate verhängte Stallsperre ist aufgehoben, da weitere Erkrankungen nicht vorgekommen sind. Der vor dem Hause Brandenburger Communication befindliche Straßenbrunnen ist zur Benützung wieder freigegeben worden.

Potsdam, den 11. März 1890.

Der Regierungs-Präsident.

62. **Nachweisung**

des Monatsdurchschnitts der gezahlten höchsten Tagespreise einschließlich 5 % Aufschlag im Monat Februar 1890 in den Hauptmarktorten der Kreise des Regierungs-Bezirks Potsdam.

Laufende Nummer.	Es kosteten je 50 Kilogramm.	Beeskow für Kreis Beeskow-Storkow.		Brandenburg für Brandenburg und Kreis Westhavelland.		Luckenwalde für Kreis Jüterbog-Luckenwalde.		Perleberg für Kreis Westprignitz		Potsdam für Potsdam und Kreis Zauch-Belzig.		Prenzlau für die Kreise Prenzlau und Templin.		Neu-Ruppin für Kreis Ruppin.		Schwedt für Kreis Angermünde.		Wittstock für Kreis Ostprignitz.		Bemerkungen.
		M.	Pf.	M.	Pf.	M.	Pf.	M.	Pf.	M.	Pf.	M.	Pf.	M.	Pf.	M.	Pf.	M.	Pf.	
1.	Hafer	8	93	9	55,5	9	31	8	91	9	72	8	66	8	86	9	01,5	8	73,5	Für die Kreise Ober-Barnim, Nieder-Barnim, Osthavelland und Teltow, und für Stadt Spandau gilt Berlin als Haupt-Marktort.
2.	Heu	3	57	3	41,5	3	68	3	55	3	69	3	15	3	15	3	21	2	37	
3.	Richtstroh	3	68	3	46,5	3	51	3	55	4	—	3	68	4	20	3	41	3	15	

Potsdam, den 10. März 1890.

Der Regierungs-Präsident.

63. **Nachweisung der Markt- ꝛc.**

Laufende Nummer	Namen der Städte	Getreide: Weizen M. Pf.	Roggen M. Pf.	Gerste M. Pf.	Hafer M. Pf.	Uebrige Markt-: Erbsen M. Pf.	Speisebohnen M. Pf.	Linsen M. Pf.	Eßkartoffeln M. Pf.	Richtstroh M. Pf.	Krummstroh M. Pf.	Heu M. Pf.	Rindfleisch von der Keule M. Pf.	Bauchfleisch M. Pf.
		Es kosten je 100 Kilogramm											Es	
1	Angermünde	18 78	16 85	16 37	15 85	28 —	28 —	35 —	3 75	6 75	4 58	5 —	1 40	1 10
2	Beeskow	17 50	17 22	— —	16 50	27 50	27 50	37 50	2 90	7 —	— —	6 80	1 20	1 —
3	Bernau	18 98	17 46	17 57	17 26	26 —	30 —	44 —	5 —	7 10	— —	6 75	1 25	1 10
4	Brandenburg	19 20	17 83	15 65	17 72	32 50	35 —	45 —	3 10	6 40	— —	6 05	1 40	1 20
5	Dahme	18 82	17 26	16 43	17 —	25 —	32 —	45 —	2 50	6 50	4 —	7 50	1 —	1 —
6	Eberswalde	18 93	17 30	18 50	16 65	24 —	24 —	32 —	3 20	8 —	— —	6 —	1 40	1 10
7	Havelberg	19 28	17 40	15 50	18 50	25 —	45 —	55 —	3 50	6 50	3 25	6 50	1 30	1 —
8	Jüterbog	18 90	18 23	17 —	17 50	28 —	30 —	50 —	3 —	7 —	— —	7 —	1 20	1 10
9	Luckenwalde	18 89	17 79	— —	17 64	36 —	36 —	40 —	3 10	6 34	— —	6 75	1 20	1 20
10	Perleberg	18 74	17 13	14 59	16 98	27 —	35 —	50 —	3 50	6 57	— —	6 57	1 40	1 20
11	Potsdam	18 95	17 81	16 69	17 95	28 —	33 —	42 —	3 83	7 13	— —	6 —	1 35	1 10
12	Prenzlau	19 01	16 87	17 65	16 25	22 —	30 —	30 —	3 50	6 50	5 —	5 —	1 30	— 95
13	Pritzwalk	18 67	16 88	16 28	15 98	19 —	30 —	39 —	2 50	6 25	5 25	5 50	1 30	1 —
14	Rathenow	19 50	17 50	16 50	19 —	30 —	35 —	44 —	2 96	5 91	— —	5 10	1 40	1 20
15	Neu-Ruppin	19 —	17 —	16 32	16 76	30 —	32 —	50 —	2 74	8 —	— —	6 —	1 40	1 15
16	Schwedt	19 —	17 73	17 —	17 18	26 67	31 25	31 25	3 —	6 50	— —	6 10	1 20	1 —
17	Spandau	18 75	17 25	15 25	17 25	28 —	37 —	46 —	4 —	7 25	— —	6 50	1 45	1 20
18	Strausberg	19 75	17 65	19 25	17 94	19 —	30 50	35 —	3 —	8 32	— —	7 97	1 20	1 10
19	Teltow	19 —	17 36	17 60	17 82	40 —	40 —	55 —	4 25	7 46	6 17	7 48	1 50	1 10
20	Templin	18 50	17 —	17 —	17 —	17 50	50 —	60 —	3 —	8 —	— —	7 —	1 20	1 —
21	Treuenbrietzen	19 90	17 80	15 70	16 50	26 —	24 —	30 —	3 —	6 —	— —	5 50	1 20	1 —
22	Wittstock	18 63	17 19	15 50	16 30	18 —	36 —	44 —	2 57	6 —	4 —	4 53	1 —	— 90
23	Wriezen a. O.	18 16	17 56	18 36	16 25	22 —	30 50	34 —	3 —	6 —	4 69	5 50	1 30	1 —
	Durchschnitt	18 91	17 39	15 94	17 07	— —	— —	— —	3 26	6 85	— —	6 22	— —	— —

Potsdam, den 10. März 1890.

Erledigung einer Kreisthierarztstelle.

64. Die Stelle des Kreisthierarztes im Kreise Templin ist durch das Ableben des bisherigen Inhabers erledigt.

Bewerber, welche die Prüfung als Kreisthierarzt abgelegt haben, wollen sich unter Vorlegung ihrer Zeugnisse und eines Lebenslaufs bis zum 15. April d. J. bei mir melden.

Der bisherige Inhaber der Stelle hat, außer dem Gehalte von 600 M., noch ein Nebeneinkommen von 540 M. jährlich aus Kreis- und aus-städtischen Mitteln gehabt.

Potsdam, den 6. März 1890.

Der Regierungs-Präsident.

Bekanntmachungen des Königlichen Polizei-Präsidiums zu Berlin.

Statut der „Allianz“, Versicherungs-Actien-Gesellschaft in Berlin.

18. Diesem Stück des Amtsblattes ist eine Extra-Beilage beigefügt, welche das Statut der „Allianz“, Versicherungs-Actien-Gesellschaft in Berlin, nebst dem dazu gehörigen Wechselformular, sowie die darauf bezügliche Genehmigungsurkunde vom 13. Januar 1890 enthält. Berlin, den 28. Februar 1890.

Der Polizei-Präsident.

Errichtung von Apotheken

19. Der Herr Ober-Präsident der Provinz Brandenburg hat durch Erlaß vom 26. v. M. die Verlegung der **von Jacubowski**'schen Apotheke, Möckernstraße Nr. 117, nach dem Grundstücke Yorkstraße Nr. 18, sowie die Errichtung einer neuen Apotheke in der Königgrätzerstraße südöstlich von der Großbeerenstraße mit Ausschluß der Ecke der Letzteren und der derselben gegenüber liegenden Häuser genehmigt. Geeignete Bewerber um die letztgedachte Neuanlage werden zur Meldung binnen einer **Präklusivfrist von 6 Wochen** mit dem Bemerken hierdurch aufgefordert, daß persönliche Vorstellungen zwecklos sind und **die an mich zu richtenden Bewerbungen lediglich schriftlich** zu geschehen haben. Der Meldung sind beizufügen: a. Approbation und sonstige **physikatlich beglaubigte** Zeugnisse, b. Lebenslauf, c. **amtlich beglaubigter** Nachweis über die zur Ueber-

Preise im Monat Februar 1890.

Artikel — kostet je 1 Kilogramm: Schweinefleisch	Kalbfleisch	Hammelfleisch	Speck	Butter	Ein Schock Eier.	Ladenpreise in den letzten Tagen des Monats — Es kostet je 1 Kilogramm. Mehl: Weizen Nr. 1.	Mehl: Roggen Nr. 1.	Gerste: Graupe	Gerste: Grütze	Buchweizengrütze	Hafergrütze	Hirse	Reis, Java	Java-Kaffee mittler in gebr. Bohnen	Java-Kaffee gelber in gebr. Bohnen	Speisesalz	Schweineschmalz, hiesig.
M. Pf.	M. Pf.	M. Pf.	M. Pf.	M. Pf.	M. Pf.	M. Pf.	M. Pf.	M. Pf.	M. Pf.	M. Pf.	M. Pf.	M. Pf.	M. Pf.	M. Pf.	M. Pf.	M. Pf.	M. Pf.
1 30	— 90	1 05	1 90	2 10	3 40	— 35	— 30	— 55	— 45	— 45	— 60	— 60	— 60	3 40	3 60	— 20	2 —
1 30	— 75	— 95	1 80	2 —	3 23	— 40	— 26	— 50	— 60	— 50	— 80	— 60	— 60	2 60	3 60	— 20	1 60
1 40	1 26	1 15	2 33	1 75	3 88	— 30	— 20	— 50	— 50	— 60	— 40	— 50	— 35	2 60	3 20	— 20	1 60
1 35	1 15	1 15	1 80	2 30	4 20	— 40	— 30	— 50	— 40	— 50	— 50	— 50	— 50	3 60	3 80	— 20	1 60
1 40	— 90	1 —	1 80	2 —	2 40	— 32	— 26	— 60	— 40	— 50	— —	— 50	— 50	2 80	3 60	— 20	1 40
1 40	1 —	1 —	2 —	2 40	4 10	— 32	— 30	— 60	— 60	— 50	— —	— 60	— 60	3 20	3 60	— 20	2 —
1 32	1 25	1 05	1 85	2 10	3 42	— 38	— 26	— 50	— 55	— 60	— 60	— 50	— 60	2 80	4 —	— 20	1 80
1 40	— 90	1 20	1 80	2 20	3 40	— 34	— 29	— 40	— 50	— 40	— 60	— 40	— 40	3 —	3 60	— 20	1 60
1 40	1 —	1 20	1 60	2 20	3 60	— 36	— 24	— 50	— 40	— 40	— 60	— 36	— 60	2 50	3 60	— 20	1 60
1 40	1 30	1 15	1 95	1 79	3 50	— 50	— 36	— 50	— 40	— 50	— 50	— 40	— 50	3 80	3 80	— 20	2 —
1 50	1 15	1 25	1 80	2 15	4 08	— 42	— 35	— 50	— 50	— 50	— 50	— 45	— 70	3 —	3 80	— 20	2 —
1 40	— 90	1 10	1 90	2 20	3 16	— 32	— 30	— 60	— 40	— 55	— 60	— 55	— 60	3 20	3 60	— 20	2 —
1 38	1 —	1 10	2 —	1 88	2 80	— 25	— 24	— 40	— 40	— 40	— 50	— 40	— 50	3 40	3 60	— 20	1 60
1 50	1 —	1 20	1 60	2 60	3 20	— 32	— 29	— 40	— 44	— 45	— 44	— 40	— 60	3 25	3 50	— 20	1 60
1 30	1 10	1 10	1 70	2 20	3 50	— 40	— 30	— 60	— 60	— 50	— 60	— 50	— 60	3 25	3 58	— 20	1 60
1 20	— 90	1 20	1 90	1 80	4 —	— 35	— 25	— 50	— 40	— 50	— 50	— 50	— 60	3 20	3 40	— 20	2 —
1 60	1 28	1 25	1 80	2 50	3 50	— 40	— 30	— 50	— 50	— 50	— 50	— 50	— 65	3 40	3 80	— 20	1 40
1 40	1 10	1 20	1 60	2 40	3 72	— 35	— 25	— 55	— 50	— 45	— 50	— 50	— 50	3 —	3 80	— 20	1 40
1 50	1 30	1 25	1 60	2 30	5 06	— 40	— 30	— 60	— 60	— 50	— 60	— 50	— 60	2 40	2 80	— 20	1 20
1 40	— 80	1 —	1 80	2 40	3 50	— 30	— 25	— 60	— 50	— 60	— 60	— 40	— 50	3 40	3 80	— 20	1 80
1 40	1 —	1 20	1 60	2 20	4 —	— 32	— 26	— 50	— —	— 40	— 50	— 30	— 50	3 30	3 60	— 20	1 80
1 28	— 70	1 04	1 80	1 98	2 87	— 28	— 26	— 50	— 50	— 50	— 60	— 50	— 50	3 20	3 60	— 20	1 80
1 30	1 10	1 15	1 80	2 20	3 30	— 25	— 27	— 50	— 40	— 40	— 50	— 50	— 50	3 25	3 50	— 20	1 40
— —	— —	— —	— —	— —	— —	— —	— —	— —	— —	— —	— —	— —	— —	— —	— —	— —	— —

Der Regierungs-Präsident.

nahme bezw. Einrichtung einer Apotheke erforderlichen Mittel, d. ein polizeiliches Führungs-Attest. Der Bewerber hat außerdem pflichtgemäß zu versichern, daß er eine Apotheke bisher nicht besessen hat oder — falls dies der Fall sein sollte — die Genehmigung des Herrn Ministers der geistlichen, Unterrichts- und Medizinal-Angelegenheiten zur abermaligen Bewerbung um Apotheken-Neuanlagen vorzulegen. Gleichzeitig weise ich darauf hin, daß Gesuche von Bewerbern, welche 10 und mehr Jahre sich vom Apothekenfache abgewandt haben oder welche erst nach dem Jahre 1875 approbirt sind, bei der großen Zahl mehr berechtigter Bewerber zur Zeit keine Aussicht auf Erfolg haben. Solche Apotheker stehen deshalb zur Vermeidung unnöthigen Schreibwerkes rc. am Besten von der Bewerbung ab.

Berlin, den 3. März 1890.

Der Polizei-Präsident.

Apotheken-Räumlichkeiten betreffend.

20. Im Verlaufe der letzten Jahre sind mehrfach Apotheken-Räumlichkeiten ohne meine Genehmigung nach Ausdehnung oder Lage verändert worden.

Die für die Anlage einer Apotheke in Aussicht genommenen Räume werden von der Aufsichtsbehörde vor ihrer Einrichtung nicht allein bau- sondern stets auch medizinalpolizeilich darauf geprüft, ob dieselben ihrer künftigen Bestimmung überhaupt, wie insbesondere nach räumlicher Ausdehnung und Lage zu einander entsprechend gewählt sind. Erst nachdem die Aufsichtsbehörde sich mit der getroffenen Wahl einverstanden erklärt hat, darf die Einrichtung der Räume beginnen. Dieses Verfahren hat den Zweck, Unzuträglichkeiten für den Apothekenbesitzer bei der Eröffnungsrevision zu verhüten, bei welcher die Offizin wie die Nebenräume auch in Ansehung des Raumes (Instruktion für das Verfahren bei Apotheken-Revisionen vom 21. Oktober 1819 Ziffer 7 und 8) zu besichtigen sind. Jede Veränderung jener Räume bedarf daher der Genehmigung der Aufsichtsbehörde d. h. für Berlin und Charlottenburg des Unterzeichneten.

Die Herren Apotheken-Besitzer und Verwalter mache ich hierauf unter Hinweis auf § 132 des Gesetzes über die allgemeine Landesverwaltung vom

Ausweisung von Ausländern aus dem Reichsgebiete.

Lauf. Nr.	Name und Stand des Ausgewiesenen.	Alter und Heimath des Ausgewiesenen.	Grund der Bestrafung.	Behörde, welche die Ausweisung beschlossen hat.	Datum des Ausweisungs-Beschlusses.
1.	2.	3.	4.	5.	6.
		a. Auf Grund des § 39 des Strafgesetzbuchs:			
1	Johann Witzeneder, Schneider,	geboren am 16. September 1862 zu Linz, Oesterreich, ortsangehörig zu Esternberg, Bezirk Schärding, ebendaselbst,	schwerer Diebstahl (fünf Jahre Zuchthaus laut Erkenntniß vom 21sten Februar 1885),	Königlich Bayerisches Bezirksamt Donauwörth,	25. Januar 1890.
2	Theresia Heinrich, ledige Dienstmagd,	geboren am 28. November 1863 zu Weißbach, Bezirk Freiwaldau, Oesterreichisch-Schlesien, ortsangehörig ebendaselbst,	schwerer Diebstahl im wiederholten Rückfall (2 Jahre Zuchthaus laut Erkenntniß vom 22. Februar 1888),	Königlich Preußischer Regierungspräsident zu Liegnitz,	14. Februar 1890.
3	Heinrich Leunissen, Schuhmacher,	geboren am 10. Februar 1857 zu Klimmen, Niederlande, ortsangehörig ebendaselbst,	schwerer Diebstahl (1 Jahr 6 Monate Zuchthaus laut Erkenntniß vom 15. August 1888),	Königlich Preußischer Regierungspräsident zu Düsseldorf,	12. Februar 1890.
		b. Auf Grund des § 362 des Strafgesetzbuchs:			
1	Thomas Fischer, Bäcker,	geboren am 24. April 1853 zu Wien, Oesterreich, ortsangehörig zu Pisek, Böhmen,	Landstreichen,	Königlich Bayerisches Bezirksamt Viechtach,	30. Januar 1890.
2	Michael Kokall, Müller,	geboren im Jahre 1846 zu Obernalb, Bezirk Oberhollabrunn, Oesterreich, ortsangehörig ebendaselbst,	Landstreichen und Betteln,	Königlich Bayerisches Bezirksamt Schrobenhausen,	desgleichen.
3	Gustav Wittmann, Maler,	31 Jahre alt, geboren zu Kronstadt, Mähren, ortsangehörig zu Iglau, ebendaselbst,	Betteln im wiederholten Rückfall,	Großherzoglich Badischer Landeskommissär zu Mannheim,	11. Februar 1890.
4	Karl Nicot, Tischlergeselle,	geboren im Jahre 1841 zu Clerval, Frankreich, französischer Staatsangehöriger,	Landstreichen u. Betteln,	Kaiserlicher Bezirks-Präsident zu Colmar,	1. Februar 1890.
5	Karl Javos, Müller,	geboren am 10. November 1850 zu Belkowice, Bezirk Olmütz, Mähren, ortsangehörig ebendaselbst,	Landstreichen und Betteln,	Königlich Preußischer Regierungspräsident zu Breslau,	14. Februar 1890.
6	Anschel Rosenstock, Arbeiter,	geboren am 23. März 1840 zu Klaj, Bezirk Bochnia, Galizien, ortsangehörig zu Krakau, ebendaselbst,	desgleichen,	Königlich Preußischer Regierungspräsident zu Oppeln,	16. Januar 1890.

Hierzu eine Beilage, enthaltend die Statuten der „Allianz“ Versicherungs-Aktien-Gesellschaft in Berlin, sowie Fünf Oeffentliche Anzeiger.

(Die Insertionsgebühren betragen für eine einspaltige Druckzeile 20 Pf.
Belagsblätter werden der Bogen mit 10 Pf. berechnet.)
Redigirt von der Königlichen Regierung zu Potsdam.

Potsdam, Buchdruckerei der A. W. Hayn'schen Erben (E. Hayn, Hof-Buchdrucker).

Die Försterstelle Eichheide in der Oberförsterei Pechteich ist vom 1. Mai d. J. ab dem Förster **Kamper** zu Lotzin, Oberförsterei Gr. Schoenebeck, übertragen worden.

Die Försterstelle Canne in der Oberförsterei Coepenick ist vom 1. April d. J. ab dem Förster **Straßburg** zu Hohenbinde, Oberförsterei Rüdersdorf, übertragen worden.

Die Försterstelle Nieder-Schönhausen in der Oberförsterei Tegel ist vom 1. April d. J. ab dem Hegemeister **Lindenberg** zu Tegelgrund, Oberförsterei Tegel, übertragen worden.

Die Försterstelle Hermsdorf zu Tegelgrund in der Oberförsterei Tegel ist vom 1. April d. J. ab dem Förster **Monsky** zu Briese, Oberförsterei Oranienburg, übertragen worden.

Die Försterstelle Hohenbinde in der Oberförsterei Rüdersdorf ist vom 1. April d. J. ab dem Förster **Schulz** zu Langendamm, Oberförsterei Colpin, übertragen worden.

Der versorgungsberechtigte Feldwebel **Giese**, z. Z. Forstaufseher in der Oberförsterei Grimnitz, ist zum Königlichen Förster ernannt und demselben die Försterstelle Briese in der Oberförsterei Oranienburg vom 1. April d. Js. ab übertragen worden.

Der versorgungsberechtigte Jäger, int. Waldwärter **Kühne** zu Leegebruch in der Oberförsterei Oranienburg ist zum Königlichen Förster ernannt und demselben die Försterstelle Zühlsdorf in der Oberförsterei Schönwalde vom 1. April d. J. ab übertragen worden.

Der versorgungsberechtigte Jäger, Forstaufseher **Bock** zu Friedrichswalde in der Oberförsterei Reiersdorf ist zum Königlichen Förster ernannt und demselben die Försterstelle Langendamm in der Oberförsterei Colpin vom 1. April d. J. ab übertragen worden.

Die Waldwärterstelle Bärenklau in der Oberförsterei Oranienburg ist vom 1. April d. J. ab dem Forstaufseher **Greiner** zu Basdorf, Oberförsterei Schönwalde, interimistisch übertragen worden.

Der bisherige Diakonus zu Templin, Johann Julius **Berndt**, ist zum Pfarrer der Parochie Bötzow, Diözese Spandau, bestellt worden.

Die unter Königlichem Patronat stehende Pfarrstelle zu Kaltenborn, Diözese Jüterbog, ist durch das am 11. Februar d. J. erfolgte Ableben des Pfarrers **Schirlitz** zur Erledigung gekommen. Die Wiederbesetzung erfolgt für den vorliegenden Fall durch das Kirchenregiment.

Das unter magistratualischem Patronat stehende Diaconat zu Lenzen, Diözese gleichen Namens, kommt durch die Versetzung des Diaconus **Franke** zum 1. Mai d. J. zur Erledigung.

Die unter privatem Patronat stehende Pfarrstelle zu Liepe, Diözese Rathenow, kommt durch die Versetzung des Pfarrers **Schmidt** in nächster Zeit zur Erledigung.

Dem Oberlehrer **Leisering** am Sophien-Realgymnasium in Berlin ist der Professortitel verliehen worden.

Personalveränderungen im Bezirk der Kaiserlichen Ober-Postdirection in Berlin.

Im Laufe des Monats Februar sind:

ernannt: zum Telegraphenamtskassirer der Ober-Postdirectionssecretair **Fritzsche**, zum Ober-Postsecretair der Postsecretair **Mohr**, zum Büreouassistenten der Telegraphenassistent **von Przybylski**,

angestellt: als Postsecretaire die Postpraktikanten **Burchardt**, **Butzmann**, **Ebert**, **Haeußler**, **Krause**, **Kuppe**, **Lüder**, **Mehlig**, **W. A. L. Meyer**, **Patzschke**, **Stöckert** und **Westphal**, als Postassistent der Postassistent **Temme**,

versetzt: der Telegraphensecretair **Berndt** nach Bochum,

gestorben: der Postsecretair **Altergott**.

Vermischte Nachrichten.

Vorlesungen an der Königlichen thierärztlichen Hochschule zu Hannover.

Sommersemester 1890.

Beginn am 10. April.

Direktor, Geheimer Regierungs-Rath, Medizinalrath, Professor Dr. **Dammann**: Seuchenlehre und Veterinair-Polizei, Diätetik. — Professor Dr. **Lustig**: Allgemeine Chirurgie, Untersuchungsmethoden, Allgemeine Therapie, Spitalklinik für große Hausthiere. — Professor Dr. **Rabe**: Allgemeine Pathologie und allgemeine pathologische Anatomie, Spitalklinik für kleine Hausthiere, Obductionen und pathologisch-anatomische Demonstrationen, Pflanzliche Parasiten, Fleischbeschau mit Uebungen. — Professor Dr. **Kaiser**: Operationslehre, Geburtshülfe mit Uebungen am Phantom, Geschichte der Thierheilkunde, Ambulatorische Klinik. — Lehrer **Tereg**: Physiologie I., Arzneimittellehre und Toxikologie. — Lehrer Dr. **Arnold**: Organische Chemie, Receptirkunde, Pharmaceutische Uebungen, Uebungen im chemischen Laboratorium. — Lehrer **Boether**: Anatomie der Sinnesorgane, Histologie und Embryologie, Histologische Uebungen, Allgemeine Anatomie, Osteologie und Syndesmologie. — Professor Dr. **Heß**: Botanik. — Lehrer **Geiß**: Uebungen am Huf. — Sanitätsrath Dr. med. **Esberg**: Ophthalmoskopischer Cursus.

Zur Aufnahme als Studirender ist der Nachweis der Reife für die Prima eines Gymnasiums oder Realgymnasiums oder einer durch die zuständige Central-Behörde als gleichstehend anerkannten höheren Lehranstalt erforderlich.

Ausländer und Hospitanten können auch mit geringeren Vorkenntnissen aufgenommen werden, sofern sie die Zulassung zu den thierärztlichen Prüfungen in Deutschland nicht beanspruchen.

Nähere Auskunft ertheilt auf Anfrage unter Zusendung des Programms

die Direction der thierärztlichen Hochschule.

Dr. **Dammann**.

§ 7.

Dividendenscheine werden auf den Inhaber gestellt. Ein Aufgebot findet bezüglich derselben nicht statt.

Dividendenscheine verfallen zu Gunsten der Gesellschaft, wenn sie nicht innerhalb vier Jahren von Ablauf des Kalenderjahres ab, in welchem sie zur Auszahlung fällig waren, erhoben worden sind.

Geht ein Dividendenschein verloren und ist hierüber innerhalb vorstehender Frist bei der Gesellschaft Anzeige gemacht, so wird der Betrag hiefür dem Anmeldenden nach Ablauf eines weiteren Kalenderjahres ausbezahlt, sofern nicht der Dividendenschein selbst inzwischen eingehoben worden ist. Durch solche Verlustanzeige wird die Gesellschaft weder zur Prüfung der Legitimation des Präsentanten, noch zur Sistirung der Auszahlung verpflichtet.

§ 8.

Beschädigte Aktien, Interimsscheine und Dividendenscheine können, wenn über ihre Echtheit kein Zweifel obwaltet, durch neue Ausfertigungen unter gleicher Nummer auf Kosten des Antragstellers ersetzt werden.

Abschnitt II.

Generalversammlung, Aufsichtsrath, Direktion.

A. Generalversammlung.

§ 9.

Die Anmeldung zur Generalversammlung erfolgt beim Vorstand der Gesellschaft mindestens am zweiten Tage vor der Generalversammlung.

Nur Aktionäre, welche als solche im Aktienbuche der Gesellschaft eingetragen sind, können (in Person oder durch ihre gesetzlichen Vertreter, oder durch einen schriftlich Bevollmächtigten) an der Generalversammlung Theil nehmen, sofern sie sich über den Aktienbesitz durch Vorzeigung der Aktien oder durch Vorlage eines Besitzzeugnisses ausweisen, welches gerichtlich oder notariell, oder von einer in der Einladung zur Generalversammlung bezeichneten Anmeldungsstelle ausgestellt sein muß.

Der Vorstand ertheilt den rechtzeitig Anmeldenden Eintrittskarten und Stimmzettel.

§ 10.

Die Einladungen zu der Generalversammlung erfolgen, unbeschadet der Befugnisse des Vorstandes nach Art. 236 des Handelsgesetzbuches, durch den Aufsichtsrath mittels öffentlicher Bekanntmachung mindestens 3 Wochen vor dem Versammlungstage.

Diese Frist ist dergestalt zu bemessen, daß zwischen dem Datum des die Bekanntmachung enthaltenden Blattes und dem Datum der Versammlung selbst, beide Daten nicht mit eingerechnet, ein Zeitraum von mindestens 3 Wochen liegt.

Versammlungsort, Tag und Stunde, sowie die Tagesordnung sind in der Bekanntmachung anzugeben.

§ 11.

Die ordentliche Generalversammlung findet regelm im zweiten Quartale jeden Kalenderjahres statt und sind die zur Tagesordnung derselben gehörigen Gegenstände folgende:

1) Der Geschäftsbericht der Direktion und der Bericht des Aufsichtsrathes über die Prüfung der Bilanz und der Gewinn- und Verlustrechnung;
2) Beschlußfassung über die Vertheilung des Gewinnrestes (§ 37);
3) Wahl der Mitglieder des Aufsichtsrathes;
4) Wahl einer aus drei Aktionären bestehenden Kommission zur Revision der Bilanz des laufenden Geschäftsjahres und Entlastung des Vorstandes auf Antrag des Aufsichtsrathes;
5) Beschlußfassung über sonstige auf der Tagesordnung stehende Anträge des Vorstandes, des Aufsichtsrathes oder der Aktionäre.

Anträge von Aktionären müssen jedoch nach Maßgabe des Art. 237 des Handelsgesetzbuches eingebracht sein.

Außerordentliche Generalversammlungen können so oft berufen werden, als es die Geschäfte erfordern.

Ist weder ein gehörig constituirter Aufsichtsrath noch ein Vorstand vorhanden, so ist jeder einzelne Aktionär, ohne Rücksicht auf die Höhe eines Aktienbesitzes, berechtigt, sich von dem das Handelsregister führenden Richter ermächtigen zu lassen, seinerseits eine Generalversammlung einzuberufen.

§ 12.

Den Vorsitz in der Generalversammlung, mag dieselbe durch den Vorstand oder durch den Aufsichtsrath berufen sein, führt der Vorsitzende des Aufsichtsrathes oder dessen Stellvertreter. Ist keiner derselben erschienen, oder ist kein gehörig constituirter Aufsichtsrath vorhanden, so eröffnet derjenige Aktionär, welcher den größten Aktienbesitz angemeldet hat, bei gleich hohem Aktienbesitz Mehrerer, der unter diesen durch das Loos zu bestimmende Aktionär die Versammlung und läßt von dieser einen Vorsitzenden wählen. Ist die Generalversammlung auf Ermächtigung des Gerichts durch einen Aktionär berufen, so gebührt diesem der Vorsitz, der ihn auch alsdann an einen anderen Aktionär abtreten kann; ist dieselbe unter gleicher Voraussetzung durch mehrere Aktionäre berufen, so haben dieselben unter sich einen Vorsitzenden zu wählen.

Abstimmungen müssen, sobald ein stimmberechtigter Aktionär dies verlangt, schriftlich durch Stimmzettel vorgenommen werden.

Außerdem entscheidet die Generalversammlung auf Vorschlag des Vorsitzenden über Abstimmungsform und Geschäftsordnung.

Die Beschlüsse werden, soweit nicht das Gesetz oder das Statut eine größere Mehrheit erfordert, mit absoluter Mehrheit gefaßt; bei Stimmengleichheit gilt der gestellte Antrag als abgelehnt.

Die über die Beschlüsse und Wahlhandlungen zu errichtende Notariatsurkunde wird vom Vorsitzenden und von zwei weiteren Theilnehmern der Versammlung unterzeichnet. Die Zuziehung von Instrumentszeugen ist nicht erforderlich.

Der Aufsichtsrath kann bestimmen, daß über den

Gang der Verhandlungen noch ein besonderes Protokoll geführt und in gleicher Weise unterzeichnet werde.

§ 13.

Aenderung der Statuten ist statthaft, wenn in der hiezu berufenen Generalversammlung mehr als die Hälfte des Aktienkapitals vertreten ist, und wenn mindestens drei Viertheile der vertretenen Stimmen sich für die Aenderung entscheiden.

Unter den gleichen Voraussetzungen kann die Generalversammlung giltig beschließen:

1) Auflösung der Gesellschaft,
2) Abänderung des Gegenstandes des Unternehmens (§ 1),
3) eine Fusion, insbesondere eine solche gegen Gewährung von Aktien einer anderen Gesellschaft,
4) eine Abänderung des Grundkapitals der Gesellschaft.

Die in Absatz 1 und die in Absatz 2 Ziffer 2 bis 4 bezeichneten Beschlüsse können nur mit Genehmigung der Kgl. Staatsregierung in Wirksamkeit treten.

§ 14.

Ist in der zur Beschlußfassung über einen in § 13 bezeichneten Gegenstand berufenen Generalversammlung der erforderliche Aktienbetrag nicht vertreten, so wird unter Einhaltung der in § 10 gegebenen Vorschriften eine weitere Generalversammlung berufen, deren Beschlußfähigkeit hinsichtlich des fraglichen Gegenstandes von der Höhe des vertretenen Aktienbetrages nicht abhängig ist.

Hierauf ist in der ergehenden öffentlichen Einladung ausdrücklich hinzuweisen.

An das Erforderniß der Dreiviertelmehrheit ist die Beschlußfassung auch in der zweiten Generalversammlung gebunden.

B. Aufsichtsrath.

§ 15.

Der Aufsichtsrath besteht aus fünf bis neun Mitgliedern.

§ 16.

Die Wahl des ersten Aufsichtsrathes gilt für die Zeit bis zum Schlusse der ersten ordentlichen Generalversammlung. In dieser wird der Aufsichtsrath neu gewählt und scheidet alsdann von dessen Mitgliedern in jedem zweiten Jahre beim Schluß der ordentlichen Generalversammlung die Hälfte, bei ungerader Zahl das erste Mal die Mehrzahl aus. Der Austritt wird zunächst durch das Loos, sodann nach der Funktionsdauer bestimmt, dergestalt, daß bei verschiedenem Dienstalter immer derjenige auszuscheiden hat, welcher die längste Zeit dem Aufsichtsrathe angehört.

An Stelle der Ausscheidenden nimmt die ordentliche Generalversammlung Neuwahlen vor. Die Ausscheidenden sind wieder wählbar.

§ 17.

Scheiden Aufsichtsrathsmitglieder vor Ablauf ihrer Amtsdauer aus, so findet eine Ersatzwahl in der nächsten ordentlichen Generalversammlung statt. Die Amtsdauer der Ersatzmänner währt so lange, wie das Amt der Ausgeschiedenen, an deren Stelle sie getreten, gewährt haben würde. Die Ausscheidenden sind stets wieder wählbar.

§ 18.

Der Aufsichtsrath wählt in jedem zweiten Jahre nach dem Schlusse derjenigen Generalversammlung, in welcher eine Wahl stattgefunden hat, aus seiner Mitte einen Vorsitzenden und dessen Stellvertreter. Bei dieser Verhandlung führt der Vorsitzende des abgelaufenen Jahres, oder in dessen Behinderung sein Stellvertreter, in deren Ermangelung jedoch das den Lebensjahren nach älteste Mitglied den Vorsitz. Die Wahl ist in entsprechender Weise zu wiederholen, sobald in der Zwischenzeit das Amt zur Erledigung kommt, oder sobald nach übereinstimmender Erklärung aller übrigen Mitglieder andauernde Unfähigkeit zur Verwaltung des betreffenden Amtes eingetreten ist. Der Aufsichtsrath faßt seine Beschlüsse mit absoluter Stimmenmehrheit der Anwesenden; bei Stimmengleichheit entscheidet die Stimme des Vorsitzenden. Die Wahlen erfolgen ebenfalls nach absoluter Stimmenmehrheit; ist diese bei der ersten Wahlhandlung nicht erreicht, so findet eine engere Wahl über diejenigen statt, welchen die beiden höchsten Stimmenzahlen zugefallen sind; bei gleicher Stimmenzahl in der engeren Wahl entscheidet das von der Hand des Vorsitzenden zu ziehende Loos.

§ 19.

Die Beschlüsse des Aufsichtsrathes sind giltig, wenn die Mehrzahl seiner Mitglieder sich an der betreffenden Abstimmung betheiligt hat und sämmtliche Mitglieder zur Theilnahme eingeladen waren.

Die erfolgte Einladung wird durch die Absendung eines eingeschriebenen Briefes erwiesen.

§ 20.

Der Vorsitzende erläßt die Einladungen zu Sitzungen des Aufsichtsrathes unter Mittheilung der Tagesordnung, so oft die Angelegenheiten der Gesellschaft dies erfordern, mindestens aber alle 3 Monate, außerdem auf Antrag zweier Mitglieder oder des Direktors.

Der Antrag auf Berufung des Aufsichtsrathes von Seiten der Mitglieder desselben oder der Direktion ist schriftlich zu stellen und zu begründen.

In dringenden Fällen kann der Vorsitzende schriftliche oder telegraphische Abstimmung unter entsprechender Beobachtung der Vorschriften in § 19 veranlassen.

§ 21.

Ueber die in den Sitzungen des Aufsichtsrathes gefaßten Beschlüsse wird ein von den Theilnehmern zu unterzeichnendes Protokoll abgefaßt.

Ueber Wahlhandlungen ist eine Notariatsurkunde aufzunehmen.

§ 22.

Dem Aufsichtsrath liegt außer den ihm vom Gesetz zugewiesenen Aufgaben ob:

1) Der Abschluß der Dienstverträge mit der Direktion. Verträge, welche mehr als 5 Jahre bindend sein sollen, unterliegen der Genehmigung der Generalversammlung;

2) Die Verwendung, Anlage und Sicherstellung vorhandener Gelder;
3) Die Bestimmung über Einforderung weiterer Einzahlungen bis zum Nominalbetrage der Aktien, jedoch nur unter gleichzeitiger Berufung einer Generalversammlung, welcher Bericht hierwegen zu erstatten ist;
4) Die Feststellung der erforderlichen Geschäfts-Instruktionen;
5) Die Festsetzung der Dotirung des Reservefonds;
6) Die Beschlußfassung über Anleihen und über Erwerb und Veräußerung von Grundstücken;
7) Die Errichtung und Auflösung von Zweigniederlassungen.

§ 23.

Der Aufsichtsrath ist befugt, zur besonderen fortlaufenden Wahrnehmung seiner Obliegenheiten einzelne seiner Mitglieder für die Dauer eines Jahres zu delegiren.

Die Befugnisse der Delegirten bestimmen sich nach der vom Aufsichtsrath festgesetzten Instruktion und sind jederzeit wiederruflich.

§ 24.

Alle Ausfertigungen des Aufsichtsrathes werden vom Vorsitzenden unterzeichnet.

Die Legitimation der Mitglieder des Aufsichtsrathes, sowie des Vorsitzenden und seines Stellvertreters wird durch ein auf Grund der eingesehenen Wahlprotokolle ausgestelltes, notarielles Attest erbracht.

Zum Nachweis der Annahme der Wahl genügt die Erklärung in einer Privaturkunde oder zum Protokolle des Aufsichtsrathes.

§ 25.

Die Mitglieder des Aufsichtsrathes erhalten einen Antheil am Reingewinn nach Maßgabe des § 34, über dessen Vertheilung unter die einzelnen Mitglieder der Aufsichtsrath beschließt.

Jedes Mitglied des Aufsichtsrathes hat 10 Aktien der Gesellschaft in deren Hauptkasse als Kaution zu deponiren.

Auf die Mitglieder des ersten Aufsichtsrathes finden die Vorschriften im Art. 192 des Handelsgesetzbuches Anwendung.

C. Direktion.

§ 26.

Vorstand der Gesellschaft im Sinne des Handelsgesetzbuches ist die Direktion. Sie kann aus einem oder mehreren Mitgliedern bestehen. Sofern nicht der Aufsichtsrath hinsichtlich einer Kollektivzeichnung besondere Anordnungen trifft, zeichnet jedes Mitglied der Direktion die Firma der Gesellschaft, indem es derselben seinen Namen beisetzt, mit rechtlicher Wirksamkeit.

§ 27.

Die Direktion wird vom Aufsichtsrath gewählt und bestellt.

Etwa erforderliche Stellvertretung und die Form für die Zeichnung der Stellvertreter ordnet der Aufsichtsrath an.

Die Legitimation für die Direktion und deren Stellvertreter gegenüber dem Handelsgericht erfolgt durch Vorlage des notariellen Wahlprotokolls.

Die erstmalige Bestellung der Direktion erfolgt durch die Zeichner der Aktien in der constituirenden Generalversammlung (§ 41.)

§ 28.

Die Direktion ist für ihre Geschäftsführung dem Aufsichtsrathe und der Gesellschaft nach Maßgabe der gesetzlichen und statutarischen Bestimmungen, ihres Dienstvertrages und der ihr vom Aufsichtsrathe besonders ertheilten Instruktionen verantwortlich. In gleichem Maße sind der Gesellschaft gegenüber ihre Befugnisse begrenzt.

Kein Mitglied der Direktion darf ohne Genehmigung des Aufsichtsrathes bei einem Konkurrenzunternehmen des In- und Auslandes persönlich oder finanziell betheiligt sein.

Mindestens ein Theil ihres Einkommens muß von der Höhe der Betriebsergebnisse der Gesellschaft abhängig sein.

Zur Uebernahme jeder anderen Funktion nach ihrem Eintritte bedürfen die Mitglieder der Direktion der Genehmigung des Aufsichtsrathes.

Jedes Mitglied der Direktion hat, vorbehaltlich besonderer Bestimmungen der Dienstverträge, 25 Stück Aktien der Gesellschaft in deren Hauptkasse als Kaution zu hinterlegen.

§ 29.

Der Direktion sind alle Beamte, Bedienstete und Agenten der Gesellschaft unmittelbar untergeben. Ihre Legitimation wird durch Zeugnisse der Direktion erbracht.

Die Mitglieder der Direktion wohnen den Sitzungen des Aufsichtsrathes mit berathender Stimme bei.

Abschnitt III.

Rechnungsstellung, Bilanz, Gewinnvertheilung, Reservefond, Kontrole.

§ 30.

Das Geschäftsjahr der Gesellschaft schließt am 31. Dezember. An diesem Tage, erstmals am 31. Dezember 1890, wird durch den Vorstand vollständige Inventur gemacht und die Bilanz nach Maßgabe der gesetzlichen Vorschriften gezogen.

Die Vorlagen hierüber an den Aufsichtsrath müssen so zeitig erfolgen, daß die Mittheilung an die Generalversammlung der Aktionäre, sowie die vorgeschriebenen Veröffentlichungen spätestens bis Ende Juni des nächsten Jahres erfolgen können.

§ 31.

Den baaren Einnahmen des Rechnungs-Jahres treten hinzu:

a. die aus den Vorjahren für die laufenden Risiken reservirten Prämien;
b. die im Vorjahre zurückgestellten Reserven für noch nicht regulirte Schäden;
c. Stückzinsen aus den angelegten Kapitalien, bis zum Jahresschluß berechnet.

§ 32.

Unter die Ausgaben sind außer der gesammten Jahres-Ausgabe einschließlich der Organisations- und Verwaltungskosten, wozu insbesondere die vom Geschäftsumfange zu gewährenden Tantièmen gehören, zu ihrem vollem Betrage einzusetzen:

a. Die rechnungsmäßige Prämienreserve für die am Schlusse des Rechnungsjahres noch nicht abgelaufenen Versicherungen;

b. die Reserve zur Deckung angemeldeter, noch nicht berichtigter Schäden; soweit bis zur Beendigung des Rechnungsabschlusses die Entschädigungsziffern nicht endgiltig feststehen, sind die Schäden in Höhe der angemeldeten Beträge zu reserviren.

§ 33.

Der Ueberschuß der Aktiven über die Passiven wird zunächst, wenn durch Verlust in den Vorjahren der Reservefond aufgezehrt und das Grundkapital angegriffen ist, zur Wiederergänzung des letzteren verwendet.

Insoweit dies nicht erforderlich ist, werden nach gesetzlicher Dotirung des Reservefonds 4 % Dividende pro anno für das eingezahlte Aktienkapital zur Vertheilung an die Aktionäre ausgeschieden.

§ 34.

Von dem hiernach bleibenden Gewinn-Ueberschuß werden:

a. sofern der Aufsichtsrath es beschließt, höchstens 20 % zu einer Spezialreserve zurückgelegt;

b. an die Mitglieder des Aufsichtsrathes 7½ %,

c. an die Direktion und die Beamten der Gesellschaft die vertragsmäßig aus dem Reingewinn zu leistenden Tantièmen abgeführt.

Der Rest wird zur Verfügung der Generalversammlung gestellt.

§ 35.

Die Dividende wird vom 1. Juli ab gegen Einlieferung des betreffenden Dividendenscheines bei der Gesellschaftskasse und an den vom Aufsichtsrathe zu bezeichnenden Stellen bezahlt.

§ 36.

Die Zuschüsse zum gesetzlichen Reservefond unterbleiben, wenn und in so lange derselbe eine Höhe von 50 % des eingezahlten Aktienkapitals erreicht hat.

Der gesetzliche Reservefond ist getrennt zu verwalten. Das Zinserträgniß des gesetzlichen Reservefonds fließt diesem zu, bis er die vorbezeichnete Höhe erreicht hat.

§ 37.

Die Generalversammlung kann den ihr zur Verfügung gestellten Gewinnrest (§ 34) ganz oder theilweise zur Vertheilung einer Superdividende an die Aktionäre oder zur Anlegung neuer oder zur Dotirung bestehender Reserven verwenden, oder dessen Vortrag auf neue Rechnung beschließen.

§ 38.

Anlagen aus Beständen des Grundkapitals und der gesetzlichen Reserve dürfen nur in pupillarisch sicheren Hypotheken, in Schuldverschreibungen des deutschen Reiches oder eines zu demselben gehörigen Staates, in vom deutschen Reiche oder von deutschen Bundesstaaten garantirten Papieren, in Communalpapieren, Pfandbriefen oder in Wechseln und Lombardgeschäften, wie letztere beide den Grundsätzen der deutschen Reichsbank entsprechen, erfolgen. Ausländische Papiere dürfen nur in dem Umfange erworben werden, als solche zur Bestellung der in dem betreffenden Staate bei der Conzessionirung etwa geforderten Caution nöthig sind.

Die Anlegung von Prämiengeldern darf nur in solcher Weise geschehen, daß dieselben für die rechtzeitige Bezahlung der Schäden jeden Augenblick ungeschmälert verfügbar sind.

Der Erwerb von Grundstücken ist nur soweit gestattet, als es sich um Beschaffung von Geschäfts-Lokalitäten für die Gesellschaft oder um Sicherung ausstehender Forderungen handelt.

§ 39.

Die Hauptkasse der Gesellschaft wird unter gemeinsamem Verschlusse der Direktion und eines vom Aufsichtsrathe hiezu bestimmten Mitgliedes des Aufsichtsrathes gehalten.

Der Generalversammlung bleibt es überlassen, aus der Mitte der Aktionäre zwei Revisoren zur alljährlichen Verifikation der Bücher, Rechnungen und des Kassen- und des Effektenstandes zu wählen.

§ 40.

Die Königl. Staatsregierung kann zur Ausübung des ihr über die Gesellschaft zustehenden Aufsichtsrechtes einen Kommissär für beständig oder für einzelne Fälle ernennen. Letzterer ist berechtigt, sowohl Generalversammlungen der Aktionäre als auch Versammlungen des Aufsichtsrathes auf Kosten der Gesellschaft zu berufen und denselben beizuwohnen, auch jederzeit von den Kassenbeständen, Büchern, Rechnungen, Registern und sonstigen Verhandlungen und Schriftstücken der Gesellschaft Einsicht zu nehmen.

§ 41.

Ist bei der notariellen Errichtung des Gesellschaftsvertrages das gesammte emittirte Aktienkapital durch die persönlich anwesenden Zeichner oder deren Bevollmächtigte vertreten, so können die Erschienenen, ohne daß es einer weiteren Form für die Berufung bedarf, sich sofort als erste statutenmäßige Generalversammlung constituiren, die Wahlen (§§ 16, 27) vornehmen und einzelne Personen ermächtigen, am Gesellschaftsvertrage diejenigen Abänderungen vorzunehmen und rechtswirksam zu beurkunden, welche etwa von Seite der Königlichen Staatsregierung vor der Eintragung im Handelsregister gefordert oder von Seite des Gerichtes als Vorbedingungen des Registereintrages aufgestellt werden.

Diese Ermächtigung gilt als Vollmacht für allenfallsige Beschwerdeführung gegen solche Verfügungen.

* * *

Wechselformular.

. . . . den . . ten . . . . 18 . .

Für M. 750.

Drei Monate nach Wiedersicht zahle . . . . . in Berlin gegen diesen Solawechsel an die „**Allianz**“ Versicherungs-Aktien-Gesellschaft daselbst, nicht an Ordre, die Summe von

Siebenhundertundfünfzig Mark Reichswährung.

Die Valuta bekenne . . . . . in einer auf . . . . . Namen eingetragenen Aktie der „Allianz“ Versicherungs-Aktien-Gesellschaft empfangen zu haben und verpflichte . . . . . zur Zahlung obiger Summe, wenn . . . . . dieser Wechsel vor dem 31. Dezember 1919 präsentirt wird.

(Unterschrift)

Ministerium des Innern.

Dem angehefteten, durch notarielle Verhandlungen vom 17. September, 16. November und 27. Dezember 1889 verlautbarten Statute der

„Allianz“ Versicherungs-Aktien-Gesellschaft zu Berlin

wird die staatliche Genehmigung unter der Voraussetzung hierdurch ertheilt, daß demnächst die Eintragung der Gesellschaft in das Handelsregister auf Grund dieses Statuts erfolgt.

Berlin, den 13. Januar 1890.

(L. S.)

Der Minister des Innern.
gez. Herrfurth.

Der Minister für Handel und Gewerbe.
In Vertretung gez. Magdeburg.

Genehmigungsurkunde.
M. d. J. I. A. 165/166.
M. f. Hdl. ꝛc. A. 114.

Potsdam, Buchdruckerei der A. W. Hayn'schen Erben (E. Hayn, Hof-Buchdrucker).

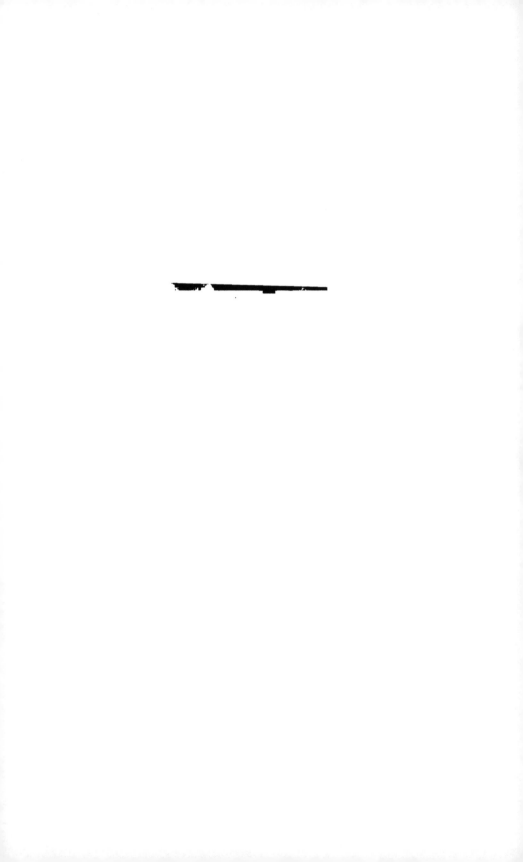

Extra-Blatt

zum Amtsblatt

der Königlichen Regierung zu Potsdam und der Stadt Berlin.

Ausgegeben den 17ten März 1890.

Potsdam, Berlin, den 7. März 1890.

Auf Anweisung der Herren Minister der öffentlichen Arbeiten, für Landwirthschaft, Domänen und Forsten, des Innern und für Handel und Gewerbe vom 20. Februar 1890 wird hiermit Nachstehendes zur öffentlichen Kenntniß gebracht.

Der Polizei-Präsident.
von Richthofen.

Der Regierungs-Präsident.
Graf Hue de Grais.

* * *

Anweisung

zur Ausführung der §§ 18, 138, 156 bis 161 des Reichsgesetzes, betreffend die Invaliditäts- und Altersversicherung, vom 22. Juni 1889.

Vom 20. Februar 1890.

Zur Ausführung der §§ 18, 138, 156 bis 161 des Reichsgesetzes, betreffend die Invaliditäts- und Altersversicherung, vom 22. Juni 1889 (Reichs-Gesetzbl. S. 97) wird unter Hinweisung auf die Kaiserliche Verordnung vom 30. Dezember 1889 (Reichs-Gesetzbl. 1890 S. 1) und unter Vorbehalt weiterer Anordnungen Folgendes bestimmt:

A. Untere Verwaltungsbehörden und Gemeindebehörden.

1. Untere Verwaltungsbehörden im Sinne des § 161 a. a. O. sind die Ortspolizeibehörden, sowie die Vorstände der Gemeinden und der selbständigen Gutsbezirke.

   Gemeindebehörden im Sinne des § 18 a. a. O. sind die Vorstände der Gemeinden und der selbständigen Gutsbezirke.

   In denjenigen Gemeinden, welche für die Verwaltung der Ortspolizei oder für die Gemeindeverwaltung in besondere örtliche Bezirke (Polizeireviere, Distrikte 2c.) getheilt worden sind, gelten als untere Verwaltungsbehörden und Gemeindebehörden die Vorstände dieser Bezirke.

   Bildet der Gemeindevorstand ein Kollegium, so darf er zur Ausstellung der Bescheinigungen und Beglaubigungen (Ziffer 2 ff.) Kommissare bestellen.

B. Nachweise über Arbeitszeit, Arbeitslohn, Unterbrechungen eines ständigen Arbeits- oder Dienstverhältnisses.

I. Bescheinigungen.

2. Auf Antrag solcher Personen, welche ein unter § 1 a. a. O. fallendes Arbeits- oder Dienstverhältniß (eine Beschäftigung als Arbeiter, Gehülfe, Geselle, Lehrling, Dienstbote, Betriebsbeamter, Handlungsgehülfe oder Handlungslehrling — ausschließlich der in Apotheken beschäftigten Gehülfen und Lehrlinge —, als Person der Besatzung deutscher Seefahrzeuge oder von Fahrzeugen der Binnenschiffahrt) nachweisen wollen, haben die unteren Verwaltungsbehörden (Ziffer 1) für die Zeit vor dem völligen Inkrafttreten des Gesetzes Bescheinigungen auszustellen:

   a) über das Datum des Beginns und das Datum der Beendigung derjenigen Zeiträume, während welcher der Antragsteller seit dem 1. Januar 1886 in einer Beschäftigung (einem Arbeits- oder Dienstverhältniß) der vorerwähnten Art thatsächlich gestanden hat;

   b) bei solchen Personen, welche seit dem 1. Januar 1886 ein mit einem bestimmten Arbeitgeber eingegangenes Arbeits- oder Dienstverhältniß zeitweise unterbrochen haben, um dasselbe später fortzusetzen, über das Datum des Beginns und das Datum der Beendigung desjenigen Zeitraums,

A.

Arbeitsbescheinigung der unteren Verwaltungsbehörde.*)

Auf Grund der §§ 156 bis 161 des Reichsgesetzes, betreffend die Invaliditäts- und Altersversicherung, vom 22. Juni 1889 (Reichs-Gesetzbl. S. 97) wird hierdurch bescheinigt, daß

(*Vor- und Zuname, Wohnort.*) *Franz Brauer*, wohnhaft in *Hofstatt*,
geboren im Jahre *1830* zu *Neugut*, Kreis *Pless*, Provinz *Schlesien*,
in dem Bezirk der unterzeichneten unteren Verwaltungsbehörde

a) während folgender Zeiträume:
1. vom *1. Oktober* 1886 bis einschl. *10. Februar* 1888 als *Fabrikarbeiter*,
2. vom *1. März* 1888 bis einschl. *30. November* 1889 als *Schlossergesell*,
3. vom *15. Dezember* 1889 bis einschl. *10. April* 1890 als *Strassenarbeiter*,

im Arbeits- (Dienst-) Verhältniß (in Beschäftigung) gestanden hat;

b)**) während des Zeitraums
vom *1. April* 1887 bis einschl. *1. November* 1889
bei *dem Maurermeister Steinberg*
als *Maurerpolier*
in ständigem Arbeits- (Dienst-) Verhältniß gestanden hat, welches im Laufe dieses Zeitraums unterbrochen worden ist:
vom *15. Dezember* 1887 bis einschl. *17. Januar* 1888,
vom *1. Dezember* 1888 bis einschl. *2. Januar* 1889,
vom *7. Januar* 1889 bis einschl. *17. Januar* 1889;

c)***) während dieser Beschäftigung hat er an Lohn erhalten:
(Das nicht Zutreffende zu durchstreichen.)
ad 1. ~~täglich~~ ______ wöchentlich *15 Mk.* ~~monatlich~~ ______
ad 2. ~~täglich~~ ______ ~~wöchentlich~~ ______ monatlich *50 Mk. (einschl. freier Station im Durchschnittswerth von monatlich 35 Mk.)*.
ad 3. täglich *1 Mk. 50 Pf.* ~~wöchentlich~~ ______ ~~monatlich~~ ______

Thatsachen, welche nach Ziffer 4 Absatz 2 zu a oder b der Ausführungsanweisung vom 20. Februar 1890†) die Ausstellung der Bescheinigung verhindern, sind nicht zur amtlichen Kenntniß der unterzeichneten Behörde gelangt.

Seeburg, den *19. April* 1890.

Der Magistrat.
(*L. S.*) (*Unterschrift.*)

---

*) Untere Verwaltungsbehörde ist der Gemeinde- (Distrikts- rc.) Vorstand oder die Ortspolizeibehörde (Amtsvorsteher, Reviervorsteher rc.). Bei Beschäftigung von Seeleuten auf deutschen Seefahrzeugen tritt an die Stelle der unteren Verwaltungsbehörde im Inlande das Seemannsamt des Heimathhafens des betreffenden Schiffs.

**) Nur dann auszufüllen, wenn die Dauer der zeitweisen Unterbrechung eines mit einem bestimmten Arbeitgeber eingegangenen, nach der Unterbrechung wieder aufgenommenen Arbeits- (Dienst-) Verhältnisses bescheinigt werden soll.

***) Nur dann auszufüllen, wenn der betreffende Arbeiter am 1. Januar 1890 das 59. Lebensjahr schon vollendet hat.

†) Siehe Rückseite.

Anmerkungen. 1. Die Bescheinigung erfolgt nur für die Zeit vom 1. Januar 1886 ab und nicht für die Zeit vor vollendetem 16. Lebensjahre.
2. Die Ausstellung der Bescheinigung erfolgt gebühren- und stempelfrei.

(Rückseite.)

Ziffer 4 Absatz 2 zu a und b der Ausführungsanweisung vom 20. Februar 1890 lautet:
(Die Ausstellung der Bescheinigung ist ________ abzulehnen)

a) soweit es sich um eine Beschäftigung zu einer Zeit handelt, in welcher der Antragsteller Beamter des Reichs oder eines Bundesstaates, oder ein mit Pensionsberechtigung angestellter Beamter eines Kommunalverbandes war, oder in welcher er zu den Personen des Soldatenstandes gehörte und dienstlich als Arbeiter beschäftigt wurde;

b) soweit sich ergiebt, daß für die Beschäftigung kein Lohn oder Gehalt, oder nur freier Unterhalt gewährt worden ist; bei Betriebsbeamten, Handlungsgehülfen und Handlungslehrlingen aber auch insoweit, als sich ergiebt, daß deren regelmäßiger Jahresarbeitsverdienst an Lohn oder Gehalt 2000 Mark jährlich überstiegen hat.

B.

Beglaubigte*) Arbeitsbescheinigung des Arbeitgebers.

Auf Grund der §§ 156 bis 161 des Reichsgesetzes, betreffend die Invaliditäts- und Altersversicherung, vom 22. Juni 1889 (Reichs-Gesetzbl. S. 97) wird hierdurch bescheinigt, daß

(*Vor- und Zuname, Wohnort.*)

Adolph Lange, wohnhaft in *Staden*,
geboren im Jahr 1*829* zu *Berlin*, Kreis ...., Provinz ....
während des Zeitraums
vom *27. November* 18*86*
bis einschl. *1. April* 18*90*
als *Ziegelbrenner*
bei dem Unterzeichneten (in festem Arbeits-(Dienst-)Verhältniß gestanden hat, welches während dieses Zeitraums unterbrochen worden ist,
vom *10. November* 18*87* bis einschl. *15. Januar* 18*88*,
vom *1. Dezember* 18*89* bis einschl. *5. Januar* 18*90*)**)
beschäftigt gewesen ist.

(Das nicht Zutreffende zu durchstreichen.)

(An Lohn hat *Lange* bei dem Unterzeichneten ~~täglich~~ ________ ~~wöchentlich~~ ________ monatlich *45 Mk. und für die überschiessenden Tage 1 Mk. 50 Pf. täglich* erhalten.)***)

Staden, den *4. April* 18*90*.

(*Unterschrift des Arbeitgebers:*)
Feurig,
Ziegeleibesitzer.

Vorstehende Unterschrift des *Ziegeleibesitzers Feurig* zu *Staden* wird hierdurch beglaubigt.

Staden, den *4. April* 18*90*.

Der Gemeindevorstand.

(*L. S.*) (*Unterschrift.*)

---

*) Die Beglaubigung erfolgt durch eine öffentliche Behörde unter Beidrückung des Dienstsiegels. Verpflichtet zur Beglaubigung ist die Ortspolizeibehörde und der Gemeinde-(Distrikts-)Vorstand des Beschäftigungsorts.

**) Nur dann auszufüllen, wenn die Dauer der zeitweisen Unterbrechung eines mit einem bestimmten Arbeitgeber eingegangenen, nach der Unterbrechung wieder aufgenommenen Arbeits-(Dienst-)Verhältnisses bescheinigt werden soll.

***) Nur dann auszufüllen, wenn der betreffende Arbeiter am 1. Januar 1890 das 59. Lebensjahr schon vollendet hat.

Anmerkungen.

1. Die Bescheinigung erfolgt nur für die Zeit vom 1. Januar 1886 ab und nicht für die Zeit vor vollendetem 16. Lebensjahre.
2. Die Ausstellung der Bescheinigung und die Beglaubigung der Unterschrift des Ausstellers erfolgt gebühren- und stempelfrei.

C.

Krankheitsbescheinigung von Krankenkassen.*)

Auf Grund der §§ 17, 18, 158 des Reichsgesetzes, betreffend die Invaliditäts- und Altersversicherung, vom 22. Juni 1889 (Reichs-Gesetzbl. S. 97) wird hierdurch bescheinigt, daß

(Vor- und Zuname, Beruf, Wohnort.) *der Schäfer Ernst Krause*, wohnhaft in *Oberdorf*, geboren im Jahr *1855* zu *Stettin*, Kreis ______, Provinz *Pommern*, während er der unterzeichneten Krankenkasse (Gemeindekrankenversicherung) angehörte, in der Zeit

vom *10. Juli* 18*89*
bis einschließlich *21. August* 18*89*

an einer mit Erwerbsunfähigkeit verbundenen Krankheit gelitten hat.

Der unterzeichneten Stelle ist amtlich nichts davon**) bekannt geworden, daß der Erkrankte sich die Krankheit vorsätzlich oder bei Begehung eines durch strafgerichtliches Urtheil festgestellten Verbrechens, durch schuldhafte Betheiligung bei Schlägereien oder Raufhändeln, durch Trunkfälligkeit oder durch geschlechtliche Ausschweifungen zugezogen hat.

Zu der Annahme, daß der Erkrankte vor dem Beginn der Krankheit in eine berufsmäßige Lohnarbeit überhaupt nicht, oder nur lediglich vorübergehend eingetreten gewesen ist, oder daß er nicht durch die Krankheit verhindert worden ist, diese Lohnarbeit fortzusetzen, oder daß diese Lohnarbeit unter Ziffer 4 Absatz 2 zu a oder b der Ausführungsanweisung vom 20. Februar 1890***) gefallen ist, hat die unterzeichnete Stelle (keinen Grund),†) (insofern Grund, als die Thatsache bekannt ist, daß ______

______).

Braunshof, den *20. Mai* 18*90*.

Die *Allgemeine Orts*-Krankenkasse.

(L. S.) *(Unterschrift.)*

---

*) Die Kranheitsbescheinigung ist auszustellen
a) für Mitglieder einer Krankenkasse (einschl. Gemeindekrankenversicherung und Hülfskassen) für die Zeit, in welcher sie von derselben Krankenunterstützung erhalten haben,
von dem Kassenvorstande,
b) für die Zeit, welche über die Dauer der Krankenunterstützung hinausreicht, sowie für Personen, welche einer derartigen Kasse nicht angehört haben,
von der Gemeindebehörde.

**) Wenn Thatsachen der hier bezeichneten Art amtlich bekannt sind, muß die Ausstellung der Bescheinigung abgelehnt werden.

***) Siehe Rückseite.

†) Das nicht Zutreffende ist zu durchstreichen.

Anmerkungen. 1. Die Bescheinigung erfolgt nur für Krankheiten, welche in die Zeit vom 1. Januar 1886 ab fallen, und nicht für die Zeit vor vollendetem 16. Lebensjahre.
2. Die Ausstellung der Bescheinigung erfolgt gebühren- und stempelfrei.

(Rückseite.)

Ziffer 4 Absatz 2 zu a und b der Ausführungsanweisung vom 20. Februar 1890 lautet:
(Eine Beschäftigung (Lohnarbeit) ist nicht anzurechnen,)
a) soweit es sich um eine Beschäftigung zu einer Zeit handelt, in welcher der Antragsteller Beamter des Reichs oder eines Bundesstaates, oder ein mit Pensionsberechtigung angestellter Beamter eines Kommunalverbandes war, oder in welcher er zu den Personen des Soldatenstandes gehörte und dienstlich als Arbeiter beschäftigt wurde;
b) soweit sich ergiebt, daß für die Beschäftigung kein Lohn oder Gehalt, oder nur freier Unterhalt gewährt worden ist, bei Betriebsbeamten, Handlungsgehülfen und Handlungslehrlingen aber auch insoweit, als sich ergiebt, daß deren regelmäßiger Jahresarbeitsverdienst an Lohn oder Gehalt den Betrag von 2000 Mark jährlich überstiegen hat.

Krankheitsbescheinigung von Gemeindebehörden.*) D.

Auf Grund der §§ 17, 18, 158 des Reichsgesetzes, betreffend die Invaliditäts- und Altersversicherung, vom 22. Juni 1889 (Reichs-Gesetzbl. S. 97) wird hierdurch bescheinigt, daß

(Vor- und Zuname, Beruf, Wohnort.) *der Lohnkutscher Hermann Binder*, wohnhaft in *Braunshof*,
geboren im Jahr *1855* zu *Feld*, Kreis *Erfurt*, Provinz *Sachsen*,

(welcher einer Krankenkasse nicht angehörte, hierselbst) ——— †) (nachdem er bereits während der Dauer der von der allgemeinen Orts-Krankenkasse hierselbst, welcher er angehörte, zu gewährenden Krankenunterstützung krank gewesen war, hierselbst noch ferner) ——— in der Zeit

vom *15. Dezember* 18*89*
bis einschließlich *20. Januar* 18*90*

an einer mit Erwerbsunfähigkeit verbundenen Krankheit gelitten hat.

Der unterzeichneten Stelle ist amtlich nichts davon**) bekannt geworden, daß der Erkrankte sich die Krankheit vorsätzlich oder bei Begehung eines durch strafgerichtliches Urtheil festgestellten Verbrechens, durch schuldhafte Betheiligung bei Schlägereien oder Raufhändeln, durch Trunkfälligkeit oder durch geschlechtliche Ausschweifungen zugezogen hat.

Zu der Annahme, daß der Erkrankte vor dem Beginn der Krankheit in eine berufsmäßige Lohnarbeit überhaupt nicht, oder nur lediglich vorübergehend eingetreten gewesen ist, oder daß er nicht durch die Krankheit verhindert worden ist, diese Lohnarbeit fortzusetzen, oder daß diese Lohnarbeit unter Ziffer 4 Absatz 2 zu a oder b der Ausführungsanweisung vom 20. Februar 1890***) gefallen ist, hat die unterzeichnete Stelle (keinen Grund), †) (insofern Grund, als die Thatsache bekannt ist, daß ————————————————————————).

Braunshof, den *15. Februar* 18*90*.

Der Gemeindevorstand.

(L. S.) *(Unterschrift.)*

---

*) Die Krankheitsbescheinigung ist auszustellen
a) für Mitglieder einer Krankenkasse (einschl. Gemeindekrankenversicherung und Hülfskassen) für die Zeit, in welcher sie von derselben Krankenunterstützung erhalten haben,
von dem **Kassenvorstande**,
b) für die Zeit, welche über die Dauer der Krankenunterstützung hinausreicht, sowie für Personen, welche einer derartigen Kasse nicht angehört haben,
von der **Gemeindebehörde**.

**) Wenn Thatsachen der hier bezeichneten Art amtlich bekannt sind, muß die Ausstellung der Bescheinigung abgelehnt werden.

***) Siehe Rückseite.

†) Das nicht Zutreffende ist zu durchstreichen.

Anmerkungen. 1. Die Bescheinigung erfolgt nur für Krankheiten, welche in die Zeit vom 1. Januar 1886 ab fallen, und nicht für die Zeit vor vollendetem 16. Lebensjahre.
2. Die Ausstellung der Bescheinigung erfolgt gebühren- und stempelfrei.

(Rückseite.)

Ziffer 4 Absatz 2 zu a und b der Ausführungsanweisung vom 20. Februar 1890 lautet:
(Eine Beschäftigung (Lohnarbeit) ist nicht anzurechnen,)
a) soweit es sich um eine Beschäftigung zu einer Zeit handelt, in welcher der Antragsteller Beamter des Reichs oder eines Bundesstaates, oder ein mit Pensionsberechtigung angestellter Beamter eines Kommunalverbandes war, oder in welcher er zu den Personen des Soldatenstandes gehörte und dienstlich als Arbeiter beschäftigt wurde;
b) soweit sich ergiebt, daß für die Beschäftigung kein Lohn oder Gehalt, oder nur freier Unterhalt gewährt worden ist, bei Betriebsbeamten, Handlungsgehülfen und Handlungslehrlingen aber auch insoweit, als sich ergiebt, daß deren regelmäßiger Jahresarbeitsverdienst an Lohn oder Gehalt den Betrag von 2000 Mark jährlich überstiegen hat.

Lauf. Nr.	Name und Stand	Alter und Heimath	Grund der Bestrafung.	Behörde, welche die Ausweisung beschlossen hat.	Datum des Ausweisungs-Beschlusses
	des Ausgewiesenen				
1	2	3	4	5	6
16	Charles Severin Morgan, Zimmermann,	geboren am 24. April 1868 zu London, England, ortsangehörig ebendaselbst,	Betteln im wiederholten Rückfall,	Großherzoglich Badischer Landeskommissär zu Karlsruhe,	17. Januar 1890.
17	Johann Petersen, Färbergeselle,	17 Jahre alt, geboren und ortsangehörig zu Zütphen, Niederlande,	desgleichen,	Großherzoglich Oldenburgisches Staatsministerium, Departement des Innern zu Oldenburg,	28. Januar 1890.
18	Johann Affholter, Melker,	geboren am 5. August 1833 zu Aarburg, Schweiz,	Landstreichen,	Kaiserlicher Bezirks-Präsident zu Colmar,	22. Februar 1890.

Hierzu Vier Oeffentliche Anzeiger.

(Die Insertionsgebühren betragen für eine einspaltige Druckzeile 20 Pf. Belagsblätter werden der Bogen mit 10 Pf. berechnet.)

Redigirt von der Königlichen Regierung zu Potsdam.

Potsdam, Buchdruckerei der A. W. Hayn'schen Erben (C. Hayn, Hof-Buchdrucker).

Amtsblatt

der Königlichen Regierung zu Potsdam und der Stadt Berlin.

Stück 13. Den 28. März **1890.**

Allerhöchster Erlaß.

Auf Ihren Bericht vom 6. Februar d. J. will Ich dem Kreise Templin im Regierungsbezirke Potsdam, welcher den Bau zweier Kreischausseen: 1) von Templin nach Lychen und 2) von Boitzenburg U.-M. nach dem Fährkruge an der Templin—Prenzlauer Straße unweit Templin beschlossen hat, das Enteignungsrecht für die zu diesen Chausseen erforderlichen Grundstücke verleihen und zugleich genehmigen, daß die dem Chausseegeldtarife vom 29. Februar 1840 angehängten Bestimmungen wegen der Chaussee-Polizei-Vergehen auf die gedachten Straßen zur Anwendung kommen. Die eingereichte Karte erfolgt anbei zurück. Zugleich lasse Ich Ihnen das Privilegium zur Ausgabe auf den Inhaber lautender, mit vier vom Hundert verzinslicher Kreisanleihescheine des Kreises Templin im Betrage von 381 400 M., von Mir vollzogen, nebst den dazu gehörigen Formularen zu den Anleihescheinen, Zinsscheinen und Anweisungen zur weiteren Veranlassung zugehen.

Berlin, den 17. Februar 1890.

gez. **Wilhelm** R.

gegengez. von Maybach. von Scholz. Herrfurth.

An den Minister der öffentlichen Arbeiten, den Finanzminister und den Minister des Innern.

* * *

Wir Wilhelm, von Gottes Gnaden König von Preußen 2c.

Nachdem die Vertretung des Kreises Templin auf dem Kreistage am 23. Mai 1888 beschlossen hat, die zur Ausführung von Kreischausseebauten erforderlichen Mittel im Wege einer Anleihe zu beschaffen, wollen Wir auf den Antrag der Kreisvertretung,

zu diesem Zwecke auf jeden Inhaber lautende, mit Zinsscheinen versehene, Seitens der Gläubiger unkündbare Anleihescheine im Betrage von 381 400 Mark ausstellen zu dürfen,

da sich hiergegen weder im Interesse der Gläubiger, noch der Schuldner Etwas zu erinnern gefunden hat, in Gemäßheit des § 2 des Gesetzes vom 17. Juni 1833 zur Ausstellung von Anleihescheinen zum Betrage von 381 400 Mark, in Buchstaben: Dreihunderteinundachtzig Tausend vier Hundert Mark, welche in folgenden Abschnitten:

	100 000	Mark zu	1000	M.,
	150 000	Mark zu	500	M.,
	131 400	Mark zu	200	M.,
zusammen	381 400	Mark		

nach dem anliegenden Muster auszufertigen, mit Vier vom Hundert jährlich zu verzinsen und nach dem festgestellten Tilgungsplane mittelst Verloosung jährlich vom 1. April 1890 ab mit wenigstens Eins vom Hundert des Kapitals, unter Zuwachs der Zinsen von den getilgten Schuldverschreibungen zu tilgen sind, durch gegenwärtiges Privilegium Unsere landesherrliche Genehmigung ertheilen. Dieselbe erfolgt mit der rechtlichen Wirkung, daß ein jeder Inhaber dieser Anleihescheine die daraus hervorgegangenen Rechte geltend zu machen befugt ist, ohne zu dem Nachweise der Uebertragung des Eigenthums verpflichtet zu sein.

Durch vorstehendes Privilegium, welches Wir vorbehaltlich der Rechte Dritter ertheilen, wird für die Befriedigung der Inhaber der Anleihescheine eine Gewährleistung Seitens des Staates nicht übernommen.

Urkundlich unter Unserer Höchsteigenhändigen Unterschrift und beigedrucktem Königlichen Insiegel.

Gegeben Berlin, den 17. Februar 1890.

(L. S.) gez. **Wilhelm** R.

gegengez. von Maybach. von Scholz. Herrfurth.

Privilegium
wegen Ausfertigung auf den Inhaber lautender Kreisanleihescheine des Kreises Templin im Betrage von 381 400 Mark.

Provinz Brandenburg. **Regierungsbezirk Potsdam.**

Anleiheschein
des Kreises Templin
. . . . te Ausgabe
Buchstabe . . . . № . . . . .
über . . . . . Mark Reichswährung.

Ausgefertigt in Gemäßheit des landesherrlichen Privilegiums vom . . . . (Amtsblatt der Königlichen Regierung zu Potsdam vom . . ten . . . . . . 1890 № . . . . Seite . . . . und Gesetz-Sammlung für 1890 Seite . . . laufende № . . . .)

Auf Grund des von dem Bezirksrathe des Regierungsbezirkes Potsdam genehmigten Kreistagsbeschlusses vom 23. Mai 1888 wegen Aufnahme einer Schuld von 381 400 M. bekennt sich der Kreisausschuß des Kreises Templin Namens des Kreises durch diese, für jeden Inhaber gültige, seitens des Gläubigers unkündbare Verschreibung zu einer Darlehnsschuld von . . . . . . Mark, welche an den Kreis baar gezahlt worden und mit Vier vom Hundert jährlich zu verzinsen ist.

Die Rückzahlung der ganzen Schuld von 381 400 M. erfolgt nach Maßgabe des genehmigten Tilgungsplans mittelst Verloosung der Anleihescheine in den Jahren 1890 bis spätestens 1932 einschließlich aus einem Tilgungsstocke, welcher mit wenigstens Eins vom Hundert des Kapitals jährlich unter Zuwachs der Zinsen von den getilgten Schuldverschreibungen gebildet wird. Die Ausloosung geschieht in dem Monate Mai jeden Jahres. Dem Kreise bleibt jedoch das Recht vorbehalten, den Tilgungsstock zu verstärken oder auch sämmtliche noch im Umlauf befindliche Anleihescheine auf einmal zu kündigen.

Die durch die verstärkte Tilgung ersparten Zinsen wachsen ebenfalls dem Tilgungsstocke zu.

Die ausgeloosten, sowie die gekündigten Schuldverschreibungen werden unter Bezeichnung ihrer Buchstaben, Nummern und Beträge, sowie des Termins, an welchem die Rückzahlung erfolgen soll, öffentlich bekannt gemacht. Diese Bekanntmachung erfolgt sechs, drei, zwei und einen Monat vor dem Zahlungstermine in dem Deutschen Reichs- und Preußischen Staatsanzeiger, dem Amtsblatte der Königlichen Regierung zu Potsdam und dem Templiner Kreisblatte. Geht eines dieser Blätter ein, so wird an dessen Statt von der Kreisvertretung mit Genehmigung des Königlichen Regierungs-Präsidenten in Potsdam ein anderes Blatt bestimmt.

Bis zu dem Tage, wo solchergestalt das Kapital zu entrichten ist, wird es in halbjährlichen Terminen, am 1. Oktober und am 1. April, von heute an gerechnet, mit Vier vom Hundert jährlich verzinset.

Die Auszahlung der Zinsen und des Kapitals erfolgt gegen bloße Rückgabe der fällig gewordenen Zinsscheine beziehungsweise dieser Schuldverschreibung bei der Kreiskommunalkasse zu Templin, und zwar auch in der nach dem Eintritte des Fälligkeitstermins folgenden Zeit. Mit der zur Empfangnahme des Kapitals eingereichten Schuldverschreibung sind auch die dazu gehörigen Zinsscheine der späteren Fälligkeitstermine zurückzuliefern. Für die fehlenden Zinsscheine wird der Betrag vom Kapital abgezogen. Die gekündigten Kapitalbeträge, welche innerhalb dreißig Jahren nach dem Rückzahlungstermine nicht erhoben werden, sowie die innerhalb vier Jahren nach Ablauf des Kalenderjahres, in welchem sie fällig geworden, nicht erhobenen Zinsen verjähren zu Gunsten des Kreises. Das Aufgebot und die Kraftloserklärung verlorener oder vernichteter Schuldverschreibungen erfolgt nach Vorschrift der §§ 838 und ff. der Civilprozeß-Ordnung für das Deutsche Reich vom 30. Januar 1877 (R.-Ges.-Bl. Seite 83) beziehungsweise nach § 20 des Ausführungsgesetzes zur Deutschen Civilprozeßordnung vom 24. März 1879 — Ges.-S. S. 281. —

Zinsscheine können weder aufgeboten, noch für kraftlos erklärt werden. Doch soll Demjenigen, welcher den Verlust von Zinsscheinen vor Ablauf der vierjährigen Verjährungsfrist bei der Kreisverwaltung anmeldet und den stattgehabten Besitz der Zinsscheine durch Vorzeigung der Schuldverschreibung oder sonst in glaubhafter Weise darthut, nach Ablauf der Verjährungsfrist der Betrag der angemeldeten und bis dahin nicht vorgekommenen Zinsscheine gegen Quittung ausgezahlt werden.

Mit dieser Schuldverschreibung sind halbjährige Zinsscheine bis zum Schlusse des Jahres . . . . ausgegeben; die ferneren Zinsscheine werden für fünfjährige Zeitabschnitte ausgegeben werden. Die Ausgabe einer neuen Reihe von Zinsscheinen erfolgt bei der Kreiskommunalkasse in Templin gegen Ablieferung der, der älteren Zinsscheinreihe beigedruckten Anweisung. Beim Verluste der Anweisung erfolgt die Aushändigung der neuen Zinsscheinreihe an den Inhaber der Schuldverschreibung, sofern deren Vorzeigung rechtzeitig geschehen ist.

Zur Sicherheit der hierdurch eingegangenen Verpflichtungen haftet der Kreis mit seinem Vermögen und mit seiner Steuerkraft.

Dessen zu Urkunde haben wir diese Ausfertigung unter unserer Unterschrift ertheilt.

Templin, den ten

Der Kreis-Ausschuß des Kreises Templin.

Anmerkung: Die Anleihescheine sind außer mit den Unterschriften des Landrathes und zweier Mitglieder des Kreis-Ausschusses mit dem Siegel des Landrathes zu versehen.

Provinz Brandenburg. **Regierungsbezirk Potsdam.**

Zinsschein

. . . . . . Reihe

zu der Schuldverschreibung des Kreises Templin

. . . te Ausgabe. Buchstabe . . . . № . . . . .

über . . . . . . Mark zu Vier vom Hundert Zinsen

über . . . . . . Mark . . . . . Pfennig.

Der Inhaber dieses Zinsscheines empfängt gegen dessen Rückgabe in der Zeit vom 1. Oktober 18 . . (bezw.) 1. April 18 . . ab die Zinsen der vorbenannten Schuldverschreibung für das Halbjahr vom . . ten . . . . . . bis . . ten . . . . . mit . . . . . Mark . . . Pf. bei der Kreiskommunalkasse zu Templin.

Templin, den . . ten . . . . . .

Der Kreisausschuß des Kreises Templin.

(Unterschriften).

Dieser Zinsschein ist ungültig, wenn dessen Geldbetrag nicht innerhalb vier Jahren nach Ablauf des Kalenderjahres der Fälligkeit erhoben wird.

Anmerkung: Die Namensunterschriften der Mitglieder des Kreis-Ausschusses können mit Lettern oder Facsimilestempeln gedruckt werden, doch muß jeder Zinsschein mit der eigenhändigen Namensunterschrift eines Controlbeamten versehen werden.

Provinz Brandenburg. **Regierungsbezirk Potsdam.**

Anweisung

zum Kreisanleiheschein des Kreises Templin . . . te Ausgabe. Buchstabe . . . № . . . über . . . Mark.

Der Inhaber dieser Anweisung empfängt gegen deren Rückgabe zu der obigen Schuldverschreibung die . . . . . te Reihe von Zinsscheinen für die fünf Jahre 18 . . bis 18 . . bei der Kreiskommunal-Kasse zu Templin, sofern nicht rechtzeitig von dem als solchen sich ausweisenden Inhaber der Schuldverschreibung dagegen Widerspruch erhoben wird.

Templin, den . . . ten . . . . . 18 . .

Der Kreis-Ausschuß des Kreises Templin.
(Unterschriften)

Anmerkung: Die Namensunterschriften der Mitglieder des Kreisausschusses können mit Lettern oder Facsimile-Stempeln gedruckt werden, doch muß jede Anweisung mit der eigenhändigen Namensunterschrift eines Controlbeamten versehen werden.

Die Anweisung ist zum Unterschiede auf der **ganzen** Blattbreite unter den beiden letzten Zinsscheinen mit davon abweichenden Lettern in nachstehender Art abzudrucken:

. . . ter Zinsschein.	. . . ter Zinsschein.
Anweisung.	

Bekanntmachungen des Königlichen Ober-Präsidenten der Provinz Brandenburg.

Die Jahresdurchschnittsmarktpreise für 1890—91 betreffend.

8. Mit Bezug auf die Bekanntmachung vom 23. Februar v. J. (Amtsblatt der Königlichen Regierung zu Potsdam und der Stadt Berlin für 1889 Seite 69) bringe ich hierdurch in Gemäßheit des § 19 des Gesetzes über die Kriegsleistungen vom 13. Juni 1873 (Reichs-Gesetzblatt Seite 129 ff.) die Nachweisung der Durchschnitts-Marktpreise in den Normal-Marktorten des Regierungsbezirks Potsdam und der Stadt Berlin, nach welchen die Vergütung für Weizen, Roggen, Hafer, Heu, Stroh und Weizen- und Roggenmehl für das Jahr vom 1. April 1890/91 zu gewähren ist, zur öffentlichen Kenntniß. In den Vergütungssätzen für das etwa zu liefernde Weizen- und Roggenmehl ist bei den Normal-Marktorten Prenzlau, Schwedt, Beeskow, Luckenwalde, Potsdam, Brandenburg a. H., Neu-Ruppin und Perleberg das ortsübliche Mahllohn mitenthalten, während dasselbe bei den Normal-Marktorten Berlin und Wittstock nicht mitberechnet ist, da dort bei den jetzt bestehenden Verhältnissen kein Mahllohn mehr erhoben wird. Potsdam, den 26. Februar 1890.

Der Ober-Präsident. In Vertretung: von Brandenstein.

Nachweisung der Jahresdurchschnittsmarktpreise für Weizen, Roggen, Hafer, Heu, Stroh und Weizen- und Roggenmehl in den Normal-Marktorten des Regierungsbezirks **Potsdam** für die Jahre 1880 bis 1889 mit der Gültigkeitsdauer vom 1. April 1890 bis dahin 1891.

Preise für 100 kg.

Weizen		Roggen		Hafer		Heu		Stroh		Weizenmehl		Roggenmehl	
M.	Pf.	M.	Pf.	M.	Pf.	M.	Pf.	M.	Pf.	M.	Pf.	M.	Pf.
Stadt Berlin, Normalort für die Kreise Ober- und Nieder-Barnim, Teltow und Ost-Havelland.													
18	15	14	75	14	50	6	19	5	32	22	33	17	70
										ohne Mahllohn.			
Stadt Prenzlau, Normalort für die Kreise Prenzlau und Templin.													
17	61	14	34	13	66	4	76	5	22	21	22	18	71
Stadt Schwedt a. O., Normalort für den Kreis Angermünde.													
18	98	15	40	14	82	6	07	4	92	22	87	19	93
Stadt Beeskow, Normalort für den Kreis Beeskow-Storkow.													
16	95	14	96	15	16	6	66	5	23	20	83	19	77
Stadt Luckenwalde, Normalort für den Kreis Jüterbog-Luckenwalde.													
17	58	15	36	14	42	5	21	4	40	21	15	19	62
Stadt Potsdam, Normalort für den Kreis Zauch-Belzig und den Stadtbezirk Potsdam.													
18	29	15	05	15	28	5	64	5	—	22	03	19	36
Stadt Brandenburg a. H., Normalort für den Kreis Westhavelland und den Stadtbezirk Brandenburg.													
18	38	15	26	15	05	5	69	4	49	22	10	19	76
Stadt Neu-Ruppin, Normalort für den Kreis Ruppin.													
18	71	14	61	14	52	5	58	5	—	22	51	18	98
Stadt Wittstock, Normalort für den Kreis Ost-Prignitz.													
18	07	14	36	13	93	4	41	3	98	20	24	17	23
										ohne Mahllohn.			
Stadt Perleberg, Normalort für den Kreis West-Prignitz.													
18	14	14	68	14	36	6	48	5	10	22	07	19	09

Bekanntmachungen des Königlichen Regierungs-Präsidenten.

68. **Tarif**

zur Erhebung von Ufer-Anlage-, Krahn- und Wiegegebühren in Charlottenburg für die Benutzung der öffentlichen städtischen Ausladestelle an der Spree in der Ufer Straße zwischen Schloßbrücke und Spree-Straße. Gültig bis 1. April 1893.

A. Anlagegebühren für Schiffe und Kähne.

	Von der Tragfähigkeit	
	1—45 Tonnen oder 1—45000 kg	über 45 Tonnen oder über 45000 kg
für die 1. Woche	5 Mark	6 Mark,
für die 2 Woche bis 1 Monat	7 Mark	10 Mark.

B. Krahngebühren.

Minimalsatz für Benutzung des Krahnes pro 100 kg . . . . 0,02 Mk.

oder

für die Benutzung auf Zeit pro Stunde . 1,00 Mk

C. Wiegegeld.

1) Auf der Schenkelwaage für ein Gewicht von 25 kg brutto . . . . 0,05 Mk.

2) auf der Brückenwaage
   a. für ein Gewicht von 50 kg brutto (einschließlich Wagen bei Kohlen) 0,01 Mk
   b. für ein Gewicht von 50 kg brutto (einschließlich Wagen) bei Heu, Stroh, Borke und anderen Gegenständen . . . . 0,02 Mk.

Allgemeine Bestimmungen.

1) Der städtische Ausladeplatz, sowie die Krahn- und Wiege-Anlage ist für das Publikum wochentäglich geöffnet und zwar
vom 1. April bis einschließlich 30. September von 7 bis 12 Uhr Vormittags und 1 bis 7 Uhr Nachmittags, vom 1. Oktober bis einschließlich 31. März von 8—12 Uhr Vormittags und 1 bis 5 Uhr Nachmittags.

2) Den Anordnungen der städtischen Verwaltung über das Anlegen der Fahrzeuge, Ein- und Ausladen, sowie Verwiegen der Güter ist unbedingt Folge zu leisten.

3) Die aus- und einzuladenden Güter sind täglich und längstens binnen 24 Stunden vom Ausladeplatz eventl. auf Kosten und Gefahr des Empfängers resp. Versenders zu entfernen.

4) Auf der Schenkel-Waage werden für jede angefangenen 25 kg des Gewichtes 5 Pf. Gebühren entrichtet. Auf der Brückenwaage werden für den jedesmaligen Gebrauch derselben, falls durch das Gewicht 20 Pf. Gebühren nicht erreicht werden, 20 Pf. Gebühren Minimalsatz entrichtet. Jede angefangenen 50 kg des Gewichts werden für voll gerechnet. Der Wagen, auf welchem die Fracht zur Brückenwaage kommt, oder die Tara, deren Richtigkeit der Controle der Interessenten überlassen bleibt, werden auf Verlangen ohne besondere Vergütigung gewogen. Für die Ausfertigung eines Duplikats der zu verabfolgenden Wiegescheine werden an besonderen Gebühren 10 Pf. erhoben.

5) Sämmtliche zu erhebende Gebühren sind sofort und vor Fortschaffung der betreffenden Güter zu entrichten.

6) Wird der Ausladeplatz und die Erhebung der Gebühren von der Stadtgemeinde verpachtet, so gehen vorstehende Berechtigungen und Verpflichtungen auf den Pächter über.

7) Etwaige Streitigkeiten über die Höhe der berechneten Gebühren entscheidet zunächst der Magistrat in Charlottenburg.

Charlottenburg, den 29. Januar 1890.

Der Magistrat.

* * *

Vorstehender Tarif wird hierdurch von mir im Einverständniß mit dem Herrn Provinzial-Steuer-Direktor für die Zeit vom 1. April 1890 bis dahin 1893 genehmigt.

Potsdam, den 22. März 1890.

Der Regierungs-Präsident.

69. **Verordnung,**

betreffend den Verkehr mit Arzneimitteln.

Wir Wilhelm, von Gottes Gnaden Deutscher Kaiser, König von Preußen ꝛc.

verordnen im Namen des Reichs auf Grund der Bestimmung im § 6 Absatz 2 der Gewerbeordnung (Reichs-Gesetzbl. 1883 S. 177) was folgt:

§ 1. Die in dem anliegenden Verzeichnisse A. aufgeführten Zubereitungen dürfen, ohne Unterschied, ob sie heilkräftige Stoffe enthalten oder nicht, als Heilmittel nur in Apotheken feilgehalten oder verkauft werden.

Diese Bestimmung findet auf Verbandstoffe (Binden, Gazen, Watten u. dergl.), auf Zubereitungen zur Herstellung von Bädern, sowie auf Seifen nicht Anwendung Auf künstliche Mineralwässer findet sie nur dann Anwendung, wenn dieselben in ihrer Zusammensetzung natürlichen Mineralwässern nicht entsprechen und wenn sie zugleich

Antimon, Arsen, Baryum, Chrom, Kupfer, freie Salpetersäure, freie Salzsäure oder freie Schwefelsäure

enthalten.

§ 2. Die in dem anliegenden Verzeichnisse B. aufgeführten Drogen und chemischen Präparate dürfen nur in Apotheken feilgehalten oder verkauft werden.

§ 3. Der Großhandel sowie der Verkauf der im Verzeichnisse B. aufgeführten Gegenstände an Apotheken oder an solche Staatsanstalten, welche Untersuchungs- oder Lehrzwecken dienen und nicht gleichzeitig Heilanstalten sind, unterliegen vorstehenden Bestimmungen nicht.

§ 4. Die gegenwärtige Verordnung tritt mit dem 1. Mai 1890 in Kraft. Mit demselben Zeitpunkte treten die Verordnungen, betreffend den Verkehr mit Arzneimitteln, vom 4. Januar 1875 (Reichs-Gesetzbl. S. 5), betreffend den Verkehr mit künstlichen Mineralwässern, vom 9. Februar 1880 (Reichs-Gesetzbl. S. 13) und, betreffend den Verkehr mit Honigpräparaten, vom 3. Januar 1883 (Reichs-Gesetzbl. S. 1) außer Kraft.

Urkundlich unter Unserer Höchsteigenhändigen Unterschrift und beigedrucktem Kaiserlichen Insiegel.

Gegeben Berlin, den 27. Januar 1890.

(L. S)

Wilhelm.

von Boetticher.

Verzeichniß A.

1) Abkochungen und Aufgüsse (decocta et infusa);
2) Aetzstifte (styli caustici);
3) Auszüge in fester oder flüssiger Form (extracta et tincturae), ausgenommen:
   - Arnikatinktur,
   - Baldriantinktur,
   - Benzoëtinktur,
   - Eichelkaffeeextrakt,
   - Fichtennadelextrakt,
   - Fleischextrakt,
   - Himbeeressig,
   - Kaffeeextrakt,
   - Lakritzen (Süßholzsaft), auch mit Anis,
   - Malzextrakt, auch mit Eisen, Leberthran oder Kalk,
   - Myrrhentinktur,
   - Theeextrakt von Blättern des Theestrauches,
   - Wachholderextrakt;
4) Gemenge, trockene, von Salzen oder zerkleinerten Substanzen oder von beiden untereinander (pulveres, salia et species mixta), ausgenommen:
   - Brausepulver, einfache oder mit Zucker und ätherischen Oelen gemischte,
   - Riechsalz,
   - Salicylstreupulver,
   - Salze, welche aus natürlichen Mineralwässern bereitet oder den solchergestalt bereiteten Salzen nachgebildet sind;
5) Gemische, flüssige, und Lösungen (mixturae et solutiones) einschließlich gemischte Balsame, Honigpräparate und Sirupe, ausgenommen:
   - Ameisenspiritus,
   - Eukalyptuswasser,
   - Fenchelhonig,
   - Fruchtsäfte mit Zucker eingekocht,
   - Hoffmanns Tropfen,
   - Kampherspiritus,
   - Leberthran mit Pfefferminzöl,
   - Pepsinwein,
   - Rosenhonig,
   - Seifenspiritus,
   - weißer Zuckersirup;
6) Kapseln, gefüllte, von Leim (Gelatine) oder Stärkemehl (capsulae gelatinosae et amylaceae repletae), ausgenommen solche Kapseln, welche
   - Brausepulver, auch mit Zucker und ätherischen Oelen gemischt,
   - Copaïvabalsam,
   - Leberthran,
   - doppeltkohlensaures Natrium,
   - Ricinusöl oder
   - Weinsäure

   enthalten;
7) Latwergen (electuaria);
8) Linimente (linimenta), ausgenommen flüchtiges Liniment;
9) Pastillen (auch Plätzchen und Zeltchen), Pillen und Körner (pastilli—rotulae et trochisci —, pilulae et granula), ausgenommen:
   - aus natürlichen Mineralwässern oder aus künstlichen Mineralquellsalzen bereitete Pastillen,
   - einfache Molkenpastillen,
   - Pfefferminzplätzchen,
   - Salmiakpastillen;
10) Pflaster und Salben (emplastra et unguenta) ausgenommen:
   - Cold-Cream,
   - englisches Pflaster,
   - Hefpflaster,
   - Hühneraugenringe,
   - Lippenpomade,
   - Pappelpomade,
   - Pechpflaster,
   - Salicyltalg,
   - Senfpapier;
11) Suppositorien (suppositoria) in jeder Form Kugeln, Stäbchen, Zäpfchen oder dergl.)

Verzeichniß B.

Acetanilidum.	Antifebrin.
Acida chloracetica.	Die Chloressigsäuren.
Acidum benzoïcum e resina sublimatum.	Aus dem Harze sublimirte Benzoësäure.
— cathartinicum.	Kathartinsäure.
— chrysophanicum.	Chrysophansäure.
— hydrocyanicum.	Cyanwasserstoffsäure (Blausäure).
— lacticum et ejus salia.	Milchsäure und deren Salze.
— osmicum et ejus salia.	Osmiumsäure und deren Salze.
— sclerotinicum.	Sklerotinsäure.
— succinicum.	Bernsteinsäure.
— sulfocarbolicum.	Sulfophenolsäure.
— valerianicum et ejus salia.	Baldriansäure und deren Salze.
Aconitinum, Aconitini derivata et eorum salia.	Akonitin, die Abkömmlinge des Akonitins und deren Salze.

Adonidinum.	Adonidin.
Aether bromatus.	Aethylbromid.
— jodatus.	Aethyljodid.
Aethyleni praeparata.	Die Aethylenpräparate.
Aethylidenum bichloratum.	Zweifachchloräthyliden.
Agaricinum.	Agaricin.
Aluminium acetico-tartaricum.	Essigweinsaures Aluminium.
Ammonium chloratum ferratum.	Eisensalmiak.
Amylenum hydratum	Amylenhydrat.
Amylium nitrosum.	Amylnitrit.
Antipyrinum.	Antipyrin.
Anthrarobinum.	Anthrarobin.
Apomorphinum et ejus salia.	Apomorphin und dessen Salze.
Aqua Amygdalarum amararum.	Bittermandelwasser.
— Lauro-cerasi.	Kirschlorbeerwasser.
— Opii.	Opiumwasser.
Arsenium jodatum.	Jodarsen.
Atropinum et ejus salia.	Atropin und dessen Salze.
Betolum.	Betol.
Bismutum bromatum.	Bromwismut.
— oxyjodatum.	Wismutoxyjodid.
— salicylicum.	Salicylsaures Wismut.
— tannicum.	Gerbsaures Wismut.
Blatta orientalis.	Orientalische Schabe.
Bromalum hydratum.	Bromalhydrat.
Brucinum et ejus salia.	Brucin und dessen Salze.
Bulbus Scillae siccatus.	Getrocknete Meerzwiebel.
Butyl-chloralum hydratum.	Butylchloralhydrat.
Camphora monobromata.	Einfach-Bromkampher.
Cannabinon.	Cannabinon.
Cannabinum tannicum.	Gerbsaures Cannabin.
Cantharides.	Spanische Fliegen.
Cantharidinum.	Kantharidin.
Cardolum.	Cardol.
Castoreum canadense.	Kanadisches Bibergeil.
— sibiricum.	Sibirisches Bibergeil.
Chinidinum et ejus salia.	Chinidin und dessen Salze.
Chininum et ejus salia.	Chinin und dessen Salze.
Chinoïdinum.	Chinoïdin.
Chloralum hydratum crystallisatum.	Krystallisirtes Chloralhydrat.
Chloroformium.	Chloroform.
Chrysarobinum.	Chrysarobin.
Cinchonidinum et ejus salia.	Cinchonidin und dessen Salze.
Cinchoninum et ejus salia.	Cinchonin und dessen Salze.
Cocaïnum et ejus salia.	Cocaïn und dessen Salze.
Codeïnum et ejus salia.	Kodeïn und dessen Salze.
Coffeïnum et ejus salia.	Koffeïn und dessen Salze.
Colchicinum.	Kolchicin.
Coniinum et ejus salia.	Koniin und dessen Salze.
Convallamarinum.	Convallamarin.
Convallarinum.	Convallarin.
Cortex Chinae.	Chinarinde.
— Granati.	Granatrinde.
— Mezereï.	Seidelbastrinde.
Cotoïnum.	Kotoïn.
Cubebae.	Kubeben.
Cuprum aluminatum.	Kupferalaun.
— salicylicum.	Salicylsaures Kupfer.

Cuprum sulfocarbolicum.	Sulfokarbolsaures Kupfer.
Curare.	Curare.
Curarinum et ejus salia.	Curarin und dessen Salze.
Daturinum.	Daturin.
Delphininum.	Delphinin.
Digitalinum et ejus derivata.	Digitalin und dessen Abkömmlinge.
Duboisinum et ejus salia.	Duboisin und dessen Salze.
Emetinum et ejus salia.	Emetin und dessen Salze.
Euphorbium.	Euphorbium.
Fel tauri depuratum siccum.	Gereinigte trockene Ochsengalle.
Ferrum arsenicicum.	Arsensaures Eisen.
— arsenicosum.	Arsenigsaures Eisen.
— carbonicum saccharatum.	Zuckerhaltiges kohlensaures Eisen.
— citricum ammoniatum.	Citronensaures Eisenammonium.
— jodatum saccharatum.	Zuckerhaltiges Eisenjodür.
— oxydatum dialysatum.	Dialysirtes Eisenoxyd.
— oxydatum saccharatum.	Eisenzucker.
— reductum.	Reduzirtes Eisen.
— sulfuricum oxydatum ammoniatum.	Ammoniakalischer Eisenalaun.
— sulfuricum siccum.	Entwässertes schwefelsaures Eisen.
Flores Cinae.	Wurmsamen.
— Koso.	Kosoblüthen.
Folia Belladonnae.	Belladonnablätter.
— Bucco.	Buccoblätter.
— Cocae.	Cocablätter.
— Digitalis.	Fingerhutblätter.
— Jaborandi.	Jaborandiblätter.
— Rhois toxicodendri.	Giftsumachblätter.
— Stramonii.	Stechapfelblätter.
Fructus Colocynthidis.	Koloquinten.
— Papaveris immaturi.	Unreife Mohnköpfe.
— Sabadillae.	Sabadillsamen.
Fungus laricis.	Lärchenschwamm.
Galbanum.	Galbanum.
Guajacolum.	Guajacol.
Herba Aconiti.	Akonitkraut.
— Adonidis.	Adoniskraut.
— Cannabis indicae.	Kraut des indischen Hanfs.
— Cicutae virosae	Wasserschierling.
— Conii.	Schierling.
— Gratiolae.	Gottesgnadenkraut.
— Hyoscyami.	Bilsenkraut.
— Lobeliae.	Lobelienkraut.
Homatropinum et ejus salia.	Homatropin und dessen Salze.
Hydrargyrum aceticum.	Essigsaures Quecksilber.
— bijodatum.	Quecksilberjodid.
— bromatum.	Quecksilberbromür.
— chloratum.	Quecksilberchlorür (Kalomel).
— cyanatum.	Quecksilbercyanid.
— formamidatum.	Quecksilberformamid.
Hydrargyrum jodatum.	Quecksilberjodür.
— oleïnicum.	Oelsaures Quecksilber.
— oxydatum via humida paratum.	Gelbes Quecksilberoxyd.
— peptonatum.	Quecksilberpeptonat.
— praecipitatum album.	Weißer Quecksilberpräcipitat.
— salicylicum.	Salicylsaures Quecksilber.
— tannicum oxydulatum.	Gerbsaures Quecksilberoxydul.
Hydrastis canadensis.	Kanadisches Wasserkraut.

Hyoscinum et ejus salia.	Hyoscin und dessen Salze.
Hyoscyaminum et ejus salia.	Hyoscyamin und dessen Salze.
Jodoformium.	Jodoform.
Jodolum.	Jodol.
Kaïrinum.	Kaïrin.
Kaïrolinum.	Kaïrolin.
Kalium jodatum.	Kaliumjodid.
Kamala.	Kamala.
Kosinum.	Kosin.
Kreosotum (e ligno paratum).	Holzkreosot.
Lactucarium.	Giftlattichsaft
Magnesium citricum effervescens.	Brausendes citronensaures Magnesium.
— salicylicum.	Salicylsaures Magnesium.
Manna.	Manna.
Morphinum et ejus salia.	Morphin und dessen Salze.
Muscarinum	Muscarin.
Narceïnum et ejus salia.	Narceïn und dessen Salze.
Narcotinum.	Narkotin.
Natrium aethylatum.	Natriumäthylat.
— benzoïcum.	Benzoësaures Natrium.
— pyrophosphoricum ferratum.	Pyrophosphorsaures Eisenoxyd-Natron.
— salicylicum.	Salicylsaures Natrium.
— santonicum.	Santonin-Natron.
— tannicum.	Gerbsaures Natrium.
Oleum Chamomillae aethereum.	Aetherisches Kamillenöl.
— Crotonis.	Krotonöl.
— Cubebarum.	Kubebenöl.
— Matico.	Maticoöl.
— Sabinae.	Sadebaumöl.
— Sinapis aethereum.	Aetherisches Senföl.
— Valerianae.	Baldrianöl.
Opium.	Opium.
Paracotoïnum.	Parakotoïn.
Paraldehydum.	Paraldehyd.
Pasta Guarana.	Guarana.
Pelletierinum et ejus salia.	Pelletierin und dessen Salze.
Phenacetinum.	Phenacetin.
Physostigminum (Eserinum) et ejus salia.	Physostigmin (Eserin) und dessen Salze.
Picrotoxinum.	Pikrotoxin.
Pilocarpinum et ejus salia.	Pilokarpin und dessen Salze.
Plumbum jodatum.	Jodblei.
— tannicum.	Gerbsaures Blei.
Podophyllinum.	Podophyllin.
Propylaminum.	Propylamin.
Radix Belladonnae.	Belladonnawurzel.
— Colombo.	Colombowurzel.
— Gelsemii.	Wurzel des gelben Jasmin.
— Ipecacuanhae.	Brechwurzel.
— Rheï.	Rhabarberwurzel.
— Sarsaparillae.	Sarsaparille.
— Senegae.	Senegawurzel.
Resina Jalapae.	Jalapenharz.
— Scammoniae.	Scammoniaharz.
Resorcinum purum.	Reines Resorcin.
Rhizoma Filicis.	Farnwurzel.
— Veratri.	Weiße Nieswurzel.
Salolum.	Salol.
Santoninum.	Santonin.

Secale cornutum.	Mutterkorn.
Semen Calabar.	Calabarsamen.
— Colchici.	Zeitlosensamen.
— Hyoscyami.	Bilsensamen.
— St. Ignatii.	Sanct-Ignatiussamen.
— Stramonii.	Stechapfelsamen.
— Strophanthi.	Strophanthussamen.
— Strychni.	Brechnuß.
Sozojodolum.	Sozojodol.
Stipites Dulcamarae.	Bittersüßstengel.
Strychninum et ejus salia.	Strychnin und dessen Salze.
Sulfonalum.	Sulfonal.
Sulfur jodatum.	Jodschwefel.
Summitates Sabinae.	Sadebaumspitzen.
Tartarus stibiatus.	Brechweinstein.
Terpinum hydratum.	Terpinhydrat.
Thallinum et ejus salia.	Thallin und dessen Salze.
Thebaïnum et ejus salia.	Thebaïn und dessen Salze.
Tubera Aconiti.	Akonitknollen.
— Jalapae.	Jalapenknollen.
Urethanum.	Urethan.
Veratrinum et ejus salia.	Veratrin und dessen Salze.
Zincum aceticum.	Essigsaures Zink.
— chloratum purum.	Reines Chlorzink.
— cyanatum.	Cyan-Zink.
— permanganicum.	Uebermangansaures Zink.
— salicylicum.	Salicylsaures Zink.
— sulfocarbolicum.	Sulfophenylsaures Zink.
— sulfoichthyolicum.	Ichthyolsulfosaures Zink.
— sulfuricum purum.	Reines schwefelsaures Zink.

* * *

Vorstehende im Reichsgesetzblatt № 5 veröffentlichte Allerhöchste Verordnung wird hiermit des Weiteren zur allgemeinen Kenntniß gebracht.

Potsdam und Berlin, den 13. März 1890.

Der Regierungs-Präsident. Der Polizei-Präsident.

Frühjahrsschonzeit der Fische.

70. Unter Hinweis auf die Bestimmungen der Verordnung vom 8. August 1887, betr. die Ausführung des Fischerei-Gesetzes in der Provinz Brandenburg und dem Stadtkreis Berlin (veröffentlicht in der Extra-Beilage zum 42. Stück des Amtsblattes vom 21. Oktober 1887) mache ich mit Rücksicht auf das Herannahen der Frühjahrsschonzeit der Fische das betheiligte Publikum, insbesondere die fischereiberechtigten Gemeinden und Privatpersonen darauf aufmerksam,

daß während der Frühjahrsschonzeit **in allen Gewässern** des diesseitigen Bezirkes, soweit sie nicht in § 3 der Verordnung unter Ziffer 2 besonders ausgenommen sind, **die Fischerei nur an 3 Tagen** jeder in die Schonzeit fallenden Woche, und zwar von Montag Morgen 6 Uhr beginnend und Donnerstag Morgen 6 Uhr schließend, betrieben werden darf; sowie daß **während der nicht freigegebenen Zeit**, d. h. von Donnerstag Morgen 6 Uhr bis Montag Morgen 6 Uhr die durch das Fischerei-Gesetz vom 30. Mai 1874 nicht beseitigten **ständigen Fischereivorrichtungen** in nicht geschlossenen Gewässern **hinweggeräumt oder abgestellt** sein müssen.

Die Ausübung irgend welcher Art von Fischereibetrieb während der nicht freigegebenen Zeit ist — innerhalb der durch die Verordnung selbst gezogenen Grenzen — nur zulässig auf Grund besonderer von mir ausgestellter, auf die Person lautender Erlaubnißscheine.

Zuwiderhandlungen gegen die Vorschriften der bezeichneten Verordnung werden, soweit sie nicht den Strafbestimmungen der §§ 49 ff. des Fischerei-Gesetzes vom 30. Mai 1874 oder denjenigen des Reichs-Strafgesetzbuches unterliegen, mit Geldstrafe bis zu 150 Mark oder entsprechender Haft bestraft.

Potsdam, den 22. März 1890.

Der Regierungs-Präsident.

Viehseuchen.

71. Festgestellt ist:

der Milzbrand bei einer nothgeschlachteten Kuh des Büdners Marzilger zu Knoblauch, Kreis Osthavelland;

die Maul- und Klauenseuche unter den Rindviehbeständen des Dominiums Alt-Landsberg, des Büdners Neuenfeldt zu Malchow, Kreis Niederbarnim;

unter den Rindviehbeständen der Gutsbesitzer Gericke zu Wustermark und Dehnicke zu Johannisthal, Kreis Osthavelland;

unter dem Rindvieh und den Schweinen des Ritterguts Karwe, Kreis Ruppin.

Die Ortschaft Wustermark und das Gut Johannisthal, Kreis Osthavelland, sind gegen das Durchtreiben von Wiederkäuern und Schweinen gesperrt worden.

Erloschen ist:

die Influenza unter den Pferden des Fuhrherrn Mechelke zu Freienwalde a. O., Kreis Oberbarnim.

Potsdam, den 25. März 1890.

Der Regierungs-Präsident.

72. Nachweisung der an den Pegeln der Spree und Havel im Monat Februar 1890 beobachteten Wasserstände.

Datum.	Berlin. Ober- N. N. Wasser. Meter.	Berlin. Unter- N. N. Wasser. Meter.	Spandau. Ober-Wasser. Meter.	Spandau. Unter-Wasser. Meter.	Potsdam. Meter.	Baumgartenbrück. Meter.	Brandenburg. Ober-Wasser. Meter.	Brandenburg. Unter-Wasser. Meter.	Rathenow. Ober-Wasser. Meter.	Rathenow. Unter-Wasser. Meter.	Havelberg. Meter.	Plauer Brücke. Meter.
1	32,62	31,00	2,66	1,26	1,47	0,97	2,26	1,92	1,82	1,60	3,44	2,30
2	32,60	30,96	2,64	1,26	1,46	0,96	2,24	1,92	1,84	1,62	3,56	2,32
3	32,60	30,96	2,64	1,28	1,46	0,95	2,26	1,92	1,84	1,62	3,68	2,34
4	32,62	31,00	2,64	1,30	1,45	0,94	2,26	1,96	1,86	1,64	3,76	2,36
5	32,64	30,98	2,62	1,30	1,45	0,94	2,24	1,96	1,86	1,64	3,74	2,36
6	32,64	30,96	2,62	1,26	1,45	0,93	2,26	1,98	1,88	1,66	3,72	2,36
7	32,64	30,96	2,62	1,26	1,45	0,93	2,28	1,98	1,88	1,66	3,68	2,36
8	32,64	30,94	2,64	1,22	1,43	0,93	2,26	1,98	1,88	1,66	3,60	2,36
9	32,64	31,02	2,64	1,18	1,43	0,92	2,26	1,96	1,88	1,68	3,52	2,36
10	32,65	31,02	2,66	1,26	1,42	0,92	2,24	1,96	1,88	1,68	3,40	2,36
11	32,65	30,98	2,62	1,26	1,43	0,91	2,26	1,96	1,88	1,68	3,30	2,36
12	32,70	30,98	2,62	1,22	1,42	0,91	2,26	1,98	1,88	1,68	3,20	2,36
13	32,68	30,98	2,66	1,18	1,39	0,91	2,28	1,86	1,88	1,68	3,10	2,36
14	32,68	30,98	2,66	1,18	1,40	0,91	2,30	1,86	1,74	1,52	2,94	2,34
15	32,68	30,98	2,66	1,18	1,41	0,92	2,28	1,86	1,76	1,56	2,88	2,34
16	32,62	31,00	2,64	1,14	1,41	0,92	2,24	1,88	1,78	1,56	2,78	2,32
17	32,64	30,92	2,62	1,22	1,41	0,92	2,22	1,92	1,78	1,56	2,68	2,32
18	32,64	30,92	2,60	1,22	1,41	0,91	2,18	1,90	1,80	1,58	2,64	2,30
19	32,64	30,92	2,62	1,18	1,40	0,91	2,18	1,90	1,82	1,60	2,60	2,30
20	32,64	30,92	2,62	1,16	1,39	0,90	2,20	1,88	1,82	1,60	2,56	2,28
21	32,64	30,94	2,64	1,14	1,38	0,90	2,20	1,90	1,86	1,64	2,52	2,28
22	32,62	30,94	2,64	1,14	1,37	0,89	2,20	1,90	1,86	1,64	2,52	2,28
23	32,64	30,94	2,62	1,10	1,36	0,88	2,18	1,88	1,88	1,68	2,50	2,28
24	32,62	30,88	2,60	1,18	1,35	0,87	2,18	1,90	1,88	1,68	2,50	2,28
25	32,64	30,88	2,60	1,12	1,35	0,86	2,20	1,90	1,88	1,68	2,50	2,28
26	32,62	30,92	2,60	1,12	1,34	0,85	2,18	1,88	1,88	1,68	2,48	2,28
27	32,60	30,90	2,60	1,12	1,34	0,84	2,16	1,88	1,88	1,68	2,46	2,28
28	32,58	30,88	2,60	1,10	1,34	0,84	2,18	1,84	1,88	1,68	2,42	2,28

Potsdam, den 25. März 1890. Der Regierungs-Präsident.

Bekanntmachungen der Königl. Regierung.

Zahlungen von Pensionen 2c. für Charlottenburg betreffend.

3. Die in Charlottenburg für Rechnung unserer Hauptkasse zu leistenden Zahlungen an Civilpensionen, Wittwen- und Waisengeldern, sowie an laufenden Unterstützungen 2c., welche bisher von der Civilpensionskasse in Berlin bewirkt worden sind, gehen auf Anordnung des Herrn Finanz-Ministers vom 1. April d. J. ab wieder auf das Königliche Steueramt in Charlottenburg über. Potsdam, den 22. März 1890.

Königliche Regierung.

Bekanntmachungen des Königlichen Polizei-Präsidiums zu Berlin.

Errichtung einer neuen Apotheke.

30. Der Herr Ober-Präsident der Provinz Brandenburg hat durch Erlaß vom 14. Februar dieses Jahres die Errichtung einer neuen Apotheke an der Ecke der Blücher- und Bärwaldstraße hierselbst genehmigt.

Geeignete Bewerber werden zur Meldung binnen einer Präklusivfrist von 6 Wochen mit dem Bemerken hierdurch aufgefordert, daß persönliche Vorstellungen zwecklos sind und die an mich zu richtenden

Bewerbungen lediglich schriftlich zu geschehen haben.

Der Meldung sind beizufügen:

a. Approkation und sonstige physikatlich beglaubigte Zeugnisse,
b. Lebenslauf,
c. amtlich beglaubigter Nachweis über die zur Uebernahme bezw. Einrichtung einer Apotheke erforderlichen Mittel,
d. ein polizeiliches Führungs-Attest.

Der Bewerber hat außerdem pflichtgemäß zu versichern, daß er eine Apotheke bisher nicht besessen hat oder — falls dies der Fall sein sollte — die Genehmigung des Herrn Ministers der geistlichen, Unterrichts- und Medizinal-Angelegenheiten zur abermaligen Bewerbung um Apotheken-Neuanlagen vorzulegen.

Gleichzeitig weise ich darauf hin, daß Gesuche von Bewerbern, welche 10 und mehr Jahre sich vom Apothekenfache abgewandt haben oder welche erst nach dem Jahre **1875** approbirt sind, bei der großen Zahl mehr berechtigter Bewerber zur Zeit keine Aussicht auf Erfolg haben.

Solche Apotheker stehen deshalb zur Vermeidung unnöthigen Schreibwerkes ꝛc. am Besten von der Bewerbung ab.

Berlin, den 16. März 1890.

Der Polizei-Präsident.

Bekanntmachungen des Staatssekretairs des Reichs-Postamts.

Postpacketverkehr mit den Französischen Besitzungen Gabun und Kongo, sowie mit den Seychellen-Inseln

5. Von jetzt ab können **Postpackete ohne Werthangabe** im Gewicht bis 3 kg nach den **Französischen Besitzungen Gabun und Kongo,** sowie nach den **Seychellen-Inseln** versandt werden. Die vom Absender vorauszubezahlende Taxe beträgt 2 M. 80 Pf. für jedes Packet. Ueber die Versendungsbedingungen ertheilen die Postanstalten auf Verlangen Auskunft.

Berlin W., den 15. März 1890.

Der Staatssecretair des Reichs-Postamts.

Post- und Eisenbahnkarte des Deutschen Reichs.

6. Von der im Kursbüreau des Reichs-Postamts bearbeiteten neuen Post- und Eisenbahnkarte des Deutschen Reichs sind jetzt die beiden letzten Blätter XVI. und XIX. erschienen. Blatt XVI. enthält den südwestlichen Theil von Württemberg, die Hohenzollernschen Lande, die südlichen Theile von Baden und Elsaß-Lothringen und die angrenzenden Theile von Frankreich und der Schweiz. Blatt XIX. enthält Theile von Oesterreich-Ungarn. Diese Blätter können — wie die übrigen — im Wege des Buchhandels zum Preise von 2 M. für das unausgemalte Blatt und 2 M. 25 Pf. für jedes Blatt mit farbiger Angabe der Grenzen von dem Verleger der Karten, dem Berliner Lithographischen Institut von Julius **Moser** (Berlin W., Potsdamerstraße 110.,) bezogen werden. Der Verkaufspreis für die nunmehr fertig vorliegende Karte von 20 Blättern beträgt unkolorirt 35 M., mit Grenzkolorit 40 M.

Berlin W., 17. März 1890.

Der Staatssecretair des Reichs-Postamts.

Postverkehr mit der Deutschen Postagentur in Shanghai (China).

7. Vom 1. April ab sind **Briefe mit Werthangabe** bis zum Meistbetrage von 8000 M. im **Verkehr mit der Deutschen Postagentur in Shanghai (China)** zugelassen. Die Taxe setzt sich zusammen aus dem Porto und der festen Gebühr für einen Einschreibbrief von gleichem Gewicht, sowie aus einer Versicherungsgebühr von 28 Pf. für je 160 M.

Berlin W., 18. März 1890.

Der Staatssecretair des Reichs-Postamts.

Postpacketverkehr mit dem Oranje-Freistaat und der Südafrikanischen Republik.

8. Von jetzt ab können **Postpackete ohne Werthangabe** im Gewichte bis 3 kg nach dem **Oranje-Freistaat** und nach der **Südafrikanischen Republik** (Transvaal) versandt werden. Ueber die Taxen und Versendungsbedingungen ertheilen die Postanstalten auf Verlangen Auskunft.

Berlin W., 20. März 1890.

Der Staatssecretair des Reichs-Postamts.

Bekanntmachungen der Kaiserlichen Ober-Postdirektion zu Berlin.

Verlegung des Postamts 22 (Rosenthalerstraße).

21. Am 30. März Abends nach Dienstschluß wird das Postamt 22 aus dem Hause Rosenthalerstraße Nr. 53 nach dem Hause Nr. 56 derselben Straße verlegt werden Berlin C., 22. März 1890.

Der Kaiserliche Ober-Postdirektor.

Verlegung des Postamts 54 (Lothringerstraße).

22. Am 31. März Abends nach Dienstschluß wird das Postamt 54 von dem Hause Lothringerstraße Nr. 61 nach dem Hause Nr. 62 derselben Straße verlegt.

Berlin C., 22. März 1890.

Der Kaiserliche Ober-Postdirektor.

Bekanntmachungen der Kaiserlichen Ober-Post-Direktion zu Potsdam.

Landbestellbezirksänderung.

23. Die im Kreise Jüterbog—Luckenwalde belegenen Ortschaften Herbersdorf, Niederseefeld und Hohenseefeld werden vom 1. April d. J. ab von dem Landbestellbezirke der Kaiserlichen Postagentur in Reinsdorf (Mark) abgezweigt und dem Bestellbezirke des Kaiserlichen Postamtes in Dahme zugetheilt.

Potsdam, den 18. März 1890.

Der Kaiserliche Ober-Postdirektor.

Bekanntmachungen der Königlichen Hauptverwaltung der Staatsschulden.

9. Verloosung von dreieinhalbprozentigen Staatsschuldscheinen von 1842.

8. Bei der heute in Gegenwart eines Notars öffentlich bewirkten 9. Verloosung von 3½ prozentigen, unterm 2. Mai 1842 ausgefertigten Staatsschuldscheinen sind die in der Anlage verzeichneten Nummern gezogen worden. Dieselben werden den Besitzern zum 1. Juli 1890 mit der Aufforderung gekündigt, die in den aus-

geloosten Nummern verschriebenen Kapitalbeträge vom 1. Juli 1890 ab gegen Quittung und Rückgabe der Staatsschuldscheine und der nach dem 1. Juli 1890 zahlbar werdenden Zinsscheine Reihe XX. № 8 nebst Zinsscheinanweisungen bei der Staatsschulden-Tilgungskasse, Taubenstraße Nr. 29, hierselbst zu erheben. Die Zahlung erfolgt von 9 Uhr Vormittags bis 1 Uhr Nachmittags, mit Ausschluß der Sonn- und Festtage und der letzten drei Geschäftstage jeden Monats. Die Einlösung geschieht auch bei den Regierungs-Hauptkassen und in Frankfurt a. M. bei der Kreiskasse. Zu diesem Zwecke können die Effekten einer dieser Kassen schon vom 2 Juni d. J. ab eingereicht werden, welche sie der Staatsschulden-Tilgungskasse zur Prüfung vorzulegen hat und nach erfolgter Feststellung die Auszahlung vom 1. Juli 1890 ab bewirkt.

Der Betrag der etwa fehlenden Zinsscheine wird vom Kapitale zurückbehalten.

Mit dem 1. Juli 1890 hört die Verzinsung der verloosten Staatsschuldscheine auf.

Zugleich werden die bereits früher ausgeloosten, auf der Anlage verzeichneten, noch rückständigen Staatsschuldscheine wiederholt und mit dem Bemerken aufgerufen, daß die Verzinsung derselben mit den einzelnen Kündigungsterminen aufgehört hat.

Die Staatsschulden-Tilgungskasse kann sich in einen Schriftwechsel mit den Inhabern der Staatsschuldscheine über die Zahlungsleistung nicht einlassen.

Formulare zu den Quittungen werden von sämmtlichen oben gedachten Kassen unentgeltlich verabfolgt.

Berlin, den 4. März 1890.

Hauptverwaltung der Staatsschulden.

Aufruf der zur Einlösung noch nicht eingegangenen Schuldverschreibungen der 4prozentigen Staatsanleihen von 1850, 1852, 1853 und 1862.

9. Die früher noch nicht zur Verloosung gekommenen Schuldverschreibungen der 4prozentigen Staatsanleihen von 1850, 1852, 1853 und 1862 sind durch unsere öffentlichen Bekanntmachungen vom 5. September 1888 und 21. März 1889 zur baaren Rückzahlung am 1. April 1889 bezw. 1. Oktober 1889 gekündigt worden. Ihre Verzinsung hat mit den betreffenden Kündigungsterminen aufgehört. Gleichwohl ist eine große Zahl dieser Schuldverschreibungen noch nicht eingelöst. Die Besitzer derselben, sowie der aus früheren Verloosungen noch rückständigen Schuldverschreibungen werden deshalb wiederholt aufgefordert, die Einlösung **zur Vermeidung weiterer Zinsverluste** alsbald bei der Staatsschulden-Tilgungskasse hierselbst, W. Taubenstraße Nr. 29, zu bewirken. Die Zahlung der Kapitalbeträge geschieht, — wie in unseren bezüglichen Bekanntmachungen hervorgehoben — auch bei den Königlichen Regierungs-Hauptkassen und in Frankfurt a. M. bei der Königlichen Kreiskasse. Zu diesem Zwecke können die Schuldverschreibungen nebst den dazu gehörigen, nach den einzelnen öffentlichen Bekanntmachungen unentgeltlich abzuliefernden Zinsscheinen und Zinsscheinanweisungen bei einer dieser Kassen eingereicht werden, welche die Effekten der Staatsschulden-Tilgungskasse zur Prüfung vorzulegen und nach erfolgter Feststellung die Auszahlung zu bewirken hat. Berlin, den 15. März 1890.

Hauptverwaltung der Staatsschulden.

Bekanntmachungen des Provinzial-Steuer-Direktors.

Abgrenzung von Steuer-Hebebezirken.

1. Mit Genehmigung des Herrn Finanzministers werden vom 1. April d. J. ab die Hebebezirke der Königlichen Steuer-Aemter I. Klasse zu Bernau, Coepenick und Zossen von dem Königlichen Haupt-Steuer-Amte für inländische Gegenstände zu Berlin und der Hebebezirk des Königlichen Steuer-Amtes I. Klasse zu Dahme von dem Königlichen Haupt-Steuer-Amte zu Lübben abgezweigt.

Von demselben Zeitpunkte ab werden die Hebebezirke der Königlichen Steuer-Aemter in Bernau und Coepenick zu einem neuen Ober-Steuer-Kontrolebezirk Coepenick vereinigt und dem Königlichen Haupt-Steuer-Amte zu Eberswalde zugetheilt, während die Hebebezirke der Königlichen Steuer-Aemter zu Zossen und Dahme mit dem Königlichen Haupt-Steuer-Amte zu Potsdam verbunden werden. Bei dem letztgedachten Haupt-Amte wird ein neuer Ober-Steuer-Kontrolebezirk Zossen gebildet, welchem die Hebebezirke der Königlichen Steuer-Aemter I. Klasse zu Trebbin und Zossen überwiesen werden, während der Ober-Steuer-Kontrolebezirk Luckenwalde im Bezirke des Königlichen Haupt-Steuer-Amts zu Potsdam sich fortan aus den Hebebezirken der Königlichen Steuer-Aemter I. Klasse zu Luckenwalde, Jüterbog und Dahme zusammensetzt.

Im Bezirke des Königlichen Haupt-Steuer-Amtes zu Lübben wird der Hebebezirk des Königlichen Steuer-Amtes II. Klasse zu Wend.-Buchholz von dem Ober-Steuer-Kontrolebezirk Lübben abgezweigt und dem Bezirke des Königlichen Ober-Steuer-Kontroleurs zu Beeskow zugetheilt.

Dies wird hierdurch mit dem Hinzufügen zur öffentlichen Kenntniß gebracht, daß die für das Rechnungsjahr 1889/90 noch zur Anschreibung gelangenden Zoll- und Steuerkredite bei demjenigen Königlichen Haupt-Steuer-Amte bezw. Steuer-Amte zur Einzahlung gelangen müssen, bei welchem die Anschreibung stattgefunden hat.

Berlin, den 17. März 1890.

Der Provinzial-Steuer-Direktor.

Bekanntmachungen der Königlichen Eisenbahn-Direktion zu Berlin.

Fahrplan-Aenderungen.

12. Am 1. April d. J. treten im Berliner Vorortverkehr außer den Erweiterungen, welche in den zur Zeit gültigen Fahrplan bereits aufgenommen sind, noch folgende Aenderungen ein;

1) Zug 702: ab Friedrichshagen, Cöpenick, Sadowa, Kietz- und Stralau-Rummelsburg wie bisher, jedoch Schlesischer Bahnhof an $5^{\underline{04}}$ ab $5^{\underline{05}}$, Alexanderplatz $5^{\underline{11}}$, Friedrichstraße $5^{\underline{16}}$, Zoologischer Garten

5 26. Charlottenburg an 5 32 und weiter wie im Fahrplan aufgenommen.

2) Zug 744 wird bis Potsdam verlängert und zwar Charlottenburg ab 6 44. Grunewald 6 50. Wannsee an 7 01, ab 7 02, Neubabelsberg an 7 09, ab 7 10, Neuendorf an 7 15, ab 7 16, Potsdam an 7 20 Nachmittags.

3) Zug 710 fällt von Lichtenberg bis Schlesischer Bahnhof aus, dafür verkehrt Zug 12 H. von Lichtenberg wie folgt: Lichtenberg-Friedrichsfelde ab 6 28 Vorm., Stralau-Rummelsburg 6 33, Schlesischer Bahnhof an 6 39 ab 6 41 und weiter wie im Aushang Fahrplan angegeben.

Berlin, im März 1890.

Königliche Eisenbahn-Direktion.

Bekanntmachungen der Königlichen Eisenbahn-Direktion zu Bromberg.

Nachtrag 4 zum Lokaltarif und Nachtrag 11 zum Kilometerzeiger.

18. In Folge Ueberganges der Bahnstrecke Stargard i. Pm.-Stettin aus dem Königlichen Direktions Bezirke Berlin in den diesseitigen Bezirk treten vom 1. April 1890 ab für den Eisenbahn-Direktions-Bezirk Bromberg der Nachtrag 4 zum Lokaltarif und der Nachtrag 11 zum Kilometerzeiger in Kraft. Dieselben enthalten: 1) Entfernungen und Frachtsätze für die Stationen der Strecke Stargard i. Pm.-Stettin. Außerdem: 2) Neue bezw anderweite Entfernungen und Frachtsätze für Lissomitz, Orzechowo und Alexandrowo. 3) Neue Vorschriften über die Kontrole der Ausfuhrgüter. Dieselben finden ebenfalls Anwendung für unsere Hafenplätze im Wechselverkehr mit den Preußischen und Oldenburgischen Staatsbahnen. Für Sprit und Spiritus zur überseeischen Ausfuhr bleiben die bisherigen Kontrolvorschriften auch fernerhin bestehen. 4) Ueberfuhrgebühren in Montwy und Schulitz. 5) Bereits früher veröffentlichte Tarifänderungen. Hierdurch gelangen zur Aufhebung: a. der Staatsbahn-Gütertarif Bromberg-Berlin vom 15. Juli 1888 nebst Nachträgen bezüglich des Verkehrs zwischen sämmtlichen Stationen des Bezirks Bromberg einer- und den Stationen Alt-Damm, Carolinenhorst und Stargard i. Pm. des Bezirks Berlin andererseits; b. der Lokal-Gütertarif Berlin vom 15. August 1889 nebst Nachträgen bezüglich des Verkehrs mit den Stationen Alt-Damm, Carolinenhorst und Stargard i. Pm. untereinander und des Verkehrs zwischen diesen Stationen und den Berliner Bahnhöfen und Ringbahnstationen. Abzüge der Nachträge 4 und 11 können durch Vermittelung sämmtlicher Fahrkarten-Ausgabestellen unseres Bezirks bezogen werden.

Bromberg, den 19. März 1890.

Königliche Eisenbahn-Direktion.

Bekanntmachungen der Königlichen Eisenbahn-Direktion zu Magdeburg.

Fahrplan-Aenderungen.

10. Vom 1. April d. J. ab werden die nachstehend aufgeführten Lokalpersonenzüge der Strecke Berlin—Potsdam—Werder neu eingelegt bezw. in veränderten Fahrplänen gefahren:

Zug P. 10 1—4	Zug P 14a 1—4.	Zug P. 18 1—4.	Zug P. 48 1—4	Zug P. 58 1—4.	Zug P 70a 1—4.	Zug P. 72 1—4.	Zug P. 76 1—4.	Zug P 80 1—4.		Stationen.		Zug P. 5 1—4.	Zug P 11 1—4	Zug P 11a 1 4.	Zug P. 13 1—4.	Zug P. 15 1—4.	Zug P 47a 1—4	Zug P. 55 1—4.	Zug P. 63 1—4.	Zug P. 69 1 4.	Zug P 73a 1—4.	Zug P. 75 1—4.
6 27	7 58	9 15	4 00	5 10	9 00	9 18	10 27	1 00	Abfahrt	Berlin	Ankunft	6 45	8 20	8 31	8 45	8 56	5 28	7 57	9 22	10 32	10 53	12 54
—	—	—	—	5 17	—	—	10 34	1 07		Schöneberg		6 39	—	8 25	—	—	—	7 51	—	10 26	—	—
—	—	—	—	5 22	—	9 27	10 39	1 12		Friedenau		6 34	—	8 20	—	—	—	7 46	—	10 21	—	12 46
—	8 08	—	—	5 27	—	9 32	10 44	1 17		Steglitz		6 29	8 11	8 15	—	—	—	7 41	9 11	10 16	—	12 41
—	an	—	—	5 32	—	9 37	10 49	1 22		Lichterfelde		6 24	8 06	—	—	—	—	7 36	—	10 11	—	12 36
6 43	—	—	—	5 38	—	9 43	10 55	1 28		Zehlendorf		6 18	8 00	—	8 30	—	—	7 30	—	10 05	—	12 30
6 49	—	—	—	5 44	—	9 48	11 01	—		Schlachtensee		6 10	—	—	8 22	—	—	7 19	—	9 57	—	—
6 55	—	—	—	5 50	—	an	11 07	—		Wannsee		6 04	—	—	8 16	—	—	7 10	—	—	—	—
7 03	—	—	—	5 58	—	—	11 15	—		Neubabelsberg		5 56	—	—	8 08	—	—	6 59	—	—	—	—
7 09	—	—	—	6 04	—	—	11 21	—		Neuendorf		5 50	—	—	8 02	—	—	6 52	—	—	—	12 12
7 13	—	9 44	4 27	6 08	9 29	—	11 25	1 44	Ankunft	Potsdam	Abfahrt	5 45	—	—	7 57	8 24	4 58	6 47	8 44	—	10 21	12 07
7 15	—	9 45	4 28	6 09	9 30	—	11 26	an	Abfahrt	Potsdam	Ankunft	5 41	—	—	—	8 23	4 57	6 46	—	—	10 20	12 06
7 22	—	—	—	6 16	—	—	11 33	—		Charlottenhof		5 35	—	—	—	8 17	—	6 40	—	—	—	12 00
7 26	—	9 52	4 35	6 20	9 37	—	11 37	—		Wildpark		5 30	—	—	—	8 12	4 50	6 35	—	—	10 12	11 53
an	—	an	an	an	an	—	an	—	Ankunft	Werder	Abfahrt	5 20	—	—	—	—	—	—	—	—	—	—

Die Zeiten von 6 0 Abends bis 5 59 früh sind durch Unterstreichen der Minuten gekennzeichnet.

Berlin, den 18. März 1890.

Königliches Eisenbahn-Betriebsamt (Berlin—Magdeburg).

Personal-Chronik.

Im Kreise Prenzlau ist an Stelle des verstorbenen Schulzen Wendt zu Schmölln der Rittergutspächter Armin Schlange zu Schwaneberg zum Amtsvorsteher-Stellvertreter des 23. Amtsbezirkes Schmölln ernannt worden.

Im Kreise Jüterbog-Luckenwalde ist der Amtmann Braumüller zu Zagelsdorf nach Ablauf seiner Amtszeit aufs Neue zum Amtsvorsteher-Stellvertreter des 9. Bezirks Rosenthal ernannt worden.

Der Königliche Regierungs-Bauführer Max Gossen, zur Zeit in Berlin, ist am 8. März d. J. als solcher vereidigt worden.

Die Försterstelle Lotzin in der Oberförsterei Gr.-Schoenebeck ist vom 1. Mai d. J. ab dem Förster Petzer zu Hammelstall, Oberförsterei Neuendorf, übertragen worden.

Dem Pfarrer Höhne zu Fahrenwalde ist vom 1. April d. Js. ab die Kreisschulinspection über die Schulen des Inspektionskreises Prenzlau III. einstweilen unter dem Vorbehalt des Widerrufs übertragen worden

In Stelle des zum Secretair bei der Stadtvoigtei zu Berlin beförderten Oberaufsehers Baltruschat ist der bisherige Aufseher bei der Strafanstalt zu Brandenburg Albert Werl zum Oberaufseher bei gedachter Anstalt ernannt worden.

An der Königlichen Elisabethschule in Berlin ist der Gemeindelehrer Paul Hocks als ordentlicher Lehrer angestellt worden.

Dem Oberlehrer Dr. Jacoby an dem Königstädtischen Gymnasium in Berlin ist der Professortitel verliehen worden.

Der kommissarische Hülfslehrer, Schulamts-Kandidat Brebeck zu Oranienburg ist als ordentlicher Seminarlehrer am Königlichen Schullehrer-Seminar daselbst angestellt worden.

Der bisherige wissenschaftliche Hülfslehrer Hermann Schröder ist als ordentlicher Lehrer an der 1. städtischen höheren Bürgerschule zu Berlin angestellt worden.

Der ordentliche Lehrer Dr. Klatt am Lessing-Gymnasium zu Berlin ist zum Oberlehrer an derselben Anstalt befördert worden.

Ausweisung von Ausländern aus dem Reichsgebiete.

Lauf. Nr.	Name und Stand	Alter und Heimath	Grund der Bestrafung.	Behörde, welche die Ausweisung beschlossen hat.	Datum des Ausweisungs-Beschlusses.
	des Ausgewiesenen.				
1.	2.	3	4.	5.	6.
	a. Auf Grund des § 39 des Strafgesetzbuchs:				
1	Jakob Weinberger, Hausirer,	50 Jahre alt, geboren und ortsangehörig zu Munkacz, Komitat Bereg, Ungarn,	schwerer Diebstahl und Versuch des schweren Diebstahls (6 Jahre Zuchthaus laut Erkenntniß vom 7. Dezember 1883),	Königlich Bayerisches Bezirksamt Bamberg II.,	18. Dezember 1889.
	b. Auf Grund des § 362 des Strafgesetzbuchs:				
1	Wenzel Simon, Kellner,	geboren am 1. Mai 1847 zu Reichenberg, Böhmen, ortsangehörig ebendaselbst, wohnhaft zuletzt in Berlin,	Unterlassung der Beschaffung eines Unterkommens,	Königlicher Polizei-Präsident zu Berlin,	3. Februar 1890.
2	Aron Levy, Bäcker,	geboren am 17. März 1860 zu Warschau, Russisch-Polen,	Landstreichen und Betteln,	Königlich Preußischer Regierungspräsident zu Potsdam,	25. Februar 1890.
3	Franz Pros, Arbeiter,	geboren am 12 Oktober 1852 in der Bukowina, ortsangehörig zu Roven, Bezirk Reichenau, Böhmen,	desgleichen,	Königlich Preußischer Regierungspräsident zu Liegnitz,	28. Februar 1890.

(Hierzu eine Beilage, enthaltend das Verzeichniß der in der 9. Verloosung gezogenen, durch die Bekanntmachung der Königlichen Hauptverwaltung der Staatsschulden vom 4. März 1890 zur baaren Einlösung am 1. Juli 1890 gekündigten 3½prozentigen, unterm 2. Mai 1842 ausgefertigten Staatsschuldscheine und das Verzeichniß der aus früheren Verloosungen noch rückständigen 3½prozentigen Staatsschuldscheine von 1842, sowie Vier Oeffentliche Anzeiger.)

(Die Insertionsgebühren betragen für eine einspaltige Druckzeile 20 Pf. Belagsblätter werden der Bogen mit 10 Pf. berechnet.)

Redigirt von der Königlichen Regierung zu Potsdam.

Potsdam, Buchdruckerei der A. W. Hayn'schen Erben (E. Hayn, Hof-Buchdrucker).

Amtsblatt

der Königlichen Regierung zu Potsdam und der Stadt Berlin.

Stück 14. Den 4. April **1890.**

Bekanntmachungen der Königl. Ministerien.

Ankauf von Remonten für 1890.

Regierungs-Bezirk Potsdam.

6. Zum Ankaufe von Remonten im Alter von drei und ausnahmsweise vier Jahren sind im Bereiche der Königlichen Regierung zu Potsdam für dieses Jahr nachstehende, Morgens 8 resp. 9 Uhr beginnende Märkte anberaumt worden und zwar:

am 27.	Mai	Strasburg i. Uckermark	8	Uhr,
4.	Juni	Wriezen a. Oder	8	"
17.	"	Jüterbog	9	"
18.	"	Oranienburg	9	"
19.	"	Nauen	8	"
20.	"	Neustadt a. Dosse	9	"
1.	Juli	Rathenow	8	"
3.	"	Havelberg	8	"
4.	"	Wilsnack	9	"
7.	"	Meyenburg	8	"
25.	"	Prenzlau	8	"
26.	"	Angermünde	8	"
28.	"	Kyritz	9	"
29.	"	Wittstock	8	"
30.	"	Pritzwalk	8	"
31.	"	Perleberg	8	"
1.	August	Lenzen a. Elbe	8	"

Die von der Remonte-Ankaufs-Kommission erkauften Pferde werden zur Stelle abgenommen und sofort gegen Quittung baar bezahlt.

Pferde mit solchen Fehlern, welche nach den Landesgesetzen den Kauf rückgängig machen, sind vom Verkäufer gegen Erstattung des Kaufpreises und der Unkosten zurückzunehmen, ebenso Krippensetzer und Koppengste, welche sich in den ersten zehn beziehungsweise acht und zwanzig Tagen nach Einlieferung in den Depots als solche erweisen. Pferde, welche den Verkäufern nicht eigenthümlich gehören, oder durch einen nicht legitimirten Bevollmächtigten der Kommission vorgestellt werden, sind vom Kauf ausgeschlossen.

Die Verkäufer sind verpflichtet, jedem verkauften Pferde eine neue starke rindlederne Trense mit starkem Gebiß und eine neue Kopfhalfter von Leder oder Hanf mit 2 mindestens zwei Meter langen Stricken ohne besondere Vergütung mitzugeben.

Um die Abstammung der vorgeführten Pferde feststellen zu können, sind die Deckscheine resp. Füllenscheine mitzubringen, auch werden die Verkäufer ersucht, die Schweife der Pferde nicht zu koupiren oder übermäßig zu verkürzen. Ferner ist es dringend erwünscht, daß ein zu massiger oder zu weicher Futterzustand bei den zum Verkauf zu stellenden Remonten nicht stattfindet, weil dadurch die in den Remontedepots vorkommenden Krankheiten sehr viel schwerer zu überstehen sind, als dies bei rationell und nicht übermäßig gefutterten Remonten der Fall ist. Die auf den Märkten vorzustellenden Remonten müssen daher in solcher Verfassung sein, daß sie durch mangelhafte Ernährung nicht gelitten haben und bei der Musterung ihrem Alter entsprechend in Knochen und Muskulatur ausgebildet sind.

Berlin, den 21. März 1890.

Kriegs-Ministerium. Remontirungs-Abtheilung.

Bekanntmachungen des Königlichen Regierungs-Präsidenten.

Oeffentliche Belobigung.

73. Der Fischermeister Hermann Schwebs und der Geselle August Schwebs zu Prenzlau haben am 23. Januar d. J. den Fischermeister Louis Kobe, den Lehrling Grametke und den Arbeiter Seegert aus dem Uckersee vom Tode des Ertrinkens gerettet. Diese von Muth und Entschlossenheit zeugende That wird hiermit belobigend zur allgemeinen Kenntniß gebracht.

Potsdam, den 20. März 1890.

Der Regierungs-Präsident.

Oeffnungszeiten der Drehbrücken der Berlin-Potsdam-Magdeburger Eisenbahn bei Potsdam und Werder über die Havel.

74. Nachstehend bringe ich diejenigen Zeiten, während welcher die Drehbrücken der Berlin-Potsdam-Magdeburger Eisenbahn über die Havel bei Potsdam und Werder vom 1. April d. J. ab für den Schiffahrtsverkehr geöffnet sein werden, zur öffentlichen Kenntniß.

A. Für die Eisenbahn-Drehbrücke bei Potsdam.

1)	Von	4·45	Vorm.	bis	5·23	Vorm.
2)	"	5·42	"	"	6·17	"
3)	"	10·12	"	"	10·38	"
4)	"	10·56	"	"	11·24	"
5)	"	11·49	"	"	12·7	Nachm.
6)	"	12·26	Nachm.	"	12·44	"
7)	"	1·33	"	"	1·49	"
8)	"	3·8	"	"	3·21	"
9)	"	5·35	"	"	5·48	"
10)	"	6·54	"	"	7·15	"

Die Oeffnungszeiten zu 5 bis 9 sind vorzugsweise für Dampfer und deren Anhänge bestimmt. Andere Fahrzeuge dürfen nur in Ausnahmefällen und sofern die gegebene Zeit dazu ausreichend ist, durchgelassen werden.

B. Für die Eisenbahn-Drehbrücke bei Werder.

1) Von 4·0 Vorm. bis 4·45 Vorm.
2) „ 5·30 „ „ 6·08 „
3) „ 8·15 „ „ 8·40 „
4) „ 10·15 „ „ 10·54 „
5) „ 11·40 „ „ 12·10 Nachm.
6) „ 1·26 Nachm. „ 1·46 „
7) „ 3·0 „ „ 3·30 „
8) „ 4·0 „ „ 4·25 „
9) „ 5·0 „ „ 6·0 „
10) „ 7·0 „ „ 7·40 „

Verspätungen fahrplanmäßiger Züge oder Sonderzüge, sowie alle sonstigen Betriebszufälle beschränken die vorbezeichneten Oeffnungszeiten der Brücken.

Potsdam, den 28. März 1890.

Der Regierungs-Präsident.

Die Errichtung einer Wasserbauinspectorstelle in Coepenick betreffend.

75. Nachdem der Herr Minister der öffentlichen Arbeiten die Errichtung einer neuen Wasserbauinspectorstelle in Coepenick in Aussicht genommen hat, werden dieser Wasserbauinspection demnächst folgende Wasserstrecken überwiesen werden:

a. die Dahme,
b. der Storkower Kanal,
c. die Teupitzer Gewässer,
d. der Notte-Kanal,
e. die Spree vom Wehr bei Gr. Tränke bis zur Berliner Weichbildsgrenze,
f. die Rüdersdorfer Gewässer,
g. der Gosener Graben und
h. die Löcknitz.

Mit der Verwaltung der Wasserbauinspectorstelle wird der Wasserbauinspector Tolkmitt beauftragt werden. Potsdam, den 30 März 1890.

Der Regierungs-Präsident

Betrifft die Besetzung der Subaltern- und Unterbeamtenstellen bei Reichs- und Staatsbehörden mit Militairanwärtern.

76. Unter Bezugnahme auf die in der Extrabeilage zum Stück 46 des diesseitigen Regierungs-Amtsblattes vom Jahre 1882 enthaltene Bekanntmachung bringe ich hierdurch zur Kenntniß der Interessenten, daß vom 1. April 1890 ab für den Bezirk des I. Armeekorps an Stelle des Bezirks-Commandos in Marienburg das Bezirks-Commando in Braunsberg und für die Bezirke des XVI. und XVII. Armeekorps die Bezirks-Commandos in Metz bezw. in Marienburg als Vermittelungsbehörden gemäß § 16 der unter dem 10. September 1882 Allerhöchst genehmigten Grundsätze für die Besetzung der Subaltern- und Unterbeamtenstellen bei den Reichs- und Staatsbehörden mit Militair-Anwärtern bestimmt worden sind.

Potsdam, den 1. April 1890.

Der Regierungs-Präsident.

Viehseuchen.

77. Festgestellt ist: die Maul- und Klauenseuche unter den Rindviehbeständen des Koffäthen Pieper zu Dabergotz, Kreis Ruppin.

Erloschen ist:

die Brustseuche unter den Pferden des Train-Bataillons zu Spandau,

die Maul- und Klauenseuche unter den Rindviehbeständen der Bauern Schultze und Rieder jr. in Rosenthal, Kreis Niederbarnim, unter dem Rindvieh in Bötzow, Kreis Osthavelland, und unter den Rindern des Kaufmanns Göricke zu Rixdorf, Kreis Teltow.

Potsdam, den 1. April 1890.

Der Regierungs-Präsident.

78. **Veröffentlichung der Namen und Bezirke der Vertrauensmänner der Glas-Berufsgenossenschaft betreffend.**

a. Name und Sitz der Berufsgenossenschaft. b. Name und Wohnort des Vorsitzenden des Genossenschafts-Vorstandes.	a. Bezeichnung, Sitz und Bezirk der zuständigen Sektion. b. Name und Wohnort des Vorsitzenden der Sektion.	Vertrauensmänner und ihre Bezirke.		
		Bezirke.	Vertrauensmänner.	Stellvertreter
a. Glas-Berufs-Genossenschaft, Berlin, Körnerstraße Nr. 5. b. Generaldirektor Dr. Fr. Koch, Grünenplan b. Alfeld i. Hannover.	a. Section IV. zu Lomnitz i. Posen, umfassend Provinz Brandenburg, Ost- und Westpreußen, Pommern, Posen, Grßhzgth. Mecklenburg-Schwerin u. Mecklenburg Strelitz. b. Fabrikbesitzer A. Stosch, Lomnitz i. Posen.	Reg.-Bez. Potsdam, excl. Kreis Teltow.	Consul Eschricht in Swinemünde.	Vacat.
		Kreis Teltow.	Vacat.	Diedahl in Finkenheerd.

Vorstehend werden die Namen der Vorsitzenden und Vertrauensmänner der Glas-Berufsgenossenschaft, soweit dieselben für den hiesigen Bezirk in Betracht kommen, veröffentlicht.

Potsdam, den 25. März 1890.

Der Regierungs-Präsident.

Fischerei-Aufsicht.

79. Im Anschluß an die Bekanntmachung vom 20. September 1889 (Amtsbl. S. 352) wird hierdurch zur öffentlichen Kenntniß gebracht, daß an Stelle des Amtsdieners Kubusch zu Sommerfeld der städtische Förster Dehmel zu Cremmen zum Fischerei-Aufseher für das im Cremmen'er See eingerichtete Laichschon-Revier nebenamtlich bestellt wo.den ist. Potsdam, den 27. März 1890.

Der Regierungs-Präsident.

Bekanntmachungen der Bezirksausschüsse.

Grunderwerb für den Rangirbahnhof Pankow.

2. Nachdem der Herr Minister der öffentlichen Arbeiten genehmigt hat, daß von Seiten der Königlichen Eisenbahn-Direction zu Berlin mit dem Grunderwerb für den Rangirbahnhof Pankow vorgegangen werde, wird hiermit angeordnet, daß Handlungen, welche zur Vorbereitung des Unternehmens erforderlich sind, jeder Besitzer auf seinem Grund und Boden geschehen zu lassen hat.

Handlungen, welche das Zerstören von Baulichkeiten oder das Fällen von Bäumen zum Gegenstande haben, sind indessen ohne vorangegangene Erlaubniß des Bezirks-Ausschusses unstatthaft.

Das Betreten von Gebäuden, sowie von eingefriedigten Hof- oder Gartenräumen ist nur mit Einwilligung des Besitzers, in deren Ermangelung nach ertheilter Erlaubniß der Ortspolizeibehörde zulässig.

Potsdam, den 29. März 1890.

Namens des Bezirks-Ausschusses der Vorsitzende.

Bekanntmachungen des Königlichen Polizei-Präsidiums zu Berlin.

Entziehung eines Hebammen-Prüfungs-Zeugnisses.

31. Der unverehelichten Friederike Johanne Juliane Thielecke, zuletzt Swinemünderstraße Nr. 140 hierselbst wohnhaft, ist durch rechtskräftiges Erkenntniß des Bezirks-Ausschusses zu Berlin vom 4. Februar 1890 das Hebammen-Prüfungs-Zeugniß entzogen worden. Die Genannte ist deshalb als Hebamme nicht mehr anzusehen. Berlin, den 22. März 1890.

Der Polizei-Präsident.

Bekanntmachungen der Kaiserlichen Ober-Postdirektion zu Berlin.

Aenderung in der Geldbestellung.

24. Vom 1. April ab bis Ende September d. J. wird in Berlin die vierte wochentägliche Geldbestellung, welche um 5 Uhr Nachmittags beginnt, wie im vorigen Sommerhalbjahre wieder eingerichtet. Gleichzeitig wird die dritte Geldbestellung von 3½ Uhr auf 2 Uhr Nachmittags verlegt.

Berlin C., den 27. März 1890.

Der Kaiserliche Ober-Postdirektor.

Bekanntmachungen der Königlichen Eisenbahn-Direktion zu Magdeburg.

Fahrplan-Aenderungen.

11. Vom 1. April d. J. ab werden die nachstehend aufgeführten Lokalpersonenzüge der Strecke Berlin—Potsdam—Werder neu eingelegt bezw. in veränderten Fahrplänen gefahren:

Zug P. 10 1—4	Zug P 14a 1—4.	Zug P. 18 1—4.	Zug P. 48 1—4	Zug P. 58 1—4.	Zug P 70a 1—4.	Zug P. 72 1—4.	Zug P. 76 1—4.	Zug P 80 1—4.		Stationen.		Zug P. 5 1—4.	Zug P 11 1—4	Zug P 11a 1—4.	Zug P. 13 1—4.	Zug P. 15 1—4.	Zug P 47a 1—4	Zug P. 55 1—4.	Zug P. 63 1—4.	Zug P. 69 1—4.	Zug P 73a 1—4.	Zug P. 75 1—4.
6^{27}	7^{58}	9^{15}	4^{00}	5^{10}	9^{00}	9^{18}	10^{27}	1^{00}	Abfahrt	Berlin	Ankunft	6^{45}	8^{20}	8^{31}	8^{45}	8^{56}	5^{28}	7^{57}	9^{22}	10^{32}	10^{53}	12^{54}
—	—	—	—	5^{17}	—	—	10^{34}	1^{07}		Schöneberg		6^{39}	—	8^{25}	—	—	—	7^{51}	—	10^{26}	—	—
—	—	—	—	5^{22}	—	9^{27}	10^{39}	1^{12}		Friedenau		6^{34}	—	8^{20}	—	—	—	7^{46}	—	10^{21}	—	12^{46}
—	8^{08}	—	—	5^{27}	—	9^{32}	10^{44}	1^{17}		Steglitz		6^{29}	8^{11}	8^{15}	—	—	—	7^{41}	9^{11}	10^{16}	—	12^{41}
—	an	—	—	5^{32}	—	9^{37}	10^{49}	1^{22}		Lichterfelde		6^{24}	8^{06}	—	—	—	—	7^{36}	—	10^{11}	—	12^{36}
6^{43}	—	—	—	5^{38}	—	9^{43}	10^{55}	1^{28}		Zehlendorf		6^{18}	8^{00}	—	8^{30}	—	—	7^{30}	—	10^{05}	—	12^{30}
6^{49}	—	—	—	5^{44}	—	9^{48}	11^{01}	—		Schlachtensee		6^{10}	—	—	8^{22}	—	—	7^{19}	—	9^{57}	—	—
6^{55}	—	—	—	5^{50}	—	an	11^{07}	—		Wannsee		6^{04}	—	—	8^{16}	—	—	7^{10}	—	—	—	—
7^{03}	—	—	—	5^{58}	—	—	11^{15}	—		Neubabelsberg		5^{56}	—	—	8^{08}	—	—	6^{59}	—	—	—	—
7^{09}	—	—	—	6^{04}	—	—	11^{21}	—		Neuendorf		5^{50}	—	—	8^{02}	—	—	6^{52}	—	—	—	12^{12}
7^{13}	—	9^{44}	4^{27}	6^{08}	9^{29}	—	11^{25}	1^{44}	Ankunft	Potsdam	Abfahrt	5^{45}	—	—	7^{57}	8^{24}	4^{58}	6^{47}	8^{44}	—	10^{21}	12^{07}
7^{15}	—	9^{45}	4^{28}	6^{09}	9^{30}	—	11^{26}	an	Abfahrt	Potsdam	Ankunft	5^{41}	—	—	—	8^{23}	4^{57}	6^{46}	—	—	10^{20}	12^{06}
7^{22}	—	—	—	6^{16}	—	—	11^{33}	—		Charlottenhof		5^{35}	—	—	—	8^{17}	—	6^{40}	—	—	—	12^{00}
7^{26}	—	9^{52}	4^{35}	6^{20}	9^{37}	—	11^{37}	—		Wildpark		5^{30}	—	—	—	8^{12}	4^{50}	6^{35}	—	—	10^{12}	11^{55}
an	—	an	an	an	an	—	an	—	Ankunft	Werder	Abfahrt	5^{20}	—	—	—	—	—	—	—	—	—	—

Die Zeiten von 6^{0} Abends bis 5^{59} früh sind durch Unterstreichen der Minuten gekennzeichnet.

Berlin, den 18. März 1890.

Königliches Eisenbahn-Betriebsamt
(Berlin—Magdeburg).

Bekanntmachungen der Kreis-Ausschüsse.

Genehmigung.

10. Auf Grund des § 25 Absatz 1 des Zuständigkeits-Gesetzes vom 1. August 1883 in Verbindung mit § 1 Abschnitt 4 des Gesetzes über die Landgemeinde-Verfassungen vom 14. April 1856 genehmigen wir unter Zustimmung aller Betheiligten hiermit, daß die in der nachfolgenden Nachweisung bezeichneten, in der Groß-Schönebeck'er Forst-Ablösungssache von der Königlichen Liebenwalde'r Forst an die Gemeinde Groß-Schönebeck abgetretenen, bei Zerpenschleuse belegenen Hütungs-Abfindungs-Ländereien, Wege und Gewässer mit einem Gesammt-Flächen-Inhalte von 181 ha 62 ar 86 qm von dem Gemeinde-Verbande der Gemeinde Groß-Schönebeck abgezweigt und in den Gemeinde-Verband der Gemeinde Berg einverleibt werden.

Berlin, den 5. Februar 1890.

Der Kreis-Ausschuß des Kreises Nieder-Barnim.

Nachweisung

der in der Groß-Schönebeck'er Forst-Ablösungs-Sache von der Königlichen Liebenwalder Forst an die Gemeinde Groß-Schönebeck abgetretenen, bei Zerpenschleuse belegenen Hütungs-Abfindungs-Ländereien, Wege und Gewässer, welche von dem Gemeinde-Verbande der Gemeinde Groß-Schönebeck abgezweigt und in den Gemeinde-Verband der Gemeinde Berg einverleibt werden.

Laufende Nummer	Artikel der Mutter-Rolle	Bezeichnung nach dem Grundbuche. Band	Blatt	Name, Vorname, Stand und Wohnort des Eigenthümers.	Nummer des Kartenblattes	Nummer der Parzelle	Flächen-Inhalt ha	ar	qm	Jahresbetrag der Grundsteuer M	Pf.
1.	278	X. Zerpenschleuse	328	Baumann, Friedrich, Fuhrherr in Zerpenschleuse	10	234/79	—	66	95	—	34
2.	279	X. dto.	329	Schröder, Carl, Fuhrherr daselbst	10	97	—	12	81	—	35
						237/96	—	56	30		
3.	295	X. dto.	336	Bahns, Johann Friedrich, Schiffer daselbst	10	233/85	—	25	60	—	13
4.	296	ohne		Königlich Preußischer Staat, Landestriangulation	10	162/27	—	—	02	—	—
4a.	321	VIII. dto.	281	Rittergutsbesitzer und Kaufmann Ludwig Meyer zu Berlin und Wittwe Knebel zu Zerpenschleuse	10	15 pp.	43	55	05	31	87
5.	322	IX. Zerpenschleuse	303	Bäthge, Wilhelm, Arbeiter in Zerpenschleuse	10	29	1	60	—	—	81
6.	323	VIII. dto.	284	Hutz, Ludwig, Viehhändler daselbst	10	61	—	99	29	5	17
					—	202/27	1	83	60		
					—	207/45	—	51	10		
					—	262/27	1	40	—		
					—	263/27	4	41	—		
					—	271/44	1	05	55		
7.	325	IX. dto.	309	Rabold, Carl Friedrich Wilhelm, Schiffer daselbst	10	51	—	25	90	—	13
8.	326	III. dto.	102	Schulz, Wilhelm, Schiffer daselbst	10	55	—	40	—	—	20
9.	327	IX. dto.	308	Grambow, Friedrich Wilhelm August, Schiffer daselbst	10	50	—	51	20	—	26
10.	328	IX. dto.	300	Baumann, Wilhelm, Arbeiter daselbst	10	92	—	65	96	—	34
11.	329	III. dto.	100	Mittag, Wittwe, geb. Schuhmacher, daselbst	10	56	—	80	—	—	41
12.	330	III. dto.	80	Schlüsselburg, Gottlieb, Schiffseigner, und Ehefrau, geb. Erdmann, daselbst	10	72	—	36	17	—	18
13.	331	IX. dto.	294	Blankenburg, Henriette, Wittwe, geb. Grünfeld, daselbst	10	69	—	54	19	—	28

Laufende Nummer	Artikel der Mutterrolle	Bezeichnung nach dem Grundbuche. Band	Blatt	Name, Vorname, Stand und Wohnort des Eigenthümers.	Nummer des Kartenblattes.	Nummer der Parzelle.	Flächen-Inhalt. ha.	ar	qm	Jahresbetrag der Grundsteuer. M.	Pf.
14.	332	VII.	236	Zietz, Hermann, Colonist und Schiffer daselbst	10	80	1	83	90	4	06
		Zerpenschleuse		— Colonie Kienitz —	10	81	1	83	90		
					10	82	1	83	90		
					10	184/130	1	12	91		
					10	191/133	1	43	12		
15.	334	VIII.	286	Paarmann, August, Schiffer in Zerpenschleuse	10	273/62	—	50	28	—	51
		dto.			10	274/62	—	51	06		
16.	335	IX.	315	Remnitz, Carl Friedrich Ferdinand, Colonist daselbst	10	89	2	06	67	1	05
		dto.									
17.	336	IX.	305	Kämpfer, Friedrich, Schlächtermeister, jetzt Eigenthümer Seehausen daselbst	10	57	—	88	60	1	80
		dto.			10	76	1	71	21		
18.	337	IX.	291	Kämpfer, Carl, Schlächtermeister daselbst	10	66	—	95	10	—	97
		dto.			10	200/27	—	96	56		
19.	338	X.	330	Polzehl, Wilhelm, Colonist und Schiffseigner daselbst	10	235/79	—	66	95	—	34
		dto.									
20.	339	X.	339	Lippert, August, Fuhrmann daselbst	10	25	—	10	74	2	37
		dto.			10	26	2	85	79		
21.	340	IX	312	Futh, August, Schiffer daselbst	10	91	—	67	38	—	34
		dto.									
22.	341	II.	60	Münster, Carl, Schiffer daselbst	10	90	—	67	37	—	34
		dto.									
23.	342	IX.	299	Förder, Wilhelm, Stellmachermeister daselbst	10	93	—	65	96	1	12
		dto.			10	213/14	—	78	51		
					10	214/14	—	76	53		
24.	343	IX.	293	Engel, Carl, Zimmermann daselbst, jetzt Colonist A. Buchholz zu Colonie Berg	10	68	—	54	18	—	28
		dto.									
25.	344	IX.	290	Dräger, Carl, Seilermeister in Zerpenschleuse	10	65	1	05	68	—	53
		dto.									
26.	346	IX.	295	Tamm, Christian Friedrich Wilhelm, Handelsmann daselbst	10	71	—	36	03	—	18
		dto.									
27.	347	VII.	243	Jacob, Carl, Stangenfabrikant in Zerpenschleuse	10	16	—	81	20	—	69
		dto.			10	73	—	54	18		
28.	348	III.	101	Miersch, Carl, Schiffsbauer daselbst	10	74	—	54	19	—	74
		dto.			10	199/27	—	90	80		
29.	349	IX.	296	Zeidler, August, Amtsdiener daselbst	10	75	1	31	07	—	66
		dto.									
30.	350	IX	311	Aschbach, August Julius Friedrich, Handelsmann daselbst	10	83	—	71	70	—	36
		d.s.									
31.	353	VIII.	282	Lewedag, Georg, Kaufmann daselbst	10	43	1	67	80	1	18
		dto.			10	87	—	64	54		
32.	354	X.	323	Gemeinde zu Berg	10	52	—	79	20	—	40
		dto.									
33.	355	VI.	211	Grambow, Friedrich, Schiffer in Zerpenschleuse, jetzt dessen Wittwe	10	49	—	25	20	—	13
		dto.									
34.	356	IX.	298	Erdmann, Julius, Kalkbrennereibesitzer daselbst	10	42	1	67	80	—	85
		dto.									
35.	357	VIII.	287	Knebel, Wittwe, Mathilde, geb. Zernikow daselbst	10	163/27	32	22	80	16	78
		dto.			10	60	—	88	37		
36.	358	IX.	310	Lippert, Julius, Schiffseigner, und Ehefrau Albertine, geb. Paarmann daselbst	10	64	—	98	30	—	50
		dto.									

die gegebene Zeit dazu ausreichend ist, durchgelassen werden.

B. Für die Eisenbahn-Drehbrücke bei Werder.

1) Von 4·0 Vorm. bis 4·45 Vorm.
2) " 5·30 " " 6·08 "
3) " 8·15 " " 8·40 "
4) " 10·15 " " 10·54 "
5) " 11·40 " " 12·10 Nachm.
6) " 1·26 Nachm. " 1·46 "
7) " 3·0 " " 3·30 "
8) " 4·0 " " 4·25 "
9) " 5·0 " " 6·0 "
10) " 7·0 " " 7·40 "

Verspätungen fahrplanmäßiger Züge oder Sonderzüge, sowie alle sonstigen Betriebszufälle beschränken die vorbezeichneten Oeffnungszeiten der Brücken.

Potsdam, den 28. März 1890.

Der Regierungs-Präsident.

Die Errichtung einer Wasserbauinspectorstelle in Coepenick betreffend.

75. Nachdem der Herr Minister der öffentlichen Arbeiten die Errichtung einer neuen Wasserbauinspectorstelle in Coepenick in Aussicht genommen hat, werden dieser Wasserbauinspection demnächst folgende Wasserstrecken überwiesen werden:

a. die Dahme,
b. der Storkower Kanal,
c. die Teupitzer Gewässer,
d. der Notte-Kanal,
e. die Spree vom Wehr bei Gr. Tränke bis zur Berliner Weichbildsgrenze,
f. die Rüdersdorfer Gewässer,
g. der Gosener Graben und
h. die Löcknitz.

Mit der Verwaltung der Wasserbauinsp:ctorstelle wird der Wasserbauinspector Tolkmitt beauftragt werden. Potsdam, den 30 März 1890.

Der Regierungs-Präsident

Betrifft die Besetzung der Subaltern- und Unterbeamtenstellen bei Reichs- und Staatsbehörden mit Militairanwärtern.

76. Unter Bezugnahme auf die in der Extrabeilage zum Stück 46 des diesseitigen Regierungs-Amtsblattes vom Jahre 1882 enthaltene Bekanntmachung bringe ich hierdurch zur Kenntniß der Interessenten, daß vom 1. April 1890 ab für den Bezirk des I. Armeekorps an Stelle des Bezirks-Commandos in Marienburg das Bezirks-Commando in Braunsberg und für die Bezirke des XVI. und XVII. Armeekorps die Bezirks-Commandos in Metz bezw. in Marienburg als Vermittelungsbehörden gemäß § 16 der unter dem 10. September 1882 Allerhöchst genehmigten Grundsätze für die Besetzung der Subaltern- und Unterbeamtenstellen bei den Reichs- und Staatsbehörden mit Militair-Anwärtern bestimmt worden sind.

Potsdam, den 1. April 1890.

Der Regierungs-Präsident.

Viehseuchen.

77. Festgestellt ist: die Maul- und Klauenseuche unter den Rindviehbeständen des Kossäthen Pieper zu Dabergotz, Kreis Ruppin.

Erloschen ist:

die Brustseuche unter den Pferden des Train-Bataillons zu Spandau,

die Maul- und Klauenseuche unter den Rindviehbeständen der Bauern Schultze und Nieder jr. in Rosenthal, Kreis Niederbarnim, unter dem Rindvieh in Bötzow, Kreis Osthavelland, und unter den Rindern des Kaufmanns Göricke zu Rixdorf, Kreis Teltow.

Potsdam, den 1. April 1890.

Der Regierungs-Präsident.

78. **Veröffentlichung der Namen und Bezirke der Vertrauensmänner der Glas-Berufsgenossenschaft betreffend.**

a. Name und Sitz der Berufsgenossenschaft. b. Name und Wohnort des Vorsitzenden des Genossenschafts-Vorstandes.	a. Bezeichnung, Sitz und Bezirk der zuständigen Sektion. b. Name und Wohnort des Vorsitzenden der Sektion.	Vertrauensmänner und ihre Bezirke.		
		Bezirke.	Vertrauensmänner.	Stellvertreter.
a. Glas-Berufs-Genossenschaft, Berlin, Körnerstraße Nr. 5. b. Generaldirektor Dr. Fr. Koch, Grünenplan b. Alfeld i. Hannover.	a. Section IV. zu Lomnitz i. Posen, umfassend Provinz Brandenburg, Ost- und Westpreußen, Pommern, Posen, Grßhzgth. Mecklenburg-Schwerin u. Mecklenburg Strelitz. b. Fabrikbesitzer A. Stosch, Lomnitz i. Posen.	Reg.-Bez. Potsdam, excl. Kreis Teltow.	Consul Eschricht in Swinemünde.	Vacat.
		Kreis Teltow.	Vacat.	Biedahl in Finkenheerd.

Vorstehend werden die Namen der Vorsitzenden und Vertrauensmänner der Glas-Berufsgenossenschaft, soweit dieselben für den hiesigen Bezirk in Betracht kommen, veröffentlicht.

Potsdam, den 25. März 1890.

Der Regierungs-Präsident.

Laufende Nummer	Artikel der Mutter-Rolle	Bezeichnung nach dem Grundbuche. Band.	Blatt.	Name, Vorname, Stand und Wohnort des Eigenthümers.	Nummer des Kartenblattes	Nummer der Parzelle	Flächen-Inhalt. ha	ar	qm	Jahresbetrag der Grundsteuer. M.	Pf.
56	397	X. Zerpenschleuse	322	Ehrentreich, Carl, Schiffsbaumeister in Zerpenschleuse	10	204/88	—	61	25	—	31
57.	398	X. dto.	321	Hübner, Julius, Tischlermeister in Groß-Schönebeck, jetzt Arbeiter Hermann Rosenfeld in Zerpenschleuse	10	205/88	—	73	50	—	37
58	405	X. dto.	331	Wendt, Carl, Scharwerker in Zerpenschleuse	10	238/96	—	56	—	—	28
59.	406	III. dto.	92	Lehmann, August, Colonist und Schiffer daselbst	10 10	70 229/47	— —	36 54	17 70	—	46
60.	407	III. dto.	85	Seefeld, Wilhelm, Schiffseigner daselbst	10	230/47	—	54	70	—	28
61.	410	IV. dto.	132	Sauerwein, Carl, Schlossermeister daselbst	10	46	1	84	—	—	93
62.	413	IX. dto.	316	Bracklow, Rudolf, Schiffer in Zerpenschleuse	10 10	275/58 276/58	— —	09 60	27 31	—	30
63.	432	IX. dto.	301	Hutz, Ludwig, Viehhändler daselbst	10	223/14	—	16	80	—	08
64.	433	VIII. dto.	270	Buchholz, Hermann, Sattlermeister in Parchen	10 10	211/14 222/14	— —	80 74	60 96	—	79
65.	434	V. dto.	182	John, Moritz, Schuhmachermeister in Zerpenschleuse	10	221/14	—	74	69	—	38
66.	435	VIII. dto.	277	Reimer, Wilhelm, Eigenthümer daselbst	10 10 10	218/14 219/14 220/14	— — —	74 74 74	79 51 58	1	14
67.	436	VIII. dto.	285	Korisch (Kirsch), Carl, Schiffseigner daselbst	10	217/14	—	75	25	—	38
68.	437	VII. dto.	253	Herrmann, August, Schmiedemeister daselbst	10	216/14	—	78	30	—	40
69.	438	X dto.	337	Plage, verw. Handelsmann, geb. Paarmann, jetzt Otto Plage daselbst	10 10 10	209/12 210/13 212/14	1 1 —	33 62 74	83 36 77	1	88
70.	439	III. dto.	93	Röhn, Julius, Eigenthümer und Weber daselbst	10	215/14	—	73	40	—	37
71.	440	VIII. dto.	274	Rieckandt, August, Büdner und Rezimenter in Schluft, jetzt Eigenthümer K. Sommer	10	63	—	98	30	—	50
72.	451	X. dto.	324	Steinmann, Joachim August, Schiffer in Zerpenschleuse	10	84	—	71	70	—	36
73.	460	X. dto.	343	Grundmann, August, Schneidermeister daselbst	10	208/45	—	51	10	—	26
74.	464	X. dto.	346	Kalbe, August, Schiffsbaumeister daselbst	10 10	98 99	1 —	83 48	63 29	1	31
75.		ohne		Oeffentliche Wege	10 10 10	136 bis 154 156/157 224/155	4 1 —	15 61 20	40 70 10	— — —	— — —
76.		ohne		Oeffentliche Gewässer	10 10	158 160 161 245/159	1 —	01 10	90 50	— —	— —
				Zusammen			181	62	86	101	84

Bekanntmachungen des Landesdirektors der Provinz Brandenburg.

8\. Haupt-Etat der Verwaltung des Provinzial-Verbandes von Brandenburg für das Jahr vom 1. April 1890—1891.

Kapitel	Titel	Einnahme	Betrag für das Etatsjahr 1. April 1890—91. M.	Pf.
		A. Laufende Einnahmen.		
I.		**Aus der Staatskasse:**		
	1.	Dotationsrente (§ 2 des Gesetzes vom 8. Juli 1875 und Allerhöchste Verordnung vom 12. September 1877)	1 549 077	—
	2.	Für die Verwaltung und Unterhaltung der früheren Staatschausseen (§ 20 deff. Gesetzes und dies. Verordn.)	1 335 047	—
	3.	Zuschuß für die Hebammenlehranstalt zu Frankfurt a. O. (§ 13 deff. Ges.)	7 548	—
	4.	Zuschuß zur Unterstützung niederer landwirthschaftlicher Lehranstalten (§ 14 das.)	5 400	—
		Summa I.	2 897 072	—
II.		**Aus den Kapitalien und Beständen der Provinz:**		
	1. 2.	Zinsen	104 360	—
III.		**Aus den Nebenfonds der Provinz:**		
	1—3.	Zinsen	82 550	—
IV.		**Vom Landeshause, Miethen:**	240	—
V.		**Aus der Chausseeverwaltung:**		
	1—9.	Beiträge von Kreisen zu den Besoldungen der Provinzialbaubeamten, Renten, Miethen, Pächte, Erträge aus den Baumpflanzungen und sonstige Einnahmen	68 200	—
VI.		**Aus der Verwaltung des Landarmen-, Korrigenden- und Irrenwesens:**		
	1.	Erstattete Kur-, Verpflegungs- und Detentionskosten	324 900	—
	2.	Provinzialsteuern für die Zwecke des Landarmen- rc. Wesens (8½% der Staatssteuern)	1 168 000	—
	3.	Sonstige Einnahmen	20	—
		Summa VI.	1 492 920	—
VII.		**Aus der Verwaltung des Taubstummen-, Blinden- und Idiotenwesens:**		
	1. 2.	Erstattete Ausbildungs- und Unterhaltungskosten, sowie sonstige Einnahmen	27 970	—
VIII.		**Aus der Zwangserziehung verwahrloster Kinder:**		
	1. 2.	Erstattete Erziehungs- und Unterhaltungskosten, sowie sonstige Einnahmen	54 460	—
IX.		**Aus der Verwaltung des Viehversicherungswesens (Ges. vom 25. Juni 1875):**	650	—
X.		**Für die Verwaltung von Institutskassen:**	9 660	—
XI.		**Insgemein:**	818	—
		Summa der laufenden Einnahmen	4 739 800	—
		B. Außerordentliche Einnahmen.		
	1.	Aus dem Verkauf von Exemplaren des Inventars der Bau- und Kunstdenkmäler	200	—
	2.	Aus dem Kapitalfonds der Provinz (Abtheilung 5) zur Errichtung der Taubstummenanstalt in Guben	106 000	—
		Summa aller Einnahmen	4 846 000	—

Kapitel.	Titel.	Ausgabe.	Betrag für das Etatsjahr 1. April 1890—91. M.	Pf.
		A. Laufende Ausgaben.		
I.		Kosten des Provinziallandtags und seiner Organe:		
	1. 2.	Reisekosten und Tagegelder, sowie Büreaukosten	27 050	—
II.		Kosten anderer Verwaltungsorgane:		
	1.	Reisekosten und Tagegelder der gewählten 5 Mitglieder des Provinzialraths	300	—
	2.	Kosten der Gewerbekammer der Provinz	8 000	—
		Summa II.	8 300	—
III.		Kosten der Landesdirektion:		
	1.	Gehälter der Provinzialbeamten nebst Miethsentschädigungen bezw. Wohnungsgeldzuschüssen	133 105	—
	2—10.	Andere persönliche und sächliche Ausgaben	56 825	—
		Summa III.	189 930	—
IV.		Beihülfe zur Durchführung der Kreisordnung vom 13. Dezember 1872 (§ 5 № 1 des Ges. vom 8. Juli 1875)	289 337	08
V.		Für den Neubau chaussirter Wege (§ 4 № 1 das.) . . .	700 000	—
VI.		Für die Verwaltung und Unterhaltung der Provinzial-Chausseen (§ 18 ff. das.):		
	1—14. und 17.	Gehälter der Baubeamten und Chausseeaufseher, sowie andere persönliche und sächliche Ausgaben	178 765	—
	15.	Für die Unterhaltung der Berlin—Frankfurter Chaussee von Station 3,9 + 83,2 bis 5,4 + 26, der Schloßstraße in Charlottenburg und der Berlin—Hamburger Chaussee von Station 13,9 + 80 bis 14,5 + 84 in Spandau	4 735	—
	16.	Kosten der materiellen Unterhaltung der circa 1400 km langen Provinzial-Chausseen	975 000	—
		Summa VI.	1 158 500	—
VII.		Unterstützungen für den Gemeindewegebau (§ 4 № 1 das.)	180 000	—
VIII.	1—3.	Zur Beförderung von Landesmeliorationen (§ 4 № 2 das.)	109 090	—
IX.		Zur Beförderung des Baues von Sekundärbahnen	—	—
X.		Für die Verwaltung des Landarmen-, Korrigenden- und Irrenwesens (§ 4 № 3/4 das. und Verordnung vom 23. Februar 1878):		
	1.	Zuschüsse zur Unterhaltung der 9 Provinzialanstalten	1 262 500	—
	3.	Aufwendungen für Landarme außerhalb der Provinzialanstalten . . .	195 000	—
	4.	Beihülfen an Ortsarmenverbände	10 500	—
	5.	Beihülfe für die Arbeiterkolonie Friedrichswille	6 000	—
	6.	Beihülfe zur Unterhaltung von Verpflegungsstationen	32 000	—
	2 und 7.	Unterstützungen an Anstaltsbeamte und deren Hinterbliebenen, sowie sonstige Ausgaben	4 800	—
		Summa X.	1 510 800	—
XI.		Zur Fürsorge für Taubstumme, Blinde, Idiote und Epileptische (§ 4 № 4 das.):		
	1—5.	Zur Ausbildung und Verpflegung der Taubstummen, Blinden, Idioten und Epileptischen, sowie für die Ausbildung von Taubstummen-Lehrern und sonstige Ausgaben	172 820	—
XII.		Für die Zwangserziehung verwahrloster Kinder (§ 12 des Ges. v. 13. März 1878):		
	1—3.	Erziehungs- und Verpflegungskosten, sowie Kosten der Fürsorge bei Beendigung der Zwangserziehung und sonstige Ausgaben . . .	108 110	—

Kapitel.	Titel.	Ausgabe.	Betrag für das Etatsjahr 1. April 1890—91. M.	Pf.
XIII.		Zur Unterstützung milder Stiftungen ꝛc. (§ 4 № 5 des Ges. v. 8. Juli 1875)	15 000	—
XIV.		Zuschüsse für Kunst- und wissenschaftliche Vereine, für Landesbibliotheken und Unterhaltung von Denkmälern (§ 4 № 6 das.)	6 000	—
XV.	1—4.	Für Hebammenwesen (§ 4 des Ges. v. 28. Mai 1875 und § 13 des Ges. v. 8. Juli 1875)	18 600	—
XVI.	1—7.	Zur Unterstützung niederer landwirthschaftlicher Lehr-Anstalten (§ 14 d. Ges. v. 8. Juli 1875), nämlich der Ackerbauschulen in Schöllnitz, Oranienburg und Dahme, sowie der Acker- und Obstbauschule zu Wittstock, der Ackerbauwinterschule in Königsberg N.-M. und der Molkereischule in Prenzlau	19 350	—
XVII.	1—8.	Bisher vom Staate geleistete bezw. von der Provinz übernommene fortdauernde Zahlungen	35 748	44
XVIII.	1. 2.	Für die Verwaltung und Unterhaltung des Landeshauses und Abgaben für dasselbe	2 000	—
XIX.		Insgemein	2 164	48
XX.		Zur Disposition des Provinzialausschusses zur Bestreitung nicht vorhergesehener unvermeidlicher Ausgaben	22 500	—
		Summa der laufenden Ausgaben	4 575 300	—
		B. Außerordentliche Ausgaben.		
	1.	Zur Nachpflanzung auf den Aurither Sandschollen	1 000	—
	2.	Zur Errichtung der Taubstummenanstalt zu Guben (zweite und letzte Rate)	233 200	—
	3.	Zur Errichtung bezw. Veränderung von Wirthschaftsgebäuden bei der Landirrenanstalt zu Landsberg a. W.	36 500	—
		Summa aller Ausgaben	4 846 000	—
		Die Einnahmen betragen	4 846 000	—
			Balancirt.	

Vorstehender Etat ist von dem Brandenburgschen Provinziallandtage in den Sitzungen vom 10ten und 11ten d. M. festgestellt worden und wird hierdurch in Gemäßheit des § 101 der Provinzialordnung vom 29. Juni 1875 zur öffentlichen Kenntniß gebracht.

Berlin, den 20. März 1890.

Der Landesdirektor der Provinz Brandenburg von Levetzow.

Bekanntmachungen der Königlichen Eisenbahn-Direktion zu Berlin.

Umtausch von Prioritäts-Obligationen verstaatlichter Eisenbahnen gegen 3½ %ige Staatsschuldverschreibungen.

13. Die Inhaber der **4 %igen Berlin-Stettiner Eisenbahn-Obligationen II., III. und VI. Emission** werden aufgefordert, ihre Obligationen, soweit diese zum Umtausche gegen Schuldverschreibungen der konsolidirten 3½ %igen Staatsanleihe abgestempelt worden sind, zur Ausführung des nach Maßgabe der Angebote vom 1. April bezw. 15. August 1889 erfolgenden Umtausches **vom 1. April d. J. ab** bei der Königlichen Eisenbahn-Hauptkasse hier, Leipziger Platz Nr. 17, einzureichen.

Neben der genannten Kasse nehmen auch, **jedoch nur während der ersten 6 Wochen vom 1. April d. J. ab,** die Königliche Eisenbahn-Hauptkasse in Frankfurt a. M. (Sachsenhausen) und die Königlichen Eisenbahn-Betriebskassen in Breslau (Direktionsbezirk Berlin), Cottbus, Hamburg, Guben, Görlitz, Stettin und Stralsund die Obligationen zum Umtausche an.

Mit den Obligationen II. und VI. Emission müssen zugleich die am 1. Oktober 1890 und später fällig werdenden Zinsscheine nebst Erneuerungs-Anweisung abgegeben werden, bezw ist der Werth eines jeden fehlenden Zinsscheines baar einzuzahlen. Zu den Obligationen III. Emission sind weder Zinsscheine noch Erneuerungs-Anweisung ausgegeben.

Ferner ist mit den Obligationen, und zwar für jede Emission besonders, ein Nummern-Verzeichniß in einfacher Ausfertigung vorzulegen. **Vordruckbogen zu derartigen Verzeichnissen werden von den vorgenannten Kassen unentgeltlich verabfolgt; Verzeichnisse anderer Art können nicht angenommen werden.**

Die zum Umtausche bestimmten Staatsschuldverschreibungen sind in Stücken zu 5000, 2000, 1000, 500, 300 und 200 M. ausgefertigt und mit Zinsscheinen über Zinsen vom 1. April 1890 ab versehen. Wünsche auf Zutheilung von Stücken einer bestimmten Gattung werden, soweit möglich, berücksichtigt werden.

Der Umtausch erfolgt nicht Zug um Zug, sondern es erhält der persönlich erscheinende Einlieferer oder dessen Beauftragter vorläufig eine Empfangs-Bescheinigung. Später wird ein Quittungs-Entwurf **portopflichtig** übersandt werden, den der Obligations-Einreicher mit seiner Unterschrift zu versehen und unter Beifügung der vorgedachten Empfangs-Bescheinigung zurückzugeben hat, wogegen die Staatsschuldverschreibungen ausgehändigt werden.

Geschieht die Einreichung der Obligationen durch Vermittelung der Post, so wird der Empfang nur auf Verlangen in dem Begleitschreiben bestätigt; anderenfalls wird nach Verlauf einiger Zeit ein Quittungs-Entwurf zur Unterschrift übersandt, nach dessen Wiedereingang die Absendung der Schuldverschreibungen mit den Zinsscheinen unter voller Werthangabe erfolgt, sofern eine andere Bewerthung nicht ausdrücklich beansprucht ist.

Wollen Inhaber umzutauschender Obligationen die Umwandlung der für die Obligationen zu gewährenden Konsols in eine Buchschuld des Staates herbeiführen, so werden auf Ansuchen der Berechtigten die einzutauschenden 3½ %igen Schuldverschreibungen direkt an die Hauptverwaltung der Staatsschulden (Schuldbuchbüreau) abgegeben und erhält der Obligations-Einreicher in solchen Fällen an Stelle des Quittungs-Entwurfes nur entsprechende Nachricht.

Wir benutzen zugleich die Gelegenheit, darauf hinzuweisen, daß diejenigen **4 %igen Prioritäts-Obligationen Lit. B. der Berlin-Görlitzer, II. Emiss. der Berlin-Anhaltischen, Serie VI. der Thüringischen, I. Em. der Berlin-Hamburger und der Schleswig'schen Eisenbahn, hinsichtlich welcher der s. Z. angebotene Umtausch gegen 3½ %ige Staatsschuldverschreibungen angenommen worden ist, laut unserer Bekanntmachung vom 24. Dezember 1889 bereits seit dem 2. Januar d. J. bei der Königlichen Eisenbahn-Hauptkasse hier, Leipziger Platz Nr. 17, umgetauscht werden. Die Besitzer derartiger Obligationen wollen deshalb den Umtausch nunmehr schleunigst ausführen.**

Berlin, den 24. März 1890.

Königliche Eisenbahn-Direktion.

Bekanntmachungen der Königlichen Eisenbahn-Direktion zu Bromberg.

Nachtrag III. zum Staatsbahn-Gütertarif Bromberg—Magdeburg.

19. Am 1. April 1890 gelangt zum Staatsbahn-Gütertarif Bromberg—Magdeburg vom 1. August 1889 der Nachtrag III. zur Einführung. Derselbe enthält: 1) Aenderungen der Besonderen Bestimmungen zu dem Betriebs-Reglement. 2) Aenderungen und Ergänzungen der Besonderen Tarifvorschriften. 3) Aenderungen und Ergänzungen des Kilometerzeigers. — Neue Entfernungen und Frachtsätze für die Stationen Alt-Damm, Carolinenhorst, Stargard i. Pm. und Zarnefanz; und anderweite ermäßigte Entfernungen und Frachtsätze für die Station Alexandrowo. 4) Aenderungen und Ergänzungen der Ausnahmetarife. — Aufhebung des Ausnahmetarifs 8 für Kalirohsalze zum Düngen und Einführung des Ausnahmetarifs 8 für Düngemittel, Erde, Kartoffeln und Rüben des Spezialtarifs III. Die Nachträge sind durch Vermittelung der Fahrkarten-Ausgaben unseres Direktionsbezirks zu beziehen.

Bromberg, den 18. März 1890.

Königliche Eisenbahn-Direktion.

Nachtrag IX. zum Verbands-Gütertarif zwischen Stationen des Bezirks Bromberg und der Marienburg-Mlawkaer Bahn.

20. Mit dem 1. April 1890 tritt zum Verbands-Gütertarif zwischen Stationen des Bezirks Bromberg und der Marienburg-Mlawkaer Bahn der Nachtrag IX. in Kraft. Derselbe enthält: a. Aenderungen der besonderen Bestimmungen zum Betriebs-Reglement und der speziellen Tarifvorschriften, sowie neue Vorschriften über die Kontrole der Ausfuhrgüter. b. Neue Frachtsätze für Charlottenwerder der Marienburg-Mlawkaer Bahn und Alexandrowo, Alt-Damm, Carolinenhorst, Orzechowo und Stargard i. Pm. des Bezirks Bromberg. c. Neue Frachtsätze für Sprit und Spiritus zur überseeischen Ausfuhr und Aufhebung der Frachtsätze des Ausnahmetarifs V. für Getreide. d. Bereits früher veröffentlichte Tarifänderungen. Hierdurch wird der Staatsbahn-Gütertarif Bromberg-Berlin vom 15. Juli 1888 nebst Nachträgen bezüglich des Verkehrs zwischen sämmtlichen Stationen der Marienburg-Mlawkaer Bahn und den Stationen Alt-Damm, Carolinenhorst und Stargard i. Pm. des Bezirks Berlin aufgehoben. Abdrücke des Nachtrags IX. können durch die Fahrkarten-Ausgabestellen der Verbandsstationen bezogen werden.

Bromberg, den 25. März 1890.

Königliche Eisenbahn-Direktion.

Ausnahme-Frachtsätze für Torfstreu und Torfmull.

21. Die im Verkehr zwischen den Stationen der Preußischen Staatsbahnen bestehenden Ausnahme-Frachtsätze für Torfstreu und Torfmull bleiben über den 1. April d. J. hinaus bis Ende August d. J. in Geltung. Bromberg, den 25. März 1890.

Königliche Eisenbahn-Direktion.

Fahrplan-Aenderung.

99. Vom 1. April d. J ab werden die Vorortzüge 29, 30 und 710 nach folgendem Fahrplan verkehren:

Vorortzug 29 3—4 Kl. Uhr	Min.		Stationen		Vorortzug 30 3—4 Kl. Uhr	Min.	Vorortzug 710 2—4 Kl. Uhr	Min
							Morgens	
			Charlottenburg	Ank.			7	08
			Berlin Zoologischer Garten	↑			7	02
			„ Friedrichstraße				6	52
Morgens			„ Alexanderplatz		Morgens		6	47
5	40	Abf.	„ Schlesischer Bhf.	Ank.	5	20	6	39
5	46	↓	Stralau-Rummelsburg	↑	5	15	6	33
5	51	Ank.	Lichtenberg-Friedrichsfelde		5	10	6	28
			Biesdorf				6	21
			Kaulsdorf				6	16
			Hoppegarten				6	07
			Neuenhagen				6	00
			Fredersdorf				5	53
			Strausberg				5	46
			Rehfelde				5	38
			Dahmsdorf-Müncheberg	Abf.			5	22

Bromberg, den 21. März 1890. Königliche Eisenbahn-Direktion.

Personal-Chronik.

Seine Majestät der Kaiser und König haben Allergnädigst geruht, dem Kreis-Physikus Dr. Passauer in Potsdam und dem praktischen Arzt Dr. Zybell in Eberswalde den Charakter als „Sanitäts-Rath" zu verleihen.

Im Kreise Templin ist an Stelle des aus dem Bezirke verzogenen Königlichen Oberförsters Euen zu Reiersdorf der Königliche Oberförster Fischer daselbst zum Amtsvorsteher des 14. Bezirks Reiersdorf ernannt worden.

Der versorgungsberechtigte Feldwebel Forstaufseher Liske zu Neu-Globsow in der Oberförsterei Menz ist zum Königlichen Förster ernannt und demselben die Försterstelle Hammelstall in der Oberförsterei Neuendorf vom 1. Mai d. J. ab übertragen worden.

Der bisherige Predigtamts-Candidat Paul Martin Gottschick ist zum Diakonus bei der Evangelischen Gemeinde in Wilsnack, Diözese Havelberg-Wilsnack, bestellt worden.

Die unter Königlichem Patronat stehende III. Predigerstelle an der Sophien-Kirche zu Berlin, Diözese Berlin II, ist durch das Ableben des Predigers Burckhardt am 24. Februar d. J. zur Erledigung gekommen. Die Besetzung steht im vorliegenden Falle dem Kirchenregiment zu.

Die unter dem Patronat der Königlichen Hofkammer der Königlichen Familiengüter hierselbst stehende Pfarrstelle zu Krausnigk, Diözese Königs-Wusterhausen, kommt durch die Versetzung des Pfarrers Simon zum 1. April d. J. zur Erledigung.

Das unter magistratualischem Patronat stehende Diakonat zu Wittenberge, Diözese Perleberg, kommt durch die Versetzung des Diakonus Wulkow demnächst zur Erledigung.

Hierzu Drei Oeffentliche Anzeiger.

(Die Insertionsgebühren betragen für eine einspaltige Druckzeile 20 Pf. Belagsblätter werden der Bogen mit 10 Pf. berechnet.)

Redigirt von der Königlichen Regierung zu Potsdam.

Potsdam, Buchdruckerei der A. W. Hayn'schen Erben (E. Hayn, Hof-Buchdrucker).

Amtsblatt
der Königlichen Regierung zu Potsdam und der Stadt Berlin.

Stück 15. Den 11. April **1890.**

Reichs-Gesetzblatt.

(Stück 10) № 1892. Verordnung, betreffend die Rechtsverhältnisse im Schutzgebiete der Marschall-Inseln. Vom 7. Februar 1890.

(Stück 11.) № 1893. Allerhöchster Erlaß, betreffend die Aufnahme einer Anleihe auf Grund der Gesetze vom 16. Februar 1882 (Reichs-Gesetzbl. S. 39), vom 16. März 1886 (Reichs-Gesetzbl. S. 58) und vom 1. Februar 1890 (Reichs-Gesetzbl. S. 49). Vom 17. März 1890.

№ 1894. Bekanntmachung, betreffend die Gestattung des Feilbietens von Bier im Umherziehen. Vom 21. März 1890.

Gesetz-Sammlung für die Königlichen Preußischen Staaten.

(Stück 5.) № 9368. Vertrag zwischen Preußen, Sachsen-Weimar-Eisenach, Sachsen-Meiningen, Sachsen-Altenburg, Sachsen-Coburg und Gotha, Schwarzburg-Sondershausen, Schwarzburg-Rudolstadt, Reuß älterer und Reuß jüngerer Linie wegen Fortdauer des Thüringischen Zoll- und Handelsvereins. Vom 20. November 1889.

(Stück 6.) № 9369. Verfügung des Justizministers, betreffend die Anlegung des Grundbuchs für einen Theil der Bezirke der Amtsgerichte Düren, Bonn, Meisenheim, Stromberg, Simmern, Cöln, Baumholder, Saarbrücken und Trier. Vom 6. März 1890.

(Stück 7.) № 9370. Allerhöchster Erlaß vom 19. März 1890, betreffend Aenderungen in den Geschäftsbezirken der Staats-Eisenbahn-Verwaltungsbehörden.

(Stück 8.) № 9371. Allerhöchster Erlaß vom 17ten Februar 1890, betreffend die Abtrennung der Verwaltung der Angelegenheiten des Staats-Berg-, Hütten- und Salinenwesens, einschließlich der polizeilichen Aufsicht über den Bergbau, von dem Ministerium der öffentlichen Arbeiten und die Uebertragung dieser Verwaltung auf das Ministerium für Handel und Gewerbe.

(Stück 9.) № 9372. Gesetz, betreffend Abänderungen der gesetzlichen Bestimmungen über die Zuständigkeiten des Ministers der öffentlichen Arbeiten und des Ministers für Handel und Gewerbe. Vom 26. März 1890.

Bekanntmachungen des Königlichen Ober-Präsidenten der Provinz Brandenburg.

9. **XIX. Nachtrag** zu dem revidirten Reglement der Land-Feuer-Societät für die Kurmark Brandenburg (mit Ausschluß der Altmark), für das Markgrafthum Niederlausitz und die Distrikte Jüterbog und Belzig vom 15. Januar 1855. (Gesetzsammlung von 1855: Seite 73—132.)

Vergleiche Allerhöchsten Erlaß vom 18. Juli 1856 (Gesetzsammlung Seite 722).

Vergleiche Allerhöchsten Erlaß vom 13. Februar 1865 (Gesetzsammlung Seite 94).

Vergleiche Allerhöchsten Erlaß vom 24. Mai 1869 (Gesetzsammlung Seite 774).

Vergleiche Allerhöchsten Erlaß vom 6. Juli 1870 Gesetzsammlung Seite 438).

Vergleiche Allerhöchsten Erlaß vom 20. März 1874 (Amtsblatt der Regierung zu Potsdam vom 24. April 1874, Amtsblatt der Regierung zu Frankfurt a. O. vom 22. April 1874).

Vergleiche Allerhöchsten Erlaß vom 5. März 1875 (Amtsblatt der Regierung zu Potsdam vom 2. April 1875, Amtsblatt der Regierung zu Frankfurt a. O. vom 7. April 1875).

Vergleiche Allerhöchsten Erlaß vom 10. April 1876 (Amtsblatt der Regierung zu Potsdam vom 26. Mai 1876, Amtsblatt der Regierung zu Frankfurt a. O. vom 17. Mai 1876).

Vergleiche Allerhöchsten Erlaß vom 9. April 1877 (Amtsblatt der Regierung zu Potsdam vom 11. Mai 1877, Amtsblatt der Regierung zu Frankfurt a. O. vom 9. Mai 1877).

Vergleiche Allerhöchsten Erlaß vom 6. Mai 1878 (Amtsblatt der Regierung zu Potsdam vom 31. Mai 1878, Amtsblatt der Regierung zu Frankfurt a. O. vom 5. Juni 1878).

Vergleiche Reskript des Ministers des Innern vom 20. Juni 1879 (Amtsblatt der Regierung zu Potsdam vom 1. August 1879, Amtsblatt der Regierung zu Frankfurt a. O. vom 30. Juli 1879).

Vergleiche Allerhöchsten Erlaß vom 21. Juli 1879 (Amtsblatt der Regierung zu Potsdam vom 29. August 1879, Amtsblatt der Regierung zu Frankfurt a. O. vom 27. August 1879).

Vergleiche Allerhöchsten Erlaß vom 19. März 1880 (Amtsblatt der Regierung zu Potsdam vom 23. April 1880, Amtsblatt der Regierung zu Frankfurt a. O. vom 5. Mai 1880).

Vergleiche Allerhöchsten Erlaß vom 5. April 1882 (Amtsblatt der Regierung zu Potsdam vom 5. Mai 1882, Amtsblatt der Regierung zu Frankfurt a. O. vom 3. Mai 1882).

Vergleiche Allerhöchsten Erlaß vom 23. April 1883 (Amtsblatt der Regierung zu Potsdam vom 25. Mai 1883, Amtsblatt der Regierung zu Frankfurt a. O. vom 23. Mai 1883).

Vergleiche Allerhöchsten Erlaß vom 25. März 1885 (Amtsblatt der Regierung zu Potsdam vom 1. Mai 1885, Amtsblatt der Regierung zu Frankfurt a. O. vom 29. April 1885).

Vergleiche Allerhöchsten Erlaß vom 18. April 1887 (Amtsblatt der Regierung zu Potsdam vom 27. Mai 1887, Amtsblatt der Regierung zu Frankfurt a. O. vom 25. Mai 1887).

Vergleiche Allerhöchsten Erlaß vom 18. März 1889 (Amtsblatt der Regierung zu Potsdam vom 3. Mai 1889, Amtsblatt der Regierung zu Frankfurt a. O. vom 25. April 1889).

Vergleiche Oberpräsidial-Erlaß vom 26. Juli 1889 (Extra-Beilage zum Amtsblatt der Regierung zu Potsdam vom 4. Oktober 1889, Extra-Beilage zum Amtsblatt der Regierung zu Frankfurt a. O. vom 2. Oktober 1889).

Der § 10 des Reglements wird abgeändert und lautet fortan wie folgt:

§ 10. Die Wahl des General-Direktors erfolgt auf dem Kommunal-Landtage, die der Kreis-Direktoren auf den Kreistagen.

Wahlfähig als Kreis-Direktoren sind nur solche Großgrundbesitzer, welche hinlänglich begütert und Societäts-Mitglieder sind und zwar mit der Maßgabe, daß die Kreis-Direktoren in dem Kreise, für welchen sie gewählt werden, den Großgrundbesitzern angehören müssen. Nur die Landräthe können auch dann, wenn sie nicht ansässig sein sollten, für die Dauer ihres Landrathsamts zu Kreis-Direktoren gewählt werden.

Die Verhandlungen über die Wahl der Kreis-Direktoren sind dem General-Direktor einzureichen und

81. **Nachweisung der Markt- 2c.**

Laufende Nummer	Namen der Städte	Getreide								Uebrige Markt-																	
		Es kosten je 100 Kilogramm																						Es			
																								Rindfleisch			
		Weizen		Roggen		Gerste		Hafer		Erbsen		Speisebohnen		Linsen		Eßkartoffeln		Richtstroh		Krummstroh		Heu		von der Keule		Bauchfleisch	
		M.	Pf.	M.	Pf.	M.	Pf.	M.	Pf.	M.	Pf.	M.	Pf.	M.	Pf.	M.	Pf.	M.	Pf.	M.	Pf.	M.	Pf.	M.	Pf.	M.	Pf.
1	Angermünde	18	31	16	23	15	83	15	86	27	25	27	75	35	—	3	75	6	75	4	58	5	—	1	40	1	10
2	Beeskow	—	—	16	72	—	—	16	73	27	50	27	50	37	50	2	80	—	—	—	—	—	—	1	20	1	—
3	Bernau	19	02	17	25	17	54	17	47	28	—	30	—	42	50	5	—	7	38	—	—	6	65	1	25	1	06
4	Brandenburg	19	20	17	70	15	65	17	72	35	—	35	—	55	—	3	10	6	38	—	—	6	02	1	40	1	20
5	Dahme	18	82	17	26	16	43	17	—	25	—	32	—	45	—	2	50	6	50	4	—	7	50	1	—	1	—
6	Eberswalde	18	93	17	30	18	50	16	63	24	—	24	—	32	—	3	20	7	44	—	—	5	44	1	40	1	10
7	Havelberg	19	30	17	43	16	50	18	50	25	—	45	—	55	—	3	50	6	50	3	25	6	50	1	30	1	—
8	Jüterbog	18	90	17	25	17	—	18	25	28	—	30	—	50	—	3	—	7	—	—	—	7	—	1	20	1	10
9	Luckenwalde	18	89	16	99	16	43	17	32	36	—	36	—	40	—	2	75	5	41	—	—	6	75	1	20	1	20
10	Perleberg	18	73	16	79	16	60	16	89	27	—	35	—	50	—	3	50	6	33	—	—	6	33	1	40	1	20
11	Potsdam	19	37	17	39	17	67	18	05	26	—	28	—	38	—	3	70	6	95	—	—	5	56	1	35	1	10
12	Prenzlau	18	64	16	50	18	03	16	30	22	—	30	—	30	—	3	50	6	50	5	—	5	—	1	30	—	95
13	Pritzwalk	18	67	16	70	16	25	15	97	19	—	30	—	39	—	2	18	6	25	5	25	5	50	1	30	1	—
14	Rathenow	18	75	17	22	14	42	17	50	30	—	35	—	44	—	2	77	5	50	—	—	5	—	1	40	1	20
15	Neu-Ruppin	20	—	17	27	16	40	16	89	30	—	32	-	50	—	2	64	7	42	—	—	6	—	1	40	1	15
16	Schwedt	19	—	17	47	17	—	17	09	26	67	31	25	31	25	3	—	6	50	—	—	6	—	1	20	1	—
17	Spandau	18	75	16	75	15	25	17	25	29	—	39	—	47	—	4	—	7	25	—	—	6	50	1	45	1	20
18	Strausberg	19	50	17	47	19	—	18	—	20	28	30	44	35	44	4	—	8	06	—	—	7	82	1	20	1	10
19	Teltow	18	92	17	55	17	72	17	80	40	—	40	—	55	—	4	25	7	25	6	—	7	75	1	50	1	10
20	Templin	18	40	16	93	17	50	16	50	19	50	40	—	30	—	3	50	7	—	—	—	6	50	1	20	1	—
21	Treuenbrietzen	19	02	17	08	16	42	17	38	26	—	24	—	30	—	3	—	5	68	—	—	5	10	1	20	1	—
22	Wittstock	18	75	16	62	17	—	16	75	16	75	36	—	44	—	2	46	5	38	4	—	4	33	1	—	—	90
23	Wriezen a. O.	17	59	17	08	17	35	16	75	22	—	28	—	34	—	3	—	6	17	4	28	5	50	1	30	1	—
	Durchschnitt	19	02	17	08	16	84	17	16	—	—	—	—	—	—	3	26	6	62	—	—	6	08	—	—	—	—

Potsdam, den 8. April 1890.

von diesem dem Kommunal-Landtage zur Bestätigung vorzulegen, worauf, wenn diese erfolgt ist, die Vereidigung auf dem der Bestätigung zunächst folgenden Kreistage stattfindet.

Die General-Direktion hat die Befugniß, dem Gewählten die Verwaltung des Amts bis zu seiner ev. Bestätigung und Vereidigung zu übertragen.

* * *

Dem vorstehenden XIX. Nachtrage zu dem revidirten Reglement der Land-Feuer-Societät für die Kurmark und die Niederlausitz vom 15. Januar 1855 (Ges.-S. S. 73) wird hierdurch auf Grund des § 148 in der Fassung des XVII. Nachtrages zu diesem Reglement die erforderliche Genehmigung ertheilt.

Potsdam, den 20. März 1890.

(L. S.)

Der Oberpräsident der Provinz Brandenburg, Staatsminister.

gez. von Achenbach.

Genehmigung.
O P. 2789.

Bekanntmachungen des Königlichen Regierungs-Präsidenten.

Viehseuchen.

80. Festgestellt ist: der Milzbrand bei einer Kuh des Kossäthen Joachim zu Stolpe, Kreis Niederbarnim, bei einer Kuh des Handelsmanns W. Plümke zu Grüneseld, Kreis Osthavelland, und bei einer Kuh auf dem Rittergute Wagenitz, Kreis Westhavelland; die Brustseuche bei einem Pferde der 1. Kompagnie Brandenburgischen Trainbataillons № 3 zu Spandau; die Maul- und Klauenseuche unter den Rindern der Königlichen Domaine Dahlem, Kreis Teltow.

Erloschen ist: die Maul- und Klauenseuche unter den Kühen des Viehhändlers Götze zu Weißensee, Kreis Niederbarnim, in Wendisch-Rietz und unter dem Rindviehbestande in Gut Cossenblatt, Kreis Beeskow-Storkow, unter dem Rindviehbestande des Gutes Waldau, Kreis Jüterbog-Luckenwalde.

Potsdam, den 8. April 1890.

Der Regierungs-Präsident.

Preise im Monat März 1890.

Artikel: kostet je 1 Kilogramm — Schweinefleisch M. Pf.	Kalbfleisch M. Pf.	Hammelfleisch M. Pf.	Speck M. Pf.	Butter M. Pf.	Ein Schock Eier M. Pf.	Ladenpreise in den letzten Tagen des Monats. Es kostet je 1 Kilogramm — Mehl: Weizen Nr. 1 M. Pf.	Mehl: Roggen Nr. 1 M. Pf.	Gerste: Graupe M. Pf.	Gerste: Grütze M. Pf.	Buchweizengrütze M. Pf.	Hafergrütze M. Pf.	Hirse M. Pf.	Reis, Java M. Pf.	Java-Kaffee mittler in gebr. Bohnen M. Pf.	Java-Kaffee gelber in gebr. Bohnen M. Pf.	Speisesalz M. Pf.	Schweineschmalz, hiesig. M. Pf.
1 30	— 90	1 05	1 90	2 23	3 20	— 35	— 30	— 55	— 45	— 4(	— 55	— 60	— 60	3 40	3 60	— 20	2 —
1 50	— 98	1 —	2 —	2 05	2 73	— 40	— 26	— 50	— 60	— 50	— 88	— 60	— 60	2 60	3 60	— 20	1 60
1 40	1 25	1 15	1 70	2 30	3 38	— 25	— 25	— 45	— 55	— 65	— 45	— 55	— 30	2 70	3 30	— 20	1 50
1 37	1 15	1 15	1 80	2 30	3 36	— 40	— 30	— 50	— 40	— 50	— 50	— 50	— 50	3 60	4 —	— 20	1 60
1 40	— 90	1 —	1 80	2 —	2 40	— 32	— 26	— 60	— 40	— 50	—	— 50	— 50	2 80	3 60	— 20	1 40
1 40	1 —	1 —	2 —	2 40	3 22	— 30	— 28	— 60	— 60	— 50	—	— 60	— 60	3 20	3 60	— 20	1 80
1 35	1 20	1 11	1 85	2 29	2 92	— 38	— 26	— 50	— 55	— 60	— 60	— 50	— 60	2 80	4 —	— 20	1 80
1 40	— 90	1 20	1 80	2 20	3 20	— 34	— 28	— 40	— 50	— 40	— 60	— 40	— 40	3 —	3 60	— 20	1 60
1 40	1 —	1 20	1 60	2 20	3 60	— 36	— 24	— 50	— 40	— 40	— 60	— 36	— 60	2 20	3 60	— 20	1 60
1 40	1 30	1 15	1 95	1 93	3 28	— 50	— 36	— 50	— 40	— 50	— 50	— 40	— 50	3 80	3 60	— 20	2 —
1 49	1 26	1 29	1 80	2 16	3 37	— 42	— 30	— 50	— 50	— 50	— 50	— 45	— 60	2 90	3 80	— 20	1 80
1 40	— 90	1 10	1 90	2 20	3 07	— 32	— 30	— 60	— 40	— 55	— 60	— 55	— 60	3 20	3 60	— 20	2 —
1 40	1 —	1 10	2 —	1 89	2 39	— 25	— 24	— 40	— 40	— 45	— 50	— 40	— 50	3 40	3 60	— 20	1 60
1 50	1 —	1 20	1 60	2 60	3 —	— 32	— 29	— 40	— 44	— 45	— 44	— 40	— 60	3 25	3 50	— 20	1 60
1 30	1 10	1 10	1 70	2 20	3 16	— 40	— 30	— 60	— 60	— 50	— 60	— 50	— 60	3 25	3 58	— 20	1 60
1 20	— 90	1 20	1 90	2 20	2 80	— 35	— 25	— 50	— 40	— 50	— 50	— 50	— 50	3 50	3 40	— 20	2 —
1 60	1 28	1 25	1 80	2 50	3 50	— 40	— 30	— 50	— 50	— 55	— 50	— 50	— 65	2 50	3 80	— 20	1 40
1 40	1 10	1 20	1 71	2 40	3 20	— 35	— 25	— 55	— 50	— 50	— 50	— 55	— 60	3 20	3 60	— 20	1 40
1 50	1 30	1 25	1 60	2 40	3 60	— 40	— 30	— 60	— 60	— 50	— 60	— 50	— 60	2 40	3 —	— 20	1 20
1 40	— 80	1 —	2 —	2 40	3 20	— 27	— 24	— 60	— 50	— 60	— 60	— 50	— 55	3 40	3 80	— 20	1 80
1 40	1 —	1 20	1 80	2 04	3 64	— 32	— 26	— 50	—	— 40	— 50	— 30	— 50	3 30	3 60	— 20	1 80
1 28	— 78	— 97	1 80	2 02	2 68	— 28	— 26	— 50	— 50	— 50	— 60	— 50	— 50	3 20	3 60	— 20	1 80
1 30	1 10	1 15	1 80	2 20	3 —	— 25	— 27	— 50	— 40	— 40	— 50	— 50	— 50	3 50	3 75	— 20	1 40
— —	— —	— —	— —	— —	— —	— —	— —	— —	— —	— —	— —	— —	— —	— —	— —	— —	— —

Der Regierungs-Präsident.

82. **Nachweisung**

des Monatsdurchschnitts der gezahlten höchsten Tagespreise einschließlich 5 % Aufschlag im Monat März 1890 in den Hauptmarktorten der Kreise des Regierungs-Bezirks Potsdam.

Laufende Nummer.	Es kosteten je 50 Kilogramm	Beeskow für Kreis Beeskow-Storkow.		Brandenburg für Brandenburg und Kreis West-havelland.		Luckenwalde für Kreis Jüterbog-Luckenwalde.		Perleberg für Kreis West-Prignitz.		Potsdam für Potsdam und Kreis Zauch-Belzig.		Prenzlau für die Kreise Prenzlau und Templin.		Neu-Ruppin für Kreis Ruppin.		Schwedt für Kreis Angermünde.		Wittstock für Kreis Ost-Prignitz.		Bemerkungen.
		M.	Pf.	M.	Pf.	M.	Pf.	M.	Pf.	M.	Pf.	M.	Pf.	M.	Pf.	M.	Pf.	M.	Pf.	
1.	Hafer	8	93	9	55,5	9	41	9	02	9	73	8	72	8	89	8	96,5	8	95,5	Für die Kreise Ober-Barnim, Nieder-Barnim, Osthavelland und Teltow, und für Stadt Spandau gilt Berlin als Haupt-Marktort.
2.	Heu	—	—	3	48	3	68	3	41	3	55	3	15	3	15	3	15	2	27,5	
3.	Richtstroh	—	—	3	48	3	33	3	41	3	92	3	68	3	89,55	3	41	2	88,5	

Potsdam, den 8. April 1890. Der Regierungs-Präsident.

Den Ober-Spree-Kanal betreffend.

83. Mit Bezug auf den gefälligen Bericht vom 25. v. M. will ich, der Minister der öffentlichen Arbeiten, den Ober-Spree-Kanal in seiner demnächstigen ganzen Ausdehnung dem Königlichen Regierungs-Präsidenten zu Potsdam unterstellen.

Ferner wollen wir die Verwaltung der Strom-, Schifffahrts- und Hafenpolizei auf dem Ober-Spree-Kanale in dessen nämlicher Ausdehnung demselben Regierungs-Präsidenten als besonderer Behörde im Sinne des § 138 des Landesverwaltungsgesetzes vom 30. Juli 1883 übertragen.

Berlin, den 22. März 1890.

Der Minister der öffentlichen Arbeiten. Im Auftrage: gez. Schultz.

Der Minister für Handel und Gewerbe. In Vertretung: gez. Magdeburg.

An den Königlichen Regierungs-Präsidenten Herrn Grafen Hue de Grais Hochgeboren zu Potsdam.

III. 4418 M. d. ö. A.
A. 972 M. f. H. 2c.

* * *

Vorstehenden Ministerial-Erlaß bringe ich hierdurch zur öffentlichen Kenntniß.

Potsdam, den 2. April 1890.

Der Regierungs-Präsident.

Chausseegeld-Erhebung im Kreise Nieder-Barnim betreffend.

84. Mit Genehmigung des Herrn Ministers der öffentlichen Arbeiten ist die an der Chaussee von Berlin über Alt-Landsberg und Strausberg nach Prötzel im Kreise Nieder-Barnim bestehende Chausseegeldhebestelle bei Lichtenberg und Marzahn aufgehoben und dafür in der Gemarkung Hohen-Schönhausen in Station 6,8 + 50 eine neue Hebestelle mit der Befugniß zur Erhebung des tarifmäßigen Chausseegeldes für $1\frac{1}{2}$ Meile unter der Einschränkung errichtet worden, daß für Fuhrwerke und Thiere der Einwohner von Hohen-Schönhausen nur das Chausseegeld für eine halbe Meile erhoben werden darf.

Potsdam, den 5. April 1890.

Der Regierungs-Präsident.

Verloosung von Wagen, Pferden, Reit- und Fahrgeräthen betr.

85. Der Herr Minister des Innern hat dem Komitee für den Luxuspferdemarkt zu Inowrazlaw die Erlaubniß ertheilt, bei Gelegenheit des in diesem Jahre daselbst abzuhaltenden Marktes eine öffentliche Verloosung von Wagen, Pferden, Reit- und Fahrgeräthen zu veranstalten und die zu derselben auszugebenden 90000 Loose zu je 1 Mark im ganzen Bereiche der Monarchie zu vertreiben.

Potsdam und Berlin, den 8. April 1890.

Der Regierungs-Präsident. Der Polizei-Präsident.

Bekanntmachungen des Königlichen Polizei-Präsidiums zu Berlin.

Eröffnung einer Apotheke.

82. Die von dem Apotheker Bernhard Grube in dem Hause Alexanderstraße 32 auf Grund der Concession des Herrn Oberpräsidenten der Provinz Brandenburg vom 30. Juli 1889 eingerichtete Apotheke ist nach vorschriftsmäßiger Revision heute dem öffentlichen Verkehr übergeben worden.

Berlin, den 27. März 1890.

Der Polizei-Präsident.

Eröffnung einer Apotheke.

83. Der Apotheker Heinrich Schäfer hat die auf Grund der von dem Herrn Ober-Präsidenten unter dem 30. Juli 1889 ertheilten Genehmigung in dem Hause Kleiststraße 37/38 zu Charlottenburg eingerichtete Apotheke heute nach vorschriftsmäßiger Revision eröffnet.

Berlin, den 1. April 1890.

Der Polizei-Präsident.

Berliner und Charlottenburger Preise für Monat März 1890.

34. A. Engros-Marktpreise im Monatsdurchschnitt.

In Berlin:

für 100	Klgr.	Weizen (gut)	19 Mark	62 Pf.,
"	"	do. (mittel)	19 "	05 "
"	"	do. (gering)	18 "	33 "
"	"	Roggen (gut)	17 "	51 "
"	"	do. (mittel)	17 "	23 "
"	"	do. (gering)	16 "	96 "
"	"	Gerste (gut)	19 "	95 "
"	"	do. (mittel)	17 "	77 "
"	"	do. (gering)	14 "	88 "
"	"	Hafer (gut)	18 "	11 "
"	"	do. (mittel)	17 "	49 "
"	"	do. (gering)	16 "	61 "
"	"	Erbsen (gut)	20 "	25 "
"	"	do. (mittel)	18 "	— "
"	"	do. (gering)	17 "	20 "
"	"	Richtstroh	7 "	24 "
"	"	Heu	6 "	56 "

Monats-Durchschnitt der höchsten Berliner Tagespreise **einschließlich 5% Aufschlag** für 50 kg

	Hafer	Stroh	Heu
im Monat März	9,58 Mk.,	3,98 Mk.,	3,94 Mk.

B. Detail-Marktpreise im Monatsdurchschnitt.

1) In Berlin:

für 100	Klgr.	Erbsen (gelbe z. Kochen)	27 Mark	38 Pf.,
"	"	Speisebohnen (weiße)	30 "	— "
"	"	Linsen	44 "	50 "
"	"	Kartoffeln	5 "	— "
" 1	Klgr.	Rindfleisch v. d. Keule	1 "	25 "
" 1	"	" (Bauchfleisch)	1 "	08 "
" 1	"	Schweinefleisch	1 "	40 "
" 1	"	Kalbfleisch	1 "	25 "
" 1	"	Hammelfleisch	1 "	15 "
" 1	"	Speck (geräuchert)	1 "	65 "
" 1	"	Eßbutter	2 "	30 "
" 60	Stück	Eier	3 "	49 "

2) In Charlottenburg:

für 100	Klgr.	Erbsen (gelbe z. Kochen)	32 Mark	50 Pf.,
"	"	Speisebohnen (weiße)	35 "	— "
"	"	Linsen	45 "	— "
"	"	Kartoffeln	4 "	75 "
" 1	Klgr.	Rindfleisch v. d. Keule	1 "	35 "
" 1	"	" (Bauchfleisch)	1 "	— "
" 1	"	Schweinefleisch	1 "	50 "
" 1	"	Kalbfleisch	1 "	35 "
" 1	"	Hammelfleisch	1 "	10 "
" 1	"	Speck (geräuchert)	1 "	60 "
" 1	"	Eßbutter	2 "	40 "
" 60	Stück	Eier	4 "	25 "

C. Ladenpreise in den letzten Tagen des Monats März 1890:

1) In Berlin:

für 1	Klgr.	Weizenmehl № 1		36 Pf.,
für 1	Klgr.	Roggenmehl № 1		34 Pf.,
" 1	"	Gerstengraupe		43 "
" 1	"	Gerstengrütze		40 "
" 1	"	Buchweizengrütze		46 "
" 1	"	Hirse		42 "
" 1	"	Reis (Java)		70 "
" 1	"	Java-Kaffee (mittler)	2 Mark	75 "
" 1	"	" (gelb in gebr. Bohnen)	3 "	78 "
" 1	"	Speisesalz		20 "
" 1	"	Schweineschmalz (hiesiges)	1 "	40 "

2) In Charlottenburg:

für 1	Klgr.	Weizenmehl № 1		50 Pf.,
" 1	"	Roggenmehl № 1		40 "
" 1	"	Gerstengraupe		60 "
" 1	"	Gerstengrütze		50 "
" 1	"	Buchweizengrütze		50 "
" 1	"	Hirse		50 "
" 1	"	Reis (Java)		80 "
" 1	"	Java-Kaffee (mittler)	2 "	80 "
" 1	"	" (gelb in gebr. Bohnen)	3 "	60 "
" 1	"	Speisesalz		20 "
" 1	"	Schweineschmalz (hiesiges)	1 "	30 "

Berlin, den 5. April 1890.

Königl. Polizei-Präsidium. Erste Abtheilung.

Bekanntmachungen der Königlichen Eisenbahn-Direktion zu Berlin.

Fahrplan-Aenderung.

14. Vom 15. April d. J. ab wird der Vorortzug 749, bisher Potsdam ab 7 ^{14} Nachm., wie folgt verlegt: Potsdam ab 7 ^{09} Nachm., Neuendorf an 7 ^{13}, ab 7 ^{14}, Neubabelsberg an 7 ^{19}, ab 7 ^{20}, Wannsee an 7 ^{27}, ab 7 ^{28}, Grunewald an 7 ^{45}, ab 7 ^{46}, Charlottenburg an 7 ^{52}, ab 7 ^{55}, Zoolog. Garten an 8 ^{01}, ab 8 ^{02} Friedrichstraße an 8 ^{12}, ab 8 ^{15}, Alexanderplatz an 8 ^{21}, ab 8 ^{22}, Schlesischer Bhf. an 8 ^{28} und weiter nach Erkner wie bisher. Berlin im April 1890.

Königliche Eisenbahn-Direktion.

Bekanntmachungen der Königlichen Eisenbahn-Direktion zu Bromberg.

Beförderung von Saatgetreide nach dem Kreise Ortelsburg.

23. Von sofort werden **Saatgetreidesendungen**, und zwar: „Roggen, Gerste, Hafer, Lupinen, Erbsen, Wicken", wenn sie in den **Frachtbriefen** als **„Saatgetreide für den Kreis Ortelsburg"** bezeichnet und **an den Landrath von Klitzing zu Ortelsburg"** gerichtet sind und eine im Kreise Ortelsburg belegene Station der Strecke Passenheim—Puppen (Passenheim, Grammen, Ortelsburg, Olschienen, Schwentainen, Puppen) als Bestimmungsstation angegeben ist, auf den **Staatsbahnstrecken** bis einschließlich den **15. Mai d. J.** zu den Frachtsätzen des Specialtarifs III. abgefertigt, wodurch eine Frachtermäßigung um etwa die Hälfte eintritt.

Bromberg, den 30. März 1890.

Königliche Eisenbahn-Direktion,
Namens sämmtl. Königl. Preuß. Eisenbahn-Direktionen.

Frachtbegünstigung für Ausstellungsgegenstände.

24. Für diejenigen Thiere, Maschinen und Geräthe, welche auf der Vorschau für die Berliner Pferde-Ausstellung in Gumbinnen am 2. April d. J, sowie auf den Bezirksschauen in Gumbinnen am 8. Mai d. J., Stallupönen am 9. Mai d. J., Neukirch am 10. Mai d. J, Insterburg am 12. Mai d. J., Oletzko am 13. Mai d. J., Angerburg am 16. Mai d. J., Sensburg am 17. Mai d. J. ausgestellt werden und unverkauft bleiben, wird auf den Strecken des Direktionsbezirks Bromberg eine Frachtbegünstigung in der Art gewährt, daß für die Hinbeförderung die volle tarifmäßige Fracht berechnet wird, die Rückbeförderung an die Versandstation und den Aussteller des der Sendung auf dem Hinwege beigegebenen Frachtbriefes aber frachtfrei erfolgt, wenn durch Vorlage dieses Frachtbriefes und bei Thiersendungen, welche nicht auf Frachtbrief abgefertigt werden, der Duplikat-Transportscheine für den Hinweg, sowie durch eine Bescheinigung der Ausstellungs-Kommission nachgewiesen wird, daß die Thiere und sonstigen Gegenstände ausgestellt gewesen und unverkauft geblieben sind, und wenn die Rückbeförderung innerhalb 8 Tagen nach Schluß der Ausstellung stattfindet. Ist von einer Sendung Ausstellungsgut nur ein Theil unverkauft geblieben, so wird die frachtfreie Rücksendung nur für den betreffenden Theil gewährt. In den ursprünglichen Frachtbriefen bezw. Duplikat-Transportscheinen über die Hinsendung sind die betreffenden Sendungen als „Ausstellungsgut" zu bezeichnen, auch ist darin ausdrücklich zu vermerken, daß die mit denselben aufgegebenen Sendungen durchweg aus Ausstellungsgut bestehen.

Bromberg, den 31. März 1889.

Königliche Eisenbahn-Direktion.

Personal-Chronik.

Bei der Königlichen Direktion für die Verwaltung der direkten Steuern in Berlin sind: 1) der Regierungs-Rath Wendt verstorben, 2) der Regierungs-Assessor Dr. Jungck zum Regierungs-Rathe ernannt, 3) die Militair-Supernumerare Birnbaum und Horn Behufs Uebertritts zur General-Militair-Kasse, beziehungsweise zur Intendantur des X. Armee-Corps ausgeschieden, 4) der Militair-Anwärter Kroessin als Militairsupernumerar übernommen, 5) der Kanzlei-Diätar Bonigk Behufs Uebertritts zur Kanzlei des Reichs-Marine-Amts entlassen, 6) die Militair-Anwärter Kluth und Siewert als Steuererheber und der Militair-Anwärter Ebel als Kanzlei-Diener angestellt, 7) der Steuererheber Ostwaldt in den Ruhestand versetzt.

Der bisherige Rentenbank-Secretair Pusch ist zum Rentanten der Rentenbank-Kasse in Berlin ernannt worden.

Der bisherige Pfarrer Karl Gustav Ludwig Baldenius in Neustadt a. D., Diözese Wusterhausen, ist zum Pfarrer bei der Evangelischen Gemeinde in Gottberg, Diözese Neu-Ruppin, bestellt worden.

Personalveränderungen im Bezirk der Kaiserlichen Ober-Postdirection in Berlin.

Im Laufe des Monats März sind:

angestellt: als Postassistenten die Postanwärter Heyer und Sens, als Postverwalter der Postassistent Pannewitz in Lichtenberg bei Berlin;

versetzt von Berlin: der Postsekretair Dicke nach Danzig, der Postassistent Heuel nach Cöln (Rhein), nach Berlin der Postassistent Schünemann von Christburg;

in den Ruhestand versetzt: die Postsekretaire Quaatz und Quednow, der Ober-Telegraphen-Assistent Ahlert;

gestorben: der Ober-Postsecretair Riebel, die Postsecretaire Michael und Steltzer, der Telegraphen-Assistent Häußler, der Postverwalter Schleußner in Niederschönhausen.

Ausweisung von Ausländern aus dem Reichsgebiete.

Laufende Nr.	Name und Stand des Ausgewiesenen.	Alter und Heimath des Ausgewiesenen.	Grund der Bestrafung.	Behörde, welche die Ausweisung beschlossen hat.	Datum des Ausweisungs-Beschlusses.
1.	2.	3	4.	5.	6
		a. Auf Grund des § 39 des Strafgesetzbuchs:			
1	Anton Wibranetz, (Wybranetz), Bergmann,	geboren im Jahre 1836 zu Ketten, Bezirk Reichenberg, Böhmen, ortsangehörig ebendaselbst,	schwerer Diebstahl (4 Jahre Zuchthaus laut Erkenntniß vom 3. Februar 1886),	Königlich Sächsische Kreishauptmannschaft zu Bautzen,	25. Oktober 1889.
2	Katharina Sagner, ledig,	geboren am 8. September 1864 zu Groß-Auerschim, Bez. Senftenberg, Böhmen, ortsangehörig ebendaselbst,	einfacher Diebstahl im Rückfall (1 Jahr 6 Monate Zuchthaus laut Erkenntniß vom 9ten August 1888),	Königlich Preußischer Regierungspräsident zu Liegnitz,	5. März 1890.
3	Kasper Lonski, früherer Wirthschaftsschreiber,	geboren am 3 Dezember 1842 zu Klein-Grajeck bei Slupce, Russisch-Polen,	Diebstahl (zwei Jahre Zuchthaus laut Erkenntniß vom 9. Februar 1888),	Königlich Preußische Regierung zu Bromberg,	22. Mai 1889.

Lauf. Nr.	Name und Stand	Alter und Heimath	Grund der Bestrafung.	Behörde, welche die Ausweisung beschlossen hat	Datum des Ausweisungs-Beschlusses.
	des Ausgewiesenen				
1	2	3	4	5	6
		b. Auf Grund des § 362 des Strafgesetzbuchs:			
1	Magdalena Andel, ledige Dienstmagd,	geboren im Jahre 1867 zu Male, Bezirk Iglau, Mähren, ortsangehörig ebendaselbst,	Landstreichen,	Königlich Bayerisches Bezirksamt Vilsbiburg,	29 Januar 1890.
2	Wenzel Pavelka, Tagelöhner,	17 Jahre alt, geboren zu Neueigen, Bezirk Sternberg, Mähren, ortsangehörig zu Senoschat, Bezirk Deutschbrod, Böhmen,	Betteln im wiederholten Rückfall,	Königlich Bayerisches Bezirksamt Traunstein,	13. Februar 1890.
3	Josef Grabherr, Dienstknecht,	geboren am 14. Mai 1869 zu Lustenau, Bezirk Feldkirch, Vorarlberg (Oesterreich), ortsangehörig ebendaselbst,	Landstreichen und Betteln,	Großherzoglich Badischer Landeskommissär zu Freiburg,	26. Februar 1890.
4	Jean Kleiner, Buchbinder,	geboren am 9. Juni 1846 zu Hedingen Bezirk Affoltern, Kanton Zürich, Schweiz, ortsangehörig zu Affoltern,	Landstreichen,	Königlich Preußischer Regierungspräsident zu Potsdam,	3. März 1890.
5	Hirsch Sonnabend, Handelsmann,	geboren im Jahre 1856 zu Wloclawek, Gouvernement Warschau, Russisch-Polen, ortsangehörig zu Wloclawek,	Landstreichen u. Betteln,	Königlich Preußischer Regierungspräsident zu Liegnitz,	28. Februar 1890.
6	Leopold Laessig, Handschuhmacher,	34 Jahre alt, geboren und ortsangehörig zu Prag, Böhmen,	Betteln im wiederholten Rückfall,	Königlich Bayerisches Bezirksamt Berchtesgaden,	23. Januar 1890.
7	Michael Trawoeger, Tagelöhner,	27 Jahre alt, geboren zu Wien, Oesterreich, ortsangehörig zu Altmünster, Bezirk Gmunden, ebendaselbst,	Landstreichen und Betteln und Führen eines gefälschten Zeugnisses,	Königlich Bayerisches Bezirksamt Traunstein,	6. Februar 1890.
8	Jakob Ramutha, Hutmachergesell,	70 Jahre alt, geboren und ortsangehörig zu Laufen, Bezirk Cilli, Oesterreich,	Landstreichen und Betteln,	dasselbe,	desgleichen.
9	Josef Fasching, Buchbindergeselle,	22 Jahre alt, geboren und ortsangehörig zu Salzburg, Oesterreich,	Betteln im wiederholten Rückfall,	dasselbe,	desgleichen.
10	Josef Totuschek, Gärtner,	geboren am 10. Oktober 1852 zu Pawlowitz, Bezirk Neustadl, Mähren, ortsangehörig ebendaselbst,	Landstreichen, Betteln und Fälschung eines Legitimationspapieres,	Königlich Bayerisches Bezirksamt Erding,	8. Februar 1890.
11	Georg Oberndorfer, Fleischer,	geboren am 24. April 1869 zu Wernstein, Bezirk Schärding, Oesterreich, ortsangehörig zu Kopfing, ebendaselbst,	Landstreichen,	Königlich Bayerisches Bezirksamt Stadtamhof,	10. Februar 1890.

Lauf. Nr.	Name und Stand des Ausgewiesenen.	Alter und Heimath des Ausgewiesenen.	Grund der Bestrafung.	Behörde, welche die Ausweisung beschlossen hat.	Datum des Ausweisungs-Beschlusses.
1.	2.	3.	4.	5	6
12	a. Anne Rertsma, Arbeiter,	geboren am 5 Februar 1847 zu Leeuwarden, Niederlande, niederländischer Staatsangehöriger,	Landstreichen u. Betteln,	Königlich Preußischer Regierungspräsident zu Osnabrück,	8. März 1890.
13	b. dessen Ehefrau Gertruida geb. Klok,	geboren am 4. Januar 1846 zu Smilde, Niederlande,			
14	Heinrich Zwickardt (Zweckardt auch Swieckarls), Tagelöhner,	geboren am 13. März 1852 zu Roermond, Niederlande, ortsangehörig ebendaselbst,	Betteln im wiederholten Rückfall,	Königlich Preußischer Regierungspräsident zu Düsseldorf,	7. März 1890.
15	Johann Beicht, Kürschner,	geboren am 2. März 1844 zu Aigen, Oesterreich, ortsangehörig ebendaselbst,	desgleichen,	derselbe,	desgleichen.
16	Wenzel Horak, Schreinergeselle,	geboren am 25. April 1844 zu Platz, Bezirk Neuhaus, Böhmen, ortsangehörig ebendas.,	Landstreichen und Betteln,	Königlich Bayerisches Bezirksamt Garmisch,	6. Februar 1890.
17	Franz Kaskah, Kunstreiter und Tagelöhner,	geboren am 12. Januar 1859 zu Szegedin, Ungarn, ortsangehörig ebendaselbst,	desgleichen,	Großherzoglich Badischer Landeskommissär zu Freiburg,	8. März 1890.
18	Michael Heer, Schriftsetzer,	geboren am 7. Mai 1839 zu Klingnau, Bezirk Zürzach, Kanton Aargau, Schweiz, ortsangehörig ebendas.,	Betteln im wiederholten Rückfall,	Großherzoglich Hessisches Kreisamt Gießen,	desgleichen.
19	Johann Baptist Baumgartner, Schlosser und Spengler,	geboren am 27. Juli 1864 zu Rothenburg, Schweiz, ortsangehörig zu Rain, Kanton Luzern, ebendaselbst,	Landstreichen,	Kaiserlicher Bezirks-Präsident zu Colmar,	3. März 1890.
20	Karl Schwitzgebel, Maler,	geboren am 22. Dezember 1861 zu Biersfelden, Schweiz, ortsangehörig zu Saanen, Kanton Bern, ebendaselbst,	Landstreichen und Betteln,	derselbe,	desgleichen.
21	Johann Birrer, Dachdecker,	geboren am 24. Oktober 1865 zu Luthern, Kanton Luzern, Schweiz, ortsangehörig ebendas.,	Landstreichen,	derselbe,	desgleichen.
22	Friedrich Aeschlimann, Tagner,	geboren am 11. Januar 1856 zu Langnau, Schweiz, schweizerischer Staatsangehöriger,	desgleichen,	derselbe,	9. März 1890.

Hierzu Zwei Oeffentliche Anzeiger.

(Die Insertionsgebühren betragen für eine einspaltige Druckzeile 20 Pf.
Belagsblätter werden der Bogen mit 10 Pf. berechnet.)
Redigirt von der Königlichen Regierung zu Potsdam.

Potsdam, Buchdruckerei der A. W. Hayn'schen Erben (E. Hayn, Hof-Buchdrucker).

Amtsblatt
der Königlichen Regierung zu Potsdam und der Stadt Berlin.

Stück 16. Den 18. April **1890.**

Bekanntmachungen der Königlichen Ministerien.

Ankauf von Remonten für 1890.

Regierungs-Bezirk Potsdam.

7. Zum Ankaufe von Remonten im Alter von drei und ausnahmsweise vier Jahren sind im Bereiche der Königlichen Regierung zu Potsdam für dieses Jahr nachstehende, Morgens 8 resp. 9 Uhr beginnende Märkte anberaumt worden und zwar:

am 27. Mai	Strasburg i. Uckermark	8	Uhr,
4. Juni	Wriezen a. Oder	8	=
17. =	Jüterbog	9	=
18. =	Oranienburg	9	=
19. =	Nauen	8	=
20. =	Neustadt a. Dosse	9	=
1. Juli	Rathenow	8	=
3. =	Havelberg	8	=
4. =	Wilsnack	9	=
7. =	Meyenburg	8	=
25. =	Prenzlau	8	=
26. =	Angermünde	8	=
28. =	Kyritz	9	=
29. =	Wittstock	8	=
30. =	Pritzwalk	8	=
31. =	Perleberg	8	=
1. August	Lenzen a. Elbe	8	=

Die von der Remonte-Ankaufs-Kommission erkauften Pferde werden zur Stelle abgenommen und sofort gegen Quittung baar bezahlt.

Pferde mit solchen Fehlern, welche nach den Landesgesetzen den Kauf rückgängig machen, sind vom Verkäufer gegen Erstattung des Kaufpreises und der Unkosten zurückzunehmen, ebenso Krippensetzer und Klopphengste, welche sich in den ersten zehn beziehungsweise acht und zwanzig Tagen nach Einlieferung in den Depots als solche erweisen. Pferde, welche den Verkäufern nicht eigenthümlich gehören, oder durch einen nicht legitimirten Bevollmächtigten der Kommission vorgestellt werden, sind vom Kauf ausgeschlossen.

Die Verkäufer sind verpflichtet, jedem verkauften Pferde eine neue starke rindlederne Trense mit starkem Gebiß und eine neue Kopfhalfter von Leder oder Hanf mit 2 mindestens zwei Meter langen Stricken ohne besondere Vergütung mitzugeben.

Um die Abstammung der vorgeführten Pferde feststellen zu können, sind die Deckscheine resp. Füllenscheine mitzubringen, auch werden die Verkäufer ersucht, die Schweife der Pferde nicht zu koupiren oder übermäßig zu verkürzen. Ferner ist es dringend erwünscht, daß ein zu magerer oder zu weicher Futterzustand bei den zum Verkauf zu stellenden Remonten nicht stattfindet, weil dadurch die in den Remontedepots vorkommenden Krankheiten sehr viel schwerer zu überstehen sind, als dies bei rationell und nicht übermäßig gefutterten Remonten der Fall ist. Die auf den Märkten vorzustellenden Remonten müssen daher in solcher Verfassung sein, daß sie durch mangelhafte Ernährung nicht gelitten haben und bei der Musterung ihrem Alter entsprechend in Knochen und Muskulatur ausgebildet sind.

Berlin, den 21. März 1890.

Kriegs-Ministerium. Remontirungs-Abtheilung.

Bekanntmachungen des Königlichen Ober-Präsidenten der Provinz Brandenburg.

Wahl eines Provinziallandtags-Abgeordneten.

10. An Stelle des verstorbenen Königlichen Landraths von Gerlach auf Rohrbeck ist der Rittergutsbesitzer Dr. jur. von Saldern auf Klein-Mantel zum Provinziallandtags-Abgeordneten des Kreises Königsberg N.-M. gewählt worden. Solches wird gemäß § 21 der Provinzial-Ordnung vom 29. Juni 1875 hiermit bekannt gemacht.

Potsdam, den 11. April 1890.

Der Ober-Präsident, Staatsminister von Achenbach.

Bekanntmachungen des Königlichen Regierungs-Präsidenten.

Ortsbenennung.

86. Dem auf der Feldmark Rathenow 1560 m südlich vom Kirchthurm, 660 m südwestlich vom Kreuzpunkt der Rathenow-Milower Chaussee mit der Berlin-Lehrter Eisenbahn an der „Herrenlanke" genannten Havelbucht belegenen Ausbau, bestehend aus einer dem Stadtrath Matthes gehörigen Ziegelei nebst Wohnhaus, sowie einer der Firma Fischribbe & Matthes gehörigen Leimfabrik ist der Name

Carlsheim

beigelegt worden.

Potsdam, den 9. April 1890.

Der Regierungs-Präsident.

Viehseuchen.

87. Festgestellt ist:

der Milzbrand bei einer geschlachteten Kuh des Bauern Sumpf zu Bredow, Kreis Osthavelland;

die Maul- und Klauenseuche unter dem Rindviehbestande des Amtsvorstehers Schlicke zu Sommerfeld, Kreis Osthavelland; unter den Kühen auf dem Rittergute Gortz I. Antheils, Kreis Westhavelland; unter den Rindern des Gutes Düppel, unter den Kühen des Kossäthen Wilhelm Schroeder und des Büdners Rudolf Müller zu Glienick bei Zossen, Kreis Teltow.

Dieselbe Seuche wurde ferner festgestellt in einem von dem Handelsmann Koslowski aus Mogilno am 19. v. M. nach Rummelsburg, Kreis Niederbarnim, gebrachten Transporte von 149 Schweinen.

Erloschen ist:

die Influenza bei dem Pferde des Butterhändlers Hertzberg zu Hakenberg, Kreis Osthavelland;

die Maul- und Klauenseuche unter dem Rindvieh der Ackerbürger Lange und Kramer zu Bernau, und des Dominiums Alt-Landsberg, Kreis Niederbarnim, unter dem Rindviehbestande des Gutsbesitzers Gericke zu Wustermark, Kreis Osthavelland.

Potsdam, den 15. April 1890.

Der Regierungs-Präsident.

Bekanntmachungen des Staatssekretairs des Reichs-Postamts.

Einrichtung einer Postagentur in Stephansort (Neu-Guinea)

9. Zu Stephansort im Deutschen Neu-Guinea-Schutzgebiet ist eine Kaiserliche Postagentur eingerichtet worden, deren Thätigkeit sich auf die Beförderung von Briefsendungen aller Art und von Postpacketen bis 5 kg erstreckt. Im Verkehr mit der neuen Postagentur kommen, wie im Verkehr mit den anderen, bereits bestehenden Postagenturen des Schutzgebiets, die Portotaxen des Weltpostvereins zur Anwendung, nämlich:

für frankirte Briefe	20 Pf.	für je 15 g,
„ Postkarten	10 „	
„ Drucksachen, Waarenproben und Geschäftspapiere	5 „	für je 50 g,

mindestens jedoch 10 Pf. für Waarenproben, 20 Pf. für Geschäftspapiere, zu welchen Sätzen gegebenenfalls die Einschreibgebühr von 20 Pf. tritt. Ueber die Taxen für Postpackete, welche sich je nach dem Beförderungswege und dem Gewicht verschieden stellen, ertheilen die Postanstalten auf Befragen Auskunft.

Berlin W., den 4. April 1890.

Reichs-Postamt Abtheilung I.

Bekanntmachungen der Kaiserlichen Ober-Post-Direktion zu Potsdam.

Das Postamt in Schlachtensee betreffend.

25. In dem an der Wannsee-Bahn belegenen Orte **Schlachtensee** bei Zehlendorf (Kr. Teltow) tritt am 16. April d. J. für die Dauer der besseren Jahreszeit wieder ein **Postamt mit Telegraphenbetrieb** in Wirksamkeit, welches durch die auf der Wannsee-Bahn verkehrenden Schaffnerbahnposten Postverbindungen erhält. Ein Landbestellbezirk wird der neuen Verkehrsanstalt nicht zugetheilt.

Potsdam, 6. April 1890.

Der Kaiserliche Ober-Postdirector.

Eröffnung einer Telegraphenbetriebsstelle in Jüterbog (Schießplatz).

26. In Jüterbog (Schießplatz) wird am 12. d. M. eine mit der Postanstalt vereinigte Telegraphenbetriebsstelle für den allgemeinen Verkehr eröffnet werden.

Potsdam, den 11. April 1890.

Der Kaiserliche Ober-Postdirektor.

Bekanntmachungen der Königlichen Hauptverwaltung der Staatsschulden.

Das Preußische Staatsschuldbuch betreffend.

10. Das allen Besitzern Preußischer Konsols zugängliche **Staatsschuldbuch**, über dessen Benutzung wir unterm 8. April v. J. einen kurzen Bericht erstattet haben, ist auch in dem eben abgelaufenen Geschäftsjahre rege in Anspruch genommen worden.

Die Zahl der eingetragenen **Konten** betrug am

1. April	1888:	5929	mit	334 442 700 M.
	1889:	6781	„	387 804 400 M.

Sie ist bis zum 1. April 1890 auf 7871 Konten mit 451 137 600 M. gestiegen.

Von den letztgedachten Konten fallen 84 % auf Kapitalien bis zu 50 000 M. und 16 % auf größere Anlagen, ganz wie im vorigen Jahre.

Für physische Personen waren am 31. März d. J. 5040 Konten über 223 161 150 M., für juristische Personen 1185 Konten über 122 198 000 M. und für Vermögensmassen ohne juristische Persönlichkeit 1610 Konten über 91 739 700 M. angelegt.

Von den **Zinsen** ließen sich die Empfangsberechtigten halbjährlich 4156 Posten von der Staatsschulden-Tilgungskasse in Berlin durch Werthbrief oder Postanweisung direkt zusenden, 864 Posten durch Gutschrift auf Reichsbank-Girokonto berichtigen und 4764 Posten wurden bei den mit der Auszahlung beauftragten Königlichen Kassen abgehoben.

Von den **Konteninhabern** wohnen 7038 in Preußen, 755 in anderen Staaten Deutschlands, je 11 in England und Frankreich, 40 in verschiedenen anderen außerdeutschen Staaten Europa's, 16 in außereuropäischen Ländern.

521 Konten sind für **bevormundete** und unter Pflegschaft stehende Personen angelegt, 105 mehr als vor einem Jahre. Die Vermehrung ist als eine Folge des Hinweises auf § 24 des Gesetzes vom 20. Juli 1883 zu betrachten, welchen der Herr Justizminister durch eine öffentliche Bekanntmachung vom 24. April v. J. (Justiz-Ministerialblatt Seite 114) an die Gerichte erließ. Da das für die Mündel in Preußischen Konsols angelegte Vermögen durch die Eintragung in das Staatsschuldbuch besonders gesichert wird, dürfte eine Benutzung des Letzteren Seitens der Vormünder noch in weiterem Umfange zu erhoffen sein.

Das Buch ist überhaupt allen denjenigen Besitzern solcher Konsols von Nutzen, für welche diese Papiere eine dauernde Anlage bilden und welche Kapital und Zinsen gegen den Schaden unbedingt sichern wollen, der ihnen, so lange ihr Recht von dem jeweiligen Besitze der Schuldverschreibungen und der Zinsscheine abhängig ist, durch Diebstahl, Verbrennen oder sonstiges Abhandenkommen dieser Urkunden nicht selten entsteht. Laufende Verwaltungskosten werden von den Konteninhabern nicht erhoben. Für jede Einschrift ist ein einmaliger Betrag, nämlich 25 Pfennig von jeden angefangenen 1000 M. des Kapitalbetrages, über welchen verfügt wird (mindestens 1 M.) zu zahlen. Die von uns veröffentlichten „Amtlichen Nachrichten über das Preußische Staatsschuldbuch", welche über Zweck und Einrichtung Genaueres ergeben, können durch jede Buchhandlung zum Preise von 40 Pfennig oder per Post franco für 45 Pfennig bezogen werden.

Berlin, den 5. April 1890.

Hauptverwaltung der Staatsschulden.

Bekanntmachungen der Königl. Kontrolle der Staatspapiere.

Aufgebot einer Schuldverschreibung.

10. In Gemäßheit des § 20 des Ausführungsgesetzes zur Civilprozeßordnung vom 24. März 1879 (G.-S. S. 281) und des § 6 der Verordnung vom 16. Juni 1819 (G.-S. S. 157) wird bekannt gemacht, daß dem Rentier Christoph Helfert hierselbst, Tempelherrenstraße 12, die Schuldverschreibung der konsolidirten 4%igen Staatsanleihe vom Jahre 1884 Lit. C. № 492268 über 1000 M. angeblich abhanden gekommen ist. Es wird Derjenige, welcher sich im Besitze dieser Urkunde befindet, hiermit aufgefordert, solches der unterzeichneten Kontrolle der Staatspapiere oder dem rc. Helfert anzuzeigen, widrigenfalls das gerichtliche Aufgebotsverfahren behufs Kraftloserklärung der Urkunde beantragt werden wird.

Berlin, den 10. April 1890.

Königliche Kontrolle der Staatspapiere.

Bekanntmachungen des Provinzial-Steuer-Direktors.

Erhebung von Schleusenabgaben.

2. Es wird hiermit zur öffentlichen Kenntniß gebracht, daß die Erhebung der Schleusenabgaben für die Benutzung der am „Fehrbelliner Canal" und am „Schwarzen Graben" liegenden beiden fiskalischen Schleusen, der Gentz- und der Fährdamm-Schleuse 1) für die Fahrtrichtung von Oranienburg nach Fehrbellin dem Königlichen Steueramte zu Oranienburg, 2) für die Richtung Fehrbellin—Neu-Ruppin und Fehrbellin—Oranienburg dem Königlichen Steueramte in Fehrbellin und 3) für die Richtung Neu-Ruppin—Fehrbellin dem Haupt-Steuer-Amte in Neu-Ruppin übertragen worden ist.

Berlin, den 31. März 1890,

Der Provinzial-Steuer-Direktor.

Bekanntmachungen der Königlichen Eisenbahn-Direktion zu Berlin.

Fahrpreis-Ermäßigungen.

15. Vom 15. d. M. ab treten für den Verkehr der Haltestelle Warschauerstraße und der Station Rixdorf mit Stationen der Stadtbahn zum Theil ermäßigte Fahrpreise in Kraft. Die Ermäßigungen finden von dem gedachten Zeitpunkte ab auch Anwendung auf die allgemeinen Zeitkarten. Nähere Auskunft ertheilen die Fahrkarten-Ausgaben der vorgenannten Stationen.

Berlin, den 9 April 1890.

Königliche Eisenbahn-Direktion.

Frachtstundungen rc. betreffend.

16. Im Bezirke der Preußischen Staatseisenbahnen werden Frachtstundungen mit einmonatlicher Frist für entstehende Frachten und sonstige der Eisenbahn-Verwaltung reglements-, tarif- oder vertragsmäßig zustehende Forderungen gewährt. Druckexemplare der Stundungsbedingungen werden von den Königlichen Eisenbahn-Betriebsämtern unentgeltlich verabfolgt. An letztere sind auch Anträge auf Frachtstundungen zu richten.

Berlin, den 10. April 1890.

Königliche Eisenbahn-Direktion.

Bekanntmachungen der Königlichen Eisenbahn-Direktion zu Bromberg.

Nachtrag IV. zum Südostpreußischen Verbandsgütertarif.

25. Mit dem 10. April 1890 tritt zum Südostpreußischen Verbandsgütertarif der Nachtrag IV. in Kraft. Derselbe enthält: 1) Aenderungen der Spezialbestimmungen zum Betriebs-Reglement und der besonderen Tarifvorschriften, sowie neue Vorschriften über die Kontrole der Ausfuhrgüter. 2) Neue bezw. anderweite Frachtsätze für Alexandrowo, Alt-Damm, Carolinenhorst, Heiligenbeil, Orzechowo und Stargard i. Pm. des Bezirks Bromberg und Pillau der Ostpreußischen Südbahn. 3) Aenderungen der Ausnahmetarife und Einführung eines neuen Ausnahmetarifs für bestimmte Düngmittel, Erden, Kartoffeln und Rüben. 4) Berichtigungen und bereits früher veröffentlichte Tarifänderungen. Hierdurch wird der Staatsbahn-Gütertarif Bromberg-Berlin vom 15. Juli 1888 nebst Nachträgen bezüglich des Verkehrs zwischen den Stationen Grajewo, Lyck und Prostken der Ostpreußischen Südbahn einer- und den Stationen Alt-Damm, Carolinenhorst und Stargard i. Pm. des Bezirks Berlin andererseits aufgehoben. Die für den Ausnahmetarif für Wegebaumaterialien eintretende einschränkende Maßregel tritt erst mit dem 15. Mai d. J. in Kraft. Abdrücke des Nachtrages IV. sind bei den Fahrkarten-Ausgabestellen der Verbandsstationen zu beziehen.

Bromberg, den 1. April 1890.

Königliche Eisenbahn-Direktion.

Frachtbegünstigung für Ausstellungsgegenstände.

26. Für die in der nachstehenden Zusammenstellung näher bezeichneten Gegenstände, welche auf den daselbst erwähnten Ausstellungen ausgestellt werden und unverkauft bleiben, wird eine Frachtbegünstigung in der Art gewährt, daß nur für die Hinbeförderung die volle tarifmäßige Fracht berechnet wird, die Rückbeförderung an die Versand-Station und den Aussteller aber frachtfrei erfolgt, wenn durch Vorlage des ursprünglichen Frachtbriefes bezw. des Duplikat-Transportscheines für den Hinweg, sowie durch eine Bescheinigung der dazu ermächtigten Stelle nachgewiesen wird, daß die Gegenstände ausgestellt gewesen und unverkauft geblieben sind, und wenn die Rückbeförderung innerhalb der unten angegebenen Zeit stattfindet.

In den ursprünglichen Frachtbriefen bezw. Duplikat-Transportscheinen für die Hinsendung ist ausdrücklich zu vermerken, daß die mit denselben aufgegebenen Sendungen durchweg aus Ausstellungsgut bestehen.

№	Art der Ausstellung	Ort	Zeit 1890	Die Frachtbegünstigung wird gewährt für	auf den Strecken der	Zur Ausfertigung der Bescheinigung sind ermächtigt	Die Rückbeförderung muß erfolgen innerhalb
1	Gartenbau-Ausstellung,	Berlin,	25. April bis 5. Mai,	Gegenstände des Gartenbaues,	Preußischen Staatsbahnen,	Ausstellungs-Commission,	4 Wochen
2	Ausstellung von Mastvieh, Zuchtböcken und Ebern,	Berlin,	7. und 8. Mai,	Maschinen, Geräthe u. Erzeugnisse der Viehzucht, Molkerei und des Schlächtergewerbes, sowie für Zuchtböcke und Eber,	desgl.,	desgl.	14 Tage
3	Rindvieh-Ausstellung,	Königsberg i. Pr.,	10. bis 12. Mai,	Thiere,	Königliche Eisenbahn-Direktion zu Bromberg,	desgl.	8 Tage
4	Pferde-Ausstellung,	Königsberg i. Pr.,	10. bis 13. Mai,	Luxus- und Zuchtpferde,	Preußischen Staatsbahnen,	desgl.	14 Tage
5	Provinzial-Thierschau und Geflügel-Ausstellung,	Köln,	14. bis 19. Mai,	Thiere,	desgl.	desgl.	4 Wochen
6	Allgemeine land- und forstwirthschaftliche Ausstellung,	Wien,	15. Mai bis 15. Oktbr. event. bis 1. Novbr.,	Thiere, landwirthschaftliche Erzeugnisse, Maschinen und Geräthe,	Preußischen Staatsbahnen u Eisenbahnen in Elsaß-Lothringen	Ausstellungs-Vorstand,	4 Wochen
7	Ausstellung von Gegenständen des Gefängnißwesens,	St. Petersburg.	Juni,	Gegenstände der nebenbezeichneten Art,	Preußischen Staatsbahnen,	Ausstellungs-Commission,	4 Wochen
8	Nordwestdeutsche Gewerbe- u Industrie-Ausstellung,	Bremen,	Juni, Juli u. August,	Gegenstände des Gewerbes und der Industrie,	desgl,	desgl.	4 Wochen
9	Landwirthschaftliche Ausstellung,	Straßburg i E.,	5. bis 11. Juni,	Thiere, Geräthe und landwirthschaftliche Erzeugnisse,	Preußischen Staatsbahnen u Eisenbahnen in Elsaß-Lothringen	Deutsche Landwirthschafts-Gesellschaft,	4 Wochen
10	Internationaler Maschinenmarkt,	Breslau,	9. bis 11. Juni,	Maschinen, Geräthe u. sonstige Gegenstände,	Preußischen Staatsbahnen,	Ausstellungs-Commission,	4 Wochen

nach Schluß der Ausstellung

Bromberg, den 7. April 1890. Königl. Eisenbahn-Direktion.

Bekanntmachungen der Königlichen Eisenbahn-Direktion zu Magdeburg.

Stationsbenennung.

12. Die Station Neuendorf bei Potsdam erhält am 1. Mai d. J. die Bezeichnung „**Nowawes-Neuendorf**".

Magdeburg, den 11. April 1890.
Königliche Eisenbahn-Direktion.

Bekanntmachungen der Kreis-Ausschüsse.

11.

Nachweisung

der Seitens des Kreisausschusses des Kreises Teltow, auf Grund des § 1 des Gesetzes vom 14. April 1856 in Verbindung mit dem § 25 Absatz 1 des Zuständigkeits-Gesetzes vom 1. August 1883 genehmigten Veränderungen von Gemeinde- und Gutsgrenzen pro I. Quartal 1890.

Bezeichnung des in Betracht kommenden Grundstücks.	seitherigen Gemeinde- Bezirks.	künftigen resp. Guts- Bezirks.
1) Die von der Königlichen Hofkammer an den Schiffer Wilhelm Krüger zu Gr. Köriß veräußerte, im Grundbuche von Gr. Köriß Band 4 № 274/152 (jetzt Band IV. Blatt № 133) verzeichnete, 25 ar 70 qm große Parzelle,	Gutsbezirk Kgs.-Wusterhausen Forst,	Gemeindebezirk Gr.-Köriß.
2) Die sogenannten Neuendorf'er ehemaligen Laßzins-Wiesen in Neuendorf b. Tr., Cliestow und Kl. Schulzendorf b. Tr. und zwar 1) die Parzelle № 54/43 dem Bauern Friedrich Braune zu Neuendorf gehörig, 2) die Parzelle № 55/43 dem Bauern Friedrich Tietz zu Neuendorf gehörig, 3) die Parzelle № 56/43 dem Bauern Wilhelm Spiesecke zu Neuendorf gehörig, 4) die Parzelle № 57/43 dem Bauern Schmiedecke, früher Heinrich, zu Neuendorf gehörig, 5) die Parzelle № 10 der verehel. Büdner Wiesecke, geb. Hahn, zu Neuendorf gehörig, 6) die Parzelle № 52/18 der Schule in Neuendorf gehörig, 7) der Parzelle № 158/7 der Wittwe Pusch, geb. Genz, zu Neuendorf gehörig, mit dem Gemeindebezirk Neuendorf b. Tr., 8) die Parzelle № 48/9 dem Kossäthen Wegener zu Cliestow gehörig, 9) die Parzelle № 50/18 der Schule mit dem Gemeindebezirk Cliestow und 10) die Parzelle № 51/18 der Schule zu Klein-Schulzendorf gehörig, mit dem Gemeindebezirk Kl. Schulzendorf,	Forstgutsbezirk Woltersdorf'er Forst,	Gemeindebezirk Neuendorf b. Tr., Cliestow und Klein-Schulzendorf.
3) Die dem Königlichen Hofbuchhändler Dr. Theodor Toeche-Mittler in Berlin, Kochstr. Nr. 69, gehörige, im Grundbuche von Schönow Band 7 Blatt 200 Kartenblatt 1 Parzelle 393/116 verzeichnete, 18 ha 49 ar 79 qm große Fläche,	Gemeindebezirk Schönow,	Gemeindebezirk Zehlendorf.
4) Die dem Schmiedemeister Friedrich Wilhelm Thyme in Lüdersdorf gehörige Parzelle der Dorfaue von Lüdersdorf in einer Größe von 3 ar 29 qm,	domainenfiskalisch,	Gemeindebezirk Lüdersdorf.
5) Die von dem Königlichen Domainenfiskus an den Gastwirth Wilhelm Schulze zu Motzen veräußerten, im Grundbuche Band IV. Blatt 130 verzeichneten und in den vorläufigen Fortschreibungsverhandlungen für Motzen unter Kartenblatt 3 № 206/65 und 207/65 eingetragenen 1 ar 74 qm großen Parzellen der fiskalischen Dorfaue von Motzen,	Domainenfiskus,	Motzen.

Berlin, den 5. April 1890.

Der Landrath des Kreises Teltow.

Personal-Chronik.

Im Kreise Osthavelland ist an Stelle des aus dem Bezirke verzogenen Rittergutsbesitzers Berger-Landefeldt zu Groß-Glienicke der Fabrikbesitzer Hey zu Gatow zum Amtsvorsteher des 20. Bezirks Groß-Glienicke im Kreise Osthavelland ernannt worden.

Im Kreise Ostprignitz ist an Stelle des aus dem Bezirke verzogenen Stiftssekretärs, Major Helmrich von

Elgott zu Marienfließ der Stiftssekretär, Premierlieutenant a. D. von Hartz daselbst zum Amtsvorsteher des 26. Bezirks Marienfließ im Kreise Ostprignitz ernannt worden.

In Stelle des 1887 auf seinen Antrag aus dem Staatsdienste entlassenen Dr. Weitzenmiller ist der pr. Arzt Dr. Carl Johann Wolff unter Belassung seines Wohnsitzes in Joachimsthal zum Kreiswundarzt des Kreises Angermünde bestellt worden.

Die unter privatem Patronat stehende Pfarrstelle zu Flieth Diözese Prenzlau I., kommt durch die Emeritirung des Superintendenten und Pfarrers Engels am 1. Oktober 1890 zur Erledigung.

Dem Oberlehrer an der Margarethenschule zu Berlin, Dr. Otto Fritsch ist das Prädikat: „Professor" verliehen worden.

Der ordentliche Lehrer Dr. Schulze am Friedrich Werderschen Gymnasium in Berlin ist zum Oberlehrer befördert worden.

Der bisherige ordentliche Lehrer und Adjunkt Dr. Petri am Joachimsthalschen Gymnasium ist als ordentlicher Lehrer an dem Königlichen Wilhelms-Gymnasium in Berlin angestellt worden.

Der Lehrer Karl Grätzner ist als Gemeindeschullehrer in Berlin angestellt worden.

Der Gemeindeschullehrer Schumacher ist als Gemeindeschulrektor in Berlin angestellt worden.

Personalveränderung beim Königlichen Oberbergamte zu Halle im 1. Vierteljahre 1890 im Bezirke der Königlichen Regierung zu Potsdam.

In den Ruhestand getreten: der Buchhalter und Kassenkontroleur bei der Königlichen Berginspektion in Kalkberge-Rüdersdorf, Bergfaktor Wittwer.

Personalveränderungen im Bezirke der Kaiserlichen Ober-Postdirektion in Potsdam.

Etatsmäßig angestellt sind: die Postassistenten Beceu und Sorge als Büreauassistenten in Potsdam, die Postassistenten Brabandt in Potsdam und Gruber in Zehdenick als Postassistenten, die Postassistenten Rammin in Eberswalde und Bick in Perleberg, sowie die Telegraphenanwärter von Pannwitz in Coepenick und Reichstein in Jüterbog als Telegraphenassistenten.

Ernannt sind: der Ober-Postdirektionssekretär Mithoff in Brandenburg (Havel) zum Postkassirer, die Postassistenten Berkholz in Steglitz, Köhler in Jüterbog und Wenzel in Strasburg (Uckermark) zu Ober-Postassistenten, der Telegraphenassistent Thiele in Rathenow zum Ober-Telegraphenassistenten.

Versetzt sind: der Postrath Hubert von Potsdam als comm. Ober-Postdirektor nach Posen, der Postrath Borbeck von Oppeln nach Potsdam, der Postinspektor Wittstock von Potsdam nach Cöln (Rhein), der Postkassirer Wegner von Frankfurt (Main) als comm. Postinspektor nach Potsdam, der Postdirektor Winter von Luckenwalde nach Kosten (Bez. Posen), der Postkassirer Hartmann von Beuthen (Oberschl.) als comm. Postdirektor nach Luckenwalde, der Ober-Postdirektionssekretär Bähr von Potsdam als comm. Telegraphenamtskassirer nach Berlin, der Ober-Postdirektionssekretär Fittbogen von Potsdam als comm. Postkassirer nach Hanau, der Postsekretär Neumärker von Pritzwalk als comm Ober-Postdirektionssekretär nach Halle (Saale), der Telegraphensekretär Ruck von Wilhelmshaven als comm. Ober-Postdirektionssekretär nach Potsdam, der Postsekretär Thier von Potsdam als comm. Ober-Postdirektionssekretär nach Minden (Westf.), der Postsekretär Ziertmann von Potsdam als comm. Ober-Postkassenbuchhalter nach Darmstadt, der Postsekretär Backe von Stettin als comm. Ober-Postsekretär nach Jüterbog, der Postsekretär Eberstein von Berlin als comm. Ober-Postsekretär nach Rathenow, der Postsekretär Klessen von Eberswalde als comm. Ober-Postsekretär nach Eschwege, der Postsekretär Kogel von Dessau als comm. Ober-Postsekretär nach Luckenwalde, der Postsekretär Krüger von Jüterbog nach Eberswalde, der Postsekretär Meyer von Luckenwalde nach Potsdam, der Ober-Postassistent Michael von Potsdam nach Steglitz, der Ober-Telegraphenassistent Hoffmann von Wittenberge (Bz. Potsdam) 2 (Bhf.) nach Spandau, der Postassistent Brandt von Zehdenick nach Angermünde. Den Postsekretären Stip und Jahn in Potsdam sind Büreaubeamtenstellen I. Klasse probeweise übertragen worden.

Hierzu Vier Oeffentliche Anzeiger.

(Die Insertionsgebühren betragen für eine einspaltige Druckzeile 20 Pf. Belagsblätter werden der Bogen mit 10 Pf. berechnet.)

Redigirt von der Königlichen Regierung zu Potsdam.

Potsdam, Buchdruckerei der A. W. Hayn'schen Erben (E. Hayn, Hof-Buchdrucker).

Amtsblatt
der Königlichen Regierung zu Potsdam und der Stadt Berlin.

Stück 17. Den 25. April **1890.**

Bekanntmachungen des Königlichen Regierungs-Präsidenten.

Polizei-Verordnung.

88. Auf Grund der §§ 6, 12 und 15 des Gesetzes über die Polizei-Verwaltung vom 11. März 1850 (G.-S. S. 265) und des § 137 des Gesetzes über die allgemeine Landesverwaltung vom 30. Juli 1883 (G.-S. S. 195 ff) wird hiermit unter Zustimmung des Bezirksausschusses zu Potsdam der Geltungsbereich der unter dem 24. Juni 1887 erlassenen Bau-Polizei Ordnung (Extra-Blatt zum Amtsblatt vom 25. Juni 1887 S. 245 ff.) auf den Amtsbezirk Mariendorf, sowie auf die zum Amtsbezirk Spandau'er Forst gehörige Villencolonie Grunewald ausgedehnt.

Potsdam, den 16. April 1890.

Der Regierungs-Präsident.
gez. Graf Hue de Grais.

Sperre der Flößerei auf der Dosse.

89. Hierdurch bringe ich zur öffentlichen Kenntniß, daß die Flößerei auf der Dosse bei Spiegelberg in der Zeit vom 28. April bis 25. Mai d. J. gesperrt sein wird.

Potsdam, den 17. April 1890.

Der Regierungs-Präsident.

Abänderungen und Ergänzungen der Deutschen Wehrordnung betr.

90. Diesem Stücke des Amtsblattes liegt eine Extrabeilage, enthaltend Abänderungen und Ergänzungen der Deutschen Wehrordnung bei.

Potsdam, den 18. April 1890.

Der Regierungs-Präsident.

Betrifft die schußfreien Tage auf dem Schießplatze bei Cummersdorf für 1890.

91. Unter Hinweis auf die Polizei-Verordnung vom 2. November 1875 — Amtsblatt Seite 366 — bringe ich hierdurch zur öffentlichen Kenntniß, daß die **schußfreien** Tage auf dem Schießplatze bei Cummersdorf für das Jahr 1890 wie folgt festgesetzt worden sind:

April: 27., 28., 30.
Mai: 4, 5., 7., 11., 14., 15., 18., 19., 21., 25., 26., 28.
Juni: 1., 4., 5., 8., 9., 11., 15., 16, 18., 22., 23., 25, 29., 30.
Juli: 2., 6., 7., 9., 13., 14., 16., 20., 21., 23., 27., 28., 30.
August: 3., 4., 6., 10., 11., 13., 17., 18., 20., 24., 25., 27., 31.
September: 1., 3., 7., 8., 10., 14., 15., 17., 21., 22., 24., 28., 29.
Oktober: 1, 5., 6, 8., 12., 13., 15., 19., 20, 22. 26., 27., 29.
November: 2., 3., 5., 9., 10., 12, 16., 17., 19., 23, 24., 26., 30.
Dezember: 3., 4., 7., 10., 11., 14., 17., 18., 21., 24., 25., 26., 28., 31.

Potsdam, den 18. April 1890.

Der Regierungs-Präsident.

Polizei-Verordnung für den Nuthe-Schau-Verband.

92. Im Anschlusse an § 26 des Statuts für den Nuthe-Schau-Verband vom 8. Oktober 1873 (Amtsblatt-Beilage zu Stück 48) wird auf Grund der §§ 6, 12 und 15 des Gesetzes über die Polizei-Verwaltung vom 11. März 1850 (Ges.-S. S. 265), sowie in Gemäßheit des § 137 des Gesetzes über die Allgemeine Landesverwaltung vom 30. Juli 1883 (Ges.-S. S. 195), unter Zustimmung des Bezirks-Ausschusses für den Nuthe-Schau-Verband nachstehende Polizei-Verordnung erlassen.

A. Flüsse, Gräben und Anlagen, deren Unterhaltung dem Verbande obliegt.

Ufer.

§ 1. Die Ufer dürfen in einer Entfernung von 2 m von der Bordkante mit Bäumen und Sträuchern nicht bepflanzt werden.

Auf beiden Ufern ist Seitens der Uferbesitzer zur Benutzung der zur Aufsicht und Räumung berufenen Personen ein Gang von mindestens 1 m Breite von der Bordkante frei zu lassen.

Die Uferbesitzer sind verpflichtet, Wurzeln und wilden Ausschlag, welche aus den Ufern nach dem Fluß- und Grabenbette zu hervortreten, auf Erfordern des Schau Direktors zu beseitigen; ebenso haben sie Zweige und Sträucher, welche sich über das Grabenprofil — einschließlich des an der Bordkante frei zu lassenden Streifens von 1 m — ausbreiten, zu entfernen.

Eine Beseitigung der über den 1 m breiten Streifen sich ausbreitenden Baum- und Strauchtheile ist nicht erforderlich, wofern dieselben sich in einer Höhe von 3 m über dem Erdboden befinden.

Auf die vom Verband gepflanzten oder noch zu pflanzenden Bäume und Sträucher finden die vorstehenden Bestimmungen keine Anwendung.

Schutz der Ufer gegen Weidevieh.

§ 2. Alle an den Verbandsgewässern gelegenen

Grundstücke, welche — wenn auch nur zeitweise — zur Weidenutzung verwendet werden, sind unter Beachtung der Bestimmung des § 1 Absatz 2 so lange und derart mit Rickzäunen zu ersehen daß dadurch die Ufer gegen Beschädigungen durch Weidevieh geschützt werden.

Verbindung zwischen den gegenüberliegenden Ufern.

§ 3. Das Gehen, Reiten, Fahren, Karren und Viehtreiben von einem Ufer zum anderen ist verboten. Ausnahmen dürfen stattfinden nur über die bereits vorhandenen oder neu anzulegenden (§ 10) Brücken und Stege, oder mittelst Fuhrten, sofern die letzteren sowohl an den Böschungen und in der Normalsohle des Wasserlaufes gepflastert, an den Enden des Pflasters mit Rahmhölzern gehörig befestigt und zu beiden Seiten eingefriedigt sind.

Waschbänke, Tränken und Fischbehälter.

§ 4. Die Anlage von Waschbänken und zwar sowohl feststehenden, als auch solchen, welche über dem Wasserspiegel hängen, ist verboten. Ausnahmen dürfen vom Schau-Direktor gestattet werden.

In den Verbands-Gewässern ist das Tränken von Vieh, das Einlegen von Körpern, welche die Vorfluth hemmen, als Flachs, Thierhäute, Garn, Weiden, Hölzer und dergl., das Einrammen von Pfählen, sowie überhaupt das Hineinbringen fremder Gegenstände (z. B. Fischkasten) verboten.

Die Anlage von Einschnitten und Durchlässen in den Ufern ist verboten.

Ausnahmen dürfen vom Schau-Direktor gestattet werden.

Verbandsanlagen.

§ 5. Die Beschädigung der Verbandsanlagen, sowie das unbefugte Betreten der Bauwerke, der Böschungen und Anpflanzungen des Verbandes ist verboten.

Räumung.

§ 6. Die Uferbesitzer sind verpflichtet, den bei Räumungen der Flüsse und Gräben entstehenden Auswurf an Wassergräsern, Sand, Moder u. s. w. aufzunehmen und, soweit derselbe nicht zur Befestigung der Böschungen gebraucht wird, innerhalb 4 Wochen nach der Räumung vom Ufer zu entfernen oder derart zu planiren, daß dadurch keine Erhöhungen der Ufer entstehen, welche den Abfluß des Wassers nach den Wasserläufen hindern.

Abgänge u. s. w.

§ 7. Abgänge der Haus- und Landwirthschaft, Abgänge von Gewerbebetrieben, Unrath, Jauche, Färbestoffe und feste Körper dürfen in die Verbandsgewässer weder geworfen oder geleitet, noch an den Ufern derart gelagert werden, daß sie vom Regen oder Wachswasser in dieselben hineingespült werden können.

B. Flüsse und Gräben, welche unter Schau des Verbandes stehen.

§ 8. Die Vorschriften der §§ 1, 3, 4, 5, 6 und 7 finden auch Anwendung auf Flüsse und Gräben, welche unter Schau des Verbandes stehen.

C. Sonstige Anlagen im Verbandsgebiete.

§ 9 Die Herstellung von Ent- und Bewässerungsanlagen mit Benutzung unter Schau stehender oder vom Verbande unterhaltener Gewässer, sowie die Anlage von Stauwerken in denselben ist verboten. Ausnahmen dürfen vom Schau-Direktor gestattet werden.

D. Genehmigung von Anlagen im Verbandsgebiete.

§ 10. Die Errichtung, Veränderung oder Wiederherstellung von Anlagen der in §§ 3, 4, 9 bezeichneten Art bedarf der Genehmigung des Schau-Direktors.

Bei Ausführung, Unterhaltung und Benutzung der Anlagen sind die bei der Genehmigung gestellten Bedingungen genau zu befolgen

E. Strafen.

§ 11 Zuwiderhandlungen gegen die vorstehenden Bestimmungen werden mit Geldbuße bis zu dreißig Mark, im Unvermögensfalle mit entsprechender Haft bestraft.

§ 12 Mit dem Tage des Inkrafttretens dieser Verordnung tritt die Polizei-Verordnung vom 11. Mai 1876 (Amtsbl. S. 152) außer Wirksamkeit.

Potsdam, den 18 März 1890.

Der Regierungs-Präsident.
Graf Hue de Grais.

Viehseuchen.

98. Festgestellt ist:

der Milzbrand bei einer Kuh des Erbsitzers Carl Calies zu Neu-Holland, Kreis Niederbarnim;

der Rotz unter den Pferden des Büdners Wilhelm Cornelius zu Liepe, Kreis Angermünde;

die Brustseuche (Influenza) unter dem Pferdebestande des Rittergutsbesitzers Jacobs zu Gnewikow, Kreis Ruppin;

die Maul- und Klauenseuche unter dem Rindvieh des Gutsbesitzers Eikamm zu Herzfelde, Kreis Niederbarnim, unter den Rindviehbeständen der Bauergutsbesitzer Dettweiler zu Schulzendorf, Kreis Ruppin, und Wilhelm Wolter zu Glindow, Kreis Zauch-Belzig;

die Räude bei einem Pferde des Topfhändlers Saeger zu Mittenwalde, Kreis Teltow.

Erloschen ist:

die Maul- und Klauenseuche unter den Kühen des Molkereibesitzers Neuenfeldt zu Malchow, Kreis Niederbarnim, unter den Rindviehbeständen des Vorwerks Gottesgabe und des Dominiums Lüdersdorf, Kreis Oberbarnim.

Die über die diesjährigen Remonten, sowie 26 Offizier- und Dienstpferde des Husaren-Regiments von Zieten in Rathenow, Kreis Westhavelland, wegen Rotzverdachts unterm 25. September v. J. verhängte Sperre ist aufgehoben worden.

Potsdam, den 22. April 1890.

Der Regierungs-Präsident.

Bekanntmachungen der Kaiserlichen Ober-Post-Direktion zu Potsdam.

Einrichtung einer Reichs-Telegraphenanstalt in Klockow.

27. In Klockow (Uckermark) wird am 21. d. M. in Vereinigung mit der Posthülfstelle eine Reichs-Telegraphenanstalt in Wirksamkeit treten.

Potsdam, 19. April 1890.

Der Kaiserliche Ober-Postdirector.

Einrichtung von Postagenturen.

28. Am 15. April sind in folgenden Orten Postagenturen in Wirksamkeit getreten:

Name der Postagentur	Bisherige Bestell-Postanstalt	Die Postagentur erhält folgende Postverbindungen	Dem Landbriefbestellbezirke der Postagentur werden zugetheilt
Dergenthin	Perleberg	Bahnposten der Eisenbahnstrecke Berlin—Hamburg.	Dorf Nebelin nebst Abbau und Silge, Dorf, Laaslich und Silge, Kuhwinkel, Platenhof, Töpfermühle, Bahnmeisterei, Bahnwärterhäuser 155 und 157 und Dergenthiner Abbau.
Kröchlendorf	Boitzenburg (Uckermark)	Botenpost* 6·0 / 8·25 — Botenpost 1·0 / 3·15 — Boitzenburg / Kröchlendorf Ag — Botenpost* 3·45 / 2·21 — Botenpost 8·55 / 7·30 * mit unbeschränkter Postsachenbeförderung Sonntags nur die erste Botenpost.	Berkholz Dorf und Gut, Forsthaus Zerwelin und Naugarten Dorf und Abbauten.
Mellenau	Boitzenburg (Uckermark)	Botenpost* 6·0 / 8·35 — Botenpost 1·15 / 3·45 — Boitzenburg / Mellenau Ag — Botenpost* 2·30 / 12·40 — Botenpost 8·40 / 6·50 * mit unbeschränkter Postsachenbeförderung Sonntags nur die erste Botenpost.	Boisterfelde, Funkenhagen Dorf und Forsthaus, Arnimshain, Fürstenau, Weggundorf, Abbau und Forsthaus.
Päwesin	Wachow	Privat-Personen-Fuhrwerk 6·15 / 7·0 / 7·35 / 8·25 / 9·45 — wochentägliche Botenpost 3·45 / 5·0 / 6·0 / — / — — Groß Behnitz / Wachow Ag. / Päwesin Ag. / Weseram Ag. / Brandenburg — Privat-Personen-Fuhrwerk 6·25 / 5·35 / 5·0 / 4·5 / 2·30 — wochentägliche Botenpost 2·30 / 1·15 / 12·15 / — / —	Bagow, Hackelsbeutel, Vogelgesang Riewendt und die Ziegeleien von Kindel, Natanson Frank, Bath, Ganzer, Meinshausen und Ribbeck.
Rühstädt	Wilsnack	Landpostfahrt 6·0 / 7·30 — Botenpost 9·0 / 11·10 — Wilsnack / Rühstädt Ag. — Landpostfahrt 6·45 / 5·0 — Botenpost 11·55 / 10·25 Sonntags einmalige Botenpost.	Bälow mit Ziegelei, Sandkrug, Scharlenk und Rühstädter Ziegelei.
Wölsickendorf	Freienwalde (Oder)	Landpostfahrt 8·30 / 10·0 — Landbriefträger-G. 2·0 / 4·20 — Freienwalde / Wölsickendorf — Landpostfahrt 12·30 / 11·0 — Landbriefträger-G. 6·55 / 4·40 Sonntags einmalige Lanbriefträger-Verbindung.	Wollenberg mit Vorwerk, Kolonie Torgelow, Schäferei Platz, Stern und Sternschmiede.
Zäsedom	Rechlin	Landpostfahrt 6·30 / 8·0 — Landpostfahrt 12·45 / 2·15 — Rechlin / Zäsedom — Landpostfahrt 10·30 / 9·30 — Landpostfahrt 4·45 / 3·45	Neuenfeld und Zäsedomer Ziegelei.

Die Postagenturen in Päwesin und Wölsickendorf sind bereits mit Telegraphenbetrieb ausgestattet, die Postagenturen in Kröchlendorf, Mellenau und Zäsedom erhalten ihn in nächster Zeit.

Die Posthülfstellen in Dergenthin, Kröchlendorf, Mellenau, Päwesin, Rühstädt, Wölsickendorf und Zäsedom sind vom 15. April ab aufgehoben worden.

Potsdam, 15. April 1890.

Der Kaiserliche Ober-Postdirektor.

Bekanntmachungen der Bezirksausschüsse.

Vorarbeiten für eine Eisenbahn untergeordneter Bedeutung von Schönholz nach Cremmen.

3. Nachdem der Herr Minister der öffentlichen Arbeiten genehmigt hat, daß von Seiten der Königlichen Eisenbahn-Direktion zu Berlin mit den Vorarbeiten für eine Eisenbahn untergeordneter Bedeutung von Schönholz nach Cremmen vorgegangen werde, wird hiermit angeordnet, daß Handlungen, welche zur Vorbereitung des Unternehmens erforderlich sind, jeder Besitzer auf seinem Grund und Boden geschehen zu lassen hat.

Handlungen, welche das Zerstören von Baulichkeiten oder das Fällen von Bäumen zum Gegenstande haben, sind indessen ohne vorangegangene Erlaubniß des Bezirks-Ausschusses unstatthaft.

Das Betreten von Gebäuden, sowie von eingefriedigten Hof- oder Gartenräumen ist nur mit Einwilligung des Besitzers, in deren Ermangelung nach ertheilter Erlaubniß der Ortspolizeibehörde zulässig.

Potsdam, den 16. April 1890.

Namens des Bezirks-Ausschusses:
Der Vorsitzende.

Vorarbeiten für eine Eisenbahn untergeordneter Bedeutung von Templin nach Prenzlau betreffend.

4. Nachdem der Herr Minister der öffentlichen Arbeiten mittelst Erlasses vom 14. d. M. die Königliche Eisenbahn-Direktion zu Berlin beauftragt hat, allgemeine Vorarbeiten für eine Eisenbahn untergeordneter Bedeutung von Templin nach Prenzlau anzufertigen, wird hiermit angeordnet, daß Handlungen, welche zur Vorbereitung des Unternehmens erforderlich sind, jeder Besitzer auf seinem Grund und Boden geschehen zu lassen hat.

Handlungen, welche das Zerstören von Baulichkeiten oder das Fällen von Bäumen zum Gegenstande haben, sind indessen ohne vorangegangene Erlaubniß des Bezirks-Ausschusses unstatthaft.

Das Betreten von Gebäuden, sowie von eingefriedigten Hof- oder Gartenräumen ist nur mit Einwilligung des Besitzers, in deren Ermangelung nach ertheilter Erlaubniß der Ortspolizeibehörde zulässig.

Potsdam, den 21. April 1890.

Namens des Bezirks-Ausschusses:
Der Vorsitzende.

Vorarbeiten für Eisenbahnen untergeordneter Bedeutung von Beeskow nach Königs-Wusterhausen und nach Lübben.

5. Nachdem der Herr Minister der öffentlichen Arbeiten mittelst Erlasses vom 12ten d. M. die Königliche Eisenbahn-Direction zu Berlin beauftragt hat, allgemeine Vorarbeiten für Eisenbahnen untergeordneter Bedeutung von Beeskow einerseits über Storkow nach Königs-Wusterhausen, andererseits nach Lübben anzufertigen, wird hiermit für den Regierungsbezirk Potsdam angeordnet, daß Handlungen, welche zur Vorbereitung der Unternehmen erforderlich sind, jeder Besitzer auf seinem Grund und Boden geschehen zu lassen hat.

Handlungen, welche das Zerstören von Baulichkeiten oder das Fällen von Bäumen zum Gegenstande haben, sind indessen ohne vorangegangene Erlaubniß des Bezirks-Ausschusses unstatthaft.

Das Betreten von Gebäuden, sowie von eingefriedigten Hof- oder Gartenräumen ist nur mit Einwilligung des Besitzers, in deren Ermangelung nach ertheilter Erlaubniß der Ortspolizeibehörde zulässig.

Potsdam, den 21. April 1890.

Namens des Bezirks-Ausschusses:
Der Vorsitzende.

Bekanntmachungen des Königlichen Polizei-Präsidiums zu Berlin.

Warnung vor dem Weißmann'schen s. g. Schlagwasser.

35. Früher schon ist als **Warnung** für das Publikum zur öffentlichen Kenntniß gebracht worden, daß das von **Roman Weißmann** in Vilshofen unter der Bezeichnung „Schlagwasser" vertriebene Mittel nichts anderes ist, als eine mit etwas Ratanhia- oder Kinotinktur versetzte Arnikatinktur, deren **Verkaufspreis** den **wahren Werth** um das **20—30 fache übersteigt.**

Obwohl der Genannte nach amtlichen Feststellungen **bereits im Juli 1888**, und zwar — soweit bekannt — an **Schlagfluß verstorben** ist, wird **unter dessen Namen noch jetzt** in den Zeitungen jenes Mittel bezw. eine Broschüre über **Nervenkrankheiten** und **Schlagfluß** angepriesen. Auch daraus dürfte hervorgehen, daß mit der Anpreisung bezw. dem Verkaufe des gedachten Mittels lediglich eine **Täuschung** und **Uebervortheilung des Publikums** beabsichtigt wird.

Berlin, den 10. April 1890.

Der Polizei-Präsident.

Geheimmittel.

36. In den Zeitungen, und namentlich in Extra-Beilagen zu Provinzialblättern, wird, wie schon früher, so auch neuerdings wieder unter dem Namen **Homeriana-Pflanze (Thee)** ein angeblich gegen Brust- und Halskrankheiten (Asthma, Lungen- und Halsleiden 2c.) wirksames Heilmittel von der **sogenannten** Centralen Vertriebsstelle diätetisch-hygienischer Erzeugnisse in Triest angepriesen, welches von dem Agenten **Ernst Weidemann in Liebenburg am Harz** in Päckchen zu 60 Gramm Inhalt **bei einem reellen Werthe von 5 bis 6 Pf.** früher für den Preis von 2 Mark — jetzt 1 Mark — verkauft wird. Dieses Geheimmittel, welches angeblich aus einer nur in Rußland vorkommenden Knöterichpflanze gewonnen wird, besteht, wie eine sachverständige Untersuchung ergeben hat, aus einfachem Vogelknöterich, der auf allen Wegen und oft auch in wenig verkehrsreichen städtischen Straßen zwischen den Pflastersteinen wächst. Eine spezifische Heilwirkung hat das genannte Kraut nicht. Solches wird zur Warnung für das Publikum wiederholt hiermit bekannt gemacht.

Berlin, den 13. April 1890.

Der Polizei-Präsident.

Bestimmung, die Steinsetzer-Innung zu Berlin betreffend.

87. Auf Grund des § 100e. der Reichs-Gewerbe-Ordnung bestimme ich hiermit für den Bezirk der Steinsetzer-Innung zu Berlin,

1) daß Streitigkeiten aus den Lehrverhältnissen der im § 120a. der Reichs-Gewerbe-Ordnung bezeichneten Art auf Anrufen eines der streitenden Theile von der zuständigen Innungsbehörde (§ 48 des Innungs-Statuts) und zwar, so lange die Innung dem Innungsausschuß der vereinigten Innungen zu Berlin angehört, von dem engeren Ausschuß des Letzteren (Schiedsgericht für Lehrlingsstreitigkeiten) auch dann zu entscheiden sind, wenn der Arbeitgeber, obwohl er ein in dieser Innung vertretenes Gewerbe betreibt und selbst zur Aufnahme in dieselbe fähig sein würde, gleichwohl der Innung nicht angehört;
2) daß die sämmtlichen von der Innung über die Regelung des Lehrlingswesens erlassenen Vorschriften auch dann bindend sind, wenn der Lehrherr zu den unter Ziffer 1 dieser Bestimmung bezeichneten Arbeitgebern gehört;
3) daß Arbeitgeber der unter Ziffer 1 bezeichneten Art Lehrlinge nicht mehr annehmen dürfen.

Diese Bestimmung tritt mit dem 1. Juni 1890 in Kraft.

Berlin, den 18. April 1890.

Der Polizei-Präsident.

Entziehung eines Hebammen-Prüfungszeugnisses.

88. Der verehelichten Marie Wegner verwittweten Ciarkoska geborenen Galkowska, zuletzt Fruchtstraße 75 hier wohnhaft gewesen, ist durch rechtskräftiges Erkenntniß des Bezirks-Ausschusses zu Berlin vom 25. Februar 1890 das Hebammen-Prüfungszeugniß sowie die Bestätigung als Hebamme entogen worden. Die Genannte ist deshalb **als Hebamme nicht mehr anzusehen.**

Berlin, den 15. April 1890.

Der Polizei-Präsident.

Bekanntmachungen des Provinzial-Steuer-Direktors.

Anderweite Uebertragung einer Stempeldistribution.

3. Die bis zum 31. Dezember 1889 von dem Kaufmann Schumacher, Königstraße 14a., hieselbst, verwaltete Stempeldistribution ist nunmehr dem Kaufmann R. Teichmann, hierselbst, Poststraße Nr. 31, Ecke der Königstraße, widerruflich übertragen worden.

Berlin, den 16 April 1890.

Der Provinzial-Steuer-Direktor.

4. **Tarif,**

nach welchem die Abgabe für die Benutzung des Winterhafens bei Wittenberge zu entrichten ist.

§ 1. Für die Benutzung des Winterhafens ist zu entrichten:

A. von Schraubendampfkähnen, Segelschiffen oder Schleppkähnen für jede vollen oder angefangenen 25 Tonnen Tragfähigkeit — 4 M.
B. für ein Kettenschiff — 90 M.
C. für Dampfschiffe ausschließlich der Schraubendampfkähne und der Kettenschiffe
   a bis 100 qm des benutzten Flächenraumes — 30 „
   b. über 100 bis 300 qm des Flächenraumes — 80 „
   c. über 300 qm des Flächenraumes — 100 „

Anmerkung zu C. Der zu verabgabende Flächenraum wird durch Multiplikation der größten Länge mit der größten Breite des Schiffsgefäßes, bei Räderdampfschiffen unter Hinzurechnung der Breite eines Radkastens zur größten Breite des eigentlichen Schiffsgefäßes, ermittelt.

D. Für Boote und Handkähne, Flöße, Fähr- und Baggerprahmen, Maschinen- und Brückenpontons, Badeschiffe und ähnliche Fahrzeuge werden für jede vollen oder angefangenen 10 qm der von ihnen benutzten oder durch sie der Benutzung durch andere Fahrzeuge entzogenen Fläche entrichtet — 1,60 M.

§ 2. Die Abgabe wird erhoben für die Benutzung des Winterhafens in dem Zeitraum vom 1. Dezember bis 15. März ohne Rücksicht auf die Dauer des Aufenthaltes.

Fahrzeuge jedoch, welche innerhalb dieses Zeitraumes im Winterhafen löschen oder laden, sind abgabenfrei, falls sie spätestens binnen drei Tagen nach dem Tage des Einlaufens mit dem Löschen oder Laden beginnen und spätestens binnen drei Tagen nach dem Tage der Beendigung des Löschens oder Ladens den Hafen verlassen, sofern sie in letzteren im Ganzen nicht länger als vierzehn Werktage verweilen.

Für Fahrzeuge, welche nach Entrichtung der Abgabe den Hafen verlassen, denselben aber in demselben Winter demnächst wieder benutzen, ist für diese fernere Benutzung keine Abgabe zu entrichten

Ebenso bleiben Fahrzeuge, welche in demselben Winter in einem der fiskalischen Schutzhafen zu Magdeburg, Mühlberg, Wittenberg, Halle a. S. (Sophienhafen) und Aken a. E. bereits gelegen und Hafengeld entrichtet haben, abgabenfrei, jedoch mit der Maßgabe, daß der Differenzbetrag nachzuentrichten, sofern in dem vorher benutzten Hafen die Abgabe weniger betragen hatte.

§ 3. Während der Zeit vom 16. März bis einschließlich den 30. November ist die abgabenfreie Benutzung des Winterhafens nach Maßgabe der Bestimmungen der Hafenordnung gestattet.

§ 4. Befreiungen. Befreit von der Abgabe sind:

1) Fahrzeuge, welche dem Könige, dem Preußischen Staate oder dem Deutschen Reiche gehören oder ausschließlich für Rechnung des Königs, des Preußischen Staates oder des Deutschen Reichs beladen sind.
2) Handkähne und andere kleine Fahrzeuge, welche zu

größeren Fahrzeugen gehören und mit diesen zusammen im Hafen liegen.

Berlin, den 25. März 1890.

Der Minister der öffentlichen Arbeiten.
Im Auftrage: gez. Schultz.

Der Finanz-Minister.
Im Auftrage: gez. Schomer.

Der Minister für Handel und Gewerbe.
In Vertretung: gez. Magdeburg.

* * *

Vorstehender Tarif wird auf Anordnung des Herrn Finanzministers hiermit zur öffentlichen Kenntniß gebracht.

Berlin, den 14. April 1890.

Der Provinzial-Steuer-Direktor.

Bekanntmachungen der Königlichen Eisenbahn-Direktion zu Berlin.

Fahrplan-Aenderung.

17. Vom 1. Mai 1890 ab werden die Schnellzüge № 401 und 402 zwischen Berlin und Stettin nur die I. und II. Wagenklasse führen. Dagegen werden von demselben Zeitpunkte ab folgende neue Schnellzüge mit I. bis III Wagenklasse zwischen Berlin und Stettin verkehren:

419				420
Vm				Nm.
8 10	ab	Berlin Stett. Bhf.	an	6·28
8 57	an	Eberswalde	ab	5·37
8 58	ab		an	5 35
9 24	an	Angermünde	ab	5·10
9 29	ab		an	5·05
10·31	an	Stettin	ab	4·00
Vm				Nm.

Berlin, im April 1890.

Königliche Eisenbahn-Direktion.

Bekanntmachungen der Königlichen Eisenbahn-Direktion zu Bromberg.

Ausgabe von Rückfahrkarten nach Badeorten.

27. Rückfahrkarten mit 45tägiger Gültigkeitsdauer nach Badeorten werden wie folgt verkauft: a Zum Besuch von Ostseebädern vom 1. Mai bis 30. September 1890: Nach **Colberg** von Bromberg, Konitz, Landsberg a. W., Nakel, Schneidemühl, Stargard i. Pm., Stettin, Thorn Hauptbahnhof und Thorn Stadt, nach **Elbing** (für Kahlberg) von Berlin Charlottenburg, Zoologischer Garten, Friedrichstraße, Alexanderplatz, Schlesischer Bahnhof, Bromberg und Inowrazlaw, nach **Neuhäuser** von Berlin Charlottenburg, Zoologischer Garten, Friedrichstraße, Alexanderplatz, Schlesischer Bahnhof und Tilsit, nach **Rügenwalde** von Bromberg, Posen, Stargard i. Pm. und Stettin, nach **Stolpmünde** von Bromberg, Posen, Schneidemühl, Stargard i. Pm. und Stettin, nach **Zoppot** von Stargard i. Pm. und Stettin über Cöslin, nach **Zoppot oder Neufahrwasser** von Allenstein, Berlin Charlottenburg, Zoologischer Garten, Friedrichstraße, Alexanderplatz, Schlesischer Bahnhof, Bromberg, Cüstrin, Cüstriner Vorstadt, Graudenz, Insterburg, Königsberg i. Pr., Konitz, Landsberg a. W., Nakel, Posen, Schneidemühl, Thorn Hauptbahnhof, Thorn Stadt, Tilsit und Wehlau, nach **Cranz** von Allenstein, Berlin Charlottenburg, Zoologischer Garten, Friedrichstraße, Alexanderplatz, Schlesischer Bahnhof, Bromberg, Goldap, Graudenz, Konitz, Marggrabowa, Marienwerder, Ortelsburg, Osterode i. Ostpr. und Tilsit. Die Inhaber der Rückfahrkarten nach Elbing (für Kahlberg) haben beim Antritt der Rückreise der Fahrkarten-Ausgabe eine Bescheinigung des Vorstandes der Aktien-Gesellschaft „Seebad Kahlberg", daß der Aufenthalt in Kahlberg länger als acht Tage gewährt hat, vorzuzeigen; andernfalls haben die Rückfahrkarten zur Rückreise keine Gültigkeit. Eine Ueberführung der Fahrkarten-Inhaber findet in Königsberg in Preußen i. Pr. von und nach dem Bahnhofe der Königsberg-Cranzer bezw. Ostpreußischen Südbahn nicht statt. Die Fahrt kann jedoch in Königsberg auch von dem Ostbahnhofe auf der diesseitigen Strecke Königsberg-Labiau bis Rothenstein i. Ostpr. zurückgelegt werden; ab Rothenstein erfolgt die Reise auf der Cranzer Eisenbahn. Dasselbe gilt für die umgekehrte Richtung. Das abgefertigte Reisegepäck wird in Königsberg stets von dem einen zum andern Bahnhofe verwaltungsseitig überführt. b. Zum Besuche von **schlesischen Badeorten:** Vom 1. Mai bis 30. September 1890: Nach Langenau Bad von Bromberg, Stettin, Thorn Hauptbahnhof und Thorn Stadt, nach Glatz von Bromberg, Thorn Hauptbahnhof und Thorn Stadt, nach Altwasser, Salzbrunn, Fellhammer, Wüstegiersdorf, Charlottenbrunn und Halbstadt (für Bad Cudowa) von Bromberg, Thorn Hauptbahnhof und Thorn Stadt, nach Friedeberg a. Q, Reibnitz, Hirschberg, Jannowitz und Lieban von Bromberg, Thorn Hauptbahnhof und Thorn Stadt. Vom 1. Juni bis 31. August 1890: Nach Landeck Bad von Bromberg, Thorn Hauptbahnhof und Thorn Stadt, nach Reinerz Bad von Bromberg, Thorn Hauptbahnhof und Thorn Stadt. Näheres ist bei den Fahrkarten-Ausgaben zu erfahren.

Bromberg, den 12 April 1890.

Königliche Eisenbahn-Direktion.

Bekanntmachungen der Kreis-Ausschüsse.

Bezirksveränderung.

12. Der unterzeichnete Kreis-Ausschuß hat genehmigt, daß die im Grundbuche von Bärenklau Band I. Blatt № 5 Grundsteuerbuch Artikel № 5 eingetragenen und auf der Handzeichnung und in dem Auszuge aus der Grundsteuer-Mutterrolle bezeichneten Grundstücke der Gemarkung Wendemark, bestehend aus den Theilstücken Kartenblatt 1 № 11/5 von 2,5460 ha, Kartenblatt 1 № 13/5 von 2,8095 ha und der von den genannten Grundstücken eingeschlossenen Wegestrecke, Kartenblatt 1 № 12/9 von 0,0990 ha aus der Gemarkung Wendemark ausscheiden und in den Gemeindebezirk Velten diesseitigen Kreises aufgenommen werden.

Nauen, den 15. April 1890.

Der Kreis-Ausschuß des Kreises Osthavelland.

13.

Nachweisung

der vom Kreis-Ausschuß des Kreises Ruppin auf Grund des § 1 des Gesetzes vom 14. April 1856 in Verbindung mit § 25 des Zuständigkeitsgesetzes vom 1. August 1883 genehmigten Veränderungen an Gemeinde- und Gutsbezirksgrenzen.

Bezeichnung der		
in Betracht kommenden Grundstücke.	seitherigen Gemeinde- resp. Gutsbezirke.	künftigen Gemeinde- resp Gutsbezirke.
Die dem Rittergutsbesitzer Heise zu Wildberg gehörige 3 ar 10 qm große Parzelle № 95/30 Kartenblatt 2 des Grundstückes № 34 der Rittergüter.	Gemeindebezirk Wildberg.	Gutsbezirk Wildberg III.

Neu-Ruppin, den 28. März 1890.

Der Kreis-Ausschuß.

Personal-Chronik.

Der Stadtsecretär Julius August Adolf Riedler aus Havelberg ist der von der Stadtverordneten-Versammlung zu Plaue in der Sitzung am 13. Januar d. Js vorgenommenen Wahl gemäß als Bürgermeister der Stadt Plaue für eine zwölfjährige Amtsdauer bestätigt und am 8. April d. Js. in das Amt eingeführt worden.

Die am Oder-Spree-Kanal neu eingerichtete Buhnenmeisterstelle bei Fürstenberg a. O. ist dem Buhnenmeisteranwärter Schönfeld vom 1. d. M. ab vorläufig auf Probe übertragen worden.

Seine Majestät der Kaiser und König haben Allergnädigst geruht, den Konsistorialassessor Friedrich Reinhard zu Berlin zum Konsistorialrath zu ernennen.

Der bisherige Gerichts-Assessor Karl Friedrich Goßner ist zum Konsistorial-Assessor und Mitglied des Konsistoriums der Provinz Brandenburg ernannt worden.

Der bisherige Pfarrer zu Pyrehne, Diözese Landsberg, Karl Rudolf Hugo Schmidt ist zum Diakonus in Rathenow, Diözese gleichen Namens, bestellt worden.

Der bisherige Diakonus Friedrich August Ebel zu Rathenow ist zum Archidiakonus in Rathenow, Diözese gleichen Namens, bestellt worden.

Der bisherige Predigtamts-Kandidat Johann Simon Achilles Koenitzer ist zum Diakonus in Zossen und Pfarrer zu Motzen, Diözese Zossen, bestellt worden.

Der Schulamtskandidat Schlesinger ist als ordentlicher Lehrer und Adjunkt am Joachimsthalschen Gymnasium in Berlin angestellt worden.

Dem Küster und Lehrer Karl Wilhelm Albert Graßmann zu Gantikow, Diözese Kyritz, ist der Titel „Kantor" verliehen worden.

Die Lehrer Edmund Krause XIV., Sprenger, Max Krüger XXIII, August Radke IV., Ploetz, Heide, Paeßler, Seemann, Weinbrenner, Schaeffer, Gilbert, Dubrow, Quedenfeld, Siegert, Zänker, Lutz, Buchholz sind als Gemeindeschullehrer in Berlin angestellt worden.

Personalveränderung im Bezirke der Königl. Eisenbahn-Direction zu Erfurt.

Versetzungen: Güter-Expedient Meyer von der Güter-Expedition Berlin (B. A.) nach Bitterfeld. Güter-Expedient Albertz von Bitterfeld als Stations-Einnehmer zur Fahrkarten-Ausgabe in Berlin (B. A.)

Ausweisung von Ausländern aus dem Reichsgebiete.

Lauf. Nr.	Name und Stand des Ausgewiesenen.	Alter und Heimath des Ausgewiesenen.	Grund der Bestrafung.	Behörde, welche die Ausweisung beschlossen hat.	Datum des Ausweisungs-Beschlusses.
1.	2.	3	4.	5.	6.
		a. Auf Grund des § 39 des Strafgesetzbuchs:			
1	Lina Zissikon, geb. Bloch, Ehefrau,	geboren am 15. August 1850 zu Konstantinopel, wohnhaft zuletzt in Mülhausen, Elsaß,	gewerbsmäßige Kuppelei,	Kaiserlicher Bezirks-Präsident zu Colmar,	12 März 1890.
2	Anton Soboczynski, Arbeiter,	geboren am 10. November 1847 zu Sadlowo, Rußland, ortsangehörig ebendaselbst,	gemeinschaftlicher schwerer Diebstahl und Landstreichen (1 Jahr 6 Monate Zuchthaus laut Erkenntniß vom 11ten Juli 1888),	Königlich Preußischer Regierungspräsident zu Marienwerder,	19. März 1890.

Laufende Nr.	Name und Stand des Ausgewiesenen.	Alter und Heimath des Ausgewiesenen.	Grund der Bestrafung.	Behörde, welche die Ausweisung beschlossen hat.	Datum des Ausweisungs-Beschlusses
1	2.	3	4.	5.	6
		b. Auf Grund des § 362 des Strafgesetzbuchs:			
1	Wenzel Mitschka, Tischler,	27 Jahre alt, aus Jamnitz, Mähren,	Landstreichen und Betteln,	Königlich Preußischer Regierungspräsident zu Marienwerder,	5. März 1890.
2	Wilhelm Kaufer, Schmied,	geboren am 12. August 1848 zu Siklos, Ungarn,	Landstreichen,	Königlich Preußische Regierung zu Bromberg,	8. Januar 1890.
3	Franz Friedrich Nikolaus Riese, Handelsmann,	geboren am 6. Dezember 1833 zu Laibach, Oesterreich, ortsangehörig ebendaselbst,	unterlassene Beschaffung eines Unterkommens,	Königlich Preußischer Regierungspräsident zu Erfurt,	15. März 1890.
4	Rasmus Theodor Madsen, Matrose,	geboren am 4. April 1867 zu Ginerup, Bezirk Randers, Dänemark, ortsangehörig ebendaselbst,	Betteln im wiederholten Rückfall,	Königlich Preußischer Regierungspräsident zu Schleswig,	14. März 1890.
5	Eduard Meier, Arbeiter,	geboren im April 1835 zu Enschede, Niederlande,	Landstreichen und Betteln,	Königlich Preußischer Regierungspräsident zu Minden,	12. März 1890.
6	Josef Lanlbert Schmitz, Maurergeselle,	geboren am 29. Juli 1859 zu Wittem, Provinz Limburg, Niederlande, ortsangehörig ebendaselbst,	Betteln unter Drohungen, grober Unfug und Nichtbeschaffung eines Unterkommens,	Königlich Preußischer Regierungspräsident zu Düsseldorf,	10. März 1890.
7	Martin Blahnik, Maurer,	geboren am 28. September 1849 zu Melhut, Bezirk Taus, Böhmen, ortsangehörig ebendaselbst,	Landstreichen u. Betteln,	Königlich Bayerisches Bezirksamt Friedberg,	8. März 1890.
8	Franz Josef Mudroch, Schmied,	geboren am 14. Dezember 1858 zu Tetschen, Böhmen, ortsangehörig zu Prag, ebendaselbst,	desgleichen,	Königlich Bayerisches Bezirksamt Stadtamhof,	21. Februar 1890.
9	Mathias Marschoun, (Marschann), Kellner,	geboren am 28. Dezember 1852 zu Hradec, Bezirk Ledetsch, Böhmen, ortsangehörig ebendaselbst,	desgleichen,	dasselbe,	10. Februar 1890.
10	Johann Gruber, Tagelöhner,	geboren am 19. Februar 1871 zu Stubenbach, Bezirk Schüttenhofen, Böhmen, ortsangehörig zu Neuprennet, Bezirk Taus, ebendaselbst,	desgleichen,	dasselbe,	desgleichen.
11	Gottfried Bickel, Zimmermann,	geboren am 16. Mai 1864 zu St. Gallen, Schweiz, ortsangehörig zu Raggal, Bezirk Bludenz, Oesterreich,	Betrug und Landstreichen	Stadtmagistrat Augsburg, Bayern,	11. Februar 1890.

Lauf. Nr.	Name und Stand des Ausgewiesenen.	Alter und Heimath des Ausgewiesenen.	Grund der Bestrafung.	Behörde, welche die Ausweisung beschlossen hat.	Datum des Ausweisungs-Beschlusses.
1	2.	3.	4	5.	6.
12	Franz Großmann, Spenglergeselle,	geboren am 3. April 1844 zu Neuehrenberg, Bezirk Schluckenau, Böhmen, ortsangehörig zu Altenehrenberg, ebendaselbst,	Landstreichen und Betteln,	Königlich Bayerisches Bezirksamt Kaufbeuren,	28. Februar 1890.
13	Josef Stembera, Schneidergeselle,	geboren am 1. August 1862 zu Kostalow, Bezirk Gitschin, Böhmen, ortsangehörig ebendaselbst,	desgleichen,	Königlich Sächsische Kreishauptmannschaft Leipzig,	19. Februar 1890.
14	Johann Beitenhansl, Handarbeiter,	geboren am 16. Mai 1851 zu Ratzau, Bezirk Tachau, Böhmen, ortsangehörig ebendas.	desgleichen,	dieselbe,	22. Februar 1890.
15	Karl Adalbert Eisenmann, Schlosser und Handarbeiter,	geboren am 18. Januar 1867 zu Frankenhammer, Bezirk Eger, Böhmen, ortsangehörig ebendaselbst, wohnhaft zuletzt zu Markneukirchen, Königreich Sachsen,	Landstreichen,	Königlich Sächsische Kreishauptmannschaft Zwickau,	20. Februar 1890.
16	Hermann Schier, Fabrikweber,	geboren am 17. Juli 1850 zu Warnsdorf, Bezirk Rumburg, Böhmen, ortsangehörig zu Prichowitz, Bezirk Gablonz, ebendaselbst,	Landstreichen und Betteln,	Königlich Sächsische Kreishauptmannschaft Bautzen,	3. Februar 1890.
17	Loly Murin, Goldarbeiter,	geboren am 3. Juli 1871 zu Orel, Rußland, ortsangehörig zu Odessa, ebendaselbst,	Landstreichen,	Königlich Preußischer Regierungspräsident zu Potsdam,	20. März 1890.
18	Marie Weirych, Wittwe,	geboren am 2. Juli 1837 zu Politz, Böhmen, ortsangehörig ebendaselbst,	Landstreichen u. Betteln,	Königlich Preußischer Regierungspräsident zu Breslau,	18. März 1890.
19	Theodor Löschinger, Klempnergeselle,	geboren im Jahre 1851 zu Landeskron, Oesterreich, ortsangehörig ebendaselbst,	Betteln im wiederholten Rückfall,	derselbe,	desgleichen.
20	Josef Handerka, Tagearbeiter,	geboren im Jahre 1869 zu Kalnej, Bezirk Biala, Galizien, ortsangehörig ebendaselbst,	Diebstahl, Landstreichen und Betteln,	Königlich Preußischer Regierungspräsident zu Oppeln,	18. Februar 1890.
21	Franz Typowski, Stellmacher,	geboren am 3. Dezember 1830 zu Zabna, Bezirk Mistec, Mähren, ortsangehörig zu Witkowitz, ebendaselbst,	Landstreichen und Betteln,	derselbe,	11. März 1890.

Lauf. Nr.	Name und Stand	Alter und Heimath	Grund der Bestrafung.	Behörde, welche die Ausweisung beschlossen hat.	Datum des Ausweisungs-Beschlusses.
	des Ausgewiesenen.				
1.	2.	3.	4.	5.	6.
22	Waldemar Rasmussen, Arbeiter,	geboren am 2. Dezember 1867 zu Horsens, Dänemark, ortsangehörig ebendaselbst,	Betteln im wiederholten Rückfall,	Königlich preußischer Regierungspräsident zu Schleswig,	17. März 1890.
23	Sußmann Szczycki (Josef Hammerstein), Tapezierergehülfe,	geboren am 20. März 1858 zu Budapest, Ungarn, wohnhaft zuletzt in Kiel, Preußen,	Landstreichen und Betteln,	Königlich Preußischer Regierungspräsident zu Aachen,	22. Februar 1890.
24	Georg Böhmer, Korbmacher,	geboren am 9. Dezember 1863 zu Wasserbillig, Luxemburg, ortsangehörig ebendaselbst,	Betteln im wiederholten Rückfall,	Königlich Preußischer Regierungspräsident zu Düsseldorf,	21. März 1890.
25	Karl Schimek, Gärtner,	geboren am 3. Mai 1864 zu Kolinetz, Bezirk Klattau, Böhmen, ortsangehörig zu Cachrau, Bezirk Klattau,	desgleichen,	Königlich Bayerisches Bezirksamt Erding,	20. Februar 1890.
26	Leonhard Wilhelmstätter, Säger,	36 Jahre alt, geboren zu Fieberbrunn, Bezirk Kitzbühel, Tirol, ortsangehörig zu St. Johann, ebendaselbst,	desgleichen,	Königlich Bayerisches Bezirksamt Traunstein,	26. Februar 1890.
27	Vincenz Kozderka, Webergeselle,	geboren am 28. November 1872 zu Meschitz, Böhmen, wohnhaft zuletzt in Hamburg,	desgleichen,	Chef der Polizei in Hamburg,	24. März 1890.
28	Anton Labenski (auch Labinski), Sprachlehrer,	geboren am 27. Juli 1831 zu Latowska, Rußland, französischer Staatsangehöriger,	Landstreichen und Betteln,	Kaiserlicher Bezirks-Präsident zu Colmar,	14. März 1890.

(Hierzu eine Extra-Beilage, enthaltend Abänderungen und Ergänzungen der Deutschen Wehrordnung, sowie Vier Oeffentliche Anzeiger).

(Die Insertionsgebühren betragen für eine einspaltige Druckzeile 20 Pf.
Belagsblätter werden der Bogen mit 10 Pf. berechnet.)

Redigirt von der Königlichen Regierung zu Potsdam.

Potsdam, Buchdruckerei der A. W. Hayn'schen Erben (E. Hayn, Hof-Buchdrucker).

Extra-Beilage zum Amtsblatt.

Auf Ihren Bericht vom 11. März d. J. will Ich die in der Anlage zusammengestellten Abänderungen und Ergänzungen der Deutschen Wehrordnung genehmigen und Sie gleichzeitig ermächtigen, die durch Organisations-Veränderungen erforderlich gewordenen Berichtigungen des Textes der Wehrordnung zur öffentlichen Kenntniß zu bringen.

Berlin, den 14. März 1890.

Wilhelm.

An den Reichskanzler. v. Bismarck.

Abänderungen und Ergänzungen
der
Deutschen Wehrordnung.

---

§. 25 Nr. 9.

Militärpflichtige, welche nach Anmeldung zur Stammrolle im Laufe eines ihrer Militärpflichtjahre ihren dauernden Aufenthalt oder Wohnsitz verlegen, haben dieses behufs Berichtigung der Stammrolle sowohl beim Abgange der Behörde oder Person, welche sie in die Stammrolle aufgenommen hat, als auch nach der Ankunft an dem neuen Orte derjenigen, welche daselbst die Stammrolle führt, spätestens innerhalb dreier Tage zu melden (§. 47, 8).

§. 29 Nr. 4a und b.

Zurückstellung über das dritte Militärpflichtjahr hinaus ist durch die Ersatzkommission zulässig:

a) wegen zeitiger Ausschließungsgründe (§. 30, 2), und zwar bis zum fünften Militärpflichtjahre,

b) behufs ungestörter Ausbildung für den Lebensberuf (§. 32, 5), und zwar in ausnahmsweisen Verhältnissen bis zum fünften Militärpflichtjahre (vergl. §§. 33, 7 und 89, 7). Militärpflichtige römisch-katholischer Konfession, welche sich dem Studium der Theologie widmen, sind jedoch während der Dauer dieses Studiums bis zum 1. April des siebenten Militärpflichtjahres zurückzustellen.

§. 32 Nr. 2f.

Militärpflichtige, welche in der Vorbereitung zu einem bestimmten Lebensberufe oder in der Erlernung einer Kunst oder eines Gewerbes begriffen sind und durch eine Unterbrechung bedeutenden Nachtheil erleiden würden; Militärpflichtige römisch-katholischer Konfession, welche sich dem Studium der Theologie widmen, sind zurückzustellen.

§. 40 Nr. 3a.

Taugliche Militärpflichtige römisch-katholischer Konfession, welche die Subdiakonatsweihe empfangen haben (§. 29, 4b), sind der Ersatzreserve zu überweisen. Im Uebrigen siehe §. 117, 4.

G. v. 8. 2. 90.

§. 64 Nr. 5a.

Anträge auf Zurückstellung von der Aushebung wegen bürgerlicher Verhältnisse (§§. 32 und 33) mit Ausnahme der Anträge auf Zurückstellung Militärpflichtiger römisch-katholischer Konfession, welche sich dem Studium der Theologie widmen. Ueber Anträge der letzteren Art entscheiden die ständigen Mitglieder der Ersatz-Kommission (§. 29, 4b).

§. 117 Nr. 4.

Der Ersatzreserve überwiesene Personen, welche auf Grund der Ordination dem geistlichen Stande angehören, sollen zu Uebungen nicht herangezogen werden; auch bleiben Ersatzreservisten, welche die Subdiakonatsweihe empfangen haben, von Uebungen befreit.

G. v. 1. 2. 88. Art. II §. 13. G. v. 8. 2. 90.

Anlage 1 zur Wehrordnung.

Landwehr-Bezirkseintheilung

für

das Deutsche Reich

(gültig vom 1. April 1890 an).

Armeekorps	Infanterie-brigade	Landwehrbezirke	Verwaltungs- (bezw. Aushebungs-) bezirke	Bundesstaat (im Königreich Preußen auch Provinz, bezw. Regierungsbezirk)
				Königreich Preußen.
		Wehlau.	Kreis Labiau. " Wehlau. " Niederung.	R.-B. Königsberg.
		Tilsit.	Kreis Heydekrug. " Tilsit.	R.-B. Gumbinnen.
			" Memel.	R.-B. Königsberg
	2.	Insterburg.	Kreis Ragnit. " Insterburg. " Darkehmen.	R.-B. Gumbinnen.

Armeekorps	Infanterie-brigade	Landwehrbezirke	Verwaltungs- (bezw. Aushebungs-) bezirke	Bundesstaat (im Königreich Preußen auch Provinz, bezw. Regierungsbezirk)
				Königreich Preußen.
I.	2.	Gumbinnen	Kreis Stallupönen. „ Gumbinnen. „ Pillkallen.	R.-B. Gumbinnen.
		Goldap.	Kreis Angerburg. „ Goldap. „ Oletzko.	
	3.	Bartenstein.	Kreis Pr. Eylau. „ Friedland O. Pr. „ Heilsberg.	R.-B. Königsberg.
		Rastenburg.	Kreis Rastenburg. „ Rössel. „ Gerdauen.	
		Allenstein.	Kreis Allenstein. „ Ortelsburg.	
		Lötzen.	Kreis Sensburg. „ Johannisburg. „ Lyck. „ Lötzen.	R.-B. Gumbinnen.
		Königsberg.	Kreis Fischhausen. Stadt Königsberg. Landkreis Königsberg.	R.-B. Königsberg.
		Braunsberg.	Kreis Braunsberg „ Heiligenbeil. „ Pr. Holland. „ Mohrungen.	
II.	5.	Stettin.	Kreis Randow. Stadt Stettin. Kreis Usedom-Wollin.	R.-B. Etettin.
		Anclam.	Kreis Anclam. „ Demmin. „ Ueckermünde. „ Greifswald.	
		Stralsund.	Kreis Franzburg. „ Rügen. Stadt Stralsund. Kreis Grimmen.	R.-B. Stralsund.
	6.	Cöslin.	Kreis Cöslin. „ Colberg-Cörlin. „ Bublitz. „ Belgard.	R.-B. Cöslin.
		Naugard.	Kreis Cammin. „ Naugard. „ Greifenberg. „ Regenwalde.	R.-B. Stettin.
		Stargard.	Kreis Saatzig. „ Greifenhagen. „ Pyritz.	
	7.	Bromberg.	Stadt Bromberg. Landkreis Bromberg. Kreis Wirsitz.	R.-B. Bromberg.
		Deutsch-Cron°.	Kreis Deutsch-Crone. „ Flatow.	R.-B. Marienwerder.
		Dramburg.	Kreis Schievelbein. „ Neustettin. „ Dramburg.	R.-B. Cöslin.

Armeekorps	Infanterie-brigade	Landwehrbezirke	Verwaltungs- (bezw. Aushebungs-) bezirke	Bundesstaat (im Königreich Preußen auch Provinz, bezw. Regierungs-bezirk)
				Königreich Preußen.
II.	8.	Gnesen.	Kreis Gnesen. " Mogilno. " Wongrowitz. " Witkowo. " Znin.	R.-B. Bromberg.
		Inowrazlaw.	Kreis Inowrazlaw. " Strelno. " Schubin.	
		Schneidemühl.	Kreis Kolmar i. Pos. " Czarnikau. " Filehne.	
III.	Berlin (Landwehr-Inspektion)**)	Teltow.*)	Kreis Teltow. Stadt Charlottenburg.	
		I. Berlin. II. Berlin.	Hauptstadt Berlin.	
VIII.	29.	Montjoie.	Kreis Eupen. " Montjoie. " Schleiden. " Malmedy.	R.-B. Aachen.
IX.	35.	Schleswig.	Kreis Eckernförde. " Schleswig. " Husum. " Eiderstedt.	Provinz Schleswig-Holstein.
		Flensburg.	Stadt Flensburg. Landkreis Flensburg. Kreis Hadersleben. " Sonderburg. " Apenrade. " Tondern.	
XI.	41.	Oberlahnstein.	Unterlahnkreis. Kreis St. Goarshausen. Unterwesterwaldkreis.	R.-B. Wiesbaden.
		Wiesbaden.	Stadt Wiesbaden. Kreis Hoechst. Landkreis Wiesbaden. Rheingaukreis. Untertaunuskreis.	
		Wetzlar.	Kreis Wetzlar. Dillkreis	R.-B. Coblenz.
		Limburg.	Oberlahnkreis. Kreis Westerburg. Oberwesterwaldkreis. Kreis Limburg.	R.-B. Wiesbaden.
	42.	Meschede.	Kreis Brilon. " Meschede " Arnsberg. " Wittgenstein.	R.-B. Arnsberg.

*) Das Bezirkskommando Teltow befindet sich in Steglitz.

**) Im Mobilmachungsfall treten die Landwehrbezirke der Infanterie-Brigade Berlin (Landwehr-Inspektion) unter die stellvertretende 11. Infanterie-Brigade.

Armeekorps	Infanterie-brigade	Landwehrbezirke	Verwaltungs- (bezw. Aushebungs-) bezirke	Bundesstaat (im Königreich Preußen auch Provinz, bezw. Regierungs-bezirk)
XI.	42.	Siegen.	Kreis Siegen. " Olpe. " Altena.	Königreich Preußen. R.-B. Arnsberg.
		Marburg.	Kreis Biedenkopf. " Marburg. " Kirchhain. " Ziegenhain.	R.-B. Wiesbaden. R.-B. Cassel.
		Fulda.	Kreis Fulda. " Gelnhausen. " Schlüchtern. " Gersfeld.	
	44.	Hersfeld.	Kreis Rotenburg a. F. " Schmalkalden. " Hünfeld. " Hersfeld.	R.-B. Cassel.
		II. Cassel.	Kreis Melsungen. " Eschwege. " Fritzlar. " Homberg.	
XIV.	55.	Mosbach.	Bezirksamt Tauberbischofsheim. " Wertheim. " Buchen. " Adelsheim. " Mosbach. " Eberbach.	Großherzogthum Baden.
		Heidelberg.	Bezirksamt Heidelberg. " Wiesloch. " Mannheim. " Weinheim.	
		Bruchsal.	Bezirksamt Sinsheim. " Eppingen. " Bretten. " Schwetzingen. " Bruchsal.	
	56.	Karlsruhe.	Bezirksamt Durlach. " Ettlingen. " Pforzheim. " Karlsruhe.	
		Rastatt.	Bezirksamt Rastatt. " Baden. " Bühl. " Achern. " Oberkirch.	
		Offenburg.	Bezirksamt Offenburg. " Kehl. " Wolfach. " Lahr. " Ettenheim.	
	57.	Freiburg.	Bezirksamt Emmendingen. " Waldkirch. " Breisach. " Freiburg.	

Armeekorps	Infanterie-brigade	Landwehrbezirke	Verwaltungs- (bezw. Aushebungs-) bezirke	Bundesstaat (im Königreich Preußen auch Provinz, bezw. Regierungs-bezirk)
XIV.	57.	Lörrach.	Bezirksamt Staufen. " Müllheim. " Lörrach. " Schönau. " Schopfheim. " Säckingen.	Großherzogthum Baden.
		Colmar.	Kreis Colmar. " Rappoltsweiler.	Elsaß-Lothringen.
	58.	Donaueschingen.	Bezirksamt Triberg. " Villingen. " Donaueschingen. " Neustadt. " St. Blasien. " Bonndorf. " Waldshut.	Großherzogthum Baden.
		Stockach.	Bezirksamt Engen. " Stockach. " Meßkirch. " Ueberlingen. " Pfullendorf. " Konstanz.	
		Mülhausen i. E.	Kreis Mülhausen i. E. " Altkirch.	Elsaß-Lothringen.
		Gebweiler.	Kreis Gebweiler. " Thann.	
XV.	61.	Straßburg.	Stadt Straßburg. Landkreis Straßburg.	
		Molsheim.	Kreis Molsheim. Kantone Buchsweiler, Zabern, Maursmünster, Lützelstein } des Kreises Zabern.	
		Schlettstadt.	Kreis Erstein. " Schlettstadt.	
	62.	Saargemünd.	Kreis Saargemünd. " Saarburg. Kantone Saarunion und Drulingen } des Kreises Zabern.	
		Hagenau.	Kreis Weißenburg. " Hagenau.	
XVI.	66.	Diedenhofen.	Kreis Diedenhofen. " Bolchen.	
		Metz.	Stadt Metz. Landkreis Metz.	
		Forbach.	Kreis Chateau-Salins. " Forbach.	
XVII.	69.	Schlawe.	Kreis Schlawe. " Bütow. " Rummelsburg.	Königreich Preußen. R.-B. Cöslin.
		Stolp.	Kreis Stolp. " Lauenburg.	

Armeekorps	Infanterie-brigade	Landwehrbezirke	Verwaltungs- (bezw. Aushebungs-) bezirke	Bundesstaat (im Königreich Preußen auch Provinz, bezw. Regierungs-bezirk)
XVII.	69.	Conitz.	Kreis Conitz. „ Tuchel. „ Schlochau.	Königreich Preußen. R.-B. Marienwerder.
	70.	Thorn.	Kreis Thorn. „ Culm. „ Briesen.	
		Graudenz.	Kreis Schwetz. „ Marienwerder. „ Graudenz.	
	71.	Danzig.	Stadt Danzig. Kreis Danziger Höhe. „ Danziger Niederung. „ Dirschau.	R.-B. Danzig.
		Pr. Stargardt.	Kreis Pr. Stargardt. „ Berent.	
		Neustadt.	Kreis Neustadt i. W. „ Putzig. „ Carthaus.	
	72.	Osterode.	Kreis Osterode. „ Neidenburg.	R.-B. Königsberg.
		Deutsch Eylau.	Kreis Rosenberg. „ Löbau. „ Strasburg.	R.-B. Marienwerder.
		Marienburg.	Kreis Stuhm. Stadt Elbing. Landkreis Elbing. Kreis Marienburg.	R.-B. Danzig.
II. Königlich bayerisches.	5. Königlich bayerische.	Bayreuth.	Bezirksamt Teuschnitz. „ Kronach. „ Stadtsteinach. „ Kulmbach. „ Bayreuth. „ Pegnitz. Magistrat Kulmbach. „ Bayreuth.	Königreich Bayern R.-B. Oberfranken.

Bekanntmachung.

Auf Grund des Allerhöchsten Erlasses vom 14. März d. J., betreffend Abänderungen und Ergänzungen der Deutschen Wehrordnung, werden die nachstehenden Berichtigungen des Textes der Wehrordnung zur öffentlichen Kenntniß gebracht:

I.

An die Stelle der „Admiralität" tritt
in den §§. $2,_{2}$; $52,_{6}$; $53,_{3}$ und $_{5}$; $74,_{2}$; $76,_{10}$; $97,_{6}$; $103,_{11}$
das „Reichs-Marine-Amt"
in den §§. $75,_{6}$; $97,_{7}$; $104,_{2}$
das „Oberkommando der Marine".

II.

An die Stelle des „Chefs der Admiralität" tritt
in den §§. 82, 2; 83, 3 und 4; 93, 8 und 9
der „kommandirende Admiral"
in §. 83, 7
das „Reichs-Marine-Amt".

III.

An die Stelle des „Generalkommando der Marine" tritt
in §. 99, 3
das „Reichs-Marine-Amt".

IV.

In §. 2 ist
unter Nr. 2 am Schluß hinzuzufügen:
„bezw. aus der Marineordnung".
unter Nr. 3 als vorletzter Absatz einzuschalten
„Die Mitwirkung des Oberkommandos der Marine hinsichtlich der Ersatzangelegenheiten der Marine in der dritten Instanz ergiebt sich aus dem Inhalt dieser Verordnung bezw. aus der Marineordnung".

V.

In der Anlage 4 Nr. 6 ist hinter „Werftdivision" einzuschalten
„bezw. Torpedo-Abtheilung"
In dem zugehörigen Muster a ist auf der ersten Seite
unter
„ten Werftdivision" zu setzen
„ten Torpedo-Abtheilung".

VI.

Es ist zu setzen
in §. 1, 1
statt „17": „19"
in §§. 53, 5; 103, 7; 121, 2b
statt „I., II., IX. und X. Armeekorps" „I., II., IX., X. und XVII. Armeekorps",
in §. 128, 7
statt „des Eisenbahn-Regiments"
„der Eisenbahn-Brigade".

VII.

Das Citat unter §§. 29, 40; 32, 2 und 3 ist zu vervollständigen durch
„G. v. 8. 2. 90."
In §. 40, 4, Abs. 1 ist statt „und 2" zu setzen:
„2 und 3a".

Berlin, den 20. März 1890.

Der Reichskanzler.
v. Bismarck.

Gedruckt bei Julius Sittenfeld in Berlin W

Amtsblatt
der Königlichen Regierung zu Potsdam und der Stadt Berlin.

Stück 18. Den 2. Mai 1890.

Bekanntmachungen der Königlichen Ministerien.

Ankauf von Remonten für 1890.

Regierungs-Bezirk Potsdam.

8. Zum Ankaufe von Remonten im Alter von drei und ausnahmsweise vier Jahren sind im Bereiche der Königlichen Regierung zu Potsdam für dieses Jahr nachstehende, Morgens 8 resp. 9 Uhr beginnende Märkte anberaumt worden und zwar:

am 27. Mai	Strasburg i. Uckermark	8	Uhr,
4. Juni	Wriezen a. Oder	8	=
17. =	Jüterbog	9	=
18. =	Oranienburg	9	=
19. =	Nauen	8	=
20. =	Neustadt a. Dosse	9	=
1. Juli	Rathenow	8	=
3. =	Havelberg	8	=
4. =	Wilsnack	9	=
7. =	Meyenburg	8	=
25. =	Prenzlau	8	=
26. =	Angermünde	8	=
28. =	Kyritz	9	=
29. =	Wittstock	8	=
30. =	Pritzwalk	8	=
31. =	Perleberg	8	=
1. August	Lenzen a. Elbe	8	=

Die von der Remonte-Ankaufs-Kommission erkauften Pferde werden zur Stelle abgenommen und sofort gegen Quittung baar bezahlt.

Pferde mit solchen Fehlern, welche nach den Landesgesetzen den Kauf rückgängig machen, sind vom Verkäufer gegen Erstattung des Kaufpreises und der Unkosten zurückzunehmen, ebenso Krippensetzer und Klopphengste, welche sich in den ersten zehn beziehungsweise acht und zwanzig Tagen nach Einlieferung in den Depots als solche erweisen. Pferde, welche den Verkäufern nicht eigenthümlich gehören, oder durch einen nicht legitimirten Bevollmächtigten der Kommission vorgestellt werden, sind vom Kauf ausgeschlossen.

Die Verkäufer sind verpflichtet, jedem verkauften Pferde eine neue starke rindlederne Trense mit starkem Gebiß und eine neue Kopfhalfter von Leder oder Hanf mit 2 mindestens zwei Meter langen Stricken ohne besondere Vergütung mitzugeben.

Um die Abstammung der vorgeführten Pferde feststellen zu können, sind die Deckscheine resp. Füllenscheine mitzubringen, auch werden die Verkäufer ersucht, die Schweife der Pferde nicht zu koupiren oder übermäßig zu verkürzen. Ferner ist es dringend erwünscht, daß ein zu massiger oder zu weicher Futterzustand bei den zum Verkauf zu stellenden Remonten nicht stattfindet, weil dadurch die in den Remontedepots vorkommenden Krankheiten sehr viel schwerer zu überstehen sind, als dies bei rationell und nicht übermäßig gefutterten Remonten der Fall ist. Die auf den Märkten vorzustellenden Remonten müssen daher in solcher Verfassung sein, daß sie durch mangelhafte Ernährung nicht gelitten haben und bei der Musterung ihrem Alter entsprechend in Knochen und Muskulatur ausgebildet sind.

Berlin, den 21. März 1890.

Kriegs-Ministerium. Remontirungs-Abtheilung.

Bekanntmachungen der Königl. Regierung.

4. **Liste**

der im Laufe des Etatsjahres 1889/90 der Kontrolle der Staatspapiere als aufgerufen und gerichtlich für kraftlos erklärt nachzewiesenen Staats- und Reichs-Schuldurkunden.

I. Staatsschuldscheine von 1842.

Lit. F.	№	14889	über	100	Thlr.
- G.	=	37903	=	50	=
- H.	=	38688	=	25	=

II. Staatsanleihe von 1850.

Lit. D. № 19903 über 100 Thlr.

III. Staats-Prämienanleihe von 1855.

Serie	66	№	6574	über	100	Thlr.
=	145	=	14484	=	100	=
=	277	=	27618	=	100	=
=	577	=	57667	=	100	=
=	984	=	98312	=	100	=
=	1269	=	126845	=	100	=
=	1301	=	130004	=	100	=
=	1322	=	132172	=	100	=
=	1428	=	142737	=	100	=
=	1428	=	142738	=	100	=
=	1428	=	142739	=	100	=
=	1444	=	144324	=	100	=

IV. Stammaktie der Niederschlesisch-Märkischen Eisenbahn.

№ 51078 über 100 Thlr.

V. Konsolidirte 4½prozentige Staatsanleihe.

Lit. L. № 26386 über 300 Mark.

VI. Konsolidirte 4prozentige Staatsanleihe.

Lit. F. № 61715 über 200 Mark.

VII. Vormals Kurhessische Prämien-Anleihe von 1845.

Serie	195	№	4852	über	40 Thlr.
=	895	=	22355	=	40 =
=	1853	=	46308	=	40 =
=	3454	=	86328	=	40 =
=	6067	=	151660	=	40 =
=	6264	=	156593	=	40 =

VIII. Vormals Nassauische Prämien-Anleihe von 1837.

№ 80153 über 25 Gld.

IX. Reichsanleihe von 1878.

Lit.	C.	№	19721	über	1000 Mark.
-	C.	=	20247	=	1000 =
-	D.	=	16205	=	500 =
-	D.	=	16381	=	500 =
-	D.	=	18453	=	500 =

X. Reichsanleihe von 1879.

Lit.	D.	№	195	über	500 Mark.
-	D.	=	196	=	500 =

Berlin, den 3. April 1890.

Königlich Preußische Kontrolle der Staatspapiere.

* * *

Die vorstehende Liste wird nach § 22 der Verordnung vom 16. Juni 1819 (Ges.-S. S. 157) zur öffentlichen Kenntniß gebracht.

Potsdam, den 29. April 1890

Königliche Regierung.

Bekanntmachungen des Königlichen Regierungs-Präsidenten.

Militairische Fourage-Verabreichungsstellen betreffend.

94. Es wird zur allgemeinen Kenntniß gebracht, daß sich vom 1. April d. J bis 31. März 1891 in den Städten Neuruppin und Havelberg militairische Verabreichungsstellen für Fourage befinden.

Potsdam, den 23 April 1890.

Der Regierungs-Präsident.

Viehseuchen.

95. Festgestellt ist:

die Maul- und Klauenseuche unter den Kühen des Bauergutsbesitzers Albert Noack zu Heinersdorf, Kreis Niederbarnim, unter dem Rindviehbestande des Ziegelmeisters Müller, des Rittergutsbesitzers Wrede und der Bauergutsbesitzer Otto Dunkel und Hübner zu Schönefeld, unter den Rindern des Gastwirths Henneberg zu Johannisthal, Kreis Teltow.

Erloschen ist:

der Milzbrand unter dem Rindvieh des Büdners Marzilger zu Knoblauch, Kreis Osthavelland;

die Maul- und Klauenseuche unter dem Rindviehbestande des Kossäthen Pieper zu Dabergotz, Kreis Ruppin;

die Räude unter den Schafen des Gutspächters Els zu Etzin, Kreis Osthavelland.

Potsdam, den 29. April 1890.

Der Regierungs-Präsident.

Bekanntmachungen des Königlichen Polizei-Präsidiums zu Berlin.

Rückgabe der Kaution eines Auswanderungs-Unternehmers.

39. Der Auswanderungs-Unternehmer Carl Messing zu Enge Zürich hat, nachdem die ihm diesseits unter dem 30. Juni 1873 zum Betriebe des Geschäfts der Beförderung von Auswanderern aus der Preußischen Monarchie mit Ausnahme der Provinz Hannover ertheilte Concession erloschen ist, die Rückgabe der zur Sicherstellung seines Geschäftsbetriebes seiner Zeit von ihm bei der Königlichen Polizei-Haupt-Kasse hierselbst hinterlegten Caution von 30000 M. beantragt.

In Gemäßheit des § 14 des Reglements vom 6. September 1853, betreffend die Geschäftsführung der zur Beförderung von Auswanderern concessionirten Personen und die von denselben zu bestellenden Cautionen wird solches hierdurch mit dem Bemerken zur öffentlichen Kenntniß gebracht, daß etwaige aus der Geschäftsführung des Carl Messing herzuleitende Ansprüche an die bestellte Caution binnen einer zwölfmonatlichen Frist vom heutigen Tage an bei dem Polizei-Präsidium angemeldet werden müssen, widrigenfalls nach Ablauf dieser Frist die Caution an den Empfangsberechtigten zurückgegeben werden wird.

Berlin, den 23. April 1890

Der Polizei-Präsident.

Straßenbenennung.

40. Seine Majestät der Kaiser und König haben Allergnädigst geruht, der Straße 23 Abtheilung *II.* des Bebauungsplans der Umgebungen Berlin's den Namen Fidicinstraße, der Straße 21f. den Namen Kopischstraße, dem von der Arndtstraße, der Straße 21c., der Willibald-Alexisstraße und der Straße 21d. umschlossenen Platze den Namen Chamissoplatz und den Straßen 21c und 21d die Bezeichnung „Am Chamissoplatze", der Straße 29 in Abtheilung VII. des Bebauungsplans den Namen Jagowstraße, der Straße № 25 den Namen Zwinglistraße, der Straße № 17a. der Abtheilung VIII. des Bebauungsplans bis zum Platze A. 1 den Namen Siemensstraße, der Straße 5 derselben Abtheilung den Namen Emdenerstraße, der Straße 5 in Abtheilung XV. des Bebauungsplans den Namen Lebuserstraße, der am Polizei-Präsidial-Gebäude vorbeiführenden neuen Verbindungsstraße zwischen dem Alexanderplatze und der Neuen Friedrichstraße den Namen Grunerstraße, der Straße C. in Abtheilung XII. des Bebauungsplans den Namen Jostystraße, der neuen Verbindungsstraße zwischen der Danziger- und Franseckistraße in derselben Abtheilung den Namen Hagenauerstraße und der Straße 26 in Abtheilung XIII des Bebauungsplans den Namen Cotheniusstraße beizulegen.

Berlin, den 24. April 1890.

Der Polizei-Präsident.

Verbot einer Druckschrift.

41. Auf Grund des § 12 des Reichsgesetzes gegen die gemeingefährlichen Bestrebungen der Sozialdemokratie vom 21. Oktober 1878 wird hierdurch zur öffentlichen Kenntniß gebracht, daß die nicht periodische Druckschrift: „Sozialdemokratisches Liederbuch. Sammlung revolutionärer Gesänge. Zwölfte Auflage. London. German Printing and Publishing Co. 1889" nach § 11 des gedachten Gesetzes durch den Unterzeichneten von Landespolizeiwegen verboten worden ist.

Berlin, den 23. April 1890.

Der Königliche Polizei-Präsident.

Bekanntmachungen der Kaiserlichen Ober-Postdirektion zu Berlin.

Einrichtung des Telegraphenbetriebes bei dem Postamte № 78 (Alexanderstraße)

29. Bei dem Postamte 78 (Alexanderstraße) hierselbst wird am 1. Mai der Telegraphenbetrieb eingerichtet. Die Dienststunden für den Verkehr mit dem Publikum werden für diese Geschäftsstelle wie folgt festgesetzt: **A. an Wochentagen:** von 8 Uhr Morgens bis 7 Uhr Abends, **B. an Sonn- und Feiertagen:** von 8 bis 9 Uhr Morgens und von 5 bis 7 Uhr Abends. Berlin C., den 26. April 1890.

Der Kaiserliche Ober-Postdirektor.

Unbestellbare Einschreibbriefe.

30. Bei der Ober-Postdirection in Berlin lagern folgende, an den angegebenen Tagen zur Post gegebene Einschreibbriefe: A. Aufgeliefert in Berlin mit dem Bestimmungsorte Berlin: 1) an Dr. Droste 23. Oktober 1889, 2) an v. Dirschau 8. November 1889, 3) an Rob Jung 21. November 1889, 4) an Herrm. Neumann 23. November 1889, 5) an Carl Meier 25. November 1889, 6) an Frau Sasse 29. November 1889, 7) an Paul Lehmann 2. Dezember 1889, 8) an Wittwe Fritz 5. Dezember 1889, 9) an Olga Hoffmann 7. Dezember 1889, 10) an Ahlfeldt 9. Dezember 1889, 11) an Beyer 17 Dezember 1889, 12) an Frl. Ella Blum 19. Dezember 1889, 13) an Lemke 27. Dezember 1889, 14) an Lüdicke 27. Dezember 1889, 15) an Weiß 27. Dezember 1889, 16) an Adolf Tietzer 27. Dezember 1889, 17) an Fritz Heckendorf 27 Dezember 1889, 18) an Herm. Hermsdorf 28. Dezember 1889, 19) an Frau Sonneburg 28. Dezember 1889, 20) an Eppen & Wiechert 28. Dezember 1889, 21) an A. Potolski 28. Dezember 1889, 22) an Frau Wittwe Bohnhof 28. Dezember 1889, 23) an Palm 28 Dezember 1889, 24) an Schwersens 29. Dezember 1889, 25) an Frau Raemel 30. Dezember 1889, 26) an Frau Baumeister Eichwald 31. Dezember 1889, 27) an Theod. Hirte 2. Januar 1890, 28) an Ida Friedländer 6. Januar 1890, 29) an Frl. A. Schnitzer 18. Januar 1890, 30) an Schröder & Sohn 18. Januar 1890, 31) an Machowski 25. Januar 1890, 32) an Schwendig 31. Januar 1890, 33) an Frau Wilh. Fiedler 1. Februar 1890, 34) an Frl Ottilie Mietzner 1. Februar 1890, 35) an Frl. Klara Beencke 5. Februar 1890, 36) an Frl. Martha Brösicke 6 Februar 1890, 37) an Frl. Anna Schwarz 7. Februar 1890, 38) an Frl. Anna Jonas 8. Februar 1890, 39) an Theod. Busch 9. Februar 1890, 40) an Hugo v. Rosenthal 18. Februar 1890, 41) an H. Pech 21. Februar 1890, 42) an Franz Flittner 20. Februar 1890, 43) an Frau Anna Schulz 22. Februar 1890.

B. aufgeliefert in Berlin mit anderen Bestimmungsorten. 1) an Raue in New-York 15. Mai 1879, 2) an Rob. Gillam in Biala (Rußl.) 24. Juli 1889, 3) an Carl Schulz in New-York 17. August 1889, 4) an Mary. Hermsdorff in Yalta (Rußl.) 23. August 1889, 5) an Don Felix Langfritz in Concepcion (Chile) 15 September 1889, 6) an A. de Fedoloff in Paris 18. September 1889, 7) L. Starkmann in St. Petersburg 10. Oktober 1889, 8) an Turyn Schirmfabrik in Warschau 10. Oktober 1889, 9) an J. Turyn Warschau 17. Oktober 1889, 10) an A. Dalz in Wollstein (Psn.) 20. November 1889, 11) an Mattes in Rehfelde b. Strausberg 25. November 1889, 12) an Turley u. Frau in Wittbrietzen b. Beelitz 25. November 1889, 13) an Frl. Bertha Rohn aus Wien in Königsberg Pr. 29 November 1889, 14) an W. Lentzkow p Siemens & Halske in Charlottenburg 30. November 1889, 15) an Frau Lehrer Seidel in Zürich-Hottingen 30 November 1889, 16) an Aug. Gerlach in Spandau 1. Dezember 1889, 17) an Wilh. Kinse in Hamburg 9. Dezember 1889, 18) an Zahrs in Fürstenberg (Mecklb.) 11. Dezember 1889, 19) an C. Böttger in Chemnitz 12. Dezember 1889, 20) an C Japel in Vietz 12. Dezember 1889, 21) an v Bismarck in Friedrichsruh 13. Dezember 1889, 22) an P. Wegner in Wandlitz b. Basdorf 16. Dezember 1889, 23) an Carl Brüggemann in Chile 17. Dezember 1889, 24) an Mührke in Prenzlau 19. Dezember 1889, 25) an Kühne in Sichelsdorf bei Spandau 24. Dezember 1889, 26) an Wittwe Garke in Guben 27. Dezember 1889, 27) an Könne in Neu-Lübcke b. Flatow 27. Dezember 1889, 28) an O. P. Blumengeschäft in St. Gallen 29. Dezember 1889, 29) an Tima Pick in Steinamanger 1. Januar 1890, 30) an Rud. v. Eberstein in Romugen b. Sangerhausen 3. Januar 1890, 31) an Segolowitsch in St. Petersburg 4. Januar 1890, 32) an H. Köchke in Budapest 6. Januar 1890, 33) an Jul. Henningsen in Flensburg 7. Januar 1890, 34) an Präsident der Freimaurer-Loge in Lübeck 7. Januar 1890, 35) an A. Fröhling in Offenbach (M.) 12. Januar 1890, 36) an Savary in Hamburg 15. Januar 1890, 37) an Ph. Sliecinski in Margonin, Kr. Gnesen, 16. Januar 1890, 38) an Gottl. Gebauer in Senkowo b. Podrzewie (Posen) 27. Januar 1890, 39) an Sachs in Striegau 31. Januar 1890, 40) an L. Bernaudat in Paris 3. Februar 1890, 41) an O. A. 30 in Cüstrin postl. 5. Februar 1890, 42) an Heinrich Brunotte in Hildesheim 10. Februar 1890, 43) an Max Freuder in Szegedin 11. Februar 1890, 44) an P. Gaßner in Königsberg (Pr.) 15. Februar 1890, 45) an W. Schlesinger & Co. in Charlottenburg 17. Februar 1890.

Die unbekannten Absender der vorbezeichneten Sendungen werden ersucht, zur Empfangnahme derselben

Lauf. Nr.	Name und Stand des Ausgewiesenen	Alter und Heimath des Ausgewiesenen	Grund der Bestrafung	Behörde, welche die Ausweisung beschlossen hat	Datum des Ausweisungs-Beschlusses.
1	2	3	4	5	6
10	Mathias Smaha, Bindergeselle,	geboren im Jahre 1846 zu Bacovech, Bezirk Glattau, Böhmen, ortsangehörig zu Eigen, ebendaselbst,	Landstreichen und Betteln,	Königlich Bayerisches Bezirksamt Viechtach,	20. März 1890.
11	Johann Strachota, Gärtner,	geboren am 9. Mai 1836 zu Darkau, Bezirk Freistadt, Oesterreich, ortsangehörig ebendaselbst,	Landstreichen und falsche Namensangabe,	Königlich Bayerisches Bezirksamt Laufen,	22. März 1890.
12	Franz Mayer, Müller und Tagelöhner,	geboren am 6. März 1862 zu Salzburg, Oesterreich, ortsangehörig zu Seewalchen, Bezirk Vöcklabruck, ebendaselbst,	Landstreichen, Führung falscher Legitimationspapiere und falsche Namensangabe,	Königliche Polizei-Direktion zu München, Bayern,	24. März 1890.
13	Louis Ganzfried, Handelsmann,	geboren am 20. Mai 1855 zu Ungvar, Komitat Ung, Ungarn, ortsangehörig ebendas.,	Landstreichen,	dieselbe,	28. März 1890.
14	Maria Woeß, ledige Tagelöhnerin,	geboren im Jahre 1860 zu Aigen, Bezirk Rohrbach, Oesterreich, ortsangehörig ebendaselbst,	desgleichen,	Königlich Bayerisches Bezirksamt Erding,	31. März 1890.
15	Johann Mandeliceк, Glasarbeiter,	41 Jahre alt, geboren und ortsangehörig zu Skovice, Bezirk Pisek, Böhmen,	Landstreichen u. Betteln,	Königlich Bayerisches Bezirksamt Eggenfelden,	3. April 1890.
16	Josef Goll, Müllergeselle,	geboren am 14 April 1851 zu Liritsch, Bezirk Königinhof, Böhmen, ortsangehörig zu Haatz-Obergrund, ebendaselbst,	Widerstand, Beamtenbeleidigung, Landstreichen und Betteln,	Königlich Sächsische Kreishauptmannschaft Bautzen,	31. Dezember 1889.
17	Franz Tschermazek, Weber,	46 Jahre alt, geboren und ortsangehörig zu Budapest, Ungarn,	Betteln im wiederholten Rückfall,	Großherzoglich Oldenburgisches Staatsministerium, Departement des Innern zu Oldenburg,	7. März 1890.
18	Eddie (Eduard) Simpson, Schneider,	geboren am 20. August 1870 zu Liverpool, England, ortsangehörig ebendaselbst,	Landstreichen,	Kaiserlicher Bezirks-Präsident zu Metz,	29. März 1890.
19	Josef Stoffel, Schneider,	geboren am 23. November 1857 zu Wassersuppen, Bezirk Taus, Böhmen, ortsangehörig ebendaselbst;	Nichtbeschaffung eines Unterkommens,	derselbe,	31. März 1890.

Hierzu Drei Oeffentliche Anzeiger.

(Die Insertionsgebühren betragen für eine einspaltige Druckzeile 20 Pf.
Belagsblätter werden der Bogen mit 10 Pf. berechnet.)
Redigirt von der Königlichen Regierung zu Potsdam.

Potsdam, Buchdruckerei der A. W. Hayn'schen Erben (E. Hayn, Hof-Buchdrucker).

Amtsblatt
der Königlichen Regierung zu Potsdam
und der Stadt Berlin.

Stück 20. Den 16. Mai **1890.**

Reichs-Gesetzblatt.

(Stück 12.) № 1895. Verordnung, betreffend die Einberufung des Reichstags. Vom 8 April 1890.

(Stück 13.) № 1896. Gesetz, betreffend die Abänderung der Militär-Strafgerichtsordnung. Vom 3. Mai 1890.

Gesetz-Sammlung für die Königlichen Preußischen Staaten.

(Stück 10.) № 9373. Gesetz über den Ansatz der Zinsen von den aus dem vormaligen Stadtbuch von Altona in das Grundbuch übertragenen Hypotheken im Zwangsvollstreckungsverfahren. Vom 24. März 1890.

(Stück 11.) № 9374. Gesetz, betreffend die Erweiterung der Stadtgemeinde und des Stadtkreises Altona. Vom 31. März 1890.

(Stück 12.) № 9375. Gesetz, betreffend die Abänderung des § 19 Absatz 1 des Pensionsgesetzes vom 27. März 1872. Vom 20. März 1890.

(Stück 13.) № 9376. Verfügung des Justizministers, betreffend die Anlegung des Grundbuchs für einen Theil der Bezirke der Amtsgerichte Waldbroel, Cleve, St. Goar, Coblenz, Sobernheim, Simmern, Castellaun, Cöln, Düsseldorf, Uerdingen und Saarbrücken. Vom 5. April 1890.

(Stück 14.) № 9377. Gesetz, betreffend die Feststellung eines Nachtrags zum Staatshaushalts-Etat für das Jahr vom 1. April 1889/90. Vom 9. April 1890.

№ 9378. Verfügung des Justizministers, betreffend die Anlegung des Grundbuchs für einen Theil der Bezirke der Amtsgerichte Gieboldehausen und Göttingen. Vom 15. April 1890.

(Stück 15.) № 9379. Gesetz, betreffend die Vereinigung der Gemeinde Wiegbold Ochtrup mit der Gemeinde Kirchspiel Ochtrup. Vom 14. April 1890.

(Stück 16.) № 9380. Haubergordnung für den Kreis Altenkirchen. Vom 9. April 1890.

(Stück 17.) № 9381. Gesetz behufs Abänderung des Gesetzes vom 6. Juni 1888, betreffend die Verbesserung der Oder und der Spree. Vom 14. April 1890.

№ 9382. Gesetz, die Abänderung von Amtsgerichtsbezirken betreffend. Vom 21. April 1890.

Bekanntmachungen der Königlichen Ministerien.

Ankauf von Remonten für 1890.

Regierungs-Bezirk Potsdam.

9. Zum Ankaufe von Remonten im Alter von drei und ausnahmsweise vier Jahren sind im Bereiche der Königlichen Regierung zu Potsdam für dieses Jahr nachstehende, Morgens 8 resp. 9 Uhr beginnende Märkte anberaumt worden und zwar:

am 27.	Mai	Strasburg i. Uckermark	8 Uhr,
4.	Juni	Wriezen a. Oder	8 „
17.	„	Jüterbog	9 „
18.	„	Oranienburg	8 „
19.	„	Nauen	8 „
20.	„	Neustadt a. Dosse	9 „
1.	Juli	Rathenow	8 „
3.	„	Havelberg	8 „
4.	„	Wilsnack	9 „
7.	„	Meyenburg	8 „
25.	„	Prenzlau	8 „
26.	„	Angermünde	8 „
28.	„	Kyritz	9 „
29.	„	Wittstock	8 „
30.	„	Pritzwalk	8 „
31.	„	Perleberg	8 „
1.	August	Lenzen a. Elbe	8 „

Die von der Remonte-Ankaufs-Kommission erkauften Pferde werden zur Stelle abgenommen und sofort gegen Quittung baar bezahlt.

Pferde mit solchen Fehlern, welche nach den Landesgesetzen den Kauf rückgängig machen, sind vom Verkäufer gegen Erstattung des Kaufpreises und der Unkosten zurückzunehmen, ebenso Krippensetzer und Klopphengste, welche sich in den ersten zehn beziehungsweise acht und zwanzig Tagen nach Einlieferung in den Depots als solche erweisen. Pferde, welche den Verkäufern nicht eigenthümlich gehören, oder durch einen nicht legitimirten Bevollmächtigten der Kommission vorgestellt werden, sind vom Kauf ausgeschlossen.

Die Verkäufer sind verpflichtet, jedem verkauften Pferde eine neue starke rindlederne Trense mit starkem Gebiß und eine neue Kopfhalfter von Leder oder Hanf mit 2 mindestens zwei Meter langen Stricken ohne besondere Vergütung mitzugeben.

Um die Abstammung der vorgeführten Pferde feststellen zu können, sind die Deckscheine resp. Füllenscheine mitzubringen, auch werden die Verkäufer ersucht, die

Schweife der Pferde nicht zu koupiren oder übermäßig zu verkürzen. Ferner ist es dringend erwünscht, daß ein zu massiger oder zu weicher Futterzustand bei den zum Verkauf zu stellenden Remonten nicht stattfindet, weil dadurch die in den Remontedepots vorkommenden Krankheiten sehr viel schwerer zu überstehen sind, als dies bei rationell und nicht übermäßig gefutterten Remonten der Fall ist. Die auf den Märkten vorzustellenden Remonten müssen daher in solcher Verfassung sein, daß sie durch mangelhafte Ernährung nicht gelitten haben und bei der Musterung ihrem Alter entsprechend in Knochen und Muskulatur ausgebildet sind.

Berlin, den 21. März 1890.

Kriegs-Ministerium. Remontirungs-Abtheilung.

Bekanntmachungen des Königlichen Ober-Präsidenten der Provinz Brandenburg.

Wahl eines Provinziallandtags-Abgeordneten.

11. An Stelle des verstorbenen Stadtrathes Nürrenbach hierselbst ist der Rentner und Stadtrath Wolff hierselbst zum Provinziallandtags-Abgeordneten der Stadt Potsdam gewählt worden. Solches wird gemäß § 21 der Provinzialordnung vom 29. Juni 1875 hiermit bekannt gemacht.

Potsdam, den 5. Mai 1890.

Der Oberpräsident, Staatsminister von Achenbach.

Bekanntmachungen des Königlichen Regierungs-Präsidenten.

Verloosung von Wagen, Pferden, Reit-, Fahr- und Jagdgeräthen.

96. Der Herr Minister des Innern hat dem Vereine zur Föderung der Pferde- und Viehzucht in den Harzlandschaften zu Quedlinburg am 21. April d. J die Erlaubniß ertheilt, im Laufe dieses Jahres eine öffentliche Verloosung von Wagen, Pferden, Reit-, Fahr- und Jagdgeräthen 2c. zu veranstalten und die in Aussicht genommenen 15000 Loose zu je 3 M. im ganzen Bereiche der Monarchie zu vertreiben.

Potsdam und Berlin, den 7. Mai 1890.

Der Regierungs-Präsident. Der Polizei-Präsident.

98. Nachweisung der Markt- 2c.

Laufende Nummer	Namen der Städte	Getreide								Uebrige Markt-																	
		Es kosten je 100 Kilogramm																						Es			
																								Rindfleisch			
		Weizen		Roggen		Gerste		Hafer		Erbsen		Speisebohnen		Linsen		Eßkartoffeln		Richtstroh		Krummstroh		Heu		von der Keule		Bauchfleisch	
		M.	Pf.	M.	Pf.	M.	Pf.	M.	Pf.	M.	Pf.	M.	Pf.	M.	Pf.	M.	Pf.	M.	Pf.	M.	Pf.	M.	Pf.	M.	Pf.	M.	Pf.
1	Angermünde	18	11	15	97	16	25	16	30	27	–	27	—	35	—	3	75	6	75	4	56	5	—	1	40	1	10
2	Beeskow	—	—	16	70	—	—	16	20	27	50	27	50	37	50	2	53	-	—	—	—	—	—	1	20	1	—
3	Bernau	19	03	16	67	17	42	17	58	30	—	30	25	42	50	4	38	7	40	—	—	6	95	1	29	1	11
4	Brandenburg	19	20	17	63	15	65	17	70	27	50	35	—	50	—	3	03	5	48	—	—	5	55	1	35	1	20
5	Dahme	18	82	16	67	16	43	17	50	25	—	32	—	45	—	2	—	6	—	4	—	7	50	1	—	1	—
6	Eberswalde	18	79	16	58	18	36	16	63	24	—	24	—	32	—	3	11	7	—	—	—	5	—	1	40	1	10
7	Havelberg	19	30	16	93	16	50	18	50	25	—	45	—	55	—	3	50	6	50	3	25	6	50	1	30	1	10
8	Jüterbog	19	20	17	—	17	—	19	—	28	—	30	—	50	—	3	—	6	50	—	—	6	50	1	25	1	15
9	Luckenwalde	18	33	16	71	15	71	18	07	36	—	36	—	40	—	2	90	4	83	—	—	6	25	1	20	1	20
10	Perleberg	19	44	16	54	15	81	16	78	27	—	35	—	50	—	3	25	—	—	6	—	5	44	1	40	1	20
11	Potsdam	19	17	17	02	17	17	18	18	25	—	27	—	38	—	3	47	6	50	—	—	5	32	1	35	1	10
12	Prenzlau	18	40	16	26	17	40	16	51	22	—	30	—	30	—	3	50	6	25	5	—	5	—	1	30	—	95
13	Pritzwalk	18	67	16	10	16	25	16	18	19	—	30	—	39	—	1	86	5	38	4	36	4	56	1	23	1	—
14	Rathenow	18	50	16	75	13	72	17	50	30	—	35	—	44	—	2	72	5	33	—	—	4	75	1	40	1	20
15	Neu-Ruppin	20	—	16	65	16	60	17	29	30	—	32	–	50	—	2	59	7	—	—	—	6	—	1	40	1	15
16	Schwedt	19	20	16	88	17	—	16	94	26	67	31	25	31	25	3	—	6	40	—	—	5	83	1	20	1	—
17	Spandau	18	75	16	65	15	13	17	—	27	50	37	—	45	—	4	—	7	25	—	—	6	50	1	45	1	20
18	Strausberg	19	50	17	—	18	69	18	—	21	50	30	—	35	—	4	—	8	50	—	—	7	95	1	20	1	10
19	Teltow	19	03	17	15	17	38	18	33	40	—	40	—	55	—	4	38	6	88	6	—	7	25	1	50	1	10
20	Templin	19	—	16	50	18	50	18	50	18	—	44	—	30	—	3	—	7	—	—	—	6	50	1	20	1	—
21	Treuenbrietzen	18	90	16	41	17	—	17	50	26	—	24	—	30	—	3	—	5	—	—	—	5	—	1	20	1	—
22	Wittstock	19	—	16	39	17	—	17	29	18	—	36	—	44	—	1	92	5	—	4	—	4	—	1	06	—	93
23	Wriezen a. O.	17	53	16	46	17	59	17	50	22	—	28	—	34	—	3	04	6	25	4	25	5	50	1	30	1	—
	Durchschnitt	18	45	16	68	16	75	17	43	—	—	—	—	—	—	3	13	6	34	—	—	5	86	—	—	—	—

Potsdam, den 13. Mai 1890.

97. **Nachweisung**

des Monatsdurchschnitts der gezahlten höchsten Tagespreise einschließlich 5 % Aufschlag im Monat April 1890 in den Hauptmarktorten des Regierungs-Bezirks Potsdam.

Laufende Nummer.	Es kosteten je 50 Kilogramm	Beeskow für Kreis Beeskow-Storkow.		Brandenburg für Brandenburg und Kreis Westhavelland.		Luckenwalde für Kreis Jüterbog-Luckenwalde.		Perleberg für Kreis West-Prignitz.		Potsdam für Potsdam und Kreis Zauch-Belzig.		Prenzlau für die Kreise Prenzlau und Templin.		Neu-Ruppin für Kreis Ruppin.		Schwedt für Kreis Angermünde.		Wittstock für Kreis Ost-Prignitz.		Bemerkungen.
		M.	Pf.	M.	Pf.	M.	Pf.	M.	Pf.	M.	Pf.	M.	Pf.	M.	Pf.	M.	Pf.	M.	Pf.	
1.	Hafer	8	61	9	55,5	9	69	8	93	10	05	8	79	9	12,45	8	89	9	29	Für die Kreise Ober-Barnim, Nieder-Barnim, Osthavelland und Teltow, und für Stadt Spandau gilt Berlin als Haupt-Marktort.
2.	Heu	—	—	3	19,5	3	41	3	15	3	12	3	15	3	15	3	05,5	2	10	
3	Richtstroh	—	—	3	07,5	2	63	3	29	3	68	3	41	3	67,5	3	36	2	62,5	

Potsdam, den 13. Mai 1890. Der Regierungs-Präsident.

Preise im Monat April 1890.

Artikel kostet je 1 Kilogramm: Schweinefleisch		Kalbfleisch		Hammelfleisch		Speck		Butter		Ein Schock Eier.		Ladenpreise in den letzten Tagen des Monats. Es kostet je 1 Kilogramm: Mehl: Weizen Nr. 1.		Mehl: Roggen Nr. 1.		Gerste: Graupe		Gerste: Grütze		Buchweizengrütze		Hafergrütze		Hirse		Reis, Java		Java-Kaffee in gebr. Bohnen: mittler		Java-Kaffee in gebr. Bohnen: gelber		Speisesalz		Schweineschmalz, hiesig.	
M.	Pf.	M.	Pf.	M.	Pf.	M.	Pf.	M.	Pf.	M.	Pf.	M.	Pf.	M.	Pf.	M.	Pf.	M.	Pf.	M.	Pf.	M.	Pf.	M.	Pf.	M.	Pf.	M.	Pf.	M.	Pf.	M.	Pf.	M.	Pf.
1	30	—	90	1	05	1	86	2	30	3	10	—	30	—	25	—	55	—	45	—	40	—	50	—	60	—	60	3	40	3	60	—	20	2	—
1	50	—	95	1	—	2	—	2	21	2	60	—	40	—	20	—	50	—	60	—	50	—	80	—	60	—	60	2	60	3	60	—	20	1	60
1	40	1	36	1	19	2	30	1	70	3	18	—	20	—	20	—	50	—	50	—	70	—	50	—	50	—	25	2	80	3	20	—	20	1	60
1	35	1	15	1	15	1	80	2	30	3	75	—	40	—	30	—	50	—	40	—	50	—	50	—	50	—	50	3	60	4	—	—	20	1	60
1	40	1	—	1	20	1	80	2	20	2	40	—	32	—	26	—	60	—	40	—	50	—	—	—	50	—	50	2	80	3	60	—	20	1	40
1	40	1	—	1	—	2	—	2	40	2	96	—	30	—	28	—	60	—	60	—	50	—	—	—	60	—	60	3	20	3	60	—	20	1	80
1	40	1	35	1	15	1	95	2	48	2	69	—	35	—	26	—	50	—	60	—	60	—	60	—	60	—	60	2	80	4	—	—	20	1	80
1	40	1	—	1	20	1	70	2	20	3	—	—	34	—	26	—	40	—	50	—	40	—	60	—	40	—	40	3	—	3	60	—	20	1	60
1	40	1	—	1	20	1	60	2	30	3	20	—	36	—	24	—	50	—	40	—	40	—	60	—	36	—	60	3	20	3	60	—	20	1	60
1	40	1	30	1	15	1	95	2	03	2	81	—	50	—	36	—	50	—	40	—	50	—	50	—	40	—	50	3	80	3	60	—	20	2	—
1	50	1	30	1	31	1	80	2	16	3	13	—	42	—	30	—	50	—	50	—	50	—	50	—	50	—	70	3	—	3	80	—	20	1	80
1	40	—	90	1	10	1	90	2	30	2	76	—	32	—	30	—	60	—	40	—	55	—	60	—	55	—	60	3	20	3	60	—	20	2	—
1	40	1	05	1	10	2	—	1	90	2	33	—	25	—	24	—	40	—	45	—	50	—	50	—	40	—	50	3	20	3	60	—	20	1	60
1	50	1	—	1	20	1	60	2	60	2	63	—	32	—	29	—	40	—	44	—	45	—	44	—	40	—	60	3	25	3	60	—	20	1	60
1	30	1	10	1	10	1	70	2	20	2	92	—	40	—	30	—	60	—	60	—	50	—	60	—	50	—	60	3	25	3	58	—	20	1	60
1	20	—	90	1	20	1	90	2	—	2	80	—	35	—	25	—	50	—	40	—	50	—	50	—	50	—	60	3	50	3	40	—	20	2	—
1	60	1	30	1	28	1	80	2	40	3	—	—	40	—	30	—	50	—	50	—	55	—	50	—	50	—	65	3	40	3	80	—	20	1	40
1	40	1	10	1	20	1	80	2	40	3	05	—	35	—	25	—	55	—	50	—	50	—	50	—	55	—	60	2	20	3	60	—	20	1	40
1	50	1	30	1	25	1	60	2	30	3	60	—	40	—	35	—	60	—	60	—	50	—	60	—	50	—	60	3	60	3	60	—	20	1	20
1	40	—	80	1	—	2	—	2	40	3	—	—	27	—	24	—	60		50	—	60	—	60	—	50	—	55	3	40	3	80	—	20	1	80
1	40	1	—	1	20	1	80	2	—	3	26	—	32	—	26	—	50	—	—	—	40	—	50	—	30	—	50	3	30	3	60	—	20	1	80
1	24	—	78	—	99	1	80	2	03	2	43	—	28	—	26	—	50	—	50	—	50	—	60	—	50	—	50	3	20	3	60	—	20	1	80
1	30	1	13	1	15	1	80	2	20	2	80	—	25	—	27	—	50	—	40	—	40	—	50	—	50	—	50	3	25	3	50	—	20	1	40
—	—	—	—	—	—	—	—	—	—	—	—	—	—	—	—	—	—	—	—	—	—	—	—	—	—	—	—	—	—	—	—	—	—	—	—

Der Regierungs-Präsident.

Viehseuchen.

98. Festgestellt ist:

die Maul- und Klauenseuche unter dem Rindviehbestande des Gutes Eiclsdorf, Kreis Oberbarnim, unter den Rindern des Dominiums Rangsdorf, des Büdners Wilhelm Weilandt zu Rehagen, des Ritterguts Schulzendorf, des Ackerbürgers Fritz Hogen zu Zossen und unter den Kühen des Steinmetzmeisters Carl Ludwig zu Lankwitz, Kreis Teltow;

die Räude bei zwei Pferden des Ackerbürgers Rosin zu Neu-Lutterow, Kreis Ostprignitz;

der Bläschenausschlag bei einem Bullen des Bauerngutsbesitzers Adolf Seeger zu Behlow und bei einer von einem Bullen des Bauerngutsbesitzers Heller zu Schönermark bedeckten Kuh des Handelsmanns Birkholz ebendaselbst, Kreis Ostprignitz.

Der Bulle des Heller ist nach Breddin und von hier an einen unbekannten Besitzer in der Friesack'er Gegend verkauft worden.

Das wegen Verdachtes der Behaftung mit der Rotzkrankheit unter Beobachtung gestellte Pferd des Handelsmanns Hoeffer zu Cremmen, Kreis Osthavelland, ist gesund befunden und sind die getroffenen Schutzmaßregeln demzufolge aufgehoben worden.

Potsdam, den 13. Mai 1890.

Der Regierungs-Präsident.

Bekanntmachungen der Bezirksausschüsse.

Eröffnung der Jagd auf wilde Enten.

6. Die Jagd auf wilde Enten in dem Regierungsbezirk Potsdam wird im laufenden Jahre mit dem 1. Juli eröffnet.

Potsdam, den 8. Mai 1890.

Der Bezirks-Ausschuß.

Bekanntmachungen des Königlichen Polizei-Präsidiums zu Berlin.

Berliner und Charlottenburger Preise für Monat April 1890.

44. A. Engros-Marktpreise im Monatsdurchschnitt.

In Berlin:

für	100	Klgr.	Weizen (gut)	19	Mark	65	Pf.,
=	=	=	do. (mittel)	19	=	10	=
=	=	=	do. (gering)	18	=	38	=
=	=	=	Roggen (gut)	16	=	79	=
=	=	=	do. (mittel)	16	=	60	=
=	=	=	do. (gering)	16	=	38	=
=	=	=	Gerste (gut)	19	=	30	=
=	=	=	do. (mittel)	17	=	79	=
=	=	=	do. (gering)	14	=	70	=
=	=	=	Hafer (gut)	18	=	24	=
=	=	=	do. (mittel)	17	=	60	=
=	=	=	do. (gering)	16	=	77	=
=	=	=	Erbsen (gut)	19	=	94	=
=	=	=	do. (mittel)	18	=	—	=
=	=	=	do. (gering)	17	=	20	=
=	=	=	Richtstroh	7	=	01	=
=	=	=	Heu	6	=	35	=

Monats-Durchschnitt der höchsten Berliner Tagespreise einschließlich 5 % Aufschlag für 50 kg

	Hafer	Stroh	Heu
im Monat April	9,69 Mk.,	3,85 Mk.,	3,76 Mk.

B. Detail-Marktpreise im Monatsdurchschnitt.

1) In Berlin:

für	100	Klgr.	Erbsen (gelbe z. Kochen)	27	Mark	17	Pf.,
=	=	=	Speisebohnen (weiße)	30	=	09	=
=	=	=	Linsen	42	=	43	=
=	=	=	Kartoffeln	5	=	—	=
=	1	Klgr.	Rindfleisch v. d. Keule	1	=	29	=
=	1	=	= (Bauchfleisch)	1	=	12	=
=	1	=	Schweinefleisch	1	=	40	=
=	1	=	Kalbfleisch	1	=	35	=
=	1	=	Hammelfleisch	1	=	18	=
=	1	=	Speck (geräuchert)	1	=	70	=
=	1	=	Eßbutter	2	=	30	=
=	60	Stück	Eier	3	=	12	=

2) In Charlottenburg:

für	100	Klgr.	Erbsen (gelbe z. Kochen)	32	Mark	50	Pf.,
=	=	=	Speisebohnen (weiße)	35	=	—	=
=	=	=	Linsen	45	=	—	=
=	=	=	Kartoffeln	4	=	25	=
=	1	Klgr.	Rindfleisch v. d. Keule	1	=	37	=
=	1	=	= (Bauchfleisch)	1	=	—	=
=	1	=	Schweinefleisch	1	=	50	=
=	1	=	Kalbfleisch	1	=	39	=
=	1	=	Hammelfleisch	1	=	32	=
=	1	=	Speck (geräuchert)	1	=	60	=
=	1	=	Eßbutter	2	=	40	=
=	60	Stück	Eier	3	=	75	=

C. Ladenpreise in den letzten Tagen des Monats April 1890:

1) In Berlin:

für	1	Klgr.	Weizenmehl № 1			35	Pf.,
für	1	Klgr.	Roggenmehl № 1			32	Pf.,
=	1	=	Gerstengraupe			43	=
=	1	=	Gerstengrütze			40	=
=	1	=	Buchweizengrütze			46	=
=	1	=	Hirse			40	=
=	1	=	Reis (Java)			70	=
=	1	=	Java-Kaffee (mittler)	2	Mark	75	=
=	1	=	= (gelb in gebr. Bohnen)	3	=	78	=
=	1	=	Speisesalz			20	=
=	1	=	Schweineschmalz (hiesiges)	1	=	40	=

2) In Charlottenburg:

für	1	Klgr.	Weizenmehl № 1	50	Pf.,
=	1	=	Roggenmehl № 1	40	=
=	1	=	Gerstengraupe	60	=
=	1	=	Gerstengrütze	50	=
=	1	=	Buchweizengrütze	50	=
=	1	=	Hirse	50	=
=	1	=	Reis (Java)	80	=

für 1 Kigr. Java-Kaffee (mittler) 2 Mark 80 Pf.,
„ 1 „ „ (gelb in gebr. Bohnen) 3 „ 60 „
„ 1 „ Speisesalz 20 „
„ 1 „ Schweineschmalz (hiesiges) 1 „ 40 „

Berlin, den 6. Mai 1890.

Königl. Polizei-Präsidium. Erste Abtheilung.

Bekanntmachungen des Reichs-Postamts.

Zulassung von Postaufträgen im Verkehr mit dem Deutschen Postamt in Constantinopel.

10. Im Verkehr mit dem Deutschen Postamt in Constantinopel können vom 15. Mai d. J. ab Gelder bis zum Meistbetrage von 800 Mark im Wege des Postauftrages unter den für den Vereinsverkehr geltenden Bedingungen eingezogen werden. Wechselproteste werden nicht vermittelt. Ueber das Nähere ertheilen die Postanstalten Auskunft.

Berlin, W., 2. Mai 1890.

Reichs-Postamt, I. Abtheilung.

Bekanntmachungen der Kaiserlichen Ober-Postdirektion zu Berlin.

Errichtung öffentlicher Fernsprechstellen.

40. Bei den Kaiserlichen Postämtern in Friedrichsberg bei Berlin, in Niederschönweide und in Westend treten am 16. Mai öffentliche Fernsprechstellen in Wirksamkeit. Für die Benutzung dieser Stellen kommen die für solche Einrichtungen allgemein gültigen Bedingungen in Anwendung.

Berlin C, 9 Mai 1890.

Der Kaiserliche Ober-Postdirector.

Bekanntmachungen der Kaiserlichen Ober-Post-Direktion zu Potsdam.

Einrichtung einer Reichs-Telegraphenanstalt in Wandlitz (Mark).

41. In Wandlitz (Mark) wird am 10. Mai eine mit der Ortspostanstalt vereinigte Reichs-Telegraphenanstalt in Wirksamkeit treten.

Potsdam, den 8. Mai 1890.

Der Kaiserliche Ober-Postdirektor.

Einrichtung einer Reichs-Telegraphenanstalt in Kröchlendorf

42. In Kröchlendorf wird am 12. Mai eine mit der Ortspostanstalt vereinigte Reichs-Telegraphenanstalt eröffnet werden.

Potsdam, 10. Mai 1890.

Der Kaiserliche Ober-Postdirector.

Bekanntmachungen des Königlichen Konsistoriums der Provinz Brandenburg.

Errichtung einer neuen geistlichen Stelle an der Dorotheenstädtischen Kirche in Berlin

1. Mit der im Einverständnisse des Herrn Ministers der geistlichen, Unterrichts- und Medizinal-Angelegenheiten ertheilten Genehmigung des Evangelischen Ober-Kirchenraths und auf Grund der Beschlüsse der Gemeindeorgane der Dorotheenstädtischen Kirche in Berlin vom 18. November und 9. Dezember 1889, sowie unter Zustimmung des Magistrats hiesiger Königlichen Haupt- und Residenzstadt, als Patrons dieser Kirche, wird in deren Parochie eine neue (dritte) geistliche Stelle mit dem Sitz in Berlin errichtet und mit einem Jahresgehalt von 3600 M., so lange eine Amtswohnung nicht gewährt werden kann, auch mit einem jährlichen Wohnungsgeldzuschusse von 1200 M., aus der Dorotheenstädtischen Kirchenkasse ausgestattet.

Die Besetzung steht gemäß §§ 327 ff. 587 Allgemeinen Landrechts Theil II. Titel 11 dem hiesigen Magistrat als Patron zu.

Dem neu anzustellenden Geistlichen wird die Verpflichtung auferlegt, in dem sogenannten Thiergartenfelde zu wohnen, und, wenn der eben bezeichnete Gebietstheil in noch näher zu bestimmenden Grenzen, von dem Dorotheenstädtischen Kirchsprengel abgezweigt sein wird, sich die Versetzung an die neu zu begründende Kirchengemeinde gefallen zu lassen.

Berlin, den 13. März 1890.

Das Königliche Konsistorium der Provinz Brandenburg.

gez. Hegel.

Berlin, den 27. März 1890.

Der Königliche Polizei-Präsident.

gez. Frhr. v. Richthofen.

Erektionsdekret. C. № 6071. I. B. 969.

Errichtung einer neuen geistlichen Stelle bei der St. Johannis-Evangelist-Kirche in Berlin.

2. Mit der im Einverständnisse des Herrn Ministers der geistlichen, Unterrichts- und Medizinal-Angelegenheiten ertheilten Genehmigung des Evangelischen Ober-Kirchenraths und auf Grund der Beschlüsse der Gemeindeorgane der St. Johannis Evangelist-Kirche in Berlin vom 2. und 13. Dezember 1889 wird in der Parochie dieser Kirche eine zweite geistliche Stelle, welche als Diakonat neben die Pfarrstelle tritt, mit dem Sitz in Berlin errichtet. Die Besetzung des Diakonats erfolgt gemäß dem Kirchengesetze, betreffend das in § 32 № 2 der Kirchengemeinde- und Synodal-Ordnung vom 10. September 1873 und im Allerhöchsten Erlaß vom 28. Juli 1876 vorgesehene Pfarrwahlrecht vom 15. März 1886.

Berlin, den 13. März 1890.

Das Königliche Konsistorium der Provinz Brandenburg.

gez. Hegel.

Berlin, den 26. März 1890.

Der Königliche Polizei-Präsident.

gez. Frhr. v. Richthofen.

Erektionsdekret. C. № 5829. I. B. 968.

Errichtung einer neuen geistlichen Stelle bei der St. Golgatha-Kirche in Berlin.

3. Mit der im Einverständnisse des Herrn Ministers der geistlichen, Unterrichts- und Medizinal-Angelegenheiten ertheilten Genehmigung des Evangelischen Ober-Kirchenraths und auf Grund der Beschlüsse der Gemeindeorgane der St. Golgatha-Kirche vom 5. resp. 16. Dezember 1889 wird in der Parochie dieser Kirche eine zweite geistliche Stelle, welche als Diakonat neben die Pfarrstelle tritt, mit dem Sitz in Berlin errichtet. Die Besetzung des Diakonats erfolgt gemäß dem Kirchengesetze, betreffend das in § 32 № 2 der Kirchengemeinde- und Synodal-Ordnung vom 10. September 1873 und im Allerhöchsten Erlaß vom

28. Juli 1876 vorgesehene Pfarrwahlrecht vom 15. März 1886.

Berlin, den 13. März 1890.

Das Königliche Konsistorium der Provinz Brandenburg.
gez. Hegel.

Berlin, den 25. März 1890.

Der Königliche Polizei-Präsident.
gez. Frhr. v. Richthofen.

Erektionsdekret. C. № 5826. I. B. 966.

Errichtung einer neuen geistlichen Stelle an der St. Lukas-Kirche in Berlin.

4. Mit der im Einverständnisse des Herrn Ministers der geistlichen, Unterrichts- und Medizinal-Angelegenheiten ertheilten Genehmigung des Evangelischen Ober-Kirchenraths und auf Grund des Beschlusses der Gemeindeorgane der St. Lukas-Kirche vom 26sten August 1889 wird in der Parochie dieser Kirche eine zweite geistliche Stelle, welche als Diakonat neben die Pfarrstelle tritt, mit dem Sitz in Berlin errichtet. Die Besetzung des Diakonats erfolgt gemäß dem Kirchengesetze, betreffend das im § 32 № 2 der Kirchengemeinde- und Synodal-Ordnung vom 10. September 1873 und im Allerhöchsten Erlaß vom 28. Juli 1876 vorgesehene Pfarrwahlrecht vom 15. März 1886.

Berlin, den 19. März 1890.

Das Königliche Konsistorium der Provinz Brandenburg
(L. S) gez. Hegel.

Berlin, den 30. März 1890.

Der Königliche Polizei-Präsident.
(L. S.) gez. Frhr. v. Richthofen.

Erektionsdekret. C. № 7078. I. B. 1058.

Errichtung einer neuen geistlichen Stelle bei der St. Bartholomaeus-Kirche in Berlin.

5. Mit der im Einverständnisse des Herrn Ministers der geistlichen, Unterrichts- und Medizinal-Angelegenheiten ertheilten Genehmigung des Evangelischen Ober-Kirchenraths und auf Grund der Beschlüsse der Gemeindeorgane der St. Bartholomaeus-Kirche in Berlin vom 9. resp. 21. Dezember v. J. wird in der Parochie dieser Kirche eine dritte geistliche Stelle, welche als zweites Diakonat neben das Diakonat tritt, mit dem Sitz in Berlin errichtet. Die Besetzung dieses zweiten Diakonats erfolgt gemäß dem Kirchengesetze, betreffend das im § 32 № 2 der Kirchengemeinde- und Synodal-Ordnung vom 10. September 1873 und im Allerhöchsten Erlaß vom 28. Juli 1876 vorgesehene Pfarrwahlrecht vom 15. März 1886.

Berlin, den 19. März 1890.

Das Königliche Konsistorium der Provinz Brandenburg.
(L. S.) gez. Hegel.

Berlin, den 10. April 1890.

Der Königliche Polizei-Präsident.
(L. S.) gez. Frhr. von Richthofen.

Erektionsdekret. C. № 7077. I. B. 1199.

Errichtung einer neuen geistlichen Stelle bei der Zwölf-Apostel-Kirche in Berlin.

6. Mit der im Einverständnisse des Herrn Ministers der geistlichen, Unterrichts- und Medizinal-Angelegenheiten ertheilten Genehmigung des Evangelischen Ober-Kirchenraths und auf Grund der Beschlüsse der Gemeindeorgane der Zwölf Apostel-Kirche in Berlin vom 2. und 16. Dezember 1889 wird in der Parochie dieser Kirche eine neue geistliche Stelle, welche als drittes Diakonat neben die beiden bestehenden Diakonate tritt, mit dem Sitz in Berlin errichtet. Die Besetzung dieses dritten Diakonats erfolgt gemäß dem Kirchengesetze, betreffend das im § 32 № 2 der Kirchengemeinde- und Synodal-Ordnung vom 10. September 1873 und im Allerhöchsten Erlaß vom 28. Juli 1876 vorgesehene Pfarrwahlrecht vom 15. März 1886.

Berlin, den 9 April 1890.

Königliches Konsistorium der Provinz Brandenburg.
(L. S.) gez. Hegel.

Berlin, den 16. April 1890.

(L. S) Der Königliche Polizei-Präsident.
gez. Frhr. von Richthofen.

Erektionsdekret. C. № 8884. I. B. 1364.

Errichtung einer neuen geistlichen Stelle bei der Heilig Kreuz-Kirche in Berlin.

7. Mit der im Einverständnisse des Herrn Ministers der geistlichen, Unterrichts- und Medizinal-Angelegenheiten ertheilten Genehmigung des Evangelischen Ober-Kirchenraths und auf Grund des Beschlusses der Gemeinde-Organe der Heilig Kreuz-Kirche in Berlin vom 13. Januar 1890 wird in der Parochie dieser Kirche eine dritte geistliche Stelle, welche als II. Diakonat neben das bereits bestehende Diakonat tritt, mit dem Sitze in Berlin errichtet. Die Besetzung dieses II. Diakonats erfolgt gemäß dem Kirchengesetze, betreffend das im § 32 № 2 der Kirchengemeinde- und Synodal-Ordnung vom 10. September 1873 und im Allerhöchsten Erlaß vom 28. Juli 1876 vorgesehene Pfarrwahlrecht vom 15. März 1886.

Berlin, den 10. April 1890.

Das Königliche Konsistorium der Provinz Brandenburg.
(L. S.) gez. Hegel.

Berlin, den 20. April 1890.

Der Königliche Polizei-Präsident.
(L. S.) gez. Frhr. v. Richthofen.

Erektionsdekret. C № 8883. I. B. 1387.

Bekanntmachungen der Königlichen Eisenbahn-Direktion zu Berlin.

Sonder-Personenzüge.

20. Während des bevorstehenden Sommers, beginnend mit dem 15ten d. Mts. (Himmelfahrtstag) werden an den Sonn- und Festtagen auf der Nordbahn zwischen Berlin, Hermsdorf und Oranienburg folgende Sonder-Personenzüge regelmäßig verkehren: 1) Abfahrt von Berlin-Stettiner Bahnhof Nachmittags 1 Uhr 30 Min., Ankunft in Oranienburg 2 Uhr 49 Min., 2) Abfahrt von Oranienburg Abends 8 Uhr 33 Min., Ankunft in Berlin Stettiner Bahnhof 9 Uhr 49 Min., 3) Abfahrt von Hermsdorf Abends 10 Uhr 15 Min., Ankunft in Berlin Stettiner Bahnhof 10 Uhr 50 Min. Auf sämmtlichen zwischengelegenen Stationen

und Haltepunkten wird nach Bedarf zur Aufnahme und Absetzung von Personen gehalten.

Stralsund, den 8. Mai 1890.

Königliches Eisenbahn-Betriebs-Amt.

Bekanntmachungen der Königlichen Eisenbahn-Direktion zu Bromberg.

Die Haltestelle Sehlen betreffend.

28. Mit dem 10. Mai d. J. wird die zwischen Frankenhagen und Tuchel belegene Haltestelle Sehlen für den beschränkten Wagenladungs-Güterverkehr eröffnet. Der Frachtberechnung werden im Lokal- und Wechselverkehr der Preußischen Staatsbahnen bis auf Weiteres die Entfernungen für Frankenhagen bezw. Tuchel unter Zuschlag von 7 bezw. 8 km zu Grunde gelegt. Sendungen nach Sehlen werden nur frankirt, von Sehlen nur unfrankirt und in beiden Richtungen nur ohne Nachnahmebelastung angenommen.

Bromberg, den 3. Mai 1890.

Königliche Eisenbahn-Direktion.

Beförderung von Getreide.

29. Im **Südostpreußischen Verbande** wird vom 15. Mai d. J. ab die Beförderung von Getreide (Weizen, Roggen, Hafer, Gerste, Mais) und Kleie in Wagenladungen auch in unverpacktem Zustande (in loser Schüttung) unter den nachfolgenden Bedingungen bis auf Weiteres versuchsweise gestattet: 1) Die Beförderung erfolgt in gewöhnlichen bedeckten Wagen. 2) Die Verladung und die Sicherung des verladenen Gutes gegen Verstreuen ist Sache des Versenders. Die hierzu verwendeten Geräthschaften werden nach Maßgabe der allgemeinen Tarifvorschriften unter B. III. 9 des deutschen Eisenbahn-Güter-Tarifs, Theil I. frachtfrei an den Versender zurückbefördert. 3) Die unverpackte Aufgabe ist von dem Versender nach der Vorschrift des § 47 (und Anl. A) des Betriebs-Reglements für die Eisenbahnen Deutschlands besonders zu erklären. 4) Bei bahnseitiger Entladung auf Antrag des Empfängers oder nach Ablauf der Entladefrist wird neben den Kosten für etwa erfolgte Beschaffung oder Anmiethung von Säcken eine besondere, aus dem Lokal-Güter-Tarife der in Betracht kommenden Verwaltung zu ersehende Gebühr erhoben.

Bromberg, den 7. Mai 1890.

Königliche Eisenbahn-Direktion.

Frachtbegünstigung für Ausstellungsgegenstände.

30. Für die in der nachstehenden Zusammenstellung näher bezeichneten Thiere und Gegenstände, welche auf den daselbst erwähnten Ausstellungen ausgestellt werden und unverkauft bleiben, wird eine Frachtbegünstigung in der Art gewährt, daß nur für die Hinbeförderung die volle tarifmäßige Fracht berechnet wird, die Rückbeförderung an die Versand-Station und den Aussteller aber frachtfrei erfolgt, wenn durch Vorlage des ursprünglichen Frachtbriefes bezw. des Duplikat-Transportscheines für den Hinweg, sowie durch eine Bescheinigung der dazu ermächtigten Stelle nachgewiesen wird, daß die Gegenstände ausgestellt gewesen und unverkauft geblieben sind, und wenn die Rückbeförderung innerhalb der unten angegebenen Zeit stattfindet.

In den ursprünglichen Frachtbriefen bezw. Duplikat-Transportscheinen für die Hinsendung ist ausdrücklich zu vermerken, daß die mit denselben aufgegebenen Sendungen durchweg aus Ausstellungsgut bestehen.

№	Art der Ausstellung	Ort	Zeit 1890	Die Frachtbegünstigung wird gewährt für	auf den Strecken der	Zur Ausfertigung der Bescheinigung sind ermächtigt	Die Rückbeförderung muß erfolgen innerhalb
1	Geflügel-Ausstellung,	Magdeburg,	19. April bis 2. Mai,	Geflügel und Geräthe zur Geflügelzucht,	Preußischen Staatsbahnen,	Ausstellungs-Commission,	10 Tage
2	Internationale Ausstellung für Geflügel, Geräthschaften und Schriften,	Aachen,	4. bis 6. Mai,	nebenbezeichnete Thiere u. Gegenstände,	desgl.,	desgl.	14 Tage
3	Pferde-Ausstellung,	Stettin,	17. bis 20. Mai,	Pferde,	Direktions-Bezirke Berlin, Breslau und Bromberg,	desgl.	14 Tage
4	Thierschau,	Delitzsch,	30. u. 31. Mai,	Thiere und landwirthschaftliche Gegenstände,	Preußischen Staatsbahnen,	Ausstellungs-Vorstand,	14 Tage
5	Ausstellung von Kunstwerken aller Nationen,	München,	1. Juli bis 15. Oktober,	Kunstgegenstände,	Preußischen Staatsbahnen u. Eisenbahnen in Elsaß-Lothringen	desgl.	6 Wochen

nach Schluß der Ausstellung.

Ferner bringen wir mit Bezug auf unsere Bekanntmachung vom 7. April d. J. zur Kenntniß, daß die Nordwestdeutsche Gewerbe- und Industrie-Ausstellung in Bremen voraussichtlich am 30. September d. J. geschlossen werden wird.

Bromberg, den 5. Mai 1890.

Königl. Eisenbahn-Direktion.

Viehseuchen.

99. Festgestellt ist:

die Maul- und Klauenseuche unter dem Rindviehbestande des Gutes Gielsdorf, Kreis Ober-barnim, unter den Rindern des Dominiums Rangsdorf, des Büdners Wilhelm Wei'andt zu Rehagen, des Ritterguts Schulzendorf, des Ackerbürgers Fritz Hagen zu Zossen und unter den Kühen des Steinmetzmeisters Carl Ludwig zu Lankwitz, Kreis Teltow;

die Räude bei zwei Pferden des Ackerbürgers Rosin zu Neu-Lutterow, Kreis Ostprignitz;

der Bläschenausschlag bei einem Bullen des Bauergutsbesitzers Adolf Seeger zu Beblow und bei einer von einem Bullen des Bauergutsbesitzers Heller zu Schönermark bedeckten Kuh des Handelsmanns Birkholz ebendaselbst, Kreis Ostprignitz.

Der Bulle des Heller ist nach Breddin und von hier an einen unbekannten Besitzer in der Friesack'er Gegend verkauft worden.

Das wegen Verdachtes der Behaftung mit der Rotzkrankheit unter Beobachtung gestellte Pferd des Handelsmanns Hoeffler zu Cremmen, Kreis Osthavelland, ist gesund befunden und sind die getroffenen Schutzmaßregeln demzufolge aufgehoben worden.

Potsdam, den 13. Mai 1890.

Der Regierungs-Präsident.

Bekanntmachungen der Bezirksausschüsse.

Eröffnung der Jagd auf wilde Enten.

6. Die **Jagd auf wilde Enten** in dem Regierungsbezirk Potsdam wird im laufenden Jahre mit **dem 1. Juli** eröffnet.

Potsdam, den 8. Mai 1890.

Der Bezirks-Ausschuß.

Bekanntmachungen des Königlichen Polizei-Präsidiums zu Berlin.

Berliner und Charlottenburger Preise für Monat April 1890

44. A. Engros-Marktpreise im Monatsdurchschnitt.

In Berlin:

für 100 Klgr.	Weizen	(gut)	19	Mark	65	Pf.,
„ „ „	do.	(mittel)	19	„	10	„
„ „ „	do.	(gering)	18	„	38	„
„ „ „	Roggen	(gut)	16	„	79	„
„ „ „	do.	(mittel)	16	„	60	„
„ „ „	do.	(gering)	16	„	38	„
„ „ „	Gerste	(gut)	19	„	30	„
„ „ „	do.	(mittel)	17	„	79	„
„ „ „	do.	(gering)	14	„	70	„
„ „ „	Hafer	(gut)	18	„	24	„
„ „ „	do.	(mittel)	17	„	60	„
„ „ „	do.	(gering)	16	„	77	„
„ „ „	Erbsen	(gut)	19	„	94	„
„ „ „	do.	(mittel)	18	„	—	„
„ „ „	do.	(gering)	17	„	20	„
„ „ „	Richtstroh		7	„	01	„
„	Heu		6	„	35	„

Monats-Durchschnitt der höchsten Berliner Tagespreise **einschließlich 5 % Aufschlag** für 50 kg

	Hafer	Stroh	Heu
im Monat April	9,69 Mk.,	3,85 Mk.,	3,76 Mk.

B. Detail-Marktpreise im Monatsdurchschnitt.

1) In Berlin:

für 100 Klgr.	Erbsen (gelbe z. Kochen)	27	Mark	17	Pf.,
„ „ „	Speisebohnen (weiße)	30	„	09	„
„ „ „	Linsen	42	„	43	„
„ „ „	Kartoffeln	5	„	—	„
„ 1 Klgr.	Rindfleisch v. d. Keule	1	„	29	„
„ 1 „	„ (Bauchfleisch)	1	„	12	„
„ 1 „	Schweinefleisch	1	„	40	„
„ 1 „	Kalbfleisch	1	„	35	„
„ 1 „	Hammelfleisch	1	„	18	„
„ 1 „	Speck (geräuchert)	1	„	70	„
„ 1 „	Eßbutter	2	„	30	„
„ 60 Stück	Eier	3	„	12	„

2) In Charlottenburg:

für 100 Klgr.	Erbsen (gelbe z. Kochen)	32	Mark	50	Pf.,
„ „ „	Speisebohnen (weiße)	35	„	—	„
„ „ „	Linsen	45	„	—	„
„ „ „	Kartoffeln	4	„	25	„
„ 1 Klgr.	Rindfleisch v. d. Keule	1	„	37	„
„ 1 „	„ (Bauchfleisch)	1	„	—	„
„ 1 „	Schweinefleisch	1	„	50	„
„ 1 „	Kalbfleisch	1	„	39	„
„ 1 „	Hammelfleisch	1	„	32	„
„ 1 „	Speck (geräuchert)	1	„	60	„
„ 1 „	Eßbutter	2	„	40	„
„ 60 Stück	Eier	3	„	75	„

C. Ladenpreise in den letzten Tagen des Monats April 1890:

1) In Berlin:

für 1 Klgr.	Weizenmehl № 1			35	Pf.,
für 1 Klgr.	Roggenmehl № 1			32	Pf.,
„ 1 „	Gerstengraupe			43	„
„ 1 „	Gerstengrütze			40	„
„ 1 „	Buchweizengrütze			46	„
„ 1 „	Hirse			40	„
„ 1 „	Reis (Java)			70	„
„ 1 „	Java-Kaffee (mittler)	2	Mark	75	„
„ 1 „	„ (gelb in gebr. Bohnen)	3	„	78	„
„ 1 „	Speisesalz			20	„
„ 1 „	Schweineschmalz (hiesiges)	1	„	40	„

2) In Charlottenburg:

für 1 Klgr.	Weizenmehl № 1	50	Pf.,
„ 1 „	Roggenmehl № 1	40	„
„ 1 „	Gerstengraupe	60	„
„ 1 „	Gerstengrütze	50	„
„ 1 „	Buchweizengrütze	50	„
„ 1 „	Hirse	50	„
„ 1 „	Reis (Java)	80	„

versetzt: von Berlin der Postkassirer Liebe nach Königsberg (Pr.), der Telegraphenamtskassirer Schröter nach Minden (Westf.), die Ober-Postdirektionssekretäre Jahn und Rittner nach Arnsberg, die Postsekretäre Bormet nach Cöln (Rhein), Brandes nach Oldenburg (Grh.), Burbitz nach Oberweißbach, Eberstein nach Rathenow, Eichner nach Hamburg, Fürneisen nach Bromberg, M. G. F. C. Hoffmann nach Liegnitz, Jacobs nach Oppeln, Lähr nach Kiel, A. B. Meyer nach Liegnitz, Milkau nach Trier, Münchgesang nach Kiel, Obenaus nach Darmstadt, F. W. E. Polkehn nach Königsberg (Pr.), K. H. J. Polkehn nach Bochum, Puche nach Oldenburg (Grh.), Sachse nach Frankfurt (Oder), Schlau nach Posen, A. H. A. Schmidt nach Posen, von Stachelski nach Cassel, Stör nach Magdeburg, Stolpner nach Halle (Saale), Stukenberg nach Frankfurt (Main), Trompke nach Nakel, Wapler nach Königsberg (Pr.), Weise nach Stettin, Westphal nach Bremen, der Telegraphensekretär Heinze nach Hannover, der Postassistent Kriesten nach Breslau, nach Berlin die Ober-Postdirektionssekretäre Bähr von Potsdam, Heitmüller von Halle (Saale), die Ober-Postsekretäre Metzdorf von Straßburg (Els.), Meyer von Nakel, der Ober-Telegraphensekretär Hottenroth von Halberstadt, die Telegraphensekretäre Feldheim und Knüppel von Magdeburg, Reichelt von Posen, Urban von Dresden,

in den Ruhestand versetzt: die Ober-Telegraphenassistenten Bernsdorff, Dockendorff, W. Th. Schulz, der Rohrpostmaschinist Bratz,

gestorben: Postsekretär Gräfe.

Personalveränderungen im Bezirke der Kaiserlichen Ober-Postdirektion in Potsdam.

Etatsmäßig angestellt sind: die Regierungsbaumeister Struve und Walz als Postbauinspektoren in Spandau bez. Luckenwalde.

Versetzt ist: der Postsekretär Müller von Dortmund nach Luckenwalde.

Ausweisung von Ausländern aus dem Reichsgebiete.

Lauf. Nr.	Name und Stand des Ausgewiesenen.	Alter und Heimath des Ausgewiesenen.	Grund der Bestrafung.	Behörde, welche die Ausweisung beschlossen hat.	Datum des Ausweisungs-Beschlusses.
1.	2.	3.	4.	5.	6.
		a. Auf Grund des § 39 des Strafgesetzbuchs:			
1	Alois Beranek, Schreiner,	geboren am 16. Dezember 1848 zu Pilsen, Böhmen, ortsangehörig ebendaselbst,	schwerer Diebstahl (zwei Jahre sechs Monate Zuchthaus laut Erkenntniß vom 3. Oktober 1887),	Königlich Württembergische Regierung des Donaukreises zu Ulm,	27. März 1890.
2	Josef Crolla, Musiker,	20 Jahre alt, geboren und ortsangehörig zu P.cinisco, Provinz Caserta, Italien,	Kuppelei und Hehlerei (8 Monate Gefängniß laut Erkenntniß vom 23. August 1889),	Großherzoglich Badischer Landeskommissär zu Mannheim,	18. April 1890.
		b. Auf Grund des § 362 des Strafgesetzbuchs:			
1	Die Zigeuner, Eheleute a. Anton Poputz,	48 Jahre alt, geboren zu Altendorf, Bezirk Ostrau, Mähren,	Landstreichen,	Königlich Preußischer Regierungspräsident zu Oppeln,	31. März 1890.
	b. Barbara Poputz,	50 Jahre alt, geboren zu Altendorf, ohne Wohnsitz,			
2	Josef Machauf, Handelsmann,	geboren im Jahre 1811 zu Krakau, Galizien, ortsangehörig ebendas.,	Landstreichen und Betteln,	derselbe,	3. April 1890.
3	Israel Leib Krieger, Handelsmann,	geboren im Jahre 1853 zu Krakau, ortsangehörig ebendaselbst,	desgleichen,	derselbe,	desgleichen.
4	Johann Lendel, Schlächter,	geboren am 25. September 1862 zu Gaudendorf bei Wien, Oesterreich, ortsangehörig zu Klein-Wilfersdorf, Bezirk Korneuburg, ebendaselbst,	Betteln im wiederholten Rückfall,	Königlich Preußischer Regierungspräsident zu Schleswig,	11. April 1890.

Laufende Nr.	Name und Stand	Alter und Heimath	Grund der Bestrafung.	Behörde, welche die Ausweisung beschlossen hat.	Datum des Ausweisungs-Beschlusses.
	des Ausgewiesenen				
1	2	3	4	5	6
5	Johann Friedrich Mechler, Schmiedegeselle,	geboren am 13. März 1854 zu Kirchzell, Bayern, ortsangehörig zu Harderwyk, Niederlande,	Betteln im wiederholten Rückfall,	Königlich Preußischer Regierungspräsident zu Düsseldorf,	14. April 1890.
6	Rudolf Johann Schär, Tagelöhner,	geboren am 6. Mai 1870 zu Rapperswyl, Kanton Bern, Schweiz, ortsangehörig ebendas.	Landstreichen u. Betteln,	derselbe,	15. April 1890.
7	Alois Berkmann, Arbeiter,	geboren im Oktober 1855 zu [illegible]arnthal, Bezirk Bozen, Tirol, ortsangehörig ebendaselbst,	Landstreichen,	Königlich Bayerisches Bezirksamt Pfarrkirchen,	3. April 1890.
8	Anton Bauhof, Kaminkehrer,	geboren am 13. März 1858 zu Stockerau, Bezirk Korneuburg, Oesterreich, ortsangehörig zu Neuhaus, Böhmen,	Betteln im wiederholten Rückfall,	Königlich Bayerisches Bezirksamt Ebersberg,	5. April 1890.
9	Adalbert Formanek, Maurer und Schieferdecker,	geboren am 23. April 1858 zu Budweis Böhmen, ortsangehörig ebendaselbst,	desgleichen,	Königlich Bayerisches Bezirksamt Erding,	8. April 1890.
10	Anna Heinl, verwittwete Näherin,	geboren im November 1838 zu Wudau, Böhmen, ortsangehörig zu Usiß, Bezirk Tachau, ebendaselbst,	Landstreichen, Betteln und Gebrauch einer gefälschten Legitimation,	dasselbe,	14. April 1890.
11	Jakob Hosp, Bierbrauer,	geboren am 10. August 1845 zu Reutte, Tirol, ortsangehörig ebendaselbst,	desgleichen,	Königlich Württembergische Regierung für den Donaukreis Ulm,	15 März 1890.

Hierzu Drei Oeffentliche Anzeiger.

(Die Insertionsgebühren betragen für eine einspaltige Druckzeile 20 Pf. Belagsblätter werden der Bogen mit 10 Pf. berechnet.)

Redigirt von der Königlichen Regierung zu Potsdam

Potsdam, Buchdruckerei der A. W. Hayn'schen Erben (G. Hayn, Hof-Buchdrucker).

Amtsblatt

der Königlichen Regierung zu Potsdam und der Stadt Berlin.

Stück 21. Den 23. Mai **1890.**

Bekanntmachung des Reichskanzlers.

Abänderung der Postordnung vom 8 März 1879.

Auf Grund der Vorschrift im §. 50 des Gesetzes über das Postwesen des Deutschen Reichs vom 28sten Oktober 1871 wird mit Zustimmung des Bundesraths die Postordnung vom 8. März 1879 bezüglich des Tarifs für Nachnahmesendungen wie folgt abgeändert:

Im § 18 erhält der Absatz I. folgende Fassung:

Postnachnahmen sind im Betrage bis zu vierhundert Mark einschließlich bei Briefen und Packeten zulässig.

Ebenda sind im Absatz V. die Worte „ohne Abzug übermittelt" zu streichen und an deren Stelle nachzutragen:

nach Abzug der Geldübermittelungsgebühr zugesandt.

Die folgenden Absätze VII. und VIII. sind zu streichen. Dafür ist zu setzen:

VII. Für Nachnahmesendungen kommen an Porto und Gebühren zur Erhebung:

1) Das Porto für Briefe und Packete ohne Nachnahme.

   Falls eine Werthangabe oder Einschreibung stattgefunden hat, tritt dem Porto die Versicherungsgebühr bez. Einschreibgebühr hinzu.

2) Eine Vorzeigegebühr von 10 Pf.

3) Die Gebühren für Uebermittelung des eingezogenen Betrages an den Absender, und zwar:

	bis	5 Mark	. . . . .	10 Pf.
über 5	=	100 =	. . . . .	20 =
= 100	=	200 =	. . . . .	30 =
= 200	=	400 =	. . . . .	40 =

VIII. Die Vorzeigegebühr wird zugleich mit dem Porto erhoben und ist auch dann zu entrichten, wenn die Sendung nicht eingelöst wird.

Vorstehende Abänderungen treten mit dem 1. Juni 1890 in Kraft.

Berlin W., 30. April 1890.

Der Reichskanzler.
von Caprivi.

Bekanntmachungen der Königlichen Ministerien.

Bekanntmachung

über die Ausführung des Reichsgesetzes, betreffend die Invaliditäts- und Altersversicherung, vom 22. Juni 1889

Vom 17. März 1890

10. Zur Ausführung der §§ 41, 43, 138 des Reichsgesetzes, betreffend die Invaliditäts- und Altersversicherung, vom 22. Juni 1889 (Reichs-Gesetzbl. S. 97) wird im Anschluß an die Anweisung vom 20. Februar 1890 und unter Vorbehalt weiterer Anordnungen Folgendes bestimmt:

A. Weitere Kommunalverbände.

Als „weitere Kommunalverbände" im Sinne des Gesetzes vom 22. Juni 1889 (Reichs-Gesetzblatt S. 97) sind anzusehen

1) in den Fällen des § 13, der §§ 41, 44, 45, 47, 66, 67, 69, 129 sowie der §§ 112 und 113 a. a. O.

   sämmtliche Provinzial- und Kreisverbände, in den Hohenzollernschen Landen der Landeskommunalverband und die Oberamtsbezirke;

2) in den Fällen des § 48 Absatz 2 a. a. O.

   die Kreisverbände und Oberamtsbezirke, vertreten durch die Kreis- (Stadt-) Ausschüsse beziehungsweise die Amtsausschüsse.

B. Höhere Verwaltungsbehörden.

Als „höhere Verwaltungsbehörden" im Sinne des angezogenen Gesetzes sind in den Fällen der §§ 13, 22 Absatz 2 Ziffer 1, 112 a. a. O. anzusehen

die Regierungs-Präsidenten, für Berlin der Ober-Präsident; soweit es sich aber um die Genehmigung statutarischer Bestimmungen der Provinzialverbände handelt, die Ober-Präsidenten.

Die Bestimmung darüber, welche Behörden als höhere Verwaltungsbehörden in den Fällen des § 122 a. a. O. anzusehen sind, bleibt vorbehalten.

C. Versicherungsanstalten.

Mit Genehmigung des Bundesraths und nach Vereinbarung mit den Regierungen der betheiligten Bundesstaaten sind für das Gebiet des Königreichs Preußen 13 Versicherungsanstalten errichtet worden und zwar:

a. je eine Versicherungsanstalt für den weiteren Kommunalverband

   der Provinz Ostpreußen,
   = = Westpreußen,
   = = Brandenburg,
   = = Pommern,
   = = Posen,
   = = Schlesien,
   = = Westfalen,
   des Stadtkreises Berlin;

b. eine gemeinsame Versicherungsanstalt für den weiteren Kommunalverband der Provinz Sachsen und das Herzogthum Anhalt;

c. eine gemeinsame Versicherungsanstalt für den weiteren Kommunalverband der Provinz Schleswig-Holstein und das Fürstenthum Lübeck;

d. eine gemeinsame Versicherungsanstalt für den weiteren Kommunalverband der Provinz Hannover und die Fürstenthümer Pyrmont, Schaumburg-Lippe und Lippe;

e. eine gemeinsame Versicherungsanstalt für den weiteren Kommunalverband der Provinz Hessen-Nassau und das Fürstenthum Waldeck;

f. eine gemeinsame Versicherungsanstalt für die weiteren Kommunalverbände der Rheinprovinz und der Hohenzollernschen Lande, sowie das Fürstenthum Birkenfeld.

Der Sitz der sieben zuerst aufgeführten Versicherungsanstalten ist die betreffende Provinzialhauptstadt. Der Sitz der Versicherungsanstalt für den Stadtkreis Berlin ist die Stadt Berlin. Die Bestimmung über den Sitz der fünf zuletzt aufgeführten Versicherungsanstalten bleibt vorbehalten.

Berlin, den 17. März 1890.

Der Minister der öffentlichen Arbeiten.
v. Maybach.

Der Minister für Landwirthschaft,
Domainen und Forsten.
Dr. Frh. Lucius v. Ballhausen.

Der Minister des Innern.
Herrfurth.

Der Minister für Handel und Gewerbe.
Frh. v. Berlepsch.

B. 956 M. f. H. I A 2209 M. d. J. III. 4442 IV. 2614 M. d. ö. A. I. 3866 II. 1414 III. 2936 M. f. L.

Bekanntmachung

über die Ausführung des Reichsgesetzes, betreffend die Invaliditäts- und Altersversicherung vom 22. Juni 1889.
Vom 28. April 1890.

11. Zur Ausführung der §§ 48 und 138 des Reichsgesetzes, betreffend die Invaliditäts- und Altersversicherung, vom 22. Juni 1889 (Reichs-Gesetzbl. S. 97) wird im Einvernehmen mit den Herren Ministern der öffentlichen Arbeiten und für Landwirthschaft, Domänen und Forsten im Anschluß an die Bekanntmachung vom 17. März 1890 Folgendes bestimmt.

Für diejenigen Versicherten, welche einer der in § 48 Abs. 2 a. a. O. aufgeführten Kassen und Vereinigungen nicht angehören, wird die Betheiligung an der Wahl der Ausschußmitglieder den Vertretungen der weiteren Kommunalverbände, also gemäß A. 2 der Bekanntmachung vom 17. März d. J. den Kreis- (Stadt-) Ausschüssen, in den Hohenzollernschen Landen den Amtsausschüssen, übertragen.

Der Minister des Innern.
Herrfurth.

Der Minister für Handel und Gewerbe.
Frh. v. Berlepsch.

B. 2314 M. f. H. Id. 4280 M. d. J.

Bekanntmachungen des Königlichen Regierungs-Präsidenten.

Polizei-Verordnung,

betr. die äußere Heilighaltung der Sonn- und Feiertage.

100. Auf Grund der Allerhöchsten Cabinets-Ordre vom 7. Februar 1837 (G.-S. S. 19), der §§ 6, 12 und 15 des Gesetzes über die Polizei-Verwaltung vom 11. März 1850 (G.-S. S. 265) und der §§ 137 und 139 des Gesetzes über die allgemeine Landesverwaltung vom 30. Juli 1883 (G.-S. S. 195 fgd.) wird unter Zustimmung des Bezirks-Ausschusses hierdurch Folgendes verordnet:

Die Regierungs-Polizei-Verordnung vom 3. April 1866 (Amtsblatt Seite 127), betr. das Verbot des Ausstellens von Waaren an den Ladenthüren und Schaufenstern während der Stunden des Gottesdienstes an Sonn- und Festtagen, erhält zusätzlich folgende Bestimmung:

§ 3.

Welche Stunden als Zeit des Gottesdienstes anzusehen sind, ist von der Ortspolizei-Behörde im Einverständniß mit der Gemeindebehörde ortsüblich bekannt zu machen.

Potsdam, den 16. Mai 1890.

Der Regierungs-Präsident. Graf Hue de Grais.

Die wöchentliche Schonzeit der Fische.

101. Gemäß der durch § 7 № 1 der Verordnung betr. die Ausführung des Fischereigesetzes in der Provinz Brandenburg und in dem Stadtkreise Berlin, vom 8. August 1887, dem Regierungs-Präsidenten ertheilten Ermächtigung verlege ich hiermit für die Havel und die dazu gehörigen Seeen vom Trebel-See aufwärts bis zur Hennigsdorfer Brücke die wöchentliche Schonzeit der Fische auf die Zeit vom Sonntag Morgen 6 Uhr bis Montag Morgen 6 Uhr.

Potsdam, den 14. Mai 1890.

Der Regierungs-Präsident.

Schlächter-Innung in Teltow.

102. Auf Grund des § 100 e. zu № 3 der Reichs-Gewerbe-Ordnung und der Ausführungs-Anweisung hierzu vom 9. März 1882 № 1. 1 a. 2 bestimme ich hierdurch für den Bezirk der Schlächter-Innung in Teltow, daß diejenigen Arbeitgeber, welche das Schlächter-Gewerbe betreiben und selbst zur Aufnahme in die Innung fähig sein würden, gleichwohl aber der Innung nicht angehören, vom 1. Oktober 1890 ab Lehrlinge nicht mehr annehmen dürfen. Die Innung ist für das Schlächtergewerbe errichtet und der Bezirk derselben erstreckt sich auf die Stadt Teltow, die Amtsbezirke Zehlendorf, Stahnsdorf, Großbeeren und Marienfelde, sowie die Gemeinden Steglitz, Groß-Lichterfelde, Schöneberg, Dt. Wilmersdorf, Friedenau, Schmargendorf, Mariendorf und Tempelhof.

Potsdam, den 13. Mai 1890.

Der Regierungs-Präsident.

Verleihung des Verdienst-Ehrenzeichens für Rettung aus Gefahr.

103. Des Königs Majestät haben dem Schüler der Ritterakademie zu Brandenburg a. H. Nikolaus Frei-

Herrn von Lynker das Verdienst-Ehrenzeichen für Rettung aus Gefahr zu verleihen geruht.

Potsdam, den 20. Mai 1890.

Der Regierungs-Präsident.

Betreffend die Oeffnungszeiten der Drehbrücken der Berlin-Potsdam-Magdeburger Eisenbahn über die Havel bei Potsdam und Werder.

104. Nachstehend werden diejenigen Zeiten, während welcher die Drehbrücken der Berlin-Potsdam-Magdeburger Eisenbahn über die Havel bei Potsdam und Werder vom 1. Juni d. J. ab für die ganze Gültigkeitsdauer des neuen Sommerfahrplans in der Regel für die Durchfahrt der Schiffe geöffnet sein werden, zur öffentlichen Kenntniß gebracht.

A. Für die Drehbrücken bei Potsdam.

1)	Von	3·45	Vorm.	bis	4·26	Vorm.
2)	„	4·45	„	„	5·23	„
3)	„	10·12	„	„	10·38	„
4)	„	10·56	„	„	11·24	„
5)	„	11·49	„	„	12·07	Nachm.
6)	„	12·26	Nachm.	„	12·44	„
7)	„	3·10	„	„	3·21	„
8)	„	5·35	„	„	5·47	„
9)	„	6·54	„	„	7·15	„

Die Oeffnungszeiten zu 5 bis 8 sind vorzugsweise für Dampfer und deren Anhänge bestimmt. Andere Fahrzeuge dürfen nur in Ausnahmefällen und sofern die angegebene Zeit dazu ausreichend ist, durchgelassen werden.

B. Für die Drehbrücke bei Werder.

1)	Von	4·00	Vorm.	bis	4·45	Vorm.
2)	„	5·30	„	„	6·00	„
3)	„	10·15	„	„	10·54	„
4)	„	11·40	„	„	12·10	Nachm.
5)	„	3·00	Nachm.	„	3·30	„
6)	„	4·00	„	„	4·25	„
7)	„	5·25	„	„	6·00	„
8)	„	7·00	„	„	7·40	„
9)	„	9·00	„	„	9·40	„

Verspätungen fahrplanmäßiger Züge oder Sonderzüge, sowie alle sonstigen Betriebszufälle beschränken die vorbezeichneten Oeffnungszeiten.

Potsdam, den 21. Mai 1890.

Der Regierungs-Präsident.

Viehseuchen.

105. Festgestellt ist:

der Milzbrand bei einem auf dem Felde der Uckermärkischen Zuckerfabrik zu Prenzlau, Kreis Prenzlau, gefallenen Ochsen;

die Maul- und Klauenseuche unter dem Rindvieh des Bauergutsbesitzers Wilhelm Lehmann zu Lindenberg, Kreis Niederbarnim.

Erloschen ist:

die Maul- und Klauenseuche unter den Kühen auf dem Rittergute Gorz I. Antheils, Kreis Westhavelland, unter den Rindern des Gutes Düppel, Kreis Teltow, und unter dem Rindviehbestande des Bauergutsbesitzers Wilhelm Wolter in Glindow, Kreis Zauch-Belzig.

Die an Bläschenausschlag erkrankte Kuh des Handelsmanns Wirtholz zu Schönermark, Kreis Ostprignitz, ist geheilt.

Potsdam, den 20. Mai 1890.

Der Regierungs-Präsident

Bekanntmachungen des Königlichen Polizei-Präsidiums zu Berlin.

Glaser-Innung zu Berlin.

45. Nachstehende Bestimmung

Auf Grund des § 100e. der Reichs-Gewerbe-Ordnung bestimme ich hiermit für den Bezirk der **Glaser-Innung zu Berlin** daß

1) Streitigkeiten aus den Lehrverhältnissen der im § 120a. der Reichs-Gewerbe-Ordnung bezeichneten Art auf Anrufen eines der streitenden Theile von der zuständigen Innungsbehörde und zwar, so lange die Innung dem Innungsausschuß der vereinigten Innungen zu Berlin angehört, von dem engeren Ausschuß desselben (Schiedsgericht für Lehrlingsstreitigkeiten), auch dann zu entscheiden sind, wenn der Arbeitgeber, obwohl er das Glasergewerbe betreibt und selbst zur Aufnahme in die gedachte Innung fähig sein würde, gleichwohl der Innung nicht angehört;

2) die sämmtlichen von der Innung erlassenen Vorschriften über die Regelung des Lehrlingsverhältnisses, sowie über die Ausbildung und Prüfung der Lehrlinge auch dann bindend sind, wenn deren Lehrherr zu den unter Ziffer 1 bezeichneten Arbeitgebern gehört.

Diese Bestimmung tritt mit dem 1. Juli 1888 in Kraft.

Berlin, den 28. April 1888.

Der Königliche Polizei-Präsident.

wird mit dem Bemerken in Erinnerung gebracht, daß durch den heute genehmigten Statutennachtrag der **Bezirk der Glaser-Innung** zu Berlin auf die nachbenannten Amtsbezirke des Regierungsbezirks Potsdam ausgedehnt worden ist: Reinickendorf, Tegel, Dalldorf (mit Ausschluß von Hermsdorf), Pankow, Hohen-Schönhausen, Lichtenberg, Friedrichsfelde, Stralau, Treptow, Rixdorf, Tempelhof, Mariendorf, Schöneberg und Steglitz.

Berlin, den 14. Mai 1890.

Der Polizei-Präsident.

Anstellung eines Bezirks-Schornsteinfegermeisters.

46. Gemäß § 7 des Regulativs für den Betrieb des Schornsteinfegergewerbes im Stadtbezirk Berlin vom 16. November 1888 wird hierdurch zur öffentlichen Kenntniß gebracht, daß der Schornsteinfegermeister Herr Richard Faster, Straußbergerstraße 18, vom 1. Januar 1890 ab als Bezirks-Schornsteinfegermeister angestellt ist. Berlin, den 25. April 1890.

Königliches Polizei-Präsidium. — Magistrat hiesiger Königlichen Haupt- und Residenzstadt.

Polizei-Verordnung.

47. Auf Grund der §§ 37 und 76 der Gewerbe-Ordnung für das Deutsche Reich vom 1 Juli 1883 (Reichsgesetzblatt S. 177), der §§ 5 und 6 des Gesetzes über die Polizei-Verwaltung vom 11. März 1850 (Gesetz-Sammlung S. 265) und des § 143 des Gesetzes über die allgemeine Landes-Verwaltung vom 30. Juli 1883 (Gesetz-Sammlung S. 195) wird unter Zustimmung des Gemeinde-Vorstandes für den Stadtkreis Berlin verordnet, was folgt:

Der Tarif für die Dienstmannschaft in Berlin zur Polizei-Verordnung vom 3 Dezember 1875, betreffend den Betrieb des Dienstmannsgewerbes, wird aufgehoben. An seine Stelle tritt nachstehender

Tarif
für die Dienstmannschaft in Berlin.

Die Ermittelung der Entfernungen und Berechnung der Vergütung für die Botengänge erfolgt nach Maßgabe des Droschken-Wegemessers, auf welchem jeder Farben-Abschnitt eine Entfernung von 160 Metern oder 2 Minuten darstellt. Es ist somit zurückzulegen eine Entfernung von 1 Farben-Abschnitt oder 160 Metern in 2 Minuten, eine Entfernung von 5 Farben-Abschnitten oder 800 Meters in 10 Minuten u. s. w. Der Farben-Abschnitt, in welchem der Gang begonnen hat und der, in welchem er beendet ist, werden zusammen nur als „einer" gezählt.

Bei allen Botengängen, welche in der Zeit von 11 Uhr Abends bis 7 Uhr Morgens begonnen werden, ist zu den unter I. festgesetzten Tarifsätzen ein einmaliger Zuschlag von 20 Pfennigen in Rechnung zu stellen.

I. Für Botengänge innerhalb der Stadt:

Litt.	Botengänge mit	bis zu 20 Minuten oder 10 Farben-Abschnitten Entfernung	für jede ferneren angefangenen 10 Minuten oder 5 Farben-Abschnitte Entfernung
a.	mündlichen Aufträgen, Briefen oder Packeten bis zu 5 Kg. Gewicht	30 Pf.	10 Pf.
b.	Packeten von mehr als 5 bis zu 25 Kg. Gewicht	50 Pf.	15 Pf.
c.	Packeten von mehr als 25 bis zu 50 Kg. Gewicht, sofern sie ihrem Umfange nach getragen werden können	70 Pf.	20 Pf.

II. Für Warten auf Bestellung oder auf Rückantwort:

a. bis zu 5 Minuten frei,
b. von 5 Minuten bis zu ¼ Stunde . . 15 Pf.,
c. für jede fernere angefangene ¼ Stunde 10 Pf.,
d. wird der zur Empfangnahme eines Auftrages bestellte Dienstmann vor Ablauf von 5 Minuten ohne Auftrag wieder entlassen . . . . 15 Pf.

III. Für Beförderung von Gepäckstücken aus dem Hause nach einem vor dem Hause stehenden Wagen und umgekehrt:

1) aus beziehungsweise nach dem Erdgeschoß, Keller und 1sten Stock
 a für Stücke bis zu 25 Kg. . . . . . . 10 Pf.,
 b. „ „ von 25 bis zu 50 Kg. . . 20 Pf.,
2) aus beziehungsweise nach höheren Stockwerken
 a. für Stücke bis zu 25 Kg. . . . . . . 15 Pf.,
 b. „ „ von 25 bis zu 50 Kg. . . 30 Pf.

IV. Für Arbeit nach der Zeit:

a. für ¼ Stunde . . . . 40 Pf.,
b. für jede angefangene folgende ¼ Stunde 20 Pf.,
c. für einen halben Tag, gleich 5 Stunden . . . . 3 M. — Pf.,
d. für einen ganzen Tag, gleich 10 Stunden . . . . 5 M. — Pf.

Wenn der Dienstmann Transportmittel und Geräthe zu stellen hat, so beträgt der Zuschlag zu den vorstehend festgesetzten Arbeitslöhnen:

a für ½ Stunde . . . . 20 Pf.,
b für jede angefangene folgende ½ Stunde 10 Pf.

V. Die Uebernahme und Bezahlung aller hier nicht aufgeführten Dienstleistungen unterliegt der freien Vereinbarung.

Vor Ausführung einer solchen Dienstleistung muß der Dienstmann jedoch den Auftraggeber auf diese Bestimmung womöglich unter Angabe des zu fordernden Lohnes ausdrücklich aufmerksam machen.

Bei Streitigkeiten über den zu zahlenden Preis entscheidet das Königliche Polizei-Präsidium, doch bleibt den Betheiligten hierbei die Beschreitung des Rechtsweges vorbehalten.

Berlin, den 12. Mai 1890.

Der Polizei-Präsident.
Freiherr von Richthofen.

Bekanntmachungen der Kaiserlichen Ober-Post-Direktion zu Potsdam.

Einrichtung einer Reichs-Telegraphenanstalt in Manker.

48. In Manker wird am 15. Mai eine mit der Ortspostanstalt vereinigte Reichs-Telegraphenanstalt eröffnet werden.

Potsdam, den 12. Mai 1890.

Der Kaiserliche Ober-Postdirektor.

Einrichtung einer Reichs-Telegraphenanstalt in Kyritz.

49. In Kyritz wird am 17. Mai eine mit der Ortspostanstalt verbundene Reichs-Telegraphenanstalt eröffnet werden.

Potsdam, den 14. Mai 1890.

Der Kaiserliche Ober-Postdirektor.

Bekanntmachungen des Königlichen Konsistoriums der Provinz Brandenburg.

Generalkirchenvisitation.

3. In der Zeit vom 10. bis 18. Juni d. J. findet in der Diözese Strasburg Ukm. unter der Leitung des Herrn Generalsuperintendenten D. Koegel eine Generalkirchenvisitation statt, über deren Plan die Geistlichen und Gemeindekirchenräthe der Diözese Auskunft ertheilen können.

Berlin, den 12. Mai 1890.

Königliches Konsistorium der Provinz Brandenburg.

Bekanntmachungen des Landes-Direktors der Provinz Brandenburg.

4. In Gemäßheit des § 5 des in Kraft gebliebenen Reglements vom 25. Februar 1876 — Amtsblatt Stück 10 (Potsdam Seite 91, Frankfurt Seite 65) — betreffend die Vorschriften zur Ausführung des § 58 des Reichs-Viehseuchengesetzes vom 23. Juni 1880 — R.-Ges.-Bl. Seite 153 — und der §§ 15 und 16 des Gesetzes vom 12. März 1881. — G.-S. S. 128 — bringe ich hierdurch zur öffentlichen Kenntniß, daß die am 1. November v. J. stattgefundene Zählung der abgabepflichtigen Pferde und Rinder der Provinz 249356 bezw. 688032 Stück ergeben hat; letztere beträgt vervielfältigt 1154578.

	M.	Pf.	M.	Pf.	M.	Pf.
Die im Jahre 1889 gezahlte Entschädigung beträgt insgesammt					27285	34
wovon auf Pferde	12857	50				
und auf Rinder			14427	84		
entfallen.						
Hinzu treten als Verwaltungskosten 3 % mit	385	72	432	84	818	56
Dagegen kommen von diesen	13243	22	14860	68	28103	90
in Abzug die aus dem Jahre 1888 zu berücksichtigenden 5871,71 M., welche durch Abgänge anderweit festgestellt sind auf	883	18	4786	94	5670	12
so daß verbleiben	12360	04	10073	74	22433	78
welchen die den Ortsbehörden ꝛc. bewilligten 3 % Hebegebühren hinzutreten mit	370	80	302	21	673	01
so daß zusammen aufzubringen sind	12730	84	10375	95	23106	79
Zur Deckung dieser Summe sollen für das Pferd 6 Pf. oder	14961	36				
und für das Rind 1 Pf., nach der in Gemäßheit der Nummer 3 des Nachtrags zum Reglement vom $\frac{10. \text{ März}}{3. \text{ Mai}}$ 1885 zur Ausführung der Vorschriften in § 60 des Viehseuchengesetzes vom 25. Juni 1875 — Amtsblatt Potsdam Stück 22 Seite 217, Frankfurt Stück 21 Seite 149/150 — vervielfältigten Stückzahl, oder			11545	78		
zusammen also					26507	14
erhoben werden, was gegen die obige Bedarfssumme einen Mehrbetrag von	2230	52	1169	83	3400	35
	3400,35 M.					

ergiebt, welcher bei dem Ausschreiben für 1890 Berücksichtigung finden wird.

Berlin, den 12. Mai 1890.

№ 1339 C. Der Landesdirektor der Provinz Brandenburg.

Bekanntmachungen der Königlichen Eisenbahn-Direktion zu Berlin.

Den Eisenbahn-Haltepunkt Baumschulenweg betreffend.

21. Am 20. Mai d. J wird der an der Eisenbahnstrecke Berlin-Goerlitz in Kilometerstation 5,15 belegene Haltepunkt Baumschulenweg für den Personenverkehr eröffnet. Die auf dem genannten Haltepunkte anhaltenden Züge ergeben sich aus dem gegenwärtig gültigen Fahrplan des Direktionsbezirks Berlin.

Berlin, im Mai 1890.

Königliche Eisenbahn-Direktion.

Beförderung der Wollsendungen nach dem Berliner Wollmarkt.

22. Für den diesjährigen, in der Zeit vom 19. bis 21. Juni auf dem hiesigen Lagerhofe der Berliner Lagerhof-Aktien-Gesellschaft abzuhaltenden Wollmarkt wird die Beförderung der Wollsendungen von den hiesigen Bahnhöfen nach dem Lagerhofe und in umgekehrter Richtung mittelst der Berliner Ringbahn und des Geleisanschlusses der Lagerhof-Aktien-Gesellschaft unter folgenden Bedingungen bewirkt werden: 1) die auf den hier mündenden Eisenbahnen eingehenden Wollsendungen werden über die Ringbahn nach dem Lager-

c. eine gemeinsame Versicherungsanstalt für den weiteren Kommunalverband der Provinz Schleswig-Holstein und das Fürstenthum Lübeck;

d. eine gemeinsame Versicherungsanstalt für den weiteren Kommunalverband der Provinz Hannover und die Fürstenthümer Pyrmont, Schaumburg-Lippe und Lippe;

e. eine gemeinsame Versicherungsanstalt für den weiteren Kommunalverband der Provinz Hessen-Nassau und das Fürstenthum Waldeck;

f. eine gemeinsame Versicherungsanstalt für die weiteren Kommunalverbände der Rheinprovinz und der Hohenzollernschen Lande, sowie das Fürstenthum Birkenfeld.

Der Sitz der sieben zuerst aufgeführten Versicherungsanstalten ist die betreffende Provinzialhauptstadt. Der Sitz der Versicherungsanstalt für den Stadtkreis Berlin ist die Stadt Berlin. Die Bestimmung über den Sitz der fünf zuletzt aufgeführten Versicherungsanstalten bleibt vorbehalten.

Berlin, den 17. März 1890.

Der Minister der öffentlichen Arbeiten.
v. Maybach.

Der Minister für Landwirthschaft, Domainen und Forsten.
Dr. Frh. Lucius v. Ballhausen.

Der Minister des Innern.
Herrfurth.

Der Minister für Handel und Gewerbe.
Frh. v. Berlepsch.

B. 956 M. f. H. I. A 2209 M. d. J. III. 4442 IV. 2614 M. d. ö. A. I 3866 II. 1414 III. 2936 M. f. L.

Bekanntmachung

über die Ausführung des Reichsgesetzes, betreffend die Invaliditäts- und Altersversicherung vom 22. Juni 1889.
Vom 28. April 1890.

11. Zur Ausführung der §§ 48 und 138 des Reichsgesetzes, betreffend die Invaliditäts- und Altersversicherung, vom 22. Juni 1889 (Reichs-Gesetzbl. S. 97) wird im Einvernehmen mit den Herren Ministern der öffentlichen Arbeiten und für Landwirthschaft, Domänen und Forsten im Anschluß an die Bekanntmachung vom 17. März 1890 Folgendes bestimmt.

Für diejenigen Versicherten, welche einer der in § 48 Abs. 2 a. a. O. aufgeführten Kassen und Vereinigungen nicht angehören, wird die Betheiligung an der Wahl der Ausschußmitglieder den Vertretungen der weiteren Kommunalverbände, also gemäß A. 2 der Bekanntmachung vom 17. März d. J. den Kreis- (Stadt-) Ausschüssen, in den Hohenzollernschen Landen den Amtsausschüssen, übertragen.

Der Minister des Innern.
Herrfurth.

Der Minister für Handel und Gewerbe.
Frh. v. Berlepsch.

B. 2314 M. f. H. Id. 4280 M. d. J.

Bekanntmachungen des Königlichen Regierungs-Präsidenten.

Polizei-Verordnung,

betr. die äußere Heilighaltung der Sonn- und Feiertage.

100. Auf Grund der Allerhöchsten Cabinets-Ordre vom 7. Februar 1837 (G.-S. S. 19), der §§ 6, 12 und 15 des Gesetzes über die Polizei-Verwaltung vom 11. März 1850 (G.-S. S. 265) und der §§ 137 und 139 des Gesetzes über die allgemeine Landesverwaltung vom 30. Juli 1883 (G.-S. S. 195 fgd.) wird unter Zustimmung des Bezirks-Ausschusses hierdurch Folgendes verordnet:

Die Regierungs-Polizei-Verordnung vom 3. April 1866 (Amtsblatt Seite 127), betr. das Verbot des Ausstellens von Waaren an den Ladenthüren und Schaufenstern während der Stunden des Gottesdienstes an Sonn- und Festtagen, erhält zusätzlich folgende Bestimmung:

§ 3.

Welche Stunden als Zeit des Gottesdienstes anzusehen sind, ist von der Ortspolizei-Behörde im Einverständniß mit der Gemeindebehörde ortsüblich bekannt zu machen.

Potsdam, den 16. Mai 1890

Der Regierungs-Präsident. Graf Hue de Grais.

Die wöchentliche Schonzeit der Fische.

101. Gemäß der durch § 7 № 1 der Verordnung betr. die Ausführung des Fischereigesetzes in der Provinz Brandenburg und in dem Stadtkreise Berlin, vom 8. August 1887, dem Regierungs-Präsidenten ertheilten Ermächtigung verlege ich hiermit für die Havel und die dazu gehörigen Seeen vom Trebel-See aufwärts bis zur Hennigsdorfer Brücke die wöchentliche Schonzeit der Fische auf die Zeit vom Sonntag Morgen 6 Uhr bis Montag Morgen 6 Uhr.

Potsdam, den 14. Mai 1890.

Der Regierungs-Präsident.

Schlächter-Innung in Teltow

102. Auf Grund des § 100 e. zu № 3 der Reichs-Gewerbe-Ordnung und der Ausführungs-Anweisung hierzu vom 9. März 1882 № I. 1 a 2 bestimme ich hierdurch für den Bezirk der Schlächter-Innung in Teltow, daß diejenigen Arbeitgeber, welche das Schlächter-Gewerbe betreiben und selbst zur Aufnahme in die Innung fähig sein würden, gleichwohl aber der Innung nicht angehören, vom 1. Oktober 1890 ab Lehrlinge nicht mehr annehmen dürfen. Die Innung ist für das Schlächtergewerbe errichtet und der Bezirk derselben erstreckt sich auf die Stadt Teltow, die Amtsbezirke Zehlendorf, Stahnsdorf, Großbeeren und Marienfelde, sowie die Gemeinden Steglitz, Groß-Lichterfelde, Schöneberg, Dt. Wilmersdorf, Friedenau, Schmargendorf, Mariendorf und Tempelhof.

Potsdam, den 13. Mai 1890.

Der Regierungs-Präsident.

Verleihung des Verdienst-Ehrenzeichens für Rettung aus Gefahr.

103. Des Königs Majestät haben dem Schüler der Ritterakademie zu Brandenburg a. H. Nikolaus Freiherrn von Lyncker das Verdienst-Ehrenzeichen für Rettung aus Gefahr zu verleihen geruht.

Potsdam, den 20. Mai 1890.

Der Regierungs-Präsident.

Betreffend die Oeffnungszeiten der Drehbrücken der Berlin-Potsdam-Magdeburger Eisenbahn über die Havel bei Potsdam und Werder.

104. Nachstehend werden diejenigen Zeiten, während welcher die Drehbrücken der Berlin-Potsdam-Magdeburger Eisenbahn über die Havel bei Potsdam und Werder vom 1. Juni d. J. ab für die ganze Gültigkeitsdauer des neuen Sommerfahrplans in der Regel für die Durchfahrt der Schiffe geöffnet sein werden, zur öffentlichen Kenntniß gebracht.

A. Für die Drehbrücken bei Potsdam.

1)	Von	3·45	Vorm.	bis	4·26	Vorm.
2)	=	4·45	=	=	5·23	=
3)	=	10·12	=	=	10·38	=
4)	=	10·56	=	=	11·24	=
5)	=	11·49	=	=	12·07	Nachm.
6)	=	12·26	Nachm.	=	12·44	=
7)	=	3·10	=	=	3·21	=
8)	=	5·35	=	=	5·47	=
9)	=	6·54	=	=	7·15	=

Die Oeffnungszeiten zu 5 bis 8 sind vorzugsweise für Dampfer und deren Anhänge bestimmt. Andere Fahrzeuge dürfen nur in Ausnahmefällen und sofern die angegebene Zeit dazu ausreichend ist, durchgelassen werden.

B. Für die Drehbrücke bei Werder.

1)	Von	4·00	Vorm.	bis	4·45	Vorm.
2)	=	5·30	=	=	6·00	=
3)	=	10·15	=	=	10·54	=
4)	=	11·40	=	=	12·10	Nachm.
5)	=	3·00	Nachm.	=	3·30	=
6)	=	4·00	=	=	4·25	=
7)	=	5·25	=	=	6·00	=
8)	=	7·00	=	=	7·40	=
9)	=	9·00	=	=	9·40	=

Verspätungen fahrplanmäßiger Züge oder Sonderzüge, sowie alle sonstigen Betriebszufälle beschränken die vorbezeichneten Oeffnungszeiten.

Potsdam, den 21. Mai 1890.

Der Regierungs-Präsident.

Viehseuchen.

105. Festgestellt ist:

der Milzbrand bei einem auf dem Felde der Uckermärkischen Zuckerfabrik zu Prenzlau, Kreis Prenzlau, gefallenen Ochsen;

die Maul- und Klauenseuche unter dem Rindvieh des Bauergutsbesitzers Wilhelm Lehmann zu Lindenberg, Kreis Niederbarnim.

Erloschen ist:

die Maul- und Klauenseuche unter den Kühen auf dem Rittergute Gorz I. Antheils, Kreis Westhavelland, unter den Rindern des Gutes Düppel, Kreis Teltow, und unter dem Rindviehbestande des Bauergutsbesitzers Wilhelm Wolter in Glindow, Kreis Zauch-Belzig.

Die an Bläschenausschlag erkrankte Kuh des Handelsmanns Birkholz zu Schönermark, Kreis Ostprignitz, ist geheilt.

Potsdam, den 20. Mai 1890.

Der Regierungs-Präsident

Bekanntmachungen des Königlichen Polizei-Präsidiums zu Berlin.

Glaser-Innung zu Berlin

45. Nachstehende Bestimmung

Auf Grund des § 100e. der Reichs-Gewerbe-Ordnung bestimme ich hiermit für den Bezirk der Glaser-Innung zu Berlin daß

1) Streitigkeiten aus den Lehrverhältnissen der im § 120a. der Reichs-Gewerbe-Ordnung bezeichneten Art auf Anrufen eines der streitenden Theile von der zuständigen Innungsbehörde und zwar, so lange die Innung dem Innungsausschuß der vereinigten Innungen zu Berlin angehört, von dem engeren Ausschuß desselben (Schiedsgericht für Lehrlingsstreitigkeiten), auch dann zu entscheiden sind, wenn der Arbeitgeber, obwohl er das Glasergewerbe betreibt und selbst zur Aufnahme in die gedachte Innung fähig sein würde, gleichwohl der Innung nicht angehört;

2) die sämmtlichen von der Innung erlassenen Vorschriften über die Regelung des Lehrlingsverhältnisses, sowie über die Ausbildung und Prüfung der Lehrlinge auch dann bindend sind, wenn deren Lehrherr zu den unter Ziffer 1 bezeichneten Arbeitgebern gehört.

Diese Bestimmung tritt mit dem 1. Juli 1888 in Kraft.

Berlin, den 28. April 1888.

Der Königliche Polizei-Präsident.

wird mit dem Bemerken in Erinnerung gebracht, daß durch den heute genehmigten Statutennachtrag der Bezirk der Glaser-Innung zu Berlin auf die nachbenannten Amtsbezirke des Regierungsbezirks Potsdam ausgedehnt worden ist: Reinickendorf, Tegel, Dalldorf (mit Ausschluß von Hermsdorf), Pankow, Hohen-Schönhausen, Lichtenberg, Friedrichsfelde, Stralau, Treptow, Rixdorf, Tempelhof, Mariendorf, Schöneberg und Steglitz.

Berlin, den 14. Mai 1890.

Der Polizei-Präsident.

Anstellung eines Bezirks-Schornsteinfegermeisters.

46. Gemäß § 7 des Regulativs für den Betrieb des Schornsteinfegergewerbes im Stadtbezirk Berlin vom 16. November 1888 wird hierdurch zur öffentlichen Kenntniß gebracht, daß der Schornsteinfegermeister Herr Richard Faster, Straußbergerstraße 18, vom 1. Januar 1890 ab als Bezirks-Schornsteinfegermeister angestellt ist. Berlin, den 25. April 1890.

Königliches Polizei-Präsidium. Magistrat hiesiger Königlichen Haupt- und Residenzstadt.

werden, daß über dis zum Ausgebot kommenden Hölzer in den, den Terminen vorhergeher.den Tagen auf hiesiger Oberförsterei Auskunft gegeben wird.

Rehhorst, den 19. Mai 1890.

Der Königliche Oberförster.

Bekanntmachung.

138. **Am Donnerstag, den 29. Mai 1890, Vormittags 10 Uhr,** sollen auf dem Posthaltereihof Oranienburgerstr. 35/36 hierselbst 33 im Postfuhrdienst nicht mehr verwendbare Pferde, sowie 5 Fohlen öffentlich meistbietend versteigert werden.

Berlin N., 10 Mai 1890.

Kaiserliches Postfuhramt.

Bekanntmachungen verschiedenen Inhalts.

Gefunden.

139. E:n kleines Boot mit zwei Riemen (Rudern) und ein schwarzer Filzhut sind am 7. Mai d. J. auf dem Großen Müggel-See gefunden. Das Boot hat einen eichenartigen Anstrich und befindet sich am Steuerende der Name „Paul". Das Boot befindet sich in Rahnsdorf. Der unbekannte Eigenthümer wird ersucht, seine Ansprüche binnen drei Monaten bei dem Unterzeichneten geltend zu machen.

Oberförsterei Coepenick, den 10. Mai 1890.

Der Amtsvorsteher Krieger.

Wollmarkt Stettin.

140. Der diesjährige Wollmarkt findet am

16. und 17. Juni

auf dem Central-Güterbahnhofe hierselbst statt. Zur Lagerung der Wolle daselbst sind die Schuppen 3, 10 und die Hälfte des Schuppens 11 sowie die Rampe zwischen Schuppen 10 und 11 seitens des Königlichen Eisenbahn-Betriebsamts Berlin—Stettin gegen eine Lagergebühr von 25 Pfennigen pro Tag und für 100 kg zur Verfügung gestell:.

Um die Lagerräume zweckmäßig vertheilen und anweisen zu können, ist eine vorherige Anmeldung der zu Markte kommenden Wollmengen durch die einzelnen Interessenten bei der Güterverwaltung auf dem Central-Güterbahnhofe hierselbst dringend erforderlich.

Die Sendungen dürfen nicht an die genannte Dienststelle; sondern müssen an den Eigenthümer der Wolle oder an eine Mittelsperson adressirt werden. Die Anfuhr der Sendungen hat innerhalb der gewöhnlichen Geschäftsstunden von Morgens 7 Uhr bis Abends 7 Uhr stattzufinden, jedoch wird am Tage vor dem Wollmarkt, sowie an den Wollmarktstagen selbst von 6 Uhr Morgens bis 8 Uhr Abends der Bahnhof bezw. die Böden zur Anfuhr geöffnet sein. Die auf der Rampe einzulagernden Sendungen sind seitens der Anlieferer zu bedecken.

Stettin, den 16. Mai 1890.

Königliche Polizei-Direktion.

Potsdam, Buchdruckerei der A. W. Hayn'schen Erben (E. Hayn, Hof-Buchdrucker).

Extrablatt zum Amtsblatt

der Königlichen Regierung zu Potsdam und der Stadt Berlin.

Ausgegeben den 24. Mai 1890.

Bekanntmachungen des Königlichen Regierungs-Präsidenten.

Reichstags-Ersatzwahl im 5. Wahlkreise des Regierungsbezirks Potsdam.

106. Nachdem durch die Niederlegung des Mandats Seitens des Reichstags-Abgeordneten Landraths Dr. von Bethmann-Hollweg zu Freienwalde als Mitglied des Reichstags für den fünften diesseitigen Wahlkreis (Kreis Oberbarnim) eine Ersatzwahl nach Maaßgabe des 3. Absatzes im § 34 des Wahlreglements vom 28. Mai 1870 nöthig geworden ist, habe ich zur Vornahme dieser Ersatzwahl einen Termin auf

Dienstag, den 3. Juni d. J.

anberaumt und Herrn Rittergutsbesitzer Freiherrn von Eckardstein auf Prötzel zum Wahlkommissar ernannt, was ich hierdurch zur öffentlichen Kenntniß bringe.

Potsdam, den 23. Mai 1890.

Der Regierungs-Präsident.
Graf Hue de Grais.

Redigirt von der Königlichen Regierung zu Potsdam.

Potsdam, Buchdruckerei der A. W. Hayn'schen Erben (E. Hayn, Hof-Buchdrucker).

Ministerium des Innern.

Dem eingehefteten, in Folge der Beschlüsse der General-Versammlung vom 16. Mai 1889 aufgestellten, Seitens des Kaiserlich Königlich Oesterreichischen Ministeriums des Innern unter dem 17. Januar d. Js. genehmigten

Anhang II

zu den neuen Statuten des

„Janus"

Wechselseitige Lebensversicherungs-Anstalt in Wien

wird die unter Nr. 1 der Concession zum Geschäftsbetriebe in Preußen vom 21. September 1887 vorbehaltene Genehmigung hierdurch ertheilt.

Berlin, den 19. März 1890.

(L. S.)

Der Königlich Preußische Minister des Innern.

Im Auftrage.

gez. Lodemann.

Genehmigungs-Urkunde.

I. A. 2686.

Anhang II
zu den Neuen Statuten des
„Janus"
Wechselseitige Lebensversicherungs-Anstalt in Wien,

womit einzelne Bestimmungen d. §§. 12, 16, 60 und 63 abgeändert werden:

§ 12 **Reservefond.**

Die nachstehende Bestimmung des 3. Absatzes:

„Aus dem Reservefonde kann ferner bei einem Bonus-Rückgange, der voraussichtlich kein andauernder ist, die Ergänzung des Bonus auf die Höhe seines zehnjährigen Durchschnittes in dem Falle erfolgen (§ 16), als dadurch der Antheil der betreffenden Abtheilung an dem Reservefonde nicht unter die Hälfte des Standes dieser Abtheilung zur Zeit der Genehmigung dieser Statuten herabsinkt"

tritt außer Kraft.

---

§ 16.

Auftheilung der Betriebs-Netto-Ueberschüsse und Betriebs-Abgänge. Bonus-Ausfolgung.

Im ersten Theile dieses Paragraphen mit der Aufschrift:

„A. Auftheilung"

tritt die Bestimmung des 4. Absatzes:

„In Fällen, in welchen die Brutto-Rückersätze zeitweilig unter denjenigen Percentual-Betrag sinken, welcher an die Mitglieder im Durchschnitte der letzten zehn Jahre ausgefolgt worden ist, kann eine Ergänzung derselben auf die Höhe des zehnjährigen Durchschnittes der Hinausfolgung durch Entnahme aus dem Reservefonde bis zu der im §. 12 festgesetzten Grenze stattfinden"

außer Kraft.

Der mit der Aufschrift:

„B. Bonus-Ausfolgung".

versehene zweite Theil dieses Paragraphen hat nunmehr wie folgt zu lauten:

Der solcherart geformte, reine Rückersatz, Bonus genannt, wird in nachstehender Weise ausgefolgt, beziehungsweise gutgerechnet:

1. Bei Versicherungen gegen Entrichtung von Jahresbeiträgen: a) der I. Abtheilung, welche bis 31. December 1888 abgeschlossen waren, und b) der II. Abtheilung, welche bis 31. December 1889 abgeschlossen werden, gelangt der fällige Bonus in der Art zur Ausfolgung, daß die zunächst zu entrichtenden Jahresbeiträge um den jeweiligen Bonus gekürzt werden; bei sämmtlichen Versicherungen der III. Abtheilung aber wird der Bonus durch Zuschlag des jeweiligen Bonus-Betrages zu den von der Anstalt hinauszuzahlenden Jahresrenten ausgefolgt. (Bonus-Liquidations-Modus A.)

2. Bei den seit 1. Jänner 1889 abgeschlossenen Versicherungen der I. Abtheilung, gleichviel ob gegen Entrichtung einer einmaligen Prämie, oder von Jahresbeiträgen, oder erst im Verlaufe der Versicherungsdauer beitragsfrei geworden, wird der fällige Bonus jeweilig als einmalige Prämien-Entrichtung zur Begründung einer Nachtragsversicherung verwendet, und werden die damit begründeten Nachtragsversicherungen gleichzeitig mit der Hauptversicherung ausbezahlt, beziehungsweise in die III. Abtheilung überführt. (Bonus-Liquidations-Modus B.)

Dieser Liquidations-Modus findet auch auf diejenigen älteren Mitglieder der I. Abtheilung Anwendung, welche seiner Zeit von dem ihnen innerhalb der drei Jahre vom 1. Jänner 1886 bis 31. December 1888 laut des § 16 B, Absatz 3 der Statuten vom 1. October 1885 offen gestandenen Wahlrechte Gebrauch gemacht haben.

Ueber die durch den fälligen Bonus begründeten Nachtrags-Versicherungen ist den Mitgliedern zeitweilig eine Bescheinigung auszuhändigen.

3. Bei den bis 31. December 1888 abgeschlossenen Versicherungen der I., und den bis 31 December 1889 abzuschließenden Versicherungen der II. Abtheilung, bei welchen eine einmalige Prämie entrichtet wurde, oder welche nachträglich durch Reduction des Versicherungscapitales oder durch Ablauf des für die Entrichtung der Jahresbeiträge bedungenen Termines beitragsfrei geworden sind, endlich bei allen vom 1. Jänner 1890 angefangen neu abgeschlossenen Versicherungen der II. Abtheilung wird der fällige Bonus angesammelt, zu dem jeweiligen rechnungsmäßigen Zinsfuße der Anstalt fructificirt und der angesammelte Bonus bei Eintritt des Versicherungsfalles gleichzeitig mit dem versicherten Capitale liquidirt und ausbezahlt, eventuell in die III. Abtheilung überführt, bei den bis 31. December 1888 abgeschlossenen und beitragsfrei gewordenen Versicherungen der I. Abtheilung und bei den temporären Versicherungen der II. Abtheilung, wenn der Versicherungsfall nicht eintritt, über eine im Sinne des §. 69 binnen drei Jahren nach Ablauf der Versicherungsdauer einzubringenden Anmeldung an den Bezugsberechtigten ausgefolgt; wenn im letzteren Falle der angesammelte Bonus nicht rechtzeitig reclamirt wird, verfällt derselbe zu Gunsten des Sicherheitsfondes der I., beziehungsweise der II. Abtheilung. (Bonus-Liquidations-Modus C.)

(Für diejenigen Mitglieder, welche bei dem Inkrafttreten der Statuten vom 1. October 1885 bezüglich ihrer beitragsfreien oder noch nicht auszahlbaren Versicherungen gemäß des §. 19 der Statuten vom 6. November 1878 bereits im Bezugsrechte unverzinslicher Zuschläge zu den Renten-Versicherungs-Capitalien gestanden haben, hat die Verzinslichkeit dieser Zuschläge mit dem innerhalb des Jahres 1886 eingetretenen Beginne der bezüglichen Versicherungsjahrgänge anzufangen.)

§ 60. **Reduction des Versicherungs-Betrages.**

Dieser Paragraph erhält den Zusatz:

Bei den seit 1. Jänner 1889 abgeschlossenen Versicherungen der I. Abtheilung, und den vom 1. Jänner 1890 angefangen neu abzuschließenden Versicherungen der II. Abtheilung tritt für den Fall der nicht binnen längstens dreißig Tagen nach Fälligkeit erfolgten Prämien-Entrichtung, respective für den Fall der nicht rechtzeitigen Entrichtung der Polizen-Vorschuß-Zinsen (§. 59, Abs. 4) nicht der Verfall der Versicherung, sondern die Reduction des Versicherungsbetrages ohne Zuthun des Versicherungsnehmers nach Maßgabe der vorstehenden Bestimmungen ein; es muß aber die Polize vor Ablauf des für die Entrichtung der Jahresbeiträge ursprünglich vereinbarten Zeitraumes (bei Versicherungen der II Abtheilung jedenfalls aber noch zu Lebzeiten der Versicherten) zur Auszeichnung der erfolgten Reduction der Anstalt vorgelegt werden, widrigens die inzwischen in den Büchern der Anstalt im reducirten Maßstabe als aufrecht bestehend, fortgeführte Versicherung nachträglich als erloschen anzusehen ist (§. 63 d.)

§ 63. **Erlöschen des Versicherungs-Vertrages.**

Dieser Paragraph erhält den Zusatz:

Die Bestimmungen der litera c) finden künftig nur mit der durch den neuen Zusatz ad §. 60 normirten Einschränkung sinngemäße Anwendung.

209.

Vorstehender Anhang II zu den unterm 1. October 1885 Zl. 14973 bestätigten Statuten wird genehmigt.

Wien, am 17. Jänner 1890.

(L. S.) Taaffe m. p.

zu 400 M. durch Postanweisung. Sofern es sich um Summen über 400 Mark handelt, ist einem solchen Antrage eine ordnungsmäßige Quittung beizufügen.

Berlin, den 17. Mai 1890.

Königliche Direktion
der Rentenbank für die Provinz Brandenburg.

Bekanntmachungen der Königlichen Eisenbahn-Direktion zu Berlin.

Verzeichniß der Eisenbahn-Stationen mit gleichlautender oder ähnlicher Namensbezeichnung.

25. Es wird zur öffentlichen Kenntniß gebracht, daß ein vom Vereine Deutscher Eisenbahn-Verwaltungen seiner Zeit zum ausschließlichen Dienstgebrauch der Eisenbahndienststellen herausgegebenes „Verzeichniß der Eisenbahn-Stationen mit gleichlautender oder ähnlicher Namensbezeichnung" von jetzt ab Seitens der preußischen Staatseisenbahnen auf Verlangen auch an das Publikum käuflich zum Selbstkostenpreise von 0,50 M. für ein Exemplar (nebst dazu bis jetzt erschienenen Nachtrag I.) abgelassen wird. Bestellungen auf das Verzeichniß sind bei den Güter-Abfertigungsstellen sämmtlicher preußischer Staatseisenbahn-Direktionen, sowie deren Verkehrs- und Auskunfts-Bureaus anzubringen.

Berlin, den 16 Mai 1890

Königliche Eisenbahn-Direktion.

Bekanntmachungen der Königlichen Eisenbahn-Direktion zu Bromberg.

Frachtbegünstigung für Ausstellungsgegenstände.

32. Für die in der nachstehenden Zusammenstellung näher bezeichneten Thiere und Gegenstände, welche auf den daselbst erwähnten Ausstellungen ausgestellt werden und unverkauft bleiben, wird eine Frachtbegünstigung in der Art gewährt, daß nur für die Hinbeförderung die volle tarifmäßige Fracht berechnet wird, die Rückbeförderung an die Versand-Station und den Aussteller aber frachtfrei erfolgt, wenn durch Vorlage des ursprünglichen Frachtbriefes bezw. des Duplikat-Transportscheines für den Hinweg, sowie durch eine Bescheinigung der dazu ermächtigten Stelle nachgewiesen wird, daß die Gegenstände ausgestellt gewesen und unverkauft geblieben sind, und wenn die Rückbeförderung innerhalb der unten angegebenen Zeit stattfindet.

In den ursprünglichen Frachtbriefen bezw. Duplikat-Transportscheinen für die Hinsendung ist ausdrücklich zu vermerken, daß die mit denselben aufgegebenen Sendungen durchweg aus Ausstellungsgut bestehen.

№	Art der Ausstellung	Ort	Zeit 1890	Die Frachtbegünstigung wird gewährt für	auf den Strecken der	Zur Ausfertigung der Bescheinigung sind ermächtigt	Die Rückbeförderung muß erfolgen innerhalb
1	Internationale Ausstellung für Kriegskunst und Armeebedarf, verbunden mit einer Patent-Ausstellung	Köln,	13. Mai bis 1. Oktober,	Gegenstände der nebenbezeichneten Art,	Preußischen Staatsbahnen,	Ausstellungs-Commission,	4 Wochen nach Schluß der Ausstellung.
2	Allgemeine Ausstellung für Landwirthschaft,	Köln,	13. Mai bis 1. Oktober	Thiere u. Gegenstände,	desgl.,	desgl.	4 Wochen
3	Allgemeine Deutsche Pferde-Ausstellung,	Berlin,	12. bis 22. Juni,	desgl.,	desgl. *)	desgl.	4 Wochen

*) Die gleiche Frachtbegünstigung wird von den Königlich Bayerischen und Sächsischen Staatseisenbahnen, den Großherzoglich Badischen und Oldenburgischen Staatseisenbahnen, der Oberhessischen, Mecklenburgischen Friedrich-Franz-, Eutin-Lübecker, Lübeck-Buchener, Main-Neckar-, Weimar-Geraer, Weimar-Rastenberger, Saal- und Werra-Eisenbahn, der Braunschweigischen Landeseisenbahn, der Hessischen Ludwigsbahn, der Pfälzischen Eisenbahn und dem Deutsch-Nordischen Lloyd gewährt.

Ferner bringen wir mit Bezug auf unsere Bekanntmachung vom 31. März d. J. zur Kenntniß, daß die Bezirksschau in Angerburg auf den 19. Mai d. J., in Oletzko auf den 22. Mai d. J. und in Insterburg auf den 23. Mai d. J. verlegt worden ist.

Bromberg, den 10. Mai 1890.

Königl. Eisenbahn-Direktion.

Bekanntmachungen anderer Behörden.

Bekanntmachung.

Zur Entscheidung über die in Folge des von dem Herrn Minister der öffentlichen Arbeiten und dem Herrn Minister für Handel und Gewerbe unter dem 1. Oktober 1889 erlassenen Preisausschreibens eingegangenen Entwürfe und Modelle für ein am meisten geeignetes Segel- oder Lastschiff zum Befahren der Oder, des Oder-Spree-Kanals und der Spree innerhalb der Stadt Berlin, sind zu Preisrichtern ernannt: Geheimer Admiralitätsrath Brix zu Berlin, Regierungs- und Baurath Werner zu Berlin, Regierungs- und Baurath Dieckhoff zu Potsdam, Wasser-Bauinspektor Hamel zu Breslau, Schiffbaumeister Stutzer zu Havelberg, Fabrikbesitzer und Schiffbauingenieur Hofmann zu Breslau, Schiffsrheder Rothenbücher zu Berlin,

Schifffahrts-Direktor Ströhler zu Berlin, Schiffsrheder Krause zu Breslau, Schiffsrheder Nagel zu Breslau. Das Preisgericht wird am 1. Juli d. J., Vormittags 10 Uhr, in dem Sitzungssaale des Königlichen Ober-Präsidiums zu Breslau (Albrechtstraße 32) mit der Prüfung der eingegangenen Entwürfe und Modelle beginnen.

Breslau, den 17. Mai 1890.

Der Ober-Präsident.

Offene Kreisthierarztstelle.

Die neu begründete, mit einem Gehalte von 600 Mark verbundene Kreisthierarztstelle des Kreises Schubin mit dem Amtswohnsitze in der gleichnamigen Kreisstadt soll sogleich besetzt werden.

Dem anzustellenden Kreisthierarzte wird aus Kreiskommunalfonds ein jährlicher Zuschuß von 1000 Mark, vorläufig auf die Dauer von 2 Jahren, gewährt werden.

Auch dürfte dem betreffenden Veterinär die Ueberwachung und Kontrole des öffentlichen Schlachthauses in Schubin, dessen Errichtung beabsichtigt wird, übertragen werden.

Qualificirte Bewerber wollen sich unter Einreichung ihrer Zeugnisse und eines Lebenslaufes binnen 4 Wochen bei mir melden.

Bromberg, den 17. Mai 1890.

Der Regierungs-Präsident.

Personal-Chronik.

Der in die Oberpfarrstelle zu Storkow berufene Pfarrer Johann Wilhelm Kritzinger, seither in Boitzenburg U.-M., ist zum Superintendenten der Diözese Storkow ernannt worden.

Der bisherige Vorsteher des evangelischen Johannesstifts zu Plötzensee bei Berlin, Johannes Heinrich Richard Kirstein, ist zum Diakonus in Templin, Diözese gleichen Namens, bestellt worden.

Der bisherige Pfarrer Friedrich Julius Bernhard Kanzow zu Schönwerder, Diözese Prenzlau II., ist auf seinen Antrag zum Hülfsprediger an der St. Johannis-Kirche in Moabit, Diözese Berlin II, bestellt worden.

Der bisherige Diakonus Hermann Heinrich Ferdinand Gräfe in Perleberg ist zum Pfarrer der Parochie Neustadt a. D., Diözese Wusterhausen, bestellt worden.

Der bisherige Predigtamts-Kandidat Robert Franz Immanuel Sellin ist zum Pfarrer der Parochie Sadenbeck, Diözese Pritzwalk, bestellt worden.

Die unter Königlichem Patronat stehende Pfarrstelle zu Frankenförde, Diözese Luckenwalde, kommt durch die Versetzung ihres bisherigen Inhabers, des Pfarrers Sprockhoff, zum 16. Juli 1890 zur Erledigung. Die Wiederbesetzung dieser Stelle erfolgt durch Gemeindewahl nach Maßgabe des Kirchengesetzes, betreffend das im § 32 № 2 der Kirchengemeinde- und Synodal-Ordnung vom 10. September 1873 vorgesehene Pfarrwahlrecht, vom 15. März 1886 — Kirchl. Ges.- und Verordn.-Bl. de 1886 S. 39. — Bewerbungen um diese Stelle sind schriftlich bei dem Königlichen Konsistorium der Provinz Brandenburg einzureichen. § 6 a. a. O.

Die unter magistratualischem Patronat stehende Oberpfarrstelle an der St. Catharinen-Kirche zu Brandenburg a. H., Diözese Neustadt-Brandenburg, ist durch das am 29. April d. J. erfolgte Ableben des Oberpfarrers und Superintendenten Niederstadt zur Erledigung gekommen.

Im Verwaltungsbezirke der Königlichen Hofkammer ist der Förster Behrens von Prieros, Oberförsterei Hammer, nach Wilhelmshof in der Herrschaft Opatow versetzt und der bisherige Forstaufseher Paul Hoffmann zum Königlichen Förster in Prieros ernannt.

Ausweisung von Ausländern aus dem Reichsgebiete.

Laufende №	Name und Stand	Alter und Heimath	Grund der Bestrafung.	Behörde, welche die Ausweisung beschlossen hat.	Datum des Ausweisungs-Beschlusses.
	des Ausgewiesenen.				
1.	2.	3.	4.	5.	6.
	a. Auf Grund des § 39 des Strafgesetzbuchs:				
1	Andreas Iswicki, Hausdiener,	geboren am 2. Februar 1864 zu Bandlewo, Kreis Lipno, Russisch-Polen, ortsangehörig ebendaselbst,	einfacher und schwerer Diebstahl (5 Jahre 3 Monate Zuchthaus laut Erkenntniß vom 24 Februar 1885),	Königlich Preußischer Regierungspräsident zu Marienwerder,	16. April 1890,
	b. Auf Grund des § 362 des Strafgesetzbuchs:				
1	Wilhelm Thurau, Arbeiter,	geboren am 23. April 1861 zu Georgenburg, Rußland, ortsangehörig ebendaselbst,	Betteln u. Nichtbeschaffung eines Unterkommens,	Königlich Preußischer Regierungspräsident zu Königsberg,	21. März 1890.

Hierzu Drei Oeffentliche Anzeiger.

(Die Insertionsgebühren betragen für [illegible] valtige Druckzeile 20 Pf. Belagsblätter werden der Bogen [illegible] Pf berechnet.)

Redigirt von der Königlichen Re[illegible] zu Potsdam

Potsdam, Buchdruckerei der A. W. Hayn'schen Erben ([illegible] Hayn, Hof-Buchdrucker).

Oeffentlicher Anzeiger (№ 3)

zum 22sten Stück des Amtsblatts

der Königlichen Regierung zu Potsdam und der Stadt Berlin.

Den 30. Mai 1890.

Oeffentliche Vorladungen und Aufgebote.

119. Nachstehende Personen: 1) Der Schriftsetzer Max Theodor Paul **Krause**, geboren am 28. Juli 1865 zu Berlin, letzter Aufenthaltsort Züllchow, 2) der Commis Georg Adolf Eugen **Kothe**, geboren am 2. April 1867 zu Berlin, letzter Aufenthaltsort Stettin, 3) der Julius Heinrich Hermann **Karow**, geboren am 31. August 1868 zu Berlin, letzter Aufenthaltsort Stettin, 4) der Arthur Max Oskar **Dziembowsky**, geboren am 16 Oktober 1867 zu Berlin, letzter Aufenthaltsort Stettin, werden beschuldigt: im Inlande in nicht rechtsverjährter Zeit als Wehrpflichtige in der Absicht, sich dem Eintritte in den Dienst des stehenden Heeres oder der Flotte zu entziehen, ohne Erlaubniß entweder das Bundesgebiet verlassen zu haben oder nach erreichtem militairpflichtigen Alter sich außerhalb des Bundesgebiets aufzuhalten, Vergehen gegen §. 140¹ Str.-G.-B. Dieselben werden auf **den 19. September 1890 Vormittags 9 Uhr**, vor die III. Strafkammer des Königlichen Landgerichts hierselbst zur Hauptverhandlung geladen. Bei unentschuldigtem Ausbleiben werden dieselben auf Grund der nach § 472 der Strafprozeßordnung von den Civilvorsitzenden der Ersatzkommissionen zu Berlin I B. und I A. über die der Anklage zu Grunde liegenden Thatsachen ausgestellten Erklärungen verurtheilt werden. M. II. 70/90.

Stettin, den 3. Mai 1890.

Der Erste Staatsanwalt.

Aufgebot.

120. Die unbekannten Erben des am 16. September 1889 verstorbenen, hier Hussitenstraße 79 wohnhaft gewesenen Milchhändlers Ludwig Carl **Steffen** werden auf Antrag des Nachlaßpflegers Rechtsanwalts **Grabower**, Heiligegeiststraße 21, aufgefordert, spätestens in dem auf **den 8. Mai 1891, Mittags 12 Uhr**, vor dem unterzeichneten Gerichte, Neue Friedrichstraße Nr. 13, Hof, Flügel B., parterre, Saal 32, anberaumten Aufgebotstermine sich zu melden, widrigenfalls der Nachlaß dem sich legitimirenden Erben zur freien Disposition verabfolgt werden wird, und der nach erfolgter Präklusion sich etwa erst meldende nähere oder gleich nahe Erbe alle Handlungen und Dispositionen jenes Erben anzuerkennen und zu übernehmen schuldig, von ihm weder Rechnungslegung noch Ersatz der gehobenen Nutzungen zu fordern berechtigt, sondern sich lediglich mit dem, was alsdann noch von der Erbschaft vorhanden sein wird, zu begnügen verbunden sein soll.

Berlin, den 16. Mai 1890.

Königliches Amtsgericht I. Abtheilung 49.

Aufgebot von Nachlaßgläubigern und Vermächtnißnehmern.

121. Der Kaufmann Eduard **Constein** zu Berlin als Pfleger hat das Aufgebot der Nachlaßgläubiger und Vermächtnißnehmer des hier Georgenkirchplatz Nr. 11 wohnhaft gewesenen, am 20 Februar 1889 verstorbenen Kaufmanns Emil Hermann **Brick** beantragt. Sämmtliche Nachlaßgläubiger und Vermächtnißnehmer des Verstorbenen werden demnach aufgefordert, spätestens in dem auf **den 18. September 1890 Vormittags 11 Uhr**, an Gerichtsstelle, Neue Friedrichstr. 13, Hof, Flügel B. parterre, Saal 32, anberaumten Aufgebotstermine ihre Ansprüche anzumelden, widrigenfalls sie dieselben gegen die Benefizialerben nur noch in so weit geltend machen können, als der Nachlaß, mit Ausschluß aller seit dem Tode des Erblassers aufgekommenen Nutzungen, durch Befriedigung der angemeldeten Gläubiger nicht erschöpft wird. Das Nachlaßverzeichniß kann in der Gerichtsschreiberei, Zimmer 24, von 11 bis 1 Uhr Nachmittags eingesehen werden.

Berlin, den 14 Mai 1890.

Königliches Amtsgericht I. Abtheilung 48.

Aufgebot.

122. Der Mühlenmeister Hermann **Schulze** und seine Ehefrau, Bertha geb. **Junker**, zu Paplitz haben das Aufgebot des Hypothekenscheines vom 17. November 1857 über die im Grundbuch von Paplitz Band II. Blatt 585 № 21 Abtheilung III. № 2 für die Anna Christiane **Brumm** zu Paplitz eingetragenen 64 Thaler Manneserbe, bestehend aus der Verhandlung vom 20. Februar 1846, einem Hypothekenbuchsauszug vom 17. November 1857 und einem Umschreibungsvermerk vom 18. November 1857 beantragt. Der Inhaber der Urkunde wird aufgefordert, spätestens in dem auf **den 20. September 1890 Vormittags 10 Uhr**, vor dem unterzeichneten Gerichte anberaumten Aufgebotstermine seine Rechte anzumelden und die Urkunde vorzulegen, widrigenfalls die Kraftloserklärung der Urkunde erfolgen wird.

Baruth, den 20. Mai 1890.

Königliches Amtsgericht.

Konkursverfahren.

123. Ueber das Vermögen der Kauffrau Therese **Röhl** zu Perleberg wird, da dieselbe ihre Zahlungsunfähigkeit und ihre Zahlungseinstellung dargethan hat, letztere ist gerichtsnotorisch, auf ihren Antrag heute **am 23. Mai 1890 Mittags 12,40 Uhr**, das Konkursverfahren eröffnet. Der Kaufmann Louis **Graßhoff** wird zum Konkursverwalter ernannt. Konkursforderungen sind **bis zum 1. Juli 1890** bei

Litt. B. zu 1500 M. (500 Thlr.) 53 Stück
und zwar die Nummern:

587 604 625 727 764 1167 1341 1488 1843
2071 2080 2506 2557 2673 2916 3319 3347 3610
3641 3698 3798 3904 4032 4071 4117 4447 4489
4873 4888 4938 4955 4991 5014 5106 5123 5179
5365 5516 5583 5685 5738 5820 5833 6127 6308
6336 6438 6462 6608 6763 6766 6779 6806

Litt. C. zu 300 M. (100 Thlr) 205 Stück
und zwar die Nummern:

194 245 383 604 833 909 926 1091 1304
1493 1659 1970 2060 2199 2311 2323 2517 2607
2766 3074 3259 3376 3652 3674 3676 3762 3952
4036 4289 4497 4509 4621 4850 5008 5069 5254
5389 5562 5624 5639 5673 5751 5793 5918 6163
6165 6168 6361 6719 7506 7565 7945 8057 8193
8317 8371 8385 8446 8455 8456 8529 8747 8819
8940 9017 9210 9235 9374 9809 9903 9908 9930
10043 10159 10359 10763 10923 11011 11014
11160 11181 11407 11589 11686 11709 11723
11786 12268 12329 12450 12495 12529 12683
13106 13138 13323 13336 13757 13766 13769
13826 13847 13941 13982 13991 14035 14128
14653 15074 15110 15436 15528 15654 16038
16158 16169 16183 16262 16285 16359 16868
16919 16997 17044 17076 17085 17134 17296
17378 17461 17982 18012 18025 18147 18173
18175 18205 18214 18812 18837 18868 18875
18963 19100 19255 19266 19272 19408 19412
19495 19668 19698 19742 19824 19865 19916
20038 20072 20121 20321 20359 20363 20453
20565 20591 20635 20642 21011 21040 21118
21184 21547 21804 21954 22067 22203 22224
22386 22505 22610 22622 22645 23048 23145
23177 23395 23444 23488 23512 23701 23756
23765 23778 23804 23894 23955 24012 24054
24089 24203 24210 24271 24382 24620 24624.

Litt. D. zu 75 M. (25 Thlr.) 170 Stück
und zwar die Nummern:

42 92 117 451 479 618 813 869 948 1085
1122 1134 1567 1966 2153 2687 2920 2924 3213
3254 3478 3886 4205 4412 4422 4505 4622 4822
4833 4960 4979 5033 5245 5415 5435 5475 5637
6002 6027 6088 6090 6125 6260 6369 6503 6558
6580 6785 6801 6847 6935 7053 7062 7354 7515
7546 7564 7659 7911 8074 8108 8408 8691 8742
8784 8851 9018 9024 9164 9414 9877 9901 10075
10138 10270 10370 10432 10449 10637 10961
10975 11021 11077 11273 11381 11421 11435
11599 11823 11904 11921 12000 12011 12040
12060 12079 12231 12383 12407 12486 12541
12581 12879 13090 13212 13272 13405 13502
13650 13672 13792 13925 14070 14174 14367
14398 14433 14576 14595 14602 14904 14911
14950 15162 15215 15354 15411 15423 15521
15655 15673 15764 16144 16393 16413 16417
16464 16871 16992 17062 17131 17249 17507
17559 17664 17782 17848 17891 18084 18203
18308 18440 18477 18502 18517 18625 19194
19218 19579 19914 20078 20133 20169 20176
20247 20256 20261 20329 20409 20462.

Die Inhaber dieser Rentenbriefe werden aufgefordert, dieselben in coursfähigem Zustande mit den dazu gehörigen Talons bei der hiesigen Rentenbank-Kasse, Klosterstraße Nr. 76, vom 1. Oktober d. J. ab an den Wochentagen von 9 bis 1 Uhr einzuliefern, um hiergegen und gegen Quittung den Nennwerth der Rentenbriefe in Empfang zu nehmen. Vom 1. Oktober d. J. ab hört die Verzinsung der ausgeloosten Rentenbriefe auf. Von den früher verloosten Rentenbriefen der Provinz Brandenburg sind nachstehend genannte Stücke noch nicht zur Einlösung bei der Rentenbank-Kasse vorgelegt worden, obwohl seit deren Fälligkeit 2 Jahre und darüber verflossen sind.

Vom 1. Oktober 1882 Litt. C. № 2124.

Vom 1 April 1883 Litt. C. № 185.

Vom 1. Oktober 1883 Litt. A № 5689. Litt C. № 8068. Litt D. № 25 1038 6743.

Vom 1. April 1884 Litt. C. № 6431 19129. Litt. D. № 2504.

Vom 1. Oktober 1884 Litt B. № 3754. Litt C. № 1229 2410 13626. Litt. D № 3276 5183 6741 8623 8638.

Vom 1. April 1885 Litt. A № 6437. Litt. C. № 5166 5876 6196. Litt D. № 12065 13382.

Vom 1. Oktober 1885 Litt. A. № 557. Litt. C. № 541 10171 19186. Litt. D. № 4416 9719 18119

Vom 1. April 1886 Litt. B. № 1500. Litt. C. № 4610. Litt. D. № 3082 7404 8261 17269

Vom 1. Oktober 1886 Litt. A. № 3075. Litt. B. № 1495. Litt. C. № 5617 10469. Litt. D. № 1983 9137 9203 14276.

Vom 1. April 1887 Litt. A. № 4377. Litt. C. № 3663 5578 22732 22783. Litt. D. № 1722 3973 4988 7645 8886 13887.

Vom 1. Oktober 1887 Litt. C. № 413 2591 6367 6811 7608 17416 Litt. D. № 617 7259 12636 16337 16360 16818.

Vom 1. April 1888 Litt. C № 958 22350. Litt D. № 3343 4689 4704 5003 9784 10373.

Die Inhaber dieser Rentenbriefe werden wiederholt aufgefordert, den Nennwerth derselben nach Abzug des Betrages der von den mitabzuliefernden Coupons etwa fehlenden Stücke bei unserer Kasse in Empfang zu nehmen. Wegen der Verjährung der ausgeloosten Rentenbriefe ist die Bestimmung des Gesetzes über die Errichtung der Rentenbanken vom 2. März 1850 § 44 zu beachten.

Die Einlieferung ausgelooster Rentenbriefe an die Rentenbank-Kasse kann auch durch die Post portofrei und mit dem Antrage erfolgen, daß der Geldbetrag auf gleichem Wege übermittelt werde.

Die Zusendung des Geldes geschicht dann auf Gefahr und Kosten des Empfängers und zwar bei Summen bis

Amtsblatt

der Königlichen Regierung zu Potsdam und der Stadt Berlin.

Stück 23. Den 6. Juni **1890.**

Bekanntmachungen des Königlichen Regierungs-Präsidenten.

Polizei-Verordnung

betreffend Ergänzung der Bau-Polizei-Ordnung für die Städte vom 26 Januar 1872 — Amtsblatt Stück 6 Beilage 2 — und der Bau-Polizei-Ordnung für das platte Land vom 15. März 1872 — Amtsblatt Stück 13 Beilage 1 — hinsichtlich der Höhe der Gebäude

110. Auf Grund der §§ 6, 12 und 15 des Gesetzes über die Polizei-Verwaltung vom 11. März 1850 (G.-S. S. 265) und des § 137 des Gesetzes über die allgemeine Landes-Verwaltung vom 30. Juli 1883 (G.-S. S. 195 ff.) wird hiermit unter Zustimmung des Bezirks-Ausschusses nachstehende Polizei-Verordnung erlassen.

§ 1. An Straßen, welche nicht mehr als 10 m breit sind, dürfen Gebäude bis auf 10,0 m aufgeführt werden.

An Straßen, welche mehr als 10 m Breite haben, ist eine Höhe der Gebäude gleich der Straßenbreite, jedoch in keinem Falle über 19,0 m zulässig.

§ 2. Als Straßenbreite gilt die Entfernung der beiderseitig sich gegenüberliegenden Baufluchtlinien von einander.

Bei Eckgrundstücken an Straßen von verschiedener Breite sind bei Berechnung der zulässigen Höhe in der engen Straße die Maaße der breiten Straße bestimmend, jedoch nur bis zu einer Frontlänge von 18 m.

§ 3. Für Gebäude, vor welchen die Straßenbreite wechselt, gilt die von der Mitte des Grundstücks aus gemessene Straßenbreite.

§ 4. Für Vordergebäude, welche ganz oder mit einzelnen Theilen hinter der Bauflucht zurückbleiben, kann ausnahmsweise ein entsprechend gesteigertes Höhenmaaß, jedoch nicht über 19 m zugelassen werden.

§ 5. Bei Gebäuden, welche außer dem Erdgeschoß noch drei Stockwerke haben, dürfen im Dachgeschosse Feuerungsanlagen zu Wohn- oder gewerblichen Zwecken nicht hergestellt werden.

§ 6. In Straßen, welche nur von einer Seite zum Anbau bestimmt sind, darf die Höhe in jedem Falle bis 19 m betragen.

§ 7. Beim Anbau an einer Straße, welche nur vorläufig auf einer Seite bebaut wird, aber auf beiden Seiten bebaut werden darf, wird die Höhe der Gebäude nach Anhörung des Gemeindevorstandes von der Polizei-Verwaltung festgestellt.

§ 8. Die Höhe wird von der Straßenoberfläche bis zur Oberkante des Dachgesimses, bei Giebelhäusern bis zum Schwerpunkt, bezw. bis zu einem Drittel der Höhe des Giebel-Dreiecks, bei Mansardendächern bis zum Punkte, wo dieselben gebrochen sind, und bei abfallendem Terrain im Mittel gemessen.

§ 9. Hinterfronten der Vordergebäude, Hinter- und Seitengebäude dürfen nur bis zu derselben Höhe, wie die Vordergebäude aufgeführt werden. Uebertrifft jedoch der Hof in seiner geringsten Ausdehnung die Breite der Straße, in welcher das Grundstück liegt, so können die Gebäude auf dem Hofe diejenige Höhe erhalten, welche sich bei sinngemäßer Anwendung des § 1 ergiebt.

§ 10. Das Aufsetzen von höheren Thürmen, sofern solche nicht zu Wohnzwecken benutzt werden und nur der architektonischen Ausbildung dienen, ist gestattet.

§ 11. Für Kirchen und andere öffentliche Gebäude kann die Polizei-Verwaltung ein höheres Bauen, als in den vorstehenden Vorschriften bestimmt ist, zulassen.

Alle sonstigen Ausnahmen sind nur unter Genehmigung des Bezirks-Ausschusses zulässig.

Potsdam, den 29. Mai 1890.

Der Regierungs-Präsident.

gez. Graf Hue de Grais.

Belobigung für Rettung aus Lebensgefahr.

111. Der Obersekundaner Reinhard Grothe zu Perleberg hat am 2. Mai d. J. die neunjährige Tochter des Eisenhändlers Röhl aus dem sog. Kolk der Stepenitz vom Tode des Ertrinkens gerettet.

Diese von Muth und Entschlossenheit zeugende That wird hiermit belobigend zur allgemeinen Kenntniß gebracht.

Potsdam, den 24. Mai 1890.

Der Regierungs-Präsident.

Den Personenverkehr auf der im Zuge der Berlin-Hamburger Eisenbahn belegenen Drehbrücke über die Havel bei Spandau betr.

112. Am 1. Juni d. J., Vormittags 4 Uhr, wird der Hamburger Bahnhof in Spandau bis auf Weiteres für den durchgehenden Verkehr geschlossen und werden von diesem Zeitpunkte ab sämmtliche Personen- und Güterzüge der Hamburger Bahn, soweit dieselben in der Richtung nach Hamburg über Spandau hinaus verkehren, über den Lehrter Bahnhof in Spandau geleitet werden.

Da jedoch die im Bau begriffene Fußgängerbrücke über die Havel bei Spandau dem Verkehr noch nicht übergeben werden kann, so wird einstweilen die im

Zuge der Hamburger Bahn liegende Drehbrücke dem Publikum zeitweise zur Benutzung frei stehen. Die Zeiten, während welcher die Drehbrücke dem Schifffahrtsverkehr geöffnet, für das Publikum also gesperrt sein wird, sind im 22. Stück des diesseitigen Amtsblatts veröffentlicht worden.

Potsdam, den 30. Mai 1890.

Der Regierungs-Präsident.

Die Oeffnungszeiten der im Zuge der Berlin-Lehrter Eisenbahn belegenen Drehbrücke über die Havel bei Spandau betr.

113. Nachstehend werden diejenigen Zeiten, während welcher die im Zuge der Berlin—Lehrter Bahn belegene Drehbrücke über die Havel bei Spandau für den Schifffahrtsverkehr vom 1. Juni d. J. ab in der Regel geöffnet sein wird, zur öffentlichen Kenntniß gebracht:

A. beim Verkehren sämmtlicher Züge einschließlich der Bedarfszüge

Von 2·8 Vm. bis 2·57 Vm.
„ 3·25 „ „ 4·20 „
„ 6 10 „ „ 6·22 „
„ 6·38 „ „ 6·57 „
„ 7·15 „ „ 8·02 „
„ 8·48 „ „ 9·05 „
„ 10·37 „ „ 11·23 „
„ 3 23 Nm. „ 3 39 Nm.
„ 4·39 „ „ 5·12 „
„ 8·5 „ „ 8 20 „
„ 9 45 „ „ 9·58 „
„ 10·59 „ „ 11·15 „

B. beim Nichtverkehren der Bedarfszüge außerdem

Von 3·12 Vm. bis 3·25 Vm.
„ 4 20 „ „ 4·40 „
„ 10·27 „ „ 10·37 „
„ 2 35 Nm. „ 2 50 Nm.
„ 5·43 „ „ 5·53 „
„ 6·47 „ „ 6·57 „
„ 8 47 „ „ 8·59 „
„ 9·36 „ „ 9·45 „
„ 10·13 „ „ 10·30 „
„ 10·48 „ „ 10·59 „

Potsdam, den 30. Mai 1890.

Der Regierungs-Präsident.

Die Vorsitzenden der Schiedsgerichte für land- und forstwirthschaftliche Unfallversicherung betr.

114. Die Herren Minister der öffentlichen Arbeiten, für Landwirthschaft, Domänen und Forsten, der Finanzen, des Innern und für Handel und Gewerbe haben mittelst Erlasses vom 11. Mai l. J. an Stelle des Königlichen Regierungsraths Heidfeld den Königlichen Regierungsrath Freiherrn von Speßhardt zum Vorsitzenden der in den Kreisen Angermünde, Ober-Barnim, Ost- und West-Havelland, Prenzlau, Ost- und West-Prignitz, Ruppin und Templin, sowie im Stadtkreise Spandau für land- und forstwirthschaftliche Unfallversicherung bestehenden Schiedsgerichte ernannt. In den gleichen Schiedsgerichten der Kreise Beeskow-Storkow, Zauch-Belzig, Jüterbog-Luckenwalde, Teltow und Niederbarnim, sowie der Stadtkreise Potsdam, Charlottenburg und Brandenburg behält der Königliche Regierungsrath Heidfeld den Vorsitz.

Potsdam, den 31. Mai 1890.

Der Regierungs-Präsident.

Viehseuchen.

115. Festgestellt ist:

der Milzbrand in dem Rindviehbestande des Ortsschulzen Wendt zu Krielow, Kreis Zauche-Belzig;

die Maul- und Klauenseuche unter dem Rindvieh zweier Besitzer in Linum, Kreis Osthavelland, unter den Rindern des Rittergutes Selchow, des Halbbauern Gohl und bei dem Gemeindebullen zu Rangsdorf, Kreis Teltow.

Die Ortschaft Linum, Kreis Osthavelland, ist gegen das Durchtreiben von Wiederkäuern und Schweinen gesperrt worden.

Festgestellt ist ferner der Bläschenausschlag bei einem 2jährigen Bullen des Bauern Zander und bei einer dreijährigen Kuh der Wittwe Höger in Wentdorf, Kreis Westprignitz.

Erloschen ist:

der Milzbrand unter dem Rindvieh in Bredow, Kreis Osthavelland, auf der Zuckerfabrik in Prenzlau, Kreis Prenzlau;

die Maul- und Klauenseuche unter dem Rindviehbestande des Bauergutsbesitzers Wilhelm Görn zu Wachow, Kreis Westhavelland;

die Räude bei dem Pferde des Schlächtermeisters Ziemer zu Friedrichsberg, Kreis Niederbarnim.

Potsdam, den 3. Juni 1890.

Der Regierungs-Präsident.

Bekanntmachungen der Königl. Regierung.

Errichtung eines neuen Katasteramts in Brandenburg a. H.

5. Vom 1. Juni d. J. ist in Brandenburg a. H. ein Katasteramt eingerichtet und die Verwaltung dem Katasterkontroleur Hamann daselbst St. Annenstraße 33 übertragen.

Dieses Katasteramt wird gebildet aus den im nachstehenden Verzeichniß A. aufgeführten Steuerbezirken der Kreise Brandenburg (Stadtkreis) Westhavelland und Zauch-Belzig, welche bisher zu den Katasterämtern Potsdam und Rathenow gehört haben.

Sämmtliche unter A. lfd. № 1 bis 99 und 101 aufgeführten Steuerbezirke liegen im Amtsgerichtsbezirk Brandenburg, nur der unter lfd. № 100 dieses Verzeichnisses aufgeführte Steuerbezirk Wollin mit Bücknermark liegt im Amtsgerichtsbezirk Ziesar.

Die in nachstehendem Verzeichniß B. unter lfd. № 1 bis 31 aufgeführten Steuerbezirke des Amtsgerichtsbezirks Potsdam, welche bisher zum Katasteramtsbezirk Nauen (Kreis Osthavelland) gehörten, sind vom 1. Juni d. J. ab in den Katasteramtsbezirk Potsdam (Stadt) übernommen worden.

Potsdam, den 29. Mai 1890.

Königliche Regierung,

Abtheilung für direkte Steuern, Domainen und Forsten.

Verzeichniß A.

derjenigen Steuerbezirke der Kreise Westhavelland, Zauch-Belzig und Stadtkreis Brandenburg, welche bisher zu den Katasteramtsbezirken Rathenow und Potsdam gehörten und jetzt das neue Katasteramt Brandenburg a. H. bilden.

Lfd. №	Des Steuerbezirkes Name	Qualität
	I. Stadtkreis Brandenburg	
	Bisheriger Katasteramtsbezirk Potsdam.	
1	Brandenburg Stadt	Gemeinde
2	Klein-Kreutz Weinberg	do.
	II. Kreis Westhavelland.	
	a. Bisheriger Katasteramtsbezirk Rathenow	
3	Bagow	Gemeinde
4	Bagow	Gut
5	Brielow	Gemeinde
6	Briest	do.
7	Butzow	do.
8	Ferchesar bei Brandenburg	do.
9	Föhrde	do.
10	Gohlitz	do.
11	Gortz	do.
12	Gortz I. Antheils	Gut
13	Gortz II. Antheils	do.
14	Grabow	do.
15	Gutenpaaren	Gemeinde
16	Gutenpaaren	Gut
17	Ketzür	Gemeinde
18	Ketzür	Gut
19	Klein-Kreutz	Gemeinde
20	Klein-Kreutz	Gut
21	Lünow	Gemeinde
22	Lünow	Gut
23	Marzahne	Gemeinde
24	Mötzow	Gut
25	Neuendorf	Gemeinde
26	Päwesin	do.
27	Plaue (Stadt)	Gemeinde
28	Plaue	Gut
29	Plauerhof	do.
30	Pritzerbe (Stadt)	Gemeinde
31	Radewege	do
32	Riewendt	do.
33	Roskow	do.
34	Roskow	Gut
35	Saaringen	Gemeinde
36	Seelensdorf mit Gapel	Gut
37	Tieckow	Gemeinde
38	Wachow	do.
39	Weseram	do.
40	Zachow	do.
	b. Bisheriger Katasteramtsbezirk Potsdam.	
41	Brandenburg Burg	Gut
42	Brandenburg Dom	Gemeinde
	III. Kreis Zauch-Belzig.	
	Bisheriger Katasteramtsbezirk Potsdam.	
43	Bechow	Gemeinde
44	Brandenburg—Neustadt Forst	do.
45	Busendorf	do.
46	Cammer	do.
47	Cammer	Gut
48	Canin	Gemeinde
49	Claistow	do.
50	Dahmsdorf	do.
51	Dahmsdorf	Gut
52	Damelang	Gemeinde
53	Deetz	do.
54	Derwitz	do.
55	Freienthal	do.
56	Görisgräben	do.
57	Göttin bei Brandenburg	do.
58	Göttin bei Brandenburg	Gut
59	Götz	Gemeinde
60	Gollwitz	do.
61	Gollwitz	Gut
62	Golzow	Gemeinde
63	Golzow	Gut
64	Grebs	Gemeinde
65	Grebs	Gut
66	Grüneiche	Gemeinde
67	Grüneiche	Gut
68	Grüningen	Gemeinde
69	Haakenhaus	Gut
70	Haakenheide	do.
71	Jeserig bei Brandenburg	Gemeinde
72	Jeserig bei Brandenburg	Gut
73	Krahne	Gemeinde
74	Krahne	Gut
75	Groß-Kreutz	Gemeinde
76	Groß-Kreutz	Gut
77	Krielow	Gemeinde
78	Lehnin	do.
79	Lehnin	Gut
80	Lehnin Kgl. Forst	do.
81	Lucksfleiß	Gemeinde
82	Michelsdorf	do.
83	Nahmitz	do.
84	Netzen	do.
85	Pernitz	do.
86	Prützke	do.
87	Rädel	do.
88	Reckahne	do.
89	Reckahne	Gut
90	Rietz bei Brandenburg	Gemeinde
91	Rotscherlinde	Gut
92	Schmergow	Gemeinde
93	Schmertzke	do.
94	Schwina	do.

Lfd. №	Des Steuerbezirkes Name	Qualität
95	Tornow bei Lehnin	Gut
96	Trechwitz	Gemeinde
97	Trechwitz	Gut
98	Wendgräben	Gemeinde
99	Wilhelmsdorf	do.
100	Wollin mit Brückermark	do.
101	Wust	do.

Der unter lfd. № 100 dieses Verzeichnisses aufgeführte Gemeindebezirk Wollin mit Brückermark liegt im Amtsgerichtsbezirk Ziesar, sämmtliche übrigen unter № 1 bis 99 und № 101 aufgeführten Steuerbezirke liegen im Amtsgerichtsbezirke Brandenburg.

Verzeichniß B.

derjenigen Steuerbezirke des Kreises Osthavelland, welche aus dem Katasteramtsbezirke Nauen ausscheiden und in den Katasteramtsbezirk „Potsdam" übergehen.

Sämmtliche nachbenannte Bezirke sind im Amtsgerichtsbezirke Potsdam belegen.

Lfd. №	Des Steuerbezirkes Name	Qualität
1	Bornim	Gemeinde
2	Bornim	Gut
3	Bornim — Wildpark Kgl. Forst	do.
4	Bornstedt	Gemeinde
5	Bornstedt	Gut
6	Crampnitz	Gemeinde
7	Eiche	do.
8	Fahrland	do.
9	Fahrland	Gut
10	Falkenrehde	Gemeinde
11	Falkenrehde	Gut
12	Alt-Geltow	Gemeinde
13	Alt-Geltow	Gut
14	Neu-Geltow	Gemeinde
15	Golm	do.
16	Grube	do.
17	Grube	Gut
18	Ketzin	Gemeinde
19	Marquardt	do.
20	Marquardt	Gut
21	Nattwerder	Gemeinde
22	Nedlitz	do.
23	Paaren an der Wublitz	do.
24	Paaren an der Wublitz	Gut
25	Paretz	Gemeinde
26	Paretz	Gut
27	Sacrow	Gemeinde
28	Satzkorn	do.
29	Satzkorn	Gut
30	Uetz	Gemeinde
31	Uetz	Gut.

Bekanntmachungen des Königlichen Polizei-Präsidiums zu Berlin

Anhang II zu den neuen Statuten der „Janus" Wechselseitigen Lebensversicherungs-Anstalt in Wien.

50. Diesem Stück des Amtsblattes ist eine Extrabeilage beigefügt, welche den Anhang II. zu den neuen Statuten der „Janus" Wechselseitige Lebensversicherungs-Anstalt in Wien und die darauf bezügliche staatliche Genehmigungsurkunde vom 19. März 1890 enthält.

Es wird darauf mit dem Bemerken hingewiesen, daß die Concession und die Statuten der Anstalt in der Extra-Beilage zum Stück 49 des Amtsblattes der Königlichen Regierung zu Potsdam und der Stadt Berlin vom 9. Dezember 1887 und der Statuten-Anhang I. in der Extra-Beilage zum Stück 8 dieses Blattes vom 22. Februar 1889 veröffentlicht worden sind.

Berlin, den 2. Mai 1890.

Der Polizei-Präsident.

Verbot einer Druckschrift.

51. Auf Grund des § 12 des Reichsgesetzes gegen die gemeingefährlichen Bestrebungen der Sozialdemokratie vom 21. Oktober 1878 wird hierdurch zur öffentlichen Kenntniß gebracht, daß die Druckschrift: „Ad zehn Jahren. Material und Glossen zur Geschichte des Sozialistengesetzes. II. Die Opfer des Sozialistengesetzes. London. German Cooperative Publishing Co. 1890" nach § 11 des gedachten Gesetzes durch den Unterzeichneten von Landespolizeiwegen verboten worden ist. Berlin, den 29. Mai 1890.

Der Königliche Polizei-Präsident.

Bekanntmachung.

52. Auf Grund des § 15 des Enteignungsgesetzes vom 11. Juni 1874 ist von Landespolizeiwegen vorläufig festgestellt worden, daß:

a. von dem Grundstücke der Fraederich'schen Erben Band 3 № 124 des Grundbuchs von Lichtenberg eine Fläche von 3302 qm,

b. von dem Grundstücke des Gutsbesitzers Herrmann Band 17 № 579 desselben Grundbuches eine Fläche von 2445 qm,

c. von dem Grundstücke des Gutsbesitzers Carl Loeper Band 1 № 37 desselben Grundbuchs eine Fläche von 4768 qm,

d. von dem Grundstücke der Sonntag'schen Erben Band 1 № 4 des Grundbuchs von Dalhagen drei Flächen von 3723 qm und 8628 qm und 1433 qm,

e. von dem Grundstücke des Gärtners Carl Rudolf Bouché Band 21 № 1408 des Grundbuches von den Umgebungen (Berlins) zwei Flächen von 1560 qm und 44 qm,

f. von dem Grundstücke desselben Eigenthümers Band 36 № 2195 desselben Grundbuches zwei Flächen von 196 qm und 228 qm,

g. von dem Grundstücke des Kunst- und Handelsgärtners Johann Gottfried George Band 3

№ 172 desselben Grundbuchs eine Fläche von 44 qm,

h. von dem Grundstücke der verwittweten Oberamtmann Anna Christiane Karoline Griebenow, geborenen Rieber, Band 3 № 1 des Grundbuches von dem Niederschönhausener Vorwerks-Parzellen zwei Flächen von 42 qm und 374 qm,

i. von dem Grundstücke der Frau Dr. Agnes Amalie Ferdinandine Henriette Spiekermann, geborenen Büttner — ohne Grundbuchnummer — eine Fläche von 709 qm,

k. von dem Grundstücke des Kaufmanns und Miteigenthümers Meyer Band 78 № 3980 des Grundbuchs von den Umgebungen (Berlins) eine Fläche von 210 qm,

l. von dem Grundstücke des Nathan Wolff und Sohn Band 5 № 381 des Grundbuchs von Berlin eine Fläche von 199 qm,

m. von dem Wittwenhaus des Kollegiums des Berlinischen Gymnasiums zum Grauen Kloster Band 78 № 3990 von den Umgebungen Berlins eine Fläche von 75 qm,

n. von dem Grundstücke der Frau Dr. Seemann Band 5 № 369 des Grundbuches von Berlin eine Fläche von 171 qm,

o. von dem Grundstücke der Wittwe Louise Götze, geborenen Wolff, und der Auguste Wolff Band 36 № 2194 des Grundbuchs von den Umgebungen (Berlins) eine Fläche von 201 qm,

p. von dem Grundstücke des Paul Eduard Leopold Engel Band 36 № 2192 desselben Grundbuchs eine Fläche von 196 qm,

q. von dem Grundstück der verwittweten Gärtner Marie Brlig, geborenen Kopsch Band 36 № 2193 desselben Grundbuchs eine Fläche von 114 qm,

r. von dem Grundstücke des Gärtners Eduard Gottlieb Ludwig Mewes Band 36 № 2196 desselben Grundbuchs eine Fläche von 66 qm,

zusammen diejenigen Grundstücksflächen darstellen, hinsichtlich welcher der Stadtgemeinde Berlin zum Zwecke der Einlegung eines Druckrohres des Radialsystems XII. der allgemeinen Kanalisation von Berlin durch die Allerhöchsten Kabinets-Ordres vom 17. September 1888 und 27. Januar 1889 das Enteignungsrecht verliehen worden ist.

Unter Bezugnahme auf die diesseitige Bekanntmachung vom 12. August 1889 bringe ich hierdurch zur allgemeinen Kenntniß, daß der in Folge erhobener Ausstellungen vervollständigte Plan nebst Erläuterung vom 22. März d. J. gemäß § 18 fg. a. a. O. vom 15ten Juni bis 29. Juni 1890 einschließlich im Büreau des Herrn Gemeinde-Vorstehers zu Lichtenberg während der täglichen Dienststunden zu Jedermanns Einsicht ausliegen wird.

Einwendungen gegen diesen Plan bezüglich der im Gemeindebezirke Lichtenberg belegenen Grundstücke sind bis zum Ablaufe der bestimmten Frist bei der höherer Anordnung zu Folge hierfür zuständigen Ersten Abtheilung des Königlichen Polizei-Präsidiums zu Berlin schriftlich einzureichen.

Berlin, den 28 Mai 1890.

Der Polizei-Präsident.

Bekanntmachungen der Kaiserlichen Ober-Post-Direktion zu Potsdam.

Unanbringliche Postsendungen.

48. Bei der Kaiserlichen Ober-Postdirektion in Potsdam lagern nachbezeichnete Postsendungen, welche den Absendern bez. den Empfängern nicht haben zurückgegeben werden können

A. Packete:

an Gärtner A Lisece in Tummerow bei Beeskow, ½ kg schwer, aufgeliefert am 14. März d. J. in Beeskow von Tischlermeister Storck in Kohlsdorf bei Beeskow.

B. Postanweisungen:

an die Berliner Allgemeine Ortskrankenkasse in Berlin über 1 M., aufgeliefert am 23. November 1889 in Ketzin (Havel) von Heinrich Kerkow in Gr. Kärten; an Unteroffizier Pellmann in Cüstrin über 5 M., aufgeliefert in Spandau am 7. Februar d. J. von C. Peters; an Reiser in Berlin über 4 M., aufgeliefert in Wittstock (Mark) am 17. Dezember 1889; an Thon in Berlin über 10 M. 10 Pf., aufgeliefert am 11. September 1889 in Jüterbog Schießplatz.

C. Eingeschriebene Briefe mit Werthinhalt:

an Fräulein J. Herold bei Frau Roslin in Charlottenburg, Lessingstraße 7, aufgeliefert am 5. Dezember 1889 in Potsdam mit 10 M. Inhalt.

Die unbekannten Absender bez. Eigenthümer der vorstehend bezeichneten Postsendungen werden aufgefordert, binnen 4 Wochen ihre Ansprüche geltend zu machen, widrigenfalls nach Maßgabe der gesetzlichen Bestimmungen verfahren werden wird.

Potsdam, den 23. Mai 1890.

Der Kaiserliche Ober-Postdirector.

Errichtung einer Postagentur in Marienthal

49. In dem zum Kreise Templin gehörenden Orte Marienthal wird am 1. Juni eine die Bezeichnung Marienthal (Mark) führende Postagentur in Wirksamkeit treten. Diese Postagentur erhält Verbindung mit dem Kaiserlichen Postamte in Fischerwall durch zwei Botenposten, von denen die erste täglich verkehren und zur unbeschränkten Postsachenbeförderung benutzt werden, die zweite dagegen werktäglich verkehren und in beschränkter Weise zur Postsachenbeförderung benutzt werden soll. Die Botenposten erhalten folgenden Gang:

I.	II.		I.	II.
8 45 V.	12 30 N.	ab Fischerwall ↑		
		an	8 00 N.	7 55 N.
10 10 V.	2 35 N.	an Marienthal		
		↓ (Mark) ab	1 40 N.	6 10 N.

Dem Landbestellbezirke von Marienthal werden folgende Ortschaften u. s. w. zugetheilt: Tornow, Forsthaus Marienthal, Marienthaler Ablage, Marienthaler Ziegeleien, Marienthaler Schleuse, Ribbecker Abbau und Zabelsdorf. Die Posthülfstelle in Marienthal tritt mit dem 31. Mai außer Wirksamkeit.

Potsdam, den 27. Mai 1890.

Der Kaiserliche Ober-Postdirektor.

Bekanntmachungen der Königl. Kontrolle der Staatspapiere.

Aufgebot einer Schuldverschreibung.

13. In Gemäßheit des § 20 des Ausführungsgesetzes zur Civilprozeßordnung vom 24. März 1879 (G.-S. S. 281) und des § 6 der Verordnung vom 16. Juni 1819 (G.-S. S. 157) wird bekannt gemacht, daß dem Herrn F. G. Koch in Belzig die Schuldverschreibung der konsolidirten 3½ %igen Staatsanleihe von 1887/1888 Lit. D. № 168483 über 500 Mark angeblich gestohlen worden ist. Es wird Derjenige, welcher sich im Besitze dieser Urkunde befindet, hiermit aufgefordert, solches der unterzeichneten Kontrolle der Staatspapiere oder dem Herrn ꝛc Koch anzuzeigen, widrigenfalls das gerichtliche Aufgebotsverfahren behufs Kraftloserklärung der Urkunde beantragt werden wird.

Berlin, den 23. Mai 1890.

Königliche Kontrolle der Staatspapiere.

Bekanntmachungen der Kgl. Direktion der Rentenbank für die Provinz Brandenburg.

Vernichtung ausgeloosster Rentenbriefe.

6. Die nachstehende Verhandlung

Geschehen, Berlin, den 17. Mai 1890.

Auf Grund der §§ 46, 47 und 48 des Rentenbank-Gesetzes vom 2. März 1850 wurden von ausgeloosten Rentenbriefen der Provinz Brandenburg, welche nach dem vorgelegten Verzeichnisse gegen Baarzahlung zurückgegeben sind, und zwar:

154 Stück	Litt. A.	zu 3000 M.	=	462000 M.
60 „	- B.	zu 1500 M.	=	90000 M.
227 „	- C.	zu 300 M.	=	68100 M.
193 „	- D.	zu 75 M.	=	14475 M.
zusammen 634 Stück	über	. . . . .		634575 M.

nebst den dazu gehörigen, im vorgedachten Verzeichnisse aufgeführten 742 Coupons und 634 Talons heute in Gegenwart der Unterzeichneten durch Feuer vernichtet.

V. g. u.

Lazarus, Abgeordneter des Provinzial-Landtages. Witte, Abgeordneter des Provinzial-Landtages.

Carl Bernhard Geschke, Notar im Bezirk des Königlichen Kammergerichts.

a. u. s.

Schreiber, Provinzial-Rentmeister. Behrens, Buchhalter.

wird hierdurch zur öffentlichen Kenntniß gebracht.

Berlin, den 20. Mai 1890.

Königliche Direktion der Rentenbank für die Provinz Brandenburg.

Bekanntmachungen des Provinzial-Steuer-Direktors.

Herstellung eines Branntwein-Denaturirungsmittels.

5. Es wird hierdurch zur öffentlichen Kenntniß gebracht, daß der bisher zur Zusammensetzung des allgemeinen Branntwein-Denaturirungsmittels ermächtigte Fabrikbesitzer Dr. Schuchardt in Görlitz vom 1. März d. J. ab die Herstellung des fraglichen Denaturirungsmittels eingestellt hat.

Berlin, den 20. Mai 1890.

Der Provinzial-Steuer-Direktor.

Bekanntmachungen der Königlichen Eisenbahn-Direktion zu Bromberg.

Neue Ausgabe des Ostdeutschen Eisenbahn-Kursbuchs.

33. Am 1. Juni d. J. erscheint eine neue Ausgabe des Ostdeutschen Eisenbahn-Kursbuchs, enthaltend die Sommer-Fahrpläne der Eisenbahnstrecken östlich der Linie Stralsund—Berlin—Dresden, sowie Auszüge der Fahrpläne der anschließenden Bahnen von Mittel-Deutschland, Oesterreich, Ungarn und Rußland, auch Post- und Dampfschiffs-Verbindungen, Angaben über Rundreise- und Sommerkarten u. s. w. Das Kursbuch ist auf allen Stationen des vorbezeichneten Bezirks an der Fahrkarten-Ausgabestelle, den Bahnhofsbuchhändlern, sowie im Buchhandel zum Preise von 50 Pfennig zu beziehen.

Bromberg, den 27 Mai 1890.

Königliche Eisenbahn-Direktion.

Bekanntmachungen der Königlichen Eisenbahn-Direktion zu Magdeburg.

Fahrplan-Aenderung.

13. Die im Sommerfahrplan vom 1. Juni d. J. ab vorgesehene Beförderung des Zuges P. 28 um 11^{40} Vm. von Berlin bis Potsdam kommt nicht zur Ausführung. Dieser Zug fährt, wie bisher, nur bis Zehlendorf.

Der zur Zeit um 12^{0} Mittags von Berlin abfahrende Zug wird, um 7 Minuten später, wie folgt bis Potsdam befördert:

Berlin	Abfahrt	12^{07}	Nm.
Steglitz	„	12^{17}	„
Lichterfelde	„	12^{22}	„
Zehlendorf	„	12^{28}	„
Schlachtensee	„	12^{35}	„
Wannsee	„	12^{42}	„
Neu-Babelsberg	„	12^{50}	„
Neuendorf	„	12^{56}	„
Potsdam	Ankunft	1^{00}	„

Berlin, den 29. Mai 1890.

Königliches Eisenbahn-Betriebsamt. (Berlin—Magdeburg)

Bekanntmachungen anderer Behörden.

Bekanntmachung.

Zur Entscheidung über die in Folge des von dem Herrn Minister der öffentlichen Arbeiten und dem Herrn Minister für Handel und Gewerbe unter dem 1. Oktober 1889 erlassenen Preisausschreibens eingegangenen Entwürfe und Modelle für ein am meisten geeignetes

Segel- oder Lastschiff zum Befahren der Oder, des Ober-Spree-Kanals und der Spree innerhalb der Stadt Berlin, sind zu Preisrichtern ernannt: Geheimer Admiralitätsrath Brix zu Berlin, Regierungs- und Baurath Werner zu Berlin, Regierungs- und Baurath Dirckhoff zu Potsdam, Wasser-Bauinspektor Hamel zu Breslau, Schiffbaumeister Stutzer zu Havelberg Fabrikbesitzer und Schiffbauingenieur Hofmann zu Breslau, Schiffsrheder Rothenbücher zu Berlin, Schifffahrts-Direktor Ströhler zu Berlin, Schiffsrheder Krause zu Breslau, Schiffsrheder Nagel zu Breslau. Das Preisgericht wird am 1. Juli d. J. Vormittags 10 Uhr, in dem Sitzungssaale des Königlichen Ober-Präsidiums zu Breslau (Albrechtstraße 32) mit der Prüfung der eingegangenen Entwürfe und Modelle beginnen.

Breslau, den 17. Mai 1890.

Der Ober-Präsident.

Bekanntmachung.

Der bisherige Stromaufseher Tuche in Wittenberge ist vom 1. April d. J. ab als Lagerhof-Verwalter daselbst angestellt.

Magdeburg, den 24. Mai 1890.

Der Chef der Elbstrom-Bauverwaltung,
Ober-Präsident der Provinz Sachsen.

Personal-Chronik.

Der Militär-Anwärter Friedrich Nemetz ist zum Regierungs-Militär-Supernumerarius ernannt worden.

Der bei dem Neubau des Oder-Spree-Kanales beschäftigte Königliche Regierungs-Baumeister Michelmann zu Fürstenwalde ist zum Königlichen Wasserbau-Inspektor ernannt worden.

Die am Oder-Spree-Kanal belegene Buhnenmeisterstelle zu Müllrose ist vom 1. April d. J. an dem Anwärter Adolf Gartzke vorläufig auf Probe übertragen worden.

Der bisherige Divisionspfarrer bei der 1. Division zu Königsberg i. P., Dr. Gustav Friedrich Wahle, ist zum Pfarrer der Parochie Petzhüte, Diözese Luckenwalde, bestellt worden.

Die unter Privatpatronat stehende Pfarrstelle zu Papendorf, Diözese Strasburg U.-M., ist durch das Ableben des Pfarrers Hepff am 16 April 1890 zur Erledigung gekommen.

Dem Oberlehrer Schultze am Dorotheenstädtischen Realgymnasium in Berlin ist der Titel „Professor" verliehen worden.

Dem Oberlehrer Dr. Küthnick an der Ritter-Akademie zu Brandenburg a. H. ist der Professortitel verliehen worden.

Den Oberlehrern Dr. Wolff und Dr. Brosien an der Luisenstädtischen Oberrealschule in Berlin ist der Professortitel verliehen worden.

An der Friedrichs-Werderschen Oberrealschule in Berlin sind der ordentliche Lehrer Dr. Fieberg zum Oberlehrer befördert und die Schulamts-Kandidaten Richter und Dr. Violet als ordentliche Lehrer angestellt worden.

Ausweisung von Ausländern aus dem Reichsgebiete.

Lauf. Nr.	Name und Stand	Alter und Heimath	Grund der Bestrafung.	Behörde, welche die Ausweisung beschlossen hat.	Datum des Ausweisungs-Beschlusses.
	des Ausgewiesenen.				
1.	2.	3.	4.	5.	6.
	a. Auf Grund des § 39 des Strafgesetzbuchs:				
1	Hermann Samuel Eckstein, Bildhauer,	geboren am 23. August 1849 zu Lutomiersk, Kreis Lask, Rußland, Russischer Staatsangehöriger,	schwerer Diebstahl (zehn Jahre Zuchthaus laut Erkenntnisse vom 11ten November 1879 und 24. April 1880),	Königlich Preußischer Regierungspräsident zu Cöln,	1. Mai 1890.
	b. Auf Grund des § 362 des Strafgesetzbuchs:				
1	Georg Micheller, Gärtner,	geboren am 12. April 1837 zu Wieselburg, Ungarn, ortsangehörig ebendaselbst,	Landstreichen und Betteln,	Königlich Preußischer Regierungspräsident zu Breslau,	19. April 1890.
2	Franz Leichter, Arbeiter,	geboren am 1. November 1849 zu Nekors, Bezirk Senftenberg, Böhmen, ortsangehörig ebendaselbst,	Betteln im wiederholten Rückfall,	derselbe,	23. April 1890.
3	Alexander Schnee, Handelsmann,	geboren am 26. Juni 1866 zu Polangen, Rußland,	Landstreichen,	Königlich Preußischer Regierungspräsident zu Aachen,	11. April 1890.
4	Julius Rosenzweig, ohne Stand,	Alter unbekannt, geboren zu Riga, Rußland,	Landstreichen u. Betteln,	Großherzoglich Hessisches Kreisamt Friedberg,	26. Februar 1890.

Laufende Nr.	Name und Stand	Alter und Heimath	Grund der Bestrafung.	Behörde, welche die Ausweisung beschlossen hat.	Datum des Ausweisungs-Beschlusses.
	des Ausgewiesenen.				
1.	2.	3.	4.	5.	6.
5	Heinrich Kauffmann, Eisengießer,	geboren am 3. Mai 1868 zu Schlieren, Kanton Zürich, Schweiz, ortsangehörig ebendaselbst,	Gebrauch eines gefälschten Führungszeugnisses und Landstreichen,	Kaiserlicher Bezirks-Präsident zu Straßburg,	26. April 1890.
6	Maria Anna Poos, ohne Stand,	geboren am 5. März 1871 zu Bunglinster, Luxemburg, ortsangehörig ebendaselbst,	Wiederholte Sittenpolizei-Uebertretung,	Kaiserlicher Bezirks-Präsident zu Metz,	24. April 1890.
7	Josef Franz Schwarzbach, Tuchmachergeselle,	geboren am 10. Oktober 1850 zu Marschowitz, Mähren,	Landstreichen und Betteln,	Königlich Preußischer Regierungspräsident zu Frankfurt a. O.,	21. März 1890.
8	Ferdinand Kucera, Gärtnergehülfe,	geboren am 20. September 1858 zu Lidice, Bezirk Kecskemet, Ungarn, ortsangehörig ebendaselbst,	Landstreichen,	Königlich Preußischer Regierungspräsident zu Lüneburg,	3. Mai 1890.
9	Joachim Zegelsky, Schlosser,	geboren am 17. August 1856 zu Krakau, Galizien, österreichischer Staatsangehöriger,	Betteln im wiederholten Rückfall,	Königlich Preußischer Regierungspräsident zu Wiesbaden,	25. April 1890.
10	Josef Prikryl, Fabrikarbeiter,	geboren im Jahre 1870 zu Unterhaid, Bezirk Freistadt, Oesterreich, ortsangehörig zu Lösch, Bez. Brünn, Mähren,	Landstreichen und Betteln,	Königlich Bayerisches Bezirksamt Oberdorf,	10. April 1890.
11	Karl Neßmann, Kellner,	17 Jahre alt, geboren und ortsangehörig zu Wien, Oesterreich,	Betteln im wiederholten Rückfall,	Großherzoglich Badischer Landeskommissär zu Mannheim,	3. Mai 1890.
12	Josef Blum, Barbier,	geboren am 8. April 1850 zu Colmar, Elsaß-Lothringen, durch Option französischer Staatsangehöriger,	Landstreichen und Betteln,	Kaiserlicher Bezirks-Präsident zu Colmar,	29. April 1890.

(Hierzu der Fahrplan der Königlichen Eisenbahn-Direktion Altona, gültig vom 1. Juni 1890 ab, eine Extra-Beilage, enthaltend den Anhang II. zu den neuen Statuten des „Janus" Wechselseitige Lebensversicherungs-Anstalt in Wien, sowie Drei Oeffentliche Anzeiger.)

(Die Insertionsgebühren betragen für eine einspaltige Druckzeile 20 Pf.
Belagsblätter werden der Bogen mit 10 Pf. berechnet.)

Redigirt von der Königlichen Regierung zu Potsdam.

Potsdam, Buchdruckerei der A. W. Hayn'schen Erben (E. Hayn, Hof-Buchdrucker).

Amtsblatt

der Königlichen Regierung zu Potsdam und der Stadt Berlin.

Stück 24. Den 13. Juni **1890.**

Bekanntmachungen der Königlichen Ministerien.

Notirung von Terminpreisen.

14. In Verfolg unserer Bekanntmachung vom 5. Oktober 1885 bringen wir zur öffentlichen Kenntniß, daß

an der Börse zu Leipzig für Kammzug Terminpreise notirt werden.

Berlin, den 24. Mai 1890

Der Finanz-Minister.
Im Auftrage gez. Schomer.

Der Minister für Handel und Gewerbe.
In Vertretung gez Magdeburg.

F. M. III. 6333.
M. f. H. ꝛc. C. 2529.

Ankauf von Remonten für 1890.

Regierungs-Bezirk Potsdam.

15. Zum Ankaufe von Remonten im Alter von drei und ausnahmsweise vier Jahren sind im Bereiche der Königlichen Regierung zu Potsdam für dieses Jahr nachstehende, Morgens 8 resp. 9 Uhr beginnende Märkte anberaumt worden und zwar:

am	17. Juni	Jüterbog	9	Uhr,
	18. „	Oranienburg	9	„
	19. „	Nauen	8	„
	20. „	Neustadt a. Dosse	9	„
	1. Juli	Rathenow	8	„
	3. „	Havelberg	8	„
	4. „	Wilsnack	9	„
	7. „	Meyenburg	8	„
	25. „	Prenzlau	8	„
	26. „	Angermünde	8	„
	28. „	Kyritz	9	„
	29. „	Wittstock	8	„
	30. „	Pritzwalk	8	„
	31. „	Perleberg	8	„
	1. August	Lenzen a. Elbe	8	„

Die von der Remonte-Ankaufs-Kommission erkauften Pferde werden zur Stelle abgenommen und sofort gegen Quittung baar bezahlt.

Pferde mit solchen Fehlern, welche nach den Landesgesetzen den Kauf rückgängig machen, sind vom Verkäufer gegen Erstattung des Kaufpreises und der Unkosten zurückzunehmen, ebenso Krippensetzer und Klopphengste, welche sich in den ersten zehn beziehungsweise acht und zwanzig Tagen nach Einlieferung in den Depots als solche erweisen. Pferde, welche den Verkäufern nicht eigenthümlich gehören, oder durch einen nicht legitimirten Bevollmächtigten der Kommission vorgestellt werden, sind vom Kauf ausgeschlossen.

Die Verkäufer sind verpflichtet, jedem verkauften Pferde eine neue starke rindlederne Trense mit starkem Gebiß und eine neue Kopfhalfter von Leder oder Hanf mit 2 mindestens zwei Meter langen Stricken ohne besondere Vergütung mitzugeben.

Um die Abstammung der vorgeführten Pferde feststellen zu können, sind die Deckscheine resp. Füllenscheine mitzubringen, auch werden die Verkäufer ersucht, die Schweife der Pferde nicht zu koupiren oder übermäßig zu verkürzen. Ferner ist es dringend erwünscht, daß ein zu massiger oder zu weicher Futterzustand bei den zum Verkauf zu stellenden Remonten nicht stattfindet, weil dadurch die in den Remontedepots vorkommenden Krankheiten sehr viel schwerer zu überstehen sind, als dies bei rationell und nicht übermäßig gefutterten Remonten der Fall ist. Die auf den Märkten vorzustellenden Remonten müssen daher in solcher Verfassung sein, daß sie durch mangelhafte Ernährung nicht gelitten haben und bei der Musterung ihrem Alter entsprechend in Knochen und Muskulatur ausgebildet sind.

Berlin, den 21. März 1890.

Kriegs-Ministerium. Remontirungs-Abtheilung.

Bekanntmachungen der Königlichen Hauptverwaltung der Staatsschulden.

Einlösung der am 1. Juli 1890 fälligen Zinsscheine der Preußischen Staatsschulden ꝛc.

12. Die am 1. Juli 1890 fälligen **Zinsscheine der Preußischen Staatsschulden** werden bei der Staatsschulden-Tilgungskasse, W. Taubenstraße 29 hierselbst, bei der Reichsbankhauptkasse, sowie bei den früher zur Einlösung benutzten Königlichen Kassen und Reichsbankanstalten vom **24sten d. M.** ab eingelöst.

Die Zinsscheine sind, nach den einzelnen Schuldgattungen und Werthabschnitten geordnet, den Einlösungsstellen mit einem Verzeichniß vorzulegen, welches die **Stückzahl** und den **Betrag** für jeden Werthabschnitt angiebt, aufgerechnet ist und des Einliefernden Namen und Wohnung ersichtlich macht.

Wegen Zahlung der am 1. Juli fälligen Zinsen für die in das **Staatsschuldbuch** eingetragenen Forderungen bemerken wir, daß die **Zusendung** dieser Zinsen mittels der **Post**, sowie ihre Gutschrift auf den Reichsbank-Girokonten der Empfangsberechtigten zwischen dem **17. Juni und 8. Juli** erfolgt; die **Baarzahlung aber bei der Staatsschulden-Tilgungskasse am 17. Juni, bei den Regierungs-Hauptkassen am 24sten Juni** und bei den mit der Annahme direkter Staatssteuern außerhalb Berlins betrauten Kassen am **1. Juli** beginnt.

Die Staatsschulden-Tilgungskasse ist **für die Zinszahlungen** werktäglich von 9 bis 1 Uhr mit Ausschluß des vorletzten Tages in jedem Monat, am letzten Monatstage aber von 11 bis 1 Uhr geöffnet.

Die Inhaber Preußischer 4prozentiger und 3½prozentiger Konsols machen wir wiederholt auf die durch uns veröffentlichten „Amtlichen Nachrichten über das Preußische Staatsschuldbuch aufmerksam, welche durch jede Buchhandlung für 40 Pfennig oder von dem Verleger J. Guttentag (D. Collin) in Berlin durch die Post für 45 Pfennig franko zu beziehen sind.

Berlin, den 3. Juni 1890.

Hauptverwaltung der Staatsschulden.

Bekanntmachungen des Königlichen Regierungs-Präsidenten.

Abhaltung von Schießversuchen auf dem Schießplatze bei Cummersdorf.

116. Unter Hinweis auf meine Amtsblatts-Bekanntmachung vom 28 Dezember 1889 — Stück 1, 8 und 17 des Amtsblattes von 1890 — bringe ich hierdurch zur öffentlichen Kenntniß, daß am 16. Juni d. J auf dem Schießplatze bei Cummersdorf Schießversuche stattfinden werden. Dafür bleibt der 17. Juni d. J **schießfrei.**

Potsdam, den 7 Juni 1890.

Der Regierungs-Präsident.

Thierärztliche Untersuchung der nach den Nordseehafenstädten zu versendenden Wiederkäuer und Schweine.

117. Behufs kostenfreier Ausführung der zufolge Beschlusses des Bundesraths vom 3. November 1887 angeordneten thierärztlichen Untersuchung der nach den Nordseehafenstädten zu versendenden Wiederkäuer und Schweine wird der Kreisthierarzt des Kreises Ostprignitz bis auf Weiteres an jedem Sonnabend Nachmittag um 2 Uhr auf dem Bahnhofe Pritzwalk anwesend sein, um die Untersuchung der abgehenden Transporte in der

120. **Nachweisung der Markt-** rc.

Laufende Nummer	Namen der Städte	Getreide								Uebrige Markt-																	
		Es kosten je 100 Kilogramm																						Es			
																								Rindfleisch			
		Weizen		Roggen		Gerste		Hafer		Erbsen		Speisebohnen		Linsen		Eßkartoffeln		Richtstroh		Krummstroh		Heu		von der Keule		Bauchfleisch	
		M.	Pf.	M.	Pf.	M.	Pf.	M.	Pf.	M.	Pf.	M.	Pf.	M.	Pf.	M.	Pf.	M.	Pf.	M.	Pf.	M.	Pf.	M.	Pf.	M.	Pf.
1	Angermünde	18	83	15	69	16	62	16	79	26	88	30	—	35	—	3	75	6	61	4	31	5	25	1	40	1	10
2	Beeskow	—	—	16	78	—	—	16	85	25	-	27	50	37	50	2	30	-	-	—	—	—	—	1	20	1	—
3	Bernau	19	33	16	57	16	97	17	50	27	88	32	50	41	—	4	19	6	51	—	—	5	45	1	28	1	10
4	Brandenburg	19	05	16	88	15	59	17	62	35	—	40	—	45	—	2	60	5	03	—	—	5	32	1	40	1	20
5	Dahme	18	82	16	67	16	43	18	—	25	—	32	—	45	—	2	—	6	—	4	—	7	50	1	—	1	—
6	Eberswalde	19	24	16	21	18	—	17	06	24	—	24	—	32	—	3	—	6	33	—	—	4	67	1	40	1	10
7	Havelberg	19	60	16	12	16	17	18	50	25	—	45	—	55	—	3	50	6	50	3	25	6	50	1	30	1	10
8	Jüterbog	19	20	16	73	17	—	19	—	28	—	30	—	50	—	2	60	6	—	—	—	6	50	1	25	1	10
9	Luckenwalde	18	89	15	89	—	—	18	69	36	—	36	—	40	—	2	80	4	75	—	—	5	25	1	20	1	20
10	Perleberg	19	22	16	33	17	—	16	99	27	—	35	—	50	—	3	—	6	24		—	5	58	1	40	1	20
11	Potsdam	18	50	16	03	16	67	18	24	29	—	31	—	38	50	3	35	6	35	—	—	5	01	1	35	1	10
12	Prenzlau	18	45	16	08	17	25	16	84	22	—	30	—	30	—	3	51	5	75	4	50	5	—	1	30	—	95
13	Pritzwalk	18	54	15	94	16	13	16	31	19	—	30	—	39	—	1	69	4	85	3	95	4	20	1	20	1	—
14	Rathenow	19	37	16	32	13	75	17	50	30	—	35	—	44	—	2	74	5	16	—	—	3	75	1	40	1	20
15	Neu-Ruppin	20	—	16	60	16	60	17	59	30	—	32	-	50	—	2	41	7	—	—	—	6	—	1	40	1	15
16	Schwedt	19	—	16	44	17	—	16	80	26	67	31	25	31	25	3	—	6	10	—	—	5	36	1	20	1	—
17	Spandau	18	75	15	90	15	13	17	—	27	50	37	—	45	—	4	—	7	25	—	—	6	50	1	45	1	20
18	Strausberg	19	16	16	50	17	94	17	84	21	50	30	—	35	—	4	—	8	17	—	—	7	60	1	20	1	10
19	Teltow	19	32	16	20	17	05	18	—	40	—	40	—	55	—	4	43	6	72	5	78	6	60	1	50	1	10
20	Templin	19	33	16	50	18	50	17	83	17	—	50	—	40	—	2	50	6	—	—	—	5	—	1	20	1	—
21	Treuenbrietzen	19	—	16	25	17	—	17	62	26	—	24	—	30	—	2	76	5	—	—	—	5	—	1	20	1	—
22	Wittstock	19	-	16	19	17	—	17	26	18	—	36	—	44	—	1	77	5	—	4	—	4	17	1	10	—	98
23	Wriezen a. O.	18	32	15	95	17	61	16	85	22	—	28	—	34	—	3	—	6	—	4	25	5	50	1	30	1	—
	Durchschnitt	19	04	16	56	16	73	17	73	—	—	—	—	—	—	3	—	6	06	—	—	5	53	—	—	—	—

Potsdam, den 9. Juni 1890.

Regel in der Zeit von 2 bis 4 Uhr vorzunehmen. Zu anderen Zeiten findet eine für die Versender kostenfreie Untersuchung nicht statt.

Potsdam, den 4. Juni 1890.

Der Regierungs-Präsident.

Ausspielung von Pferden ꝛc. in Zerbst.

118. Des Königs Majestät haben dem Vorstande des landwirthschaftlichen Vereines zu Zerbst im Herzogthum Anhalt mittelst Allerhöchsten Erlasses vom 15ten Mai d. J. die Erlaubniß zu ertheilen geruht, zu der von ihm mit Genehmigung der Herzoglichen Landesregierung in diesem Jahre wiederum zu veranstaltenden Ausspielung von Pferden, Wagen, landwirthschaftlichen und gewerblichen Gegenständen auch im diesseitigen Staatsgebiete und zwar in den Kreisen Jerichow I., Calbe, Wanzleben, Aschersleben, Oschersleben, Halberstadt, Wernigerode und im Stadtkreise Magdeburg (Regierungsbezirk Magdeburg), sowie im Kreise Zauch-Belzig (Regierungsbezirk Potsdam) Loose zu vertreiben.

Potsdam, den 5. Juni 1890.

Der Regierungs-Präsident.

Fischerei-Aufsicht.

119. Im Anschluß an die Bekanntmachung vom 2. April 1889 und in Abänderung des derselben beigefügten Verzeichnisses der Fischerei-Aufseher und der ihnen unterstellten Gewässerstrecken (Amtsbl. 1889, S. 111 ff.) bringe ich hierdurch zur öffentlichen Kenntniß, daß

a. dem Buhnenmeister Görth zu Grafenbrück (№ 6 des Verzeichnisses) die Fischerei-Aufsicht auf dem Werbellinkanal und dem Werbellinsee, dem Finowkanal von den Heegermühler Schleusen bis einschl. den Ruhlsdorfer Schleusen nebst den zugehörigen Freigräben;

b. dem Buhnenmeister Kleemann zu Eberswalde (№ 8 des Verzeichnisses) die Fischerei-Aufsicht auf dem Finowkanal von den Stecherschleusen bis einschl. der Heegermühler Schleusen nebst den zugehörigen Freigräben

übertragen worden ist.

Potsdam, den 4. Juni 1890.

Der Regierungs-Präsident.

Preise im Monat Mai 1890.

Artikel: kostet je 1 Kilogramm: Schweinefleisch M. Pf.	Kalbfleisch M. Pf.	Hammelfleisch M. Pf.	Speck M. Pf.	Butter M. Pf.	Ein Schock Eier M. Pf.	Ladenpreise in den letzten Tagen des Monats. Es kostet je 1 Kilogramm. Mehl: Weizen Nr. 1 M. Pf.	Mehl: Roggen Nr. 1 M. Pf.	Gerste: Graupe M. Pf.	Gerste: Grütze M. Pf.	Buchweizengrütze M. Pf.	Hafergrütze M. Pf.	Hirse M. Pf.	Reis, Java M. Pf.	Java-Kaffee in gebr. Bohnen: mittler M. Pf.	Java-Kaffee in gebr. Bohnen: gelber M. Pf.	Speisesalz M. Pf.	Schweineschmalz, hiesig. M. Pf.
1 30	— 90	1 05	1 80	2 35	3 25	— 30	— 25	— 55	— 50	— 40	— 55	— 55	— 60	3 40	3 60	— 20	1 70
1 50	— 90	1 —	2 —	2 52	— —	— 40	— 26	— 50	— 60	— 50	— 80	— 60	— 60	2 60	3 60	— 20	1 60
1 39	1 35	1 20	2 30	1 70	2 85	— 25	— 20	— 45	— 45	— 65	— 55	— 45	— 20	2 70	3 30	— 20	1 50
1 35	1 15	1 15	1 80	2 30	3 —	— 35	— 30	— 60	— 40	— 50	— 50	— 50	— 50	3 50	3 80	— 20	1 60
1 20	1 —	1 —	1 20	2 20	2 40	— 32	— 26	— 60	— 40	— 50	— —	— 50	— 50	2 80	3 60	— 20	1 40
1 40	1 —	1 —	2 —	2 40	3 02	— 30	— 28	— 60	— 60	— 50	— —	— 60	— 60	3 20	3 60	— 20	1 80
1 35	1 30	1 15	1 75	2 30	2 71	— 38	— 26	— 50	— 60	— 60	— 60	— 60	— 60	2 80	4 —	— 20	1 80
1 20	1 —	1 20	1 70	2 40	3 —	— 33	— 26	— 40	— 50	— 40	— 60	— 40	— 40	3 —	3 60	— 20	1 50
1 40	1 —	1 20	1 60	2 20	3 —	— 36	— 24	— 50	— 40	— 40	— 60	— 36	— 60	3 20	3 60	— 20	1 60
1 40	1 30	1 15	1 95	1 95	2 50	— 50	— 36	— 50	— 40	— 50	— 50	— 40	— 50	3 80	3 60	— 20	2 —
1 47	1 30	1 32	1 80	2 16	2 86	— 40	— 30	— 50	— 50	— 50	— 50	— 50	— 50	3 —	3 80	— 20	2 —
1 40	— 90	1 10	1 90	2 30	2 60	— 32	— 30	— 60	— 40	— 55	— 60	— 55	— 60	3 20	3 60	— 20	2 —
1 40	1 05	1 12	2 —	1 89	2 33	— 25	— 24	— 40	— 45	— 50	— 50	— 40	— 50	3 20	3 60	— 20	1 60
1 50	1 —	1 20	1 60	2 60	3 —	— 32	— 28	— 40	— 44	— 45	— 44	— 40	— 60	3 25	3 50	— 20	1 60
1 30	1 10	1 10	1 70	2 20	2 93	— 40	— 30	— 60	— 60	— 50	— 60	— 50	— 60	3 25	3 58	— 20	1 60
1 20	— 90	1 20	1 90	2 40	3 20	— 35	— 25	— 50	— 40	— 50	— 50	— 50	— 60	3 20	3 40	— 20	2 —
1 60	1 30	1 30	1 80	2 40	2 40	— 40	— 30	— 50	— 50	— 55	— 50	— 50	— 65	3 40	3 80	— 20	1 40
1 40	1 10	1 20	1 80	2 40	2 80	— 35	— 25	— 55	— 50	— 50	— 50	— 35	— 60	3 20	3 60	— 20	1 40
1 50	1 30	1 25	1 60	2 40	3 60	— 40	— 35	— 60	— 60	— 50	— 60	— 50	— 60	2 60	3 60	— 20	1 20
1 20	1 —	1 20	2 —	2 40	3 20	— 40	— 30	— 60	— 60	— 50	— 60	— 50	— 60	3 20	3 80	— 20	1 20
1 40	1 —	1 20	1 80	2 —	2 93	— 32	— 26	— 50	— —	— 40	— 50	— 30	— 50	3 30	3 60	— 20	1 80
1 16	— 82	1 03	1 80	1 99	2 45	— 28	— 26	— 50	— 50	— 50	— 60	— 50	— 50	3 20	3 60	— 20	1 80
1 30	1 15	1 15	1 80	2 20	2 80	— 25	— 26	— 50	— 40	— 40	— 50	— 50	— 50	3 25	3 50	— 20	1 40
— —	— —	— —	— —	— —	— —	— —	— —	— —	— —	— —	— —	— —	— —	— —	— —	— —	— —

Der Regierungs-Präsident.

121. **Nachweisung**

des Monatsdurchschnitts der gezahlten höchsten Tagespreise einschließlich 5 % Aufschlag im Monat Mai 1890 in den Hauptmarktorten des Regierungs-Bezirks Potsdam.

Laufende Nummer.	Es kosteten je 50 Kilogramm	Beeskow für Kreis Beeskow-Storkow. M.	Pf.	Brandenburg für Brandenburg und Kreis Westhavelland. M.	Pf.	Luckenwalde für Kreis Jüterbog-Luckenwalde. M.	Pf.	Perleberg für Kreis West-Prignitz. M.	Pf.	Potsdam für Potsdam und Kreis Zauch-Belzig. M.	Pf.	Prenzlau für die Kreise Prenzlau und Templin. M.	Pf.	Neu-Ruppin für Kreis Ruppin. M.	Pf.	Schwedt für Kreis Angermünde. M.	Pf.	Wittstock für Kreis Ost-Prignitz. M.	Pf.	Bemerkungen.
1.	Hafer	17	85	9	52,5	10	03	9	07	9	90	9	16	9	25	8	82	9	12	Für die Kreise Ober-Barnim, Nieder-Barnim, Osthavelland und Teltow, und für Stadt Spandau gilt Berlin als Haupt-Marktort.
2.	Heu	—	—	3	10	2	89	3	07	3	16	3	15	3	15	2	81	2	18	
3.	Richtstroh	—	—	2	89	2	68	3	38	3	59	3	15	3	67,5	3	20	2	62,5	

Potsdam, den 9. Juni 1890. Der Regierungs-Präsident.

122. Nachweisung der an den Pegeln der Spree und Havel im Monat April 1890 beobachteten Wasserstände.

Datum.	Berlin. Ober-N. N. Wasser. Meter.	Berlin. Unter-N. N. Wasser. Meter.	Spandau. Ober-Wasser. Meter.	Spandau. Unter-Wasser. Meter.	Potsdam. Meter.	Baumgartenbrück. Meter.	Brandenburg. Ober-Wasser. Meter.	Brandenburg. Unter-Wasser. Meter.	Rathenow. Ober-Wasser. Meter.	Rathenow. Unter-Wasser. Meter.	Havelberg. Meter.	Plauer Brücke. Meter.
1	32,52	31,00	2,64	1,10	1,33	0,84	2,18	1,84	1,86	1,54	2,94	2,26
2	32,54	31,00	2,64	1,08	1,33	0,83	2,14	1,86	1,86	1,54	2,88	2,26
3	32,57	31,06	2,58	1,06	1,32	0,82	2,18	1,88	1,82	1,50	2,84	2,26
4	32,54	31,12	2,60	1,04	1,31	0,82	2,16	1,88	1,82	1,50	2,78	2,26
5	32,53	31,04	2,62	1,02	1,29	0,81	2,12	1,86	1,82	1,50	2,72	2,26
6	32,51	31,04	2,60	1,02	1,28	0,81	2,10	1,84	1,82	1,50	2,66	2,26
7	32,51	31,04	2,64	1,00	1,28	0,81	2,10	1,82	1,82	1,50	2,60	2,26
8	32,51	31,04	2,66	1,02	1,28	0,80	2,08	1,80	1,82	1,50	2,54	2,24
9	32,54	30,88	2,62	1,00	1,28	0,79	2,10	1,82	1,82	1,50	2,50	2,24
10	32,58	30,78	2,60	1,00	1,27	0,78	2,08	1,80	1,82	1,50	2,44	2,22
11	32,58	30,78	2,54	0,98	1,26	0,77	2,08	1,78	1,80	1,48	2,40	2,22
12	32,58	30,82	2,52	0,96	1,25	0,76	2,08	1,76	1,80	1,48	2,38	2,22
13	32,58	30,80	2,52	0,88	1,23	0,75	2,10	1,78	1,80	1,48	2,36	2,22
14	32,56	30,78	2,56	0,90	1,21	0,74	2,08	1,76	1,80	1,48	2,32	2,20
15	32,58	30,78	2,56	0,88	1,19	0,73	2,08	1,78	1,80	1,48	2,30	2,20
16	32,60	30,84	2,56	0,88	1,18	0,71	2,10	1,78	1,78	1,46	2,30	2,18
17	32,60	30,84	2,54	0,86	1,17	0,70	2,08	1,76	1,78	1,46	2,28	2,18
18	32,62	30,82	2,56	0,86	1,15	0,68	2,06	1,76	1,78	1,46	2,26	2,18
19	32,62	30,86	2,54	0,90	1,15	0,67	2,04	1,74	1,78	1,46	2,24	2,18
20	32,60	30,82	2,54	0,84	1,15	0,65	2,04	1,72	1,78	1,46	2,24	2,18
21	32,58	30,80	2,58	0,82	1,14	0,65	2,02	1,70	1,78	1,46	2,26	2,18
22	32,62	30,82	2,56	0,84	1,13	0,64	2,02	1,68	1,78	1,46	2,30	2,16
23	32,58	30,80	2,50	0,92	1,14	0,63	2,02	1,66	1,78	1,46	2,30	2,16
24	32,60	30,82	2,52	0,88	1,15	0,63	2,06	1,66	1,76	1,44	2,32	2,14
25	32,56	30,80	2,46	0,92	1,15	0,65	2,06	1,66	1,76	1,44	2,34	2,14
26	32,60	30,82	2,50	0,90	1,16	0,66	2,08	1,64	1,74	1,42	2,34	2,12
27	32,60	30,78	2,44	0,82	1,16	0,66	2,10	1,64	1,74	1,42	2,34	2,12
28	32,60	30,80	2,46	0,90	1,16	0,66	2,10	1,64	1,74	1,42	2,32	2,10
29	32,58	30,76	2,46	0,90	1,16	0,66	2,08	1,64	1,70	1,38	2,30	2,10
30	32,58	30,76	2,44	0,80	1,15	0,66	2,08	1,64	1,70	1,38	2,28	2,08

Potsdam, den 4. Juni 1890. Der Regierungs-Präsident.

123. **Fischerei-Aufsichtsdienst.**

Im Anschluß an meine Bekanntmachung vom 2. April 1889 (Amtsblatt Seite 111 ff.) und in Abänderung bezw. Ergänzung des derselben beigefügten Verzeichnisses der Fischerei-Aufseher bringe ich in Nachstehendem das Verzeichniß derjenigen Unterbeamten der Königlichen Wasserbauverwaltung zur öffentlichen Kenntniß, welche fortan auf den bezeichneten Gewässerstrecken den Fischerei-Aufsichtsdienst ausüben werden.

Ich mache hierbei darauf aufmerksam, daß hinsichtlich der Stellung dieser Beamten als Polizei-Organe die §§ 46 ff des Fischerei-Gesetzes vom 30. Mai 1874 Anwendung finden und daß gemäß dem Circular-Erlasse der Herren Minister des Innern und der Justiz vom 27. Februar 1886 (M.-Circ. 1886 S. 49) diese Beamten hinsichtlich der in ihren Revieren vorkommenden Fischerei-Vergehen und Fischerei-Uebertretungen als Hilfsbeamte der Staatsanwaltschaft gelten. Potsdam, den 10. Juni 1890. Der Regierungs-Präsident.

Lfd. №	Name und Dienststellung	Wohnort	Aufsichtsstrecke
	Wasserbauinspektion Coepenick.		
1.	Kunde, Buhnenmeister	Prieros	Scharmützel-See, Storkower Kanal mit Großem Storkower See, Wolziger See und Langem See bis zur Dahme, Dahme vom Streganzer See einschl. Dolgen-See, Krüpel-See, Zernsdorfer Lanken-See bis zur Schleuse Neue Mühle. (Amtsbl. 1889 S. 113 № 30 früher.)
2.	Hochhaus, Buhnenmeister	Coepenick	Dahme von Neue Mühle bis zur Einmündung in die Spree bei Coepenick einschl. Zeuthener See, Seddin-See, Gr. Krampe, Lange See, Spree von der Mündung des Kietz-Grabens bis zur Berliner Weichbildsgrenze. (Amtsbl. 1889 S. 113 № 32 früher)
3.	Hildebrandt, Buhnenmeister	Woltersdorf	Spree von Gr. Tränke bis zum Kietz-Graben bei Coepenick einschl. Müggel-See, Dämeritz-See. — Die sog. Rüdersdorfer Gewässer einschl. Flaken-See, Kalk-See, Krien-See, Stienitz-See, Weil-See, Peetz-See, Möllen-See, Elsen-See, Bauern-See, Lebenberger See, sowie Löcknitz-Kanal, Gosener Graben und Kap-Strom bis zum Seddin-See. (Amtsbl. 1889 S. 113 № 29.)
	Wasserbauinspektion Fürstenwalde.		
4.	Schubert, Buhnenmeister	Alt-Hartmannsdorf	Spree und Oder-Spree-Kanal von Fürstenwalde bis Gr. Tränke — Oder-Spree-Kanal von Gr. Tränke bis zum Seddin-See.
5.	Nowatzki, Buhnenmeister	Neuhaus	Spree von Leibsch einschl. Prahm-See, Gr. und Kl. Cossenblatter See — Nördlicher Theil des Schwieloch-See's — Gowet-See — Leißnitz-See — Kersdorfer See bis Fürstenwalde, Friedrich-Wilhelms-Kanal von Neuhäuser Schleuse bis Busch-Schleuse. (Amtsbl. 1889 S. 113 № 26)
6.	Gartzke, Buhnenmeister	Müllrose	Oder-Spree-Kanal von Kersdorfer Schleuse bis Busch-Schleuse — Friedrich-Wilhelms-Kanal von Busch-Schleuse bis Brieskower Schleuse und Brieskower See bis zur Oder.
7.	Schönfeld, Buhnenmeister	Fürstenberg	Oder-Spree-Kanal von Schlaubehammer bis Fürstenberg.

Viehseuchen.

124. Festgestellt ist:

der Milzbrand bei 3 Kühen des Bäckermeisters Lehmann zu Buchhorst, Kreis Niederbarnim, bei 2 Kühen auf dem Rittergut Kruge, Kreis Oberbarnim, unter dem Rindviehbestande des Halbbauern Friedrich Kultus zu Rauen, Kreis Beeskow-Storkow;

der Rotz bei 2 Pferden, welche der Pferdeschlächter Hübner zu Rauen von der Domaine Herrefeld, Kreis

Osthavelland, gekauft hat und bei 2 Pferden des Fuhrherrn Wisching zu Dt. Wilmersdorf, Kreis Teltow.

Erloschen ist:

der Milzbrand unter dem Rindvieh des Freigutsbesitzers Sumpf zu Etzin, Kreis Osthavelland;

der Rotz unter den Pferden des Fuhrherrn Beihe zu Dt. Wilmersdorf Kreis Teltow;

die Maul- und Klauenseuche unter dem Rindvieh in Johannisthal und Sommerfeld, Kreis Osthavelland, unter den Rindern des Büdners Wilhelm Weiland zu Rehagen, des Dominiums Rangsdorf und der Domaine Dahlem, Kreis Teltow, sowie im ganzen Kreise Ruppin.

Potsdam, den 10. Juni 1890.

Der Regierungs-Präsident.

Bekanntmachungen der Bezirksausschüsse.

Ferien des Bezirks-Ausschusses zu Potsdam.

7. Der Bezirksausschuß hält Ferien vom 21 Juli bis 1 September d. J. — § 5 des Regulativs für den Geschäftsgang bei den Bezirksausschüssen vom 28. Februar 1884. Dies wird hierdurch bekannt gemacht.

Schleunige Gesuche sind als solche zu begründen und als „Feriensache" zu bezeichnen

Potsdam, den 9. Juni 1890.

Der Bezirks-Ausschuß.

Bekanntmachung.

8. Dem Königlichen Baurath Scheck in Freienwalde a. O. ist die Genehmigung zur Vornahme der allgemeinen Vorarbeiten für die Herstellung eines für Seeschiffe fahrbaren Kanals von der Ostsee (Stettin) nach Berlin und von Berlin nach der Nordsee (Hamburg) auf Grund des § 5 des Enteignungsgesetzes vom 11. Juni 1874 in Verbindung mit § 150 des Zuständigkeitsgesetzes vom 1. August 1883 ertheilt worden, was hiermit zur öffentlichen Kenntniß gebracht wird

Handlungen, welche das Zerstören von Baulichkeiten oder das Fällen von Bäumen zum Gegenstande haben, sind indeß ohne vorangegangene Erlaubniß des Bezirks-Ausschusses unstatthaft.

Das Betreten von Gebäuden, sowie von eingefriedigten Hof- oder Gartenräumen ist nur mit Einwilligung des Besitzers, in deren Ermangelung nach ertheilter Erlaubniß der Ortspolizeibehörde zulässig.

Potsdam, den 4 Juni 1890.

Namens des Bezirksausschusses der Vorsitzende.

Bekanntmachungen des Königlichen Polizei-Präsidiums zu Berlin.

Anstellung von Bezirks-Schornsteinfegermeistern.

53. Gemäß § 7 des Regulativs für den Betrieb des Schornsteinfegergewerbes im Stadtbezirk Berlin vom 16. November 1888 wird hierdurch zur öffentlichen Kenntniß gebracht, daß die Schornsteinfegermeister Carl Strauß, Schwedterstraße 35, und Adolf Gustav Kölling, Bernauerstraße 37, vom 1. November 1889 ab als Bezirks-Schornsteinfegermeister angestellt sind.

Berlin, den 28. Mai 1890.

Königliches Polizei-Präsidium.

Magistrat hiesiger Königlichen Haupt- und Residenzstadt.

Berliner und Charlottenburger Preise für Monat Mai 1890.

54. A. Engros-Marktpreise im Monatsdurchschnitt.

In Berlin:

					Mark		Pf.
für 100 Kilgr.	Weizen	(gut)	19	Mark	91	Pf.,
" " "	do.	(mittel)	19	"	25	"
" " "	do.	(gering)	18	"	70	"
" " "	Roggen	(gut)	16	"	40	"
" " "	do.	(mittel)	16	"	15	"
" " "	do.	(gering)	15	"	86	"
" " "	Gerste	(gut)	19	"	06	"
" " "	do.	(mittel)	17	"	36	"
" " "	do.	(gering)	14	"	36	"
" " "	Hafer	(gut)	18	"	21	"
" " "	do.	(mittel)	17	"	52	"
" " "	do.	(gering)	16	"	75	"
" " "	Erbsen	(gut)	19	"	60	"
" " "	do.	(mittel)	18	"	—	"
" " "	do.	(gering)	17	"	20	"
" " "	Richtstroh		6	"	43	"
" " "	Heu		5	"	84	"

Monats-Durchschnitt der höchsten Berliner Tagespreise einschließlich 5% Aufschlag für 50 kg

	Hafer	Stroh	Heu
im Monat Mai	9,69 Mk.,	3,59 Mk.,	3,56 Mk.

B. Detail-Marktpreise im Monatsdurchschnitt.

1) In Berlin:

für 100 Kilgr.	Erbsen (gelbe z. Kochen)	27	Mark	84	Pf.,
" " "	Speisebohnen (weiße)	31	"	28	"
" " "	Linsen	40	"	94	"
" " "	Kartoffeln	5	"	—	"
" 1 Kilgr.	Rindfleisch v. d. Keule	1	"	27	"
" 1 "	" (Bauchfleisch)	1	"	09	"
" 1 "	Schweinefleisch	1	"	38	"
" 1 "	Kalbfleisch	1	"	34	"
" 1 "	Hammelfleisch	1	"	20	"
" 1 "	Speck (geräuchert)	1	"	71	"
" 1 "	Eßbutter	2	"	30	"
" 60 Stück	Eier	2	"	88	"

2) In Charlottenburg:

für 100 Kilgr.	Erbsen (gelbe z. Kochen)	32	Mark	50	Pf.,
" " "	Speisebohnen (weiße)	35	"	—	"
" " "	Linsen	45	"	—	"
" " "	Kartoffeln	4	"	75	"
" 1 Kilgr.	Rindfleisch v. d. Keule	1	"	35	"
" 1 "	" (Bauchfleisch)	1	"	—	"
" 1 "	Schweinefleisch	1	"	50	"
" 1 "	Kalbfleisch	1	"	35	"
" 1 "	Hammelfleisch	1	"	30	"
" 1 "	Speck (geräuchert)	1	"	60	"
" 1 "	Eßbutter	2	"	40	"
" 60 Stück	Eier	4	"	25	"

C. Ladenpreise in den letzten Tagen des Monats Mai 1890:

1) In Berlin:

für 1 Kilgr. Weizenmehl № 1 35 Pf.,

für 1 Kilgr.	Roggenmehl № 1			32	Pf.,
» 1 »	Gerstengraupe			43	»
» 1 »	Gerstengrütze			40	»
» 1 »	Buchweizengrütze			46	»
» 1 »	Hirse			40	»
» 1 »	Reis (Java)			70	»
» 1 »	Java-Kaffee (mittler)	2	Mark	75	»
» 1 »	» (gelb in gebr. Bohnen)	3	»	78	»
» 1 »	Speisesalz			20	»
» 1 »	Schweineschmalz (hiesiges)	1	»	60	»

2) In Charlottenburg:

für 1 Kilgr.	Weizenmehl № 1			50	Pf.,
» 1 »	Roggenmehl № 1			40	»
» 1 »	Gerstengraupe			60	»
» 1 »	Gerstengrütze			50	»
» 1 »	Buchweizengrütze			50	»
» 1 »	Hirse			50	»
» 1 »	Reis (Java)			80	»
» 1 »	Java-Kaffee (mittler)	2	»	80	»
» 1 »	» (gelb in gebr. Bohnen)	3	»	60	»
» 1 »	Speisesalz			20	»
» 1 »	Schweineschmalz (hiesiges)	1	»	40	»

Berlin, den 6. Juni 1890.

Königl. Polizei-Präsidium. Erste Abtheilung.

Bekanntmachungen der Kaiserlichen Ober-Postdirektion zu Berlin.

Einrichtung des Telegraphenbetriebs bei den Postämtern Nr 47, 70 und 95.

50. Bei den Postämtern 47 (Hagelsbergerstraße), 70 (Schiffbauerdamm) und 95 (Teltowerstraße) wird am 15. Juni der Telegraphenbetrieb eingerichtet.

Die Dienststunden für den Verkehr mit dem Publikum werden für diese Geschäftsstellen wie folgt festgesetzt: 1) **Bei dem Postamt 47** (Hagelsbergerstraße) A. an Wochentagen von im Sommer 7, im Winter 8 Uhr Morgens bis 8 Uhr Abends, B. an Sonn- und Feiertagen von im Sommer 7, im Winter 8 bis 9 Uhr Morgens, 12 bis 1 Uhr Mittags und 5 bis 7 Uhr Abends. 2) **Bei den Postämtern 70** (Schiffbauerdamm) und 95 (Teltowerstraße) A. an Wochentagen von 8 Uhr Morgens bis 7 Uhr Abends, B. an Sonn- und Feiertagen von 8 bis 9 Uhr Morgens und von 5 bis 7 Uhr Abends. Berlin C., den 3. Juni 1890

Der Kaiserliche Ober-Postdirektor.

Unanbringliche Postsendungen.

51. Bei der Ober-Postdirektion in Berlin lagern:

A. Packete, a. in Berlin zur Post gegeben:

an Franceschetti in Rom, $7\frac{1}{2}$ kg 20. Mai 1889, an Wagenseil in Dresden, $\frac{1}{2}$ kg 14. September 1889, an Richter in Freiberg (Sachsen), $3\frac{1}{2}$ kg 12. Oktober 1889, an Poeapker in Elberfeld, $\frac{1}{2}$ kg 2. Dezember 1889, an Böhlke in Guben, 1 kg 3. Dezember 1889, an Blank in Hannover, $2\frac{1}{2}$ kg 8. Dezember 1889, an Blank in Hannover, 3 kg 8. Dezember 1889, an v. Bömmel in Stadtlohn (Westph.), $2\frac{1}{2}$ kg 14. Dezember 1889, an Mellnitzer in Leipzig 1 kg 17. Dezember 1889, an Schwaaß auf der Insel Capri, Italien, $5\frac{1}{2}$ kg 19. Dezember 1889, an Schneider in Riesa, 1 kg 24. Dezember 1889, an Loid in Berlin (Brunnenstr. 36), $\frac{1}{2}$ kg 24. Dezember 1889; an Weyl in Berlin (Krausnickstr. 8), $\frac{1}{2}$ kg 30. Dezember 1889, an Gertrud Kalte in Berlin (Leipzigerstr. 119/120), $\frac{1}{2}$ kg 31. Dezember 1889, an Auaust in Niedermendig bei Bonn, $\frac{1}{2}$ kg 3. Januar 1890 an Untersuchungsgefängniß Moabit in Berlin, $\frac{1}{2}$ kg 16. Januar 1890, an Rokohl in Großlichterfelde, 1 kg 20. Januar 1890, an Schaller in Nürnberg, 4 kg 29. Januar 1890, an Göthe in Berlin (Bahnhofstr. 5), $\frac{1}{2}$ kg 30. Januar 1890, an Kühn in Schmiedefeld (Thür.), $2\frac{1}{2}$ kg 21. Februar 1890, an Kühne in Pichelsdorf bei Spandau, 2 kg 25. Februar 1890, an den Direktor des Wilhelm-Gymnasiums in Frankfurt (O.), 2 kg 2. März 1890,

b. in Friedrichsberg zur Post gegeben:

an Nell in Lichtenberg bei Berlin, 2 kg 6. April 1890.

B. Gegenstände, welche in Packeten ohne Aufschrift enthalten gewesen bz. Postsendungen entfallen oder bei hiesigen Postanstalten herrenlos aufgefunden worden sind:

1 Anhänger, 46 Hefte eines Romans, 1 Kugelzange, Confect, Parfüm, 1 Schirm, Weißwaaren, Clichés, Vorlegeschlösser, 4 Teller mit Drahtgeflecht, 1 Gebetbuch, Holzstäbe, 1 Tabackspfeife, 1 Liederbuch, 1 Musterbuch, Damenschleifen, Taschentücher, Handschuhe, Kinderspielzeug, 1 Kopftuch, Strümpfe, Wollstoff, Grütze, 1 Uhrkapsel, 1 Hutständer, Pfefferkuchen, Cigarren, Zucker, Hemden, Schürzen, 1 Kleid, 1 Feldmesserinstrument, Linoale, 1 Buch (Klavierspiel), Goldleistenproben, Maschinentheile, 1 Stück Zeug, 1 Uhrkette, Chocolade, 1 Bilderständer, 1 Fünfzig-Gramm-Stück, Taschpinsel, 1 Messertasche, 1 Holzkern, 1 Ohrring, Handtücher, Cigaretten, Schreibdintenpulver, 1 Unterrock, Schrauben, 1 Briefbeschwerer, 2 Päckchen mit Portemonnaie-Stiften, 11 Stück Seife, Scheeren, 1 Kinder-Thee-Service, 1 Stellscheibe, Haken, Taschenmesser, 1 eiserne Feder, 1 Beutel, Puppenmöbel, Nähmaschinentheile, Lampendocht, Stiefelschmiere, 1 Gummiwalze, Schraubenschlüssel, Messingrollen, Cigarrenspitzen, 1 Chemiset, Schnur, 2 Hämmer ohne Stiel, 1 Stahlschiene, Bleistifte, 1 Stahlbügel, Löschpapier-Proben, 1 Katalog, 1 Blechbüchse, Schnupftaback, 1 Blechkästchen, Putzpulver, Stoffmuster, Stahlfedern, Haarnadeln, Goldborde, 1 Stempel, Stricknadeln, 1 Ständer, 1 Spritzball, Schlüssel, 1 Armband, Telephondraht, Nähseide, 1 Vereinsstatut, Kleiderstoff, Theile eines Ohrringes, 1 Reißzeug, Wolle, Meß-Instrumente, Zahlenschilder, 1 Drahtzange, Grassaamen, 1 Medaille, 1 Sieb, 1 Realienbuch für Volksschulen, 1 Mütze, 1 Harrys-Verbind, Nähnadeln, Schnur mit Quasten, 1 Uhrgewicht, kleine Metallketten, Bleistangen, eiserne Bandstücke, 1 Messingbrenner, Stangen von Eisendraht, 1 Trompetenmundstück, Wollabfall, 1 Buch (Rathgeber für Volksschullehrer), Schweiß-

blätter, Wachsleinwandproben, 1 Tuchnadel, Weinflaschen-Etiquettes „Braunsberger“, 1 Obstmesser, 1 Werkzeuggriff, 1 Fläschchen mit alkalisirtem Eisenoxydhydrat, 1 Vogellockpfeife, 1 Komplimentirbuch, Drucksachen in türkischer Sprache, 1 Forst- und Jagd-Kalender 1890, 1 Buch: „Noblesse oblige“, Briefumschläge, Zimmetproben, 1 Taschenspiegel, verschiedene Notenstücke, 1 Buch: „Roman Olga“, 1 desgl. „Miltons poetische Werke“, Messinghülsen, Flaschenkapseln aus Metall, 1 Mundharmonika, 1 Buch: „Skirnis“, Cravattennadeln, Biblische Spruchkarten, Schreibfedern, 1 Kalender (Damenstickerei), Photographien, Metallkapseln, 2 Bücher (Kaufm. Anleit.), 1 seidenes Tuch, 1 goldenes Portepee, 1 Lampenring, 1 Buch über Thierheilmethode, 2 Theaterstücke: „Die Kunstreiterin“, Schirmquasten, Lesefiebeln in franz. Sprache, Geschäfts-Etiquettes, 1 Karton Briefbogen und Briefumschläge, 1 Buch in hebräischer Schrift, Schreibhefte, Lampentheile, Kragen, Knöpfe, Nähgarn, Schirmspitzen aus Bernstein, 1 Brille, 1 Tuchnadel, mehrere Broches, 1 Taschenthermometer, chinesische Tusche, 1 Broche (Brieftaube), Eisentheile, rohe Seide, 1 Museumführer, Kleiderstoff, Stoff zu einer Weste, 1 Vorlage zu einer Stickerei, 1 Buch „Erwin“, Messingtheile, Maschinenschlüssel, 1 Rechenbuch, 1 Messinghahn, 1 Buch „Odette“, 1 Ledertasche, 1 Buch: „Unglaube und Offenbarung“, 4 Hefte: „Der Ring der Nibelungen“, 1 Buch: „Androgynik“, 1 Militair-Gesangbuch, 1 Wirk-Spiel, Korke, Ansichten vom Kamberg, 1 Buch: „Bilder und Klänge aus Rudolstadt“, 1 Stockknopf, 1 goldenes Kreuz, 1 Trauring, 1 Kalender, Glückwunschkarten, 1 Ring, Bücher verschiedenen Inhalts, Landolt's Ophthalmoscope, 1 Schlittschuhbestandtheil, 1 kl. Straußfeder, 1 Schachtel „Brandts Pillen“.

Die unbekannten Absender der vorbezeichneten Sendungen werden ersucht, spätestens innerhalb vier Wochen — vom Tage des Erscheinens gegenwärtiger Bekanntmachung an gerechnet — bei der Ober-Postdirektion schriftlich sich zu melden, widrigenfalls die Gegenstände zum Besten des Post-Armenfonds werden versteigert werden.

Berlin C., den 2. Juni 1890.

Der Kaiserliche Ober-Postdirektor.

Bekanntmachungen der Kaiserlichen Ober-Post-Direktion zu Potsdam.

Stadt-Fernsprecheinrichtungen betreffend.

52. Diejenigen Personen, **welche Anschluß an eine der Stadt-Fernsprecheinrichtungen** in Potsdam, Spandau, Cöpenick, Steglitz, Groß-Lichterfelde, Oranienburg, Grünau, Wannsee und Ludwigsfelde wünschen, werden ersucht, ihre Anmeldungen recht bald, **spätestens bis Ende Juni**, an das Postamt in dem betreffenden Orte zu richten. Bei den bezeichneten Postämtern können die Bedingungen für den Anschluß eingesehen und Formulare für die Anmeldung in Empfang genommen werden.

Potsdam, den 17. Mai 1890.

Der Kaiserliche Ober-Postdirektor.

Bekanntmachungen des Königlichen Konsistoriums der Provinz Brandenburg.

Errichtung einer neuen geistlichen Stelle in der Kirchengemeinde Stralau, Diözese Berlin I.

9. Nachdem Ihre Majestät die Kaiserin und Königin ein Kapital von 150000 M. zur Dotation einer Pfarrstelle für die Kirchengemeinde Stralau mit dem Sitze in Rummelsburg allergnädigst zu bewilligen geruht und die kirchlichen Gemeindeorgane in Stralau unter Annahme dieser Allerhöchsten Gnadenbewilligung beschlossen haben, das Besetzungsrecht der Pfarrstelle Ihrer Majestät der Kaiserin und Königin Auguste Victoria und der von ihr zu bestimmenden Nachfolge zu überlassen, wird mit der im Einverständnisse des Herrn Ministers der geistlichen 2c. Angelegenheiten ertheilten Genehmigung des Evangelischen Ober-Kirchenraths in der Kirchengemeinde Stralau, Diözese Berlin I., eine Pfarrstelle mit dem Sitze in Rummelsburg hierdurch errichtet.

Berlin, den 6. Mai 1890.

Königliches Konsistorium der Provinz Brandenburg.

(L. S) gez. Hegel.

Potsdam, den 16. Mai 1890.

Königliche Regierung,
Abtheilung für Kirchen- und Schulwesen.

(L. S.) gez. Lucanus.

Erektionsdekret C. 12098. — II. 939/5.

Bekanntmachungen des Königlichen Provinzial-Schul-Collegiums zu Berlin.

Prüfung für Handarbeits-Lehrerinnen in Berlin.

1. Die Prüfung für den Unterricht in weiblichen Handarbeiten wird in Berlin in der Elisabeth-Schule, Kochstraße Nr. 65 daselbst, **vom 3. September 1890 ab** stattfinden. Zur Prüfung werden zugelassen: 1) Bewerberinnen, welche bereits die Befähigung zur Ertheilung von Schulunterricht vorschriftsmäßig nachgewiesen haben; 2) sonstige Bewerberinnen, wenn sie eine ausreichende Schulbildung nachweisen und wenn sie am Tage der Prüfung das 18. Lebensjahr vollendet haben. Die Anmeldungen zu derselben sind spätestens bis zum 2. August 1890 an uns einzureichen und sind denselben beizufügen: a. von solchen, welche bereits eine Prüfung als Lehrerin bestanden haben: 1) das Zeugniß über diese Prüfung, 2) ein amtliches Zeugniß über ihre bisherige Thätigkeit als Lehrerin; b. von den übrigen bezeichneten Bewerberinnen: 1) ein selbstgefertigter, in deutscher Sprache abgefaßter Lebenslauf, auf dessen Titelblatte der vollständige Name, der Geburtsort, das Alter, die Konfession, der Wohnort der Bewerberin und die Art der gewünschten Prüfung (ob für mittlere und höhere Mädchenschulen oder für Volksschulen) anzugeben ist; 2) ein Tauf- bezw. ein Geburtsschein; 3) ein Gesundheitsattest, ausgestellt von einem Arzte, der zur Führung eines Dienstsiegels berechtigt ist; 4) ein Zeugniß über die von der Bewerberin erworbene Schulbildung und die Zeugnisse über die etwa schon abgelegte Prüfung als Turnlehrerin, Zeichenlehrerin u. s. w.; 5) ein Zeugniß über die erlangte Ausbildung

als Handarbeitslehrerin; 6) ein amtliches Führungs-Zeugniß, ausgestellt von einem Geistlichen oder von der Ortsbehörde. Die Prüfung ist eine praktische und theoretische. In praktischer Beziehung haben die Bewerberinnen 1) eine Probe ihrer technischen Fertigkeit in den weiblichen Handarbeiten abzulegen. Zu diesem Zwecke haben sie einzureichen: a. einen neuen Strumpf, gezeichnet mit zwei Buchstaben und einer Zahl in Gitterstich, dazu ein angefangenes Strickzeug, b. ein Häkeltuch mit 70 bis 90 Maschen Anschlag, welches mehrere Muster enthält und mit einer gehäkelten Kante umgeben ist; c. ein gewöhnliches Mannshemd (Herren-Nachthemd); d. ein Frauenhemd; e. einen alten Strumpf, in welchem ein Hacken neu eingestrickt und eine Gitterstopfe, sowie eine Strickstopfe ausgeführt ist; f. vier bis sechs kleine Proben von verschiedenen mittelfeinen Stoffen, wie dieselben im Hausstande vorzukommen pflegen, jede etwa 12 zu 12 Ctm. groß. Dieselben können sowohl einzeln als auch zu einem Tuche verbunden abgegeben werden und sollen enthalten: einen aufgesetzten und einen eingesetzten Flicken; eine weiße und eine bunt karrirte Gitterstopfe, eine Köperstopfe; zwei gezeichnete Buchstaben in Kreuzstich, zwei ebensolche in Rosenstich; drei gestickte lateinische Buchstaben und zwei Ziffern in rothem Garn, drei ebensolche gothische Buchstaben und zwei Ziffern in weißem Garn und ein gesticktes Monogramm aus den Namensbuchstaben der Bewerberin. Die unter f. aufgezählten Arbeiten müssen vor Allem dem gewählten Stoffe gemäß ausgeführt sein. Sämmtliche Arbeiten sollen schulgerecht und deshalb auch nur in Stoffen und aus Garnen von mittlerer Feinheit hergestellt werden. Die Arbeiten werden durch die Einreichung von den Bewerberinnen ausdrücklich als selbstgefertigt bezeugt; die Hemden sind indessen nicht ganz zu vollenden, damit nach Anweisung der Prüfungs-Kommission und unter Aufsicht derselben an der Arbeit fortgefahren werden kann. 2) Außerdem hat jede Bewerberin in der Prüfung eine Probelektion in der Ertheilung des Handarbeitsunterrichtes in einer Schulklasse zu halten. Beim Eintritt in die Prüfung sind 6 M. Prüfungs- und 1 M. 50 Pf. Stempelgebühren zu entrichten, welch' letztere der Examinandin im Falle des Nichtbestehens der Prüfung wieder zurückgezahlt werden. Berlin, den 16. Mai 1890.

Königliches Provinzial-Schul-Collegium.

Rektorats-Prüfung in Berlin.

2. Die Rektorats-Prüfung wird hier **am 11. und 12. November, 9. und 10. Dezember d. J.** abgehalten werden. Die Anmeldungen sind an uns bis zum 30. August d. J. einzureichen, und zwar von den im Amte stehenden Lehrern durch die bezüglichen Kreisschulinspektoren, und sind denselben beizufügen: 1) ein selbstgefertigter Lebenslauf, auf dessen Titelblatte der vollständige Name, der Geburtsort, das Alter, die Konfession und das augenblickliche Amtsverhältniß des Kandidaten angegeben ist, 2) die Zeugnisse über die empfangene Schul- oder Universitätsbildung und über die bisher abgelegten Prüfungen, 3) ein amtliches Führungsattest, 4) Angabe, ob Examinand die absolute (auf Grund einer für zwei fremde Sprachen abzulegenden Prüfung) oder nur die beschränkte Befähigung für ein Rektorat an einer bestimmten Schule, zu dem er von den Besetzungsberechtigten bereits in Aussicht genommen ist, zu erlangen wünscht.

Berlin, den 14. Mai 1890.

Königliches Provinzial-Schul-Collegium.

Mittelschullehrer-Prüfung in Berlin.

3. Die Mittelschullehrer-Prüfung wird hier **vom 4. bis 8. November und 2. bis 6. Dezember d. J.** abgehalten werden. Die Anmeldungen mit der bestimmten Angabe, in welchen Fächern der Kandidat (cfr. Allg. Bestimmungen vom 15. Oktober 1872 § 12) die Befähigung als Lehrer an Mittelschulen und höheren Mädchenschulen zu erlangen wünscht, sind an uns bis zum 30. August d. J. von den im Amte stehenden Lehrern durch die bezüglichen Kreis-Schulinspektoren einzureichen, und sind denselben beizufügen: 1) ein selbstgefertigter Lebenslauf, auf dessen Titelblatte der vollständige Name, der Geburtsort, das Alter und das augenblickliche Amtsverhältniß des Kandidaten angegeben ist, 2) das Zeugniß über die bisher empfangene Schul- oder Universitätsbildung und über die bisher abgelegten Prüfungen, 3) ein amtliches Führungsattest. Diejenigen, welche noch kein öffentliches Amt bekleiden, haben noch einzureichen: 4) ein von einem zur Führung eines Dienstsiegels berechtigten Arzte ausgestelltes Attest über normalen Gesundheitszustand.

Berlin, den 14. Mai 1890.

Königliches Provinzial-Schul-Collegium.

Prüfung für Sprachlehrerinnen in Berlin.

4. Die Prüfung zur Erlangung der Lehr-Befähigung für den französischen und englischen Sprachunterricht an mittleren und höheren Mädchenschulen wird in Berlin im Lokale der Königlichen Augusta-Schule, Kleinbeerenstraße 16/19, **am 26. November 1890** stattfinden. Zu der Prüfung werden nur solche Bewerberinnen zugelassen, welche das achtzehnte Lebensjahr vollendet und ihre sittliche Unbescholtenheit, sowie ihre körperliche Befähigung zur Verwaltung eines Lehramts nachgewiesen haben. Die Meldungen zu dieser Prüfung sind spätestens bis zum 25. Oktober 1890 an uns einzureichen und es ist in dem Gesuche anzugeben, ob die Ablegung der Prüfung in beiden Sprachen und wenn nur in einer, in welcher von beiden sie beabsichtigt wird. Der Meldung ist beizufügen: 1) ein selbstgefertigter Lebenslauf, auf dessen Titelblatte der vollständige Name, der Geburtsort, das Alter, die Confession und der Wohnort der Bewerberin anzugeben ist; 2) ein Tauf- beziehungsweise Geburtsschein; 3) Zeugnisse über die bisher empfangene Schulbildung und über etwa schon bestandene Prüfungen; 4) ein amtliches Führungszeugniß; 5) ein von einem zur Führung eines Dienstsiegels berechtigten Arzte ausgestelltes Zeugniß über den Gesundheitszustand. Beim Eintritt in die Prüfung sind 12 Mark Prüfungsgebühren und 1,50 Mark Stempelgebühren zu ent-

richten. Die letzteren werden der Examinandin im Falle des Nichtbestehens der Prüfung wieder zurückgezahlt werden. Berlin, den 16. Mai 1890.

Königliches Provinzial-Schul-Collegium.

Schulvorsteherinnen-Prüfung in Berlin.

5. Die Schulvorsteherinnen-Prüfung wird hier **am 20. event. 21. November d. J.** abgehalten werden. Zu dieser Prüfung werden nur solche Lehrerinnen zugelassen, welche den Nachweis einer mindestens fünfjährigen Lehrthätigkeit zu führen vermögen und mindestens zwei Jahre in Schulen unterrichtet haben. Die Anmeldungen sind an uns bis zum 20. August d. J. einzureichen und sind denselben beizufügen: 1) ein selbstgefertigter Lebenslauf, auf dessen Titelblatt der vollständige Name, der Geburtsort, das Alter, die Confession und der Wohnort der Bewerberin angegeben ist, 2) der Geburtsschein, 3) die Zeugnisse über die schon bestandenen Prüfungen, 4) ein amtliches Führungsattest, 5) ein Zeugniß über die Lehrthätigkeit, 6) ein von einem zur Führung eines Amtssiegels berechtigten Arzte ausgestelltes Attest über normalen Gesundheitszustand. Berlin, den 16. Mai 1890.

Königl. Provinzial-Schul-Collegium.

Zweite Lehrerprüfung im Kgl. Schullehrer-Seminar zu Oranienburg.

6. Die zweite Lehrerprüfung im Königlichen Schullehrer-Seminar zu Oranienburg wird **vom 26. bis 29. August 1890** abgehalten werden. Die Anmeldungen nur solcher Lehrer, die in dem Regierungsbezirk Potsdam im Lehramte stehen, sind bis zum 25. Juli 1890 durch die bezüglichen Kreis-Schulinspektoren an uns einzureichen und denselben beizufügen: 1) das Original-Prüfungszeugniß über die bestandene erste Prüfung, 2) ein Zeugniß des Lokalschulinspektors, 3) eine von dem Examinanden selbständig gefertigte Ausarbeitung über ein von ihm selbst gewähltes Thema, mit der Versicherung, daß er keine anderen als die angegebenen Quellen dazu benutzt habe, 4) eine Probezeichnung und 5) eine Probeschrift, beide mit der Versicherung, daß sie der Einsender selbständig angefertigt hat. Erfolgt auf die Meldung kein ablehnender Bescheid, so haben sich die betreffenden Lehrer am Tage vor Beginn der schriftlichen Prüfung dem Herrn Seminar-Direktor um 5 Uhr Nachmittags vorzustellen.

Berlin, den 18. Mai 1890.

Königliches Provinzial-Schul-Collegium.

Aufnahme-Prüfung am Königlichen Schullehrer-Seminar zu Oranienburg.

7. Die Aufnahme-Prüfung am Königlichen Schullehrer-Seminar zu Oranienburg wird **am 10. bis 12. September 1890** abgehalten werden. Die Anmeldungen sind bis zum 15. August 1890 an den Herrn Seminar-Direktor **Mühlmann** einzureichen und denselben beizufügen: 1) der Lebenslauf, 2) der Geburtsschein, 3) der Impfschein, der Revaccinationsschein und ein Gesundheitsattest, ausgestellt von einem zur Führung eines Dienstsiegels berechtigten Arzte, 4) ein amtliches Führungsattest, 5) die Erklärung des Vaters oder an dessen Stelle des Nächstverpflichteten, daß er die Mittel zum Unterhalte des Aspiranten während der Dauer des Seminarkursus gewähren werde, mit der Bescheinigung der Ortsbehörde, daß er über die dazu nöthigen Mittel verfüge.

Berlin, den 18. Mai 1890.

Königliches Provinzial-Schul-Collegium.

Bekanntmachungen des Königlichen Oberbergamts zu Halle.

10. Nachstehende Verleihungsurkunde:

„Im Namen des Königs.

Auf Grund der am 17. März 1890 mit Präsentationsvermerk versehenen Muthung wird dem Kaufmann Leopold Falk zu Berlin W., Leipzigerstraße Nr. 29, unter dem Namen **Mellen** das Bergwerkseigenthum in dem Felde, dessen Begrenzung auf dem heute von uns beglaubigten Situationsrisse mit den Buchstaben: a b c d e f g h a bezeichnet ist, und welches, einen Flächeninhalt von 2 189 000 qm, geschrieben: Zwei Millionen einhundertneunundachtzig Tausend Quadratmeter umfassend, in den Gemarkungen Töpchin, Callinchen und Schöneiche im Kreise Teltow des Regierungsbezirks Potsdam und im Oberbergamtsbezirke Halle gelegen ist, zur Gewinnung der in dem Felde vorkommenden Braunkohlen hierdurch verliehen",

urkundlich ausgefertigt am heutigen Tage, wird mit dem Bemerken, daß der Situationsriß in dem Büreau des Königl. Bergrevierbeamten zu Eberswalde zur Einsicht offen liegt, unter Verweisung auf die Paragraphen 35 und 36 des Allgemeinen Berggesetzes vom 24. Juni 1865 hierdurch zur öffentlichen Kenntniß gebracht.

Halle a. S., den 5. Juni 1890.

Königliches Oberbergamt.

11. Nachstehende Verleihungsurkunde:

„Im Namen des Königs.

Auf Grund der am 17. März 1890 mit Präsentationsvermerk versehenen Muthung wird dem Kaufmann Leopold Falk zu Berlin W., Leipzigerstraße 29, unter dem Namen **Fritz Glück** das Bergwerkseigenthum in dem Felde, dessen Begrenzung auf dem heute von uns beglaubigten Situationsrisse mit den Buchstaben: a b c d e f g h i k l m n o a bezeichnet ist, und welches, einen Flächeninhalt von 2 189 000 qm, geschrieben: Zwei Millionen einhundertneunundachtzig Tausend Quadratmeter umfassend, in den Gemarkungen Töpchin, Schöneiche und Callinchen im Kreise Teltow des Regierungsbezirks Potsdam und im Oberbergamtsbezirke Halle gelegen ist, zur Gewinnung der in dem Felde vorkommenden Braunkohlen hierdurch verliehen",

urkundlich ausgefertigt am heutigen Tage, wird mit dem Bemerken, daß der Situationsriß in dem Büreau des Königlichen Bergrevierbeamten zu Eberswalde zur Einsicht offen liegt, unter Verweisung auf die Paragraphen 35 und 36 des Allgemeinen Berggesetzes vom 24. Juni 1865 hierdurch zur öffentlichen Kenntniß gebracht.

Halle a. S., den 5. Juni 1890.

Königliches Oberbergamt.

Bekanntmachungen der Königlichen Eisenbahn-Direktion zu Bromberg.

Frachtbegünstigung für Ausstellungsgegenstände.

34. Für die in der nachstehenden Zusammenstellung näher bezeichneten Thiere und Gegenstände, welche auf den daselbst erwähnten Ausstellungen ausgestellt werden und unverkauft bleiben, wird eine Frachtbegünstigung in der Art gewährt, daß nur für die Hinbeförderung die volle tarifmäßige Fracht berechnet wird, die Rückbeförderung an die Versand-Station und den Aussteller aber frachtfrei erfolgt, wenn durch Vorlage des ursprünglichen Frachtbriefes bezw. des Duplikat-Transportscheines für den Hinweg, sowie durch eine Bescheinigung der dazu ermächtigten Stelle nachgewiesen wird, daß die Gegenstände ausgestellt gewesen und unverkauft geblieben sind, und wenn die Rückbeförderung innerhalb der unten angegebenen Zeit stattfindet.

In den ursprünglichen Frachtbriefen bezw. Duplikat-Transportscheinen für die Hinsendung ist ausdrücklich zu vermerken, daß die mit denselben aufgegebenen Sendungen durchweg aus Ausstellungsgut bestehen.

№	Art der Ausstellung	Ort	Zeit 1890	Die Frachtbegünstigung wird gewährt für	auf den Strecken der	Zur Ausfertigung der Bescheinigung sind ermächtigt	Die Rückbeförderung muß erfolgen innerhalb
1	Thierschau und landwirthschaftliche Ausstellung,	Schlochau,	9. und 10 Juni,	Thiere, landwirthschaftliche Maschinen, Geräthe und gewerbliche Erzeugnisse,	Königlichen Eisenbahn-Direktion Bromberg,	Ausstellungs-Commission,	14 Tage nach Schluß der Ausstellung.
2	Provinzial-Geflügel-Ausstellung,	Leobschütz,	15. bis 17. August,	Geflügel und Geräthe zur Geflügelzucht,	Preußischen Staatsbahnen,	desgl.	10 Tage nach Schluß der Ausstellung.
3	Distriktschau,	Marienburg	30. August,	Thiere, landwirthschaftliche Maschinen, Geräthe und Erzeugnisse,	Königlichen Eisenbahn-Direktion Bromberg,	desgl.	8 Tage nach Schluß der Ausstellung.

Bromberg, den 2. Juni 1890.

Königl. Eisenbahn-Direktion.

Bekanntmachungen der Königlichen Eisenbahn-Direktion zu Berlin.

Frachtstundungen.

26. Im Bereich der Königlichen Preußischen Staatseisenbahn-Verwaltung werden die für Eisenbahntransporte von und nach einer und derselben Eisenbahn-Station erwachsenden Forderungen an Fracht, Nebengebühren, Nachnahmen und dergleichen unter nachstehenden Bedingungen auf die Dauer eines Monats gestundet:

1) Die zu stundende Summe muß monatlich wenigstens 300 Mark betragen.

2) Der Stundungsnehmer hat Sicherheit mindestens für den $1\frac{1}{2}$fachen Betrag der monatlichen Stundungssumme zu bestellen. Als Sicherheit werden angenommen:

   a. Die von dem Deutschen Reich oder von einem Deutschen Bundesstaate ausgestellten oder garantirten Schuldverschreibungen zum vollen Kurswerth, sowie andere bei der Deutschen Reichsbank beleihbare Werthpapiere zu dem dort beleihbaren Bruchtheile des Kurswerthes;

   b. ein an die stundende Behörde bei Sicht zahlbarer, gezogener und acceptirter oder ein eigener avalirter Wechsel;

   c. ein nach bestimmtem Muster auszustellender Bürgschein eines der Eisenbahnverwaltung genehmen größeren, im Deutschen Reiche ansässigen Bankhauses.

   Die Eisenbahnverwaltung behält sich das Recht vor, jederzeit und ohne Angabe von Gründen an Stelle einer in Wechseln oder Bürgscheinen bestellten Sicherheit anderweite Sicherheit zu fordern.

3) Die Stundungs-Konten werden allmonatlich abgeschlossen.

   Die Saldobeträge zu Gunsten der Stundungsnehmer werden nach dem Abschlusse sofort durch die Güterkasse beglichen, während die Zahlung der Saldobeträge zu Lasten der Stundungsnehmer durch letztere bis zum 10ten, und wenn der 10te ein Sonn- oder Festtag ist, bis zum 9ten des auf den Stundungsmonat folgenden Monats erfolgen muß und zwar:

   a. ausschließlich bei der betreffenden Güterkasse, wenn der ein für allemal bewilligte Stundungsbetrag 3000 M. oder weniger beträgt und die Zahlung in der vorstehend festgesetzten Zahlungsfrist erfolgt,

   b. ausschließlich bei der Betriebskasse (bezw. der Hauptkasse), wenn der monatliche Stundungsbetrag mehr als 3000 M. beträgt, sowie, wenn er zwar 3000 M. nicht übersteigt, die vorstehend auf den 10ten bezw. 9ten des dem Stundungsmonat folgenden Monats festgesetzte Zahlungsfrist aber bereits abgelaufen ist.

Abschlagszahlungen sind zulässig; dieselben müssen im Falle zu a. bei der Güterkasse, zu b. bei der Betriebskasse erfolgen. An Stelle der Baarzahlungen kann in den Fällen zu a. und b. die Ausgleichung des

Saldos durch Bankvermittelung zugelassen werden. Anträge auf Frachtstundung sind an die Königlichen Eisenbahn-Betriebsämter zu richten, von welchen auch die ausführlichen Bedingungen bezogen werden können.

Berlin, den 30. Mai 1890.

Königliche Eisenbahn-Direktion.

Abfertigung von Reisegepäck nach Heringsdorf.

27. Zur Erleichterung des Reiseverkehrs von Berlin nach dem Badeorte Heringsdorf wird vom **15. Juni bis 15. September d. J.** das zu den Personenzügen 821/861 (ab Berlin Stettiner Bahnhof 8[50] Vorm.), sowie das zu dem Schnellzuge 851 (ab Berlin Stettiner Bahnhof 10[00] Vorm.) auf Fahrkarten Berlin-Swinemünde über Ducherow aufgegebene Reisegepäck auf Verlangen direkt nach Heringsdorf abgefertigt und hierbei, neben der etwa zur Erhebung kommenden Gepäcküberfracht bis Swinemünde, für die Beförderung von Swinemünde bis Heringsdorf eine Gebühr von 2 Pfg. für das kg ohne Anrechnung von Freigewicht, mindestens aber 50 Pfg. und außerdem ein fester Zuschlag von 20 Pfg. für jeden Gepäckschein seitens der Abfertigungsstelle erhoben. In gleicher Weise wird während des vorgedachten Zeitraumes direkte Gepäckabfertigung auch in umgekehrter Richtung von Heringsdorf nach Berlin mit den Zügen 864/822 (ab Swinemünde Bahnhof 1[14] Nachm.), sowie dem Schnellzuge 852 (ab Swinemünde Bahnhof 4[30] Nachm.) stattfinden. Ferner sind für die Dauer der Badesaison zur Bequemlichkeit des das gedachte Bad besuchenden Publikums in Heringsdorf, Hotel Lindemann, direkte Fahrkarten I, II. und III. Klasse ab Swinemünde nach Berlin zu den tarifmäßigen Preisen zum Verkauf ausgelegt. Berlin, den 29. Mai 1890.

Königliche Eisenbahn-Direktion

Bekanntmachungen des Landes-Direktors der Provinz Brandenburg.

Bekanntmachung.

5. Nachstehender

Zweiter Nachtrag

zum

revidirten Reglement der Städte-Feuersozietät der Provinz Brandenburg vom $\frac{6.\ \text{März}}{23.\ \text{April}}$ 1885 [Erster Nachtrag vom $\frac{11\ \text{März}}{12.\ \text{April}}$ 1887 (Amtsblatt der Königlichen Regierungen zu Potsdam bezw. Frankfurt a. Oder, Extrabeilage zu Stück 20 1887)].

Art. I.

Die nachstehenden Paragraphen des revidirten Reglements von 1885 bezw. des ersten Nachtrages zu demselben von 1887 erhalten folgende Fassung:

§ 2.

Zweck der Sozietät ist die gegenseitige Versicherung von Gebäuden gegen Feuersgefahr in der Weise, daß jedes Mitglied sich zugleich in dem Verhältniß eines Versicherers und eines Versicherten befindet, als Versicherer jedoch nur mit den ihm nach seiner Versicherungssumme obliegenden Beiträgen verhaftet ist.

Die als Pertinenzien von Gebäuden zu betrachtenden beweglichen Sachen, sofern sie nicht zum Gewerbebetriebe dienen, dürfen zur Versicherung mit angenommen werden.

Dasselbe darf geschehen mit Einfriedigungen aller Art.

§ 39.

Kein Gebäude, welches bei einer anderen Versicherungsanstalt versichert ist, darf bei der Sozietät aufgenommen, und kein Gebäude, welches bei der Sozietät versichert ist, bei einer anderen Versicherungsanstalt versichert werden.

Findet sich, daß ein bei der Sozietät versichertes Gebäude anderweit versichert ist, so hat der Versicherte aus der Versicherung bei der Sozietät gegen diese keine Rechte, ist jedoch verpflichtet zur Zahlung der Beiträge bis zum Ablaufe des Halbjahres, in welchem die Bedingungen für den freiwilligen Austritt eines Versicherten nach § 72 ff. erfüllt sind. Sobald dies geschehen, erlischt das Recht der Realgläubiger (§ 84).

Auch darf ohne Genehmigung des Direktors kein Gebäude innerhalb eines Gehöfts, von welchem ein anderes Gebäude bei der Sozietät versichert ist, bei einer anderen Versicherungsanstalt versichert werden. Ist dies dennoch geschehen, so tritt die Befugniß der Sozietät ein, die Versicherung gemäß § 75 aufzuheben.

Ist in diesen Fällen der Verdacht eines versuchten Betruges nicht ausgeschlossen, so hat der Direktor der Staatsanwaltschaft Anzeige zu machen.

§ 60.

Der Direktor stellt die Versicherungssumme und die Classe für die zu versichernden Gebäude fest.

§ 61.

Rechtzeitig für den regelmäßigen Eintrittstermin beantragte Versicherungen (§ 59 Abs. 1) gelten zu diesem Termine nach dem Antrage als angenommen, falls bis dahin nicht die Ortskommission gegen den Antrag Bedenken erhoben (§ 58 Abs. 2), oder der Direktor eine Revision der Abschätzung angeordnet (§ 58 Abs. 4), oder den Antrag abgelehnt hat.

Für einen anderen Termin beantragte Versicherungen gelten für angenommen, mit dem Ablaufe des Tages, an welchem die Ortskommission den Antrag geprüft und keine oder nur solche Einwendungen gemacht hat, denen sich der Eigenthümer unterworfen (§ 58 Abs. 1), derart, daß die Versicherung zu diesem Termine, bezw. zu dem beantragten späteren Termine in Kraft tritt.

In beiden Fällen wird jedoch die Versicherung aufgehoben, bezw. abgeändert mit der Zustellung der die beantragte Versicherung ablehnenden oder abändernden Verfügung des Direktors.

Im Uebrigen tritt die Versicherung mit der Mittagsstunde des Tages, an welchem die Benachrichtigung (§ 61 a.) ausgestellt ist, bezw. mit dem in der letzteren angegebenen späteren Termine in Kraft.

§ 61 a.

Ueber die festgestellte bezw. in Kraft getretene Versicherung erhält der Gebäudebesitzer kostenfrei eine Benachrichtigung.

§ 113.

Der Direktor ist befugt, Personen, welche sich zum Vortheil der Sozietät die Entdeckung von Brandstiftern zur Angabe gestellt haben, aus Mitteln der Sozietät für ihre Bemühungen zu entschädigen und für diesen Zweck einen Betrag bis zu 3000 M. jährlich zu verwenden, auf Prämien bis zu 1000 M. für die Entdeckung eines Brandstifters auszusetzen und zur Zahlung anzuweisen, sobald der Letztere wegen vorsätzlicher oder fahrlässiger Brandstiftung rechtskräftig verurtheilt worden ist.

Auch Personen, welche sich im Interesse der Sozietät bei einem Brande durch Hülfeleistung mit Gefahr für Leib und Leben auszeichnen, können Prämien bis zu 150 M. bewilligt werden.

Art. II.

In den Paragraphen 82, 83, 85 und 86 fällt die Bezugnahme auf § 39 weg; dagegen wird dieselbe im § 84 Abs. 1 hinzugefügt.

Art. III.

Dem Reglement treten folgende Bestimmungen, betreffend

Versicherung beweglicher Sachen

hinzu.

§ 122.

Die Sozietät versichert innerhalb ihres Gebietes auch bewegliche Sachen.

Eine Verpflichtung hierzu besteht indessen für die Sozietät nicht, sondern der Direktor entscheidet über die Annahme nach freiem Ermessen.

Ausgeschlossen sind: Urkunden, Werthpapiere, baares Geld, ungefaßte Edelsteine und Perlen, unverarbeitetes Gold und Silber.

Die an der Versicherung beweglicher Sachen Betheiligten bilden mit den an der Versicherung unbeweglicher Sachen Betheiligten eine Gemeinschaft zur gegenseitigen Uebertragung des Schadens.

§ 123.

Die der Sozietät für die Gebäudeversicherung zustehenden im § 3 aufgezählten Vorrechte finden auf die Versicherung beweglicher Sachen keine Anwendung.

§ 124.

Die näheren Bedingungen, unter welchen die Sozietät bewegliche Sachen versichert, werden unter Berücksichtigung des Gesetzes vom 8. Mai 1837 (G.-S. S. 102) vom Provinzialausschuß auf Antrag des Direktorialraths festgesetzt und durch die Amtsblätter der Provinz bekannt gemacht.

Der Direktor ist befugt, neben diesen allgemeinen Bedingungen noch besondere Bedingungen in jedem einzelnen Falle, insbesondere für landwirthschaftliche, Fabrik- und Mühlenversicherungen, mit dem Versicherungsnehmer zu vereinbaren.

§ 125.

Der Zeitpunkt, mit welchem der Art. III. dieses Nachtrags in Kraft tritt, ist auf den Antrag des Direktors durch den Ober-Präsidenten zu bestimmen und durch die Amtsblätter der Provinz bekannt zu machen.

§ 126.

Die Vermittelung der Versicherung beweglicher Sachen geschieht durch Geschäftsführer, über deren Anstellung und Besoldung auf Antrag des Direktorialraths der Provinzialausschuß eine Anweisung erläßt.

§ 127.

Soweit für die Versicherung beweglicher Sachen keine besonderen Bestimmungen getroffen sind, finden auf dieselbe die für die Gebäudeversicherung gegebenen Vorschriften des Reglements sinngemäße Anwendung.

Dies gilt auch von der im § 119 den Versicherten zugestandenen Austrittsbefugniß.

Vorstehender zweiter Reglementsnachtrag ist vom Brandenburgischen Provinziallandtage in der Sitzung vom 6. März 1890 — vorbehaltlich der Genehmigung des Herrn Ministers des Innern — beschlossen worden.

Berlin, den 13. März 1890.

Der Landesdirektor der Provinz Brandenburg

(L. S.) von Levetzow.

J. № 1303 C.

Der vorstehende zweite Nachtrag zu dem revidirten Reglement der Städte-Feuer-Sozietät der Provinz Brandenburg de conf. 23. April 1885 wird hierdurch genehmigt.

Berlin, den 21. Mai 1890.

(L. S.)

Der Minister des Innern.

Im Auftrage gez. Lodemann.

Genehmigung

Ia. 5051.

* * *

wird hierdurch zur öffentlichen Kenntniß gebracht.

Berlin, den 30. Mai 1890.

Der Landesdirektor der Provinz Brandenburg.

von Levetzow.

J. № 1504 C.

Bekanntmachungen der Kreis-Ausschüsse.

Bekanntmachung.

18. Auf Grund des § 25 des Zuständigkeitsgesetzes in der Fassung vom 1. August 1883 in Verbindung mit § 1 Abschnitt 4 des Gesetzes vom 14. April 1856 genehmigen wir hiermit, daß die bisher zum Forstgutsbezirk Woltersdorf gehörende Büdnerstelle Blatt III. Parzelle 225 der Gemarkung Gottow dem Forstgutsbezirk Woltersdorf abgezweigt und dem Gemeindebezirk Gottow einverleibt wird.

Jüterbog, den 29. Mai 1890.

Der Kreis-Ausschuß Jüterbog-Luckenwalder Kreises.

Bekanntmachungen anderer Behörden.

Bekanntmachung.

Zur Entscheidung über die in Folge des von dem Herrn Minister der öffentlichen Arbeiten und dem Herrn Minister für Handel und Gewerbe unter dem 1. Oktober 1889 erlassenen Preisausschreibens eingegangenen Entwürfe und Modelle für ein am meisten geeignetes Segel- oder Lastschiff zum Befahren der Oder, des

Ober-Spree-Kanals und der Spree innerhalb der Stadt Berlin, sind zu Preisrichtern ernannt: Geheimer Admiralitätsrath Brix zu Berlin, Regierungs- und Baurath Werner zu Berlin, Regierungs- und Baurath Dieckhoff zu Potsdam, Wasser-Bauinspektor Hamel zu Breslau, Schiffbaumeister Stutzer zu Havelberg Fabrikbesitzer und Schiffbauingenieur Hofmann zu Breslau, Schiffsrheder Rothenbücher zu Berlin, Schifffahrts-Direktor Ströhler zu Berlin, Schiffsrheder Krause zu Breslau, Schiffsrheder Nagel zu Breslau. Das Preisgericht wird am 1. Juli d. J. Vormittags 10 Uhr, in dem Sitzungssaale des Königlichen Ober-Präsidiums zu Breslau (Albrechtstraße 32) mit der Prüfung der eingegangenen Entwürfe und Modelle beginnen.

Breslau, den 17. Mai 1890.

Der Ober-Präsident.

Personal-Chronik.

Des Königs Majestät haben mittelst A. C. O. vom 15. Mai d. J. dem Regierungs-Rath Zimmler hiers. den Character als „Geheimer Regierungs-Rath" zu verleihen geruht.

Im Kreise Niederbarnim ist an Stelle des verstorbenen Gemeindevorstehers Pahl zu Friedrichsfelde der Gemeindevorsteher Dietze daselbst zum Amtsvorsteher-Stellvertreter für den 3. Bezirk Friedrichsfelde ernannt worden.

Im Kreise Niederbarnim ist an Stelle des verstorbenen Schöffen Streu zu Neu-Weißensee der Fabrikbesitzer, Lieutenant der Reserve Henniger daselbst, zum Amtsvorsteher-Stellvertreter des 24. Bezirks Weißensee ernannt worden.

Der Katasteramts-Gehilfe Karl Brummack ist zum Kataster-Zeichner bei dem Katasteramte Berlin II. ernannt worden.

Der Vermessungsgehilfe Otto Lietz ist zum Kataster-Zeichner bei dem Katasteramte Berlin III. ernannt worden.

Der Katasteramts-Gehilfe Wilhelm Ewald ist zum Katasterzeichner bei dem Katasteramte Jüterbog ernannt worden.

Dem Ober-Regierungsrath Bohnstedt ist vom 1. Juni d. J. ab die Ober-Regierungsraths-Stelle bei der Königlichen General-Kommission für die Provinzen Brandenburg und Pommern in Frankfurt a. O. übertragen.

Die unter Königlicher Kollatur stehende Oberpfarrstelle zu Gransee, Diözese Lindow-Gransee, ist durch das am 15. d. M. erfolgte Ableben des Superintendenten und Oberpfarrers Hollefreund zur Erledigung gekommen.

Die unter Königlichem Patronat stehende Pfarrstelle zu Haseloff, Diözese Belzig, kommt durch die nach neuem Rechte erfolgende Emeritirung ihres bisherigen Inhabers, des Pfarrers Cunerth, zum 1. Oktober d. Js. zur Erledigung. Die Wiederbesetzung dieser Stelle erfolgt durch Gemeindewahl nach Maßgabe des Kirchengesetzes, betreffend das im § 32 № 2 der Kirchengemeinde- und Synodal-Ordnung vom 10. September 1873 vorgesehene Pfarrwahlrecht vom 15. März 1886 — Kirchl. Ges. und Verordn.-Bl. de 1886 S. 39. — Bewerbungen um diese Stelle sind schriftlich bei dem Königlichen Konsistorium der Provinz Brandenburg einzureichen. § 6 a. a. O.

Der kommissarische Hilfslehrer, Schulamts-Kandidat Soennecken ist als Hilfslehrer am Schullehrerseminar in Neu-Ruppin angestellt worden.

Die Lehrerinnen Fräulein Anna Arnhold und Elfriede Geyger sind als Gemeindeschullehrerinnen in Berlin angestellt worden.

Personalveränderungen im Bezirk der Kaiserlichen Ober-Postdirection in Berlin.

Im Laufe des Monats Mai sind

angestellt: als Postassistenten die Postanwärter Friesecke, Hoffmann, Uchdorff und Wille, als Telegraphenassistenten die Telegraphenanwärter Bänsch, Breitkopff, Dahl, Dennhardt, Frank, Franz, Kasch, Kleine, Krüger, G. A. Müller, Niemann, Nitschke, Pfaff, Podzun, Siefarth, Sitte, Stache, Wendt, Wunsch,

versetzt: der Telegraphenassistent Bertram von Berlin nach Cassel, der Postassistent Köhne von Bielefeld nach Berlin,

in den Ruhestand versetzt: der Postkommissarius Groth, der Telegraphensecretair Rattemeyer, der Ober-Telegraphenassistent Laudien,

gestorben: der Ober-Postsecretair J. L. J. Schmidt.

(Hierzu der Fahrplan der Königlichen Eisenbahn-Direktion Berlin, gültig vom 1. Juni 1890 ab, eine Extra-Beilage, enthaltend die Wahlordnung, betreffend die Wahlen der Ausschußmitglieder für die zur Durchführung der Invaliditäts- und Altersversicherung errichtete Versicherungsanstalt des Stadtkreises Berlin, vom 4. Juni 1890, und die Wahlordnung, betreffend die Wahlen der Ausschußmitglieder für die zur Durchführung der Invaliditäts- und Altersversicherung errichtete Versicherungsanstalt der Provinz Brandenburg, vom 4. Juni 1890,
sowie Fünf Oeffentliche Anzeiger)

(Die Insertionsgebühren betragen für eine einspaltige Druckzeile 20 Pf.
Belagsblätter werden der Bogen mit 10 Pf. berechnet.)

Redigirt von der Königlichen Regierung zu Potsdam

Potsdam, Buchdruckerei der A. W. Hayn'schen Erben (E. Hayn, Hof-Buchdrucker).

Extra-Beilage

zum 24sten Stück des Amtsblatts

der Königlichen Regierung zu Potsdam und der Stadt Berlin.

Den 13. Juni 1890.

Bekanntmachung des Königlichen Ober-Präsidenten von Berlin,
betreffend die Ausführung des Reichsgesetzes, betreffend die Invaliditäts- und Altersversicherung vom 22. Juni 1889.

12. Auf Grund des § 49 des Reichsgesetzes, betreffend die Invaliditäts- und Altersversicherung vom 22. Juni 1889 (R.-G.-Bl. S. 97) haben die Herren Minister des Innern und für Handel und Gewerbe im Einvernehmen mit den Herren Ministern der öffentlichen Arbeiten und für Landwirthschaft, Domänen und Forsten bestimmt, daß die Wahlordnung in Betreff der Wahl der Ausschußmitglieder für die zur Durchführung der Invaliditäts- und Altersversicherung errichtete Versicherungsanstalt des Stadtkreises Berlin von dem unterzeichneten Oberpräsidenten zu erlassen sei, und hierbei zugleich auf Grund des § 48 a. a. O. festgesetzt, daß bis zur Genehmigung des Statutes der Versicherungsanstalt für den Stadtkreis Berlin die Zahl der den Ausschuß derselben bildenden Vertreter der Arbeitgeber und der Versicherten je zehn betragen solle. Demzufolge bringe ich nachstehende Wahlordnung zur öffentlichen Kenntniß.

Wahlordnung,

betreffend die Wahlen der Ausschußmitglieder für die zur Durchführung der Invaliditäts- und Altersversicherung errichtete Versicherungsanstalt des Stadtkreises Berlin.

Vom 4. Juni 1890.

Auf Grund der §§ 48 fg des Reichsgesetzes, betreffend die Invaliditäts- und Altersversicherung, vom 22. Juni 1889 (Reichs-Gesetzbl. S. 97) wird im Auftrage der Landes-Centralbehörde für die Versicherungsanstalt des Stadtkreises Berlin behufs Wahl der Ausschußmitglieder folgende

Wahlordnung

erlassen.

1) Die Wahl der Ausschußmitglieder erfolgt unter Leitung eines Beauftragten mittelst schriftlicher Abstimmung der wahlberechtigten Körperschaften (Ziffer 4) nach Wahlbezirken. Die Eintheilung der Wahlbezirke und die Festsetzung der Zahl der in jedem Wahlbezirke zu wählenden Mitglieder des Ausschusses erfolgt unter Berücksichtigung der Gesammtzahl derjenigen Personen, welche nach den hierüber erlassenen Bestimmungen den Ausschuß bilden sollen.

In jedem Wahlbezirke werden Vertreter der Arbeitgeber und Vertreter der Versicherten je in gleicher Zahl und außerdem für jeden Vertreter je ein erster und ein zweiter Ersatzmann gewählt. Der Beginn der erstmaligen fünfjährigen Wahlperiode der Ausschußmitglieder (§ 49 Abs. 3 a. a. O.) wird auf den 1. Juli 1890 festgesetzt.

Die Wahlbezirke, ihre Reihenfolge (Ziffer 15) und die Zahl der in jedem derselben zu wählenden Vertreter werden durch das Amtsblatt der Königlichen Regierung zu Potsdam und der Stadt Berlin bekannt gemacht.

2) Die einzelnen wahlberechtigten Körperschaften (Ziffer 4) vollziehen die Wahlen durch Abgabe der ihnen zugetheilten Anzahl von Stimmen. Diese Zutheilung erfolgt unter Berücksichtigung der Zahl derjenigen nach dem Gesetz vom 22. Juni 1889 versicherungspflichtigen Personen, welche nach den angestellten Ermittelungen auf die betreffende Körperschaft entfallen.

Hierbei werden denjenigen Körperschaften, für welche weniger als 50 Versicherungspflichtige in Betracht zu ziehen sind, je eine Stimme, denjenigen Körperschaften, für welche mindestens 50 aber weniger als 100 Versicherungspflichtige in Betracht kommen, je zwei Stimmen, solchen Körperschaften aber, für welche 100 oder mehr Versicherungspflichtige ermittelt sind, für je 100 weitere Personen je eine Stimme mehr beigelegt.

3) Die Abgrenzung der Wahlbezirke, die Bestimmung über die Zahl der in jedem Wahlbezirke zu wählenden Personen und die Bestimmung über die Zahl der den einzelnen wahlberechtigten Körperschaften zustehenden Stimmen bleiben auch für die Folge maßgebend, soweit nicht wegen anderweiter Festsetzung der Gesammtzahl der zu wählenden Ausschußmitglieder eine anderweite Vertheilung erforderlich wird oder aus sonstigen Gründen ausnahmsweise einzelne Veränderungen vorgenommen werden. Eine Vermehrung oder Verminderung der wahlberechtigten Körperschaften oder der Zahl der in denselben in Betracht zu ziehenden Personen bleibt in der Regel ohne Einfluß.

Der unterzeichnete Ober-Präsident bestimmt endgültig, wieweit etwaige Veränderungen bei künftigen Wahlen vorgenommen werden sollen.

4) Wahlberechtigte Körperschaften sind innerhalb eines jeden Wahlbezirks:

a. die Vorstände (vergl. Ziffer 5) derjenigen Orts-, Betriebs- (Fabrik-), Bau- und Innungs-Krankenkassen und Knappschaftskassen, welche in dem Wahlbezirk ihren Sitz haben (Ziffer 7 fg.)

b. für diejenigen Versicherten, welcher eine der vorbezeichneten Kassen nicht angehören, der Stadt-Ausschuß von Berlin (Ziffer 9).

5) In denjenigen Kassen (Ziffer 4a.), in welchen der Vorstand aus Vertretern der Arbeitgeber und aus Vertretern der Arbeitnehmer zusammengesetzt ist, haben an den Wahlen nicht alle Vorstandsmitglieder, sondern nur diejenigen Theil zu nehmen, welche für diejenige Kategorie, für welche die Wahlen erfolgen, in den Vorstand berufen sind. In solchen Körperschaften werden daher gewählt:

a. die aus den Arbeitgebern zu entnehmenden Mitglieder des Ausschusses und ihre Ersatzmänner lediglich von denjenigen Mitgliedern des Vorstandes, welche in den letzteren von den Arbeitgebern berufen worden sind;

b. die aus den Versicherten zu entnehmenden Mitglieder des Ausschusses und deren Ersatzmänner lediglich von denjenigen Mitgliedern des Vorstandes, welche in den letzteren von den versicherten Mitgliedern gewählt worden sind.

Bei denjenigen Körperschaften dagegen (Ziffer 4a.), in welchen eine solche Unterscheidung verschiedener Arten von Vorstandsmitgliedern nicht stattfindet, nehmen die sämmtlichen Mitglieder des Vorstandes an den Wahlen beider Klassen von Ausschußmitgliedern Theil. Dasselbe gilt bei der von dem Stadt-Ausschusse zu vollziehenden Wahl (Ziffer 4b).

6) Die Wahlen werden durch Ausfüllung von Stimmzetteln vollzogen. Für die zu wählenden Vertreter der Arbeitgeber nebst Ersatzmännern einerseits und die zu wählenden Vertreter der Versicherten nebst Ersatzmännern andrerseits werden besondere Stimmzettel ausgefüllt. Die Stimmzettel werden den Vorsitzenden der wahlberechtigten Körperschaften vor der Wahl zugestellt; sie enthalten im Vordruck die Angabe, in welchem Wahlbezirk die Wahl zu vollziehen ist, wieviel Personen zu wählen sind, wieviel Stimmen der betreffenden Körperschaft für die Ermittelung des Wahlergebnisses zugetheilt sind, wie der Beauftragte (Ziffer 1) heißt und wo derselbe wohnt.

7) Bei wahlberechtigten Kassen (Ziffer 4a) beruft der Vorsitzende des Vorstandes gleich nach Empfang der Stimmzettel diejenigen Mitglieder des Vorstandes, welche gemäß Ziffer 5 zur Vollziehung der Wahlen befugt sind. Der Vorsitzende ist jedoch berechtigt, die Wahlen durch die hierzu befugten Mitglieder des Vorstandes schon vor Empfang der Stimmzettel im Voraus vollziehen zu lassen, sofern eine besondere Zusammenberufung in der Zeit nach Empfang der Stimmzettel (vergl. Ziffer 11) unzweckmäßig erscheinen sollte. Von dem Tage, an welchem die Wahlen vollzogen werden sollen, müssen jedoch die wahlberechtigten Mitglieder unter Angabe des Zwecks der Berufung in allen Fällen rechtzeitig benachrichtigt werden.

Die Leitung der Wahlen liegt dem Vorsitzenden ob.

Die wahlberechtigten Mitglieder des Kassenvorstandes (Ziffer 5) bezeichnen mit einfacher Stimmenmehrheit soviel wählbare Personen, wie zu Vertretern der Arbeitgeber bezw. zu Vertretern der Versicherten im Wahlbezirk zu wählen sind, außerdem für jede dieser Personen je einen ersten und einen zweiten Ersatzmann.

Wählbar zu Vertretern der Arbeitgeber sind gemäß §§ 50, 52 a. a. O. nur deutsche, männliche, großjährige, im Bezirke der Versicherungsanstalt wohnende Personen, welche als Arbeitgeber oder als bevollmächtigte Leiter von Betrieben anderer Arbeitgeber Lohnarbeiter (oder Dienstboten, Betriebsbeamte, Handlungsgehülfen rc.) von mehr als 16 Jahren nicht blos vorübergehend beschäftigen, sich im Besitz der bürgerlichen Ehrenrechte befinden und nicht durch richterliche Anordnung in der Verfügung über ihr Vermögen beschränkt sind.

Wählbar zu Vertretern der Versicherten sind gemäß §§ 50, 52 a. a. O. nur deutsche, männliche, großjährige, im Bezirk der Versicherungsanstalt wohnende Personen, welche nach den Vorschriften des Gesetzes versichert, nicht durch richterliche Anordnung in der Verfügung über ihr Vermögen beschränkt sind und sich im Besitze der bürlichen Ehrenrechte befinden, auch wenn sie selbst als Arbeitgeber andere versicherungspflichtige Personen vorübergehend beschäftigen.

Der wählenden Körperschaft brauchen die zu wählenden Personen nicht anzugehören. Zur Vermeidung einer Zersplitterung der Stimmen wird den wahlberechtigten Körperschaften empfohlen, vor Vollziehung der Wahlen behufs Verständigung über die zu wählenden Personen mit einander in Verbindung zu treten.

8) Name und Wohnort der Gewählten sowie deren Beruf sind für die Vertreter der Arbeitgeber einerseits und für die Vertreter der Versicherten andererseits in den für die betreffende Kategorie bestimmten besonderen Stimmzettel einzutragen. Unter der Eintragung ist zu bescheinigen:

a. daß die zur Vollziehung der Wahl berechtigten Mitglieder des Vorstandes ordnungsmäßig geladen worden sind;

b. daß an der Wahl nur solche Mitglieder des Vorstandes Theil genommen haben, welche zur Theilnahme berechtigt waren;

c. daß mehr als die Hälfte der Wählenden denjenigen Personen, deren Namen vorstehend eingetragen seien, ihre Stimme gegeben hat;

d. daß die Gewählten den gesetzlichen Vorschriften über die Wählbarkeit (vergl. Ziffer 7) genügen.

Die Bescheinigung erfolgt am Fuße des Stimmzettels durch Namensunterschrift der Wählenden, oder durch die Unterschrift des Vorsitzenden unter Bezeichnung seiner Dienststellung und Beidrückung des Siegels der wählenden Körperschaft.

9) Auf die Wahlen durch den Stadt-Ausschuß finden die Bestimmungen der Ziffern 7 und 8 entsprechende Anwendung. Jedoch beschränkt sich die Bescheinigung (Ziffer 8) darauf, daß
   a. die Wahl durch den Stadt-Ausschuß mit Stimmenmehrheit ordnungsmäßig vollzogen sei;
   b. daß die Gewählten den gesetzlichen Vorschriften über die Wählbarkeit (vergl. Ziffer 7) genügen

10) Stimmzettel, welche nicht ordnungsmäßig unterschrieben sind oder nicht den richtigen Vordruck tragen, sind ungültig. Dasselbe gilt von solchen Stimmzetteln, in welchen Berichtigungen anders als durch Ausstreichen und Zusetzen bewirkt worden sind.

Stimmzettel, welche den Gewählten nicht deutlich bezeichnen oder welche auf Personen lauten, deren Wählbarkeit sich als bedenklich herausstellt, bleiben, soweit dies der Fall ist, unberücksichtigt.

Befinden sich auf einem Stimmzettel die Namen von mehr Personen eingetragen, als zu wählen sind, so sind nur die Stimmen gültig, welche auf die zuerst und bis zur Erfüllung der Zahl der zu Wählenden eingetragenen Namen entfallen.

11) Der Vorsitzende der wahlberechtigten Körperschaft hat die Stimmzettel binnen zweier Wochen nach deren Empfang ausgefüllt und portofrei an den Beauftragten (Ziffer 1) einzusenden.

Stimmzettel, welche dem Beauftragten erst zugehen, nachdem derselbe mit der Ermittelung des Wahlergebnisses begonnen hat, bleiben bei der betreffenden Wahl unberücksichtigt. Solche verspäteten Stimmzettel werden jedoch, sofern eine Nachwahl (Ziffer 18) vorzunehmen sein sollte, als für die letztere bestimmt angesehen und bei dieser berücksichtigt, sofern nicht die wahlberechtigte Körperschaft dem Beauftragten rechtzeitig die Erklärung zukommen läßt, daß der Stimmzettel für diese Nachwahl nicht gelten soll.

12) Der Beauftragte wird mit dem erforderlichen Listenmaterial versehen und von dem Tage, an welchem die einzelnen Stimmzettel den wahlberechtigten Körperschaften zugestellt sind, in Kenntniß gesetzt. Er stellt binnen zweier Wochen nach Ablauf der Einlieferungsfrist (Ziffer 11) die Wahlergebnisse wahlbezirksweise zusammen und ermittelt für jeden Wahlbezirk diejenigen Personen, auf welche gültige (Ziffer 10) Stimmen entfallen sind, sowie die Zahl der auf dieselben entfallenen Stimmen. Dabei ist der für die einzelnen wahlberechtigten Körperschaften festgestellte Geltungswerth ihrer Stimmzettel (Ziffer 2) zu Grunde zu legen.

13) Ueber die Gültigkeit von Stimmzetteln und Stimmen sowie über etwaige wegen der Wahlen entstehende Streitigkeiten entscheidet vorbehaltlich der Beschwerde an den unterzeichneten Ober-Präsidenten (§ 49 Abs. 4. a. a. O.) der Beauftragte. Derselbe ist befugt, über die Wählbarkeit der gewählten Personen Ermittelungen anzustellen und, wenn sich dabei Bedenken herausstellen, die auf die betreffenden Personen entfallenen Stimmen bei der Ermittelung des Wahlergebnisses unberücksichtigt zu lassen.

Die Beschwerde an den Ober-Präsidenten hat keine aufschiebende Wirkung. Weitere Rechtsmittel finden nicht Statt. Wird in der Beschwerdeinstanz eine Wahl für ungültig erklärt, so ist sie nach den Vorschriften dieser Wahlordnung zu wiederholen.

14) Die Ermittelung des Wahlergebnisses erfolgt getrennt für die Vertreter der Arbeitgeber und für die Vertreter der Versicherten, für die ersten und für die zweiten Ersatzmänner.

Als gewählt gilt derjenige, welcher die einfache (relative) Mehrheit der gültigen Stimmen erhalten hat.

Ist dieselbe Person mehrfach als Vertreter oder mehrfach als Ersatzmann gewählt, so entscheidet darüber, für welche Stelle er als gewählt zu betrachten ist, die Reihenfolge der Wahlbezirke bezw. der Vertreter (Ziffer 15). Ist dieselbe Person mehrfach und zwar sowohl als Vertreter wie als Ersatzmann gewählt, so gilt seine Wahl für die Stelle als Vertreter, oder sofern er theils als erster, theils als zweiter Ersatzmann gewählt ist, für die Stelle als erster Ersatzmann. Die auf mehrfach gewählte Personen anderweit entfallenen Stimmen kommen nicht in Betracht, vielmehr ist für diese anderen Stellen diejenige Person als gewählt zu betrachten, welche für die betreffende Stelle die nächstgrößeste Anzahl gültiger Stimmen erhalten hat.

15) Die Reihenfolge der gewählten Vertreter der Arbeitgeber einerseits und Vertreter der Versicherten andererseits, sowie ihrer Ersatzmänner richtet sich, für jede Kategorie gesondert, innerhalb des Bezirks der Versicherungsanstalt nach der Reihenfolge der Wahlbezirke, innerhalb der einzelnen Wahlbezirke aber nach folgenden Bestimmungen:
   a. Ist in einem Wahlbezirk nur ein Vertreter nebst Ersatzmännern zu wählen, so gelten die in dem Wahlbezirk gewählten Ersatzmänner in der Reihenfolge ihrer Wahl als erster beziehungsweise zweiter Ersatzmann des in demselben Wahlbezirk gewählten Vertreters.
   b. Sind dagegen in dem Wahlbezirke mehrere Vertreter nebst Ersatzmännern zu wählen, so gilt innerhalb dieses Wahlbezirks derjenige, welcher die meisten Stimmen als Vertreter erhalten hat, als erster, derjenige, welcher die nächstgrößeste Zahl von Stimmen erhalten hat, als zweiter, derjenige, welcher die drittgrößeste Zahl von Stimmen hat, als dritter Vertreter und so fort; derjenige, welcher die meisten Stimmen als erster

Ersatzmann erhalten hat, als erster Ersatzmann des ersten, derjenige, welcher die nächstmeisten Stimmen als erster Ersatzmann erhalten hat, als erster Ersatzmann des zweiten, derjenige, welcher danach die meisten Stimmen erhalten hat, als erster Ersatzmann des dritten Vertreters und so fort. Endlich gilt derjenige, welcher die meisten Stimmen als zweiter Ersatzmann erhalten hat, als zweiter Ersatzmann des ersten, derjenige, welcher die nächstmeisten Stimmen erhalten hat, als zweiter Ersatzmann des zweiten, derjenige, welcher danach die meisten Stimmen erhalten hat, als zweiter Ersatzmann des dritten Vertreters und so fort.

Bei Stimmengleichheit entscheidet über die Wahl und die Reihenfolge der Gewählten das vom Beauftragten zu ziehende Loos.

16) Der Beauftragte hat über die Ermittelung des Wahlergebnisses unter Zuziehung eines vereideten Protokollführers ein Protokoll aufzunehmen. Aus demselben müssen die Namen und Wohnorte der Personen, auf welche Stimmen gefallen sind, die Zahl der auf die einzelnen Personen entfallenen gültigen und ungültigen Stimmen, die Namen der gewählten Vertreter und Ersatzmänner, sowie der Grund der Ungültigkeit von Stimmzetteln oder Stimmen zu ersehen sein.

17) Die gewählten Personen hat der Beauftragte von der Wahl schriftlich in Kenntniß zu setzen. Dabei sind dieselben unter Hinweis auf die Vorschriften des § 60 a. a. O. aufzufordern, dem Beauftragten binnen einer Frist von einer Woche über die Annahme oder Ablehnung der Wahl eine Erklärung abzugeben.

Wird binnen dieser Frist ein gesetzlicher oder statutarischer Ablehnungsgrund nachgewiesen, so gilt Derjenige, welcher für die betreffende Stelle die nächstgrößeste Zahl gültiger Stimmen erhalten hat, an Stelle des Ablehnenden als gewählt. Beide Personen sind von dem Beauftragten hiervon in Kenntniß zu setzen.

Nach Ablauf der einwöchentlichen Frist (Absatz 1) hat der Beauftragte ein Verzeichniß der gewählten Personen und der über die Annahme oder Ablehnung der Wahlen eingegangenen Erklärungen dem Vorstande der Versicherungsanstalt einzureichen. Von dem Abschluß etwaiger weiteren Verhandlungen ist die Einreichung nicht abhängig zu machen. Ueber etwaige später eingehende Ablehnungserklärungen und darüber, ob in solchen Fällen nach den vorstehenden Bestimmungen (Absatz 2) zu verfahren, oder eine Nachwahl (Ziffer 18) vorzunehmen ist, hat der Vorstand der Versicherungsanstalt zu befinden.

18) Wird bei der ersten Wahl die vorgeschriebene Zahl der Vertreter oder Ersatzmänner nicht erreicht, so sind Nachwahlen vorzunehmen. Auf dieselben finden die Vorschriften dieser Wahlordnung gleichfalls Anwendung.

19) Alle die Wahlen betreffenden Zustellungen an die wahlberechtigten Körperschaften oder die Gewählten erfolgen, sofern sie den Lauf von Fristen bedingen, gegen Zustellungsurkunde oder durch die Post mittelst eingeschriebenen Briefes.

20) Dem Beauftragten wird die zur Durchführung des Wahlgeschäfts erforderliche Schreib- und sonstige Hülfe von der für seinen Wohnsitz zuständigen Königlichen Regierung bezw. dem Königlichen Polizei-Präsidium zu Berlin unentgeltlich zur Verfügung gestellt. Diese Behörde hat die dem Beauftragten in Folge der Wahlen erwachsenden Porto- oder sonstigen Kosten zu erstatten.

Potsdam, den 4. Juni 1890.

Der Ober-Präsident von Berlin.
Staatsminister von Achenbach.

Bekanntmachung des Königlichen Ober-Präsidenten der Provinz Brandenburg,

betreffend die Ausführung des Reichsgesetzes betreffend die Invaliditäts- und Altersversicherung vom 22. Juni 1889.

13. Auf Grund des § 49 des Reichsgesetzes, betreffend die Invaliditäts- und Altersversicherung vom 22. Juni 1889 (R.-G.-Bl. S. 97) haben die Herren Minister des Innern und für Handel und Gewerbe im Einvernehmen mit den Herren Ministern der öffentlichen Arbeiten und für Landwirthschaft, Domänen und Forsten bestimmt, daß die Wahlordnung in Betreff der Wahl der Ausschußmitglieder für die zur Durchführung der Invaliditäts- und Altersversicherung errichtete Versicherungsanstalt der Provinz Brandenburg von dem unterzeichneten Oberpräsidenten zu erlassen sei, und hierbei zugleich auf Grund des § 48 a. a. O. festgesetzt, daß bis zur Genehmigung des Statutes der Versicherungsanstalt für die Provinz Brandenburg die Zahl der den Ausschuß derselben bildenden Vertreter der Arbeitgeber und der Versicherten je fünfzehn betragen solle.

Demzufolge bringe ich nachstehende Wahlordnung zur öffentlichen Kenntniß:

Wahlordnung,

betreffend die Wahlen der Ausschußmitglieder für die zur Durchführung der Invaliditäts- und Altersversicherung errichtete Versicherungsanstalt der Provinz Brandenburg.

Vom 4. Juni 1890.

Auf Grund der §§ 48 fg. des Reichsgesetzes, betreffend die Invaliditäts- und Altersversicherung, vom 22. Juni 1889 (Reichs-Gesetzbl S. 97) wird im Auftrage der Landes-Centralbehörde für die Versicherungsanstalt der Provinz Brandenburg behufs Wahl der Ausschußmitglieder folgende

Wahlordnung

erlassen:

1) Die Wahl der Ausschußmitglieder erfolgt unter Leitung eines Beauftragten mittelst schriftlicher

Abstimmung der wahlberechtigten Körperschaften (Ziffer 4) nach Wahlbezirken. Die Eintheilung der Wahlbezirke und die Festsetzung der Zahl der in jedem Wahlbezirke zu wählenden Mitglieder des Ausschusses erfolgt unter Berücksichtigung der Gesammtzahl derjenigen Personen, welche nach den hierüber erlassenen Bestimmungen den Ausschuß bilden sollen.

In jedem Wahlbezirk werden Vertreter der Arbeitgeber und Vertreter der Versicherten je in gleicher Zahl und außerdem für jeden Vertreter je ein erster und ein zweiter Ersatzmann gewählt. Der Beginn der erstmaligen fünfjährigen Wahlperiode der Ausschußmitglieder (§ 49. Abs. 3 a. a. O.) wird auf den 1. Juli 1890 festgesetzt.

Die Wahlbezirke, ihre Reihenfolge (Ziffer 15) und die Zahl der in jedem derselben zu wählenden Vertreter werden durch die Regierungsamtsblätter der Provinz bekannt gemacht.

2) Die einzelnen wahlberechtigten Körperschaften (Ziffer 4) vollziehen die Wahlen durch Abgabe der ihnen zugetheilten Anzahl von Stimmen. Diese Zutheilung erfolgt unter Berücksichtigung der Zahl derjenigen nach dem Gesetz vom 22. Juni 1889 versicherungspflichtigen Personen, welche nach den angestellten Ermittelungen auf die betreffende Körperschaft entfallen.

Hierbei werden denjenigen Körperschaften, für welche weniger als 50 Versicherungspflichtige in Betracht zu ziehen sind, je eine Stimme, denjenigen Körperschaften, für welche mindestens 50 aber weniger als 100 Versicherungspflichtige in Betracht kommen, je zwei Stimmen, solchen Körperschaften aber, für welche 100 oder mehr Versicherungspflichtige ermittelt sind, für je 100 weitere Personen je eine Stimme mehr beigelegt.

3) Die Abgrenzung der Wahlbezirke, die Bestimmung über die Zahl der in jedem Wahlbezirke zu wählenden Personen und die Bestimmung über die Zahl der den einzelnen wahlberechtigten Körperschaften zustehenden Stimmen bleiben auch für die Folge maßgebend, soweit nicht wegen anderweiter Festsetzung der Gesammtzahl der zu wählenden Ausschußmitglieder eine anderweite Vertheilung erforderlich wird oder aus sonstigen Gründen ausnahmsweise einzelne Veränderungen vorgenommen werden. Eine Vermehrung oder Verminderung der wahlberechtigten Körperschaften oder der Zahl der in denselben in Betracht zu ziehenden Personen bleibt in der Regel ohne Einfluß.

Der unterzeichnete Ober-Präsident bestimmt endgültig, wie weit etwaige Veränderungen bei künftigen Wahlen vorgenommen werden sollen.

4) Wahlberechtigte Körperschaften sind innerhalb eines jeden Wahlbezirks:

a. die Vorstände (vergl. Ziffer 5) derjenigen Orts-, Betriebs- (Fabrik-), Bau- und Innungs-Krankenkassen und Knappschaftskassen, welche in dem Wahlbezirk ihren Sitz haben (Ziffer 7 fg.);

b. für diejenigen Versicherten, welche einer der vorbezeichneten Kassen nicht angehören, die Kreis- (Stadt-) Ausschüsse derjenigen Kreise (Stadtkreise), deren Kreisstädte in dem Wahlbezirk belegen sind (Ziffer 9).

5) In denjenigen Kassen (Ziffer 4a), in welchen der Vorstand aus Vertretern der Arbeitgeber und aus Vertretern der Arbeitnehmer zusammengesetzt ist, haben an den Wahlen nicht alle Vorstandsmitglieder, sondern nur diejenigen Theil zu nehmen, welche für diejenige Kategorie, für welche die Wahlen erfolgen, in den Vorstand berufen sind. In solchen Körperschaften werden daher gewählt:

a. die aus den Arbeitgebern zu entnehmenden Mitglieder des Ausschusses und ihre Ersatzmänner lediglich von denjenigen Mitgliedern des Vorstandes, welche in den letzteren von den Arbeitgebern berufen worden sind;

b. die aus den Versicherten zu entnehmenden Mitglieder des Ausschusses und deren Ersatzmänner lediglich von denjenigen Mitgliedern des Vorstandes, welche in den letzteren von den versicherten Mitgliedern gewählt worden sind.

Bei denjenigen Körperschaften dagegen (Ziffer 4a), in welchen eine solche Unterscheidung verschiedener Arten von Vorstandsmitgliedern nicht stattfindet, nehmen die sämmtlichen Mitglieder des Vorstandes an den Wahlen beider Klassen von Ausschußmitgliedern Theil. Dasselbe gilt bei den von Kreis- (Stadt-) Ausschüssen zu vollziehenden Wahlen (Ziffer 4b.).

6) Die Wahlen werden durch Ausfüllung von Stimmzetteln vollzogen: Für die zu wählenden Vertreter der Arbeitgeber nebst Ersatzmännern einerseits und die zu wählenden Vertreter der Versicherten nebst Ersatzmännern andrerseits werden besondere Stimmzettel ausgefüllt. Die Stimmzettel werden den Vorsitzenden der wahlberechtigten Körperschaften vor der Wahl zugestellt; sie enthalten im Vordruck die Angabe, in welchem Wahlbezirk die Wahl zu vollziehen ist, wieviel Personen zu wählen sind, wieviel Stimmen der betreffenden Körperschaft für die Ermittelung des Wahlergebnisses zugetheilt sind, wie der Beauftragte (Ziffer 1) heißt und wo derselbe wohnt.

7) Bei wahlberechtigten Kassen (Ziffer 4a.) beruft der Vorsitzende des Vorstandes gleich nach Empfang der Stimmzettel diejenigen Mitglieder des Vorstandes, welche gemäß Ziffer 5 zur Vollziehung der Wahlen befugt sind. Der Vorsitzende ist jedoch berechtigt, die Wahlen durch die hierzu befugten Mitglieder des Vorstandes schon vor Empfang der Stimmzettel im Voraus vollziehen zu lassen, sofern eine besondere Zusammenberufung in der Zeit nach Empfang des Stimmzettels (vergl. Ziffer 11) unzweckmäßig erscheinen sollte. Von

dem Tage, an welchem die Wahlen vollzogen werden sollen, müssen jedoch die wahlberechtigten Mitglieder unter Angabe des Zwecks der Berufung in allen Fällen rechtzeitig benachrichtigt werden.

Die Leitung der Wahlen liegt dem Vorsitzenden ob.

Die wahlberechtigten Mitglieder des Kassenvorstandes (Ziffer 5) bezeichnen mit einfacher Stimmenmehrheit soviel wählbare Personen, wie zu Vertretern der Arbeitgeber bezw. zu Vertretern der Versicherten im Wahlbezirk zu wählen sind, außerdem für jede dieser Personen je einen ersten und einen zweiten Ersatzmann.

Wählbar zu Vertretern der Arbeitgeber sind gemäß §§ 50, 52 a. a. O. nur deutsche, männliche, großjährige, im Bezirke der Versicherungsanstalt wohnende Personen, welche als Arbeitgeber oder als bevollmächtigte Leiter von Betrieben anderer Arbeitgeber Lohnarbeiter (oder Dienstboten, Betriebsbeamte, Handlungsgehülfen zc.) von mehr als 16 Jahren nicht blos vorübergehend beschäftigen, sich im Besitz der bürgerlichen Ehrenrechte befinden und nicht durch richterliche Anordnung in der Verfügung über ihr Vermögen beschränkt sind.

Wählbar zu Vertretern der Versicherten sind gemäß §§ 50, 52 a. a O. nur deutsche, männliche, großjährige, im Bezirk der Versicherungsanstalt wohnende Personen, welche nach den Vorschriften des Gesetzes versichert, nicht durch richterliche Anordnung in der Verfügung über ihr Vermögen beschränkt sind und sich im Besitze der bürgerlichen Ehrenrechte befinden, auch wenn sie selbst als Arbeitgeber andere versicherungspflichtige Personen vorübergehend beschäftigen.

Der wählenden Körperschaft brauchen die zu wählenden Personen nicht anzugehören. Zur Vermeidung einer Zersplitterung der Stimmen wird den wahlberechtigten Körperschaften empfohlen, vor Vollziehung der Wahlen behufs Verständigung über die zu wählenden Personen mit einander in Verbindung zu treten.

8) Name und Wohnort der Gewählten, sowie deren Beruf sind für die Vertreter der Arbeitgeber einerseits und für die Vertreter der Versicherten andererseits in den für die betreffende Kategorie bestimmten besonderen Stimmzettel einzutragen. Unter der Eintragung ist zu bescheinigen:

a. daß die zur Vollziehung der Wahl berechtigten Mitglieder des Vorstandes ordnungsmäßig geladen worden sind;

b. daß an der Wahl nur solche Mitglieder des Vorstandes Theil genommen haben, welche zur Theilnahme berechtigt waren;

c. daß mehr als die Hälfte der Wählenden denjenigen Personen, deren Namen vorstehend eingetragen seien, ihre Stimme gegeben hat;

d. daß die Gewählten den gesetzlichen Vorschriften über die Wählbarkeit (vergl. Ziffer 7) genügen.

Die Bescheinigung erfolgt am Fuße des Stimmzettels durch Namensunterschrift der Wählenden, oder durch die Unterschrift des Vorsitzenden unter Bezeichnung seiner Dienststellung und Beidrückung des Siegels der wählenden Körperschaft.

9) Auf die Wahlen durch Kreis- (Stadt-) Ausschüsse finden die Bestimmungen der Ziffern 7 und 8 entsprechende Anwendung. Jedoch beschränkt sich die Bescheinigung (Ziffer 8) darauf, daß

a die Wahl durch den Kreis- (Stadt-) Ausschuß mit Stimmenmehrheit ordnungsmäßig vollzogen sei;

b daß die Gewählten den gesetzlichen Vorschriften über die Wählbarkeit (vergl. Ziffer 7) genügen.

10) Stimmzettel, welche nicht ordnungsmäßig unterschrieben sind oder nicht den richtigen Vordruck tragen, sind ungültig. Dasselbe gilt von solchen Stimmzetteln in welchen Berichtigungen anders als durch Ausstreichen und Zusetzen bewirkt worden sind

Stimmzettel, welche den Gewählten nicht deutlich bezeichnen oder welche auf Personen lauten, deren Wählbarkeit sich als bedenklich herausstellt, bleiben, soweit dies der Fall ist, unberücksichtigt.

Befinden sich auf einem Stimmzettel die Namen von mehr Personen eingetragen, als zu wählen sind, so sind nur die Stimmen gültig, welche auf die zuerst und bis zur Erfüllung der Zahl der zu Wählenden eingetragenen Namen entfallen.

11) Der Vorsitzende der wahlberechtigten Körperschaft hat die Stimmzettel binnen zweier Wochen nach deren Empfang ausgefüllt und portofrei an den Beauftragten (Ziffer 1) einzusenden.

Stimmzettel, welche dem Beauftragten erst zugehen, nachdem derselbe mit der Ermittelung des Wahlergebnisses begonnen hat, bleiben bei der betreffenden Wahl unberücksichtigt. Solche verspäteten Stimmzettel werden jedoch, sofern eine Nachwahl (Ziffer 18) vorzunehmen sein sollte, als für die letztere bestimmt angesehen und bei dieser berücksichtigt, sofern nicht die wahlberechtigte Körperschaft dem Beauftragten rechtzeitig die Erklärung zukommen läßt, daß der Stimmzettel für diese Nachwahl nicht gelten soll.

12) Der Beauftragte wird mit dem erforderlichen Listenmaterial versehen und von dem Tage, an welchem die einzelnen Stimmzettel den wahlberechtigten Körperschaften zugestellt sind, in Kenntniß gesetzt. Er stellt binnen zweier Wochen nach Ablauf der Einlieferungsfrist (Ziffer 11) die Wahlergebnisse wahlbezirksweise zusammen und ermittelt für jeden Wahlbezirk diejenigen Personen, auf welche gültige (Ziffer 10) Stimmen entfallen sind, sowie die Zahl der auf dieselben entfallenen Stimmen. Dabei ist der für die einzelnen wahl-

berechtigten Körperschaften festgestellte Geltungswerth ihrer Stimmzettel (Ziffer 2) zu Grunde zu legen.

13) Ueber die Gültigkeit von Stimmzetteln und Stimmen sowie über etwaige wegen der Wahlen entstehende Streitigkeiten entscheidet vorbehaltlich der Beschwerde an den unterzeichneten Ober-Präsidenten (§ 49 Abs. 4 a. a. O.) der Beauftragte. Derselbe ist befugt, über die Wählbarkeit der gewählten Personen Ermittelungen anzustellen und, wenn sich dabei Bedenken herausstellen, die auf die betreffenden Personen entfallenen Stimmen bei der Ermittelung des Wahlergebnisses unberücksichtigt zu lassen.

Die Beschwerde an den Ober-Präsidenten hat keine aufschiebende Wirkung. Weitere Rechtsmittel finden nicht Statt. Wird in der Beschwerdeinstanz eine Wahl für ungültig erklärt, so ist sie nach den Vorschriften dieser Wahlordnung zu wiederholen.

14) Die Ermittelung des Wahlergebnisses erfolgt getrennt für die Vertreter der Arbeitgeber und für die Vertreter der Versicherten, für die ersten und für die zweiten Ersatzmänner.

Als gewählt gilt derjenige, welcher die einfache (relative) Mehrheit der gültigen Stimmen erhalten hat.

Ist dieselbe Person mehrfach als Vertreter oder mehrfach als Ersatzmann gewählt, so entscheidet darüber, für welche Stelle er als gewählt zu betrachten ist, die Reihenfolge der Wahlbezirke bezw. der Vertreter (Ziffer 15). Ist dieselbe Person mehrfach und zwar sowohl als Vertreter wie als Ersatzmann gewählt, so gilt seine Wahl für die Stelle als Vertreter, oder sofern er theils als erster theils als zweiter Ersatzmann gewählt ist, für die Stelle als erster Ersatzmann. Die auf mehrfach gewählte Personen anderweit entfallenen Stimmen kommen nicht in Betracht, vielmehr ist für diese anderen Stellen diejenige Person als gewählt zu betrachten, welche für die betreffende Stelle die nächstgrößeste Anzahl gültiger Stimmen erhalten hat.

15) Die Reihenfolge der gewählten Vertreter der Arbeitgeber einerseits und Vertreter der Versicherten andererseits, sowie ihrer Ersatzmänner richtet sich, für jede Kategorie gesondert, innerhalb des Bezirks der Versicherungsanstalt nach der Reihenfolge der Wahlbezirke, innerhalb der einzelnen Wahlbezirke aber nach folgenden Bestimmungen:

a. Ist in einem Wahlbezirk nur ein Vertreter nebst Ersatzmännern zu wählen, so gelten die in dem Wahlbezirk gewählten Ersatzmänner in der Reihenfolge ihrer Wahl als erster beziehungsweise zweiter Ersatzmann des in demselben Wahlbezirk gewählten Vertreters.

b. Sind dagegen in dem Wahlbezirke mehrere Vertreter nebst Ersatzmännern zu wählen, so gilt innerhalb dieses Wahlbezirks derjenige, welcher die meisten Stimmen als Vertreter erhalten hat, als erster, derjenige, welcher die nächstgrößeste Zahl von Stimmen erhalten hat, als zweiter, derjenige, welcher die drittgrößeste Zahl von Stimmen hat, als dritter Vertreter und so fort; derjenige, welcher die meisten Stimmen als erster Ersatzmann erhalten hat, als erster Ersatzmann des ersten, derjenige, welcher die nächstmeisten Stimmen als erster Ersatzmann erhalten hat, als erster Ersatzmann des zweiten, derjenige, welcher danach die meisten Stimmen erhalten hat, als erster Ersatzmann des dritten Vertreters und so fort. Endlich gilt derjenige, welcher die meisten Stimmen als zweiter Ersatzmann erhalten hat, als zweiter Ersatzmann des ersten, derjenige, welcher die nächstmeisten Stimmen erhalten hat, als zweiter Ersatzmann des zweiten, derjenige, welcher danach die meisten Stimmen erhalten hat, als zweiter Ersatzmann des dritten Vertreters und so fort.

Bei Stimmengleichheit entscheidet über die Wahl und die Reihenfolge der Gewählten das vom Beauftragten zu ziehende Loos.

16) Der Beauftragte hat über die Ermittelung des Wahlergebnisses unter Zuziehung eines vereideten Protokollführers ein Protokoll aufzunehmen. Aus demselben müssen die Namen und Wohnorte der Personen, auf welche Stimmen gefallen sind, die Zahl der auf die einzelnen Personen entfallenen gültigen und ungültigen Stimmen, die Namen der gewählten Vertreter und Ersatzmänner, sowie der Grund der Ungültigkeit von Stimmzetteln oder Stimmen zu ersehen sein.

17) Die gewählten Personen hat der Beauftragte von der Wahl schriftlich in Kenntniß zu setzen. Dabei sind dieselben unter Hinweis auf die Vorschriften des § 60 a. a. O. aufzufordern, dem Beauftragten binnen einer Frist von einer Woche über die Annahme oder Ablehnung der Wahl eine Erklärung abzugeben.

Wird binnen dieser Frist ein gesetzlicher oder statutarischer Ablehnungsgrund nachgewiesen, so gilt derjenige, welcher für die betreffende Stelle die nächstgrößeste Zahl gültiger Stimmen erhalten hat, an Stelle des Ablehnenden als gewählt. Beide Personen sind von dem Beauftragten hiervon in Kenntniß zu setzen.

Nach Ablauf der einwöchentlichen Frist (Absatz 1) hat der Beauftragte ein Verzeichniß der gewählten Personen und der über die Annahme oder Ablehnung der Wahlen eingegangenen Erklärungen dem Vorstande der Versicherungsanstalt einzureichen. Von dem Abschluß etwaiger weiteren Verhandlungen ist die Einreichung nicht abhängig zu machen. Ueber etwaige später eingehende Ablehnungserklärungen und darüber, ob in solchen Fällen nach den vorstehenden Bestimmungen (Absatz 2) zu verfahren, oder eine Nachwahl (Ziffer 18) vorzunehmen ist, hat der Vorstand der Versicherungsanstalt zu befinden.

18) Wird bei der ersten Wahl die vorgeschriebene Zahl der Vertreter oder Ersatzmänner nicht erreicht, so sind Nachwahlen vorzunehmen. Auf dieselben finden die Vorschriften dieser Wahlordnung gleichfalls Anwendung.

19) Alle die Wahlen betreffenden Zustellungen an die wahlberechtigten Körperschaften oder die Gewählten erfolgen, sofern sie den Lauf von Fristen bedingen, gegen Zustellungsurkunde oder durch die Post mittelst eingeschriebenen Briefes.

20) Dem Beauftragten wird die zur Durchführung des Wahlgeschäfts erforderliche Schreib- und sonstige Hülfe von der für seinen Wohnsitz zuständigen Königlichen Regierung bezw. von dem Königlichen Polizei-Präsidium zu Berlin unentgeltlich zur Verfügung gestellt. Die letztere hat die dem Beauftragten in Folge der Wahlen erwachsenden Porto- oder sonstigen Kosten zu erstatten.

Potsdam, den 4. Juni 1890.

Der Ober-Präsident der Provinz Brandenburg,
Staatsminister von Achenbach.

Potsdam, Buchdruckerei der A. W. Hayn'schen Erben (C. Hayn, Hof-Buchdrucker.)

Amtsblatt

der Königlichen Regierung zu Potsdam und der Stadt Berlin.

Stück 25. Den 20. Juni **1890.**

Reichs-Gesetzblatt.

(Stück 16.) № 1900. Bekanntmachung, betreffend die Uebergangsabgabe für geschrotetes Malz und die Steuerrückvergütung für ausgeführtes Bier in Bayern. Vom 29. Mai 1890.

(Stück 17.) № 1901. Verordnung, betreffend Ergänzung des § 35 der Militär-Transport-Ordnung für Eisenbahnen im Frieden (Friedens-Transport-Ordnung). Vom 26. Mai 1890.

Gesetz-Sammlung für die Königlichen Preußischen Staaten.

(Stück 20.) № 9387. Gesetz, betreffend die Feststellung des Staatshaushalts-Etats für das Jahr vom 1. April 1890/91. Vom 14. Mai 1890.

(Stück 21.) № 9388. Gesetz über die Aufhebung des Königlich Bayerischen Gesetzes vom 25. Juli 1850, die Einrichtung des die Kunststraßen im Königreich Bayern befahrenden Fuhrwerks betreffend (Bayer. Gesetzbl. S. 321), nebst der zusätzlichen Bestimmung vom 1. Juli 1856 (Bayer. Gesetzbl. S. 136) für den Bereich der vormals Bayerischen Gebietstheile des Regierungsbezirks Cassel. Vom 21. April 1890.

№ 9389. Allerhöchster Erlaß vom 14. Mai 1890, betreffend Bestimmung der Behörden für die Verwaltung der auf Grund des Gesetzes vom 9. Mai 1890 in das Eigenthum des Staats übergehenden Privateisenbahnen.

(Stück 22.) № 9390. Allerhöchster Erlaß vom 14. Mai 1890, betreffend den Bau und Betrieb der in dem Gesetz vom 10. Mai 1890 vorgesehenen neuen Eisenbahnlinien.

(Stück 23.) № 9391. Allerhöchster Erlaß vom 3. Mai 1890, betreffend die Aufnahme der bei den Regierungen etatsmäßig angestellten Bauinspektoren (beziehungsweise Titulatur-Bauräthe) unter die Zahl der bautechnischen Mitglieder der Regierungen.

Bekanntmachung des Reichskanzlers.

Abänderung der Postordnung vom 8. März 1879.

Auf Grund der Vorschrift im § 50 des Gesetzes über das Postwesen des Deutschen Reichs vom 28. Oktober 1871 wird mit Zustimmung des Bundesraths die Postordnung vom 8. März 1879 bezüglich des Tarifs für Drucksachensendungen, wie folgt, abgeändert:

Im § 13 erhält der Absatz VIII. folgende anderweite Fassung:

VIII. Drucksachen müssen frankirt sein. Das Porto beträgt auf alle Entfernungen:

	bis 50 Gramm	einschließlich		3 Pf.
über 50	= 100	=	=	5 =
= 100	= 250	=	=	10 =
= 250	= 500	=	=	20 =
= 500 Gramm bis 1 Kilogramm		einschließlich		30 =

Vorstehende Abänderung tritt mit dem 1. Juni 1890 in Kraft. Berlin, den 23 Mai 1890.

Der Reichskanzler.

In Vertretung: von Stephan.

Bekanntmachungen der Königl. Ministerien.

Zusatzbestimmungen

zu dem Gebührentarif vom 31. März 1877 zur Bezahlung der nach den Vorschriften in den §§ 35 bis 42 der Geschäftsanweisung für die Katasterkontroleure von demselben Tage auszufertigenden Katasterauszüge, Abschriften und Handzeichnungen.

16. Die Bestimmungen des Gebührentarifs vom 31. März 1877 zur Bezahlung der nach den Vorschriften in den §§ 35 bis 42 der Geschäftsanweisung für die Katasterkontroleure von demselben Tage auszufertigenden Katasterauszüge, Abschriften und Handzeichnungen werden abgeändert wie folgt:

Artikel 1.

Die Gebührenbeträge für jeden einzelnen Katasterauszug oder für jede einzelne Abschrift, Handzeichnung u. s. w. sind auf Beträge abzurunden, welche stufenweise um je fünfzig Pfennige aufsteigen, dergestalt, daß die bei unmittelbarer Anwendung der Gebührenbestimmungen sich ergebenden, die nächst niedrigere Stufe übersteigenden Theilbeträge, wenn sie fünfundzwanzig Pfennige oder weniger betragen, außer Ansatz gelassen, wenn sie mehr als fünfundzwanzig Pfennige betragen, für volle fünfzig Pfennige gerechnet werden.

Artikel 2.

Für die Anfertigung von Handzeichnungen ganzer Blätter der Gemarkungskarte oder ganzer Gemarkungen oder größerer Theile von Kartenblättern bezw. Gemarkungen ist neben den im Tarif vorgesehenen sonstigen Ansätzen ein Drittheil der Gebühren im Artikel 2 des Gebührentarifs I. vom 10. März 1886 bezw. für die Rheinprovinz vom 28. März 1888 zu berechnen.

Artikel 3.

Für den Geltungsbereich des rheinischen Rechts gelten die unterm heutigen Tage erlassenen besonderen Zusatzbestimmungen.

Berlin, den 15. März 1890.

Der Finanz-Minister.

Im Auftrage. gez. B[illegible]

Bekanntmachungen des Königlichen Ober-Präsidenten der Provinz Brandenburg.

Ernennung eines Oberfischmeisters der Provinz Brandenburg.

14. Mittelst Erlasses vom 24. Mai d. J. hat der Herr Minister für Landwirthschaft, Domainen und Forsten den Königlichen Meliorations-Bauinspector Gerhardt, wohnhaft zu Charlottenburg, Joachimsthalerstraße 38, zum Oberfischmeister der Provinz Brandenburg im Nebenamte ernannt. Vorstehendes wird hiermit unter dem Bemerken zur öffentlichen Kenntniß gebracht, daß der Oberfischmeister der Aufsicht des Oberpräsidenten untersteht.

Potsdam, den 5. Juni 1890.

Der Ober-Präsident, Staatsminister von Achenbach.

Bekanntmachungen des Königlichen Regierungs-Präsidenten.

Stättegeld-Tarif.

125. Der durch Stück 16 des diesseitigen Amtsblatts vom Jahre 1886 zur Veröffentlichung gelangte Tarif zur Erhebung von Stättegeld bei Benutzung der von der Stadtgemeinde Lychen am Großen Lychen See errichteten öffentlichen Abgabe ist auf fünf Jahre, also bis zum 1. Januar 1895, verlängert worden.

Potsdam, den 12. Juni 1890.

Der Regierungs-Präsident.

Staatsstipendium zum Besuche der Königlichen technischen Hochschule betreffend.

126. Das für den Regierungsbezirk bestimmte Staats-Stipendium von jährlich 600 Mark zum Besuche der Königlichen technischen Hochschule zu Berlin wird am **1. Oktober d. Js.** wieder verfügbar. Bewerber, welche die in der Bekanntmachung vom 10. April 1855 (Amtsblatt Seite 173) vorgeschriebenen Nachweise beizubringen im Stande sind, haben ihre Gesuche bis spätestens zum **1. August d. Js.** an mich einzureichen.

Potsdam, den 17. Juni 1890.

Der Regierungs-Präsident.

Viehseuchen.

127. Festgestellt ist:

der Rotz in dem Pferdebestande des Domainenpächters Duchstein zu Herteseld, Kreis Osthavelland;

der Bläschenausschlag bei je einer Kuh der Eigenthümer Muhs, Turban und Heinrichs und bei der Kuh des Tagelöhners Schnell zu Düvow, Kreis Westprignitz.

Erloschen ist:

die Maul- und Klauenseuche bei den beiden Kühen des Büdners Weilandt zu Rehagen, unter den Rindern des Rittergutes Schulzendorf, der Ackerbürger Ziebrich und Hagen zu Zossen, des Ziegelmeisters Müller und der Bauergutsbesitzer Dunkel und Hübner zu Schönefeld, des Büdners Schreiber zu Callinchen, des Rittergutsbesitzers Neuhauß zu Selchow, des Halbbauern Gohl und bei dem Gemeindebullen zu Rangsdorf, Kreis Teltow.

Die wegen Verdachts der Behaftung mit der Rotzkrankheit unter Beobachtung gestellten Pferde des Büdners Cornelius zu Liepe, Kreis Angermünde, sind getödtet und die Sperr- und Schutzmaßregeln aufgehoben worden.

Potsdam, den 17. Juni 1890.

Der Regierungs-Präsident.

Bekanntmachungen der Bezirksausschüsse.

Ferien des Bezirks-Ausschusses zu Potsdam.

9. Der Bezirksausschuß hält Ferien vom 21 Juli bis 1 September d. J. — § 5 des Regulativs für den Geschäftsgang bei den Bezirksausschüssen vom 28. Februar 1884. Dies wird hierdurch bekannt gemacht.

Schleunige Gesuche sind als solche zu begründen und als „Feriensache“ zu bezeichnen.

Potsdam, den 9. Juni 1890.

Der Bezirks-Ausschuß.

Bekanntmachungen des Königlichen Polizei-Präsidiums zu Berlin.

55. Bekanntmachung.

Durch die Allerhöchsten Erlasse vom 6. April 1887 (G.-S. S. 109) und vom 10. April 1889 (G.-S. S. 95) ist verordnet worden, daß für die in dem Gesetze vom 1. April 1887 § 1 III[3] (G.-S. S. 100) vorgesehene Verlegung der Stettiner Bahn zwischen Berlin und Pankow, sowie für die in dem Gesetze vom 8. April 1889 § 2 II[4] (G.-S. S. 72) vorgesehene Anlage eines Rangirbahnhofes bei Pankow im Zusammenhange mit der Verlegung der Berlin-Stettiner Eisenbahn nebst Anschlußgeleisen das Recht zur Enteignung und dauernden Beschränkung derjenigen Grundstücke Platz greift, welche zur Bauausführung nach den von dem Minister der öffentlichen Arbeiten festzustellenden Plänen nothwendig sind. Nachdem durch den Erlaß des Herrn Ministers der öffentlichen Arbeiten vom 24. Juni 1889 $\frac{\text{II a (b) 10379}}{\text{III. 1201}}$ der Plan für die Verlegung der Berlin-Stettiner Eisenbahn und die Herstellung der Güteranschlüsse nach dem Rangirbahnhof Pankow auf der Theilstrecke von der Wiesenstraße bezw. Schönhauser-Allee ausschließlich bis zur Gemarkungsgrenze vorläufig festgestellt worden ist, wird ein Auszug aus demselben und zwar für das Berliner Weichbild, bestehend aus: a) 2 Lageplänen, b) 1 Flächenplan, c) einem Verzeichniß der Wege- und Vorfluth-Anlagen (Anlage A.), d) einer Nachweisung der zu erwerbenden Grundstücke (Anlage B.) in Gemäßheit des § 19 des Enteignungsgesetzes vom 11. Juni 1874 in der Zeit vom Montag, den 16. Juni, bis Montag, den 30. Juni d. J., einschließlich in der Registratur der I. Abtheilung des Königlichen Polizei-Präsidiums, Eingang IV. an der Stadtbahn 2 Tr. Zimmer № 339, während der täglichen Dienststunden zu Jedermanns Einsicht ausliegen.

Einwendungen gegen den ausgelegten Plan-Auszug sind bis zum Ablaufe der bezeichneten Frist bei der I. Abtheilung des Königlichen Polizei-Präsidiums zu Berlin **schriftlich** einzureichen.

Berlin, den 7. Juni 1890.

Der Polizei-Präsident.

Bekanntmachung.

51. Der Hebamme Frau Auguste Wilhelmine Agnes Haselau, geborene Schwedesky, Göbenstraße Nr. 6 hierselbst, ist durch rechtskräftiges Erkenntniß des Bezirks-Ausschusses zu Berlin vom 1. April dieses Jahres die ihr für Preußen ertheilte Erlaubniß zur Ausübung des Hebammen-Gewerbes entzogen worden. Die ꝛc. Haselau ist daher als Hebamme in Preußen nicht mehr anzusehen. Berlin, den 6. Juni 1890.

Der Polizei-Präsident.

Bekanntmachung.

52. Es wird hierdurch zur öffentlichen Kenntniß gebracht, daß dem Heilgehülfen Christian August **Fröhlich, Coloniestraße 11 hierselbst,** durch Beschluß des Königlichen Polizei-Präsidiums zu Berlin vom 20. Januar 1890, bestätigt durch Entscheidung des Herrn Ministers der geistlichen, Unterrichts- und Medizinal-Angelegenheiten vom 27. Mai 1890, **die Befugniß, sich als geprüfter Heildiener zu bezeichnen, rechtskräftig entzogen** worden ist.

Berlin, den 8. Juni 1890.

Der Polizei-Präsident.

Bekanntmachungen der Kaiserlichen Ober-Postdirektion zu Berlin.

Postamt auf dem Ausstellungsplatze der I. allgemeinen Deutschen Pferde-Ausstellung Berlin

53. Für die Zeit vom 12. bis einschließlich 24. Juni wird auf dem Ausstellungsplatze der I. allgemeinen Deutschen Pferde-Ausstellung eine Postanstalt mit öffentlicher Fernsprechstelle in Wirksamkeit sein. Dieselbe erhält die Bezeichnung: „Postamt auf dem Ausstellungsplatze der I. allgemeinen Deutschen Pferde-Ausstellung Berlin", und wird für den Verkehr mit dem Publikum geöffnet sein: a. **an Wochentagen:** von 8 Uhr Vormittags bis 8 Uhr Nachmittags. b. **an Sonntagen:** von 8 bis 9 Uhr Vormittags und von 5 bis 7 Uhr Nachmittags, für den Post- und Telegramm- bez. Fernsprechdienst, außerdem von 12 Uhr Mittags bis 1 Uhr Nachmittags nur für den Telegramm- und Fernsprechdienst. Die Geschäfte der neuen Verkehrsanstalt werden sich erstrecken: a. auf den Verkauf von Postwerthzeichen jeder Art, von Wechselstempelmarken und Wechselvordruckblättern, sowie von unbeklebten Formularen zu Postkarten, Postanweisungen ꝛc.; b. auf die Annahme und Abfertigung von gewöhnlichen und eingeschriebenen Briefpostsendungen, Postanweisungen, Telegrammen und Rohrpostsendungen; c. auf die Ausgabe **von postlagernden** Sendungen der unter b. bezeichneten Gattungen, sofern dieselben an Theilnehmer ꝛc. der Ausstellung eingehen und nach dem Ausstellungsplatze gerichtet sind. Die Bestellung der erwähnten, nicht mit postlagernd bezeichneten Sendungen wird durch das Kaiserliche Postamt 2 (Göthestr.) in Charlottenburg erfolgen. Im Weiteren kann von dem Publikum die öffentliche Fernsprechstelle gegen Entrichtung der tarifmäßigen Gebühr benutzt werden.

Berlin C., 11. Juni 1890.

Der Kaiserliche Ober-Postdirector.

Errichtung des Postamts des X. Deutschen Bundesschießens Berlin N. betreffend.

54. Für die Zeit vom 1. bis einschließlich 14. Juli wird aus Anlaß des in Berlin stattfindenden X. Deutschen Bundesschießens auf dem Festplatze eine Postanstalt mit Telegraphenbetrieb und öffentlicher Fernsprechstelle in Wirksamkeit treten. Dieselbe erhält die Bezeichnung: „Postamt des X. Deutschen Bundesschießens Berlin N.", und wird für den Verkehr mit dem Publikum geöffnet sein: a. **an Wochentagen:** von 8 Uhr Vormittags bis 7 Uhr Nachmittags für den Postverkehr und von 8 Uhr Vormittags bis 8 Uhr Nachmittags für den Telegraphenverkehr. b. **an Sonntagen:** von 8 bis 9 Uhr Vormittags und von 5 bis 6 Uhr Nachmittags für den Post- und Telegraphenverkehr und außerdem von 12 Uhr Mittags bis 1 Uhr Nachmittags für den Telegraphenverkehr. Die Geschäfte der neuen Verkehrsanstalt werden sich erstrecken: a. auf den **Verkauf** von Postwerthzeichen jeder Art, von Wechselstempelmarken und Wechselvordruckblättern, sowie von unbeklebten Formularen zu Postkarten, Postanweisungen ꝛc, b. auf die **Annahme** und Abfertigung von gewöhnlichen und eingeschriebenen Briefpostsendungen, Postanweisungen, Telegrammen und Rohrpostsendungen, c. auf die **Bestellung** von Briefpostgegenständen, Postanweisungen nebst den zugehörigen Geldbeträgen und von Telegrammen, welche an Festtheilnehmer ꝛc. eingehen und nach dem Ausstellungsplatze gerichtet sind, d. auf die **Ausgabe** von postlagernden Sendungen der bezeichneten Art und von postlagernden Rohrpostsendungen. Im Weiteren kann die bei dem Postamte eingerichtete öffentliche Fernsprechstelle von dem Publikum gegen Entrichtung der tarifmäßigen Gebühr benutzt werden.

Berlin C., 9. Juni 1890.

Der Kaiserliche Ober-Postdirector.

Anmeldung von Fernsprech-Anschlüssen.

55. Diejenigen Personen, welche noch im laufenden Rechnungsjahre d. i. bis zum 31. März 1891 Anschluß an das hiesige Fernsprechnetz oder an die Fernsprechnetze der zum diesseitigen Verwaltungsbereich gehörenden Vororte zu erhalten wünschen, werden ersucht, ihre Anmeldungen recht bald, **spätestens aber bis zum 1. August** an die hiesige Kaiserliche Ober-Postdirection einzusenden oder dieselben in dem Auskunftsbüreau (Spandauerstraße 19/22, Zimmer № 109) mündlich anzubringen. **Spätere Anmeldungen können erst nach dem 1. April 1891 berücksichtigt werden.**

Berlin C., 11. Juni 1890.

Der Kaiserliche Ober-Postdirector.

Bekanntmachungen der Kaiserlichen Ober-Post-Direktion zu Potsdam.

Anschluß an Stadt-Fernsprecheinrichtungen betreffend.

56. Diejenigen Personen, welche noch in diesem Etatsjahre **Anschluß an eine der Stadt-Fernsprecheinrichtungen** in Potsdam, Spandau, Cöpenick, Steglitz, Groß-Lichterfelde, Oranienburg, Grünau

(Mark), Wannsee und Ludwigsfelde wünschen, werden ersucht, ihre Anmeldungen recht bald, **spätestens aber bis zum 1. August** an das Postamt in dem betreffenden Orte zu richten. **Spätere Anmeldungen können erst nach dem 1. April 1891 berücksichtigt werden.** Bei den bezeichneten Postämtern können die Bedingungen für den Anschluß eingesehen und Formulare für die Anmeldung in Empfang genommen werden.

Potsdam, den 12. Juni 1890.

Der Kaiserliche Ober-Postdirektor.

Bekanntmachungen des Königlichen Provinzial-Schul-Collegiums zu Berlin.

Lehrerinnen-Prüfung in Berlin.

8. Die Lehrerinnen-Prüfung wird hier **vom 20. Oktober 1890 an** abgehalten werden. Zu dieser Prüfung werden nur solche Bewerberinnen zugelassen, welche das achtzehnte Lebensjahr vollendet haben. Die Anmeldungen, in denen anzugeben ist, ob die Prüfung für Volksschulen oder mittlere und höhere Mädchenschulen gewünscht wird, sind spätestens bis zum 20. September d. J. an uns einzureichen und sind denselben beizufügen: 1) ein selbstgefertigter Lebenslauf, auf dessen Titelblatte der vollständige Name, der Geburtsort, das Alter, die Confession und der Wohnort der Bewerberin anzugeben ist, 2) der Geburtsschein, 3) die Zeugnisse über die bisher empfangene Schulbildung und die etwa schon bestandenen Prüfungen, 4) ein amtliches Führungsattest und 5) ein von einem zur Führung eines Dienstsiegels berechtigten Arzte ausgestelltes Attest über normalen Gesundheitszustand. Beim Eintritt in die Prüfung haben die Bewerberinnen eine von ihnen gefertigte Probeschrift auf einem halben Bogen Querfolio mit deutschen und lateinischen Lettern und eine Probezeichnung abzugeben. Berlin, den 16. Mai 1890.

Königl. Provinzial-Schul-Collegium.

Entlassungsprüfung im Königlichen Schullehrer-Seminar zu Oranienburg.

9. Die Entlassungsprüfung im Königlichen Schullehrer-Seminar zu Oranienburg wird vom **4. bis 10. September 1890** abgehalten werden und zwar so, daß **am 8. und 9. September** die mündliche Prüfung stattfindet. Zu dieser Prüfung werden auch nicht im Seminare gebildete Schulamts-Kandidaten, welche das zwanzigste Lebensjahr zurückgelegt haben, zugelassen. Die Anmeldungen sind bis zum 9. August 1890 an uns einzureichen und denselben beizufügen: 1) der Lebenslauf, 2) der Geburtsschein, 3) das Zeugniß eines zur Führung eines Dienstsiegels berechtigten Arztes über normalen Gesundheitszustand, 4) ein amtliches Führungsattest, 5) eine Probeschrift mit deutschen und lateinischen Lettern und 6) eine Probezeichnung. Erfolgt auf die Meldung kein ablehnender Bescheid, so haben sich die betreffenden Schulamtsaspiranten am Tage vor Beginn der Prüfung dem Herrn Seminar-Direktor um 5 Uhr Nachmittags vorzustellen. Berlin, den 18. Mai 1890.

Königliches Provinzial-Schul-Collegium.

Aufnahme-Prüfung am Königlichen Schullehrer-Seminar zu Kyritz.

10. Die Aufnahme-Prüfung am Königlichen Schullehrer-Seminar zu Kyritz wird **am 24. und 25. September d. J.** abgehalten werden. Die Anmeldungen sind bis zum 1. September d. J. an den Herrn Seminar-Direktor Scheibner einzureichen und denselben beizufügen: 1) der Lebenslauf, 2) der Geburtsschein, 3) der Impfschein, der Revaccinationsschein und ein Gesundheitsattest, ausgestellt von einem zur Führung eines Dienstsiegels berechtigten Arzte, 4) ein amtliches Führungsattest, 5) die Erklärung des Vaters oder an dessen Stelle des Nächstverpflichteten, daß er die Mittel zum Unterhalte des Aspiranten während der Dauer des Seminarkursus gewähren werde, mit der Bescheinigung der Ortsbehörde, daß er über die dazu nöthigen Mittel verfüge.

Berlin, den 24. Mai 1890.

Königliches Provinzial-Schul-Collegium.

Zweite Lehrerprüfung im Königlichen Schullehrer-Seminar zu Kyritz.

11. Die zweite Lehrerprüfung im Königlichen Schullehrer-Seminar zu Kyritz wird **vom 28. Oktober bis 1. November d. J.** abgehalten werden. Die Anmeldungen nur solcher Lehrer, die in dem Regierungsbezirk Potsdam im Lehramte stehen, sind bis zum 30. September d. J. durch die bezüglichen Kreisschulinspektoren an uns einzureichen und denselben beizufügen: 1) das Original-Prüfungszeugniß über die bestandene erste Prüfung, 2) ein Zeugniß des Lokalschulinspektors, 3) eine von dem Examinanden selbständig gefertigte Ausarbeitung über ein von ihm selbst gewähltes Thema, mit der Versicherung, daß er keine anderen als die angegebenen Quellen dazu benutzt habe, 4) eine Probezeichnung und 5) eine Probeschrift, beide mit der Versicherung, daß sie der Einsender selbständig angefertigt hat. Erfolgt auf die Meldung kein ablehnender Bescheid, so haben sich die betreffenden Lehrer am Tage vor Beginn der schriftlichen Prüfung dem Herrn Seminar-Direktor um 5 Uhr Nachmittags vorzustellen. Berlin, den 24. Mai 1890.

Königliches Provinzial-Schul-Collegium.

Entlassungs-Prüfung im Königlichen Schullehrer-Seminar zu Kyritz.

12. Die Entlassungs-Prüfung im Königlichen Schullehrer-Seminar zu Kyritz wird **vom 18ten bis 23. September d. J.** abgehalten werden. Zu dieser Prüfung werden auch nicht im Seminare gebildete Schulamts-Kandidaten, welche das zwanzigste Lebensjahr zurückgelegt haben, zugelassen. Die Anmeldungen sind bis zum 20. August d. J. an uns einzureichen und denselben beizufügen: 1) der Lebenslauf, 2) der Geburtsschein, 3) das Zeugniß eines zur Führung eines Dienstsiegels berechtigten Arztes über normalen Gesundheitszustand, 4) ein amtliches Führungsattest, 5) eine Probeschrift mit deutschen und lateinischen Lettern und 6) eine Probezeichnung, beide mit der Versicherung, daß sie der Einsender selbständig angefertigt hat. Erfolgt auf die Meldung kein ablehnender Bescheid, so haben sich die betreffenden Schulamts-

Aspiranten am Tage vor Beginn der Prüfung dem Herrn Seminar-Direktor um 5 Uhr Nachmittags vorzustellen. Berlin, den 24. Mai 1890.

Königliches Provinzial-Schul-Kollegium.

Zweite Lehrer-Prüfung im Königlichen Schullehrer-Seminar zu Berlin.

13. Die zweite Lehrer-Prüfung im Königlichen Schullehrer-Seminar zu Berlin wird **vom 1. bis 5. September d. J.** abgehalten werden. Die Anmeldungen nur solcher Lehrer, die in Berlin im Lehramte stehen, sind bis zum 4. August 1890 durch die bezüglichen Kreisschulinspektoren an uns einzureichen und denselben beizufügen: 1) das Original-Prüfungszeugniß über die bestandene erste Prüfung, 2) ein Zeugniß des Lokal-Schulinspektors, 3) eine von dem Examinanden selbständig gefertigte Ausarbeitung über ein von ihm selbst gewähltes Thema, mit der Versicherung, daß er keine anderen als die angegebenen Quellen dazu benutzt habe, 4) eine Probezeichnung und 5) eine Probeschrift, beide mit der Versicherung, daß sie der Einsender selbständig angefertigt hat. Erfolgt auf die Meldung kein ablehnender Bescheid, so haben sich die betreffenden Lehrer am Tage vor Beginn der schriftlichen Prüfung dem Herrn Seminardirektor um 5 Uhr Nachmittags vorzustellen. Berlin, den 24. Mai 1890.

Königliches Provinzial-Schul-Collegium.

Prüfung der Zeichenlehrer und Zeichenlehrerinnen.

14. Die diesjährige Prüfung der Zeichenlehrer und Zeichenlehrerinnen findet in Gemäßheit der Prüfungsordnung vom 23. April 1885 **am Montag, den 21. Juli d. Js., Vormittags 9 Uhr,** und an den folgenden Tagen in der Königlichen Kunstschule in der Klosterstraße zu **Berlin** statt. Die Anmeldungen zu dieser Prüfung sind **bis zum 5. Juli d. Js.** an uns einzureichen.

Berlin, den 9. Juni 1890.

Königliches Provinzial-Schul-Kollegium.

Bekanntmachungen der Königlichen Hauptverwaltung der Staatsschulden.

19. Verloosung von Schuldverschreibungen der vierprozentigen Staatsanleihe von 1868 A.

13. Bei der heute in Gegenwart eines Notars öffentlich bewirkten 19. Verloosung von Schuldverschreibungen der vierprozentigen Staatsanleihe von 1868 A. sind die in der Anlage verzeichneten Nummern gezogen worden. Dieselben werden den Besitzern zum 1. Januar 1891 mit der Aufforderung gekündigt, die in den ausgeloosten Nummern verschriebenen Kapitalbeträge vom 2. Januar 1891 ab gegen Quittung und Rückgabe der Schuldverschreibungen und der nach dem 2. Januar 1891 zahlbar werdenden Zinsscheine Reihe VI. № 7 und 8 nebst Anweisungen zur Reihe VII. bei der Staatsschulden-Tilgungskasse hierselbst, Taubenstraße Nr. 29, zu erheben. Die Zahlung erfolgt von 9 Uhr Vormittags bis 1 Uhr Nachmittags, mit Ausschluß der Sonn- und Festtage und der letzten drei Geschäftstage jeden Monats.

Die Einlösung geschieht auch bei den Regierungs-Hauptkassen und in Frankfurt a. M. bei der Kreiskasse. Zu diesem Zwecke können die Schuldverschreibungen nebst Zinsscheinen und Zinsscheinanweisungen einer dieser Kassen schon vom 1. Dezember 1890 ab eingereicht werden, welche sie der Staatsschulden-Tilgungskasse zur Prüfung vorzulegen hat und nach erfolgter Feststellung die Auszahlung vom 2. Januar 1891 ab bewirkt.

Der Betrag der etwa fehlenden Zinsscheine wird vom Kapitale zurückbehalten.

Mit dem 1. Januar 1891 hört die Verzinsung der verloosten Schuldverschreibungen auf.

Zugleich werden die bereits früher ausgeloosten, auf der Anlage verzeichneten, noch rückständigen Schuldverschreibungen wiederholt und mit dem Bemerken aufgerufen, daß die Verzinsung derselben mit dem Tage ihrer Kündigung aufgehört hat.

Die Staatsschulden-Tilgungskasse kann sich in einen Schriftwechsel mit den Inhabern der Schuldverschreibungen über die Zahlungsleistung nicht einlassen.

Formulare zu den Quittungen werden von den obengedachten Kassen unentgeltlich verabfolgt.

Schließlich benutzen wir diese Veröffentlichung, darauf aufmerksam zu machen, daß von den Schuldverschreibungen der **konsolidirten 4½ prozentigen Staatsanleihe,** welche gemäß § 2 des Gesetzes vom 4. März 1885 (G.-S. S. 55) und der diesseitigen Bekanntmachung vom 1. September 1885 in Verschreibungen der konsolidirten vierprozentigen Staatsanleihe umzutauschen waren, die in der Anlage unter III. aufgeführten Nummern bisher nicht eingereicht worden sind. Die Inhaber dieser Schuldverschreibungen werden aufgefordert, den beregten Umtausch **zur Vermeidung von weiteren Zinsverlusten** alsbald zu bewirken, indem wir ausdrücklich bemerken, daß die zu den neuen vierprozentigen Verschreibungen von 1885 gehörigen Zinsscheine Reihe I. № 3 bis 20, von welchen die Scheine № 3 bis 11 bereits fällig geworden sind, bestimmungsmäßig vier Jahre nach ihrer Fälligkeit zu Gunsten der Staatskasse verjähren. Der erste dieser Zinsscheine, № 3, am 1. April 1886 fällig geworden, ist demnach schon am 31. März 1890 verjährt.

Berlin, den 3. Juni 1890.

Hauptverwaltung der Staatsschulden.

Bekanntmachungen der Königlichen Eisenbahn-Direktion zu Berlin.

Eisenbahn-Verkehr mit den Levante-Häfen.

28. Am 15. Juni d. J. tritt für den Verkehr von Stationen der Preußischen und Sächsischen Staatsbahnen ein direkter Tarif mit den Levante-Häfen: Syra, Piräus, Saloniki, Smyrna, Konstantinopel, Galatz—Braila (im Sommer), Kustendje (im Winter) über Hamburg seewärts, in Kraft. Die Beförderung der Güter erfolgt mit der Eisenbahn bis Hamburg und von dort nach dem Bestimmungshafen durch die „Deutsche Levante-Linie". Der Tarif enthält Gesammt-Frachtsätze bis zu den genannten überseeischen Häfen für Stückgüter aller Art in Mengen unter, von und über 1000 kg, sowie für Wagenladungsgüter in Mengen von 5000 und

10000 kg und zwar hauptsächlich für Eisen und Stahl (auch Maschinen), Glas, Thonwaaren, Zucker, Papier, Garne, Gewebe u. s. w. Der erste Dampfer „Chios" der Deutschen Levante-Linie wird am 28. Juni d. J von Hamburg abgehen. Exemplare des Tarifs sind vom 15. d. M. ab im hiesigen Auskunftsbureau auf dem Stadtbahnhof Alexanderplatz zum Preise von 0,35 M. für das Stück zu haben. Zur näheren Auskunftsertheilung ist die Direktion der Deutschen Levante-Linie in Hamburg bereit Berlin, den 13. Juni 1890.

Königliche Eisenbahn-Direktion.

Bekanntmachung.

29. Die nachstehend den Nummern nach bezeichneten Berlin-Anhaltischen Eisenbahn-Prioritäts-Obligationen Litt. C. sind bisher zur Empfangnahme der Zahlung bei der Königlichen Eisenbahn-Hauptkasse hier, Leipzigerplatz Nr. 17, nicht vorgelegt worden und werden daher hiermit öffentlich aufgerufen:

Zahlfällig seit 1. Juli 1886.

Abzuliefern mit Kupons Serie III. № 2/10 und Talon.

Stücke zu 500 M. № 6435.

Zahlfällig seit 1. Juli 1887.

Abzuliefern mit Kupons Serie III. № 4/10 und Talon

Stücke zu 500 M. № 11071.

Zahlfällig seit 1. Juli 1888.

Abzuliefern mit Kupons Serie III. № 6/10 und Talon.

Stücke zu 500 M. № 9300 25060.

Zahlfällig seit 1. Juli 1889.

Abzuliefern mit Kupons Serie III № 8/10 und Talon.

Stücke zu 500 M. № 1066 17850.

Berlin, den 24. Mai 1890.

Königliche Eisenbahn-Direktion.

Bekanntmachungen der Königlichen Eisenbahn-Direktion zu Bromberg.

Die Eisenbahn-Haltestelle Willkieten betreffend.

35. Mit dem 1. Juli 1890 wird die zwischen Prökuls und Kukoreiten belegene Haltestelle Willkieten für den Stück- und Eilstückgut-Verkehr eröffnet.

Bromberg, den 3. Juni 1890.

Königliche Eisenbahn-Direktion.

Bekanntmachungen der Königlichen Eisenbahn-Direktion zu Magdeburg.

Lokal-Güterverkehr

14. Am 1. Juli d. J kommt der Nachtrag 1 zu dem Lokal-Gütertarif der unterzeichneten Direktion zur Einführung. Derselbe enthält: a. neue bezw. geänderte Bestimmungen über die Berechnung und Erhebung von Gebühren für die Umstellung von Wagenladungsgütern von einer nach der anderen Ladestelle 2c. auf derselben Station, b Entfernungen für den Verkehr der Berliner Bahnhöfe, Ringbahnstationen und Anschlußstellen untereinander, c. Entfernungen für die Stationen Anderbeck, Badersleben, Dedeleben, Dingelstedt bei Halberstadt, Eilenstedt, Meine, Nienburg a. d. Saale, Rötgesbüttel, Schwanebeck und Vogelsdorf der Neubaustrecken Gifhorn—Meine, Bernburg—Calbe a. S. und Jerxheim—Nienhagen, d. anderweite abgekürzte Entfernungen im Verkehr zwischen mehreren Stationen der alten Bahnstrecken. Die Entfernungen unter c. und d. treten erst mit dem Tage der Betriebseröffnung auf den vorbezeichneten Neubaustrecken in Kraft. Der Zeitpunkt der Betriebseröffnung wird seiner Zeit besonders bekannt gemacht werden, Ferner wird durch den Tarifnachtrag die Station Stumsdorf in den Ausnahmetarif für Braunkohlen, Braunkohlen-Kokes und Braunkohlen-Darrsteine im Verkehr mit denjenigen Stationen aufgenommen, nach welchen die Tarifentfernungen nicht mehr als 50 km betragen. Außerdem enthält der Nachtrag einige Berichtigungen des Haupttarifs. Exemplare des Nachtrags sind vom 25. d. M. ab bei den diesseitigen Güter-Abfertigungsstellen zu haben.

Magdeburg, den 5. Juni 1890.

Königliche Eisenbahn-Direktion.

Bekanntmachungen des Landes-Direktors der Provinz Brandenburg.

6. Nachstehender Beschluß des Brandenburgschen Provinzial-Landtags vom 4 März d. J.:

„Das Reglement für das Wilhelm-Augusta-Stift, „Taubstummen-Anstalt der Provinz Brandenburg „zu Wriezen, vom $\frac{\text{9. März}}{\text{12 Mai}}$ 1881 (Amtsblatt, Extrabeilage 23) gilt auch für die Taubstummen-„Anstalt der Provinz Brandenburg zu Guben mit „der Maßgabe, daß für diejenigen Zöglinge, welche „von der Anstalt zu Berlinchen in die neue Anstalt „eintreten, der Jahresbetrag für die Unterhaltung „in Kleidung, Wäsche und Bett (§ 8 des Reglements) auch weiterhin nur 36 M. beträgt,

welchem von den Herren Ministern des Innern und der geistlichen. Unterrichts- und Medicinal-Angelegenheiten unterm 23. Mai d. J. die Genehmigung ertheilt worden ist,

wird hiermit zur öffentlichen Kenntniß gebracht.

Berlin, den 6. Juni 1890.

Der Landesdirektor der Provinz Brandenburg.

von Levetzow.

Bekanntmachungen der Kreis-Ausschüsse.

19. Auf Grund des § 1 des Gesetzes über die Landgemeinde-Verfassungen vom 14 April 1856 und des § 25 Abs. 1 des Zuständigkeits-Gesetzes vom 1. August 1883 genehmigen wir, daß die nachfolgenden, dem Rittergutsbesitzer Roeder gehörigen Grundstücke A. nördlich der Chaussee von Berlin nach Alt-Landsberg, Kartenblatt 2, Parzellen-Nummer 393c. von 10,70 ar und Nummer 2785/393 von 15,4924 ha, zusammen von 15,5994 ha aus dem Gutsbezirk Lichtenberg ausscheiden und dem Gemeindebezirk Lichtenberg einverleibt werden und B. östlich von dem nördlichen Theile der Dorfstraße, Kartenblatt 1, Parzellen-Nummer 161/94 von 9,7460 ha, Nummer 108 von 40,30 ar, Nummer 109 von 40,10 ar und Nummer 110 von 39,80 ar, zusammen von 10,9480 ha aus dem Gemeindebezirk Lichtenberg ausscheiden und dem Gutsbezirk Lichtenberg einverleibt werden.

Berlin, den 10 Juni 1890.

Der Kreis-Ausschuß des Kreises Niederbarnim.

20.

Nachweisung

der auf Grund des § 25 des Zuständigkeitsgesetzes vom 1. August 1883 und des § 1 Abs. 4 des Gesetzes vom 14. April 1856, betreffend die Landgemeindeverfassung im Kreise Templin, genehmigten Communalbezirksveränderungen.

Lfd. №	Name des Eigenthümers.	Grundbuch Bd	Grundbuch №	Artikel der Mutterrolle.	Nummer des Kartenblattes	Nummer der Parzelle.	Flächeninhalt ha	Flächeninhalt ar	Flächeninhalt qm	seitheriger Gemeinde- bezw. Gutsbezirk.	zukünftiger Gemeinde- bezw. Gutsbezirk.
		Wesendorf									
1.	Königl. Forst-Fiskus.	I.	21	20	3	9, 10, 11	9	41	30	Gemeindebezirk Wesendorf.	Gutsbezirk Forst Zehdenick.
2.		I.	16	15	3	4	4	34	80		
3.		I.	2	1	3	3	1	50	40		
4		I.	17	16	3	7	1	09	—		
5.		I.	18	17	3	5 und 16	6	53	—		
6.		II.	27	24	3	2	1	69	30		
7.		III.	95		ganze Grundstück		5	73	20		
8.		III.	94	72	2 und 3	$\frac{286}{193}$, $\frac{287}{195}$, $\frac{291}{195}$, $\frac{24}{22}$, $\frac{25}{23}$	22	17	60		
		Zehdenick Forst									
9.	Kossäth Schläwicke	I.	3	—	2	$\frac{32}{1}$, $\frac{33}{5}$	5	36	20	Gutsbezirk Forst Zehdenick.	Gemeindebezirk Wesendorf.
10.	„ Maaß	I.	3	—	2	$\frac{36}{4}$	4	34	80		
11.	„ Pieper	I.	3	—	2	$\frac{37}{4}$	1	50	40		
12.	„ Fr. Well	I.	3	—	2	$\frac{31}{1}$	1	09	—		
13.	„ Aug. Conrad	I.	3	—	2	$\frac{34}{4}$, $\frac{35}{5}$	6	53	—		
14	Büdner Ludw. Templiner	I.	3	—	8	$\frac{38}{9}$	3	06	40		
15.	Kossäth Carl Schultz	I.	4		ganze Grundstück		6	88	72		
16.	Schlächtermeister Ferdinand Gericke	I.	3	—	2	$\frac{38}{3}$	26	99	30		

In polizeilicher Beziehung soll jedoch der 3,0640 ha große Flächenabschnitt $\frac{38}{9}$ von dem im Grundbuche der Königlichen Zehdenick'er Forst unter Band I. № 3 und in der Grundsteuer-Mutterrolle des Gutsbezirks Zehdenick Forst auf Blatt 8 verzeichneten Grundstücke auch fernerhin zu dem Amtsbezirk Forst Zehdenick gehören. Templin, den 15. Mai 1890.

Der Kreis-Ausschuß des Kreises Templin.

Bekanntmachungen anderer Behörden.

Verloosung der vormals Hannoverschen 4prozentigen Staatsschuldverschreibungen Litera S. für das Jahr vom 1. April 1890/91

Bei der am 2. d. M. in Gegenwart von Notar und Zeugen stattgehabten Ausloosung der vormals Hannoverschen Staatsschuldverschreibungen **Litera S.** zur Tilgung für das Jahr vom 1. April 1890/1891 sind die nachfolgend verzeichneten Nummern gezogen worden:

Nr. 149, 153, 232, 267, 397, 461, 656, 723, 818, 994, 1022, 1072, 1180, 1271, 1275, 1324, 1415, 1504, 1537, 1821, 1990.

Dieselben werden den Besitzern hierdurch **auf den 2. Januar 1891 zur baaren Rückzahlung gekündigt.**

Die ausgeloosten Schuldverschreibungen lauten auf **Gold**, und wird deren Rückzahlung in **Reichswährung** nach den Bestimmungen der Bekanntmachung des Herrn Reichskanzlers vom 6. Dezember 1873, betreffend die Außerkurssetzung der Landes-Goldmünzen ꝛc. (Reichsanzeiger Nr. 292), sowie nach den Ausführungsbestimmungen des Herrn Finanz-Ministers vom 17. März 1874 (Reichsanzeiger Nr. 68, Position 3) erfolgen.

Die Kapitalbeträge werden schon vom 15. Dezember d. J. ab gegen Quittung und Einlieferung der Schuldverschreibungen nebst den zugehörigen Zinsschein-Anweisungen an den Geschäftstagen bei der Regierungshauptkasse hierselbst, von 9 bis 12 Uhr Vormittags, ausgezahlt.

Die Einlösung der Schuldverschreibungen kann auch bei sämmtlichen übrigen Regierungshauptkassen, bei der Staatsschuldentilgungskasse in **Berlin**, sowie bei der Kreiskasse zu **Frankfurt a. M.** bewirkt werden.

Zu diesem Zwecke sind die Schuldverschreibungen nebst den zugehörigen Zinsschein-Anweisungen schon vom 1. Dezember d. J. ab bei einer der letztgedachten Kassen einzureichen, welche dieselben der hiesigen Regierungshauptkasse übersenden und, nach erfolgter Feststellung, die Auszahlung besorgen wird.

Bemerkt wird:

1) Die Einsendung **der Schuldverschreibungen nebst den zugehörigen Zinsschein-Anweisungen** mit oder ohne Werthangabe muß **portofrei** geschehen.

2) Sollte die Abforderung des gekündigten Kapitals bis zum Fälligkeitstermine nicht erfolgen, so tritt dasselbe von dem gedachten Zeitpunkte ab zum Nachtheile der Gläubiger außer Verzinsung.

Schließlich wird darauf aufmerksam gemacht, daß **alle** übrigen $3^1/_2$- und 4prozentigen vormals Hannoverschen Landes- und Eisenbahn-Schuldverschreibungen bereits früher gekündigt sind, und werden deshalb die Inhaber der unten verzeichneten, noch nicht eingelieferten, **mit dem Kündigungstermine außer Verzinsung getretenen**, Hannoverschen Staatsschuldverschreibungen an die Erhebung der Kapitalien derselben bei der hiesigen Regierungshauptkasse hierdurch nochmals erinnert.

Hannover, den 4. Juni 1890.

Der Regierungs-Präsident.

* * *

Verzeichniß
der bereits früher gekündigten und bis jetzt nicht eingelieferten, nicht mehr verzinslichen vormals Hannoverschen Landes- und Eisenbahn-Schuldverschreibungen.

Lit. H. $3^1/_2$ %

auf 2. Januar 1874 gekündigt:
Nr. 830 über 100 Thlr. Kurant.

Lit. N. $3^1/_2$ %

auf 2. Januar 1873 gekündigt:
Nr. 4163 über 100 Thlr. Gold,

auf 1. Dezember 1874 gekündigt:
Nr. 4162 über 100 Thlr. Gold.

Lit. EI. 4 %

auf 1. Dezember 1874 gekündigt:
Nr. 2880 über 100 Thlr. Kurant.

Lit. FI. 4 %

auf 1. Dezember 1874 gekündigt:
Nr. 14110 über 500 Thlr. Gold,
" 13934 " 100 " Kurant.

Lit. GI. 4 %

auf 1. Dezember 1874 gekündigt:
Nr. 1464, 1465, 5421 über je 100 Thlr. Kurant.

Lit. HI. 4 %

auf 1. Dezember 1874 gekündigt:
Nr. 4580 über 200 Thlr. Kurant,
" 1320 " 100 " "

Lit. S. 4 %

auf 2. Januar 1889 gekündigt:
Nr. 825 über 500 Thlr. Gold.

Personal-Chronik.

Es sind ernannt: die Regierungs-Sekretariats-Assistenten **Spieth**, **Lange I.** und **Berger** zu Regierungs-Sekretären, — der Regierungs-Haupt-Kassen-Assistent **Bertuch** und die Regierungs-Supernumerare **Lehmann**, **Lemaire**, **Saaran** und **Perlberg** zu Regierungs-Sekretariats-Assistenten, — der Regierungs-Supernumerar **Krüger II.** zum Regierungs-Haupt-Kassen-Assistenten und der Kanzlei-Diätar **Klehn** zum Regierungs-Kanzlisten.

Dem Superintendenten **Kritzinger** zu Storkow ist vom 1. Juli d. J. ab die Kreisschulinspektion über die Schule des Inspektionskreises „Storkow I." übertragen worden.

Der bisherige Oberpfarrer zu Buckow, Diözese Müncheberg, Franz Eduard Gottlieb **Riemer**, ist zum Diakonus an der St. Simeons-Kirche in Berlin, Diözese Cöln-Stadt, bestellt worden.

Die unter dem Patronate der Königlichen Hofkammer der Königlichen Familiengüter stehende Pfarrstelle zu Rheinsberg, Diözese Neu-Ruppin, kommt durch die Versetzung des Pfarrers **Rauck** zum 15. Juli d. Js. zur Erledigung.

Die eine der unter magistratualischem Patronat stehenden beiden Pfarrstellen an der hiesigen St. Georgen-Kirche, Diözese Berlin Stadt I., ist durch die Emeritirung des Predigers **Dahms I.** zur Erledigung gekommen.

Die unter privatem Patronat stehende, aber gegenwärtig durch das Kirchenregiment zu besetzende Pfarrstelle zu Biermannsdorf, Diözese Templin, kommt durch die Versetzung des Pfarrers **Böhm** demnächst zur Erledigung.

Personalveränderungen
im Bezirk der Kaiserlichen Ober-Postdirection in Potsdam.

Ernannt ist: der Postsecretair **Albinus** in Potsdam zum Ober-Postdirectionssecretair.

Versetzt sind: der Postmeister **Gaedke** von Templin nach Bernau (Mark), der Postsecretair **O. A. Schmidt** von Luckenwalde nach Leipzig und der Postverwalter **Gauger** von Trebbin (Kr. Teltow) als Postassistent nach Brandenburg (Havel).

Ausweisung von Ausländern aus dem Reichsgebiete.

Lauf. Nr.	Name und Stand des Ausgewiesenen.	Alter und Heimath des Ausgewiesenen.	Grund der Bestrafung.	Behörde, welche die Ausweisung beschlossen hat.	Datum des Ausweisungs-Beschlusses.
1.	2.	3	4.	5.	6.
	Auf Grund des § 362 des Strafgesetzbuchs:				
1	a. Bertha Balsam, geb. Hirschkowitz, Korbmacherswittwe, b. Sarah Balsam, Korbmacherstochter, c. Rahel Hirschkowitz, geb. Ruben, Drehorgelspielerswittwe, d. Jette Zlodnicki, geb. Rothmann, Glaserswittwe,	29 Jahre alt, geboren und ortsangehörig zu Lexander, Kreis Lodz, Gouvernement Pietzkow, Russisch-Polen, 14 Jahre alt, geboren und ortsangehörig zu Lexander, 72 Jahre alt, geboren und ortsangehörig zu Lexander, 40 Jahre alt, geboren zu Kalispok, Keis Lodz, ortsangehörig zu Lexander,	Landstreichen u. Betteln,	Königlich Preußischer Regierungspräsident zu Bromberg,	2. April 1890.
2	Johann Möller, Tuchscheerer,	geboren am 1. November 1851 zu Neupaulsdorf, Bezirk Reichenberg, Böhmen, ortsangehörig ebendaselbst,	Landstreichen und Betteln,	Königlich Preußischer Regierungspräsident zu Erfurt,	10. Mai 1890.
3	Mathias Zawadil, Metzger,	geboren am 14. Februar 1847 zu Destna, Bezirk Pilgram, Böhmen, ortsangehörig ebendas.,	desgleichen,	Königlich Bayerisches Bezirksamt Erding,	21. April 1890.
4	Josef Pesta, Ziegelarbeiter,	geboren im Jahre 1842 zu Tabor, Böhmen, ortsangehörig ebendas.,	desgleichen,	Königlich Bayerisches Bezirksamt Kelheim,	1. Mai 1890.
5	Ludwig Hurka, Handlungskommis,	geboren am 18. November 1859 zu Agram, ortsangehörig zu Sebastiansberg, Bezirk Komotau, Böhmen,	Betteln im wiederholten Rückfall,	Königlich Sächsische Kreishauptmannschaft Zwickau,	8. April 1890.
6	Josef Franz Blahout, ohne Stand,	geboren am 19. März 1875 zu Nová-Wes, Bezirk Starkenbach, Böhmen, ortsangehörig zu Hochstadt in Böhmen,	Landstreichen und Betteln,	Königlich Sächsische Kreishauptmannschaft Bautzen,	21. April 1890.
7	Moritz Kalkopf, Kaufmann,	geboren am 15. Mai 1860 zu Czenstochau, Russisch-Polen, ortsangehörig ebendaselbst,	Landstreichen,	Großherzoglich Badischer Landeskommissär zu Freiburg,	10. Mai 1890.
8	Peter Barbier, Tapezierer und Tagner,	geboren am 11. November 1844 zu Marseille, Frankreich, ortsangehörig ebendaselbst,	desgleichen,	Kaiserlicher Bezirks-Präsident zu Straßburg,	desgleichen.
9	Andreas Barkert, Tagelöhner,	geboren am 5. September 1828 zu Partschendorf, Bezirk Neutitschein, Mähren, ortsangehörig ebendas.,	Landstreichen u. Betteln,	Königlich Preußischer Regierungspräsident zu Breslau,	17. Mai 1890.

Lauf. Nr.	Name und Stand	Alter und Heimath	Grund der Bestrafung.	Behörde, welche die Ausweisung beschlossen hat.	Datum des Ausweisungs-Beschlusses.
	des Ausgewiesenen.				
1.	2.	3.	4.	5.	6.
10	Andreas Zawicki, Arbeiter,	geboren im Jahre 1862 zu Dombrowo, Kreis Nieszawa, Rußland,	Landstreichen,	Königlich Preußischer Regierungspräsident zu Bromberg,	18. März 1890.
11	Die Eheleute: a. Leon Petras, Arbeiter,	geboren am 4. April 1842 zu Sor bei Boleslawicz, Kreis Belinskoe, Rußland,	Landstreichen u. Betteln,	Königlich Preußischer Regierungspräsident zu Frankfurt a. O.,	28. Februar 1890.
	b. Agneska Petras, geb. Nowack,	32 Jahre alt, geboren zu Boleslawicz,			
12	Josef Anselm Zürcher, Schreiner,	geboren am 8. November 1849 zu Menzingen, Schweiz,	Betteln im wiederholten Rückfall,	Königlich Preußischer Regierungspräsident zu Wiesbaden,	16. Mai 1890.
13	Wenzel Firg (Fürch) Kutscher,	24 Jahre alt, geboren zu Prag, Böhmen, ortsangehörig zu Welhartitz, Bezirk Schüttenhofen, ebendaselbst,	Landstreichen und Betteln,	Stadtmagistrat Deggendorf, Bayern,	8. April 1890.
14	Johann Rubner, Tagelöhner,	58 Jahre alt, geboren und ortsangehörig zu Pernatitz, Bez. Tachau, Böhmen,	desgleichen,	derselbe,	23. April 1890.
15	Maria Weniger, ledige Tagelöhnerin,	48 Jahre alt, geboren und ortsangehörig zu Pernatitz,	desgleichen,	derselbe,	desgleichen.
16	Eduard Sandner, Bäcker,	geboren am 13. Februar 1873 zu Lauterbach, Gemeinde Kirchberg, Bezirk Graslitz, Böhmen, ortsangehörig ebendaselbst,	desgleichen,	Königlich Bayerisches Bezirksamt Viechtach,	5. Mai 1890.
17	Josef Nicht, Dienstbote,	geboren am 19. März 1873 zu Lusdorf, Bezirk Friedland, Böhmen, ortsangehörig ebendaselbst,	Betteln im wiederholten Rückfall,	Königlich Sächsische Kreishauptmannschaft Bautzen,	10. Mai 1890.

(Hierzu eine Beilage, enthaltend 1) das Verzeichniß der in der 19ten Verloosung gezogenen, durch die Bekanntmachung der Königlichen Hauptverwaltung der Staatsschulden vom 3. Juni 1890 zur baaren Einlösung am 2. Januar 1891 gekündigten Schuldverschreibungen der Staatsanleihe vom Jahre 1868 A., 2) das Verzeichniß der aus früheren Verloosungen noch rückständigen Schuldverschreibungen der Staatsanleihe vom Jahre 1868 A., 3) das Verzeichniß derjenigen Schuldverschreibungen der konsolidirten $4^1/_2$ prozentigen Staatsanleihe, welche noch nicht zum Umtausch gegen Verschreibungen der konsolidirten 4prozentigen Staatsanleihe eingereicht worden sind, sowie Drei Oeffentliche Anzeiger).

(Die Insertionsgebühren betragen für eine einspaltige Druckzeile 20 Pf. Belagsblätter werden der Bogen mit 10 Pf. berechnet.)

Redigirt von der Königlichen Regierung zu Potsdam.

Potsdam, Buchdruckerei der A. W. Hayn'schen Erben (E. Hayn, Hof-Buchdrucker).

Extrablatt zum Amtsblatt

der Königlichen Regierung zu Potsdam und der Stadt Berlin.

Ausgegeben den 20. Juni 1890.

Bekanntmachungen des Königlichen Regierungs-Präsidenten.

Ersatzwahl eines Reichstags-Abgeordneten im vierten Wahlkreise.

Nachdem der Reichstags-Abgeordnete für den vierten diesseitigen Wahlkreis, Ritterschafts-Direktor von Wedell-Malchow, verstorben, ist eine Ersatzwahl erforderlich.

In Folge dessen habe ich nach § 34 des Reglements vom 28. Mai 1870 den Tag der Ersatzwahl auf

Mittwoch, den 2. Juli d. J.

anberaumt und zufolge § 24 desselben Reglements den Herrn Landrath von Risselmann zu Angermünde zum Wahlkommissar ernannt, was ich gemäß § 8 des Reglements hierdurch zur öffentlichen Kenntniß bringe.

Potsdam, den 19. Juni 1890.

Der Regierungs-Präsident. Graf Hue de Grais.

Redigirt von der Königlichen Regierung zu Potsdam.

Potsdam, Buchdruckerei der A. W. Hayn'schen Erben (C. Hayn, Hof-Buchdrucker).

Amtsblatt
der Königlichen Regierung zu Potsdam und der Stadt Berlin.

Stück 26. Den 27. Juni **1890.**

Bekanntmachungen der Königl. Ministerien.

Ankauf von Remonten für 1890.

Regierungs-Bezirk Potsdam.

17. Zum Ankaufe von Remonten im Alter von drei und ausnahmsweise vier Jahren sind im Bereiche der Königlichen Regierung zu Potsdam für dieses Jahr nachstehende, Morgens 8 resp. 9 Uhr beginnende Märkte anberaumt worden und zwar:

am	1. Juli	Rathenow	8	Uhr,
	3. "	Havelberg	8	"
	4. "	Wilsnack	9	"
	7. "	Meyenburg	8	"
	25. "	Prenzlau	8	"
	26. "	Angermünde	8	"
	28. "	Kyritz	9	"
	29. "	Wittstock	8	"
	30. "	Pritzwalk	8	"
	31. "	Perleberg	8	"
	1. August	Lenzen a. Elbe	8	"

Die von der Remonte-Ankaufs-Kommission erkauften Pferde werden zur Stelle abgenommen und sofort gegen Quittung baar bezahlt.

Pferde mit solchen Fehlern, welche nach den Landesgesetzen den Kauf rückgängig machen, sind vom Verkäufer gegen Erstattung des Kaufpreises und der Unkosten zurückzunehmen, ebenso Krippensetzer und Klopphengste, welche sich in den ersten zehn beziehungsweise acht und zwanzig Tagen nach Einlieferung in den Depots als solche erweisen. Pferde, welche den Verkäufern nicht eigenthümlich gehören, oder durch einen nicht legitimirten Bevollmächtigten der Kommission vorgestellt werden, sind vom Kauf ausgeschlossen.

Die Verkäufer sind verpflichtet, jedem verkauften Pferde eine neue starke rindlederne Trense mit starkem Gebiß und eine neue Kopfhalfter von Leder oder Hanf mit 2 mindestens zwei Meter langen Stricken ohne besondere Vergütung mitzugeben.

Um die Abstammung der vorgeführten Pferde feststellen zu können, sind die Deckscheine resp. Füllenscheine mitzubringen, auch werden die Verkäufer ersucht, die Schweife der Pferde nicht zu koupiren oder übermäßig zu verkürzen. Ferner ist es dringend erwünscht, daß ein zu mastiger oder zu weicher Futterzustand bei den zum Verkauf zu stellenden Remonten nicht stattfindet, weil dadurch die in den Remontedepots vorkommenden Krankheiten sehr viel schwerer zu überstehen sind, als dies bei rationell und nicht übermäßig gefutterten Remonten der Fall ist. Die auf den Märkten vorzustellenden Remonten müssen daher in solcher Verfassung sein, daß sie durch mangelhafte Ernährung nicht gelitten haben und bei der Musterung ihrem Alter entsprechend in Knochen und Muskulatur ausgebildet sind.

Berlin, den 21. März 1890.

Kriegs-Ministerium. Remontirungs-Abtheilung.

Bekanntmachungen des Königlichen Regierungs-Präsidenten.

Befugnisse der Dampfkessel-Ingenieure zur Prüfung und Abnahme von Dampfkesseln.

128. Der Herr Minister für Handel und Gewerbe hat mittelst Erlaß vom 16. Mai d. J. genehmigt, daß dem Ingenieur Jacob Robinson beim Märkischen Verein zur Ueberwachung von Dampfkesseln zu Frankfurt a. O. die nachgesuchte Berechtigung zur Vornahme

1) der Wasserdruckprobe nach Hauptreparaturen (§ 12 der allgemeinen polizeilichen Bestimmungen des Bundesraths vom 29. Mai 1871) bei allen für und von Vereinsmitgliedern reparirten Kesseln; sowie

2) der ersten Wasserdruckprobe und Constructionsprüfung (§§ 1 und 11 a. a. O.) bei allen für und von Vereinsmitgliedern erbauten Kesseln

widerruflich unter den üblichen Bedingungen ertheilt werde. Potsdam, den 14. Juni 1890.

Der Regierungs-Präsident.

Betrifft die schußfreien Tage auf dem Schießplatze bei Cummersdorf für 1890.

129. Unter Hinweis auf die Polizei-Verordnung vom 2. November 1875 — Amtsblatt Seite 366 — bringe ich hierdurch zur öffentlichen Kenntniß, daß die **schußfreien** Tage auf dem Schießplatze bei Cummersdorf für das Jahr 1890 wie folgt festgesetzt worden sind:

Juni: 29., 30.
Juli: 2., 6., 7., 9., 13., 14., 16., 20., 21., 23., 27., 28., 30.
August: 3., 4., 6., 10., 11., 13., 17., 18., 20., 24., 25., 27., 31.
September: 1., 3., 7., 8., 10., 14., 15., 17., 21., 22., 24., 28., 29.
Oktober: 1., 5., 6., 8., 12., 13., 15., 19., 20., 22., 26., 27., 29.
November: 2., 3., 5., 9., 10., 12., 16., 17., 19., 23., 24., 26., 30.
Dezember: 3., 4., 7., 10., 11., 14., 17., 18., 21., 24., 25., 26., 28., 31.

Potsdam, den 20. Juni 1890.

Der Regierungs-Präsident.

Einrichtung von Reichs-Telegraphenanstalten.

59. In den Orten Lietzow (Westhavelland), Berge (Mark) und Ribbeck (Westhavelland) werden am 21. d. M. mit den Ortspostanstalten verbundene Reichs-Telegraphenanstalten eröffnet werden.

Potsdam, 19. Juni 1890.

Der Kaiserliche Ober-Postdirector.

Einrichtung einer Reichs-Telegraphenanstalt.

60. In Dehna wird am 25. Juni eine mit der Ortspostanstalt vereinigte Reichs-Telegraphenanstalt eröffnet werden.

Potsdam, den 23. Juni 1890.

Der Kaiserliche Ober-Postdirektor.

Annahme von Postsendungen durch die Landbriefträger.

61. Im Interesse der ländlichen Bevölkerung besteht die Einrichtung, daß die Landbriefträger auf ihren Bestellgängen Postsendungen anzunehmen und an die nächste Postanstalt abzuliefern haben. Jeder Landbriefträger führt auf seinem Bestellgange ein Annahmebuch mit sich, welches zur Eintragung der von ihm angenommenen Sendungen mit Werthangabe, Einschreibsendungen, Postanweisungen, gewöhnlichen Packeten und Nachnahmesendungen dient.

Will ein Einlieferer die Eintragung selbst bewirken, so hat der Landbriefträger demselben das Buch vorzulegen.

Bei Eintragung des Gegenstandes durch den Landbriefträger muß dem Absender auf Verlangen durch Vorlegung des Annahmebuches die Ueberzeugung von der stattgehabten Eintragung gewährt werden.

Es wird hierauf mit dem Bemerken aufmerksam gemacht, daß **die Eintragung der Sendungen in das Annahmebuch das Mittel zur Sicherstellung des Auflieferers bietet.**

Potsdam, den 19. Juni 1890.

Der Kaiserliche Ober-Postdirector.

Bekanntmachungen des Königlichen Provinzial-Schul-Collegiums zu Berlin.

Eröffnung des Gymnasiums zu Schöneberg.

15. Wir bringen hierdurch zur öffentlichen Kenntniß, daß das Gymnasium zu Schöneberg zu Michaelis d. J. mit den drei Klassen der Vorschule und mit drei Gymnasialklassen (Sexta, Quinta und Quarta) eröffnet werden wird. Anmeldungen von Schülern nimmt der zum Direktor der Anstalt ernannte Professor Dr. Richter hier, Steglitzerstraße 48, an den Wochentagen von 4—5 Uhr Nachmittags entgegen.

Berlin, den 20. Juni 1890.

Königliches Provinzial-Schulkollegium.

Bekanntmachungen der Königl. Kontrolle der Staatspapiere.

Aufgebot einer Schuldverschreibung.

14. In Gemäßheit des § 20 des Ausführungsgesetzes zur Civilprozeßordnung vom 24. März 1879 (G.-S. S. 281) und des § 6 der Verordnung vom 16. Juni 1819 (G.-S. S. 157) wird bekannt gemacht, daß der verwittweten Frau Geheimsekretär **Wilk**, Minna geb. **Prehn** hierselbst, Ansbacherstraße 56, die Schuldverschreibung der konsolidirten 4 %igen Staatsanleihe von 1876/79 Lit. F. № 63248 über 200 Mark angeblich abhanden gekommen ist. Es wird Derjenige, welcher sich im Besitze dieser Urkunde befindet, hiermit aufgefordert, solches der unterzeichneten Kontrolle der Staatspapiere oder der rc **Wilk** anzuzeigen, widrigenfalls das gerichtliche Aufgebotsverfahren behufs Kraftloserklärung der Urkunde beantragt werden wird.

Berlin, den 18. Juni 1890.

Königliche Kontrolle der Staatspapiere.

Bekanntmachungen der Kgl. Direktion der Rentenbank für die Provinz Brandenburg.

Verloosung von Rentenbriefen.

7. Bei der in Folge unsrer Bekanntmachung vom 23. April d. J. heute geschehenen öffentlichen Verloosung **von Rentenbriefen der Provinz Brandenburg** sind folgende Stücke gezogen worden:

Litt. A. zu 3000 M. (1000 Thlr.) 153 Stück und zwar die Nummern:

48 55 431 776 906 954 999 1294 1420 2271 2393 2556 2585 2802 2891 2932 3170 3194 3233 3409 3432 3500 3858 3933 4084 4208 4238 4308 4348 4559 4685 4692 5026 5725 5852 6365 6403 6449 6482 6504 6527 6954 6965 7321 7360 7363 7522 7697 7701 7905 7985 8185 8420 8478 8486 8587 8737 8768 8835 9082 9087 9236 9248 9460 9557 9700 9854 9895 9926 10079 10191 10307 10396 10481 10635 10727 10814 10960 10961 10972 11069 11085 11246 11338 11422 11846 11937 11979 12062 12120 12234 12531 12565 12589 12807 12889 13051 13123 13151 13157 13235 13363 13436 13564 13750 13931 13959 14073 14241 14317 14524 14570 14728 14858 14981 15014 15045 15050 15079 15093 15135 15642 15813 15861 16045 16052 16071 16214 16272 16311 16421 16449 16506 16652 16702 16777 16849 16871 16920 17133 17330 17838 17961 18140 18216 18291 18351 18447 18556 18563 18727 19169 19238.

Litt. B. zu 1500 M. (500 Thlr.) 53 Stück und zwar die Nummern:

587 604 625 727 764 1167 1341 1488 1843 2071 2080 2506 2557 2673 2916 3319 3347 3610 3641 3698 3798 3904 4032 4071 4117 4447 4489 4873 4888 4938 4955 4991 5014 5106 5123 5179 5365 5516 5583 5685 5738 5820 5833 6127 6308 6336 6438 6462 6608 6763 6766 6779 6806.

Litt. C. zu 300 M. (100 Thlr.) 205 Stück und zwar die Nummern:

194 245 383 604 833 909 926 1091 1304 1493 1659 1970 2060 2199 2311 2323 2517 2607 2766 3074 3259 3376 3652 3674 3676 3762 3952 4036 4289 4497 4509 4621 4850 5008 5069 5254 5389 5562 5624 5639 5673 5751 5793 5918 6163 6165 6168 6361 6719 7506 7565 7945 8057 8193 8317 8371 8385 8446 8455 8456 8529 8747 8819 8940 9017 9210 9235 9374 9609 9903 9908 9930 10043 10159 10359 10763 10923 11011 11014 11160 11181 11407 11589 11686 11709 11723

11786 12268 12329 12450 12495 12529 12683
13106 13138 13323 13336 13757 13766 13769
13826 13847 13941 13982 13991 14035 14128
14653 15074 15110 15436 15528 15654 16038
16158 16169 16183 16262 16285 16359 16868
16919 16997 17044 17076 17085 17134 17296
17378 17461 17982 18012 18025 18147 18173
18175 18205 18214 18812 18837 18868 18875
18963 19100 19255 19266 19272 19408 19412
19495 19668 19698 19742 19824 19865 19916
20038 20072 20121 20321 20359 20363 20453
20565 20591 20635 20642 21011 21040 21118
21184 21547 21804 21954 22067 22203 22224
22386 22505 22610 22622 22645 23048 23145
23177 23395 23444 23488 23512 23701 23756
23765 23778 23804 23894 23955 24012 24054
24089 24203 24210 24271 24382 24620 24624.

Litt. D. zu 75 M. (25 Thlr.) 170 Stück
und zwar die Nummern:

42 92 117 451 479 618 813 869 948 1085
1122 1134 1567 1966 2153 2687 2920 2924 3213
3254 3478 3886 4205 4412 4422 4505 4622 4822
4833 4960 4979 5033 5245 5415 5435 5475 5637
6002 6027 6088 6090 6125 6260 6369 6503 6558
6580 6785 6801 6847 6935 7053 7062 7354 7515
7546 7564 7659 7911 8074 8108 8408 8691 8742
8784 8851 9018 9024 9164 9414 9877 9901 10075
10138 10270 10370 10432 10449 10637 10961
10975 11021 11077 11273 11381 11421 11435
11599 11823 11904 11921 12000 12011 12040
12060 12079 12231 12383 12407 12486 12541
12581 12879 13090 13212 13272 13405 13502
13650 13672 13792 13925 14070 14174 14367
14398 14433 14576 14595 14602 14904 14911
14950 15162 15215 15354 15411 15423 15521
15655 15673 15764 16144 16393 16413 16417
16464 16871 16992 17062 17131 17249 17507
17559 17664 17782 17848 17891 18084 18203
18308 18440 18477 18502 18517 18625 19194
19218 19579 19914 20078 20133 20169 20176
20247 20256 20261 20329 20409 20462.

Die Inhaber dieser Rentenbriefe werden aufgefordert, dieselben in coursfähigem Zustande mit den dazu gehörigen Talons bei der hiesigen Rentenbank-Kasse, Klosterstraße Nr. 76, vom 1. Oktober d. J. ab an den Wochentagen von 9 bis 1 Uhr einzuliefern, um hiergegen und gegen Quittung den Nennwerth der Rentenbriefe in Empfang zu nehmen. Vom 1. Oktober d. J. ab hört die Verzinsung der ausgeloosten Rentenbriefe auf. Von den früher verloosten Rentenbriefen der Provinz Brandenburg sind nachstehend genannte Stücke noch nicht zur Einlösung bei der Rentenbank-Kasse vorgelegt worden, obwohl seit deren Fälligkeit 2 Jahre und darüber verflossen sind.

Vom 1. Oktober 1882 Litt. C. № 2124.

Vom 1. April 1883 Litt. C. № 185.

Vom 1. Oktober 1883 Litt. A. № 5689. Litt. C. № 8068. Litt. D. № 25 1038 6743.

Vom 1. April 1884 Litt. C. № 6431 19129. Litt. D. № 2504.

Vom 1. Oktober 1884 Litt. B. № 3754. Litt C. № 1229 2410 13626. Litt. D. № 3276 5183 6741 8623 8638.

Vom 1. April 1885 Litt. A. № 6437. Litt. C. № 5166 5876 6196. Litt. D. № 12065 13382.

Vom 1. Oktober 1885 Litt. A. № 557. Litt. C. № 541 10171 19186. Litt. D. № 4416 9719 18119.

Vom 1. April 1886 Litt. B. № 1500. Litt. C. № 4610. Litt. D. № 3082 7404 8261 17269.

Vom 1. Oktober 1886 Litt. A. № 3075. Litt. B. № 1495. Litt. C. № 5617 10469. Litt. D. № 1983 9137 9203 14276.

Vom 1. April 1887 Litt. A. № 4377. Litt. C. № 3663 5578 22732 22783. Litt. D. № 1722 3973 4988 7645 8886 13887.

Vom 1. Oktober 1887 Litt. C. № 413 2591 6367 6811 7608 17416. Litt. D. № 617 7259 12636 16337 16360 16818.

Vom 1. April 1888 Litt. C. № 958 22350. Litt. D. № 3343 4689 4704 5003 9784 10373.

Die Inhaber dieser Rentenbriefe werden wiederholt aufgefordert, den Nennwerth derselben nach Abzug des Betrages der von den mitabzuliefernden Coupons etwa fehlenden Stücke bei unserer Kasse in Empfang zu nehmen. Wegen der Verjährung der ausgeloosten Rentenbriefe ist die Bestimmung des Gesetzes über die Errichtung der Rentenbanken vom 2. März 1850 § 44 zu beachten.

Die Einlieferung ausgelooster Rentenbriefe an die Rentenbank-Kasse kann auch durch die Post portofrei und mit dem Antrage erfolgen, daß der Geldbetrag auf gleichem Wege übermittelt werde.

Die Zusendung des Geldes geschieht dann auf Gefahr und Kosten des Empfängers und zwar bei Summen bis zu 400 M. durch Postanweisung. Sofern es sich um Summen über 400 Mark handelt, ist einem solchen Antrage eine ordnungsmäßige Quittung beizufügen.

Berlin, den 17. Mai 1890.

Königliche Direktion
der Rentenbank für die Provinz Brandenburg.

Bekanntmachung.

8. Denjenigen Grundbesitzern, welche die an die Rentenbank zu entrichtenden Renten am 31. März d. J. durch Kapitalzahlung abgelöst haben, wird hierdurch bekannt gemacht, daß wir die gemäß § 27 des Rentenbank-Gesetzes vom 2. März 1850 ausgefertigten Entlastungsquittungen den betreffenden Kreis-Kassen zugesandt haben, um sie den zuständigen Amtsgerichten behufs der kostenfreien Löschung des Vermerks der Rentepflicht im Grundbuche zuzustellen.

Berlin, den 29. Mai 1890.

Königliche Direktion
der Rentenbank für die Provinz Brandenburg.

Bekanntmachungen der Königlichen Eisenbahn-Direktion zu Bromberg.

Frachtbegünstigung für Ausstellungsgegenstände.

36. Für die in der nachstehenden Zusammenstellung näher bezeichneten Thiere und Gegenstände, welche auf den daselbst erwähnten Ausstellungen ausgestellt werden und unverkauft bleiben, wird eine Frachtbegünstigung in der Art gewährt, daß nur für die Hinbeförderung die volle tarifmäßige Fracht berechnet wird, die Rückbeförderung an die Versand-Station und den Aussteller aber frachtfrei erfolgt, wenn durch Vorlage des ursprünglichen Frachtbriefes bezw. des Duplikat-Transportscheines für den Hinweg, sowie durch eine Bescheinigung der dazu ermächtigten Stelle nachgewiesen wird, daß die Gegenstände ausgestellt gewesen und unverkauft geblieben sind, und wenn die Rückbeförderung innerhalb der unten angegebenen Zeit stattfindet.

In den ursprünglichen Frachtbriefen bezw. Duplikat-Transportscheinen für die Hinsendung ist ausdrücklich zu vermerken, daß die mit denselben aufgegebenen Sendungen durchweg aus Ausstellungsgut bestehen.

№	Art der Ausstellung	Ort	Zeit 1890	Die Frachtbegünstigung wird gewährt für	auf den Strecken der	Zur Ausfertigung der Bescheinigung sind ermächtigt	Die Rückbeförderung muß erfolgen innerhalb
1	Geflügel-Ausstellung,	Wiesbaden,	27. bis 30 Juni,	Geflügel und Geräthe zur Geflügelzucht,	Preußischen Staatsbahnen,	Ausstellungs-Commission,	4 Wochen } nach Schluß der Ausstell.
2	Ausstellung von Gegenständen aus dem Gebiete des Feuerlösch- u. Rettungswesens,	Schleswig,	5. bis 7. Juli,	Gegenstände der nebenbezeichneten Art,	desgl.	desgl.	14 Tage } nach Schluß der Ausstell.

Gleichzeitig bringen wir unter Bezugnahme auf unsere Bekanntmachung vom 2. Juni d. J. zur Kenntniß, daß die Provinzial-Geflügel-Ausstellung in Leobschütz auf die Zeit vom 12. bis 14. Juli d. J. verlegt worden ist.

Bromberg, den 15. Juni 1890. Königl. Eisenbahn-Direktion.

Bestellungen zusammenstellbarer Fahrscheinhefte.

37. Erfahrungsmäßig gehen bei Beginn der Schul- und Gerichtsferien die Anträge auf Ausfertigung zusammenstellbarer Fahrscheinhefte in gesteigerter Anzahl ein. Die betreffenden Bestellungen müssen zunächst von der Station, bei welcher sie eingereicht worden sind, einer der Ausgabestellen übermittelt werden, welche das Fahrscheinheft zusammenstellt und demnächst der Bestell-Station zur Aushändigung an den Besteller zurücksendet. Da mithin zur Erledigung der Anträge ein längerer Zeitraum erforderlich ist, so ersuchen wir, die Bestellungen zeitig und jedenfalls einige Tage vor dem Antritte der Reise zu bewirken.

Bromberg, den 11 Juni 1890.

Königliche Eisenbahn-Direktion.

Bekanntmachung.

38. Mit Giltigkeit vom 15. Juni 1890 ist für den direkten Güterverkehr von Stationen der preußischen und sächsischen Staatseisenbahnen nach den Häfen Piraeus, Syra, Smyrna, Salonik, Konstantinopel, $\frac{\text{Galatz}}{\text{Braila}}$ (im Sommer) Küstendje (im Winter) ein Tarif über Hamburg seewärts in Kraft getreten.

Dieser Tarif, an welchem die preußischen und sächsischen Staatseisenbahnen, sowie die deutsche Levante-Linie in Hamburg betheiligt sind, enthält Gesammtfrachtsätze von den Eisenbahnverbandsstationen bis zu den genannten überseeischen Häfen für Stückgut in Mengen unter 1000 kg und in Mengen über 1000 kg, sowie für eine Reihe wichtiger Ausfuhrartikel in Wagenladungen von 5000 und 10000 kg bezw. 50000 kg.

Für den Verkehr mit Stationen unseres Bezirks sind Frachtsätze für Stärke, Dextrin 2c., Spiritus (gleichzeitig auch für Garne und Gewebe von Baumwolle 2c. giltig), sowie für Zucker (auch für Glas, Glaswaaren, Thonwaaren giltig) vorgesehen.

Der erste Dampfer Chios wird am 28. Juni d. J. abgefertigt werden.

Nähere Auskunft über diesen Tarif, die Verbandstationen, Transportbedingungen u. s. w. ertheilt unser Verkehrsbüreau, Abtheilung für Tarifsachen hierselbst.

Druckstücke des Tarifs können durch Vermittelung der sämmtlichen Fahrkarten-Ausgabestellen unseres Bezirks zum Preise von 0,35 M. bezogen werden.

Die für diesen Verkehr zu verwendenden Frachtbriefe werden von den Verbandstationen zu dem üblichen Preise abgegeben.

Bromberg, den 19. Juni 1890.

Königliche Eisenbahn-Direktion.

Bekanntmachungen der Königlichen Eisenbahn-Direktion zu Magdeburg.

Bekanntmachung.

15. Die zum **Umtausch** gegen Schuldverschreibungen der $3^1/_2$ %igen konsolidirten Preußischen Staats-Anleihe abgestempelten **4 %igen Magdeburg-Leipziger Prioritäts-Obligationen der Magdeburg-Halberstädter Eisenbahn-Gesellschaft Litt. A. und B.**, sowie die **4 %igen Magdeburg-Halberstädter Eisenbahn-Prioritäts-Obligationen vom Jahre 1873** sind **vom 1. Juli 1890 ab bei der Königlichen Eisenbahn-Hauptkasse zu Magdeburg** und bei der

Königlichen Eisenbahn-Betriebskasse zu Berlin (auf dem Potsdamer Bahnhofe), welche den Umtausch **bewirken,** oder bei der **Königlichen Eisenbahn-Hauptkasse zu Berlin, Leipzigerplatz 17, der Königlichen Eisenbahn-Hauptkasse zu Frankfurt a. M., den Königlichen Eisenbahn-Betriebskassen zu Hamburg, Braunschweig und Halberstadt** — bei den Kassen zu Frankfurt a. M. und Hamburg jedoch nur innerhalb der ersten 6 Wochen des Umtauschgeschäftes — welche den Umtausch **vermitteln,** einzureichen.

Die umzutauschenden Obligationen sind mit den Talons und mit den Zinsscheinen über die **vom 1. Juli 1890 ab** laufenden Zinsen einzuliefern. Für fehlende Zinsscheine ist deren Werthbetrag, da beim Umtausch die Staatsschuldverschreibungen mit Zinsscheinen vom 1. Juli 1890 ab laufend ausgehändigt werden, baar einzuzahlen, oder bei Einsendung der Obligationen durch die Post der Postsendung beizufügen.

Außer Kurs gesetzte Obligationen müssen vor der Einlieferung wieder in Kurs gesetzt sein.

Die Einreichung der Obligationen hat nach den Gattungen: Litt. A., Litt. B. und 1873er, mittels je eines besonderen Verzeichnisses, in welches die Obligationen in aufsteigender Nummernfolge einzutragen sind, zu erfolgen. Dieser Nummernfolge entsprechend müssen die Obligationen und Zinsscheine je für sich geordnet und je mit einem Papierstreifen umschlossen sein, auf welchem die Anzahl der Stücke und der Name des Einlieferers anzugeben ist. **Formulare zu diesen Verzeichnissen werden von den vorgenannten Kassen unentgeltlich verabfolgt; Verzeichnisse anderer Art können nicht angenommen werden.**

Ueber die eingereichten umzutauschenden Obligationen und Zinsscheine werden, Falls der Umtausch nicht Zug um Zug erfolgen kann, von den annehmenden Kassen Empfangsbescheinigungen ausgestellt, welche bei der durch dieselbe Kasse gegen Quittung erfolgenden Aushändigung der Staatsschuldverschreibungen zurückzugeben sind. Sobald letztere zur Abholung bereit liegen, werden die Einlieferer, eventl. unter Beifügung eines Quittungsentwurfs, portopflichtig davon benachrichtigt.

Ueber die durch die Post eingehenden umzutauschenden Obligationen werden Empfangsbescheinigungen nur auf Verlangen ertheilt. Die Uebersendung der für diese Obligationen auszugebenden Staatsschuldverschreibungen erfolgt gleichfalls durch die Post unter voller Werthangabe, sofern ein Anderes nicht bestimmt wird. Der Empfänger hat **umgehend** Quittung zu ertheilen, falls letztere nicht bereits vorher gefordert worden ist.

Für den Umtausch stehen Staatsschuldverschreibungen in Stücken zu 5000, 2000, 500, 300 und 200 Mark in beschränkter Anzahl zur Verfügung. Wünsche auf Zutheilung von Stücken einer bestimmten Gattung werden, soweit möglich, Berücksichtigung finden.

Wollen Empfänger von Staatsschuldverschreibungen die Umwandlung derselben in eine Buchschuld des Staates herbeiführen, so werden auf ihren Antrag die Staatsschuldverschreibungen zu diesem Zwecke direkt an die Hauptverwaltung der Staatsschulden (Schuldbuchbureau) abgegeben und sie nur mit entsprechender Nachricht versehen werden.

Gleichzeitig weisen wir darauf hin, daß diejenigen Obligationen der obengedachten Gattungen, **welche nicht zum Umtausch abgestempelt sind,** und daher als gekündigt gelten, vom 1. Juli 1890 ab gegen Einlieferung der Stücke nebst Talons und Zinsscheinen über die Zinsen vom 1. Juli 1890 ab laufend bei den **Königlichen Eisenbahn-Hauptkassen zu Magdeburg und Berlin (Leipzigerplatz 17) zum Neuwerth eingelöst werden.**

Magdeburg, den 20. Juni 1889.

Königliche Eisenbahn-Direktion.

Bekanntmachungen der Kreis-Ausschüsse.

21. **Nachweisung**

der von dem Kreis-Ausschusse des Kreises Zauch-Belzig genehmigten Communalbezirksveränderungen.

Bezeichnung der in Betracht kommenden Grundstücke	Seitheriger Guts- resp. Gemeindebezirk	Künftiger Guts- resp. Gemeindebezirk
1) Parzelle der forstfiscalischen Ablage zu Caputh von 0,1801 ha Flächeninhalt (Grundsteuer-Mutterrolle des Gemeindebezirks Caputh Artikel 256, Kartenblatt 1 Flächenabschnitt 1702/92), jetzt dem Amtsbezirke Caputh gehörig,	Gutsbezirk Königliches Forstrevier Cunersdorf,	Gemeindebezirk Caputh
2) Parzelle derselben Ablage zu Caputh von 3 a 60 qm Flächeninhalt, jetzt dem Schiffbauer Wilhelm Schultze zu Caputh gehörig,	do.	do.

Belzig, den 10. Mai 1890.

Der Kreis-Ausschuß des Kreises Zauch-Belzig.

Genehmigung.

22. Auf Grund des § 25 Absatz 1 des Zuständigkeitsgesetzes vom 1. August 1883 in Verbindung mit § 1 Abschnitt 4 des Gesetzes über die Landgemeinde-Verfassungen vom 14. April 1856 genehmigen wir, daß die von dem Kaufmann Emil Hoffmann, dem pensionirten Lehrer Bernhard Ritter, dem Kossäthen Hermann Blanke und dem Büdner August Iden erwor-

denen Grundstückstheile der fiscalischen Dorfstraße zu Birkenwerder Kartenblatt 3, Parzellennummer 544/325, 545/325, 546/325 547/325, von 0,16 ar bezw. 0,50 ar, 1,59 ar, 2,77 ar Größe unter Abtrennung von dem Gutsbezirke des Königlichen Domainenamtes Oranienburg in den Gemeindeverband Birkenwerder aufgenommen werden.

Der Kreis-Ausschuß des Kreises Nieder-Barnim.

Bekanntmachungen des Landes-Direktors der Provinz Brandenburg.

Bekanntmachung.

7. Die Brandenburgsche Wittwen- und Waisen-Versorgungs-Anstalt hat in dem Rechnungsjahre 1889/90

an Wittwen- und Waisengeld-Beiträgen vereinnahmt . . .			98 833 M. 79 Pf.
und an Zinsen von den Beständen des laufenden Fonds . . .			1 372 " 35 "
zusammen			100 206 M. 14 Pf.
Dagegen an Wittwen- und Waisengeldern gezahlt . . .			19 893 " 65 "
so daß als Ueberschuß . . .			80 312 M. 49 Pf.
dem „Eisernen Fonds" zu überweisen waren. Diesem sind zu seinem Bestande am 31. März 1889 von . . .			769 241 " 48 "
außerdem zugeflossen:			
an Zinsen von seinen Beständen . . .		29 569 M. 05 Pf.	
" Eintrittsgeldern . . .		20 162 " 40 "	
weitere — Eintrittsgelder von 4 Stadtgemeinden im Gesammtbetrage von 6442 M. 57 Pf. gelangen erst im folgenden Jahre zur Einzahlung — an nacherhobenen Beiträgen . . .	5 052 M. 63 Pf.		
nach Abzug von wieder erstatteten	179 " 77 "		
noch . . .		4 872 " 86 "	
an Kursgewinn für ausgelooste Effekten . . .		98 " 68 "	
im Ganzen . . .			54 702 " 99 "
er erreichte daher am **31. März 1890** eine Höhe von . . .			904 256 M. 96 Pf.

Die Vermehrung des Fonds im Rechnungsjahre 1889/90 stellt sich darnach auf

135 015 M. 48 Pf.

Sein rechnungsmäßiger Bestand ist folgender:

401 900 M.	4 % Preußische consolidirte Staatsanleihe (davon 400 000 M. eingetragen in das Staatsschuldbuch) zum Ankaufswerthe von . . .	413 836 M. 50 Pf.
250 000 "	3⁴/₅ % Hypothek der Berliner gemeinnützigen Baugesellschaft . . .	250 000 " — "
195 700 "	3½ % Landschaftliche Central-Pfandbriefe zum Ankaufswerthe von . .	194 617 " 36 "
31 700 "	Köpenicker Stadtobligationen zum Ankaufswerthe von . . .	31 703 " 60 "
13 700 "	Zossener desgl. . . .	13 701 " 50 "
893 000 M.	. . .	903 885 " 96 "
	und baar . . .	398 " — "
	Sa.	904 256 " 96 "

Dies wird gemäß § 27 des Reglements der Anstalt hierdurch zur öffentlichen Kenntniß gebracht.

Berlin, den 12. Juni 1890.

Der Landesdirektor der Provinz Brandenburg.
von Levetzow.

Bekanntmachungen anderer Behörden.

43. Verloosung von Schlesischen Pfandbriefen Lit. B.

In der 43. Verloosung von

4 % Schlesischen Pfandbriefen Lit. B.

sind nachbezeichnete Stücke gezogen worden und zwar

über 1000 Thaler (3000 Mark)

№ 40713 Fürstenstein 2c.; № 40741 Gr. Stein 2c.; № 41180 41182 und 41202 Ratibor; —

über 500 Thaler (1500 Mark)

№ 43582 43593 43606 Pogarell und Alzenau; 43814 43834 43911 und 43915 Gr. Stein 2c.; 44285 44305 44324 44328 und 44344 Fürstenstein 2c.; № 45042 Poln. Krawarn und Mackau; № 45134 45210 45253 und 45263 Ratibor; —

über 200 Thaler (600 Mark)

№ 49174 Elend; № 49283 und 49289 Nieder-Schönau; № 50044 50046 50048 und 50049 Pogarell und Alzenau; № 50369 und 50433 Gr. Stein 2c.; № 50802 50803 50808 50826 50829 50836 und 50843 Fürstenstein 2c.; № 50911 Gr. Stein 2c.; № 51957 51989

52013 Poln. Krawarn und Mackau; № 52086 52091 52141 52170 52198 52209 52223 52232 52270 und 52303 Ratibor; —

über 100 Thaler (300 Mark)

№ 61231 Elend; № 61398 61401 und 61412 Nieder-Schönau; № 62322 62374 62375 62376 62380 62388 und 62390 Pogarell und Altzenau; № 62747 62775 62777 62785 62812 62816 62819 62835 62853 62855 62905 und 62929 Gr. Stein rc.; № 63356 63359 63395 63414 63421 63448 63457 und 63459 Fürstenstein rc.; № 63527 Gr. Stein rc; № 63562 Niclasdorf; № 63567 und 63575 Ober-Schreibendorf; № 64771 64849 und 64873 Poln. Krawarn und Mackau; № 64887 64907 64912 64915 64923 64934 64945 64982 64985 65023 65026 65031 65039 65051 65066 und 65079 Ratibor; —

über 50 Thaler (150 Mark)

№ 79235 79238 79244 79247 79253 und 79255 Gr. Stein rc.; № 79278 Fürstenstein rc.; № 79289 Ober-Schreibendorf; № 79458 und 79459 Poln. Krawarn und Mackau; № 79463 79466 79467 und 79468 Ratibor; —

über 25 Thaler (75 Mark)

№ 82067 Elend; № 82081 und 82082 Nieder-Schönau; № 82213 82221 und 82229 Gr. Stein rc.; № 82263 Fürstenstein; № 82285 und 82286 Niclasdorf; № 82449 und 82455 Poln. Krawarn und Mackau; № 82459 82460 82461 und 82464 Ratibor.

Diese Pfandbriefe im Gesammtbetrage von 25975 Thaler oder 77925 Mark werden ihren Inhabern mit dem Bemerken gekündigt, daß die Auszahlung des Nennwerthes derselben

vom 2. Januar 1891 ab

bei der Königlichen Instituten-Kasse hierselbst (am Lessingplatz im Regierungsgebäude) gegen Rückgabe der gekündigten Stücke erfolgen wird, so wie daß die weitere Verzinsung der gezogenen Pfandbriefe vom genannten Tage ab aufhört.

Breslau, den 14. Juni 1890.

Königliches Kredit-Institut für Schlesien.

Personal-Chronik.

Im Kreise Westhavelland ist an Stelle des Dom-Sekretärs Behrendts zu Burg Brandenburg, welcher sein Amt niedergelegt hat, der Feuerversicherungs-Direktor Müller zu Dom Brandenburg zum Amtsvorsteher-Stellvertreter des 22. Bezirks Dom Brandenburg ernannt worden.

Der Förster Schilling zu Beerenbusch ist zum Revierförster ernannt und demselben die bereits probeweise von ihm verwaltete Revierförsterstelle Beerenbusch in der Oberförsterei Menz fest übertragen worden.

Seine Majestät der Kaiser und König haben Allergnädigst geruht, dem Kreisbauinspektor von Niederstetter in Perleberg den Charakter als „Baurath" zu verleihen.

Den Domänenpächtern Adolf Kirchner zu Dahlem und Wilhelm Faber zu Buchholz bei Chorin ist von dem Herrn Minister für Landwirthschaft, Domänen und Forsten der Character: „Königlicher Oberamtmann" verliehen worden.

In Rixdorf, Hermannstraße 107, ist die von dem Apotheker Weiskam neu angelegte Apotheke eröffnet worden.

Der bisherige Diakonats-Verweser, Prediger Emil Schaumann, ist zum 1. Diakonus der Parochie der Stadtkirche zu Cöpenick, Diözese Cöln-Land II., mit dem Wohnsitze in Friedrichshagen bestellt worden.

Die unter Königlichem Patronat stehende Pfarrstelle zu Linum, Diözese Fehrbellin, wovon aber bis zum 1. Oktober 1898 eine Pfründenabgabe von jährlich 2354 M. an den landeskirchlichen Pensionsfonds zu entrichten ist, kommt durch die Emeritirung des Pfarrers Nagel zum 1. Oktober 1890 zur Erledigung. Die Wiederbesetzung der Stelle erfolgt im vorliegenden Falle durch das Kirchenregiment.

Die Predigerstelle an der Französischen Kirche auf der Luisenstadt in Berlin ist durch das Ableben des Konsistorial-Raths, Predigers Tournier zur Erledigung gekommen.

Bei der Königlichen Ministerial-Militär- und Bau-Kommission sind

Allerhöchst verliehen: dem Regierungs- und Baurath Emmerich der rothe Adler-Orden III. Kl. mit der Schleife, dem Baurath Thiede und dem Bauinspektor Kleinwächter der rothe Adler-Orden IV. Kl, dem Schleusenmeister Bassinger und dem Bauaufseher Garchow das Allgemeine Ehrenzeichen;

überwiesen: der Bauinspektor und Baurath Küster von dem Königlichen Ministerium der öffentlichen Arbeiten, der Bauinspektor Kleinau von der Königlichen Regierung in Königsberg, der Registrator und Kanzlist Staske und der expedirende Sekretär und Kalkulator Formanowitz von der General-Direktion der Königlichen Preußischen allgemeinen Wittwen-Verpflegungs-Anstalt;

ernannt: die Regierungs-Assessoren Dr. Spieß und von Wilmowski zu Regierungsräthen, der bisherige Registrator und Kanzlist Staske zum expedirenden Sekretär, der bisherige expedirende Sekretär und Kalkulator Formanowitz zum Buchhalter, die Sekretariats-Assistenten Quilling, Olbrich und van Lamoen zu expedirenden Sekretären und Kalkulatoren;

angestellt: die Büreau-Diätare Klemm, Freiße und Ziecke als Sekretariats-Assistenten, der Büreau-Diätar Fielitz als Kassen-Assistent und die bisherigen Kanzlei-Diätare Lindner, Demelt und Blum als Kanzlisten;

angenommen: der stud. jur. Nitz, der Abiturient Domke, die Primaner Haltermann und Regeler, der Privatsekretär Mantel und der bisherige Civil-Supernumerar beim Königlichen Provinzial-Schulkollegium hierselbst Benke als Civil-Supernumerare, die Sergeanten Kohlmann und Voß als Kanzlei-Diätare, der Füsilier Pohl und der Sergeant Hurdorf als Hülfsboten;

ausgeschieden: der Bauinspektor Kleinwächter, sowie der Regierungsrath Dr. Spieß in Folge ihrer Versetzung an die Königliche Regierung in Erfurt bezw. Gumbinnen, der Büreau-Diätar Reißig in Folge seiner Anstellung im Büreau des Herrenhauses, der Büreau-Diätar Boneß in Folge Uebernahme in den Hofstaatsdienst, der Hülfsbote Hurdorf auf seinen Antrag;

verstorben: der expedirende Sekretär und Kalkulator, Kanzleirath Andreae und der Plankammer-Inspektor de Grain.

Personalveränderungen im Bezirke des Kammergerichts in den Monaten April und Mai 1890.

I. Richterliche Beamte.

Ernannt sind: zu Amtsrichtern die Gerichtsassessoren Schütz, Mantey, Fraenkel, Bode, Wegner bei den Amtsgerichten zu Schwedt beziehungsweise Heinrichswalde O.-Pr., Wusterhausen a. D., Halbau und Trachenberg, der Landgerichtsrath Bardt in Frankfurt a. O. zum Landgerichtsdirektor beim Landgericht daselbst, der Landgerichtsrath Schultze in Berlin zum Landgerichts-Direktor beim Landgericht I. in Berlin, der Staatsanwalt Dr. Menge in Berlin zum Kammergerichtsrath, der Landgerichtsrath Loock in Potsdam zum Oberlandesgerichtsrath in Naumburg a. Saale, der Staatsanwalt Krobitzsch in Berlin zum Ersten Staatsanwalt beim Landgericht in Hirschberg.

Versetzt sind: der Landgerichtsrath Eichhorn in Landsberg a. W. an das Landgericht zu Frankfurt a. O., der Amtsrichter Dr. Holst in Berlin als Landrichter und der Landrichter Dr. Freiherr von Giseke in Lüneburg an das Landgericht I. in Berlin, die Amtsrichter Bünger in Rixdorf, Loewe in Lippehne, Busch in Seelow, Dr. Felisch in Carolath und der Landrichter Petersen in Cottbus als Amtsrichter an das Amtsgericht I. in Berlin, der Amtsrichter von Hamm in Rathenow an das Amtsgericht in Potsdam, der Amtsrichter Wachsmann in Landsberg a. W. als Landrichter an das Landgericht daselbst, der Amtsrichter Dyckerhoff in Frankfurt a. O. als Landrichter an das Landgericht daselbst, der Amtsrichter Blumenfeld in Forst an das Amtsgericht in Rixdorf, der Amtsrichter Dr. Riedel in Beuthen O.-Schl. an das Amtsgericht in Cöpenick.

Der Amtsrichter Isenbart in Potsdam ist in Folge seiner Ernennung zum Kaiserlichen Regierungsrath und ständigen Mitgliede des Reichsversicherungsamts aus dem Preußischen Justizdienste geschieden, der Kammergerichtsrath Dr. Olshausen scheidet in Folge seiner Ernennung zum Reichsgerichtsrath am 15. September dieses Jahres aus dem Preußischen Justizdienst.

II. Assessoren.

Zu Gerichtsassessoren sind ernannt die Referendare Dr. Rosenthal, Krems, Dr. Sachs, Arnim, Schlomann, Stoltz, Hansch, Kubale, Weber, Wurm, Dr. Plato, Nimbach, Appelbaum, Gebhard, Dr. Leschinsky.

Entlassen sind: Cuno Zwecks Uebertritts in die Kommunalverwaltung, von König und Schmiele Zwecks Uebertritts in das Ressort des Auswärtigen Amtes, Mehlhorn Zwecks Uebertritts in die Verwaltung der indirekten Steuern, Reuscher und Sehring in Folge ihrer Ernennung zu Auditeuren.

Verstorben ist: Dr. Behmer, von Raumer.

III. Rechtsanwälte und Notare.

Gelöscht sind in der Liste der Rechtsanwälte: die Rechtsanwälte, Justizrath Robert und Fröhlich beim Landgericht I. in Berlin, Wagenknecht beim Amtsgericht in Jüterbog; Demler beim Amtsgericht in Cüstrin, Paul Meyer beim Amtsgericht in Coepenick, Heilborn beim Landgericht in Frankfurt a. O. Eingetragen sind in die Liste der Rechtsanwälte: der Gerichtsassessor Wähle beim Amtsgericht Baerwalde N.-M., der Gerichtsassessor Leo Hamburger beim Landgericht II. in Berlin, der Gerichtsassessor Ferber beim Amtsgericht in Senftenberg, die Gerichtsassessoren, Leonhard Hirsch, Kattenbusch, Dr. Hartogensis Masur und der Rechtsanwalt Demler aus Cüstrin beim Landgericht I. in Berlin, der Rechtsanwalt Heilborn aus Frankfurt a. O. beim Amtsgericht in Finsterwalde.

Zu Notaren sind ernannt: die Rechtsanwälte Schulze in Storkow, Janeusch in Sommerfeld und Hering in Pritzwalk. Dem Notar, Justizrath Robert in Berlin, ist die nachgesuchte Entlassung aus dem Amte als Notar ertheilt.

Verstorben sind: der Rechtsanwalt und Notar Hadra in Charlottenburg, der Rechtsanwalt Bense beim Landgericht II. in Berlin, der Rechtsanwalt und Notar Paul Müller in Landsberg a. W.

IV. Referendare.

Zu Referendaren sind ernannt die bisherigen Rechtskandidaten Heidborn, Schwenterley, Koch, Tummeley, Kaiser, von Schultzendorff, Stachow, Freiherr von Spitzemberg, Beneke, Großmann, Max Schultz, Felix Lewin.

Versetzt ist: von Behr in den Bezirk des Oberlandesgerichts zu Stettin.

Uebernommen sind: Strantz aus dem Bezirk des Oberlandesgerichts zu Frankfurt a. M., von Moers und Roedenbeck aus dem Bezirk des Oberlandesgerichts zu Naumburg a. S.

Entlassen sind: Reimer Zwecks Uebertritts in den Verwaltungsdienst, Dr. Engel auf seinen Antrag, Ort und Rembe.

V. Subalternbeamte.

Ernannt sind der Bureau-Assistent Dorn in Plötzensee zum Gefängniß-Sekretär beim Untersuchungs-Gefängniß in Berlin, der Bureau-Assistent Bösenberg in Berlin zum Gefängniß-Sekretär bei dem

Stadtvoigteigefängniß in Berlin, zu Gefängnißbureau-Assistenten die Bureau-Diätarien Prell bei dem Strafgefängniß am Plötzensee, Stein bei dem Untersuchungs-Gefängniß in Berlin.

Pensionirt sind: der Gerichtsschreiber Ernst August Carl Schmidt bei dem Amtsgericht I. in Berlin und der Gefängniß-Sekretär Szczesniak bei dem Untersuchungs-Gefängniß in Berlin.

Verstorben sind: der Erste Gerichtsschreiber Barz bei dem Amtsgericht in Guben, der Kanzlist Rantke bei der Staatsanwaltschaft in Frankfurt a. O, der Gerichtsschreiber Hildebrandt beim Kammergericht.

Ausweisung von Ausländern aus dem Reichsgebiete.

Lauf. Nr.	Name und Stand des Ausgewiesenen	Alter und Heimath des Ausgewiesenen	Grund der Bestrafung.	Behörde, welche die Ausweisung beschlossen hat.	Datum des Ausweisungs-Beschlusses.
1.	2.	3	4.	5.	6.
		a. Auf Grund des § 39 des Strafgesetzbuchs:			
1	Johann Cabon, Tagearbeiter,	geboren am 11. Dezember 1851 zu Jastrzemb, Kreis Bendzin, Russisch-Polen, ortsangehörig ebendaselbst,	Raub und einfacher Diebstahl (6 Jahre 3 Wochen Zuchthaus laut Erkenntniß vom 25. April 1884),	Königlich Preußischer Regierungspräsident zu Oppeln,	22. Februar 1890.
2	Alexander Kunz, Schriftsetzer,	geboren zu Kornoluncze, Oesterreich, heimathsberechtigt in Wien (Klein-Bukowin),	Betteln, Landstreichen und einfacher Diebstahl im wiederholten Rückfall (2 Jahre Zuchthaus laut Erkenntniß vom 15ten März 1888),	Königlich Preußische Regierung zu Bromberg,	25. Januar 1890.
		b. Auf Grund des § 362 des Strafgesetzbuchs:			
1	Leopold Lucka, Handlungsdiener,	geboren am 21. April 1851 zu Prag, Böhmen,	Betteln im wiederholten Rückfall,	Königlicher Polizei-Präsident zu Berlin,	6. Mai 1890.
2	Stephan Szabó, Tagelöhner,	27 Jahre alt, geboren und ortsangehörig zu Perbenyck, Ungarn,	Landstreichen,	Königlich Preußischer Regierungspräsident zu Potsdam,	19. Mai 1890.
3	Stanislaus Betlewsky, Kutscher,	22 Jahre alt, geboren und ortsangehörig zu Wumpelsky, Gouvernement Plock, Russisch-Polen,	desgleichen,	Königlich Preußischer Regierungspräsident zu Breslau,	19. Dezember 1889.
4	Die Zigeuner:				
	a. Joseph Schittek, Schmied,	38 Jahre alt, geboren und ortsangehörig zu Bielitz, Oesterreich,	desgleichen,		
	b. dessen Ehefrau Pauline,	31 Jahre alt, geboren und ortsangehörig zu Bielitz,	Landstreichen u. Betteln,	Königlich Preußischer Regierungs-Präsident zu Oppeln,	2. Mai 1890.
	c. Karoline Ferra, unverheirathet,	50 Jahre alt, geboren und ortsangehörig zu Bielitz,			
	d. Johanna Kukla, unverheirathet,	20 Jahre alt, geboren und ortsangehörig zu Skotschow, Galizien,			
	e. Mathilde Kukla, unverheirathet,	18 Jahre alt, geboren und ortsangehörig zu Skotschow,			
5	Alois Stiegler, Tagelöhner,	geboren am 11. Februar 1873 zu Weihartitz, Bezirk Schüttenhofen, Böhmen, ortsangehörig ebendaselbst,	Landstreichen,	Stadtmagistrat Nürnberg, Bayern,	27. April 1890.

Laufd. Nr.	Name und Stand	Alter und Heimath	Grund der Bestrafung.	Behörde, welche die Ausweisung beschlossen hat.	Datum des Ausweisungs-Beschlusses.
	des Ausgewiesenen.				
1.	2.	3.	4.	5.	6.
6	Adalbert Choulik, Zimmermann,	27 Jahre alt, geboren und ortsangehörig zu Rosek, Bezirk Schüttenhofen, Böhmen,	Betteln im wiederholten Rückfall,	Königlich Bayerisches Bezirksamt Traunstein,	5. Mai 1890.
7	Maria Moser, Dienstmagd,	geboren am 4. November 1870 zu Steg, Bezirk Reutte, Tirol, ortsangehörig ebendaselbst,	Landstreichen, gewerbsmäßige Unzucht und Nichtbeschaffung eines Unterkommens,	Stadtmagistrat Kempten, Bayern,	desgleichen.
8	Anton Friedrich (auch Wandraschek genannt), Conditor,	geboren am 9. Mai 1861 zu Taufkirchen, ortsangehörig zu Souticz, Bezirk Beneschau, Böhmen,	Landstreichen,	Großherzoglich Badischer Landeskommissär zu Freiburg,	17. Mai 1890.
9	Anton Guschl, Schneider,	geboren am 31. März 1859 zu Mokotill, Kreis Saaz, Böhmen,	Betteln im wiederholten Rückfall,	Fürstlich reuß-plauisches Landrathsamt zu Greiz,	28. März 1890.
10	Franzisko Franchi (Franzi), Harmonikaspieler,	geboren am 7. Oktober 1862 zu Barde, Italien, ortsangehörig ebendaselbst,	Landstreichen,	Kaiserlicher Bezirks-Präsident zu Colmar,	23. Mai 1890.
11	Josef Ratke, Schreiner,	geboren am 13. Februar 1870 zu Enns, Oesterreich, ortsangehörig ebendaselbst,	desgleichen,	derselbe,	24. Mai 1890.
12	Otto Bendy, Sattlergehilfe,	19 Jahre alt, geboren zu Kamberk, Bezirk Tabor, Böhmen, ortsangehörig ebendaselbst,	Landstreichen,	Königlich Bayerisches Bezirksamt Deggendorf,	21. Mai 1890.
13	Johanna Cytron, alias Koziol, ledige Zigeunerin,	23 Jahre alt, geboren zu Zabrzeg, Bezirk Bielitz, Oesterreich, ortsangehörig ebendas.,	desgleichen,	Königlich Preußischer Regierungspräsident zu Oppeln,	14. Mai 1890.
14	Ernst Geipel, Strumpfwirker,	geboren am 4. August 1873 zu Asch, Böhmen, ortsangehörig zu Gottmannsgrün, Bezirk Asch,	desgleichen,	Königlich Preußischer Regierungspräsident zu Lüneburg,	24. Mai 1890.
15	Rudolph Grögler, Zimmermaler,	geboren am 7. Mai 1872 zu Geslowitz Mähren, ortsangehörig zu Bergstadt, Bezirk Römerstadt, Mähren,	desgleichen,	Stadtmagistrat zu Nürnberg,	20. Mai 1890.

(Hierzu eine Extra-Beilage, enthaltend eine Bekanntmachung des Königlichen Ober-Präsidenten von Berlin, betreffend die Wahlbezirks-Eintheilung für die Wahl des Ausschusses der Versicherungsanstalt der Invaliditäts- und Altersversicherung des Stadtkreises Berlin, sowie Vier Oeffentliche Anzeiger.)

(Die Insertionsgebühren betragen für eine einspaltige Druckzeile 20 Pf.
Belagsblätter werden der Bogen mit 10 Pf. berechnet.)

Redigirt von der Königlichen Regierung zu Potsdam.

Potsdam, Buchdruckerei der A. W. Hayn'schen Erben (E. Hayn, Hof-Buchdrucker).

Extra-Beilage

zum 26sten Stück des Amtsblatts

der Königlichen Regierung zu Potsdam und der Stadt Berlin.

Den 27. Juni 1890.

Bekanntmachung des Königlichen Ober-Präsidenten von Berlin.

15. Gemäß № 1 Abs. 3 der in der Extra-Beilage des Amtsblattes der Königlichen Regierung zu Potsdam und der Stadt Berlin vom 13. Juni d. Js. erschienenen „Wahlordnung betreffend die Wahlen der Ausschußmitglieder für die zur Durchführung der Invaliditäts- und Altersversicherung errichtete Versicherungsanstalt des Stadtkreises Berlin. Vom 4. Juni 1890." bringe ich nachstehend die Wahlbezirks-Eintheilung für die Wahl des Ausschusses der Versicherungsanstalt des Stadtkreises Berlin zur öffentlichen Kenntniß.

Der erste Ausschuß zählt je 10 Vertreter der Arbeitgeber und der Versicherten. Hierzu werden acht Wahlbezirke, wie folgt, gebildet.

Wahlbezirk	Wahlbezirk wählt Ausschußmitglieder aus dem Stande der Arbeitgeber	Versicherten	Name der in dem Wahlbezirk wahlberechtigten Krankenkassen 2c.	Sitz	Zahl der Kassenmitglieder 2c.	Zahl der auf die Kasse entfallenden Stimmen
I.	2	2	Allgemeine Ortskranken-Kasse gewerblicher Arbeiter 2c.	Berlin Michaelkirchstr. 40	62299	624
			1. Ortskrankenkasse der Buchdrucker	Ritterstr. 94 I.	3687	38
			2. „ der Gelbgießer	Ritterstr. 114	497	6
			3. „ für das Goldschmiedgewerbe	Holzmarktstr. 8.	1315	15
			4. „ der Graveure, Ciseleure 2c.	Wasserthorstr. Nr. 14 II.	1495	16
			5. „ „ Klempner	Brückenstr. 10b.	3998	41
			6. „ „ Kupferschmiede	Friedenstr. 79	399	5
			7. „ „ Lackirer	Alte Jacobstr. 50	251	4
			8. „ „ Maschinenbauarbeiter und verw. Berufsgenossen	Neue Schönhauserstr. 16	15839	160
			9. Ortskrankenkasse der Mechaniker, Optiker 2c.	Poststr. 10/11	1942	21
			10. „ der Messerschmiede, Schwertfeger 2c.	Ackerstr. 159 Quergeb. II.	107	3
			11. Ortskrankenkasse der Nadler und Siebmacher	Dresdenerstr. 29.	163	3
			12. „ der Schlosser und Berufsgenossen	Neue Friedrichstr. Nr. 35	5918	61
II.	2	2	13. Ortskrankenkasse der Schmiede und verwandten Gewerbe	Landwehrstr. 11 I.	352	5
			14. Ortskrankenkasse der Silberpresser und Berufsgenossen	Wrangelstr. 96 II.	169	3
			15. Ortskrankenkasse der Uhrmacher	Neue Jacobstr. 7	378	5
			16. „ der Gürtler	Wasserthorstr. Nr. 46 I.	3297	34
			17. „ der Zeugschmiede	Junkerstr. 20	99	2
			18. „ der Zinngießer	Krausenstr. 22	51	2
			19. Fabrikkrankenkasse Ludwig Loewe & Co. Kommanditgesellschaft auf Actien	Hollmannstr. 35	2314	25
			20. Neue Maschinenbauer- (Fabrik-) Krankenkasse	Hirtenstr. 16 I.	14186	143
			21. Betriebskrankenkasse der Actiengesellschaft für Eisen- und Wellblech-Constructionen vorm Breest & Co.	Schönhauser Allee Nr. 66/67	137	3
			22. Innungskrankenkasse der Schmiede	Mulackstr. 9	931	11
			23. Betriebskrankenkasse des Königlichen Eisenbahn-Betriebsamtes Stadt- und Ringbahn und der Büreaus der Eisenbahn-Direction	Berlin	2404	26

Wahlbezirk	Wahlbezirk wählt Ausschußmitglieder aus dem Stande der Arbeitgeber	Versicherten	Name der in dem Wahlbezirk wahlberechtigten Krankenkassen rc.	Sitz	Zahl der Kassenmitglieder rc.	Zahl der auf die Kasse entfallenden Stimmen
noch II.	2	2	24. Werkstättenkrankenkasse der Hauptwerkstatt Berlin und Betriebswerkstatt Rummelsburg	Berlin	703	9
			25. Werkstättenkrankenkasse für die Eisenbahn-Hauptwerkstätte zu Berlin (Berlin—Lehrte) und die Betriebswerkstätte daselbst (Eisenbahn-Directions-Bezirk Magdeburg)	dto.	240	-
			26. Eisenbahn-Betriebskrankenkasse für den Bezirk des Königlichen Eisenbahn-Betriebsamts Berlin (Eisenbahn-Directionsbezirk Altona)	dto.	1290	14
			27. Betriebskrankenkasse für den Bezirk des Königlichen Eisenbahn-Betriebsamts zu Berlin (Eisenbahn-Directionsbezirk Bromberg)	dto.	2168	23
			28. Werkstättenkrankenkasse für die Eisenbahn-Hauptwerkstatt zu Berlin und die Neben- bezw. Betriebswerkstätten zu Berlin, Küstrin und Landsberg (Eisenbahn-Directionsbezirk Bromberg)	dto.	877	10
					65207	692
III.	1	1	1. Ortskrankenkasse der Böttcher	Fürstenwalderstr. Nr. 21	322	5
			2. " der Buchbinder und verwandten Gewerbe	Adalbertstr. 72	3518	37
			3. Ortskrankenkasse der Drechsler und verwandten Gewerbe	Kl. Stralauerstr. Nr. 12/13	3249	34
			4. Ortskrankenkasse der Vergolder und Berufsgenossen	Mariannenstr. 2	1342	15
			5. Ortskrankenkasse der Korbmacher und verwandten Gewerbe	Dessauerstr. 31	333	5
			6. Ortskrankenkasse der Möbelpolirer	Oranienstr. 169	641	8
			7. " für das Gewerbe der Verfertigung von Musikinstrumenten	Grenadierstr. 3	188	3
			8. Ortskrankenkasse der Photographen	Neue Roßstr 16 II.	558	7
			9. " der Sattler und verwandten Gewerbe	Neumannsgasse Nr. 11	921	11
			10 Ortskrankenkasse der Steindrucker und Lithographen	Breslauerstr. 5 I.	1962	21
			11. Ortskrankenkasse der Stellmacher	Veteranenstr. 22	404	6
			12. " der Tapezierer	Christinenstr. 9	1911	21
			13. " der Tischler und Pianofortearbeiter	Fischerbrücke 22	16592	167
			14. Ortskrankenkasse der Weißgerber	Prinzen-Allee 59	50	1
			15. Fabrikkrankenkasse der Berliner Musikinstrumentenfabrik Actiengesellschaft vorm. Ch. F. Pietschmann & Söhne	Brunnenstr. 28a.	380	5
					32371	346
IV.	1	1	1. Ortskrankenkasse der Barbiere	Wasserthorstr. 62	329	5
			2. " der Friseure	Molkenmarkt 10	136	3
			3. " der Handschuhmacher und verw. Gewerbe	Fehrbellinerstr. 81	302	5
			4. Ortskrankenkasse der Hutmacher und Filzwaarenverfertiger	Chorinerstr. 84 I.	1982	21

…sblatt

…ierung zu Potsdam

…Berlin.

1890.

…ß sie durch mangelhafte Ernährung nicht … bei der Musterung ihrem Alter ent… und Muskulatur ausgebildet sind.
…März 1890.

Remontirungs-Abtheilung.

…s Königlichen Ober…
…inz Brandenburg.

…des Reichsgesetzes, be… …tersversicherung vom … meiner Bekannt… …3 Extra-Beilage … Regierung zu … …ngs-Assessor … …uftragten … …der für … …ers… …ng

Wahlbezirk	Wahlbezirk wählt Ausschußmitglieder aus dem Stande der Arbeitgeber	Versicherten	der in dem Wahl…			
noch IV.	1	1	5. Ortskrankenkasse de… genossen			
			6. Ortskrankenkasse der			
			7. Ortskrankenkasse der			
			8. " der			
			9. " der … bereiter			
			10. Ortskrankenkasse für …			
			11. Innungskrankenkasse … seure			
			12. Innungskrankenkasse … Schneider			
			13. Innungskrankenkasse de…			
V.	1	1	1. Ortskrankenkasse der Bildhauer, Stu…			
			2. " der Brunnenmacher	Loui…		
			3. " der Dachdecker	Wrangelstr. 88 Quergeb. I.		
			4. " der Maler	Ritterstr. 116	2689	28
			5. " der Maurer	Holzmarktstr. 48a.	19902	201
			6. " der Schornsteinfeger	Heimstr. 26	45	1
			7. " des Zimmerergewerbes	Keibelstr. 12	4818	50
			8. Betriebskrankenkasse von F. Hirt, Bau-Unternehmer	Askanischer Pl. 3	1	1
			9. Betriebskrankenkasse R. Schneider, Eisenbahnbau-Unternehmer	Potsdamerstr. 71	296	4
			10. Betriebskrankenkasse Louis Prehn & Günther, Tiefbau-Ausführung	Weißenburgerstr. Nr. 17	137	3
			11. Betriebskrankenkasse des Bauunternehmers Ph. Balke	Königin Augustastraße 26. I.	356	5
			12. Innungskrankenkasse der Schornsteinfeger	Swinemünderstr. 139	165	3
			13. " der Steinsetzer	Chausseestr. 2b.	625	8
					32246	341
VI.	1	1	1. Ortskrankenkasse der Gastwirthe und verwandten Gewerbe	Französischestr. 10	12793	129
			2. Ortkrankenkasse für den Gewerbebetrieb der Kaufleute, Handelsleute und Apotheker	Neue Schönhauserstr. 2 I.	16627	168
			3. Betriebskrankenkasse der neuen Berliner Omnibus- und Packetfahrt-Aktiengesellschaft	Alexandrinenstr. Nr. 93	841	10
			4. Betriebskrankenkasse der Großen Berliner Pferdeeisenbahn-Actien-Gesellschaft	Friedrichstr. 218	2933	31
			5. Betriebskrankenkasse der Neuen Berliner Pferdebahn-Gesellschaft	Kl. Frankfurterstr. Nr. 1	524	7
			6. Betriebskrankenkasse der Allgemeinen Berliner Omnibus-Actien-Gesellschaft	Kurfürstenstr. 143	560	7
			7. Postkrankenkasse für den Bezirk der Kaiserlichen Oberpostdirection Berlin		1660	18
			8. Innungskrankenkasse der Fuhrherrn	Alexanderstr. 22	1406	16
					37344	386

Wahlbezirk	Wahlbezirk wählt Ausschußmitglieder aus dem Stande der Arbeitgeber	Wahlbezirk wählt Ausschußmitglieder aus dem Stande der Versicherten	Name der in dem Wahlbezirk wahlberechtigten Krankenkassen 2c.	Sitz	Zahl der Kassenmitglieder 2c	Zahl der auf die Kasse entfallenden Stimmen
VII.	1	1	1. Ortskrankenkasse der Bäcker	Brunnenstr. 5	1504	17
			2. " für das Bierbrauer-Gewerbe	Schönh. Allee 163 I	1088	12
			3. " der Cigarrenmacher, Tabakspinner 2c.	Brunnenstr. 18	964	11
			4. Ortskrankenkasse d. Conditoren u. Pfefferküchler	Oranienstr. 123	787	9
			5. Ortskrankenkasse der Posamentierer, Seiler 2c.	Seidelstr. 27	481	6
			6. " des Schlächtergewerbes	Neue Grünstr. 13	2136	23
			7. " der Strumpfwirker	Fliederstr. 11	201	4
			8. " der Tabakfabrikarbeiter	Heiligegeiststr. 21	166	3
			9. " der Töpfer	Strelitzerstr. 7. pt.	1435	16
			10. " der Weber u. verw. Gewerbe	Fruchtstr. 45	2850	30
			11. Betriebskrankenkasse der Meierei von C. Bolle	A.-Moabit 99/103	296	4
			12. Fabrikkrankenkasse der Chemischen Fabrik auf Actien, vorm. E. Schering	Fennstr. 11/12	368	5
			13. Fabrikkrankenkasse der Firma W. und G. Keßler, Posamenten-Schnurfabrik, Klöppelei	Elisabeth-Ufer 19	209	4
			14. Fabrikkrankenkasse der Firma R. Eisemann, Spritfabrik	Mühlenstr. 6/7	36	1
			15. Betriebskrankenk. d. K. Porzellan-Manufactur	Wegelystr.	360	5
			16. Innungskrankenk. d. Pfefferküchler u. Conditor.	Ohmgasse 1	158	3
			17. Innungskrankenkasse der Weber	Andreasstr. 39	797	9
			18. Innungskrankenkasse der Glaser	Brandenburgst. 29	398	5
			19. Innungskrankenkasse der Strumpfwirker	Pallisadenstr. 17	187	3
			20. Betriebskrankenkasse des Königlichen Eisenbahn-Betriebsamts Berlin-Sommerfeld	Berlin	2627	28
			21. Betriebskrankenkasse für den Bezirk des Königlichen Eisenbahnbetriebsamts Berlin-Lehrte (Eisenbahn-Direktionsbezirk Magdeburg)	dto.	2100	23
			22. Betriebskrankenkasse für den Bezirk des Kgl. Eisenbahnbetriebsamts Berlin-Magdeburg (Eisenbahn-Direktionsbezirk Magdeburg)	dto.	1247	14
			23. Betriebskrankenkasse für den Bezirk des Königlichen Eisenbahnbetriebsamts zu Berlin (Eisenbahn-Directionsbezirk Erfurt)	dto.	2698	28
			24. Betriebskrankenkasse für den Bezirk des Kgl Eisenbahnbetriebsamts Berlin-Blankenheim	dto.	759	9
			25. Zahl derjenigen Versicherten, welche einer wahlberechtigten Krankenkasse 2c. nicht angehören (vgl. Wahlbezirk VIII.)		11000	110
					34852	382
VIII.	1	1	*) Zahl derjenigen Versicherten, welche einer wahlberechtigten Krankenkasse 2c. nicht angehören (vergl. Wahlbezirk VIII.)		34000	342

*) Die Zahl der einer Krankenkasse 2c. angehörigen Wahlberechtigten beträgt . . . 282 817 Personen.

Nach der Statistik über die Volkszählung im Jahre 1885 betrug die Zahl der Einwohner in Berlin 1 315 287. Die Zahl der auf Grund des Alters- und Invaliditäts-Gesetzes zu Versichernden (etwa 250 von 1000 Einwohnern) . . . . 328 822 "

Hiervon ab die zuerst angegebene Zahl der den Krankenkassen 2c. angehörigen Wahlberechtigten bleiben . . . . 46 005 "
welche auf 45 000 abgerundet aufzuführen waren.

Potsdam, den 19. Juni 1890. Der Ober-Präsident von Berlin, Staatsminister von Achenbach.

Potsdam, Buchdruckerei der A. W. Hayn'schen Erben (E. Hayn, Hof-Buchdrucker).

Amtsbl...

der Königlichen Regier...

und der Stadt Berl...

Stück 27. Den 4. Juli

Bekanntmachungen der Kaiserlichen Ober-Post-Direktion zu Potsdam.

Anschluß an Stadt-Fernsprecheinrichtungen betreffend.

Diejenigen Personen, welche noch in dies... ...re Anschluß an eine der Stadt-F... ...richtungen in Potsdam, Spandau, ... Groß-Lichterfelde, Oranienburg, Gr... ...see und Ludwigsfelde wünschen, werd... ...meldungen recht bald, spätesten... ... August an das Postamt in de... ...richten. Spätere Anmel... ...nach dem 1. April 189... ... Bei den bezeichneten Post... ...ngen für den Anschluß ein... ...Anmeldung in Empfang

Bekanntmachungen der Königlichen Ministerien.

Ankauf von Remonten für 1890.

Regierungs-Bezirk Potsdam.

18. Zum Ankaufe von Remonten im Alter von drei und ausnahmsweise vier Jahren sind im Bereiche der Königlichen Regierung zu Potsdam für dieses Jahr nachstehende, Morgens 8 resp. 9 Uhr beginnende Märkte anberaumt worden und zwar:

am	4. Juli	Wilsnack	9 Uhr,
	7. „	Meyenburg	8 „
	25. „	Prenzlau	8 „
	26. „	Angermünde	8 „
	28. „	Kyritz	9 „
	29. „	Wittstock	8 „
	30. „	Pritzwalk	8 „
	31. „	Perleberg	8 „
	1. August	Lenzen a. Elbe	8 „

Die von der Remonte-Ankaufs-Kommission erkauften Pferde werden zur Stelle abgenommen und sofort gegen Quittung baar bezahlt.

Pferde mit solchen Fehlern, welche nach den Landesgesetzen den Kauf rückgängig machen, sind vom Verkäufer gegen Erstattung des Kaufpreises und der Unkosten zurückzunehmen, ebenso Krippensetzer und Klopphengste, welche sich in den ersten zehn beziehungsweise acht und zwanzig Tagen nach Einlieferung in den Depots als solche erweisen. Pferde, welche den Verkäufern nicht eigenthümlich gehören, oder durch einen nicht legitimirten Bevollmächtigten der Kommission vorgestellt werden, sind vom Kauf ausgeschlossen.

Die Verkäufer sind verpflichtet, jedem verkauften Pferde eine neue starke rindlederne Trense mit starkem Gebiß und eine neue Kopfhalfter von Leder oder Hanf mit 2 mindestens zwei Meter langen Stricken ohne besondere Vergütung mitzugeben.

Um die Abstammung der vorgeführten Pferde feststellen zu können, sind die Deckscheine resp. Füllenscheine mitzubringen, auch werden die Verkäufer ersucht, die Schweife der Pferde nicht zu koupiren oder übermäßig zu verkürzen. Ferner ist es dringend erwünscht, daß ein zu massiger oder zu weicher Futterzustand bei den zum Verkauf zu stellenden Remonten nicht stattfindet, weil dadurch die in den Remontedepots vorkommenden Krankheiten sehr viel schwerer zu überstehen sind, als dies bei rationell und nicht übermäßig gefutterten Remonten der Fall ist. Die auf den Märkten vorzustellenden Remonten müssen daher in solcher Verfassung sein, daß ... gelitten haben und ... sprechend in Knochen u...

Berlin, den 21. Mä...

Kriegs-Ministerium. ...

Bekanntmachungen des Kön... ...direktor. Präsidenten der Provinz Bra... ...anstalt.

16. Auf Grund des § 49 des Reichs... ...eine mit der ... betreffend die Invaliditäts- und Altersversich... 22. Juni 1889 in Verbindung mit ... machung vom 4 Juni d. J. (№ 13 Extra-... zum Amtsblatte Stück 24 der Königlichen Regierung zu Potsdam) habe ich den Königlichen Regierungs-Rath Lewald, hierselbst, Priesterstraße 12, zum Beauftragten für die Leitung der Wahlen der Ausschußmitglieder für die zur Durchführung der Invaliditäts- und Altersversicherung errichtete Versicherungsanstalt der Provinz Brandenburg bestellt.

Potsdam, den 21. Juni 1890.

Der Ober-Präsident, Staatsminister von Achenbach.

Bekanntmachung.

17. Gemäß № 1 Absatz 3 der in der Extra-Beilage zum Amtsblatt Stück 24 der Königlichen Regierung zu Potsdam und der Stadt Berlin vom 13ten Juni 1890 erschienenen Wahlordnung vom 4. d. Mts., betreffend die Wahlen der Ausschußmitglieder für die zur Durchführung der Invaliditäts- und Altersversicherung errichtete Versicherungsanstalt der Provinz Brandenburg, bringe ich nachstehend die Eintheilung der Wahlbezirke, ihre Reihenfolge und die Zahl der in jedem derselben zu wählenden Vertreter der Arbeitgeber und der Versicherten zur öffentlichen Kenntniß:

Wahlbezirk I.	umfaßt die Kreise Westprignitz, Ostprignitz, Ruppin, Westhavelland, Osthavelland (Reg.-Bez. Potsdam) mit einer Gesammtstimmenzahl von . . . . 952 wählt je 2 Vertreter.
Wahlbezirk II.	umfaßt die Stadtkreise Spandau, Potsdam und Charlottenburg (Reg.-Bez. Potsdam) mit einer Gesammtstimmenzahl von . . . 446 wählt je 1 Vertreter.
Wahlbezirk III.	umfaßt den Stadtkreis Brandenburg, sowie die Kreise Zauch-Belzig und Jüterbog (Reg.-Bez. Potsdam), Luckau, Kalau und

Lübben (Reg.-Bez. Frankfurt) mit einer Gesammtstimmenzahl von 926
wählt je 2 Vertreter.

Wahlbezirk IV. umfaßt den Kreis Teltow (Reg.-Bez. Potsdam) mit einer Gesammtstimmenzahl von 456
wählt je 1 Vertreter.

Wahlbezirk V. umfaßt den Kreis Niederbarnim (Reg.-Bez. Potsdam) mit einer Gesammtstimmenzahl von . . . 468
wählt je 1 Vertreter.

Wahlbezirk VI. umfaßt die Kreise Oberbarnim und Beeskow-Storkow (Reg.-Bez. Potsdam), sowie die Kreise Königsberg Nmk. und Lebus (Reg.-Bez. Frankfurt) mit einer Gesammtstimmenzahl von . . . 900
wählt je 2 Vertreter.

Wahlbezirk VII. umfaßt die Kreise Angermünde, Templin und Prenzlau (Reg.-Bez. Potsdam) mit einer Gesammtstimmenzahl von 464
wählt je 1 Vertreter.

Wahlbezirk VIII. umfaßt die Kreise Soldin, Arnswalde, Friedeberg Nmk. und die wahlberechtigten Krankenkassen des Kreises Landsberg a. W. (Reg.-Bez. Frankfurt) mit einer Gesammtstimmenzahl von . . . 465
wählt je 1 Vertreter.

Wahlbezirk IX umfaßt den Kreisausschuß des Kreises Landsberg (für die einer wahlberechtigten Krankenkasse dieses Kreises nicht angehörenden versicherungspflichtigen Personen und deren Arbeitgeber), sowie die Kreise Ost-Sternberg, West-Sternberg, Stadtkreis Frankfurt, Züllichau und Krossen (Reg.-Bez. Frankfurt) mit einer Gesammtstimmenzahl von 912
wählt je 2 Vertreter.

Wahlbezirk X. umfaßt die Kreise Guben Stadt, Guben Land, Sorau, Spremberg, Cottbus Stadt und Cottbus Land (Reg.-Bez. Frankfurt) mit einer Gesammtstimmenzahl von 915
wählt je 2 Vertreter.

Potsdam, den 26. Juni 1890.

Der Oberpräsident, Staatsminister von Achenbach.

Bekanntmachungen des Königlichen Regierungs-Präsidenten.

Beschluß.

133. Die von dem Amtsvorsteher zu Deutsch-Wilmersdorf erlassene, die Gemeinden Deutsch Wilmersdorf, Friedenau und Schmargendorf umfassende Polizei-Verordnung über die äußere Heilighaltung der Sonn- und Festtage vom 18. April 1890 wird, weil der Zuständigkeit der Ortspolizeibehörde nicht unterliegend, hierdurch unter Zustimmung des Bezirksausschusses in Gemäßheit des § 145 des Gesetzes über die allgemeine Landesverwaltung vom 30. Juli 1883 außer Kraft gesetzt.

Potsdam, den 1. Juli 1890.

Der Regierungs-Präsident.

Viehseuchen.

134. Festgestellt ist:

der Milzbrand bei einer Kuh des Gutes Sputendorf, Kreis Teltow;

die Maul- und Klauenseuche unter dem Rindviehstande des Rittergutes Eichstädt und des Bauergutsbesitzers August Kelch zu Linum, Kreis Osthavelland, und unter den Kühen des Rittergutes Klein-Beeren, Kreis Teltow.

Die Ortschaft und die Feldmark Linum, Kreis Osthavelland, sind gegen das Durchtreiben von Wiederkäuern und Schweinen gesperrt worden.

Erloschen ist:

die Maul- und Klauenseuche unter den Schweinen des Bäckermeisters Plage zu Nowawes, Kreis Teltow.

Potsdam, den 1. Juli 1890.

Der Regierungs-Präsident.

Bekanntmachungen der Bezirksausschüsse.

Bekanntmachung.

11. Der unterzeichnete Bezirksausschuß zu Berlin hält Ferien während der Zeit vom 21. Juli bis zum 1. September dieses Jahres. Während der Ferien dürfen Termine zur mündlichen Verhandlung der Regel nach nur in schleunigen Sachen abgehalten werden. Auf den Lauf der gesetzlichen Fristen bleiben die Ferien ohne Einfluß. Dies wird hierdurch unter Bezugnahme auf die Bestimmungen im § 5 des Regulativs zur Ordnung des Geschäftsganges und des Verfahrens bei den Bezirksausschüssen vom 28. Februar 1884 (Potsdamer Amtsblatt von 1884 I. Extra-Beilage zum 13. Stück Seite 3 flgd.) zur öffentlichen Kenntniß gebracht.

Berlin, den 20. Juni 1890.

Der Bezirksausschuß zu Berlin.

Bekanntmachungen des Königlichen Polizei-Präsidiums zu Berlin.

Bekanntmachung.

61. Der bekannte Bandwurmheilkünstler Richard Mohrmann, vor dessen Treiben bereits wiederholentlich gewarnt worden ist, empfiehlt neuerdings in den Zeitungen seine Bücher „Der Friedensbote" und „Johannistrieb", welche im Wesentlichen mit dem von ihm früher herausgegebenen „goldenen Buch für Männer" übereinstimmen. Der Inhalt soll durch Ausschweifungen heruntergekommene Menschen in Angst versetzen und zu Ausgaben verleiten, welche dem Verfasser zu Gute kommen. Das Publikum wird vor diesem Treiben und vor der Kurpfuscherei des Richard Mohrmann ernstlich gewarnt. Berlin, den 20. Juni 1890.

Der Polizei-Präsident.

Bekanntmachungen des Reichs-Postamts.

Werthbriefverkehr mit Kamerun.

12. Vom 1. Juli ab sind Briefe mit Werthangabe bis zum Meistbetrage von 8000 M. im Verkehr mit der Deutschen Postagentur in Kamerun zugelassen. Die Taxe setzt sich zusammen aus dem Porto und der festen Gebühr für einen Einschreibbrief von gleichem Gewicht, sowie aus einer Versicherungsgebühr von 16 Pf. für je 160 M.

Berlin W., 20 Juni 1890.

Reichs Postamt, I. Abtheilung.

Postpacketverkehr mit Kamerun.

13. Vom 1. Juli ab ist bei Postpacketen im Verkehr mit der Deutschen Postagentur in Kamerun Werthangabe bis 8000 M. (= 10000 Franken) zugelassen. Für Postpackete mit Werthangabe nach Kamerun kommt, neben dem Porto von 1 M. 60 Pf. für das Packet, eine Versicherungsgebühr von 16 Pf. für je 160 M zur Erhebung.

Berlin W., 21. Juni 1890.

Reichs-Postamt, I. Abtheilung.

Bekanntmachungen der Kaiserlichen Ober-Postdirektion zu Berlin.

Anmeldung von Fernsprech-Anschlüssen.

62. Diejenigen Personen, welche noch im laufenden Rechnungsjahre d. i. bis zum 31. März 1891 Anschluß an das hiesige Fernsprechnetz oder an die Fernsprechnetze der zum diesseitigen Verwaltungsbereich gehörenden Vororte zu erhalten wünschen, werden ersucht, ihre Anmeldungen recht bald, **spätestens aber bis zum 1. August** an die hiesige Kaiserliche Ober-Postdirection einzusenden oder dieselben in dem Auskunftsbüreau (Spandauerstraße 19/22, Zimmer № 109) mündlich anzubringen. **Spätere Anmeldungen können erst nach dem 1. April 1891 berücksichtigt werden.**

Berlin C., 11. Juni 1890.

Der Kaiserliche Ober-Postdirector.

Einrichtung von Postagenturen in Blankenfelde und in Schildow (Kreis Niederbarnim).

63. Am 1. Juli treten in den im Kreise Niederbarnim belegenen Orten Blankenfelde und Schildow Postagenturen in Wirksamkeit, welche sich mit der Annahme und Ausgabe von Postsendungen aller Art, sowie von Telegrammen befassen werden. Die Dienststunden der neuen Postagenturen werden für den Verkehr mit dem Publikum wie folgt festgesetzt: 1) **an den Wochentagen** von 7 (im Winter 8) bis 11 Uhr Vormittags und von 3 bis 6 Uhr Nachmittags, 2) **an Sonn- und gesetzlichen Feiertagen** von 7 (im Winter 8) bis 9 Uhr Vormittags, 4 bis 5 Uhr Nachmittags, außerdem von 12 Uhr Mittags bis 1 Uhr Nachmittags nur für den Telegraphenverkehr. Die Verwaltung der Postagenturen wird den Inhabern der Posthülfsstellen in den genannten Orten, Lehrer Kelch und Kaufmann Schroeder, übertragen.

Berlin C., den 27. Juni 1890.

Der Kaiserliche Ober-Postdirektor.

Bekanntmachungen der Kaiserlichen Ober-Post-Direktion zu Potsdam.

Anschluß an Stadt-Fernsprecheinrichtungen betreffend.

64. Diejenigen Personen, welche noch in diesem Etatsjahre **Anschluß an eine der Stadt-Fernsprecheinrichtungen** in Potsdam, Spandau, Cöpenick, Steglitz, Groß-Lichterfelde, Oranienburg, Grünau (Mark), Wannsee und Ludwigsfelde wünschen, werden ersucht, ihre Anmeldungen recht bald, **spätestens aber bis zum 1. August** an das Postamt in dem betreffenden Orte zu richten. **Spätere Anmeldungen können erst nach dem 1. April 1891 berücksichtigt werden.** Bei den bezeichneten Postämtern können die Bedingungen für den Anschluß eingesehen und Formulare für die Anmeldung in Empfang genommen werden.

Potsdam, den 12. Juni 1890.

Der Kaiserliche Ober-Postdirektor.

Einrichtung einer Reichs-Telegraphenanstalt.

65. In Mesendorf wird am 1. Juli eine mit der Ortspostanstalt verbundene Reichs-Telegraphenanstalt eröffnet werden.

Potsdam, den 27. Juni 1890.

Der Kaiserliche Ober-Postdirektor.

Bekanntmachungen des Königlichen Konsistoriums der Provinz Brandenburg.

Bekanntmachung.

10. Durch das auf Grund der Allerhöchsten Kabinets-Ordre vom 30. April 1830 erlassene Reskript des Königlichen Ministeriums der geistlichen 2c. Angelegenheiten vom 5. Mai desselben Jahres ist den evangelischen Glaubensgenossen, welche an einem Orte ihren Wohnsitz nehmen, wo mehrere der Union beigetretene Kirchengemeinden sich befinden, das Recht verliehen worden, die Gemeinde, welcher sie angehören wollen, zu wählen. Dieses Recht findet nach Maßgabe der angeführten Verordnung, in Folge des Beitritts der evangelischen Kirchengemeinden in Berlin zur Union und unter Beziehung der allgemeinen Bestimmungen auf die besonderen Verhältnisse dieser Gemeinden, hierselbst in der Weise Anwendung, daß die den von auswärts zuziehenden Personen zustehende Wahl getroffen werden kann zwischen einerseits der betreffenden, mit einem örtlich abgegrenzten Kirchsprengel versehenen Gemeinde und andererseits der Dom- oder der Parochial-Kirche.

Da die Ausübung dieses Wahlrechts bisher an eine Frist nicht gebunden gewesen ist, so hat sich das Bedürfniß ergeben, den aus einer oft lange verschobenen Feststellung der Gemeindeangehörigkeit erwachsenden Uebelständen für die Zukunft vorzubeugen.

In Folge der auf Grund Allerhöchsten Erlasses vom 6. September v. J. von dem Herrn Minister der geistlichen Angelegenheiten im Einverständnisse mit dem Evangelischen Ober-Kirchenrath uns ertheilten Ermächtigung wird demnach hierdurch Folgendes bestimmt:

1) Alle von auswärts nach Berlin ziehenden evangelischen Glaubensgenossen haben ohne Rücksicht

auf ihr besonderes Konfessionsverhältniß die Wahl, sich entweder derjenigen Lokalparochie, innerhalb deren sie ihre Wohnung nehmen, oder der Gemeinde der Dom-Kirche resp. der Parochial-Kirche anzuschließen, deren Mitglieder an keinen bestimmten Wohnort in der Stadt gebunden sind und daher durch die Veränderung der Wohnung innerhalb der Stadt die Gemeinde und Kirche nicht wechseln.

2) Diese Wahl muß jedoch binnen Jahresfrist von der Niederlassung in Berlin ab gerechnet, durch eine ausdrückliche Erklärung bei dem Kirchen-Ministerium und dem Vorstande der gewählten Kirche zu erkennen gegeben werden

3) Wird diese Wahl in der bezeichneten Frist nicht ausgeübt, so werden solche evangelischen Einwohner als pflichtige Glieder derjenigen Lokalparochie, innerhalb deren sie ihre Wohnung genommen haben, angesehen und behandelt, und gehen bei jeder Veränderung der letzteren in diejenige Parochie als Mitglieder über, in welcher die neugewählte Wohnung belegen ist.

Berlin, den 21. November 1859.

Königliches Konsistorium der Provinz Brandenburg.

* * *

Vorstehende Bekanntmachung wird hierdurch von Neuem veröffentlicht.

Berlin, den 18. Juni 1890.

Königliches Konsistorium der Provinz Brandenburg.

Bekanntmachungen der Königlichen Hauptverwaltung der Staatsschulden.

Aufgebot einer Schuldverschreibung.

14. Der Gutsbesitzer Seuffert in Tryppehna bei Möckern, Regierungsbezirk Magdeburg, hat auf Umschreibung der Schuldverschreibung der 4prozentigen konsolidirten Staatsanleihe von 1883 Lit. D. № 454299 über 500 M. angetragen, weil die obere rechte Ecke abgerissen ist. In Gemäßheit des § 3 des Gesetzes vom 4. Mai 1843 (Ges.-S. S. 177) wird deshalb Jeder, der an diesem Papier ein Anrecht zu haben vermeint, aufgefordert, dasselbe binnen 6 Monaten und spätestens **am 8. September 1890** uns anzuzeigen, widrigenfalls das Papier kassirt und dem rc. Seuffert ein neues kursfähiges ausgehändigt werden wird. Berlin, den 22. Februar 1890.

Hauptverwaltung der Staatsschulden.

Bekanntmachungen der Königlichen Eisenbahn-Direktion zu Berlin.

Umtausch von Prioritäts-Obligationen verstaatlichter Eisenbahnen gegen dreieinhalbprozentige Staatsschuldverschreibungen und Zinsenzahlung.

30. Die Inhaber der 4 %igen Prioritäts-Obligationen **Lit. C. der Berlin-Anhaltischen Eisenbahn und III. Emission der Berlin-Hamburger Eisenbahn** werden aufgefordert, ihre Obligationen, soweit diese zum Umtausche gegen Schuldverschreibungen der konsolidirten $3\frac{1}{2}$ %igen Staatsanleihe abgestempelt worden sind, zur Ausführung des nach Maßgabe der Angebote vom 15. August 1889 erfolgenden Umtausches vom **1. Juli d. J.** ab bei der Königlichen Eisenbahn-Hauptkasse hier, Leipzigerplatz Nr. 17, einzureichen.

Neben der genannten Kasse nehmen auch, **jedoch nur während der ersten 6 Wochen vom 1. Juli d. J. ab,** die Königliche Eisenbahn-Hauptkasse in Frankfurt a. M. (Sachsenhausen) und die Königlichen Eisenbahn-Betriebskassen in Breslau (Direktionsbezirk Berlin), Cottbus, Guben, Görlitz, Hamburg, Stettin und Stralsund die Obligationen zum Umtausche an.

Mit den Obligationen müssen zugleich die am 2 Januar 1891 und später fällig werdenden Zinsscheine nebst Erneuerungs-Anweisung (Talon) abgegeben werden, beziehungsweise ist der Werth eines jeden fehlenden Zinsscheines baar einzuzahlen.

Ferner ist mit den Obligationen, und zwar für jede Anleihe besonders, ein Nummern-Verzeichniß in einfacher Ausfertigung vorzulegen. **Vordruckbogen zu derartigen Verzeichnissen werden von den vorgenannten Kassen unentgeltlich verabfolgt, Verzeichnisse anderer Art können nicht angenommen werden.**

Zum Umtausche der Obligationen beider Anleihen sind Staatsschuldverschreibungen zu 5000 M., 2000 M., 1000 M. und 500 M., außerdem zum Umtausche der Berlin-Hamburger Eisenbahn-Obligationen auch noch Staatsschuldverschreibungen zu 300 M. und 200 M. vorhanden und solche mit Zinsscheinen über Zinsen vom 1. Juli 1890 ab versehen. Wünsche auf Zutheilung von Stücken einer bestimmten Werthgattung werden thunlichst berücksichtigt werden.

Der Umtausch erfolgt in der ersten Zeit nicht Zug um Zug, sondern es erhält der persönlich erscheinende Einlieferer oder dessen Beauftragter vorläufig eine Empfangs-Bescheinigung. Demnächst wird ein Quittungs-Entwurf **portopflichtig** übersandt werden, den der Obligationseinreicher mit seiner Unterschrift zu versehen und unter Beifügung der vorgedachten Empfangs-Bescheinigung zurückzugeben hat, wogegen die Staatsschuldverschreibungen ausgehändigt werden.

Geschieht die Einreichung der Obligationen durch Vermittelung der Post, so wird nur der Empfang auf Verlangen in dem Begleitschreiben bestätigt; andernfalls wird alsbald ein Quittungs-Entwurf zur Unterschrift übersandt, nach dessen Wiedereingang die Absendung der Schuldverschreibungen mit den Zinsscheinen unter voller Werthangabe erfolgt, sofern eine andere Beweribung nicht ausdrücklich beansprucht ist.

Wollen Inhaber umzutauschender Obligationen die Umwandlung der für die Obligationen zu gewährenden Konsols in eine Buchschuld des Staates herbeiführen, so werden auf Ansuchen der Berechtigten die einzutauschenden $3\frac{1}{2}$ %igen Schuldverschrei-

bungen direkt an die Hauptverwaltung der Staatsschulden (Schuldbuchbureau) abgegeben und erhält der Obligations-Einreicher in solchen Fällen an Stelle des Quittungs-Entwurfs nur entsprechende Nachricht.

Wir benutzen zugleich die Gelegenheit, darauf hinzuweisen, daß diejenigen 4 %igen **Prioritäts-Obligationen La. B. der Berlin-Görlitzer, II. Emission der Berlin-Anhaltischen, Serie VI. der Thüringischen, I. Em. der Berlin-Hamburger und der Schleswig'schen Eisenbahn, sowie II., III. und VI. Emission der Berlin-Stettiner Eisenbahn, hinsichtlich welcher der s. Z. angebotene Umtausch gegen 3½ %ige Staatsschuldverschreibungen angenommen worden ist, laut unserer Bekanntmachungen vom 24. Dezember 1889 und 24. März d. J. bereits seit dem 2. Januar bezw. 1. April d. J. bei der Königlichen Eisenbahn-Hauptkasse hier, Leipzigerplatz 17, umgetauscht werden. Die Besitzer derartiger Obligationen wollen deshalb den Umtausch nunmehr schleunigst ausführen.**

Schließlich bringen wir noch zur öffentlichen Kenntniß, daß die am 1. Juli d. J. fälligen Zinsscheine Serie III. № 9 bezw. Serie IV. № 9 zu den von diesem Zeitpunkte ab umzutauschenden Berlin-Anhaltischen Eisenbahn-Prioritäts-Obligationen La. C. bezw. Berlin-Hamburger, Eisenbahn-Prioritäts-Obligationen III. Emiss., sowie die ebenfalls am 1. Juli d. J. fälligen Zinsscheine Serie IV. № 8 zu den zu demselben Zeitpunkte gekündigten Schleswig'schen Eisenbahn-Prioritäts-Obligationen vom **24. Juni d. J.** ab bei den Königlichen Eisenbahn-Hauptkassen zu Berlin, Leipzigerplatz Nr. 17, Altona, Breslau, Frankfurt a. M. und Köln (rechtsrheinische) eingelöst werden. Außerdem erfolgt die Einlösung der Zinsscheine:

a. zu den Berlin-Anhaltischen Eisenbahn-Prioritäts-Obligationen La. C. bei der Königlichen Eisenbahn-Hauptkasse in Erfurt, der Königlichen Eisenbahn-Betriebskasse in Dessau, der Filiale der Bank für Handel und Industrie, sowie dem Bankhause M. A. von Rothschild & Söhne in Frankfurt a. M. und in der Zeit bis zum 15. Juli d. J. werktäglich von 9—12 Uhr bei der Stationskasse auf dem Thüringer Bahnhofe in Leipzig;

b. zu den Berlin-Hamburger Eisenbahn-Prioritäts-Obligationen III. Emission bei den Königlichen Eisenbahn-Betriebskassen in Flensburg, Hamburg und Kiel und der Mecklenburgischen Sparbank in Schwerin i. M.;

c. zu den Schleswig'schen Eisenbahn-Prioritäts-Obligationen bei den unter b genannten Betriebskassen und dem Bankhause von Erlanger & Söhne in Frankfurt a. M.

Die Zinsscheine sind mit einem von dem Einlieferer unterschriebenen Verzeichnisse vorzulegen, welches für jede Anleihe die Stückzahl der Zinsscheine und deren Betrag im Einzelnen und im Ganzen ergeben muß.

Berlin, den 21. Juni 1890.

Königliche Eisenbahn-Direktion.

Bekanntmachungen der Königlichen Eisenbahn-Direktion zu Bromberg.

Güterverkehr im Herbste.

39. Für die erfahrungsmäßig im Herbst eintretende erhebliche Steigerung des Güterverkehrs auf den Eisenbahnen sind zwar seitens der Eisenbahn-Verwaltung Vorkehrungen getroffen, um erhöhten Anforderungen an den Wagenpark nach Möglichkeit genügen zu können, der gewünschte Erfolg wird jedoch nur zu erreichen sein, wenn auch das verkehrtreibende Publikum seinerseits dazu mitwirkt, indem es frühzeitig mit der Anfuhr des Herbst- und Winterbedarfs beginnt.

Wir ersuchen daher alle Betheiligten, namentlich die Inhaber von Fabriken u. s. w., im eigenen Interesse, die Eisenbahn-Verwaltung in dem Bestreben, dem Mangel an Wagen vorzubeugen, dadurch zu unterstützen, daß, wenn irgend angängig, mit dem Bezuge der für den Winter erforderlichen Materialien, wie Kohlen, Kokes u. s. w. bereits in den Monaten Juli und August begonnen wird.

Bromberg, den 19. Juni 1890.

Königliche Eisenbahn-Direktion.

Ferien-Sonderzüge.

40. Die Ferien-Sonderzüge werden in diesem Jahre wie folgt von Berlin abgelassen werden: I. Nach München bezw. Lindau, Kufstein und Salzburg / Reichenhall am 4. Juli, am 14. Juli und am 2. August vom Anhaltischen Bahnhofe um 5 Uhr 35 Min. Nachmittags. II Nach Frankfurt a. M. und Basel am 4. und 14. Juli vom Potsdamer Bahnhofe um 5 Uhr 27 Min. Nachmittags sowie am 5. Juli und 9. August vom Anhaltischen Bahnhofe um 6 Uhr 20 Min. Nachmittags. III. Nach Stuttgart und Friedrichshafen (Bodensee, Schweiz) am 15. Juli vom Anhaltischen Bahnhofe um 6 Uhr Nachmittags. Der Verkauf der um etwa 50 Prozent ermäßigten Sonderzug-Rückfahrkarten I., II. und III. Wagenklasse mit 45tägiger Geltungsdauer wird am Tage vor der Abfahrt des betreffenden Sonderzuges geschlossen und zwar auf den Stadtbahnhöfen Friedrichstraße und Alexanderplatz sowie bei dem internationalen Reisebüreau U. d. Linden Nr. 67 um 12 Uhr Mittags, auf dem Anhaltischen und Potsdamer Bahnhofe um 6 Uhr Nachmittags. Für die Fahrt nach Berlin können die auf den größeren diesseitigen Stationen verkäuflichen Rückfahrkarten mit Gutscheinen benutzt werden. Die Gutscheinbeträge werden bei der Lösung der Sonderzug-Rückfahrkarten in Anrechnung gebracht. Näheres über die Ferien-Sonderzüge ist bei dem Auskunftsbüreau zu Berlin, Bhf. Alexanderplatz, bei den übrigen oben genannten Berliner Stationen sowie bei den größeren Stationen des diesseitigen Bezirks zu erfahren.

Bromberg, den 22. Juni 1890.

Königliche Eisenbahn-Direktion.

Frachtbegünstigung für Ausstellungsgegenstände.

41. Für diejenigen Gegenstände, welche für die vom 15. bis 29. Juni neuen Stils d. J. in St. Petersburg stattfindende internationale Ausstellung für Gefängnißwesen bestimmt sind, auf derselben ausgestellt werden und unverkauft bleiben, wird auf den Strecken der Preußischen Staats-Eisenbahnen eine Frachtbegünstigung in der Art gewährt, daß nur für die Hinbeförderung die volle tarifmäßige Fracht berechnet wird, die Rückbeförderung an die Versand-Station und den Aussteller aber frachtfrei erfolgt, wenn durch Vorlage des ursprünglichen Frachtbriefes bezw. des Duplikat-Transportscheines für den Hinweg, sowie durch eine Bescheinigung des Ausstellungs-Ausschusses nachgewiesen wird, daß die Gegenstände ausgestellt gewesen und unverkauft geblieben sind, und wenn die Rückbeförderung innerhalb vier Wochen nach Schluß der Ausstellung stattfindet.

Bei Wiederaufgabe von unverkauft gebliebenen Gegenständen, welche von Staatsanstalten zur Ausstellung gesandt waren, wird für den Fall, daß die Anstalten die ursprünglichen Frachtbriefe für die Hinbeförderung zum Zweck der Rechnungslegung zurückbehalten müssen, seitens der Verwaltung der St. Petersburg—Warschau'er Eisenbahn von der Beibringung der fraglichen Frachtpapiere abgesehen werden, und genügt es alsdann, wenn von dem Ausstellungs-Ausschuß besondere Zeugnisse ertheilt werden, welche den Bahnweg für die Hinbeförderung und die volle Frachtzahlung für die letztere beglaubigen.

In den ursprünglichen Frachtbriefen bezw. Duplikat-Transportscheinen für die Hinsendung ist ausdrücklich zu vermerken, daß die mit denselben aufgegebenen Sendungen durchweg aus Ausstellungsgut bestehen.

Bromberg, den 23. Juni 1890.

Königliche Eisenbahn-Direktion.

Bekanntmachungen der Königlichen Eisenbahn-Direktion zu Magdeburg.

Bekanntmachung.

16. Die zum **Umtausch** gegen Schuldverschreibungen der 3½%igen konsolidirten Preußischen Staats-Anleihe abgestempelten 4%igen **Magdeburg-Leipziger Prioritäts-Obligationen der Magdeburg-Halberstädter Eisenbahn-Gesellschaft Litt. A. und B.**, sowie die 4%igen **Magdeburg-Halberstädter Eisenbahn-Prioritäts-Obligationen vom Jahre 1873** sind **vom 1. Juli 1890 ab bei der Königlichen Eisenbahn-Hauptkasse zu Magdeburg** und bei der **Königlichen Eisenbahn-Betriebskasse zu Berlin (auf dem Potsdamer Bahnhofe)**, welche den Umtausch **bewirken**, oder bei der **Königlichen Eisenbahn-Hauptkasse zu Berlin, Leipzigerplatz 17, der Königlichen Eisenbahn-Hauptkasse zu Frankfurt a. M., den Königlichen Eisenbahn-Betriebskassen zu Hamburg, Braunschweig und Halberstadt** — bei den Kassen zu Frankfurt a. M. und Hamburg jedoch nur innerhalb der ersten 6 **Wochen** des Umtauschgeschäftes — welche den Umtausch **vermitteln**, einzureichen.

Die umzutauschenden Obligationen sind mit den Talons und mit den Zinsscheinen über die **vom 1. Juli 1890 ab** laufenden Zinsen einzuliefern. Für fehlende Zinsscheine ist deren Werthbetrag, da beim Umtausch die Staatsschuldverschreibungen mit Zinsscheinen vom 1. Juli 1890 ab laufend ausgehändigt werden, baar einzuzahlen, oder bei Einsendung der Obligationen durch die Post der Postsendung beizufügen.

Außer Kurs gesetzte Obligationen müssen vor der Einlieferung wieder in Kurs gesetzt sein.

Die Einreichung der Obligationen hat nach den Gattungen: Litt. A., Litt B. und 1873er, mittels je eines besonderen Verzeichnisses, in welches die Obligationen in aufsteigender Nummernfolge einzutragen sind, zu erfolgen. Dieser Nummernfolge entsprechend müssen die Obligationen und Zinsscheine je für sich geordnet und je mit einem Papierstreifen umschlossen sein, auf welchem die Anzahl der Stücke und der Name des Einlieferers anzugeben ist. **Formulare zu diesen Verzeichnissen werden von den vorgenannten Kassen unentgeltlich verabfolgt; Verzeichnisse anderer Art können nicht angenommen werden.**

Ueber die eingereichten umzutauschenden Obligationen und Zinsscheine werden, Falls der Umtausch nicht Zug um Zug erfolgen kann, von den annehmenden Kassen Empfangsbescheinigungen ausgestellt, welche bei der durch dieselbe Kasse gegen Quittung erfolgenden Aushändigung der Staatsschuldverschreibungen zurückzugeben sind. Sobald letztere zur Abholung bereit liegen, werden die Einlieferer, eventl. unter Beifügung eines Quittungsentwurfs, portopflichtig davon benachrichtigt.

Ueber die durch die Post eingehenden umzutauschenden Obligationen werden Empfangsbescheinigungen nur auf Verlangen ertheilt. Die Uebersendung der für diese Obligationen auszugebenden Staatsschuldverschreibungen erfolgt gleichfalls durch die Post unter voller Werthangabe, sofern ein Anderes nicht bestimmt wird. Der Empfänger hat **umgehend** Quittung zu ertheilen, falls letztere nicht bereits vorher gefordert worden ist.

Für den Umtausch stehen Staatsschuldverschreibungen in Stücken zu 5000, 2000, 500, 300 und 200 Mark in beschränkter Anzahl zur Verfügung. Wünsche auf Zutheilung von Stücken einer bestimmten Gattung werden, soweit möglich, Berücksichtigung finden.

Wollen Empfänger von Staatsschuldverschreibungen die Umwandlung derselben in eine Buchschuld des Staates herbeiführen, so werden auf ihren Antrag die Staatsschuldverschreibungen zu diesem Zwecke direkt an die Hauptverwaltung der Staatsschulden (Schuldbuchbureau) abgegeben und sie nur mit entsprechender Nachricht versehen werden.

Stadtvoigteigefängniß in Berlin, zu Gefängnißbureau-Assistenten die Bureau-Diätarien Prell bei dem Strafgefängniß am Plötzensee, Stein bei dem Untersuchungs-Gefängniß in Berlin.

Pensionirt sind: der Gerichtsschreiber Ernst August Carl Schmidt bei dem Amtsgericht I. in Berlin und der Gefängniß-Sekretär Szczesniak bei dem Untersuchungs-Gefängniß in Berlin.

Verstorben sind: der Erste Gerichtsschreiber Barz bei dem Amtsgericht in Guben, der Kanzlist Rantke bei der Staatsanwaltschaft in Frankfurt a. O, der Gerichtsschreiber Hildebrandt beim Kammergericht.

Ausweisung von Ausländern aus dem Reichsgebiete.

Lauf. Nr.	Name und Stand des Ausgewiesenen	Alter und Heimath des Ausgewiesenen	Grund der Bestrafung.	Behörde, welche die Ausweisung beschlossen hat.	Datum des Ausweisungs-Beschlusses.
1.	2.	3	4.	5.	6.
		a. Auf Grund des § 39 des Strafgesetzbuchs:			
1	Johann Cabon, Tagearbeiter,	geboren am 11. Dezember 1851 zu Jastrzemb, Kreis Bendzin, Russisch-Polen, ortsangehörig ebendaselbst,	Raub und einfacher Diebstahl (6 Jahre 3 Wochen Zuchthaus laut Erkenntniß vom 25. April 1884),	Königlich Preußischer Regierungspräsident zu Oppeln,	22. Februar 1890.
2	Alexander Kunz, Schriftsetzer,	geboren zu Kornoluncze, Oesterreich, heimathsberechtigt in Wien (Klein-Bukowin),	Betteln, Landstreichen und einfacher Diebstahl im wiederholten Rückfall (2 Jahre Zuchthaus laut Erkenntniß vom 15ten März 1888),	Königlich Preußische Regierung zu Bromberg,	25. Januar 1890.
		b. Auf Grund des § 362 des Strafgesetzbuchs:			
1	Leopold Lucka, Handlungsdiener,	geboren am 21. April 1851 zu Prag, Böhmen,	Betteln im wiederholten Rückfall,	Königlicher Polizei-Präsident zu Berlin,	6. Mai 1890.
2	Stephan Szabó, Tagelöhner,	27 Jahre alt, geboren und ortsangehörig zu Perbenyck, Ungarn,	Landstreichen,	Königlich Preußischer Regierungspräsident zu Potsdam,	19. Mai 1890.
3	Stanislaus Betlewsky, Kutscher,	22 Jahre alt, geboren und ortsangehörig zu Wumpelsky, Gouvernement Plock, Russisch-Polen,	desgleichen,	Königlich Preußischer Regierungspräsident zu Breslau,	19 Dezember 1889.
4	Die Zigeuner:				
	a Joseph Schittek, Schmied,	38 Jahre alt, geboren und ortsangehörig zu Bielitz, Oesterreich,	desgleichen,		
	b. dessen Ehefrau Pauline,	31 Jahre alt, geboren und ortsangehörig zu Bielitz,			
	c. Karoline Ferra, unverheirathet,	50 Jahre alt, geboren und ortsangehörig zu Bielitz,		Königlich Preußischer Regierungs-Präsident zu Oppeln,	2. Mai 1890.
	d. Johanna Kukla, unverheirathet,	20 Jahre alt, geboren und ortsangehörig zu Skotschow, Galizien,	Landstreichen u. Betteln,		
	e. Mathilde Kukla, unverheirathet,	18 Jahre alt, geboren und ortsangehörig zu Skotschow,			
5	Alois Stiegler, Tagelöhner,	geboren am 11. Februar 1873 zu Weihartitz, Bezirk Schüttenhofen, Böhmen, ortsangehörig ebendaselbst,	Landstreichen,	Stadtmagistrat Nürnberg, Bayern,	27. April 1890.

Wahlbezirk	Wahlbezirk wählt Ausschußmitglieder aus dem Stande der Arbeitgeber	Versicherten	Name der in dem Wahlbezirk wahlberechtigten Krankenkassen ꝛc.	Sitz	Zahl der Kassenmitglieder ꝛc.	auf die Kasse entfallenden Stimmen
noch II.	2	2	24. Werkstättenkrankenkasse der Hauptwerkstatt Berlin und Betriebswerkstatt Rummelsburg	Berlin	703	9
			25. Werkstättenkrankenkasse für die Eisenbahn-Hauptwerkstätte zu Berlin (Berlin—Lehrte) und die Betriebswerkstätte daselbst (Eisenbahn-Directions-Bezirk Magdeburg)	dto.	240	
			26. Eisenbahn-Betriebskrankenkasse für den Bezirk des Königlichen Eisenbahn-Betriebsamts Berlin (Eisenbahn-Directionsbezirk Altona)	dto.	1290	14
			27. Betriebskrankenkasse für den Bezirk des Königlichen Eisenbahn-Betriebsamts zu Berlin (Eisenbahn-Directionsbezirk Bromberg)	dto.	2168	23
			28. Werkstättenkrankenkasse für die Eisenbahn-Hauptwerkstatt zu Berlin und die Neben- bezw. Betriebswerkstätten zu Berlin, Küstrin und Landsberg (Eisenbahn-Directionsbezirk Bromberg)	dto.	877	10
					65207	692
III.	1	1	1. Ortskrankenkasse der Böttcher	Fürstenwalderstr. Nr. 21	322	5
			2. „ der Buchbinder und verwandten Gewerbe	Adalbertstr. 72	3518	37
			3. Ortskrankenkasse der Drechsler und verwandten Gewerbe	Kl. Stralauerstr. Nr. 12/13	3249	34
			4. Ortskrankenkasse der Vergolder und Berufsgenossen	Mariannenstr. 2	1342	15
			5. Ortskrankenkasse der Korbmacher und verwandten Gewerbe	Dessauerstr. 31	333	5
			6. Ortskrankenkasse der Möbelpolirer	Oranienstr. 169	641	8
			7. „ für das Gewerbe der Verfertigung von Musikinstrumenten	Grenadierstr. 3	188	3
			8. Ortskrankenkasse der Photographen	Neue Roßstr 16 II.	558	7
			9. „ der Sattler und verwandten Gewerbe	Neumannsgasse Nr. 11	921	11
			10 Ortskrankenkasse der Steindrucker und Lithographen	Breslauerstr. 5 I.	1962	21
			11. Ortskrankenkasse der Stellmacher	Veteranenstr. 22	404	6
			12. „ der Tapezierer	Christinenstr. 9	1911	21
			13. „ der Tischler und Pianofortearbeiter	Fischerbrücke 22	16592	167
			14. Ortskrankenkasse der Weißgerber	Prinzen-Allee 59	50	1
			15. Fabrikkrankenkasse der Berliner Musikinstrumentenfabrik Actiengesellschaft vorm. Ch. F. Pietschmann & Söhne	Brunnenstr. 28a.	380	5
					32371	346
IV.	1	1	1. Ortskrankenkasse der Barbiere	Wasserthorstr. 62	329	5
			2. „ der Friseure	Molkenmarkt 10	136	3
			3. „ der Handschuhmacher und verw. Gewerbe	Fehrbellinerstr. 81	302	5
			4. Ortskrankenkasse der Hutmacher und Filzwaarenverfertiger	Chorinerstr. 84 I.	1982	21

Wahlbezirk	Wahlbezirk wählt Ausschußmitglieder aus dem Stande der Arbeitgeber	Versicherten	Name der in dem Wahlbezirk wahlberechtigten Krankenkassen 2c.	Sitz	Zahl der Kassenmitglieder 2c.	Zahl der auf die Kasse entfallenden Stimmen
noch IV.	1	1	5. Ortskrankenkasse der Kürschner und Berufsgenossen	Commandantenstraße 60 III. Hof l. II. Eing.	554	7
			6. Ortskrankenkasse der Schneider	Stallschreiberstr. Nr. 36	14586	147
			7. Ortskrankenkasse der Schuhmacher	Markgrafenstr. 83 Hof part.	3762	39
			8. „ der Tuchmacher	Heinersdorferst. 13	61	2
			9. „ der Tuchscheerer und Tuchbereiter	Mühlenstr. 60a.	55	2
			10. Ortskrankenkasse für die Wäschefabrikation	Georgenkirchstr. 1	4808	50
			11. Innungskrankenkasse der Barbiere und Friseure	Alexanderstr. 69	1144	13
			12. Innungskrankenkasse der Damenmäntel-Schneider	Skalitzerstr. 29a	2914	31
			13. Innungskrankenkasse der Schneider	Oranienstr. 17	525	7
					31158	332
V.	1	1	1. Ortskrankenkasse der Bildhauer, Stuckateure 2c.	Langestr. 109	2321	25
			2. „ der Brunnenmacher	Louisenplatz 10	270	4
			3. „ der Dachdecker	Wrangelstr. 88 Quergeb. I.	621	8
			4. „ der Maler	Ritterstr. 116	2689	28
			5. „ der Maurer	Holzmarktstr. 48a.	19902	201
			6. „ der Schornsteinfeger	Heimstr. 26	45	1
			7. „ des Zimmerergewerbes	Keibelstr. 12	4818	50
			8. Betriebskrankenkasse von F. Hirt, Bau-Unternehmer	Askanischer Pl. 3	1	1
			9. Betriebskrankenkasse R. Schneider, Eisenbahnbau-Unternehmer	Potsdamerstr. 71	296	4
			10. Betriebskrankenkasse Louis Prehn & Günther, Tiefbau-Ausführung	Weißenburgerstr. Nr. 17	137	3
			11. Betriebskrankenkasse des Bauunternehmers Ph. Balke	Königin Augustastraße 26. I.	356	5
			12. Innungskrankenkasse der Schornsteinfeger	Swinemünderstr. 139	165	3
			13. „ der Steinsetzer	Chausseestr. 2b.	625	8
					32246	341
VI.	1	1	1. Ortskrankenkasse der Gastwirthe und verwandten Gewerbe	Französischestr. 10	12793	129
			2. Ortkrankenkasse für den Gewerbebetrieb der Kaufleute, Handelsleute und Apotheker	Neue Schönhauserstr. 2 I.	16627	168
			3. Betriebskrankenkasse der neuen Berliner Omnibus- und Packetfahrt-Aktiengesellschaft	Alexandrinenstr. Nr. 93	841	10
			4. Betriebskrankenkasse der Großen Berliner Pferdeeisenbahn-Actien-Gesellschaft	Friedrichstr. 218	2933	31
			5. Betriebskrankenkasse der Neuen Berliner Pferdebahn-Gesellschaft	Kl. Frankfurterstr. Nr. 1	524	7
			6. Betriebskrankenkasse der Allgemeinen Berliner Omnibus-Actien-Gesellschaft	Kurfürstenstr. 143	560	7
			7. Postkrankenkasse für den Bezirk der Kaiserlichen Oberpostdirection Berlin		1660	18
			8. Innungskrankenkasse der Fuhrherrn	Alexanderstr. 22	1406	16
					37344	386

Wahlbezirk	Wahlbezirk wählt Ausschußmitglieder aus dem Stande der Arbeitgeber	Versicherten	Name der in dem Wahlbezirk wahlberechtigten Krankenkassen 2c.	Sitz	Zahl der Kassenmitglieder 2c	Zahl der auf die Kasse entfallenden Stimmen
			1. Ortskrankenkasse der Bäcker	Brunnenstr. 5	1504	17
			2. „ für das Bierbrauer-Gewerbe	Schönh. Allee 163	1088	12
			3. „ der Cigarrenmacher, Tabakspinner 2c.	Brunnenstr. 18	964	11
			4. Ortskrankenkasse d. Conditoren u. Pfefferküchler	Oranienstr. 123	787	9
			5. Ortskrankenkasse der Posamentierer, Seiler 2c.	Seidelstr. 27	481	6
			6. „ des Schlächtergewerbes	Neue Grünstr. 13	2136	23
			7. „ der Strumpfwirker	Fliederstr. 11	201	4
			8. „ der Tabakfabrikarbeiter	Heiligegeiststr. 21	166	3
			9. „ der Töpfer	Strelitzerstr. 7. pt.	1435	16
			10. „ der Weber u. verw. Gewerbe	Fruchtstr. 45	2850	30
			11. Betriebskrankenkasse der Meierei von C. Bolle	A.-Moabit 99/103	296	4
			12. Fabrikkrankenkasse der Chemischen Fabrik auf Actien, vorm. E. Schering	Fennstr. 11/12	368	5
			13. Fabrikkrankenkasse der Firma W. und G. Keßler, Posamenten-Schnurfabrik, Klöppelei	Elisabeth-Ufer 19	209	4
			14. Fabrikkrankenkasse der Firma R. Eisemann, Sprittfabrik	Mühlenstr. 6/7	36	1
VII.	1	1	15. Betriebskrankenk. d. K. Porzellan-Manufactur	Wegelystr.	360	5
			16. Innungskrankenk. d. Pfefferküchler u. Conditor.	Ohmgasse 1	158	3
			17. Innungskrankenkasse der Weber	Andreasstr. 39	797	9
			18. Innungskrankenkasse der Glaser	Brandenburgst. 29	398	5
			19. Innungskrankenkasse der Strumpfwirker	Pallisadenstr. 17	187	3
			20. Betriebskrankenkasse des Königlichen Eisenbahn-Betriebsamts Berlin-Sommerfeld	Berlin	2627	28
			21. Betriebskrankenkasse für den Bezirk des Königlichen Eisenbahnbetriebsamts Berlin-Lehrte (Eisenbahn-Direktionsbezirk Magdeburg)	dto.	2100	23
			22. Betriebskrankenkasse für den Bezirk des Kgl. Eisenbahnbetriebsamts Berlin-Magdeburg (Eisenbahn-Direktionsbezirk Magdeburg)	dto.	1247	14
			23. Betriebskrankenkasse für den Bezirk des Königlichen Eisenbahnbetriebsamts zu Berlin (Eisenbahn-Directionsbezirk Erfurt)	dto.	2698	28
			24. Betriebskrankenkasse für den Bezirk des Kgl Eisenbahnbetriebsamts Berlin-Blankenheim	dto.	759	9
			25. Zahl derjenigen Versicherten, welche einer wahlberechtigten Krankenkasse 2c. nicht angehören (vgl. Wahlbezirk VIII.)		11000	110
					34852	382
VIII.	1	1	*) Zahl derjenigen Versicherten, welche einer wahlberechtigten Krankenkasse 2c. nicht angehören (vergl. Wahlbezirk VIII.)		34000	342

*) Die Zahl der einer Krankenkasse 2c. angehörigen Wahlberechtigten beträgt . . . 282 817 Personen.

Nach der Statistik über die Volkszählung im Jahre 1885 betrug die Zahl der Einwohner in Berlin 1 315 287. Die Zahl der auf Grund des Alters- und Invaliditäts-Gesetzes zu Versichernden (etwa 250 von 1000 Einwohnern) . . . . 328 822 „

Hiervon ab die zuerst angegebene Zahl der den Krankenkassen 2c. angehörigen Wahlberechtigten bleiben . . . . 46 005 „

welche auf 45 000 abgerundet aufzuführen waren.

Potsdam, den 19. Juni 1890. Der Ober-Präsident von Berlin, Staatsminister von Achenbach.

Potsdam, Buchdruckerei der A. W. Hayn'schen Erben (C. Hayn, Hof-Buchdrucker).

Amtsblatt

der Königlichen Regierung zu Potsdam und der Stadt Berlin.

Stück 27. Den 4. Juli 1890.

Bekanntmachungen der Königlichen Ministerien.

Ankauf von Remonten für 1890.

Regierungs-Bezirk Potsdam.

18. Zum Ankaufe von Remonten im Alter von drei und ausnahmsweise vier Jahren sind im Bereiche der Königlichen Regierung zu Potsdam für dieses Jahr nachstehende, Morgens 8 resp. 9 Uhr beginnende Märkte anberaumt worden und zwar:

am	4. Juli	Wilsnack	9 Uhr,
	7. „	Meyenburg	8 „
	25. „	Prenzlau	8 „
	26. „	Angermünde	8 „
	28. „	Kyritz	9 „
	29. „	Wittstock	8 „
	30. „	Pritzwalk	8 „
	31. „	Perleberg	8 „
	1. August	Lenzen a. Elbe	8 „

Die von der Remonte-Ankaufs-Kommission erkauften Pferde werden zur Stelle abgenommen und sofort gegen Quittung baar bezahlt.

Pferde mit solchen Fehlern, welche nach den Landesgesetzen den Kauf rückgängig machen, sind vom Verkäufer gegen Erstattung des Kaufpreises und der Unkosten zurückzunehmen, ebenso Krippensetzer und Klopphengste, welche sich in den ersten zehn beziehungsweise acht und zwanzig Tagen nach Einlieferung in den Depots als solche erweisen. Pferde, welche den Verkäufern nicht eigenthümlich gehören, oder durch einen nicht legitimirten Bevollmächtigten der Kommission vorgestellt werden, sind vom Kauf ausgeschlossen.

Die Verkäufer sind verpflichtet, jedem verkauften Pferde eine neue starke rindlederne Trense mit starkem Gebiß und eine neue Kopfhalfter von Leder oder Hanf mit 2 mindestens zwei Meter langen Stricken ohne besondere Vergütung mitzugeben.

Um die Abstammung der vorgeführten Pferde feststellen zu können, sind die Deckscheine resp. Füllenscheine mitzubringen, auch werden die Verkäufer ersucht, die Schweife der Pferde nicht zu koupiren oder übermäßig zu verkürzen. Ferner ist es dringend erwünscht, daß ein zu massiger oder zu weicher Futterzustand bei den zum Verkauf zu stellenden Remonten nicht stattfindet, weil dadurch die in den Remontedepots vorkommenden Krankheiten sehr viel schwerer zu übersehen sind, als dies bei rationell und nicht übermäßig gefutterten Remonten der Fall ist. Die auf den Märkten vorzustellenden Remonten müssen daher in solcher Verfassung sein, daß sie durch mangelhafte Ernährung nicht gelitten haben und bei der Musterung ihrem Alter entsprechend in Knochen und Muskulatur ausgebildet sind.

Berlin, den 21. März 1890.

Kriegs-Ministerium. Remontirungs-Abtheilung.

Bekanntmachungen des Königlichen Ober-Präsidenten der Provinz Brandenburg.

16. Auf Grund des § 49 des Reichsgesetzes, betreffend die Invaliditäts- und Altersversicherung vom 22. Juni 1889 in Verbindung mit meiner Bekanntmachung vom 4 Juni d. J. (№ 13 Extra-Beilage zum Amtsblatte Stück 24 der Königlichen Regierung zu Potsdam) habe ich den Königlichen Regierungs-Assessor Lewald, hierselbst, Priesterstraße 12, zum Beauftragten für die Leitung der Wahlen der Ausschußmitglieder für die zur Durchführung der Invaliditäts- und Altersversicherung errichtete Versicherungsanstalt der Provinz Brandenburg bestellt.

Potsdam, den 21. Juni 1890.

Der Ober-Präsident, Staatsminister von Achenbach.

Bekanntmachung.

17. Gemäß № 1 Absatz 3 der in der Extra-Beilage zum Amtsblatt Stück 24 der Königlichen Regierung zu Potsdam und der Stadt Berlin vom 13ten Juni 1890 erschienenen Wahlordnung vom 4. d. Mts., betreffend die Wahlen der Ausschußmitglieder für die zur Durchführung der Invaliditäts- und Altersversicherung errichtete Versicherungsanstalt der Provinz Brandenburg, bringe ich nachstehend die Eintheilung der Wahlbezirke, ihre Reihenfolge und die Zahl der in jedem derselben zu wählenden Vertreter der Arbeitgeber und der Versicherten zur öffentlichen Kenntniß:

Wahlbezirk I.	umfaßt die Kreise Westprignitz, Ostprignitz, Ruppin, Westhavelland, Osthavelland (Reg.-Bez. Potsdam) mit einer Gesammtstimmenzahl von .... wählt je 2 Vertreter.	952
Wahlbezirk II.	umfaßt die Stadtkreise Spandau, Potsdam und Charlottenburg (Reg.-Bez. Potsdam) mit einer Gesammtstimmenzahl von ... wählt je 1 Vertreter.	446
Wahlbezirk III.	umfaßt den Stadtkreis Brandenburg, sowie die Kreise Zauch-Belzig und Jüterbog (Reg.-Bez. Potsdam), Luckau, Kalau und	

auf ihr besonderes Konfessionsverhältniß die Wahl, sich entweder derjenigen Lokalparochie, innerhalb deren sie ihre Wohnung nehmen, oder der Gemeinde der Dom-Kirche resp. der Parochial-Kirche anzuschließen, deren Mitglieder an keinen bestimmten Wohnort in der Stadt gebunden sind und daher durch die Veränderung der Wohnung innerhalb der Stadt die Gemeinde und Kirche nicht wechseln.

2) Diese Wahl muß jedoch binnen Jahresfrist von der Niederlassung in Berlin ab gerechnet, durch eine ausdrückliche Erklärung bei dem Kirchen-Ministerium und dem Vorstande der gewählten Kirche zu erkennen gegeben werden

3) Wird diese Wahl in der bezeichneten Frist nicht ausgeübt, so werden solche evangelischen Einwohner als pflichtige Glieder derjenigen Lokalparochie, innerhalb deren sie ihre Wohnung genommen haben, angesehen und behandelt, und gehen bei jeder Veränderung der letzteren in diejenige Parochie als Mitglieder über, in welcher die neugewählte Wohnung belegen ist.

Berlin, den 21. November 1859.

Königliches Konsistorium der Provinz Brandenburg.

* * *

Vorstehende Bekanntmachung wird hierdurch von Neuem veröffentlicht.

Berlin, den 18. Juni 1890.

Königliches Konsistorium der Provinz Brandenburg.

Bekanntmachungen der Königlichen Hauptverwaltung der Staatsschulden.

Aufgebot einer Schuldverschreibung.

14. Der Gutsbesitzer Seuffert in Tryppehna bei Möckern, Regierungsbezirk Magdeburg, hat auf Umschreibung der Schuldverschreibung der 4prozentigen konsolidirten Staatsanleihe von 1883 Lit. D. № 454299 über 500 M. angetragen, weil die obere rechte Ecke abgerissen ist. In Gemäßheit des § 3 des Gesetzes vom 4. Mai 1843 (Ges.-S. S. 177) wird deshalb Jeder, der an diesem Papier ein Anrecht zu haben vermeint, aufgefordert, dasselbe binnen 6 Monaten und spätestens **am 8. September 1890** uns anzuzeigen, widrigenfalls das Papier kassirt und dem rc. Seuffert ein neues kursfähiges ausgehändigt werden wird. Berlin, den 22. Februar 1890.

Hauptverwaltung der Staatsschulden.

Bekanntmachungen der Königlichen Eisenbahn-Direktion zu Berlin.

Umtausch von Prioritäts-Obligationen verstaatlichter Eisenbahnen gegen dreieinhalbprozentige Staatsschuldverschreibungen und Zinsenzahlung.

30. Die Inhaber der 4 %igen Prioritäts-Obligationen **La. C. der Berlin-Anhaltischen Eisenbahn und III. Emission der Berlin-Hamburger Eisenbahn** werden aufgefordert, ihre Obligationen, soweit diese zum Umtausche gegen Schuldverschreibungen der konsolidirten 3½ %igen Staatsanleihe abgestempelt worden sind, zur Ausführung des nach Maßgabe der Angebote vom 15. August 1889 erfolgenden Umtausches vom **1. Juli d. J.** ab bei der Königlichen Eisenbahn-Hauptkasse hier, Leipzigerplatz Nr. 17, einzureichen.

Neben der genannten Kasse nehmen auch, **jedoch nur während der ersten 6 Wochen vom 1. Juli d. J. ab,** die Königliche Eisenbahn-Hauptkasse in Frankfurt a. M. (Sachsenhausen) und die Königlichen Eisenbahn-Betriebskassen in Breslau (Direktionsbezirk Berlin), Cottbus, Guben, Görlitz, Hamburg, Stettin und Stralsund die Obligationen zum Umtausche an.

Mit den Obligationen müssen zugleich die am 2 Januar 1891 und später fällig werdenden Zinsscheine nebst Erneuerungs-Anweisung (Talon) abgegeben werden, beziehungsweise ist der Werth eines jeden fehlenden Zinsscheines baar einzuzahlen.

Ferner ist mit den Obligationen, und zwar für jede Anleihe besonders, ein Nummern-Verzeichniß in einfacher Ausfertigung vorzulegen. **Vordruckbogen zu derartigen Verzeichnissen werden von den vorgenannten Kassen unentgeltlich verabfolgt, Verzeichnisse anderer Art können nicht angenommen werden.**

Zum Umtausche der Obligationen beider Anleihen sind Staatsschuldverschreibungen zu 5000 M., 2000 M., 1000 M. und 500 M., außerdem zum Umtausche der Berlin-Hamburger Eisenbahn-Obligationen auch noch Staatsschuldverschreibungen zu 300 M. und 200 M. vorhanden und solche mit Zinsscheinen über Zinsen vom 1. Juli 1890 ab versehen. Wünsche auf Zutheilung von Stücken einer bestimmten Werthgattung werden thunlichst berücksichtigt werden.

Der Umtausch erfolgt in der ersten Zeit nicht Zug um Zug, sondern es erhält der persönlich erscheinende Einlieferer oder dessen Beauftragter vorläufig eine Empfangs-Bescheinigung. Demnächst wird ein Quittungs-Entwurf **portopflichtig** übersandt werden, den der Obligationseinreicher mit seiner Unterschrift zu versehen und unter Beifügung der vorgedachten Empfangs-Bescheinigung zurückzugeben hat, wogegen die Staatsschuldverschreibungen ausgehändigt werden.

Geschieht die Einreichung der Obligationen durch Vermittelung der Post, so wird nur der Empfang auf Verlangen in dem Begleitschreiben bestätigt; andernfalls wird alsbald ein Quittungs-Entwurf zur Unterschrift übersandt, nach dessen Wiedereingang die Absendung der Schuldverschreibungen mit den Zinsscheinen unter voller Werthangabe erfolgt, sofern eine andere Bewerthung nicht ausdrücklich beansprucht ist.

Wollen Inhaber umzutauschender Obligationen die Umwandlung der für die Obligationen zu gewährenden Konsols in eine Buchschuld des Staates herbeiführen, so werden auf Ansuchen der Berechtigten die einzutauschenden 3½ %igen Schuldverschrei-

bungen direkt an die Hauptverwaltung der Staatsschulden (Schuldbuchbureau) abgegeben und erhält der Obligations-Einreicher in solchen Fällen an Stelle des Quittungs-Entwurfs nur entsprechende Nachricht.

Wir benutzen zugleich die Gelegenheit, darauf hinzuweisen, daß diejenigen 4 %igen **Prioritäts-Obligationen La. B. der Berlin-Görlitzer, II. Emission der Berlin-Anhaltischen, Serie VI. der Thüringischen, I. Em. der Berlin-Hamburger und der Schleswig'schen Eisenbahn, sowie II., III. und VI. Emission der Berlin-Stettiner Eisenbahn, hinsichtlich welcher der s. Z. angebotene Umtausch gegen** $3\frac{1}{2}$ %ige **Staatsschuldverschreibungen angenommen worden ist, laut unserer Bekanntmachungen vom 24. Dezember 1889 und 24. März d. J. bereits seit dem 2. Januar bezw. 1. April d. J. bei der Königlichen Eisenbahn-Hauptkasse hier, Leipzigerplatz 17, umgetauscht werden. Die Besitzer derartiger Obligationen wollen deshalb den Umtausch nunmehr schleunigst ausführen.**

Schließlich bringen wir noch zur öffentlichen Kenntniß, daß die am 1. Juli d. J. fälligen Zinsscheine Serie III. № 9 bezw. Serie IV. № 9 zu den von diesem Zeitpunkte ab umzutauschenden Berlin-Anhaltischen Eisenbahn-Prioritäts-Obligationen La. C. bezw. Berlin-Hamburger Eisenbahn-Prioritäts-Obligationen III. Emiss., sowie die ebenfalls am 1. Juli d. J. fälligen Zinsscheine Serie IV. № 8 zu den zu demselben Zeitpunkte gekündigten Schleswig'schen Eisenbahn-Prioritäts-Obligationen vom **24. Juni d. J.** ab bei den Königlichen Eisenbahn-Hauptkassen zu Berlin, Leipzigerplatz Nr. 17, Altona, Breslau, Frankfurt a. M. und Köln (rechtsrheinische) eingelöst werden. Außerdem erfolgt die Einlösung der Zinsscheine:

a. zu den Berlin-Anhaltischen Eisenbahn-Prioritäts-Obligationen La. C. bei der Königlichen Eisenbahn-Hauptkasse in Erfurt, der Königlichen Eisenbahn-Betriebskasse in Dessau, der Filiale der Bank für Handel und Industrie, sowie dem Bankhause M. A. von Rothschild & Söhne in Frankfurt a M. und in der Zeit bis zum 15. Juli d. J. werktäglich von 9—12 Uhr bei der Stationskasse auf dem Thüringer Bahnhofe in Leipzig;

b zu den Berlin-Hamburger Eisenbahn-Prioritäts-Obligationen III. Emission bei den Königlichen Eisenbahn-Betriebskassen in Flensburg, Hamburg und Kiel und der Mecklenburgischen Sparbank in Schwerin i. M.;

c. zu den Schleswig'schen Eisenbahn-Prioritäts-Obligationen bei den unter b genannten Betriebskassen und dem Bankhause von Erlanger & Söhne in Frankfurt a. M.

Die Zinsscheine sind mit einem von dem Einlieferer unterschriebenen Verzeichnisse vorzulegen, welches für jede Anleihe die Stückzahl der Zinsscheine und deren Betrag im Einzelnen und im Ganzen ergeben muß.

Berlin, den 21. Juni 1890.

Königliche Eisenbahn-Direktion.

Bekanntmachungen der Königlichen Eisenbahn-Direktion zu Bromberg.

Güterverkehr im Herbste.

39. Für die erfahrungsmäßig im Herbst eintretende erhebliche Steigerung des Güterverkehrs auf den Eisenbahnen sind zwar seitens der Eisenbahn-Verwaltung Vorkehrungen getroffen, um erhöhten Anforderungen an den Wagenpark nach Möglichkeit genügen zu können, der gewünschte Erfolg wird jedoch nur zu erreichen sein, wenn auch das verkehrtreibende Publikum seinerseits dazu mitwirkt, indem es frühzeitig mit der Anfuhr des Herbst- und Winterbedarfs beginnt.

Wir ersuchen daher alle Betheiligten, namentlich die Inhaber von Fabriken u. s. w., im eigenen Interesse, die Eisenbahn-Verwaltung in dem Bestreben, dem Mangel an Wagen vorzubeugen, dadurch zu unterstützen, daß, wenn irgend angängig, mit dem Bezuge der für den Winter erforderlichen Materialien, wie Kohlen, Kokes u. s. w. bereits in den Monaten Juli und August begonnen wird.

Bromberg, den 19. Juni 1890.

Königliche Eisenbahn-Direktion.

Ferien-Sonderzüge.

40. Die Ferien-Sonderzüge werden in diesem Jahre wie folgt von Berlin abgelassen werden: I. Nach München bezw. Lindau, Kufstein und $\frac{\text{Salzburg}}{\text{Reichenhall}}$ am 4. Juli, am 14. Juli und am 2. August vom Anhaltischen Bahnhofe um 5 Uhr 35 Min. Nachmittags. II Nach Frankfurt a. M. und Basel am 4. und 14. Juli vom Potsdamer Bahnhofe um 5 Uhr 27 Min. Nachmittags sowie am 5. Juli und 9. August vom Anhaltischen Bahnhofe um 6 Uhr 20 Min. Nachmittags. III. Nach Stuttgart und Friedrichshafen (Bodensee, Schweiz) am 15. Juli vom Anhaltischen Bahnhofe um 6 Uhr Nachmittags. Der Verkauf der um etwa 50 Prozent ermäßigten Sonderzug-Rückfahrkarten I., II. und III. Wagenklasse mit 45tägiger Geltungsdauer wird am Tage vor der Abfahrt des betreffenden Sonderzuges geschlossen und zwar auf den Stadtbahnhöfen Friedrichstraße und Alexanderplatz sowie bei dem internationalen Reisebüreau U. d. Linden Nr. 67 um 12 Uhr Mittags, auf dem Anhaltischen und Potsdamer Bahnhofe um 6 Uhr Nachmittags. Für die Fahrt nach Berlin können die auf den größeren diesseitigen Stationen verkäuflichen Rückfahrkarten mit Gutscheinen benutzt werden. Die Gutscheinbeträge werden bei der Lösung der Sonderzug-Rückfahrkarten in Anrechnung gebracht. Näheres über die Ferien-Sonderzüge ist bei dem Auskunftsbüreau zu Berlin, Bhf. Alexanderplatz, bei den übrigen oben genannten Berliner Stationen sowie bei den größeren Stationen des diesseitigen Bezirks zu erfahren.

Bromberg, den 22. Juni 1890.

Königliche Eisenbahn-Direktion.

Frachtbegünstigung für Ausstellungsgegenstände.

41. Für diejenigen Gegenstände, welche für die vom 15. bis 29. Juni neuen Stils d. J. in St. Petersburg stattfindende internationale Ausstellung für Gefängnißwesen bestimmt sind, auf derselben ausgestellt werden und unverkauft bleiben, wird auf den Strecken der Preußischen Staats-Eisenbahnen eine Frachtbegünstigung in der Art gewährt, daß nur für die Hinbeförderung die volle tarifmäßige Fracht berechnet wird, die Rückbeförderung an die Versand-Station und den Aussteller aber frachtfrei erfolgt, wenn durch Vorlage des ursprünglichen Frachtbriefes bezw. des Duplikat-Transportscheines für den Hinweg, sowie durch eine Bescheinigung des Ausstellungs-Ausschusses nachgewiesen wird, daß die Gegenstände ausgestellt gewesen und unverkauft geblieben sind, und wenn die Rückbeförderung innerhalb vier Wochen nach Schluß der Ausstellung stattfindet.

Bei Wiederaufgabe von unverkauft gebliebenen Gegenständen, welche von Staatsanstalten zur Ausstellung gesandt waren, wird für den Fall, daß die Anstalten die ursprünglichen Frachtbriefe für die Hinbeförderung zum Zweck der Rechnungslegung zurückbehalten müssen, seitens der Verwaltung der St. Petersburg—Warschau'er Eisenbahn von der Beibringung der fraglichen Frachtpapiere abgesehen werden, und genügt es alsdann, wenn von dem Ausstellungs-Ausschuß besondere Zeugnisse ertheilt werden, welche den Bahnweg für die Hinbeförderung und die volle Frachtzahlung für die letztere beglaubigen.

In den ursprünglichen Frachtbriefen bezw. Duplikat-Transportscheinen für die Hinsendung ist ausdrücklich zu vermerken, daß die mit denselben aufgegebenen Sendungen durchweg aus Ausstellungsgut bestehen.

Bromberg, den 23. Juni 1890.

Königliche Eisenbahn-Direktion.

Bekanntmachungen der Königlichen Eisenbahn-Direktion zu Magdeburg.

Bekanntmachung.

16. Die zum **Umtausch** gegen Schuldverschreibungen der 3½ %igen konsolidirten Preußischen Staats-Anleihe abgestempelten 4 %igen **Magdeburg-Leipziger Prioritäts-Obligationen der Magdeburg-Halberstädter Eisenbahn-Gesellschaft Litt. A. und B.**, sowie die 4 %igen **Magdeburg-Halberstädter Eisenbahn-Prioritäts-Obligationen vom Jahre 1873** sind **vom 1. Juli 1890 ab bei der Königlichen Eisenbahn-Hauptkasse zu Magdeburg** und bei der **Königlichen Eisenbahn-Betriebskasse zu Berlin (auf dem Potsdamer Bahnhofe)**, welche den Umtausch **bewirken**, oder bei der **Königlichen Eisenbahn-Hauptkasse zu Berlin, Leipzigerplatz 17, der Königlichen Eisenbahn-Hauptkasse zu Frankfurt a. M., den Königlichen Eisenbahn-Betriebskassen zu Hamburg, Braunschweig und Halberstadt** — bei den Kassen zu Frankfurt a. M. und Hamburg jedoch nur innerhalb der ersten 6 **Wochen** des Umtauschgeschäfts — welche den Umtausch **vermitteln**, einzureichen.

Die umzutauschenden Obligationen sind mit den Talons und mit den Zinsscheinen über die **vom 1. Juli 1890 ab** laufenden Zinsen einzuliefern. Für fehlende Zinsscheine ist deren Werthbetrag, da beim Umtausch die Staatsschuldverschreibungen mit Zinsscheinen vom 1. Juli 1890 ab laufend ausgehändigt werden, baar einzuzahlen, oder bei Einsendung der Obligationen durch die Post der Postsendung beizufügen.

Außer Kurs gesetzte Obligationen müssen vor der Einlieferung wieder in Kurs gesetzt sein.

Die Einreichung der Obligationen hat nach den Gattungen: Litt. A., Litt B. und 1873er, mittels je eines besonderen Verzeichnisses, in welches die Obligationen in aufsteigender Nummernfolge einzutragen sind, zu erfolgen. Dieser Nummernfolge entsprechend müssen die Obligationen und Zinsscheine je für sich geordnet und je mit einem Papierstreifen umschlossen sein, auf welchem die Anzahl der Stücke und der Name des Einlieferers anzugeben ist. **Formulare zu diesen Verzeichnissen werden von den vorgenannten Kassen unentgeltlich verabfolgt; Verzeichnisse anderer Art können nicht angenommen werden.**

Ueber die eingereichten umzutauschenden Obligationen und Zinsscheine werden, falls der Umtausch nicht Zug um Zug erfolgen kann, von den annehmenden Kassen Empfangsbescheinigungen ausgestellt, welche bei der durch dieselbe Kasse gegen Quittung erfolgenden Aushändigung der Staatsschuldverschreibungen zurückzugeben sind. Sobald letztere zur Abholung bereit liegen, werden die Einlieferer, eventl. unter Beifügung eines Quittungsentwurfs, portopflichtig davon benachrichtigt.

Ueber die durch die Post eingehenden umzutauschenden Obligationen werden Empfangsbescheinigungen nur auf Verlangen ertheilt. Die Uebersendung der für diese Obligationen auszugebenden Staatsschuldverschreibungen erfolgt gleichfalls durch die Post unter voller Werthangabe, sofern ein Anderes nicht bestimmt wird. Der Empfänger hat umgehend Quittung zu ertheilen, falls letztere nicht bereits vorher gefordert worden ist.

Für den Umtausch stehen Staatsschuldverschreibungen in Stücken zu 5000, 2000, 500, 300 und 200 Mark in beschränkter Anzahl zur Verfügung. Wünsche auf Zutheilung von Stücken einer bestimmten Gattung werden, soweit möglich, Berücksichtigung finden.

Wollen Empfänger von Staatsschuldverschreibungen die Umwandlung derselben in eine Buchschuld des Staates herbeiführen, so werden auf ihren Antrag die Staatsschuldverschreibungen zu diesem Zwecke direkt an die Hauptverwaltung der Staatsschulden (Schuldbuchbureau) abgegeben und sie nur mit entsprechender Nachricht versehen werden.

Gleichzeitig weisen wir darauf hin, daß diejenigen Obligationen der obengedachten Gattungen, **welche nicht zum Umtausch abgestempelt sind**, und daher als gekündigt gelten, vom 1. Juli 1890 ab gegen Einlieferung der Stücke nebst Talons und Zinsscheinen über die Zinsen vom 1. Juli 1890 ab laufend bei den **Königlichen Eisenbahn-Hauptkassen zu Magdeburg und Berlin (Leipzigerplatz 17) zum Nennwerth eingelöst werden.**

Magdeburg, den 20. Juni 1889.

Königliche Eisenbahn-Direktion.

Bekanntmachungen der Kreis-Ausschüsse.

Communalbezirksveränderung.

28. Auf Antrag der Betheiligten genehmigen wir auf Grund des § 25 des Zuständigkeits-Gesetzes vom 1. August 1883 die Ausscheidung der Kataster-Parzellen 245/2 und 246/2 Kartenblatt I. des Gutsbezirks Cöthen-Dannenberg aus dem Verbande des Gutsbezirks Cöthen und die Vereinigung desselben mit dem Gemeindebezirk Braichsdorf.

Freienwalde a. O., den 19. Juni 1890.

Der Kreis-Ausschuß des Kreises Ober-Barnim.

Bekanntmachungen anderer Behörden.

Aufruf verlooster Pfandbriefe Lit. B.

Die Inhaber der nachbezeichneten, in der 42sten Verloosung gezogenen und in Folge dessen durch die öffentliche Bekanntmachung vom 7. Juni 1889 zur Baarzahlung gekündigten 4 % **Schlesischen Pfandbriefe Lit. B.** und zwar:

à 500 Thaler:

№ 49842 Herrsch. Groß-Stein rc.,
№ 45078 Poln. Krawarn u. Mackau.

à 200 Thaler:

№ 50796 Maj. u. Erbl. Herrschaft Fürstenstein rc,
№ 50902 Herrschaft Gr. Stein rc,
№ 50907 do.
№ 51626 O. und N. Miechowitz,
№ 52006 Poln. Krawarn u. Mackau,
№ 52109 Med. Herz. Ratibor.

à 100 Thaler:

№ 62776 Herrschaft Gr. Stein rc.,
№ 62836 do.
№ 62884 do.
№ 62926 do.
№ 63345 Maj. u. Erbl Herrsch. Fürstenstein,
№ 63375 do.
№ 63412 do.
№ 64283 O. und N. Miechowitz,
№ 64295 do.
№ 64893 Med. Herz. Ratibor,
№ 64932 do.
№ 64939 do.
№ 64950 do.
№ 65089 do.

werden hierdurch wiederholt aufgefordert, diese Pfandbriefe bei der Königlichen Instituten-Kasse hierselbst (am Lessingplatz im Regierungsgebäude) zu präsentiren und dagegen die Valuta derselben in Empfang zu nehmen.

Sollte die Präsentation nicht bis zum **15ten August 1890** erfolgen, so werden die Inhaber der fraglichen Pfandbriefe nach § 50 der Allerhöchsten Verordnung vom 8 Juni 1835 mit ihrem Realrechte auf die in den Pfandbriefen ausgedrückte Spezial-Hypothek präcludirt und mit ihren Ansprüchen lediglich an die bei der Königlichen Instituten-Kasse hierselbst deponirte Kapitals-Valuta verwiesen werden.

Aus früheren Verloosungen sind Pfandbriefe Lit. B. noch rückständig und bereits präkludirt:

à 3½ %

aus der 20. Verloosung:

№ 18581 Hausdorf über 100 Thlr.

à 4 %

aus der 35. Verloosung:

№ 82257 Herrschaft Fürstenstein rc. über 25 Thlr.,

aus der 38. Verloosung:

№ 82226 Herrschaft Groß Stein rc. über 25 Thlr.,

aus der 40. Verloosung:

№ 50376 Herrsch. Gr. Stein rc. über 200 Thlr.,
№ 50904 do. „ 200 Thlr.,
№ 51976 Poln. Krawarn u. Mackau „ 200 Thlr.,
№ 52032 do. „ 200 Thlr.,
№ 52034 do. „ 200 Thlr.,
№ 52221 Med. Herz. Ratibor „ 200 Thlr.,
№ 63515 Herrsch. Gr. Stein rc. „ 100 Thlr.,
№ 64342 O. u. N. Miechowitz „ 100 Thlr.,
№ 64842 Poln. Krawarn u. Mackau „ 100 Thlr.,
№ 64949 Med. Herz Ratibor „ 100 Thlr.,

aus der 41. Verloosung:

№ 51624 O u. N. Miechowitz über 200 Thlr.,
№ 52010 Poln. Krawarn u. Mackau „ 200 Thlr.,
№ 52257 Med. Herz. Ratibor „ 200 Thlr.,
№ 64364 O. u. N. Miechowitz „ 100 Thlr.,
№ 64857 Poln. Krawarn u. Mackau „ 100 Thlr.,
№ 65004 Med. Herz. Ratibor „ 100 Thlr.,
№ 79287 Niklasdorf „ 50 Thlr.,
№ 82227 Herrsch. Gr. Stein rc. „ 25 Thlr.,
№ 82450 Poln. Krawarn u. Mackau „ 25 Thlr.,
№ 82451 do. „ 25 Thlr.

Breslau, den 17. Februar 1890.

Königliches Kredit-Institut für Schlesien.

Umtausch gekündigter Pfandbriefe Lit. B.

Die Inhaber der nachbezeichneten, von dem Königlichen Kredit-Institute für Schlesien ausgefertigten 4 % Pfandbriefe Lit. B., haftend auf dem in Schlesien im Beuthener Kreise gelegenen Rittergute Ober- und Nieder-Miechowitz

№ 40971 über 1000 Thaler;
№ 44791 44796 44815 44816 44820 44821 über je 500 Thaler;
№ 51566 51575 51633 51636 51637 51638 51642 51652 51653 über je 200 Thaler;
№ 64272 64274 64281 64285 64286 64300 64319 64328 64330 64332 64346 64358 64368 64384 64394 64399 über je 100 Thaler;
№ 82321 und 82322 über je 25 Thaler,

werden hierdurch wiederholt aufgefordert, diese Pfandbriefe in kursfähigem Zustande mit den Zinsscheinen Ser. XI. № 9 und 10 an die Königliche Instituten-Kasse hierselbst (im Regierungsgebäude am Lessingplatz) zum Umtausch gegen andere Pfandbriefe Lit. B. vom gleichen Betrage und mit gleichen Zinsscheinen versehen einzureichen.

Sollte die Präsentation nicht

bis zum 15. August 1890

erfolgen, so werden die Inhaber dieser Pfandbriefe nach § 50 der Verordnung vom 8. Juni 1835 mit ihrem Realrechte auf die in den Pfandbriefen ausgedrückte Special-Hypothek präkludirt, die Pfandbriefe für vernichtet erklärt, in unserem Register, sowie im Grundbuche gelöscht und die Inhaber mit ihren Ansprüchen lediglich an die in unserem Gewahrsam befindlichen Umtausch-Pfandbriefe verwiesen werden.

Breslau, den 15. Februar 1890.

Königliches Kredit-Institut für Schlesien.

Personal-Chronik.

Der Bürgermeister Stahlberg zu Fehrbellin ist zum Amts-Anwalt bei dem Königlichen Amtsgerichte daselbst ernannt.

Im Kreise Osthavelland ist an Stelle des verstorbenen Rittergutsbesitzers Rogge auf Doeberitz der Rittergutspächter Beußel zu Ferbitz zum Amtsvorsteher des 19. Bezirks Doeberitz ernannt worden.

Im Kreise Templin ist der Rittergutsbesitzer Reiche zu Annenwalde nach Ablauf seiner Dienstzeit aufs Neue zum Amtsvorsteher des XXIII. Bezirks Annenwalde ernannt worden.

Der Oberpfarrer Karl Gustav Hobohm in Treuenbrietzen ist zum Superintendenten der Diözese Treuenbrietzen ernannt und am 24. Februar d. J. in sein Ephoral-Amt eingeführt worden.

Die unter Königlichem Patronat stehende Pfarrstelle zu Lüdersdorf, Diözese Lindow—Gransee, kommt durch die Emeretirung des Pfarrers Peters am 1. Juli 1890 zur Erledigung. Die Wiederbesetzung steht im vorliegenden Falle dem Kirchenregiment zu.

Die unter dem Patronat des Dom-Kapitels zu Brandenburg a. H. stehende Pfarrstelle zu Garlitz, Diözese Dom Brandenburg, kommt durch die Versetzung des Pfarrers Dr. Lindemann demnächst zur Erledigung.

Ausweisung von Ausländern aus dem Reichsgebiete.

Lauf. Nr.	Name und Stand des Ausgewiesenen.	Alter und Heimath des Ausgewiesenen.	Grund der Bestrafung.	Behörde, welche die Ausweisung beschlossen hat.	Datum des Ausweisungs-Beschlusses.
1.	2.	3	4.	5.	6.
	Auf Grund des § 362 des Strafgesetzbuchs:				
1	Anton Hurm, Schuhmacher,	geboren am 23. März 1840 zu Neuern, Bezirk Klattau, Böhmen, ortsangehörig ebendas.,	Betteln im wiederholten Rückfall,	Königlich Bayerisches Bezirksamt Sonthofen,	17. Mai 1890.
2	Mathias Kafik, Schneider,	geboren am 3. März 1821 zu Drossau, Bezirk Klattau, Böhmen, ortsangehörig ebendas.,	desgleichen,	Königlich Bayerisches Bezirksamt Regen,	16. Mai 1890.
3	Joseph Lukesch, Kaufmann,	geboren im Jahre 1840 zu Ruppersdorf, Bezirk Starkenbach, Böhmen, ortsangehörig ebendaselbst,	desgleichen,	Königlich Sächsische Kreishauptmannschaft Zwickau,	3. Mai 1890.
4	Anna Miguliz, ledige Zigeunerin,	21 Jahre alt, geboren zu Altdorf, Galizien, ortsangehörig ebendas.,	Landstreichen,	Königlich Preußischer Regierungspräsident zu Oppeln,	16. Mai 1890.
5	Marianna Miguliz, ledige Zigeunerin,	15 Jahre alt, geboren zu Altdorf, Galizien, ortsangehörig ebendas.,	desgleichen,	derselbe,	desgleichen.
6	Franz Milde, Maler,	geboren am 9. Dezember 1852 zu Dux, Böhmen,	Betteln im wiederholten Rückfall,	Chef der Polizei in Hamburg,	23. April 1890.
7	Maria Moser, Dienstmagd,	geboren am 4. November 1870 in Steg, Bezirk Reutte, Tirol, ortsangehörig ebendas.,	Landstreichen, gewerbsmäßige Unzucht und Nichtbeschaffung eines Unterkommens,	Stadtmagistrat Kempten,	5. Mai 1890.

Lauf. Nr.	Name und Stand des Ausgewiesenen.	Alter und Heimath des Ausgewiesenen.	Grund der Bestrafung.	Behörde, welche die Ausweisung beschlossen hat.	Datum des Ausweisungs-Beschlusses.
1.	2.	3.	4.	5.	6.
8	Vinzenz Remec, Drechsler,	geboren am 8. Februar 1863 zu Wien, ortsangehörig zu Groß-Hycic, Böhmen,	Landstreichen,	Königlich Bayerisches Bezirksamt Stadtamhof,	12. Mai 1890.
9	Josef Roua, Eisendreher,	geboren am 23. Dezember 1846 zu Charleroi, Belgien, ortsangehörig ebendaselbst,	Landstreichen und Betteln,	Kaiserlicher Bezirks-Präsident zu Metz,	27. Mai 1890.
10	Kasper Rozewicz, Arbeiter,	27 Jahre alt, aus Splawie, Kreis Konin, Russisch-Polen,	Betteln und Landstreichen,	Königlich Preußischer Regierungspräsident zu Bromberg,	1. April 1890.
11	Anna Rozewicz, dessen Ehefrau,	30 Jahre alt, aus Splawie, Kreis Konin, Russisch-Polen,	Landstreichen,	derselbe,	desgleichen.
12	Franz Schobert, Webergeselle,	geboren am 31. Januar 1831 zu Ronsperg, Böhmen, ortsangehörig ebendaselbst,	Landstreichen u. Betteln,	Königlich Bayrisches Bezirksamt Vilshofen,	22. Mai 1890.
13	Ferdinand Johann Friedrich Ura, Formergeselle,	geboren am 5. April 1856 zu Kades, Oesterreich,	Betteln im wiederholten Rückfall,	Chef der Polizei in Hamburg,	9. Mai 1890.
14	Josef Zalewsky, Kaufmann,	geboren im Februar 1831 zu Wilna, Russisch-Polen, ortsangehörig ebendaselbst,	Landstreichen,	Königliche Polizei-Direktion München,	17. Mai 1890.
15	Franz Batke, Maschinenputzer,	geboren am 17. Juni 1859 zu Jägerndorf, Oesterreichisch-Schlesien, ohne Wohnsitz,	Landstreichen und Betteln,	Königlich Preußischer Regierungspräsident zu Oppeln,	12. Mai 1890.
16	Franz Berger, Schlossergeselle,	geboren am 3. Dezember 1856 zu Nixdorf, Bezirk Schluckenau in Böhmen, ortsangehörig zu Warnsdorf, Bezirk Rumburg in Böhmen,	Betteln im wiederholten Rückfall,	Königlich Sächsische Kreishauptmannschaft zu Bautzen,	13. Mai 1890.
17	Wilhelm Effenberger, Fleischergeselle,	geboren am 18. Februar 1845 zu Weißbach, Bezirk Friedland in Böhmen, ortsangehörig ebendaselbst,	Landstreichen u. Betteln,	Königlich Preußischer Regierungspräsident zu Liegnitz,	7. Juni 1890.
18	Anna Therese Endler, Dienstmagd,	geboren am 29. Juni (Juli) 1864 zu Warnsdorf, Bezirk Rumburg in Böhmen, ortsangehörig zu Wolfsberg, Bezirk Rumburg in Böhmen,	gewerbsmäßige Unzucht	Königlich Sächsische Kreishauptmannschaft zu Bautzen,	22. Mai 1890.
19	Ferdinand Gottwald, Arbeiter,	geboren am 16. Dezember 1844 in Niesersberg, Gemeinde Gursdorf in Oesterreich, ohne Wohnsitz,	Betteln im wiederholten Rückfall,	Großherzoglich Oldenburgisches Staatsministerium,	16. Mai 1890.

Lauf. Nr.	Name und Stand des Ausgewiesenen.	Alter und Heimath des Ausgewiesenen.	Grund der Bestrafung.	Behörde, welche die Ausweisung beschlossen hat.	Datum des Ausweisungs-Beschlusses.
1.	2.	3.	4.	5.	6.
20	Johanna Lapatsch, Zigeunerin,	etwa 26 Jahre alt, geboren zu Klogsdorf, Bezirk Freiberg in Mähren, ortsangehörig zu Altdorf in Oesterreich,	Betteln u. Landstreichen,	Königlich Preußischer Regierungspräsident zu Oppeln,	20. Mai 1890.
21	Pietro Menegos, Bauernknecht und Ziegelarbeiter,	geboren am 3. Oktober 1868 zu Aviano, Distrikt Prodenone, Provinz Udine, Italien, ortsangehörig ebendaselbst,	Landstreichen,	Königlich Bayerische Polizei-Direktion zu München,	27. Mai 1890.
22	Josef Murzin, Bergmann, u. Arbeiter,	geboren am 19. März 1831 zu Dombrowa, Bezirk Chrzanow in Galizien, ortsangehörig zu Wisniow, Bezirk Dopzyce in Galizien,	Betteln im wiederholten Rückfall,	Königlich Preußischer Regierungspräsident zu Oppeln,	19. Mai 1890.
23	Eugen Peltre, Gerber,	35 Jahre alt, geboren zu Varenne, Frankreich, ortsangehörig ebendaselbst,	Landstreichen,	Kaiserlicher Bezirks-Präsident zu Colmar,	4. Juni 1890.
24	Johann August Richter, Weber,	geboren am 31. Dezember 1850 zu Georgswalde, Bezirk Schluckenau in Böhmen, ortsangehörig ebendaselbst,	Landstreichen u. Betteln,	Königlich Sächsische Kreishauptmannschaft zu Bautzen,	21. Mai 1890.
25	Johann Tost, Tagelöhner,	geboren am 12. August 1841 zu Lobnig, Bezirk Römerstadt in Mähren, ohne Wohnsitz,	desgleichen,	Königlich Preußischer Regierungspräsident zu Oppeln,	12. Mai 1890.

Hierzu Vier Oeffentliche Anzeiger.

(Die Insertionsgebühren betragen für eine einspaltige Druckzeile 20 Pf. Belagsblätter werden der Bogen mit 10 Pf. berechnet.)

Redigirt von der Königlichen Regierung zu Potsdam.

Potsdam, Buchdruckerei der A. W. Hayn'schen Erben (E. Hayn, Hof-Buchdrucker).

261

Amtsblatt

der Königlichen Regierung zu [illegible] und der Stadt Berlin.

Stück 28. Den 11. Juli

Portozuschlag von 10 Pf. wird jedoch nicht erhoben. Für andere ... unter Ansatz nicht statt. Einsch... ...auftrags-Gebühren, sowie ...sendungen werden bei ... angesetzt. bei Personengeld... ...iten Satze des ...rten „Zwei ... erhält ...ng: ...igung ...acht ...

Privilegium

wegen Ausfertigung auf den Inhaber lautender Kreisanleihescheine des Kreises Teltow im Betrage von 2830000 Mark.

Wir Wilhelm

von Gottes Gnaden König von Preußen rc.

Nachdem die Vertretung des Kreises Teltow auf dem Kreistage am 10. Juli 1889 beschlossen hat, die erforderlichen Mittel zur Abstoßung der zur Anlegung und Pflasterung mehrerer Kunststraßen gegen Schuldscheine aufgenommenen vierprozentigen Darlehne, ferner zum Ankauf der Grundstücke Victoriastraße 17, 17a., 18 in Berlin und zur Erbauung eines neuen Kreishauses im Wege einer Anleihe zu beschaffen, wollen wir auf den Antrag der Kreisvertretung,

zu diesem Zwecke auf jeden Inhaber lautende, mit Zinsscheinen versehene, Seitens der Gläubiger unkündbare Anleihescheine im Betrage von 2 830 000 Mark ausstellen zu dürfen,

da sich hiergegen weder im Interesse der Gläubiger, noch der Schuldner etwas zu erinnern gefunden hat, in Gemäßheit des § 2 des Gesetzes vom 17. Juni 1833 zur Ausstellung von Anleihescheinen zum Betrage von 2 830 000 Mark, in Buchstaben: „Zwei Millionen Achthundert und dreißig Tausend Mark", welche in folgenden Abschnitten:

1 500 000 Mark zu 1000 Mark,
1 330 000 Mark zu 500 Mark,

zusammen: 2 830 000 Mark

nach dem anliegenden Muster auszufertigen, mit drei und einhalb Prozent jährlich zu verzinsen und nach dem festgestellten Tilgungsplane mittelst Verloosung jährlich vom Jahre 1891 ab mit wenigstens einem Prozent des Kapitales, unter Zuwachs der Zinsen von den getilgten Schuldbeträgen, zu tilgen sind, durch gegenwärtiges Privilegium Unsere landesherrliche Genehmigung ertheilen. Die Ertheilung erfolgt mit der rechtlichen Wirkung, daß ein jeder Inhaber dieser Anleihescheine die daraus hervorgegangenen Rechte geltend zu machen befugt ist, ohne zu dem Nachweise der Uebertragung des Eigenthums verpflichtet zu sein.

Durch vorstehendes Privilegium, welches Wir vorbehaltlich der Rechte Dritter ertheilen, wird für die Befriedigung der Inhaber der Anleihescheine eine Gewährleistung Seitens des Staates nicht übernommen.

Urkundlich unter Unserer Höchsteigenhändigen Unterschrift und beigedrucktem Königlichen Insiegel.

Gegeben im Schloß zu Berlin, den 11. Juni 1890.

(L. S.) gez. Wilhelm R.

gegz. von Scholz. Herrfurth.

Provinz Brandenburg. **Regierungsbezirk Potsdam.**

VIII. Ausgabe.

Anleihe-Schein.

Buchstabe .... **№ ....**

des Kreises Teltow

über .... Mark Reichswährung.

Ausgefertigt in Gemäßheit des landesherrlichen Privilegiums vom .... (Amtsblatt der Königlichen Regierung zu Potsdam vom .. ten ..... 189 . № .. Seite ... und Gesetz-Sammlung für 189 . Seite ... laufende № ...)

Auf Grund des von dem Bezirksausschusse des Regierungsbezirkes Potsdam genehmigten Kreistagsbeschlusses vom 10. Juli 1889 wegen Aufnahme einer Schuld von 2 830 000 Mark bekennt sich der Kreisausschuß des Kreises Teltow Namens des Kreises durch diesen, für jeden Inhaber gültigen, seitens des Gläubigers unkündbaren Anleiheschein zu einer Darlehnsschuld von .... Mark, welche an den Kreis baar gezahlt worden und mit drei und einem halben Prozent jährlich zu verzinsen ist.

Die Rückzahlung der ganzen Schuld von 2 830 000 Mark erfolgt nach Maßgabe des genehmigten Tilgungsplans mittelst Verloosung der Anleihescheine in den Jahren 1891 bis spätestens 1931 einschließlich aus einem Tilgungsstocke, welcher mit wenigstens Einem Prozent des Kapitales jährlich unter Zuwachs der Zinsen von den getilgten Schuldbeträgen gebildet wird. Die Ausloosung geschieht in dem Monate März jeden Jahres. Dem Kreise bleibt jedoch das Recht vorbehalten, den Tilgungsstock zu verstärken oder auch sämmtliche noch im Umlauf befindliche Anleihescheine auf einmal zu kündigen.

Die durch die verstärkte Tilgung ersparten Zinsen wachsen ebenfalls dem Tilgungsstocke zu.

Die ausgeloosten, sowie die gekündigten Anleihescheine werden unter Bezeichnung ihrer Buchstaben,

Nummern und Beträge, sowie des Termins, an welchem die Rückzahlung erfolgen soll, öffentlich bekannt gemacht.

Diese Bekanntmachung erfolgt sechs, drei, zwei und einen Monat vor dem Zahlungstermine in dem Deutschen Reichs- und Preußischen Staatsanzeiger, dem Amtsblatt der Königlichen Regierung zu Potsdam und dem Teltow'er Kreisblatt. Geht eines dieser Blätter ein, so wird an dessen Statt von der Kreisvertretung mit Genehmigung des Königlichen Regierungs-Präsidenten in Potsdam ein anderes Blatt bestimmt.

Bis zu dem Tage, wo solchergestalt das Kapital zu entrichten ist, wird es in halbjährigen Terminen, am 1 April und 1. Oktober, von heute an gerechnet, mit drei und einem halben Prozent jährlich verzinset.

Die Auszahlung der Zinsen und des Kapitals erfolgt gegen bloße Rückgabe der fällig gewordenen Zinsscheine, beziehungsweise dieses Anleihescheines bei der Kreis-Communal-Kasse zu Berlin, und zwar, auch in der nach dem Eintritte des Fälligkeitstermins folgenden Zeit. Mit dem zur Empfangnahme des Kapitals eingereichten Anleihescheine sind auch die dazu gehörigen Zinsscheine der späteren Fälligkeitstermine zurückzuliefern. Für die fehlenden Zinsscheine wird der Betrag vom Kapital abgezogen. Die gekündigten Kapitalbeträge, welche innerhalb dreißig Jahren nach dem Rückzahlungstermine nicht erhoben werden, sowie die innerhalb vier Jahren nach Ablauf des Kalenderjahres, in welchem sie fällig geworden, nicht erhobenen Zinsen verjähren zu Gunsten des Kreises. Das Aufgebot und die Kraftloserklärung verlorener und vernichteter Anleihescheine erfolgt nach Vorschrift der §§ 838 ff. der Civilprozeß-Ordnung für das Deutsche Reich vom 30. Januar 1877 (R.-Ges.-Bl. S. 83) beziehungsweise nach § 20 des Ausführungsgesetzes zur Deutschen Civilprozeßordnung vom 24. März 1879 — G.-S. S. 281 —. Zinsscheine können weder aufgeboten, noch für kraftlos erklärt werden. Doch soll demjenigen, welcher den Verlust von Zinsscheinen vor Ablauf der vierjährigen Verjährungsfrist bei der Kreisverwaltung anmeldet und den stattgehabten Besitz der Zinsscheine durch Vorzeigung des Anleihescheines oder sonst in glaubhafter Weise darthut, nach Ablauf der Verjährungsfrist der Betrag der angemeldeten und bis dahin nicht vorgekommenen Zinsscheine gegen Quittung ausgezahlt werden.

Mit diesem Anleihescheine sind halbjährliche Zinsscheine bis zum 1. Oktober 1899 ausgegeben, die ferneren Zinsscheine werden für zehnjährige Zeiträume ausgegeben werden.

Die Ausgabe einer neuen Reihe von Zinsscheinen erfolgt bei der Kreis-Communal-Kasse in Berlin gegen Ablieferung der der älteren Zinsscheinreihe beigedruckten Anweisung. Beim Verluste der Anweisung erfolgt die Aushändigung der neuen Zinsscheinreihe an den Inhaber des Anleihescheines, sofern deren Vorzeigung rechtzeitig geschehen ist.

Zur Sicherheit der hierdurch eingegangenen Verpflichtungen haftet der Kreis mit seinem Vermögen und seiner Steuerkraft.

Dessen zu Urkunde haben wir diese Ausfertigung unter unserer Unterschrift ertheilt.

Berlin, den ten

Der Kreis-Ausschuß des Kreises Teltow.

Anmerkung. Die Anleihescheine sind außer mit den Unterschriften des Landraths und zweier Mitglieder des Kreis-Ausschusses mit dem Siegel des Landraths zu versehen.

Provinz Brandenburg. **Regierungsbezirk Potsdam.**

Zins-Schein

.... Reihe

zu dem Anleihescheine des Kreises Teltow VIII. Ausgabe, Buchstabe ... № .... über ..... Mark zu 3½ Prozent Zinsen über ... Mark .. Pf.

Der Inhaber dieses Zinsscheines empfängt gegen dessen Rückgabe in der Zeit vom 1. April bezw. 1 Oktober 18 .. ab die Zinsen des vorbenannten Anleihescheines für das Halbjahr vom .. ten ... bis .. ten ... mit ... Mark .. Pf. bei der Kreis-Communal-Kasse zu Berlin.

Berlin, den ... ten

Der Kreis-Ausschuß des Kreises Teltow.

(Unterschriften)

Dieser Zinsschein ist ungültig, wenn dessen Geldbetrag nicht innerhalb vier Jahren nach Ablauf des Kalenderjahres der Fälligkeit erhoben wird.

Anmerkung. Die Namensunterschriften der Mitglieder des Kreis-Ausschusses können mit Lettern oder Facsimilestempeln gedruckt werden, doch muß jeder Zinsschein mit der eigenhändigen Namensunterschrift eines Controlbeamten versehen werden.

Provinz Brandenburg. **Regierungsbezirk Potsdam.**

Anweisung

zum Kreisanleihescheine des Kreises Teltow VIII. Ausgabe, Buchstabe ... № .... über .... Mark.

Der Inhaber dieser Anweisung empfängt gegen deren Rückgabe zu dem obigen Anleiheschein die ... te Reihe von Zinsscheinen für die zehn Jahre 1. Oktober 18 .. bis 1. Oktober 18 .. bei der Kreis-Communal-Kasse zu Berlin, sofern nicht rechtzeitig von dem als solchen sich ausweisenden Inhaber des Anleihescheines dagegen Widerspruch erhoben wird.

Berlin, den .. ten ...... 18 ..

Der Kreis-Ausschuß des Kreises Teltow.

(Unterschriften)

Anmerkung: Die Namensunterschriften der Mitglieder des Kreis-Ausschusses können mit Lettern oder Facsimilestempeln gedruckt werden, doch muß jede Anweisung mit der eigenhändigen Namensunterschrift eines Controlbeamten versehen werden. Die Anweisung ist zum Unterschiede auf der ganzen Blattbreite unter den beiden letzten Zinsscheinen mit davon abweichenden Lettern in nachstehender Art abzudrucken.

. . ter Zins-Schein	. . . ter Zins-Schein
Anweisung	

Bekanntmachung des Reichskanzlers.

Abänderungen der Postordnung vom 8 März 1879.

Auf Grund der Vorschrift im § 50 des Gesetzes über das Postwesen des Deutschen Reichs vom 28. Oktober 1871 wird die Postordnung vom 8. März 1879 in folgenden Punkten abgeändert:

1) Im § 11 „Zur Postbeförderung bedingt zugelassene Gegenstände" erhält der Absatz III. folgende anderweite Fassung:

III. Zur Verwendung für Hand-Schußwaffen bestimmte Zündhütchen, Zündspiegel und Metallpatronen, sowie Patronen aus starker Pappe mit einem zum Schutze der Pulverladung dienenden Blechmantel müssen in Kisten oder Fässer fest von außen und innen verpackt und als solche, sowohl auf der Begleitadresse, als auch auf der Sendung selbst, bezeichnet sein. Die Patronen müssen für Centralfeuer bestimmt und außerdem derart beschaffen sein, daß weder ein Ablösen der Kugel oder ein Herausfallen der Schrote, noch ein Ausstreuen des Pulvers stattfinden kann. Der Absender ist, wenn er diese Bedingungen nicht eingehalten hat, für den aus etwaiger Entzündung entstandenen Schaden haftbar.

2) Im § 13 „Drucksachen" tritt zwischen dem zweiten und dritten Satz im Absatz IV. folgender neue Satz hinzu:

Offene Karten, aus deren Inhalt die Absicht der Beleidigung oder einer sonst strafbaren Handlung sich ergiebt, sind von der Postbeförderung ausgeschlossen.

3) Im § 38, „Nachsendung der Postsendungen" betreffend, erhalten die Absätze II. und III. folgende Fassung:

II. Bei Packeten und bei Briefen mit Werthangabe erfolgt die Nachsendung nur auf Verlangen des Absenders oder, bei vorhandener Sicherheit für das Porto, auch des Empfängers.

III. Für Packete und für Briefe mit Werthangabe wird im Falle der Nachsendung das Porto und die Versicherungsgebühr von Bestimmungsort zu Bestimmungsort zugeschlagen; der Portozuschlag von 10 Pf. wird jedoch für die Nachsendung nicht erhoben. Für andere Sendungen findet ein neuer Ansatz nicht statt. Einschreib-, Postanweisungs- und Postauftrags-Gebühren, sowie die Vorzeigegebühr für Nachnahmesendungen werden bei der Nachsendung nicht noch einmal angesetzt.

4) Im § 39, „Behandlung unbestellbarer Postsendungen am Bestimmungsorte" betreffend, erhält der Absatz VII. folgende Fassung:

VII. Für zurückzusendende Packete und für Briefe mit Werthangabe ist das Porto und die Versicherungsgebühr für die Hin- und für die Rücksendung zu entrichten; der Portozuschlag von 10 Pf. wird jedoch für die Rücksendung nicht erhoben. Für andere Gegenstände findet ein neuer Ansatz nicht statt. Einschreib-, Postanweisungs- und Postauftrags-Gebühren, sowie die Vorzeigegebühr für Nachnahmesendungen werden bei der Rücksendung nicht noch einmal angesetzt.

5) Im § 49, „Grundsätze bei Personengeld-Erhebung" betreffend, ist im zweiten Satze des Absatzes VIII. hinter den Worten „Zwei Kinder" einzuschalten:

bis zu diesem Alter

6) Im § 53, „Reisegepäck" betreffend, erhält der Absatz II. folgende anderweite Fassung:

II. Kleine Gegenstände, welche ohne Belästigung der anderen Reisenden im Personenraume untergebracht werden können, dürfen die Reisenden unter eigener Aufsicht bei sich führen.

Vorstehende Aenderungen treten mit dem 1. Juli 1890 in Kraft.

Berlin, den 16. Juni 1890.

Der Reichskanzler.
In Vertretung: von Stephan.

Bekanntmachung des Königlichen Ober-Präsidenten von Berlin.

18. Auf Grund des § 49 des Reichsgesetzes, betreffend die Invaliditäts- und Altersversicherung vom 22. Juni 1889 in Verbindung mit meiner Bekanntmachung vom 4 Juni d. J. (Extra-Beilage zum 24. Stück des Amtsblattes der Königlichen Regierung zu Potsdam und der Stadt Berlin vom 13. Juni 1890 № 12) habe ich den Stadtsyndikus Eberty zu Berlin, Rathhaus, zum Beauftragten für die Leitung der Wahlen der Ausschußmitglieder für die zur Durchführung der Invaliditäts- und Altersversicherung errichtete Versicherungsanstalt des Stadtkreises Berlin bestellt und genehmigt, daß der Genannte in dieser Eigenschaft erforderlichen Falls durch die Magistrats-Assessoren Mugdan und Dr. Freund zu Berlin vertreten werde.

Potsdam, den 29. Juni 1890.

Der Ober-Präsident von Berlin,
Staatsminister von Achenbach.

Bekanntmachungen des Königlichen Regierungs-Präsidenten.

Die Verpflegung mittelloser bulgarischer Staatsangehöriger betr.

135. Es wird beabsichtigt, die Erstattung der durch die Verpflegung mittelloser bulgarischer Staatsangehöriger in Deutschen Kranken- rc. Anstalten erwachsenden Kosten durch die bulgarische Regierung herbeizuführen. Indem ich dies zur öffentlichen Kenntniß bringe, ersuche ich die Vorstände dieser Anstalten, mir vorkommenden Falls die Rechnung über die denselben für die Verpflegung bulgarischer Staatsangehöriger erwachsenen Kosten in bescheinigter Form zur weiteren Veranlassung einzureichen.

Potsdam, den 4. Juli 1890.

Der Regierungs-Präsident.

136. Auf Anweisung der Herren Minister der öffentlichen Arbeiten, für Landwirthschaft, Domänen und Forsten, des Innern und für Handel und Gewerbe wird hiermit Nachstehendes zur öffentlichen Kenntniß gebracht.

Potsdam, den 5. Juli 1890.

Der Regierungs-Präsident.

* * *

Bekanntmachung über die Ausführung des Reichsgesetzes, betreffend die Invaliditäts- und Altersversicherung, vom 22. Juni 1889.

Vom 26. Juni 1890.

Zur Ausführung des Reichsgesetzes, betreffend die Invaliditäts- und Altersversicherung, vom 22. Juni 1889 (Reichs-Gesetzbl. S. 97) wird im Anschluß an die Anweisung vom 20. Februar 1890 und an die Bekanntmachung vom 17. März 1890 vorbehaltlich weiterer Anordnungen Folgendes bestimmt:

A. Untere Verwaltungsbehörden.

1) Als „untere Verwaltungsbehörden" im Sinne des Gesetzes vom 22. Juni 1889 sind, unbeschadet der für die Fälle des § 161 a. a. O. durch die Anweisung vom 20. Februar 1890 getroffenen abweichenden Vorschrift, folgende Behörden anzusehen:
   a. in Städten von mehr als 10000 Einwohnern, sowie in denjenigen Städten der Provinz Hannover, für welche die revidirte Städteordnung vom 24. Juni 1858 gilt, mit Ausnahme der im § 27 Absatz 2 der Kreisordnung vom 6. Mai 1884 bezeichneten Städte, — die Gemeindevorstände;
   b. im Uebrigen die Landräthe, in den Hohenzollernschen Landen die Oberamtmänner.

B. Höhere Verwaltungsbehörden.

2) Als „höhere Verwaltungsbehörden" im Sinne des angezogenen Gesetzes sind auch in den Fällen des § 122 a. a. O. die Regierungspräsidenten, für Berlin der Oberpräsident anzusehen.

C. Stellen für die Ausstellung, den Umtausch und die Erneuerung der Quittungskarten, sowie für die Entwerthung von Marken.

3) Die Ausstellung und der Umtausch der Quittungskarten (§ 103 a. a. O.), die Ersetzung verlorener, unbrauchbar gewordener oder zerstörter Quittungskarten durch neue Quittungskarten (§ 105 a. a. O.), sowie die Entwerthung von Marken, soweit diese durch das Gesetz oder die vom Bundesrath erlassenen Vorschriften vorgeschrieben ist*), erfolgt durch die Ortspolizeibehörden. In solchen Ortspolizeibezirken, welche mehrere Gemeinden oder selbständige Gutsbezirke umfassen, sind die Ortspolizeibehörden befugt, die Wahrnehmung der bezeichneten Obliegenheiten für einzelne Gemeinden (Gutsbezirke) den Vorständen der letzteren zu übertragen. Die Uebertragung bedarf der Genehmigung der höheren Verwaltungsbehörde (Regierungs-Präsident).

Sofern für die Verwaltung der Ortspolizei besondere örtliche Bezirke (Polizeireviere u. s. w.) eingerichtet worden sind, sind zu den bezeichneten Handlungen auch die Vorstände dieser Bezirke insoweit verpflichtet, als ihre örtliche Zuständigkeit reicht.

Bildet der Gemeindevorstand ein Kollegium, so hat er, wenn ihm die Wahrnehmung der bezeichneten Obliegenheiten übertragen ist, für dieselbe aus seiner Mitte einen Kommissar zu bestellen. Auf Gemeinden, für deren Verwaltung besondere örtliche Bezirke (Distrikte u. s. w.) errichtet sind, findet bei Uebertragung jener Obliegenheiten die Bestimmung des vorstehenden Absatzes entsprechende Anwendung.

4) Unbeschadet der Bestimmungen der §§ 112 ff. a. a. O.**) sind die Gemeinden (Gutsherren) sowie die Kreisverbände (Oberamtsbezirke) befugt, für ihre Bezirke auf ihre Kosten, an Stelle der in

---

*) Einstweilen ist eine Entwerthung von Marken nur bei Selbstversicherung oder freiwilliger Fortsetzung des Versicherungsverhältnisses vorgeschrieben (§§ 117, 120 a. a. O.).

**) Nach §§ 112 ff. a. a. O. darf durch die Landes-Zentralbehörde, das Statut der Versicherungsanstalt, oder durch statutarische Bestimmung von Gemeinden oder weiteren Kommunalverbänden bestimmt werden, daß die Beibringung der Marken nicht dem Arbeitgeber obliegen soll, sondern
   a. soweit es sich um Mitglieder einer Orts-, Betriebs- (Fabrik-), Bau- oder Innungs-Krankenkasse, einer Knappschaftskasse oder der Gemeindekrankenversicherung handelt, den Organen dieser Krankenkassen bezw. Gemeindekrankenversicherung für ihre Mitglieder,
   b. für andere Personen dagegen der Gemeindebehörde oder besonderen auf Kosten der Versicherungsanstalt errichteten örtlichen Hebestellen.

Diese Organe der Krankenkassen, Gemeindebehörden oder Hebestellen sind dann verpflichtet, den Betrag der zu verwendenden Marken von den Arbeitgebern einzuziehen und die Marken, soweit dies vorgeschrieben ist, zu entwerthen (§§ 112, 135 a. a. O.)

Für den Fall, daß eine solche (behördliche) Einziehung der Beiträge angeordnet wird, darf in gleicher Weise ferner bestimmt werden, daß den mit der Einziehung der Beiträge betrauten Stellen auch die Ausstellung, der Umtausch und die Erneuerung der Quittungskarten obliegen soll (§ 113 a. a. O.).

Das Gleiche kann für Mitglieder einer Krankenkasse auch durch das Kassenstatut, und für diejenigen Versicherten, welche einer für Reichs- oder Staatsbetriebe errichteten Krankenkasse angehören, auch durch die den Verwaltungen dieser Betriebe vorgesetzte Dienstbehörde angeordnet werden (§ 114 a. a. O.).

Ziffer 3 bezeichneten Behörden oder neben denselben, für die Wahrnehmung der daselbst bezeichneten Obliegenheiten besondere Beamte zu bestellen. Der Beschluß bedarf der Genehmigung der höheren Verwaltungsbehörde (Regierungspräsident, für Berlin der Oberpräsident); dieselbe bestimmt in solchem Falle die Zahl der zu ernennenden Beamten. Die Bestellung der letzteren bedarf der Bestätigung durch diejenige Behörde, welche zur Bestätigung anderer Beamten des betreffenden Kommunalverbandes zuständig ist.

5) In jeder Gemeinde ist durch dauernden Aushang im Gemeindehause und auf andere ortsübliche Weise zur öffentlichen Kenntniß zu bringen, welche Stellen für die betreffende Gemeinde zur Ausstellung, zum Umtausch und zur Erneuerung der Quittungskarten sowie zur Entwerthung von Marken berufen sind, wo die Diensträume dieser Stellen sich befinden und welche Dienststunden etwa festgesetzt worden sind. Veränderungen sind in gleicher Weise bekannt zu machen. Die mit diesen Obliegenheiten betrauten Stellen sind durch Vermittelung der unteren Verwaltungsbehörde dem Vorstande der Versicherungsanstalt mitzutheilen.

6) Ueber das bei der Ausstellung, dem Umtausch und der Erneuerung der Quittungskarten sowie bei der Entwerthung von Marken zu beobachtende Verfahren bleiben besondere Anweisungen vorbehalten.

D. Errichtung und Sitz der Schiedsgerichte.

7) Für die Versicherungsanstalten der Provinzen Ostpreußen, Westpreußen, Brandenburg, Pommern, Schlesien, Posen und Westfalen ist, sofern nicht für einzelne Kreise noch besondere abweichende Bestimmungen getroffen werden, für jeden Kreis ein Schiedsgericht zu errichten.

Der Sitz des Schiedsgerichts ist, sofern nicht für einzelne Fälle noch besondere Anordnungen getroffen werden, die Kreisstadt.

Wegen der Schiedsgerichte für die übrigen Versicherungsanstalten bleiben weitere Bestimmungen vorbehalten.

Der Minister der öffentlichen Arbeiten.
v. Maybach.

Der Minister für Landwirthschaft, Domänen und Forsten.
Frh. Lucius v. Ballhausen.

Der Minister des Innern.
Herrfurth.

Der Minister für Handel und Gewerbe.
Frh. v. Berlepsch.

B. 3574 M. f. H.
P. IV. 6408 } M. d. ö. A.
III. 11907 }
I. 11177 }
II. 3883 } M. f. Landw. ꝛc
III. 8037 }
I. A. 4976 M. d. J.

Viehseuchen.

137. Festgestellt ist:

der Milzbrand bei einem Bullen des Bauergutsbesitzers Marzilger zu Knoblauch und bei einer Kuh des Rittergutsbesitzers Sommer zu Schwante, Kreis Osthavelland;

der Rotz bei 4 Pferden des Fuhrherrn Kalbe zu Tempelhof, Kreis Teltow.

Erloschen ist:

der Milzbrand unter dem Rindviehbestande des Gemeindevorstehers Wendt zu Krielow, Kreis Zauch-Belzig;

der Rotz in der Stallung des Handelsmanns Mehlitz zu Jüterbog, Kreis Jüterbog-Luckenwalde;

die Maul- und Klauenseuche unter dem Rindvieh des Gutsbesitzers Erbkamm zu Herzfelde, Kreis Niederbarnim.

Potsdam, den 8 Juli 1890.

Der Regierungs-Präsident.

188. **Nachweisung**

des Monatsdurchschnitts der gezahlten höchsten Tagespreise einschließlich 5 % Aufschlag im Monat Juni 1890 in den Hauptmarktorten des Regierungs-Bezirks Potsdam.

Laufende Nummer.	Es kosteten je 50 Kilogramm	Beeskow für Kreis Beeskow-Storkow.		Brandenburg für Brandenburg und Kreis Westhavelland.		Luckenwalde für Kreis Jüterbog-Luckenwalde.		Perleberg für Kreis West-Prignitz.		Potsdam für Potsdam und Kreis Zauch-Belzig.		Prenzlau für die Kreise Prenzlau und Templin.		Neu-Ruppin für Kreis Ruppin.		Schwedt für Kreis Angermünde.		Wittstock für Kreis Ost-Prignitz.		Bemerkungen.
		M.	Pf.	M.	Pf.	M.	Pf.	M.	Pf.	M.	Pf.	M.	Pf.	M.	Pf.	M.	Pf.	M.	Pf.	
1.	Hafer	17	85	9	50,5	9	84	9	19	9	91	9	45	9	49,2	8	67	9	20,5	Für die Kreise Ober-Barnim, Nieder-Barnim, Osthavelland und Teltow, und für Stadt Spandau gilt Berlin als Haupt-Marktort.
2.	Heu	—	—	3	06	2	72	2	72	3	29	2	63	2	62,5	2	73	2	10	
3.	Richtstroh	—	—	2	68	2	36	3	41	3	59	3	15	3	41,25	2	97	2	62,5	

Potsdam, den 8. Juli 1890.

Der Regierungs-Präsident.

139. Nachweisung der Markt- ꝛc.

Laufende Nummer	Namen der Städte	Getreide								Uebrige Markt-																	
		Es kosten je 100 Kilogramm																						Es			
																								Rindfleisch			
		Weizen		Roggen		Gerste		Hafer		Erbsen		Speisebohnen		Linsen		Eßkartoffeln		Richtstroh		Krummstroh		Heu		von der Keule		Bauchfleisch	
		M.	Pf.	M.	Pf.	M.	Pf.	M.	Pf.	M.	Pf.	M.	Pf.	M.	Pf.	M.	Pf.	M.	Pf.	M.	Pf.	M.	Pf.	M.	Pf.	M.	Pf.
1	Angermünde	18	99	15	58	15	64	16	81	27	—	30	—	34	50	4	60	5	25	3	—	3	69	1	40	1	10
2	Beeskow	17	85	16	28	—	—	16	80	25	-	27	50	35	—	3	31	—	—	—	—	—	—	1	20	1	—
3	Bernau	19	34	15	69	16	33	17	36	28	50	30	—	40	38	4	45	6	10	—	—	5	25	1	35	1	13
4	Brandenburg	18	95	16	70	15	43	17	57	27	50	35	—	45	—	3	43	4	65	—	—	5	02	1	40	1	20
5	Dahme	18	82	16	07	16	43	18	—	25	—	32	—	45	—	2	—	5	—	4	—	6	—	1	20	1	—
6	Eberswalde	19	43	15	66	16	69	17	02	23	—	23	—	30	—	4	13	6	—	—	—	5	—	1	40	1	10
7	Havelberg	19	40	15	56	15	50	18	50	25	—	45	—	55	—	3	50	5	28	3	06	5	33	1	30	1	10
8	Jüterbog	19	80	17	-	17	—	19	—	28	—	30	—	50	—	4	—	6	—	—	—	6	—	1	25	1	10
9	Luckenwalde	—	—	15	50	—	—	18	15	36	—	36	—	40	—	3	63	4	34	—	—	4	79	1	20	1	20
10	Perleberg	19	80	15	96	16	94	17	21	27	—	35	—	50	—	3	31	6	25	—	—	4	94	1	40	1	20
11	Potsdam	19	95	16	03	16	75	18	19	27	—	28	50	37	50	4	04	6	33	—	—	5	25	1	43	1	21
12	Prenzlau	19	07	15	65	17	43	17	48	18	—	22	50	25	—	3	50	5	75	4	—	4	50	1	36	—	97
13	Pritzwalk	18	38	15	60	15	90	16	29	19	-	30	—	39	—	1	88	4	[illegible]	4	—	4	25	1	20	1	—
14	Rathenow	19	60	15	47	15	50	17	50	30	—	35	—	44	—	3	24	4	75	—	—	3	75	1	40	1	20
15	Neu-Ruppin	20	—	17	—	16	—	18	—	30	—	32	-	50	—	3	51	6	50	—	—	5	—	1	40	1	15
16	Schwedt	19	40	15	99	17	—	16	52	26	67	31	25	31	25	5	—	5	66	—	—	5	20	1	20	1	—
17	Spandau	19	—	16	20	15	—	17	50	27	50	33	—	41	—	5	—	6	25	—	—	6	50	1	50	1	20
18	Strausberg	18	42	16	05	16	87	17	50	21	50	30	—	35	—	4	09	8	09	—	—	7	59	1	20	1	10
19	Teltow	19	29	15	53	16	14	17	40	40	—	40	—	50	—	3	75	5	91	4	90	5	22	1	50	1	10
20	Templin	19	50	16	75	18	25	18	25	19	—	45	—	40	—	3	25	5	—	—	—	4	—	1	20	1	—
21	Treuenbrietzen	19	20	15	90	17	—	18	—	26	—	24	—	30	—	2	50	4	80	—	—	4	50	1	20	1	—
22	Wittstock	19	23	16	15	15	33	17	26	18	—	36	—	44	—	2	14	5	—	4	—	4	—	1	14	1	—
23	Wriezen a. O.	18	93	15	48	17	32	17	50	22	—	28	—	34	—	4	28	5	38	4	25	5	—	1	30	1	03
	Durchschnitt	19	20	15	99	16	40	17	56	—	—	—	—	—	—	3	59	5	58	—	—	5	04	—	—	—	—

Potsdam, den 8. Juli 1890.

150 Mark Belohnung.

140. Ende Mai d. J. haben in der Nähe von Alt-Placht, Kreis Templin, wiederholte Waldbrände stattgefunden, deren Entstehung auf Brandstiftung zurückzuführen ist.

Für die Ermittelung des oder der Thäter wird hiermit eine Belohnung von 150 Mark ausgesetzt.

Etwaige Anzeigen sind an den Herrn Ersten Staatsanwalt beim Königlichen Landgericht zu Prenzlau zu erstatten. Potsdam, den 5. Juli 1890.

Der Regierungs-Präsident.

Bekanntmachungen des Staatssekretairs des Reichs-Postamts.

Einführung der Postanweisungen im Verkehr mit den Deutschen Schutzgebieten von Kamerun und Togo.

14. Vom 1. Juli 1890 ab können im Verkehr mit den Deutschen Schutzgebieten von Kamerun und Togo Zahlungen bis zum Betrage von 400 M. im Wege der Postanweisung durch die Deutschen Postanstalten vermittelt werden.

Auf den Postanweisungen, zu deren Ausstellung Formulare der für den internationalen Postanweisungsverkehr vorgeschriebenen Art zu verwenden sind, ist der dem Empfänger zu zahlende Betrag vom Absender in Mark und Pfennig anzugeben. Die Postanweisungsgebühr beträgt 10 Pf. für je 20 M. oder einen Theil von 20 M., mindestens jedoch 40 Pf. Der Abschnitt der Postanweisung kann zu schriftlichen Mittheilungen jeder Art benutzt werden.

Berlin W., den 26. Juni 1890.

Der Staatssecretair des Reichs-Postamts.

Bekanntmachungen der Königl. Kontrolle der Staatspapiere.

Bekanntmachung.

15. In Gemäßheit des § 20 des Ausführungsgesetzes zur Civilprozeßordnung vom 24. März 1879 (G.-S. S. 281) und des § 6 der Verordnung vom 16. Juni 1819 (G.-S. S. 157) wird bekannt gemacht, daß die am 23. April d. J. von dem Bankhause J. H. Stein zu Cöln a. Rh. bei der Post daselbst

Preise im Monat Juni 1890.

Artikel — kostet je 1 Kilogramm: Schweinefleisch	Kalbfleisch	Hammelfleisch	Speck	Butter	Ein Schock Eier	Ladenpreise in den letzten Tagen des Monats — Es kostet je 1 Kilogramm: Mehl: Weizen Nr. 1.	Mehl: Roggen Nr. 1.	Gerste: Graupe	Gerste: Grütze	Buchweizengrütze	Hafergrütze	Hirse	Reis, Java	Java-Kaffee mittler in gebr. Bohnen	Java-Kaffee gelber in gebr. Bohnen	Speisesalz	Schweineschmalz, hiesig.
M. Pf.	M. Pf.	M. Pf.	M. Pf.	M. Pf.	M. Pf.	M. Pf.	M. Pf.	M. Pf.	M. Pf.	M. Pf.	M. Pf.	M. Pf.	M. Pf.	M. Pf.	M. Pf.	M. Pf.	M. Pf.
1 30	— 90	1 05	1 70	2 30	3 43	— 30	— 25	— 55	— 50	— 40	— 55	— 55	— 60	3 40	3 60	— 20	1 60
1 50	— 90	1 —	1 90	1 98	2 90	— 40	— 26	— 50	— 60	— 50	— 80	— 60	— 60	2 60	3 60	— 20	1 60
1 38	1 33	1 35	1 60	2 25	3 10	— 20	— 20	— 40	— 40	— 70	— 50	— 40	— 25	2 80	3 40	— 20	1 60
1 35	1 15	1 15	1 80	2 30	3 45	— 40	— 30	— 50	— 40	— 50	— 50	— 50	— 50	3 60	4 —	— 20	1 60
1 40	— 90	1 20	1 80	2 20	2 40	— 32	— 26	— 60	— 40	— 50	— —	— 50	— 50	2 80	3 60	— 20	1 40
1 40	1 —	1 —	2 —	2 40	3 38	— 30	— 28	— 60	— 60	— 50	— —	— 60	— 60	3 20	3 60	— 20	2 —
1 35	1 30	1 20	1 70	2 25	3 10	— 38	— 26	— 50	— 60	— 60	— 60	— 60	— 60	2 80	4 —	— 20	1 80
1 20	1 —	1 20	1 70	2 20	3 —	— 33	— 26	— 40	— 50	— 40	— 60	— 40	— 40	3 —	3 60	— 20	1 50
1 40	1 —	1 20	1 60	2 20	3 60	— 36	— 24	— 50	— 40	— 40	— 60	— 36	— 60	3 60	3 60	— 20	1 60
1 40	1 30	1 15	1 95	1 78	2 50	— 50	— 36	— 50	— 40	— 50	— 50	— 40	— 50	4 —	3 80	— 20	2 —
1 50	1 28	1 34	1 80	2 24	3 29	— 40	— 30	— 50	— 50	— 50	— 50	— 50	— 65	3 20	3 80	— 20	1 80
1 40	— 95	1 21	1 90	2 24	3 30	— 32	— 28	— 50	— 40	— 50	— 60	— 50	— 60	3 40	3 80	— 20	2 —
1 40	1 05	1 15	2 —	1 73	2 58	— 25	— 24	— 40	— 45	— 50	— 50	— 40	— 50	3 20	3 60	— 20	1 60
1 50	1 —	1 20	1 60	2 60	3 38	— 32	— 27	— 40	— 44	— 45	— 44	— 40	— 60	3 25	3 50	— 20	1 60
1 30	1 10	1 10	1 70	2 20	3 30	— 40	— 30	— 60	— 60	— 50	— 60	— 50	— 60	3 25	3 58	— 20	1 60
1 20	— 90	1 20	1 90	2 40	3 60	— 35	— 25	— 50	— 40	— 50	— 50	— 50	— 60	3 20	3 40	— 20	2 —
1 60	1 30	1 30	1 80	2 40	3 20	— 40	— 30	— 50	— 50	— 55	— 50	— 50	— 65	3 40	3 80	— 20	1 40
1 40	1 10	1 20	1 80	2 40	2 80	— 35	— 25	— 55	— 50	— 50	— 50	— 55	— 60	3 20	3 60	— 20	1 40
1 50	1 50	1 50	1 60	2 24	3 34	— 40	— —	— 60	— 60	— 45	— 60	— 50	— 60	2 80	3 60	— 20	1 20
1 20	— 80	1 10	2 —	2 20	3 60	— 40	— 30	— 60	— 50	— 50	— 50	— 60	— 60	3 20	3 80	— 20	1 20
1 40	1 —	1 20	1 80	2 —	2 85	— 32	— 26	— 50	— —	— 40	— 50	— 30	— 50	3 30	3 60	— 20	1 80
1 15	— 87	1 06	1 78	1 86	2 91	— 28	— 26	— 50	— 50	— 50	— 60	— 50	— 50	3 20	3 60	— 20	1 80
1 30	1 15	1 15	1 76	2 20	3 10	— 25	— 24	— 50	— 40	— 40	— 50	— 50	— 60	3 25	3 50	— 20	1 40
— —	— —	— —	— —	— —	— —	— —	— —	— —	— —	— —	— —	— —	— —	— —	— —	— —	— —

Der Regierungs-Präsident.

behufs Beförderung an den Kaufmann Heinrich Heep in Montjoie (Rheinpreußen) in einem Werthbriefe eingelieferten 3½ %igen Konsols von 1889 lit. E. № 296484, 296485, 297365 und 297366 über je 300 M. während der Postbeförderung in Verlust gerathen sind. Es werden Diejenigen, welche sich im Besitze dieser Urkunden befinden, hiermit aufgefordert, solches der unterzeichneten Kontrolle der Staatspapiere oder den Rechtsanwälten Schniewind & Jüssen zu Cöln a. Rh., Hohenzollernring № 47, anzuzeigen, widrigenfalls das gerichtliche Aufgebotsverfahren behufs Kraftloserklärung der Urkunden beantragt werden wird.

Berlin, den 2. Juli 1890.

Königliche Kontrolle der Staatspapiere.

Bekanntmachungen der Königlichen Eisenbahn-Direktion zu Bromberg.

Frachtbegünstigung für Ausstellungsgegenstände.

42. Für die in der nachstehenden Zusammenstellung näher bezeichneten Gegenstände, welche auf den daselbst erwähnten Ausstellungen ausgestellt werden und unverkauft bleiben, wird eine Frachtbegünstigung in der Art gewährt, daß nur für die Hinbeförderung die volle tarifmäßige Fracht berechnet wird, die Rückbeförderung an die Versand-Station und den Aussteller aber frachtfrei erfolgt, wenn durch Vorlage des ursprünglichen Frachtbriefes bezw. des Duplikat-Transportscheines für den Hinweg, sowie durch eine Bescheinigung der dazu ermächtigten Stelle nachgewiesen wird, daß die Gegenstände ausgestellt gewesen und unverkauft geblieben sind, und wenn die Rückbeförderung innerhalb der unten angegebenen Zeit stattfindet.

In den ursprünglichen Frachtbriefen bezw. Duplikat-Transportscheinen für die Hinsendung ist ausdrücklich zu vermerken, daß die mit denselben aufgegebenen Sendungen durchweg aus Ausstellungsgut bestehen.

№	Art der Ausstellung	Ort	Zeit 1890	Die Frachtbegünstigung wird gewährt für	auf den Strecken der	Zur Ausfertigung der Bescheinigung sind ermächtigt	Die Rückbeförderung muß erfolgen innerhalb	
1	Ausstellung von Maschinen, Werkzeugen und Geräthen der Fleischerei, Fleischwaaren- und Wurstfabrikation,	Schwerin i. M.,	2. bis 4. Juli,	Gegenstände der nebenbezeichneten Art,	Preußischen Staatsbahnen,	Ausstellungs-Commission,	4 Wochen	nach Schluß der Ausstellung.
2	Ausstellung von Geräthen und Gegenständen aus dem Gebiete des Feuerlösch- und Rettungswesens,	Eisenach,	1. bis 4. August,	Gegenstände der nebenbezeichneten Art,	desgl.	desgl.	4 Wochen	
3	Ausstellung von Maschinen und Geräthen, welche zur Seifenfabrikation dienen,	Stuttgart,	16. bis 18 Juli,	Maschinen u. Geräthe der nebenbezeichneten Art,	Preußischen Staatsbahnen und Eisenbahnen in Elsaß-Lothringen,	desgl.	4 Wochen	

Bromberg, den 1. Juli 1890.

Königl. Eisenbahn-Direktion.

Bekanntmachung.

43. Mit sofortiger Gültigkeit treten im Verkehr von Station Gerdauen des diesseitigen Bezirks nach sämmtlichen Stationen der Direktionsbezirke Berlin, Breslau, Bromberg und nach denjenigen Stationen des Direktionsbezirks Erfurt, welche östlich der Linie Ruhland-Calau liegen, **Ausnahmefrachtsätze für Torfstreu und Torfmull** in Wagenladungen von mindestens 10000 kg auf einen Frachtbrief und Wagen oder oder bei Frachtzahlung für dieses Gewicht in Kraft Diese Ausnahmefrachtsätze gelten für die Zeit bis zum 31. August d. Js. und gewähren eine Frachtermäßigung von 25 % gegenüber den Sätzen des Spezial-Tarifs III. Näheres ist bei sämmtlichen Stationen unseres Bezirks in Erfahrung zu bringen.

Bromberg, den 3. Juli 1890.

Königliche Eisenbahn-Direktion
zugleich Namens der betheiligten Verwaltungen.

Bekanntmachungen der Königlichen Eisenbahn-Direktion zu Magdeburg.

Bekanntmachung.

17. Die zum **Umtausch** gegen Schuldverschreibungen der 3½ %igen konsolidirten Preußischen Staats-Anleihe abgestempelten 4 %igen **Magdeburg-Leipziger Prioritäts-Obligationen der Magdeburg-Halberstädter Eisenbahn-Gesellschaft Litt. A. und B.**, sowie die 4 %igen **Magdeburg-Halberstädter Eisenbahn-Prioritäts-Obligationen vom Jahre 1873** sind **vom 1. Juli 1890 ab bei der Königlichen Eisenbahn-Hauptkasse zu Magdeburg** und bei der **Königlichen Eisenbahn-Betriebskasse zu Berlin (auf dem Potsdamer Bahnhofe)**, welche den Umtausch **bewirken**, oder bei der **Königlichen Eisenbahn-Hauptkasse zu Berlin, Leipzigerplatz 17, der Königlichen Eisenbahn-Hauptkasse zu Frankfurt a. M., den Königlichen Eisenbahn-Betriebskassen zu Hamburg, Braunschweig und Halberstadt** — bei den Kassen zu Frankfurt a. M. und Hamburg jedoch nur innerhalb der ersten 6 Wochen des Umtauschgeschäftes — welche den Umtausch **vermitteln**, einzureichen.

Die umzutauschenden Obligationen sind mit den Talons und mit den Zinsscheinen über die **vom 1. Juli 1890 ab** laufenden Zinsen einzuliefern. Für fehlende Zinsscheine ist deren Werthbetrag, da beim Umtausch die Staatsschuldverschreibungen mit Zinsscheinen vom 1. Juli 1890 ab laufend ausgehändigt werden, baar einzuzahlen, oder bei Einsendung der Obligationen durch die Post der Postsendung beizufügen.

Außer Kurs gesetzte Obligationen müssen vor der Einlieferung wieder in Kurs gesetzt sein.

Die Einreichung der Obligationen hat nach den Gattungen: Litt. A., Litt. B. und 1873er, mittels je eines besondern Verzeichnisses, in welches die Obligationen in aufsteigender Nummernfolge einzutragen sind, zu erfolgen. Dieser Nummernfolge entsprechend müssen die Obligationen und Zinsscheine je für sich geordnet und je mit einem Papierstreifen umschlossen sein, auf welchem die Anzahl der Stücke und der Name des Einlieferers anzugeben ist. **Formulare zu diesen Verzeichnissen werden von den vorgenannten Kassen unentgeltlich verabfolgt; Verzeichnisse anderer Art können nicht angenommen werden.**

Ueber die eingereichten umzutauschenden Obligationen und Zinsscheine werden, Falls der Umtausch nicht Zug um Zug erfolgen kann, von den annehmenden Kassen Empfangsbescheinigungen ausgestellt, welche bei der durch dieselbe Kasse gegen Quittung erfolgenden Aushändigung der Staatsschuldverschreibungen zurückzugeben sind. Sobald letztere zur Abholung bereit liegen, werden die Einlieferer, eventl. unter Beifügung eines Quittungsentwurfs, portopflichtig davon benachrichtigt.

Ueber die durch die Post eingehenden umzutauschenden Obligationen werden Empfangsbescheinigungen nur auf Verlangen ertheilt. Die Uebersendung der für diese Obligationen auszugebenden Staatsschuldverschreibungen erfolgt gleichfalls durch die Post unter voller Werthangabe, sofern ein Anderes nicht bestimmt wird. Der Empfänger hat **umgehend** Quittung zu ertheilen, falls letztere **nicht** bereits vorher gefordert worden ist.

Für den Umtausch stehen Staatsschuldverschreibungen in Stücken zu 5000, 2000, 500, 300 und 200 Mark in beschränkter Anzahl zur Verfügung. Wünsche auf Zutheilung von Stücken einer bestimmten Gattung werden, soweit möglich, Berücksichtigung finden.

Wollen Empfänger von Staatsschuldverschreibungen die Umwandlung derselben in eine Buchschuld des Staates herbeiführen, so werden auf ihren Antrag die Staatsschuldverschreibungen zu diesem Zwecke direkt an die Hauptverwaltung der Staatsschulden (Schuldbuchbureau) abgegeben und sie nur mit entsprechender Nachricht versehen werden.

Gleichzeitig weisen wir darauf hin, daß diejenigen Obligationen der obengedachten Gattungen, **welche nicht zum Umtausch abgestempelt sind,** und daher als gekündigt gelten, vom 1. Juli 1890 ab gegen Einlieferung der Stücke nebst Talons und Zinsscheinen über die Zinsen vom 1. Juli 1890 ab laufend bei den **Königlichen Eisenbahn-Hauptkassen zu Magdeburg und Berlin (Leipzigerplatz 17) zum Neuwerth eingelöst werden.**

Magdeburg, den 20. Juni 1889.

Königliche Eisenbahn-Direktion.

Fahrplan-Aenderung.

18. Vom 1. Juli d. J. ab hält der Lokalpersonenzug P. 14 auch in Gr.-Lichterfelde.

Der Fahrplan für diesen Zug ändert sich daher in folgender Weise:

Abfahrt Berlin	7 53	Vm.
„ Lichterfelde	8 06	„
„ Zehlendorf	8 11	„
„ Schlachtensee	8 17	„
„ Wannsee	8 23	„
„ Neubabelsberg	8 31	„
„ Nowawes-Neuendorf	8 37	„
Ankunft Potsdam	8 41	„

Weiterfahrt wie bisher.

Königliches Eisenbahn-Betriebsamt (Berlin—Magdeburg).

Bekanntmachungen des Landes-Direktors der Provinz Brandenburg.

Bekanntmachung.

8. Nach dem Hauptetat der Verwaltung des Brandenburg'schen Provinzialverbandes sind in dem Etatsjahre 1890/91 für die Zwecke des Landarmenwesens $8^1/_2$% der in den einzelnen Land- und Stadtkreisen aufkommenden direkten Staatssteuern nach Maßgabe der §§ 106 bis 108 der Provinzialordnung als Provinzialabgaben aufzubringen und zwar zur Hälfte am 1. Juli d. J. und zur andern Hälfte am 2. Januar 1891, vorbehaltlich definitiver Regelung.

Demgemäß sind die aufzubringenden Provinzialabgaben auf die einzelnen Land- und Stadtkreise folgendermaßen vertheilt:

Nr.	Kreis	Gesammt-Steuer-aufkommen M.	Pf.	8½ pCt. als Provinzial-abgabe. M.	Pf.
1	Angermünde	436820	23	37129	71
2	Oberbarnim	563047	78	47859	06
3	Niederbarnim *	918967	11	78112	20
4	Beeskow-Storkow	197163	23	16758	87
5	Ost-Havelland	391880	77	33309	86
6	West-Havelland	359307	34	30541	12
7	Jüterbog-Luckenwalde	343334	42	29183	42
8	Lebus	578894	34	49206	01
9	Prenzlau	470668	04	40006	78
10	Ost-Prignitz *	371463	85	31574	42
11	West-Prignitz	473535	91	40250	55
12	Ruppin *	435388	36	37008	01
13	Teltow *	1232842	29	104791	59
14	Templin	266158	72	22623	49
15	Zauch-Belzig	400722	97	34061	45
16	Brandenburg a. H.	250682	86	21308	04
17	Charlottenburg	946033	07	80412	81
18	Frankfurt a. O.	460678	—	39157	63
19	Potsdam	552863	96	46993	43
20	Spandau	296973	94	25242	88
21	Arnswalde	191689	30	16293	59
22	Cottbus-Land	184549	24	15686	69
23	Crossen	221776	95	18851	04
24	Friedeberg	265484	63	22566	19
25	Königsberg	571255	12	48556	69
26	Landsberg	475661	48	40431	23
27	Soldin	274004	87	23290	41
28	Ost-Sternberg	209844	94	17836	82
29	West-Sternberg	209833	98	17835	89
30	Züllichau-Schwiebus	222392	65	18903	38
31	Cottbus-Stadt	230523	60	19594	51
32	Calau	239982	90	20398	54
33	Guben-Land *	182242	52	15490	61
34	Luckau	276966	38	23542	14
35	Lübben	117589	99	9995	14
36	Sorau	493881	43	41979	92
37	Spremberg	113873	90	9679	28
38	Guben-Stadt	186248	51	15831	12
	Summa	14615229	58	1242294	52

Berlin, den 28. Juni 1890.

Der Landesdirektor der Provinz Brandenburg
von Levetzow.

Bei den mit einem * versehenen Kreisen sind wegen

der nicht eingegangenen Nachweisungen des Gesammt-Steueraufkommens die Beträge des Vorjahres aufgenommen worden.

Bekanntmachungen der Kreis-Ausschüsse.

Bezirksveränderung.

24. Der unterzeichnete Kreisausschuß hat die Aufnahme einer in der Grundsteuermutterrolle des Gemeindebezirks Deutschhof, Kartenblatt 1 Parzelle № 138/127 verzeichneten, zur Zeit der Wittwe Ketzlin in Tietzow gehörigen Wiese von 1 ha 23 ar 60 qm Größe in den Gemeindebezirk Deutschhof genehmigt.

Nauen, den 26. Juni 1890.

Der Kreis-Ausschuß des Kreises Osthavelland.

25. **Nachweisung**
der vom Kreis-Ausschuß des Kreises Angermünde im II. Quartal 1890 genehmigten Gemeinde- und Gutsbezirks-Veränderungen.

Bezeichnung des Grundstücks.	Name des Erwerbers.	Künftiger Gemeinde- oder Guts-Verband.
Parzelle 2 294/19 der fiscalischen Dorfstraße zu Herzsprung von 49 qm Größe.	Bauerhofsbesitzer Albert Samain zu Herzsprung.	Gemeindeverband Herzsprung.

Angermünde, den 28. Juni 1890.

Der Vorsitzende.

Bekanntmachungen anderer Behörden.

Durch Abtrennung der dem Fabrikbesitzer Ludwig Polborn und Dr. Förster zu Berlin in der Gemarkung Havelstrom gehörigen Parzellen von resp. 10 a 38 qm und 9 a 48 qm Flächeninhalt von dem Gemeindebezirke Cladow im Kreise Ost-Havelland und deren Vereinigung mit dem Gemeindebezirke Stolpe im Kreise Teltow sind die Grenzen der Kreise Ost-Havelland und Teltow verändert worden, was wir gemäß § 3 der Kreisordnung hierdurch bekannt machen.

Spandau, den 25. Juni 1890.

Der Stadtausschuß.

Bekanntmachung.

Vom 1. Oktober d. J. geht die Führung der Handels-, Genossenschafts- und Muster-Register auf das unterzeichnete Amtsgericht für den Bezirk desselben über. Die öffentlichen Bekanntmachungen der bewirkten Eintragungen erfolgen im Laufe des Geschäftsjahres 1890 für das Zeichen- und Muster-Register nur durch den Deutschen Reichs- und Königlich Preußischen Staatsanzeiger, für die Handels- und Genossenschafts-Register außer dem Reichs- und Staatsanzeiger durch a. die Berliner Börsenzeitung, b. das Regierungsamtsblatt zu Potsdam, c. das Teltow'er bezw. Jüterbog'er Kreisblatt, d. Trebbiner Wochenblatt, für kleinere Genossenschaften nur durch den Reichs- und Staatsanzeiger und das Teltower bezw. Jüterbog'er Kreisblatt.

Trebbin, den 3. Juli 1890.

Königliches Amtsgericht.

Personal-Chronik.

Der Forstmeister Boruttau ist vom 1. Juli d. J. ab an die Königliche Regierung in Marienwerder versetzt.

Der an die Königliche Regierung in Potsdam versetzte Forstmeister Priem, bisher in Marienwerder, hat die Geschäfte der Forst-Inspektion Potsdam-Cöpenick übernommen.

Der Regierungsbaumeister Hoffmann ist zum Wasser-Bauinspektor ernannt, demselben ist die Bauinspektorstelle bei der Königlichen Regierung zu Potsdam verliehen.

Der Bürgermeister Rabenhorst zu Angermünde ist der von der Stadtverordneten-Versammlung daselbst am 15. November 1889 getroffenen Wiederwahl gemäß als Bürgermeister der Stadt Angermünde für die gesetzliche zwölfjährige Amtsdauer bestätigt und in das ihm von Neuem übertragene Amt eingeführt worden.

Der Bürgermeister Ullrich zu Cremmen ist der von der Stadtverordneten-Versammlung daselbst getroffenen Wiederwahl gemäß als Bürgermeister der Stadt Cremmen für eine fernere Amtsdauer von 12 Jahren bestätigt und am 24. Juni d. J. in das ihm von Neuem übertragene Amt eingeführt worden.

Der Bürgermeister Stahlberg aus Friedland N.-L. ist gemäß der von der Stadtverordneten-Versammlung zu Fehrbellin getroffenen Wahl als Bürgermeister der Stadt Fehrbellin für die gesetzliche zwölfjährige Amtsdauer bestätigt und am 30 Juni d. J. in das Amt eingeführt worden.

Der Lehrerin Fräulein Helene Tegeler aus Karlsruhe ist die Erlaubniß zur Fortführung der fünfklassigen höheren Privat-Mädchenschule von Fräulein Meffert zu Eberswalde ertheilt worden.

Dem Fräulein Johanna Hohagen, zur Zeit in Schwedt a. O., ist die Erlaubniß zur Anlegung, Leitung und Verwaltung einer höheren Privat-Mädchenschule zu Luckenwalde ertheilt worden.

Der bisherige Pfarrer zu Bocholt in Westfalen Anton Wilhelm Arnold Johanning ist zum Pfarrer der Parochie Rottstock, Diözese Belzig, bestellt worden.

Das unter magistratualischem Patronat stehende Diakonat zu Strausberg, Diözese gleichen Namens, kommt durch die Versetzung des Diakonus Lamprecht zum 1. Juli 1890 zur Erledigung.

Der wissenschaftliche Hilfslehrer Gustav Oppenheim ist als ordentlicher Lehrer an der 2. höheren Bürgerschule zu Berlin angestellt worden.

Der bisherige wissenschaftliche Hilfslehrer Fürth in Berlin ist als ordentlicher Lehrer am Falk-Realgymnasium ebenda angestellt worden.

Personalveränderungen im Bezirke der Kaiserlichen Ober-Postdirection in Berlin.

Im Laufe des Monats Juni sind:

ernannt zum Ober-Postsecretair der Postsecretair Baars, zu Ober-Postassistenten die Postassistenten Dombrowsky und Klein,

zu Ober-Telegraphenassistenten die Telegraphenassistenten Bannasch, Eisert, Jestrzembski, Liebenow, Müller, Rewöldt und Seifert,

angestellt als Postsecretair der Postpraktikant Merkwitz, als Postassistenten die Postassistenten Baldewein, Berner, Göken, Metzner, Molsberger, Phil. Müller, Jos. Neumann, Pfarrer, Ruffer, Schallehn, Joh. Schmidt, Thelitz, Weege, die Postanwärter Hamling und Süß,

als Telegraphenassistenten die Postassistenten Ergenzinger, Hänsch, Paul,

die Telegraphenanwärter Bockelmann, Dürheim, Drangosch, Ebeling, Hempf, Hönicke, Klingbeil, Knabe, Kühnast, Kumm, Quaasdorf, Regling, Stamm, Träger, Wender,

als Rohrpostmaschinist der Rohrpost-Hülfsmaschinist Haucke,

versetzt der Ober-Postdirectionssecretair Wegener von Königsberg (Pr.) nach Berlin, der Postassistent Herbert von Berlin nach Darmstadt,

in den Ruhestand versetzt der Ober-Telegraphensecretair Dyhrr, der Ober-Telegraphenassistent Bollmann,

gestorben die Ober-Postsecretaire Buttendorf und Holtzthiem, der Postsecretair Höppner.

Personalveränderungen im Bezirk der Kaiserlichen Ober-Postdirection in Potsdam.

Versetzt sind: der Postsecretair Volkmann als c. Ober-Postsecretair von Leipzig nach Potsdam, der Postsecretair Karsch als Postamtsvorsteher von Angermünde nach Templin, der Postsecretair Reck von Steglitz nach Rathenow und die Postverwalter Glasewald von Seehausen (Uckermark) nach Trebbin (Kr. Teltow), Schmidt von Karstädt nach Paulinenaue und Schulze von Paulinenaue nach Karstädt.

Etatsmäßig angestellt ist: der Postanwärter Herrmann in Spandau als Postassistent.

Gestorben ist: der Postverwalter Wilcke in Neustadt (Dosse) Stadt.

In den Ruhestand versetzt ist: der Ober-Postsecretair Richter in Potsdam.

Ausweisung von Ausländern aus dem Reichsgebiete.

Lauf. Nr.	Name und Stand	Alter und Heimath	Grund der Bestrafung.	Behörde, welche die Ausweisung beschlossen hat.	Datum des Ausweisungs-Beschlusses.
	des Ausgewiesenen.				
1.	2.	3	4.	5.	6.
		a. Auf Grund des § 39 des Strafgesetzbuchs:			
1	Johann Malorz, Arbeiter,	geboren im Jahre 1833 zu Bochnia, ortsangehörig zu Moßczinica, Bezirk Bochnia, Galizien,	schwerer Diebstahl (zwei Jahre Zuchthaus, Verlust der Ehrenrechte laut Erkenntniß vom 24sten Juli 1888),	Königlich Preußischer Regierungspräsident zu Breslau,	10. Juni 1890.
		b. Auf Grund des § 362 des Strafgesetzbuchs:			
1	Anton Dittrich, Schuhmacher,	geboren am 29. März 1850 zu Kammersgrün, ortsangehörig zu Joachimsthal, Bezirk Joachimsthal in Böhmen,	Betteln im wiederholten Rückfall,	Königlich Preußischer Regierungspräsident zu Cassel,	3. Juni 1890.
2	Anna Maria Eicher, geb. Rufer,	geboren am 20. Dezember 1844 zu Sarnen, Schweiz, ortsangehörig zu Gomiswald, Schweiz,	Betteln u. Landstreichen,	Kaiserlicher Bezirks-Präsident zu Colmar,	7. Juni 1890.
3	Johann Garchier, Maurer,	geboren am 19. Mai 1866 zu Nizza, ortsangehörig ebendaselbst,	desgleichen,	derselbe,	7. Juni 1890.
4	Franz Podlesak, Müller,	geboren im Dezember 1838 zu Krasnovice, Bez. Strakonitz, Böhmen, ortsangehörig ebendaselbst,	Betteln im wiederholten Rückfall,	Königlich Bayrisches Bezirksamt zu Vilshofen,	22. Mai 1890.

Lauf. Nr.	Name und Stand des Ausgewiesenen	Alter und Heimath des Ausgewiesenen	Grund der Bestrafung.	Behörde, welche die Ausweisung beschlossen hat.	Datum des Ausweisungs-Beschlusses.
1.	2.	3.	4.	5.	6.
5	Josef Pokorny, Kaufmann,	geboren am 1. Januar 1866 zu Warschau, ortsangehörig zu Grodno, Gouvernement Grodno,	Landstreichen,	Großherzoglich Hessisches Kreisamt zu Worms,	13. Juni 1890.
6	Heinrich Renz (Rens), Schmied,	29 Jahre alt, geboren zu Windisch-Grätz, Böhmen, ortsangehörig zu Pürgles, Bezirk Falkenau, Böhmen,	Betteln und Landstreichen,	Stadtmagistrat zu Deggendorf, Bayern,	14. Mai 1890.
7	Ferdinand Seitz, Schneidergeselle,	70 Jahre alt, geboren zu Schüttenhofen, ortsangehörig zu Welhartitz, Bezirk Schüttenhofen, Oesterreich,	desgleichen,	derselbe,	20. Mai 1890.
8	Bartholomäus Walter, Schweizer,	geboren am 18. August 1843 zu Westendorf, Bezirk Kitzbichel Oesterreich, ortsangehörig ebendaselbst,	Betteln im wiederholten Rückfall,	Königlich Bayerisches Bezirksamt zu Sonthofen,	30. Mai 1890.
9	Johann Wendl, Schuhmachergeselle,	geboren am 30. Mai 1850 zu Drahobudic, Bezirk Kollin, Böhmen, ortsangehörig ebendaselbst,	desgleichen,	Königlich Bayerisches Bezirksamt zu Vilshofen,	22. Mai 1890.
10	Johann Wiesner, Weißgerber,	geboren am 24. Juni 1857 in Niederhautzenthal, Bezirk Steckerau in Mähren, ortsangehörig in Nebes, Bezirk Hohenstadt in Mähren,	Landstreichen u. Betteln,	Großherzoglich Mecklenburg-Schwerinsches Ministerium des Innern,	22. Mai 1890.
11	Johann Wurzer (alias Wanko), Steindrucker,	geboren am 12. August 1855 in Wien, ortsangehörig zu Luggau, Bezirk Hermagor, Kärnthen,	Betteln u. Landstreichen,	Königlich Bayerisches Bezirksamt zu Garmisch,	29. Mai 1890.
12	Aloisia Zmolek,	geboren am 20. Dezember 1865 zu Wien, Bezirk Wien, ortsangehörig zu Boretic, Bezirk Patzau, Böhmen,	gewerbsmäßige Unzucht	Königlich Preußischer Polizei-Präsident zu Berlin,	14. Mai 1890.

Hierzu Drei Oeffentliche Anzeiger.

(Die Insertionsgebühren betragen für eine einspaltige Druckzeile 20 Pf. Belagsblätter werden der Bogen mit 10 Pf. berechnet.)

Redigirt von der Königlichen Regierung zu Potsdam.

Potsdam, Buchdruckerei der A. W. Hayn'schen Erben (E. Hayn, Hof-Buchdrucker).

Amtsblatt

der Königlichen Regierung zu Potsdam und der Stadt Berlin.

Stück 29. Den 18. Juli **1890.**

Reichs-Gesetzblatt.

(Stück 18.) № 1902. Gesetz, betreffend die Ergänzung des § 14 der Gebührenordnung für Zeugen und Sachverständige. Vom 11. Juni 1890.

Gesetz-Sammlung für die Königlichen Preußischen Staaten.

(Stück 24.) № 9392. Gesetz, betreffend die Errichtung eines Amtsgerichts in der Stadt Velbert. Vom 2. Juni 1890.

№ 9393. Verfügung des Justizministers, betreffend die Anlegung des Grundbuchs für einen Theil der Bezirke der Amtsgerichte Wegberg, Rheinbach, Cleve, Goch, Xanten, Meisenheim, Simmern, Stromberg, Bensberg, Cöln, Mülheim am Rhein, München-Gladbach, Solingen, Baumholder, St. Wendel und Saarbrücken. Vom 7. Juni 1890.

(Stück 25.) № 9394. Verordnung, betreffend die Zuständigkeit der Verwaltungsgerichte und den Instanzenzug für Streitigkeiten, welche nach reichsgesetzlicher Vorschrift im Verwaltungsstreitverfahren zu entscheiden sind. Vom 28. Mai 1890.

(Stück 26.) № 9395. Gesetz, betreffend die Feststellung eines Nachtrags zum Staatshaushalts-Etat für das Jahr vom 1. April 1890/91. Vom 17. Juni 1890.

№ 9396. Gesetz, betreffend die Feststellung eines Nachtrags zum Staatshaushalts-Etat für das Jahr vom 1. April 1890/91. Vom 17. Juni 1890.

(Stück 27.) № 9397. Gesetz, betreffend die Gründung neuer Ansiedelungen in der Provinz Hessen-Nassau. Vom 11. Juni 1890.

(Stück 28.) № 9398. Gesetz über die Termine bei Verträgen über Wohnungsmiethen in den Provinzen Schleswig-Holstein, Hannover und Hessen-Nassau. Vom 4. Juni 1890.

№ 9399. Statuten über die Stiftung eines „Allgemeinen Ehrenzeichens in Gold". Vom 17. Juni 1890.

(Stück 29.) № 9400. Verordnung, betreffend die Zuständigkeit der Verwaltungsgerichte und den Instanzenzug für Streitigkeiten, welche nach reichsgesetzlicher Vorschrift im Verwaltungsstreitverfahren zu entscheiden sind. Vom 28. Mai 1890.

(Stück 30.) № 9401. Gesetz, betreffend die Kirchengemeindeordnung für die evangelisch-lutherischen Kirchengemeiden Bornheim, Oberrad, Niederrad, Bonames, Niederursel und Hausen. Vom 2. Juni 1890.

Bekanntmachungen der Königlichen Ministerien.

Ankauf von Remonten für 1890.

Regierungs-Bezirk Potsdam.

19. Zum Ankaufe von Remonten im Alter von drei und ausnahmsweise vier Jahren sind im Bereiche der Königlichen Regierung zu Potsdam für dieses Jahr nachstehende, Morgens 8 resp. 9 Uhr beginnende Märkte anberaumt worden und zwar:

am	25. Juli	Prenzlau	8 Uhr,
	26. "	Angermünde	8 "
	28. "	Kyritz	9 "
	29. "	Wittstock	8 "
	30. "	Pritzwalk	8 "
	31. "	Perleberg	8 "
	1. August	Lenzen a. Elbe	8 "

Die von der Remonte-Ankaufs-Kommission erkauften Pferde werden zur Stelle abgenommen und sofort gegen Quittung baar bezahlt.

Pferde mit solchen Fehlern, welche nach den Landesgesetzen den Kauf rückgängig machen, sind vom Verkäufer gegen Erstattung des Kaufpreises und der Unkosten zurückzunehmen, ebenso Krippensetzer und Klopphengste, welche sich in den ersten zehn beziehungsweise acht und zwanzig Tagen nach Einlieferung in den Depots als solche erweisen. Pferde, welche den Verkäufern nicht eigenthümlich gehören, oder durch einen nicht legitimirten Bevollmächtigten der Kommission vorgestellt werden, sind vom Kauf ausgeschlossen.

Die Verkäufer sind verpflichtet, jedem verkauften Pferde eine neue starke rindlederne Trense mit starkem Gebiß und eine neue Kopfhalfter von Leder oder Hanf mit 2 mindestens zwei Meter langen Stricken ohne besondere Vergütung mitzugeben.

Um die Abstammung der vorgeführten Pferde feststellen zu können, sind die Deckscheine resp. Füllenscheine mitzubringen, auch werden die Verkäufer ersucht, die Schweife der Pferde nicht zu koupiren oder übermäßig zu verkürzen. Ferner ist es dringend erwünscht, daß ein zu massiger oder zu weicher Futterzustand bei den zum Verkauf zu stellenden Remonten nicht stattfindet, weil dadurch die in den Remontedepots vorkommenden Krankheiten sehr viel schwerer zu überstehen sind, als dies bei rationell und nicht übermäßig gefutterten Remonten der Fall ist. Die auf den Märkten vorzustellenden Remonten müssen daher in solcher Verfassung sein, daß sie durch mangelhafte Ernährung nicht gelitten haben und bei der Musterung ihrem Alter entsprechend in Knochen und Muskulatur ausgebildet sind.

Berlin, den 21. März 1890.

Kriegs-Ministerium. Remontirungs-Abtheilung.

Bekanntmachungen des Königlichen Regierungs-Präsidenten.

Schneider-, Kürschner- und Mützenmacher-Innung zu Havelberg.

141. Auf Grund der §§ 100e. und 100f. der Reichs-Gewerbe-Ordnung bestimme ich hiermit für den Bezirk der Schneider-, Kürschner- und Mützenmacher-Innung in Havelberg,

1) daß Streitigkeiten aus den Lehrverhältnissen der im § 120a. der Reichs-Gewerbe-Ordnung bezeichneten Art auf Anrufen eines der streitenden Theile von der zuständigen Innungsbehörde auch dann zu entscheiden sind, wenn der Arbeitgeber, obwohl er ein in der Innung vertretenes Gewerbe betreibt und selbst zur Aufnahme in die Innung fähig sein würde, gleichwohl der Innung nicht angehört;
2) daß die von der Innung erlassenen Vorschriften über die Regelung des Lehrlings-Verhältnisses, sowie über die Ausbildung und Prüfung der Lehrlinge auch dann bindend sind, wenn deren Lehrherr zu den unter № 1 bezeichneten Arbeitgebern gehört;
3) daß Arbeitgeber der unter № 1 bezeichneten Art vom 1. Januar 1891 ab Lehrlinge nicht mehr annehmen dürfen;
4) daß Arbeitgeber der unter № 1 bezeichneten Art nebst deren Gesellen von demselben Zeitpunkte ab zu den Kosten
   a der von der Innung für das Herbergswesen und den Nachweis für Gesellenarbeit getroffenen bezw. unternommenen Einrichtungen — § 97 2 der Gew.-Ordn,
   b. derjenigen Einrichtungen, welche von der Innung zur Förderung der gewerblichen und technischen Ausbildung der Meister, Gesellen und Lehrlinge getroffen sind bezw. unternommen werden — § 97 3 und 97a 1 und 2 a. a. O.,
   c. des von der Innung zu errichtenden Schiedsgerichts — § 97a. 6 a. a. O.

   in derselben Weise und nach demselben Maßstabe beizutragen verpflichtet sind, wie die Innungsmitglieder und deren Gesellen.

Ich bringe dies mit dem Bemerken zur öffentlichen Kenntniß, daß der Bezirk der genannten Innung die Ortschaften Havelberg, Toppeln, Nitzow und Jederitz umfaßt.

Potsdam, den 10. Juli 1890.

Der Regierungs-Präsident.

Maler-Innung in Nauen.

142. Auf Grund des § 100e. der Reichsgewerbeordnung in Verbindung mit № I. 1a. 2 der Ausführungsanweisung vom 9. März 1882 bestimme ich für den Bezirk der Maler-Innung in Nauen

1) daß Streitigkeiten der im § 120a. der Reichsgewerbeordnung bezeichneten Art auf Anrufen eines der streitenden Theile von der zuständigen Innungsbehörde auch dann zu entscheiden sind, wenn der Arbeitgeber, obwohl er das Maler-Gewerbe betreibt und selbst zur Aufnahme in die Innung fähig sein würde, gleichwohl der Innung nicht angehört,
2) daß die von der Innung erlassenen Vorschriften über die Regelung des Lehrlingsverhältnisses, sowie über die Ausbildung und Prüfung der Lehrlinge auch dann bindend sind, wenn der Lehrherr zu den unter 1 bezeichneten Arbeitgebern gehört,
3) daß Arbeitgeber der unter 1 bezeichneten Art vom 1. Januar 1891 an Lehrlinge nicht mehr annehmen dürfen.

Ich bringe dies mit dem Bemerken zur öffentlichen Kenntniß, daß der Bezirk der gedachten Innung die Städte Nauen, Friesack, Fehrbellin und Ketzin umfaßt.

Potsdam, den 14. Juli 1890.

Der Regierungs-Präsident.

Die Sperre der Neuhauser Schleuse betreffend.

143. Dem schifffahrttreibenden Publikum bringe ich hierdurch zur Kenntniß, daß die Neuhauser Schleuse für die Zeit vom 20. Juli bis 1. September d. J. gesperrt und der Weg deshalb von Neuhaus über Kersdorf durch den Oder-Spree-Kanal zu nehmen ist.

Potsdam, den 15. Juli 1890.

Der Regierungs-Präsident.

Viehseuchen.

144. Festgestellt ist:

der Milzbrand bei einer Kuh des Bauergutsbesitzers Protz zu Buschow, Kreis Westhavelland;

der Rotz bei 2 Pferden des Kossäthen August Haase zu Ahrensfelde, Kreis Niederbarnim;

die Influenza (als Brustseuche) unter dem Pferdebestande des Bauergutsbesitzers Kaörk und (als Skalma) unter dem Pferdebestande des Brauereibesitzers Bünger zu Gnewickow, Kreis Ruppin;

die Maul- und Klauenseuche unter den Rindern der verwittweten Bauer Pundt und des Kossäthen Heinrich zu Schöneiche, Kreis Teltow.

Erloschen ist:

der Milzbrand in der Ortschaft Rauen, Kreis Beeskow-Storkow, und auf dem Gute Sputendorf, Kreis Teltow;

die Influenza unter den Pferden des Rittergutes Falkenberg, Kreis Niederbarnim, und unter dem Pferdebestande des Rittergutsbesitzers Jacobs zu Gnewickow, Kreis Ruppin;

die Maul- und Klauenseuche unter dem Rindviehbestande des Gutes Gielsdorf, Kreis Oberbarnim.

Wegen Verdachtes der Behaftung mit der Rotzkrankheit sind unter Beobachtung gestellt 2 Pferde des Kossäthen Wilhelm Haase zu Ahrensfelde, Kreis Niederbarnim.

Potsdam, den 15. Juli 1890

Der Regierungs-Präsident.

Bekanntmachungen des Königlichen Polizei-Präsidiums zu Berlin.

Berliner und Charlottenburger Preise für Monat Juni 1890.

62. A. Engros-Marktpreise im Monatsdurchschnitt.

In Berlin:

für 100 Klgr.	Weizen	(gut)	19	Mark	86	Pf.,
„ „ „	do.	(mittel)	19	„	21	„
„ „ „	do.	(gering)	18	„	81	„
„ „ „	Roggen	(gut)	16	„	16	„
„ „ „	do.	(mittel)	15	„	64	„
„ „ „	do.	(gering)	15	„	15	„
„ „ „	Gerste	(gut)	17	„	75	„
„ „ „	do.	(mittel)	16	„	63	„
„ „ „	do.	(gering)	14	„	04	„
„ „ „	Hafer	(gut)	18	„	02	„
„ „ „	do.	(mittel)	17	„	46	„
„ „ „	do.	(gering)	16	„	65	„
„ „ „	Erbsen	(gut)	19	„	60	„
„ „ „	do.	(mittel)	18	„	—	„
„ „ „	do.	(gering)	17	„	20	„
„ „ „	Richtstroh		6	„	20	„
„ „ „	Heu		5	„	39	„

Monats-Durchschnitt der höchsten Berliner Tagespreise **einschließlich 5% Aufschlag** für 50 kg

	Hafer	Stroh	Heu
im Monat Juni	9,59 Mk.,	3,41 Mk.,	3,35 Mk.

B. Detail-Marktpreise im Monatsdurchschnitt.

1) In Berlin:

für 100 Klgr.	Erbsen (gelbe z. Kochen)	28	Mark	46	Pf.,
„ „ „	Speisebohnen (weiße)	30	„	—	„
„ „ „	Linsen	40	„	48	„
„ „ „	Kartoffeln	5	„	47	„
„ 1 Klgr.	Rindfleisch v. d. Keule	1	„	34	„
„ 1 „	„ (Bauchfleisch)	1	„	13	„
„ 1 „	Schweinefleisch	1	„	38	„
„ 1 „	Kalbfleisch	1	„	33	„
„ 1 „	Hammelfleisch	1	„	34	„
„ 1 „	Speck (geräuchert)	1	„	60	„
„ 1 „	Eßbutter	2	„	25	„
„ 60 Stück	Eier	3	„	05	„

2) In Charlottenburg:

für 100 Klgr.	Erbsen (gelbe z. Kochen)	32	Mark	50	Pf.,
„ „ „	Speisebohnen (weiße)	35	„	—	„
„ „ „	Linsen	45	„	—	„
„ „ „	Kartoffeln	4	„	94	„
„ 1 Klgr.	Rindfleisch v. d. Keule	1	„	50	„
„ 1 „	„ (Bauchfleisch)	1	„	20	„
„ 1 „	Schweinefleisch	1	„	50	„
„ 1 „	Kalbfleisch	1	„	35	„
„ 1 „	Hammelfleisch	1	„	30	„
„ 1 „	Speck (geräuchert)	1	„	60	„
„ 1 „	Eßbutter	2	„	20	„
„ 60 Stück	Eier	3	„	20	„

C. Ladenpreise in den letzten Tagen des Monats Juni 1890:

1) In Berlin:

für 1 Klgr.	Weizenmehl № 1			35	Pf.,
„ 1 „	Roggenmehl № 1			32	„
„ 1 „	Gerstengraupe			43	„
„ 1 „	Gerstengrütze			40	„
„ 1 „	Buchweizengrütze			45	„
„ 1 „	Hirse			40	„
„ 1 „	Reis (Java)			70	„
„ 1 „	Java-Kaffee (mittler)	2	Mark	75	„
„ 1 „	„ (gelb in gebr. Bohnen)	3	„	78	„
„ 1 „	Speisesalz			20	„
„ 1 „	Schweineschmalz (hiesiges)	1	„	60	„

2) In Charlottenburg:

für 1 Klgr.	Weizenmehl № 1			50	Pf.,
„ 1 „	Roggenmehl № 1			40	„
„ 1 „	Gerstengraupe			60	„
„ 1 „	Gerstengrütze			50	„
„ 1 „	Buchweizengrütze			50	„
„ 1 „	Hirse			50	„
„ 1 „	Reis (Java)			80	„
„ 1 „	Java-Kaffee (mittler)	2	„	80	„
„ 1 „	„ (gelb in gebr. Bohnen)	3	„	60	„
„ 1 „	Speisesalz			20	„
„ 1 „	Schweineschmalz (hiesiges)	1	„	30	„

Berlin, den 7. Juli 1890.

Königl. Polizei-Präsidium. Erste Abtheilung.

Bekanntmachung.

63. Auf Grund des § 15 des Enteignungsgesetzes vom 11. Juni 1874 ist von Landespolizeiwegen vorläufig festgestellt worden, daß:

a. von dem Grundstücke der Fraederich'schen Erben Band 3 № 124 des Grundbuchs von Lichtenberg eine Fläche von 3302 qm,

b. von dem Grundstücke des Gutsbesitzers Herrmann Band 17 № 579 desselben Grundbuches eine Fläche von 2445 qm,

c. von dem Grundstücke des Gutsbesitzers Karl Loeper Band 1 № 37 desselben Grundbuchs eine Fläche von 4768 qm,

d. von dem Grundstücke der Sonntag'schen Erben Band 1 № 4 des Grundbuchs von Borhagen drei Flächen von 3723 qm und 8628 qm und 1433 qm,

e. von dem Grundstücke des Gärtners Carl Rudolf Bouché Band 21 № 1408 des Grundbuches von den Umgebungen (Berlins) zwei Flächen von 1560 qm und 44 qm,

f. von dem Grundstücke desselben Eigenthümers Band 36 № 2195 desselben Grundbuches zwei Flächen von 196 qm und 228 qm,

g. von dem Grundstücke des Kunst- und Handelsgärtners Johann Gottfried George Band 3 № 172 desselben Grundbuches eine Fläche von 44 qm,

h. von dem Grundstücke der verwittweten Oberamtmann Anna Christiane Karoline Griebenow geb. Kleber Band 3 № 1 des Grundbuchs von den Niederschönhausener Vorwerk-Parzellen zwei Flächen von 42 qm und 374 qm,

i. von dem Grundstücke der Frau Dr. Agnes Amalie Ferdinandine Henriette Spickermann, geb. Büttner, — ohne Grundbuchnummer — eine Fläche von 709 qm,

k. von dem Grundstücke des Kaufmanns und Miteigenthümers Meyer Band 78 № 3980 des Grundbuchs von den Umgebungen (Berlins) eine Fläche von 210 qm,

l. von dem Grundstücke des Nathan Wolff und Sohn Band 5 № 381 des Grundbuchs von Berlin eine Fläche von 199 qm,

m. von dem Wittwenhaus des Kollegiums des Berlinischen Gymnasiums zum Grauen Kloster Band 78 № 3990 von den Umgebungen Berlins eine Fläche von 75 qm,

n. von dem Grundstücke der Frau Seemann Band 5 № 369 des Grundbuches von Berlin eine Fläche von 171 qm,

o. von dem Grundstücke der Wittwe Louise Götze, geb. Wolff, und der Auguste Wolff Band 36 № 2194 des Grundbuchs von den Umgebungen (Berlins) eine Fläche von 201 qm,

p. von dem Grundstücke des Paul Eduard Leopold Engel Band 36 № 2192 desselben Grundbuchs eine Fläche von 196 qm,

q. von dem Grundstücke der verwittweten Gärtner Marie Belig, geb. Köpsch, Band 36 № 2193 desselben Grundbuchs eine Fläche von 114 qm,

r. von dem Grundstücke des Gärtners Eduard Gottlieb Ludwig Mewes Band 36 № 2196 desselben Grundbuchs eine Fläche von 66 qm,

zusammen diejenigen Grundstücksflächen darstellen, hinsichtlich welcher der Stadtgemeinde Berlin zum Zwecke der Einlegung eines Druckrohres des Radial-Systems XII. der allgemeinen Kanalisation von Berlin durch die Allerhöchsten Cabinets-Ordres vom 17. September 1888 und 27. Januar 1889 das Enteignungsrecht verliehen worden ist.

Der vorläufig festgestellte Plan nebst Erläuterung vom 22. März d. J. wird gemäß § 18 flgd. a. a. O vom 21. Juli bis 4. August 1890 einschließlich im Büreau des Herrn Gemeinde-Vorstehers zu Boxhagen—Rummelsburg während der täglichen Dienststunden zu Jedermanns Einsicht ausliegen.

Einwendungen gegen diesen Plan bezüglich der im Gemeindebezirk Boxhagen-Rummelsburg belegenen Grundstücke sind bis zum Ablaufe der bestimmten Frist bei der höherer Anordnung zu Folge hierfür zuständigen Ersten Abtheilung des Königlichen Polizei-Präsidiums zu Berlin schriftlich einzureichen.

Berlin, den 10. Juli 1890.

Der Polizei-Präsident.

Freiherr von Richthofen.

Bekanntmachungen des Reichs-Postamts.

15. Nach einer Mittheilung der Portugiesischen Postverwaltung dürfen Postpackete (colis postaux) nach Portugal bis auf Weiteres auf dem Wege über Spanien nicht eingeführt werden. Derartige Sendungen werden daher einstweilen nur zur Beförderung auf dem Seewege (ab Hamburg oder Bordeaux) angenommen. Berlin W., 7. Juli 1890.

Reichs-Postamt, I. Abtheilung.

Bekanntmachungen der Kaiserlichen Ober-Post-Direktion zu Potsdam.

Bekanntmachung.

66. Die im Kreise Niederbarnim gelegene Ortschaft Hennickendorf nebst Ziegelei, Mühle und Torfhaus wird **vom 15. Juli 1890 ab** von dem Landbestellbezirke des Kaiserlichen Postamts in Herzfelde abgezweigt und dem Bezirke des Kaiserlichen Postamtes in Strausberg 2 (Bhf.) zugetheilt.

Potsdam, den 8. Juli 1890.

Der Kaiserliche Ober-Postdirector.

Bekanntmachung.

67. In den Orten Boberow, Mellen und Zapel werden am 16. d. M. mit den Ortspostanstalten verbundene Reichs-Telegraphenanstalten eröffnet werden.

Potsdam, den 12. Juli 1890.

Der Kaiserliche Ober-Postdirektor.

Bekanntmachung.

68. In dem Orte Mahlsdorf wird am 15. Juli eine mit der Ortspostanstalt vereinigte Reichs-Telegraphenanstalt eröffnet werden.

Potsdam, den 12. Juli 1890.

Der Kaiserliche Ober-Postdirektor.

Bekanntmachung.

69. In Ihlow, Reichenberg bei Batzlow und Pritzhagenermühle werden am 16. d. M. mit den Ortspostanstalten vereinigte Reichs-Telegraphenanstalten in Wirksamkeit treten. Potsdam, den 12. Juli 1890.

Der Kaiserliche Ober-Postdirektor.

Bekanntmachungen der Königl. Kontrolle der Staatspapiere.

Bekanntmachung.

16. In Gemäßheit des § 20 des Ausführungsgesetzes zur Civilprozeßordnung vom 24. März 1879 (G.-S. S. 281) und des § 6 der Verordnung vom 16. Juni 1819 (G.-S. S. 157) wird bekannt gemacht, daß die dem Circusdirektor Wenzel Drexler zu Altona, Schulterblatt 75, gehörige Schuldverschreibung der konsolidirten 4 %igen Staatsanleihe von 1885 lit. D. № 701822 über 500 M. angeblich versehentlich verbrannt ist. Es wird Derjenige, welcher sich im Besitze dieser Urkunde befindet, hiermit aufgefordert, solches der unterzeichneten Kontrolle der Staatspapiere oder den Rechtsanwälten P. A. Smith und Dr. M. Leo zu Hamburg, Große Theaterstraße 40 I., anzuzeigen, widrigenfalls das gerichtliche Aufgebotsverfahren behufs Kraftloserklärung der Urkunde beantragt werden wird.

Berlin, den 8. Juli 1890.

Königliche Kontrolle der Staatspapiere.

Bekanntmachungen der Königlichen Eisenbahn-Direktion zu Berlin.

31. Da auch für den nächsten Herbst und Winter eine bedeutende Steigerung des Güterverkehrs und somit eine außerordentliche Inanspruchnahme des Wagenparks trotz der eingetretenen erheblichen Vermehrung desselben zu erwarten ist, so empfiehlt es sich, daß die Empfänger größerer Mengen von Kohlen und sonstigen Rohprodukten möglichst frühzeitig mit der Anfuhr dieser Materialien beginnen und genügende Vorräthe für die Herbst- und Winterzeit ansammeln. Wir rechnen in dieser Hinsicht auf die wirksame Unterstützung aller Betheiligten in den verkehrtreibenden Kreisen, in deren eigenem Interesse es liegt, dahin zu wirken, daß von beschränkenden Maßregeln hinsichtlich der Wagengestellung und Bemessung der Ladefristen Abstand genommen werden kann.

Berlin, den 4. Juli 1890.

Königliche Eisenbahn-Direktion.

Bekanntmachungen der Königlichen Eisenbahn-Direktion zu Bromberg.

Frachtbegünstigung für Ausstellungsgegenstände.

44. Für die in der nachstehenden Zusammenstellung näher bezeichneten Thiere und Gegenstände, welche auf den daselbst erwähnten Ausstellungen ausgestellt werden und unverkauft bleiben, wird eine Frachtbegünstigung in der Art gewährt, daß nur für die Hinbeförderung die volle tarifmäßige Fracht berechnet wird, die Rückbeförderung an die Versand-Station und den Aussteller aber frachtfrei erfolgt, wenn durch Vorlage des ursprünglichen Frachtbriefes bezw. des Duplikat-Transportscheines für den Hinweg, sowie durch eine Bescheinigung der dazu ermächtigten Stelle nachgewiesen wird, daß die Gegenstände ausgestellt gewesen und unverkauft geblieben sind, und wenn die Rückbeförderung innerhalb der unten angegebenen Zeit stattfindet.

In den ursprünglichen Frachtbriefen bezw. Duplikat-Transportscheinen für die Hinsendung ist ausdrücklich zu vermerken, daß die mit denselben aufgegebenen Sendungen durchweg aus Ausstellungsgut bestehen.

№	Art der Ausstellung	Ort	Zeit 1890	Die Frachtbegünstigung wird gewährt für	auf den Strecken der	Zur Ausfertigung der Bescheinigung sind ermächtigt	Die Rückbeförderung muß erfolgen innerhalb	
1	Bienenwirthschaftliche Ausstellung,	Heiligenstadt,	27. bis 29. Juli,	Bienen, sowie Geräthe u. Erzeugnisse der Bienenzucht,	Preußischen Staatsbahnen,	Ausstellungs-Commission,	4 Wochen	nach Schluß der Ausstellung.
2	Ausstellung von Feuerlöschgeräthschaften und Feuerwehrutensilien,	Schönebeck,	30. August bis 1. September,	Gegenstände der nebenbezeichneten Art,	desgl.	desgl.	14 Tage	
3	Allgemeine landwirthschaftliche Ausstellung,	Cureghem-Anderlecht les Bruxelles,	24. August bis 8. September,	landwirthschaftliche Erzeugnisse, Maschinen und Geräthe,	Preußischen Staatsbahnen und Eisenbahnen in Elsaß-Lothringen,	desgl.	4 Wochen	

Bromberg, den 7. Juli 1890.

Königl. Eisenbahn-Direktion.

Bekanntmachungen der Kreis-Ausschüsse.

26.

Nachweisung

der vom Kreis-Ausschuß des Kreises Ruppin auf Grund des § 1 des Gesetzes vom 14. April 1856 in Verbindung mit § 25 des Zuständigkeitsgesetzes vom 1. August 1883 genehmigten Veränderungen an Gemeinde- und Gutsbezirksgrenzen.

Bezeichnung der in Betracht kommenden Grundstücke.	seitherigen Gemeinde- resp. Gutsbezirke.	künftigen Gemeinde- resp. Gutsbezirke.
1) Die von der Königlichen Hofkammer der Königlichen Familiengüter zu Berlin von dem Major von Werder zu Breslau erworbene 5,280 ha große Wiese am Biekow-See.	Gutsbezirk Schlaborn	Gutsbezirk Amt Rheinsberg.
2) Die von dem Bauerngutsbesitzer Carl Schley zu Buberow von der fiskalischen Dorfaue daselbst erworbene Parcelle von 0,0103 ha.	Fiskalische Dorfaue zu Buberow.	Gemeindebezirk Buberow.
3) Die von dem Lehnschulzengutsbesitzer Albert Julius Dittmann zu Buberow von der fiskalischen Dorfaue daselbst erworbene Parcelle von 0,0069 ha.	Desgleichen.	Desgleichen.

Neu-Ruppin, den 7. Juli 1890.

Der Kreis-Ausschuß.

Bekanntmachungen anderer Behörden.

Polizei-Verordnung betreffend das Meldewesen.

Auf Grund der §§ 5 und 6 des Gesetzes über die Polizei-Verwaltung vom 11. 3. 1850 (G.-S. S. 263) bezw. der §§ 143 und 144 des Gesetzes über die allgemeine Landesverwaltung vom 30. 7. 1883 (G.-S. S. 232), sowie der Polizei-Verordnungen des Herrn Ober-Präsidenten der Provinz Brandenburg vom 16. 12. 76 — A.-Bl. S. 457 und vom 21. 6. 79 — A.-Bl. S. 276 — verordnet die Königliche Polizei-Direktion unter Zustimmung des Magistrats für den Polizei-Bezirk von Charlottenburg was folgt:

Meldungen in Bezug auf Wohnungs-Veränderungen innerhalb Charlottenburgs.

§ 1. Die nach § 3 der Polizei-Verordnung vom 16. 12. 76 (A.-Bl. S. 457) der Polizei-Direktion zu machende Meldung über den Wohnungswechsel innerhalb Charlottenburgs ist vom 1. Juli d. J. ab schriftlich einzureichen.

§ 2. Zu melden sind das Beziehen einer Wohnung und das Ausziehen aus einer Wohnung. Bezieht Jemand eine Wohnung, ohne seine bisherige aufzugeben, so ist zwar nur das Beziehen der neuen Wohnung, jedoch mit der ausdrücklichen Angabe zu melden, daß die alte Wohnung nicht aufgegeben wird.

§ 3. Die Meldung muß geschehen, sowohl bei dem Büreau des Polizei-Reviers, in welchem die neu bezogene, als auch bei dem Büreau des Polizei-Reviers, in welchem die aufgegebene Wohnung liegt.

§ 4. Jede Meldung muß innerhalb dreier Tage nach Eintritt der Wohnungsveränderung von dem Umziehenden erstattet werden. Dabei wird der erste Umzugstag nicht mitgerechnet.

§ 5. Zu der in dem § 2 vorgeschriebenen Meldung sind auch diejenigen, welche die betreffenden Personen als Miether, Dienstboten oder in sonstiger Weise aufgenommen haben, innerhalb eines achttägigen Zeitraumes nach dem Umzuge verpflichtet, sofern sie sich nicht durch Einsicht der bezgl. polizeilichen Bescheinigung von der bereits erfolgten Meldung Ueberzeugung verschafft haben.

§ 6. Die Meldung muß genau nach Maßgabe der Anlage-Muster unter vollständiger und deutlicher Ausfüllung sämmtlicher Spalten derselben erstattet werden, und zwar bei Anmeldungen nach Muster I, bei Abmeldungen nach Muster II.

Zur Vollständigkeit der Namenbezeichnung in der ersten Spalte gehört: bei Frauen die Angabe des Zunamens, welchen sie bei ihrer Geburt, und desjenigen, welchen sie in etwaigen früheren Ehen geführt haben, bei Minderjährigen die Angabe der Namen, sowie des Standes oder Gewerbes der Eltern bezw. der Mutter.

Der Familienstand in der zweiten Spalte wird durch die Angabe bezeichnet, ob Jemand verheirathet, verwittwet oder ledig ist. In Spalte 7 ist bei den zur Klassensteuer veranlagten Personen die Klassensteuer-Nummer des laufenden Jahres einzutragen. Erfolgt der Umzug eines Klassensteuerpflichtigen vor Zustellung der Klassensteuer-Veranlagungsbenachrichtigung oder einer Klassensteuer-Quittung des laufenden Jahres, so ist statt der Klassensteuer-Nummer des laufenden Jahres diejenige aus dem Vorjahre unter Beifügung der Jahreszahl einzutragen.

Es sind deshalb die zur Klassensteuer veranlagten Personen verpflichtet, ihre Klassensteuer-Veranlagungsbenachrichtigung oder eine Klassensteuer-Quittung des Vorjahres so lange aufzubewahren, bis ihnen die Klassensteuer-Veranlagungsbenachrichtigung oder eine Klassensteuer-Quittung für das laufende Jahr zugegangen ist. Bei nicht besteuerten Personen ist in Spalte 7 O., bei Staats-Einkommensteuerpflichtigen E. einzutragen.

Bei Wohnungsveränderungen, welche von Familien vorgenommen werden, hat die Anmeldung des Ehemannes, der Ehefrau und der Kinder auf einem und demselben Blatte zu erfolgen; in die Abmeldung sind dagegen die Namen der Ehefrau und der Kinder nicht aufzunehmen, sondern nur das Familienhaupt (Ehemann, Wittwe) mit dem Zusatze „nebst Familie". Abgesehen von diesem Falle ist es nicht gestattet, mehrere Personen auf einem und demselben Blatte zu melden.

Meldungen, welche den vorstehenden Bestimmungen nicht entsprechen, gelten als nicht erstattet.

§ 7. Die Meldungen sind in 2 Exemplaren bei der Meldestelle (§ 3) einzureichen.

Der Meldende kann verlangen, daß ihm ein drittes Exemplar behufs des Nachweises der geschehenen Meldung abgestempelt zurückgegeben wird.

Meldungen in Bezug auf Reisende.

§ 8. Zu melden sind die Ankunft und Abreise von Reisenden. Personen, welche in einem Verwandtschafts- oder Schwägerschafts-Verhältniß zu demjenigen stehen, bei welchem sie abgestiegen sind, brauchen, sofern ihr Aufenthalt nicht über 3 Monate währt, nicht gemeldet zu werden.

§ 9. Die Meldung (§ 8) muß geschehen bei dem Büreau desjenigen Polizei-Reviers, in welchem der Reisende abgestiegen ist.

§ 10. Die An- und Abmeldung eines Reisenden muß innerhalb 24 Stunden nach der Ankunft bezw. der Abreise derselben, erfolgen. Gastwirthe und Vermiether von Fremdenstuben haben jedoch über Ankunft und Abreise von Reisenden zweimal an jedem Tage Meldung zu machen, in der Art, daß diejenigen Reisenden, welche zwischen 6 Uhr Morgens und 5 Uhr Nachmittags zu- oder abgereist sind, bis 6 Uhr desselben Tages, diejenigen Reisenden, welche zwischen 5 Uhr Nachmittags des einen und 6 Uhr Morgens des nächstfolgenden Tages zu- oder abgereist sind, bis 9 Uhr Morgens, des letzteren Tages zu melden sind.

§ 11. Zur Meldung ist derjenige verpflichtet, welcher dem Reisenden über Nacht, sei es entgeltlich oder unentgeltlich Obdach gewährt.

§ 12. Die Meldung der Ankunft erfolgt nach dem Muster III., die Meldung der Abreise nach dem Muster IV. Hinsichtlich der Benutzung der Muster gelten die in § 6 enthaltenen Bestimmungen, jedoch bedarf es hier der Angabe des Familienstandes sowie des Steuerzeichens (cfr. Spalte 2 und 7 in Muster I. und II.) nicht.

Die Meldung mehrerer Reisenden kann auf dem nämlichen Blatte erfolgen.

§ 13 Jeder Gastwirth oder Vermiether von Fremdenzimmern ist verpflichtet, ein Fremdenbuch zu führen, in welches er gleich nach der Ankunft des Reisenden dessen Vor- und Zunamen, Stand oder Gewerbe, Wohnort, den Ort woher er gekommen ist und wohin er geht, sowie den Tag der Ankunft und Abreise einträgt. Das Fremdenbuch muß mit Blätter- oder Seiten-Zahlen versehen und polizeilich abgestempelt sein. Die Abstempelung erfolgt auf dem Büreau desjenigen Polizei-Reviers, in welchem der Gasthof bezw. die Fremdenwohnung belegen ist.

Die Fremdenbücher sind nach der Schließung noch ein Jahr lang aufzubewahren.

§ 14. Das Fremdenbuch muß den Beamten der Polizei auf Verlangen zur Einsicht vorgelegt werden.

Meldungen in Bezug auf Schiffer und solche Personen, welche sich auf Schiffsgefäßen und Flößen aufhalten.

§ 15. Die Führer von Schiffsgefäßen und Flößen, welche innerhalb des Polizei-Bezirks von Charlottenburg anlegen, sind zur Anmeldung und, sobald sie die Anlagestelle verlassen, zur Abmeldung aller Personen verpflichtet, welche mit dem Fahrzeuge ankommen, bezw. mit demselben abfahren.

§ 16. Die Meldung muß bei der Königlichen Polizei-Direktion geschehen.

§ 17. Die An- und Abmeldung ist sofort nach der Ankunft, bezw. unmittelbar vor der Abreise zu erstatten.

§ 18. Die Anmeldung erfolgt nach dem Muster V. die Abmeldung nach dem Muster VI. Hinsichtlich der Benutzung der Muster gelten die in § 6 enthaltenen Bestimmungen, jedoch bedarf es hier der Angabe des Familienstandes, sowie des Steuerzeichens (cfr. Spalte 2 und 7 Muster I. und II.) nicht.

§ 19. Außer den Personen, welche mit dem Schiffsgefäße oder Floße angekommen sind, oder mit demselben abreisen, darf Niemandem der Aufenthalt über Nacht dort gestattet werden.

§ 20. Uebertretungen dieser Verordnung werden mit Geldbuße bis zu 30 Mark oder mit entsprechender Haft bestraft.

Charlottenburg, den 24. Juni 1890.

Königliche Polizei-Direktion. v. Saldern.

I. Weißes Papier.

Polizeiliche Anmeldung.

Am ten 18 sind nachstehend verzeichnete Personen:

von { der .... Straße Nr. / dem .... Platz Nr. }
nach { der .... Straße Nr. / dem .... Platz Nr. } verzogen.

(Bem.: Hier ist das Datum einzurücken, an welchem der Umzug begonnen hat.)

(Bem.: Beim Umzuge nach außerhalb ist der zukünftige, beim Anzuge von außerhalb der aufgegebene Wohnort genau zu bezeichnen.

Vor- und Zuname.	Familienstand	Stand oder Gewerbe.	Geburts- Tag	Mon.	Jahr	Geburtsort und Kreis.	Religion.	Steuer-No.	Angabe, ob die neu bezogene Wohnung im eigenen Hause liegt, ob sie vom Hauseigenthümer gemiethet oder von einem Miether, und welchem, in Aftermiethe genommen ist, oder ob sie in einer Schlafstelle besteht.

Charlottenburg, den .... 18 ..

(Datum der Abgabe der Meldung an den betreffenden Beamten.)

(Name und Standesbezeichnung des zur Meldung Verpflichteten.)

Bemerkungen. Die Meldungen sind in zwei Exemplaren bei dem Polizei-Revier-Büreau einzureichen. Sie müssen innerhalb drei Tage nach dem Eintritt der Wohnungs-Veränderung erstattet werden, dabei wird der erste Umzugstag nicht mitgerechnet. Bei Wohnungs-Veränderungen, welche von Familien vorgenommen werden, hat die Anmeldung des Ehemannes, der Ehefrau und der Kinder auf einem und demselben Blatte zu erfolgen. Zur Vollständigkeit der Namenbezeichnung in der ersten Spalte der Anmeldung gehört: Bei Frauen die Angabe des Zunamens, welchen sie bei ihrer Geburt, und desjenigen, welchen sie in etwaigen früheren Ehen geführt haben; bei Minderjährigen die Angabe der Namen, sowie des Standes oder Gewerbes der Eltern, beziehungsweise der Mutter. Der Familienstand Spalte 2 wird durch die Angabe bezeichnet, ob Jemand verheirathet, Wittwer (Wittwe) oder ledig ist. In die Spalte 7 ist bei den zur Klassensteuer veranlagten Personen die Klassensteuernummer des laufenden Jahres einzutragen. Erfolgt der Umzug eines Klassensteuerpflichtigen vor Zustellung der Klassensteuer-Veranlagungs-Benachrichtigung oder einer Klassensteuer-Quittung des laufenden Jahres, so ist statt der Klassensteuer-Nummer des laufenden Jahres diejenige aus dem Vorjahre unter Beifügung der Jahreszahl einzutragen. Zu diesem Zwecke sind die zur Klassensteuer veranlagten Personen verpflichtet, ihre Klassensteuer-Veranlagungs-Benachrichtigung oder eine Klassensteuer-Quittung des Vorjahres so lange aufzubewahren, bis ihnen die Klassensteuer-Veranlagungs-Benachrichtigung oder eine Klassensteuer-Quittung für das laufende Jahr zugegangen ist. Bei gar nicht besteuerten Personen in Spalte 7 O., bei Staatseinkommensteuerpflichtigen E. einzutragen. Bei Eintragung aus einem anderen Gemeindebezirke neu anziehender Personen bedarf es der Aufnahme eines Vermerks in Spalte 7 nicht. Die Eintragungen geschehen nach der Reihenfolge. Die Namen der im Hause mitwohnenden Ehefrau und Kinder folgen unmittelbar auf denjenigen des Ehemannes, bezw. des Vaters oder der Mutter.

II. **Grünes Papier.**

Polizeiliche Abmeldung.

Am ten 18 sind nachstehend verzeichnete Personen:

von { der . . . . Straße Nr. / dem . . . . Platz Nr.
nach { der . . . . Straße Nr. / dem . . . . Platz Nr.
verzogen.

(Bem.: Hier ist das Datum einzurücken, an welchem der Umzug begonnen hat.) (Bem.: Beim Umzuge nach außerhalb ist der zukünftige, beim Anzuge von außerhalb der aufgegebene Wohnort genau zu bezeichnen.)

Vor- und Zuname.	Familienstand.	Stand oder Gewerbe	Geburts- Tag	Mon.	Jahr	Geburtsort und Kreis	Religion.	Steuer-No.	Angabe, ob die neu bezogene Wohnung im eigenen Hause liegt, ob sie vom Hauseigenthümer gemiethet oder von einem Miether, und welchem, in Aftermiethe genommen ist, oder ob sie in einer Schlafstelle besteht.

Charlottenburg, den . . . . 18 . . . .
(Datum der Abgabe der Meldung an den betreffenden Beamten.) (Name und Standesbezeichnung des zur Meldung Verpflichteten.)

Bemerkungen. Die Meldungen sind in zwei Exemplaren bei dem Polizei-Revier-Büreau einzureichen. Sie müssen innerhalb drei Tagen nach Eintritt der Wohnungs-Veränderungen erstattet werden, dabei wird der erste Umzugstag nicht mitgerechnet. Bei Wohnungs-Veränderungen, welche von Familien vorgenommen werden, sind in die Abmeldung die Namen der Ehefrau und der Kinder nicht mit aufzunehmen, sondern nur das Familienhaupt mit dem Zusatze: „nebst Familie". Zur Vollständigkeit der Namensbezeichnung in der ersten Spalte der Abmeldung gehört: Bei Frauen die Angabe des Zunamens, welchen sie bei ihrer Geburt, und desjenigen, welchen sie in etwaigen früheren Ehen geführt haben; bei Minderjährigen die Angabe der Namen, sowie des Standes oder Gewerbes der Eltern, beziehungsweise der Mutter. Der Familienstand Spalte 2 wird durch die Angabe bezeichnet, ob jemand verheirathet, Wittwer (Wittwe) oder ledig ist. In die Spalte 7 ist bei den zur Klassensteuer veranlagten Personen die Klassensteuernummer des laufenden Jahres einzutragen. Erfolgt der Umzug eines Klassensteuerpflichtigen vor Zustellung der Klassensteuer-Veranlagungs-Benachrichtigung oder einer Steuerkassen-Quittung des laufenden Jahres, so ist statt der Klassensteuernummer des laufenden Jahres diejenige aus dem Vorjahre unter Beifügung der Jahreszahl einzutragen. Zu diesem Zwecke sind die zur Klassensteuer veranlagten Personen verpflichtet, ihre Klassensteuer-Veranlagungs-Benachrichtigung oder eine Klassensteuer-Quittung des Vorjahres so lange aufzubewahren, bis ihnen die Klassensteuer-Veranlagungs-Benachrichtigung oder eine Klassensteuer-Quittung für das laufende Jahr zugegangen ist. Bei gar nicht besteuerten Personen ist in Spalte 7 O., bei Staatseinkommensteuerpflichtigen E. einzutragen. Bei Eintragung der aus einem anderen Gemeindebezirk neu anziehenden Personen bedarf es der Aufnahme eines Vermerks in Spalte 7 nicht. Die Eintragungen geschehen nach der Reihenfolge. Die Namen der im Hause mitwohnenden Ehefrau und Kinder folgen unmittelbar auf denjenigen des Ehemannes bezw. des Vaters oder der Mutter.

III. **Weißes Papier.**

Polizeiliche Anmeldung von Reisenden.

Am ten 18 sind nachstehend verzeichnete Reisende bei dem Unterzeichneten abgestiegen:

Vor- und Zuname.	Stand oder Gewerbe.	Geburts- Tag	Mon.	Jahr	Genaue Bezeichnung des Wohnortes.	Genaue Bezeichnung des Orts, von woher der Reisende gekommen ist.

Charlottenburg, den .... 18 .. ..

(Datum der Abgabe der Meldung an den betreffenden Beamten.) (Name und Standesbezeichnung des zur Meldung Verpflichteten.)

Bemerkungen. Zur Vollständigkeit der Namenbezeichnung in der ersten Spalte der Anmeldung gehört:

Bei Frauen die Angabe des Zunamens, welchen sie bei ihrer Geburt, und desjenigen, welchen sie in etwaigen früheren Ehen geführt haben.

Bei Minderjährigen die Angabe der Namen, sowie des Standes oder Gewerbes der Eltern, beziehungsweise der Mutter.

IV. **Grünes Papier.**

Polizeiliche Abmeldung von Reisenden.

Am ten 18 sind nachstehend verzeichnete Reisende abgereist:

Vor- und Zuname.	Stand oder Gewerbe.	Geburts- Tag	Mon.	Jahr	Genaue Bezeichnung des Wohnortes.	Genaue Bezeichnung des Orts, nach wohin der Reisende abgereist ist.

Charlottenburg, den .... 18 .. ..

(Datum der Abgabe der Meldung an den betreffenden Beamten.) (Name und Standesbezeichnung des zur Meldung Verpflichteten.)

Bemerkungen. Zur Vollständigkeit der Namenbezeichnung in der ersten Spalte der Abmeldung gehört:

Bei Frauen die Angabe des Zunamens, welchen sie bei ihrer Geburt und desjenigen, welchen sie in etwaigen früheren Ehen geführt haben.

Bei Minderjährigen die Angabe der Namen, sowie des Standes oder Gewerbes der Eltern beziehungsweise der Mutter.

V. **Weißes Papier.**

Polizeiliche Anmeldung von Personen, welche zu Schiffsgefäßen und Flößen gehören:

Am ten 18 Vor-/Nach-mittags Uhr sind nachstehend verzeichnete Personen mit dem Fahrzeuge des Schiffseigners ...., bezeichnet mit dem Namen ..... und der Nr. .... von ..... kommend, vor dem ..... Grundstücke in ..... angekommen.

Vor- und Zuname.	Stand oder Gewerbe.	Geburts- Tag	Mon.	Jahr	Wohnort.	Kreis	Bei Schiffsknechten Name und Wohnort des letzten Herrn.

Charlottenburg, den .... 18 .. ..

(Datum der Abgabe der Meldung an den betreffenden Beamten) (Name und Standesbezeichnung des zur Meldung Verpflichteten.)

Bemerkungen. Zur Vollständigkeit der Namenbezeichnung in der ersten Spalte der Anmeldung gehört:

Bei Frauen die Angabe des Zunamens, welchen sie bei ihrer Geburt und desjenigen, welchen sie in etwaigen früheren Ehen geführt haben.

Bei Minderjährigen die Angabe der Namen, sowie des Standes oder Gewerbes der Eltern beziehungsweise der Mutter.

VI. Grünes Papier.

Polizeiliche Abmeldung
von Personen, welche zu Schiffsgefäßen oder Flößen gehören:

Am ten 18 Vor-/Nach- mittags Uhr sind nachstehend verzeichnete Personen mit dem Fahrzeuge des Schiffseigners ..... bezeichnet mit dem Namen ..... und der Nr. ..... nach ..... von dem Grundstück ..... wieder abgefahren.

Vor- und Zuname.	Stand oder Gewerbe.	Geburts- Tag	Mon.	Jahr	Wohnort.	Kreis.	Bei Schiffsknechten Name und Wohnort des letzten Herrn.

Charlottenburg, den .... 18 . .
(Datum der Abgabe der Meldung an den betreffenden Beamten.)

....
(Name und Standesbezeichnung des zur Meldung Verpflichteten.)

Bemerkungen. Zur Vollständigkeit der Namenbezeichnung in der ersten Spalte der Abmeldung gehört:

Bei Frauen die Angabe des Zunamens, welchen sie bei ihrer Geburt, und desjenigen, welchen sie in etwaigen früheren Ehen geführt haben.

Bei Minderjährigen die Angabe der Namen, sowie des Standes oder Gewerbes der Eltern, beziehungsweise der Mutter.

Personal-Chronik.

Im Kreise Niederbarnim ist der Königliche Forst-Assessor Graf Franz Korff, genannt Schmiesing-Kerßenbrock zu Oberförsterei Cöpenick zum Amtsvorsteher-Stellvertreter des 5. Bezirks Ober-Schönweide ernannt worden.

Der Bürgermeister Stosberg aus Wurzbach ist gemäß der von der Stadtverordneten-Versammlung zu Neustadt a. D. getroffenen Wahl als Bürgermeister der Stadt Neustadt a. D. für die gesetzlich zwölfjährige Amtsdauer bestätigt und am 2. Juli d. J. in das Amt eingeführt worden.

Dem Förster Lauterbach ist vom 1. Juli d. J. ab die Verwaltung der Forstkassen-Rendantenstelle zu Gransee endgültig übertragen worden.

In Stelle des pensionirten Forstkassen-Rendanten, Rechnungsraths Willud in Gransee ist dessen Amtsnachfolger, Forstkassen-Rendant Lauterbach zu Gransee vorbehaltlich jederzeitigen Widerrufs vom 1. August 1890 ab nebenamtlich mit der Besorgung der domänen- und fiscalischen Kirchen- 2c. Patronats-Geschäfte in den Ortschaften: a. vom ehemaligen Amt Zehdenick — Kreis Ruppin — Craatz, Buberow, Neu-Lüdersdorf mit Fischerwall, Alt-Lüdersdorf mit Wentow, Neu-Lögow, Woltersdorf, b vom ehemaligen Amt Alt-Ruppin — Kreis Ruppin — Schulzendorf, Rönnebeck, Klosterheide, Keller, Strubensee, Seebeck, Groß-Mutz, Glambeck, Linde mit Grundmühle, Bielitz, Banzendorf, Dierberg, Hindenberg mit Grünhoff, Königstädt, Lindow, Zechow und außerdem bezüglich der fiscalischen Gewässer: Gudlack- und Wutz-See bei Lindow, Bielitz-See bei Bielitz, Fließ zwischen Bielitz- und Gudlack-See beauftragt worden.

In Verfolg unserer Bekanntmachung vom 6. November 1880 — Amtsblatt von 1880 Beilage zum 46. Stück — wird hierdurch zur öffentlichen Kenntniß gebracht, daß dem Domainenpächter Adolf Kortenbeitel zu Zehdenick die Geschäfte seines Vorgängers in der Pachtung, Oberamtmannes Lessel — № 44 — übertragen worden sind.

Der bisherige Pfarrer zu Groß-Krausnigk, Diözese Sonnewalde, Johann Max Adolf Schoene, ist zum dritten Diakonus an der St. Nicolai-Kirche zu Spandau, Diözese Spandau, bestellt worden.

Der bisherige Provinzialvikar Walter Stämmler ist zum Pfarrer der Parochie Mildenberg, Diözese Zehdenick, bestellt worden.

Der bisherige Provinzialvikar Gottlob Konrad Hermann Schlunk ist zum Pfarrer der Parochie Boitzenburg, Diözese Prenzlau I, bestellt worden.

Der bisherige Prediger zu Wald a. Rh. Gustav Robert Alexander Brukenhaus ist zum zweiten Prediger bei der Evangelischen St. Thomas-Kirchengemeinde in der Diözese Cöln Stadt bestellt worden.

Ausweisung von Ausländern aus dem Reichsgebiete.

Lauf. Nr.	Name und Stand	Alter und Heimath	Grund der Bestrafung.	Behörde, welche die Ausweisung beschlossen hat.	Datum des Ausweisungs-Beschlusses.
	des Ausgewiesenen.				
1.	2.	3	4.	5.	6.
		Auf Grund des § 362 des Strafgesetzbuchs:			
1	Johann Beran, Schuhmachergeselle,	geboren am 17. Juni 1859 zu Kruslow, Bezirk Strakonic, Böhmen, ortsangehörig ebendaselbst,	Betteln und Landstreichen,	Königlich Bayerisches Bezirksamt zu Vilshofen,	11. Juni 1890.
2	Norbert Brunner, Schlosser,	geboren am 10. Januar 1861 zu Rezamislitz, ortsangehörig zu Welhartitz, Bezirk Schüttenhofen, Böhmen,	desgleichen,	Großherzoglich Badischer Landeskommissär zu Freiburg,	17. Juni 1890.
3	Carlo Godi, Koch,	geboren am 3. Februar 1863 zu Turin, Italien, ortsangehörig ebendaselbst,	Landstreichen,	Kaiserlicher Bezirks-Präsident zu Straßburg i. E.,	18. Juni 1890.
4	Wenzel Hauda, Bräuknecht,	39 Jahre alt, geboren zu Wrbitschan, Bezirk Leitmeritz, Böhmen, ortsangehörig ebendas.,	Betteln im wiederholten Rückfall,	Königlich Bayerisches Bezirksamt Eggenfelden,	29. Mai 1890.
5	Josef Jacob Holececk, Goldrahmenarbeiter,	66 Jahre alt, geboren zu Neuhaus, Bezirk Budweis, Böhmen, ortsangehörig ebendas.,	Betteln u. Landstreichen,	Großherzoglich Badischer Landeskommissär zu Mannheim,	16. Juni 1890.
6	Mathias Karlischek, Kaminkehrergehülfe,	geboren am 25. November 1870 zu Wolfsegg, Bezirk Böcklabruck, Oesterreich, ortsangehörig zu Osek, Bezirk Pilsen, Böhmen,	desgleichen,	Königlich Bayerisches Bezirksamt Landau a. Isar,	9. Juni 1890.
7	Anton Karpf, Fabrikarbeiter,	geboren am 26. November 1872 zu Wittislingen, Bezirk Dillingen, Bayern, ortsangehörig zu Goffau, Kanton Zürich, Schweiz,	Betteln im wiederholten Rückfall,	Stadtmagistrat zu Augsburg,	7. Juni 1890.
8	Johanna Lapatsch, verwittwete Robert Winter, Zigeunerin,	etwa 50 Jahre alt, geboren zu Klocksdorf, Bezirk Neutitschein, Mähren,	Landstreichen u. Betteln,	Königlich Preußischer Regierungspräsident zu Oppeln,	4. Juni 1890.
9	Dominik Moser, Erdarbeiter,	geboren im April 1869 in Faida, Provinz Trient, Italien, ortsangehörig ebendaselbst,	Landstreichen,	Kaiserlicher Bezirks-Präsident zu Colmar,	19. Juni 1890.
10	Eugen Scarton, Erdarbeiter,	geboren am 9. Januar 1864 zu Beluno, Italien, ortsangehörig ebendaselbst,	Landstreichen und Betteln,	derselbe,	desgleichen.
11	Johann Sterkela, Erdarbeiter,	geboren am 11. Mai 1857 zu Cachotto, Provinz Trient, Italien, ortsang. ebendas.,	Landstreichen,	derselbe,	desgleichen.

Lauf. Nr.	Name und Stand des Ausgewiesenen.	Alter und Heimath des Ausgewiesenen.	Grund der Bestrafung.	Behörde, welche die Ausweisung beschlossen hat.	Datum des Ausweisungs-Beschlusses.
1.	2.	3.	4.	5.	6.
12	Valère Verdet (auch Verbert), Kommis,	geboren am 4. April 1870 zu Paris, Frankreich, ortsangehörig ebendaselbst,	Landstreichen,	Kaiserlicher Bezirks-Präsident zu Straßburg i. E.,	17. Juni 1890.
13	Johann Weinrich, Regenschirmmacher und Musiker,	41 Jahre alt, geboren zu Barstorf, Niederösterreich, ortsangehörig zu Neu-Dietmans, Bezirk Waidhofen a. d. Thaya, Niederösterreich,	Landstreichen und Betteln,	Stadtmagistrat zu Deggendorf,	24. Mai 1890.
14	Anna Weinrich, Ehefrau des Vorigen,	42 Jahre alt, geboren zu Dreihacken bei Eger, ortsangehörig zu Neu-Dietmans (s. Nr. 13),	Landstreichen,	derselbe,	desgleichen.
15	Maria Weinrich, Tochter der Vorigen,	16 Jahre alt, geboren zu Kühberg, Oesterreich, ortsangehörig zu Neu-Dietmans (s. Nr. 13),	Betteln u. Landstreichen,	derselbe,	desgleichen.
16	Karl Woldrich, Taglöhner,	geboren am 29. April 1865 zu Stachau, Bezirk Schüttenhofen, Böhmen, ortsangehörig ebendaselbst,	Landstreichen u. Betteln,	Großherzoglich Badischer Landeskommissär zu Freiburg,	17. Juni 1890.

Hierzu Drei Oeffentliche Anzeiger.

(Die Insertionsgebühren betragen für eine einspaltige Druckzeile 20 Pf. Belagsblätter werden der Bogen mit 10 Pf. berechnet.)

Redigirt von der Königlichen Regierung zu Potsdam.

Potsdam, Buchdruckerei der A. W. Hayn'schen Erben (E. Hayn, Hof-Buchdrucker).

Amtsblatt

der Königlichen Regierung zu Potsdam und der Stadt Berlin.

Stück 30. Den 25. Juli **1890.**

Reichs-Gesetzblatt.

(Stück 19.) № 1903. Verordnung zur Ergänzung der Verordnung vom 14. April 1888, betreffend die Abänderung und Ergänzung der Ausführungsbestimmungen zu dem Gesetze über die Kriegsleistungen. Vom 27. Juni 1890.

№ 1904. Bekanntmachung, betreffend den Aufruf und die Einziehung der Fünfhundertmarknoten des Leipziger Kassenvereins in Leipzig. Vom 4 Juli 1890.

(Stück 20.) № 1905. Gesetz, betreffend die Feststellung eines Nachtrags zum Reichshaushalts-Etat für das Etatsjahr 1890/91. Vom 5. Juli 1890.

№ 1906. Gesetz, betreffend die Feststellung eines zweiten Nachtrags zum Reichshaushalts-Etat für das Etatsjahr 1890/91. Vom 5. Juli 1890.

№ 1907. Gesetz, betreffend die Feststellung eines dritten Nachtrags zum Reichshaushalts-Etat für das Etatsjahr 1890/91. Vom 5 Juli 1890.

№ 1908. Gesetz, betreffend die Aufnahme einer Anleihe für Zwecke der Verwaltungen des Reichsheeres und der Post und Telegraphen. Vom 5. Juli 1890.

(Stück 21.) № 1909. Niederlassungsvertrag zwischen dem Deutschen Reich und der Schweizerischen Eidgenossenschaft. Vom 31. Mai 1890

Gesetz-Sammlung für die Königlichen Preußischen Staaten.

(Stück 31.) № 9402. Staatsvertrag zwischen Preußen und Braunschweig wegen Herstellung einer Eisenbahn von Ilsenburg nach Harzburg. Vom 18. Oktober 1889.

№ 9403. Staatsvertrag zwischen Preußen und Hamburg wegen Herstellung einer Eisenbahn von Geestemünde nach Cuxhaven. Vom 23./24. Januar 1890.

(Stück 32.) № 9404. Gesetz über Rentengüter. Vom 27. Juni 1890.

№ 9405. Gesetz, betreffend die Fürsorge für die Waisen der Lehrer an öffentlichen Volksschulen. Vom 27. Juni 1890.

Bekanntmachungen der Königlichen Ministerien.

Ankauf von Remonten für 1890.

Regierungs-Bezirk Potsdam.

20. Zum Ankaufe von Remonten im Alter von drei und ausnahmsweise vier Jahren sind im Bereiche der Königlichen Regierung zu Potsdam für dieses Jahr nachstehende, Morgens 8 resp. 9 Uhr beginnende Märkte anberaumt worden und zwar:

am **25. Juli**	Prenzlau	8	Uhr,
26. „	Angermünde	8	„
28. „	Kyritz	9	„
29. „	Wittstock	8	„
30. „	Pritzwalk	8	„
31. „	Perleberg	8	„
1. August	Lenzen a. Elbe	8	„

Die von der Remonte-Ankaufs-Kommission erkauften Pferde werden zur Stelle abgenommen und sofort gegen Quittung baar bezahlt.

Pferde mit solchen Fehlern, welche nach den Landesgesetzen den Kauf rückgängig machen, sind vom Verkäufer gegen Erstattung des Kaufpreises und der Unkosten zurückzunehmen, ebenso Krippensetzer und Koppengste, welche sich in den ersten zehn beziehungsweise acht und zwanzig Tagen nach Einlieferung in den Depots als solche erweisen. Pferde, welche den Verkäufern nicht eigenthümlich gehören, oder durch einen nicht legitimirten Bevollmächtigten der Kommission vorgestellt werden, sind vom Kauf ausgeschlossen.

Die Verkäufer sind verpflichtet, jedem verkauften Pferde eine neue starke rindlederne Trense mit starkem Gebiß und eine neue Kopfhalfter von Leder oder Hanf mit 2 mindestens zwei Meter langen Stricken ohne besondere Vergütung mitzugeben.

Um die Abstammung der vorgeführten Pferde feststellen zu können, sind die Deckscheine resp. Füllenscheine mitzubringen, auch werden die Verkäufer ersucht, die Schweife der Pferde nicht zu koupiren oder übermäßig zu verkürzen. Ferner ist es dringend erwünscht, daß ein zu massiger oder zu weicher Futterzustand bei den zum Verkauf zu stellenden Remonten nicht stattfindet, weil dadurch die in den Remontedepots vorkommenden Krankheiten sehr viel schwerer zu überstehen sind, als dies bei rationell und nicht übermäßig gefutterten Remonten der Fall ist. Die auf den Märkten vorzustellenden Remonten müssen daher in solcher Verfassung sein, daß sie durch mangelhafte Ernährung nicht gelitten haben und bei der Musterung ihrem Alter entsprechend in Knochen und Muskulatur ausgebildet sind.

Berlin, den 21. März 1890.

Kriegs-Ministerium. Remontirungs-Abtheilung.

Bekanntmachungen des Königlichen Regierungs-Präsidenten.

Communalbezirks-Veränderung.

145. Auf Antrag des Gärtners Otto Thiedemann zu Heinersdorf bei Schwedt hat der Bezirksausschuß zu Potsdam in der Sitzung vom 9. Mai 1890 nach

Anhörung des Kreistags des Kreises Angermünde und nach ertheilter Einwilligung
a. der städtischen Behörden zu Schwedt,
b. der Königlichen Hofkammer der Königlichen Familiengüter zu Berlin,—
c. des bezeichneten Grundeigenthümers Gärtners Thiedemann,
I. die Abtrennung folgender zum Forstgutsbezirke Heinersdorf gehörigen, bisher das Förstergehöft Monplaisir bildenden Grundstücke und zwar der früher im Grundbuch von Schwedt (herrschaftlich) Band XI. № 13, jetzt im Grundbuch von Schwedt Band XV. № 15 verzeichneten, auf dem Blatte 7 der Gemarkungskarte von Heinersdorf Königliche Forst eingetragenen Trennstücke, nämlich:

a. № 127
mit einem Flächeninhalt von 1 ar 00 qm,
b. № 1208/128a.
mit einem Flächeninhalt von 7 ar 20 qm,
c. № 1209/128a.
mit einem Flächeninhalt von 30 ar 60 qm,
d. № 1352/129
mit einem Flächeninhalt von 12 ar 00 qm,
e. № 1354/132
mit einem Flächeninhalt von 28 ar 10 qm,

aus dem Forstgutsbezirk Heinersdorf,
II. die Einverleibung eben derselben Grundstücke in den Gemeindebezirk der Stadt Schwedt beschlossen.
Potsdam, den 19. Juli 1890
Der Regierungs-Präsident.

Viehseuchen.

146. Festgestellt ist:
der Rotz bei einem Pferde des Fuhrherrn Schöneberg zu Rixdorf, Kreis Teltow;
die Maulseuche unter dem Rindvieh mehrerer Dorfbewohner von Dornswalde, Kreis Jüterbog-Luckenwalde;
die Maul- und Klauenseuche unter den Kühen des Gemeindevorstehers Giese zu Blankenburg, Kreis Niederbarnim.
Potsdam, den 22. Juli 1890.
Der Regierungs-Präsident.

Bekanntmachungen der Bezirksausschüsse.

Eröffnung der kleinen Jagd

12. Für den Regierungsbezirk Potsdam wird als Tag der Eröffnung der diesjährigen Jagd auf **Rebhühner und Wachteln Montag, der 18. August** auf **Hasen, Auer-, Birk- und Fasanenhennen, sowie Haselwild Montag, der 15. September,** festgesetzt. Potsdam, den 17. Juli 1890.
Der Bezirks-Ausschuß zu Potsdam.

Bekanntmachungen der Kaiserlichen Ober-Postdirektion zu Berlin.

Bekanntmachung.

70. Am 1. August wird die Postagentur in Adlershof in ein Postamt III. umgewandelt.

Die Dienststunden dieses Postamts für den Verkehr mit dem Publikum sind festgesetzt: für die Werktage von 7 (im Winterhalbjahre von 8) Uhr Vormittags bis 12 Uhr Mittags und von 3 bis 7 Uhr Nachmittags; für die Sonn- und gesetzlichen Feiertage von 7 (bz. 8) bis 9 Uhr Vormittags und von 5 bis 6 Uhr Nachmittags; außerdem von 12 bis 1 Uhr Mittags für den Telegraphenbetrieb.

Außerhalb der vorbezeichneten Dienststunden werden Telegramme angenommen und befördert, auch solche am Apparat aufgenommen, sofern ein Beamter ohnehin in den Diensträumen anwesend ist.
Berlin C, den 14. Juli 1890.
Der Kaiserliche Ober-Postdirektor.

Bekanntmachung.

71. Am 1. August werden Dorf und Schloß Schönholz, sowie die Abbauten Graeben und Pritzke von dem Landbestellbezirke der Postagentur in Rosenthal bei Berlin abgezweigt. Von demselben Tage ab treten Dorf und Schloß Schönholz dem Ortsbestellbezirke des Postamts in Reinickendorf hinzu und bilden die Abbauten Graeben und Pritzke den Landbestellbezirk bei dem Postamte in Reinickendorf.
Berlin C., den 15. Juli 1890.
Der Kaiserliche Ober-Postdirektor.

Bekanntmachungen der Kaiserlichen Ober-Post-Direktion zu Potsdam.

Bekanntmachung.

72. Diejenigen Personen, welche noch in diesem Etatsjahre **Anschluß an eine der Stadt-Fernsprecheinrichtungen** in Potsdam, Spandau, Cöpenick, Steglitz, Groß-Lichterfelde, Oranienburg, Grünau (Mark), Wannsee und Ludwigsfelde wünschen, werden ersucht, ihre Anmeldungen recht bald, **spätestens aber bis zum 1. August** an das Postamt in dem betreffenden Orte zu richten. **Spätere Anmeldungen können erst nach dem 1. April 1891 berücksichtigt werden.** Bei den bezeichneten Postämtern können die Bedingungen für den Anschluß eingesehen und Formulare für die Anmeldung in Empfang genommen werden. Potsdam, 14. Juli 1890.
Der Kaiserliche Ober-Postdirector.

Bekanntmachungen der Königlichen Hauptverwaltung der Staatsschulden.

Bekanntmachung.

15. Bei der heute in Gegenwart eines Notars öffentlich bewirkten 11. Verloosung von Kurmärkischen Schuldverschreibungen sind die in der Anlage verzeichneten Nummern gezogen worden. Dieselben werden den Besitzern mit der Aufforderung gekündigt, die in den ausgeloosten Nummern verschriebenen Kapitalbeträge vom 1. November 1890 ab gegen Quittung und Rückgabe der Schuldverschreibungen und der nach dem 1. November d. J. fällig werdenden Zinsscheine Reihe XIII. № 7 und 8 nebst Zinsscheinanweisungen bei der Staatsschulden-Tilgungskasse, Taubenstraße 29 hierselbst, zu erheben. Die Zahlung erfolgt von 9 Uhr Vormittags bis 1 Uhr Nachmittags, mit Ausschluß der Sonn- und Festtage und der letzten drei Geschäftstage jeden Monats. Die Einlösung geschieht auch bei den

Regierungs-Hauptkassen und in Frankfurt a. M. bei der Kreiskasse. Zu diesem Zweck können die Effekten einer dieser Kassen schon vom 1. Oktober d. J. ab eingereicht werden, welche sie der Staatsschulden-Tilgungskasse zur Prüfung vorzulegen hat und nach erfolgter Feststellung die Auszahlung vom 1. November 1890 ab bewirkt. Der Betrag der etwa fehlenden Zinsscheine wird vom Kapitale zurückbehalten.

Mit dem 1. November 1890 hört die Verzinsung der verloosten Kurmärkischen Schuldverschreibungen auf.

Zugleich werden die bereits früher ausgeloosten, auf der Anlage verzeichneter, noch rückständigen Kurmärkischen Schuldverschreibungen wiederholt und mit dem Bemerken aufgerufen, daß die Verzinsung derselben mit den Kündigungsterminen aufgehört hat.

Die Staatsschulden-Tilgungskasse kann sich in einen Schriftwechsel mit den Inhabern der Schuldverschreibungen über die Zahlungsleistung nicht einlassen.

Formulare zu den Quittungen werden von sämmtlichen oben gedachten Kassen unentgeltlich verabfolgt.

Berlin, den 2. Juli 1890.

Hauptverwaltung der Staatsschulden.

Bekanntmachung.

16. Der Kaufmann H. **Schlegel** hierselbst, Ziegelstr. 18/19, hat im Auftrage des Kaufmanns Albert **Schlegel** in Alsleben a. S. auf Umschreibung der Schuldverschreibung der konsolidirten 4%igen Staatsanleihe von 1880 Lit. D. № 149382 über 500 M. angetragen, weil sich auf der Rückseite derselben ein Außerkurssetzungsvermerk des Königlichen Amtsgerichts in Alsleben a. S. vom 18. Oktober 1881 befindet.

In Gemäßheit des § 3 des Gesetzes vom 4. Mai 1843 (Ges.-S. S. 177) wird deshalb Jeder, der an diesem Papier ein Anrecht zu haben vermeint, aufgefordert, dasselbe binnen 6 Monaten und spätestens

am 5. Februar 1891

uns anzuzeigen, widrigenfalls das Papier kassirt und dem Antragsteller ein neues kursfähiges ausgehändigt werden wird. Berlin, den 19. Juli 1890.

Hauptverwaltung der Staatsschulden.

Bekanntmachungen des Provinzial-Steuer-Direktors.

Bekanntmachung.

6. Nachstehender Bundesrathsbeschluß vom 22. Mai d. J. wird hierdurch zur öffentlichen Kenntniß gebracht:

Für Branntwein, welcher behufs der Ausfuhr oder der steuerfreien Verwendung zu gewerblichen u. s. w. Zwecken zur Abfertigung gestellt wird, ist die Steuervergütung beziehungsweise die Abgabenfreiheit nur dann zu gewähren, wenn der Branntwein keinen größeren Fuselölgehalt als 2 Gewichtsprozente der in ihm enthaltenen Menge reinen Alkohols besitzt.

Berlin, den 14. Juli 1890.

Der Provinzial-Steuer-Direktor.

Bekanntmachungen der Kreis-Ausschüsse.

27.

Nachweisung

der vom Kreis-Ausschusse des Kreises Beeskow-Storkow im I. Halbjahr 1890 genehmigten Communal-Bezirks-Veränderungen.

Datum der Genehmigung.	Bezeichnung des Grundstücks	Bezeichnung des Besitzers	Bezeichnung des jetzigen Gemeinde-Verbandes	Bezeichnung des künftigen Gemeinde-Verbandes	Bemerkungen. Größe des Grundstücks: ha	a	qm
28. April 1890.	Forst.	Kgl. Forstfiscus.	Gemeinde Ketschendorf.	Gutsbezirk Colpin.	—	6	98
dgl.	dgl.	dgl.	Gemeinde Rauen.	dgl.	—	8	61
dgl.	Trift.	Gutsbes. Vogel, Ketschendorf.	Gutsbezirk Colpin.	Gemeinde Rauen.	—	15	60
dgl.	Forst und Weg.	Stadtgemeinde Fürstenwalde.	dgl.	Forstgutsbez. Fürstenwalde.	4	22	67
dgl.	dgl.	Kgl Forstfiscus.	Forstgutsbez. Fürstenwalde.	Gutsbezirk Colpin.	4	39	10

Beeskow, den 8. Juli 1890.

Der Vorsitzende des Kreis-Ausschusses.

28.

Genehmigung.

Auf Grund des § 25 Abs. 1 des Zuständigkeitsgesetzes vom 1. August 1883 in Verbindung mit § 1 Abschnitt 4 des Gesetzes über die Landgemeinde-Verfassungen vom 14 April 1856 genehmigen wir unter Zustimmung aller Betheiligten hiermit, daß die in der anliegenden Nachweisung bezeichneten, in der Groß-Schönebeck'er Forst-Ablösungssache von der Königlichen Liebenwalde'r Forst an die Gemeinde Groß-Schönebeck abgetretenen, an der Grenze mit der Gemeinde Klandorf belegenen Hütungs-Abfindungsländereien mit einem Gesammt-Flächeninhalte von 14 ha 18 ar 14 qm von dem Gemeinde-Verbande der Gemeinde Groß-Schönebeck abgezweigt und in den Gemeinde-Verband der Gemeinde Klandorf einverleibt werden.

Berlin, den 27. Juni 1890.

Der Kreis-Ausschuß des Kreises Niederbarnim.

* * *

Nachweisung

derjenigen Planstücke, welche von dem Gemeinde-Verbande Groß-Schönebeck abgetrennt und dem Gemeinde-Verbande Klandorf einverleibt werden sollen, und deren Besitzer ihre Einwilligung zu dieser Bezirks-Aenderung ertheilen:

Artikel der Mutterrolle	Grundbuch Band	Grundbuch Blatt	Namen der Eigenthümer	Nummer des Kartenblatts	Nummer der Parzelle	Flächen-Inhalt Hec.	Flächen-Inhalt dec.
1.	2.	3.	4.	5.	6.	7.	8
379	X. Zerpenschleuse	333	Polzehl, Friedrich, Kossäth	10	167/27	—	9500
381	X. dto.	332	Trill, Ferdinand, Tischlermeister	10	169/27	—	9700
449	X. dto.	327	Futh, Carl, Büdner	10	18 19 20	5	1052
450	II. Klandorf	60	Seifert, Carl, Büdner	10	186/130	1	6738
452	III. dto.	90	Weber, Wilhelm, Büdner	10	250/21 251/22 252/22 253/21 254/21 255/22 256/22 257/21 258/21 259/22 260/22 261/22	5	4824

Bekanntmachungen anderer Behörden.

Feuerkassengelder-Ausschreiben für die Land-Feuer-Societät der Kurmark Brandenburg, des Markgrafthums Niederlausitz und der Distrikte Jüterbog und Belzig für das I. Halbjahr 1890.

Für das I. Halbjahr 1890 sind von Societäts-Mitgliedern überhaupt aufzubringen:

a.	Vergütigungsgelder für Immobiliar-Brandschäden inkl. Abschätzungskosten	500 464 M.	20 Pf.
b.	desgl. „ Mobiliar- „ „ „	89 328 „	30 „
c.	Spritzen-Prämien	5 877 „	— „
d.	Wasserwagen-Prämien	1 776 „	— „
e.	Pertinenzschaden-Vergütigungen	4 027 „	93 „
f.	Verwaltungskosten	52 325 „	55 „
g.	Extraordinarien	8 206 „	82 „
	Summa	662 005 M.	80 Pf.

Hiervon kommen in Abzug:

a.	das nach dem Ausschreiben pro II. Semester 1889 verbliebene Guthaben von	57 512 M.	44 Pf.
b.	die Beiträge der Mobiliar-Versicherten pro I. Semester 1890	48 881 „	66 „
c.	an Zinsen	7 578 „	80 „
d.	„ extraordinairen Einnahmen	1 924 „	— „
e.	„ zu erstattenden Vorschüssen	15 „	— „
	zusammen	115 911 „	90 „
	so daß noch aufzubringen bleiben	546 093 M.	90 Pf.

Zur Deckung dieser Summe werden für Gebäude der I. Klasse 6 Pf., der II. Klasse 12 Pf., der III. Klasse 42 Pf., der IV. Klasse 72 Pf. für 100 M. Versicherung ausgeschrieben und sind demnach aufzubringen für Gebäude der

I. Klasse von	288 934 500 M. Versicherungskapital	173 360 M.	70 Pf.
II. „ „	130 963 375 „ „	157 156 „	05 „
III. „ „	69 747 800 „ „	292 940 „	76 „
IV. „ „	278 550 „ „	2 005 „	56 „
Zusammen von	489 924 225 M. Versicherungskapital	625 463 M.	07 Pf.
	also gegen obige Bedarfssumme von	546 093 „	90 „
	mehr	79 369 M.	17 Pf.

welcher Betrag den Societätsgenossen bei Erlaß des Feuerkassengelder-Ausschreiben pro II. Semester 1890 zu

Gute gerechnet werden wird. Die Societätsmitglieder werden hierdurch veranlaßt, die von ihnen zu leistenden Beiträge nach Maßgabe der besonderen Aufforderungen der Kreis-Feuer-Societäts-Direktionen, beziehungsweise Ortserheber ungesäumt zu entrichten. Berlin, den 15. Juli 1890.

Ständische General-Direktion der Land-Feuer-Societät der Kurmark und der Niederlausitz.

Personal-Chronik.

Im Kreise Niederbarnim ist an Stelle des Oberförsters Kauffmann zu Lanke, dessen Amtszeit abgelaufen ist, der bisherige Stellvertreter, Gemeindevorsteher Springer zu Ruhlsdorf zum Amtsvorsteher, und an dessen Stelle der Lehngutsbesitzer Kalbe zu Ruhlsdorf zum Amtsvorsteher-Stellvertreter für den 43. Bezirk Lanke ernannt worden.

Der Gemeindevorsteher Karl Günther in Petersdorf ist zum Kreisverordneten für den Kreis Templin gewählt. Die Wahl ist bestätigt worden.

Der bisherige Pfarrer zu Boytzenburg, Diözese Prenzlau I., Johann Wilhelm Kritzinger, ist zum Oberpfarrer zu Storkow, Diözse Storkow, bestellt worden.

Der bisherige Diakonus zu Lenzen, Heinrich Moritz Wilhelm Franke, ist zum Pfarrer der Parochie Zauchwitz, Diözese Beelitz, bestellt worden.

Der bisherige Hülfsprediger Friedrich Wilhelm Ferdinand Hausig ist zum Diakonus bei der Evangelischen Gemeinde der St. Lukas-Parochie in Berlin, Diözese Friedrichswerder, bestellt worden.

Der bisherige Hilfsprediger Karl Hermann Friedrich Dabis ist zum Diakonus bei der evangelischen Gemeinde zu Beelitz, Diözese Beelitz, bestellt worden.

Der bisherige Predigtamtskandidat Karl Gustav Eduard Johannes Baldenius ist zum Pfarrer der Parochie Ringenwalde, Diözese Templin, bestellt worden.

Der bisherige Predigtamts-Kandidat Viktor Friedrich Wilhelm Franz Liebach ist zum Pfarrer der Parochie Krausnick, Diözese Königs-Wusterhausen, bestellt worden.

Die unter privatem Patronat stehende Pfarrstelle zu Drewen, Diözese Kyritz, ist durch das Ableben des Pfarrers Cranz am 16. Juni d. J. zur Erledigung gekommen.

Der ordentliche Lehrer Dr. Nobel am Luisenstädtischen Realgymnasium in Berlin ist zum Oberlehrer an derselben Anstalt befördert worden.

Der bisherige Schulamts-Kandidat Albert Baerthel in Berlin ist als ordentlicher Lehrer an der zweiten höheren Bürgerschule ebenda angestellt worden.

Die Schulamtskandidaten Dr. Franz und Dr. Färber sind als ordentliche Lehrer an der Luisenstädtischen Ober-Realschule in Berlin angestellt worden.

Der bisherige ordentliche Lehrer Benoit am Dorotheenstädtischen Realgymnasium in Berlin ist als Oberlehrer an derselben Anstalt angestellt worden.

Der Schulamtskandidat Dr. Reuter ist als ordentlicher Lehrer am Luisenstädtischen Realgymnasium in Berlin angestellt worden.

Der Gemeindeschullehrer Müller ist als Gemeindeschul-Rektor in Berlin angestellt worden.

Die Lehrer Adloff, Heyn, Kaun, Sangkohl, Bluhm, Hackbart, Kunze, Merten, Cummerow, Goltz, Aug. Krüger, Große, Hallwachs, Bartram, Schröder, Hentschel, Engler sind als Gemeindeschullehrer in Berlin angestellt worden.

Der bisherige ordentliche Lehrer an der ersten höheren Bürgerschule in Berlin Dr. Dubislaw ist als Oberlehrer an derselben Anstalt angestellt worden.

Der bisherige ordentliche Lehrer am Königstädtischen Realgymnasium in Berlin Dr. Krollick ist als Oberlehrer an der fünften höheren Bügerschule ebenda angestellt worden.

Der bisherige Gemeindeschullehrer Hermann Riebe ist als Gemeindeschulrektor in Berlin angestellt worden.

Personalveränderungen im Bezirke des Kammergerichts im Monat Juni 1890.

I. Richterliche Beamte.

Ernannt sind: der Kaufmann Hermann Rauff sen. in Berlin zum Handelsrichter, der Fabrikant Mundt in Berlin und der Fabrikbesitzer Kühne daselbst zu stellvertretenden Handelsrichtern in Berlin; zu Amtsrichtern die Gerichtsassessoren Roesler, Dr. Kanold und Schück bei den Amtsgerichten zu Seelow bezw. Lippehne und Frankfurt a. Main.

Versetzt sind: die Staatsanwälte Dr. von Rheinbaben bei dem Oberlandesgericht in Breslau, Richard Müller in Posen, Hagen in Altona an das Landgericht I. in Berlin und Dr. Loose in Hagen Westf. an das Landgericht II. in Berlin; der Amtsrichter Dr. Rhenius in Halberstadt als Landrichter an das Landgericht I. in Berlin.

Pensionirt sind: der Kammergerichtsrath, Geheime Justizrath von Bergen, der Landgerichtsdirektor Lessing in Berlin.

Verstorben ist der Amtsrichter Kersandt in Landsberg a. W.

II. Assessoren.

Zum Gerichtsassessor ist ernannt: der Referendar Dr. von Alvensleben.

Entlassen sind: Dr. Behrens, Dr. Kanzki und Kessel zwecks Uebertritts in die Militärverwaltung; Dr. Piutti zwecks Uebertritts in die allgemeine Staatsverwaltung.

Verstorben ist: Hoburg.

III. Rechtsanwälte und Notare.

Gelöscht sind in der Liste der Rechtsanwälte: der Rechtsanwalt Rödenbeck beim Kammergericht, der Rechtsanwalt Heinitz beim Amtsgericht II. in Berlin.

Eingetragen sind in die Liste der Rechtsanwälte: der Rechtsanwalt Henry Richter aus Plön bei dem Amtsgericht in Dahme, die Gerichtsassessoren Wurm und Jarecki bei dem Landgerichte I. in Berlin, der

Rechtsanwalt Rödenbeck aus Berlin bei dem Amtsgericht in Cöpenick, der Rechtsanwalt Heinitz vom Amtsgericht II. in Berlin beim Kammergericht.

Verstorben ist der Rechtsanwalt Schroeder beim Kammergericht.

IV. Referendare.

Zu Referendaren sind ernannt: die bisherigen Rechtskandidaten Löb, Kohn, Stölzel, Goschmann, Alfred Mellien, Scheringer, Unger, Nitze, Ikier, Spener, Hagen, Wunderlich, Schulze, Berger, Ulrich, Heyl.

Uebernommen ist: Gerstner aus dem Bezirke des Oberlandesgericht Naumburg.

Entlassen sind: Grüttefien, Tapper, von Tschirschky und Bögendorf zwecks Uebertritts in den Verwaltungsdienst, Klein zwecks Uebertritts in den Polizeidienst, Drescher und Kinder auf ihren Antrag.

V. Subalternbeamte.

Ernannt sind: zum Rechnungsrevisor beim Landgericht I. in Berlin, der Gerichtsschreiber Klein vom Amtsgericht I. in Berlin, zu Gerichtsschreibern die etatsmäßigen Gerichtsschreibergehülfen Boldt und Neuendorff beim Kammergericht, die etatsmäßigen Gerichtsschreibergehülfen Dittberner, Hegner, Stambke, Stock, Kruppa, Dobratz, Sommer, Voigt, Wäsch und Steffen, der etatsmäßige Assistent Kayser, der Referendar Rothnagel, sämmtlich aus Berlin, und der Gerichtsvollzieher Kersten aus Freienwalde a. O. beim Amtsgericht I. in Berlin, der Referendar Renné aus Berlin beim Landgericht I in Berlin, die etatsmäßigen Gerichtsschreibergehülfen Schulz aus Oranienburg bei dem Amtsgericht in Forst, Hübner aus Trebbin bei dem Amtsgericht in Zehdenick, Linkersdorf aus Cottbus bei dem Amtsgericht in Guben, Nahgel aus Lübbenau bei dem Amtsgericht in Beeskow, Schulz aus Dobrilugk bei dem Amtsgericht in Triebel, Granzow aus Neu-Ruppin bei dem Amtsgericht in Mittenwalde, Winneg aus Kyritz bei dem Amtsgericht in Cöpenick, Sackewitz aus Jüterbog bei dem Amtsgericht in Belzig, Deter aus Wusterhausen a. D. bei dem Amtsgericht in Gransee, Köbel aus Nauen bei dem Amtsgericht in Brüssow, Koch aus Strasburg U.-M. bei dem Amtsgericht in Alt-Landsberg, zum Sekretär bei der Staatsanwaltschaft I. in Berlin der etatsmäßige Assistent Werner daselbst, zu etatsmäßigen Gerichtsschreibergehülfen: der Referendar Michaelis und der Aktuar Worgitzky bei dem Kammergericht, die Aktuare Tadewald, Jülich, Freise, Dallwitz, Griebenow und die Militäranwärter Freytag, Heidemann, Kopplow, Jetschin, Rollin, Hahlweg, Domnick bei dem Amtsgericht I. in Berlin, die Aktuare Cossäth bei dem Amtsgericht in Dobrilugk, Dreißig bei dem Amtsgericht in Jüterbog, Klein bei dem Amtsgericht in Kyritz, Prestel bei dem Amtsgericht in Lübbenau, Kellermann bei dem Amtsgericht in Nauen, Wollmuth bei dem Amtsgericht in Strasburg U.-M., Heydrich bei dem Amtsgericht in Trebbin, Beuche bei dem Amtsgericht in Rathenow, die Militäranwärter Meinung bei dem Amtsgericht in Cottbus, Seiffart bei dem Amtsgericht in Neu-Ruppin, Boeck bei dem Amtsgericht in Oranienburg, Friedenstein bei dem Amtsgericht in Wusterhausen a. D., Sienang bei dem Amtsgericht in Luckau, Krause bei dem Amtsgericht in Fürstenberg a. O., Bassin bei dem Amtsgericht in Seelow, zum etatsmäßigen Assistenten bei der Staatsanwaltschaft des Amtsgerichts I in Berlin der Aktuar Kuhse daselbst.

Versetzt sind: die Gerichtsschreiber Kühn in Beeskow, Krakewitz in Triebel, Janowski in Mittenwalde, Prütz in Cöpenick, Düring in Belzig, an das Amtsgericht I. in Berlin, Zitscher in Nauen an das Amtsgericht in Charlottenburg, Bode in Oderberg i. M. an das Amtsgericht in Brandenburg a. H., Becker in Gransee an das Amtsgericht in Brandenburg a. H., Krämer in Landsberg a. W. als Sekretär an die Staatsanwaltschaft in Guben, Galle bei dem Landgericht zu Landsberg a. W. an das Amtsgericht daselbst, Fischer beim Amtsgericht I. in Berlin an das Amtsgericht in Nauen, Grunow in Alt-Landsberg nach Oderberg i. M., Haupt in Brüssow an das Landgericht in Landsberg a. W. Die Sekretäre Engelmann von der Staatsanwaltschaft I. in Berlin und Tietze von der Staatsanwaltschaft in Guben als Gerichtsschreiber an das Amtsgericht I. in Berlin; die etatsmäßigen Gerichtsschreibergehülfen Heuer in Luckau, Bernhagen in Fürstenberg a. O. und Hartmann in Seelow an das Amtsgericht I. in Berlin.

Pensionirt sind: der Gerichtsvollzieher Haberlandt in Guben, der Gefängniß-Inspektor Werner bei dem Amtsgericht in Landsberg a. W, die Kanzlisten Rüger und Sieber bei dem Landgericht in Landsberg a. W.

Verstorben sind: der Gerichtsschreiber und Rendant Reier in Züllichau und der Gerichtsvollzieher Grünewald bei dem Amtsgerichte I. in Berlin.

(Hierzu eine Beilage, enthaltend das Verzeichniß der in der 11ten Verloosung gezogenen, durch die Bekanntmachung der Königlichen Hauptverwaltung der Staatsschulden vom 2 Juli 1890 zur baaren Einlösung am 1. November 1890 gekündigten Kurmärkischen Schuldverschreibungen und das Verzeichniß der aus früheren Verloosungen noch rückständigen Kurmärkischen Schuldverschreibungen, sowie Vier Oeffentliche Anzeiger)

(Die Insertionsgebühren betragen für eine einspaltige Druckzeile 20 Pf.
Belagsblätter werden der Bogen mit 10 Pf. berechnet.)

Redigirt von der Königlichen Regierung zu Potsdam.

Potsdam, Buchdruckerei der A. W. Hayn'schen Erben (C. Hayn, Hof-Buchdrucker).

Amtsblatt
der Königlichen Regierung zu Potsdam
und der Stadt Berlin.

Stück 31. Den 1. August **1890.**

Allerhöchstes Privilegium

vom 27. Juni d. J. zur Ausgabe auf jeden Inhaber lautender Anleihescheine der Stadt Berlin zum Betrage von 55 Millionen Mark Reichswährung

Wir Wilhelm

von Gottes Gnaden König von Preußen ꝛc.

Nachdem der Magistrat Meiner Haupt- und Residenzstadt Berlin im Einverständnisse mit der Stadtverordneten-Versammlung daselbst darauf angetragen hat, für die Fortführung der Kanalisation, für Vollendung der Erweiterungsbauten der städtischen Wasserwerke und Anlage einer neuen Wassergewinnungsstation, für die Fortsetzung des Baues von Markthallen, für Neu- und Erweiterungsbauten der städtischen Gasanstalten, sowie des Central-Viehmarktes und des Schlachthofes, für Erbauung von Brücken, für die Vollendung des Baues des Dienstgebäudes für das Königliche Polizei-Präsidium, für den Neubau eines Krankenhauses, eines Hospitals und einer Siechenanstalt, für den Bau höherer Schulen, für die Anlegung der Kaiser Wilhelmstraße, für die Errichtung einer zweiten Irren-Anstalt und einer Anstalt für Epileptische, für Straßenregulirungen aus Veranlassung der Errichtung der Stadtbahn, für Umgestaltung des Mühlendammes und Kanalisirung der Unterspree, für den Ausbau der Dammmühlengebäude, die Anlage eines Hafens am Urban, für Verlegung der Berlin-Stettiner Eisenbahn innerhalb des Berliner Weichbildes und für die verstärkte Tilgung des beim Reichs-Invalidenfonds aufgenommenen Darlehns eine Anleihe von 55 000 000 M., in Buchstaben: fünf und fünfzig Millionen Mark, aufzunehmen und zu diesem Ende auf jeden Inhaber lautende, mit Zinsscheinen versehene Anleihescheine ausgeben zu dürfen, ertheilen wir in Gemäßheit des § 2 des Gesetzes vom 17. Juni 1833 wegen Ausstellung von Papieren, welche eine Zahlungsverbindlichkeit gegen jeden Inhaber enthalten, durch gegenwärtiges Privilegium zur Ausstellung von 55 000 000 M. Reichswährung Berliner Stadt-Anleihescheine nach beiliegendem Schema und nach Maßgabe der ebenfalls beigefügten Bedingungen, mit Vorbehalt der Rechte Dritter, Unsere landesherrliche Genehmigung, ohne jedoch dadurch den Inhabern der Anleihescheine in Ansehung ihrer Befriedigung eine Gewährleistung Seitens des Staates zu bewilligen.

Urkundlich unter Unserer Höchsteigenhändigen Unterschrift und beigedrucktem Königlichen Insiegel.

Gegeben im Schloß zu Kiel, den 27. Juni 1890.

(L. S.) gez. **Wilhelm R.**

ggez. von Scholz. Herrfurth.

Litt. . . . . (Stadtwappen) № . . . .

Anleiheschein der Stadt Berlin

über

. . . . **M. Reichswährung.**

Ausgefertigt in Gemäßheit des landesherrlichen Privilegiums vom 27. Juni 1890 (Amtsblatt der Königlichen Regierung zu Potsdam vom . . . . . 1890 Stück . . . .)

Der Magistrat der Stadt Berlin beurkundet und bekennt hiermit, daß der Inhaber dieses Anleihescheines den Betrag von . . . . . M. Reichswährung, dessen Empfang hiermit bescheinigt wird, von der hiesigen Stadtgemeinde als ein Darlehn zu fordern hat.

Dieses Kapital bildet einen Theil der in Höhe von 55 000 000 M. Reichswährung aufgenommenen Anleihe.

Die Verzinsung dieses Kapitals erfolgt mit drei und einhalb vom Hundert und die Tilgung der Anleihe mit einem Prozent der Kapitalschuld unter Hinzurechnung der ersparten Zinsen nach Maßgabe der Allerhöchst genehmigten, nachstehend abgedruckten Bedingungen.

Für die Sicherheit des Kapitals und der Zinsen haftet die Stadt Berlin mit ihrem gesammten gegenwärtigen und zukünftigen Vermögen und mit ihrer Steuerkraft.

Berlin, den . . . . 1890.

(Stadtsiegel)

Magistrat

hiesiger Königlicher Haupt- und Residenzstadt.

(Unterschrift des Magistrats-Vorsitzenden und eines Magistratsmitgliedes unter Beifügung des Amtstitels.)

Hierzu sind Zinsscheine № . . .
nebst Anweisung ausgereicht.

Kontrolbuch Seite . . .

. . . .

Kontrolbeamter.

Bedingungen

zu einer von der Stadtgemeinde Berlin aufzunehmenden Anleihe von 55 000 000 Mark Reichswährung.

Die Anleihe ist mit $3^1/_2$ Prozent jährlich verzinslich, von Seiten des Gläubigers unkündbar und vom 1. April 1894 ab regelmäßig mit Einem vom Hundert des ursprünglichen nominellen Schuldkapitals unter Hinzurechnung der ersparten Zinsen nach einem von der Staatsbehörde genehmigten Amortisationsplane mittelst Verloosung oder Ankaufs der Anleihescheine zu tilgen.

Der Stadtgemeinde steht jederzeit das Recht zu, die ganze Anleihe oder einen beliebig großen Theil derselben aufzukündigen und zurückzuzahlen

Die Ausfertigung der Anleihescheine erfolgt in Abschnitten von 100, 200, 500, 1000, 2000 und 5000 M. Reichswährung.

Die Zinsen werden mit jährlich drei einhalb vom Hundert am 1. April und 1. Oktober gegen Rückgabe der ausgefertigten halbjährlichen Zinsscheine durch die Stadthauptkasse in Berlin gezahlt.

Den Anleihescheinen werden Zinsscheine für einen vierjährigen Zeitraum und eine Anweisung zur Erneuerung der Zinsscheine beigegeben.

Die Ausfertigung neuer Zinsscheine erfolgt bei der Stadthauptkasse zu Berlin gegen Ablieferung der den älteren Zinsscheinen beigefügten Anweisung.

Beim Verlust der Anweisung erfolgt die Aushändigung der neuen Zinsscheine auf rechtzeitige Vorzeigung an den Inhaber des Anleihescheines. Die ausgeloosten, sowie die gekündigten Anleihescheine werden unter Bezeichnung ihrer Buchstaben, Nummern und Beträge, sowie des Termins, in welchem die Rückzahlung erfolgen soll, wiederholt öffentlich bekannt gemacht. Alle Bekanntmachungen, welche die Anleihe betreffen, geschehen durch den „**Deutschen Reichs- und Königlich Preußischen Staats-Anzeiger**" oder das an dessen Stelle tretende Organ, durch das „Amtsblatt der Königlichen Regierung zu Potsdam" oder das an dessen Stelle tretende Blatt und durch zwei Berliner Zeitungen. Die Namen der letzteren und etwaige Veränderungen werden im Reichsanzeiger bekannt gemacht.

Mit dem Tage, an welchem nach diesen Bekanntmachungen unter Einhalt der gesetzlichen dreimonatlichen Kündigungsfrist das Kapital zurückzuzahlen ist, hört die Verzinsung desselben auf.

Gegen Auszahlung des Kapitals sind mit den Stadtanleihescheinen auch die dazu gehörigen Zinsscheine der späteren Fälligkeitstermine zurückzuliefern; für die fehlenden Zinsscheine wird der Betrag vom Kapital abgezogen.

Der Kapitalbetrag der ausgeloosten Stadtanleihescheine verfällt zu Gunsten der Stadt, wenn die Einlösung nicht binnen dreißig Jahren nach dem Fälligkeitstermine erfolgt.

Die Zinsscheine verjähren mit Ablauf vierten Kalenderjahres nach dem Jahre ihrer Fälligkeit. Dieselben können weder aufgeboten, noch für kraftlos erklärt werden. Doch soll für den Fall, daß der Verlust der Zinsscheine vor Ablauf der vierjährigen Verjährungsfrist beim Magistrate angemeldet und der stattgehabte Besitz der Zinsscheine durch Vorzeigung der Anleihescheine oder sonst in glaubhafter Weise dargethan wird, nach Ablauf der Verjährungsfrist der Betrag der angemeldeten und bis dahin nicht vorgekommenen Zinsscheine gegen Quittung ausgezahlt werden.

Das Aufgebot und die Kraftloserklärung verlorener oder vernichteter Anleihescheine erfolgt nach Vorschrift der §§ 838 ff. der Civilprozeßordnung für das Deutsche Reich vom 30. Januar 1877 (Reichsgesetzblatt p. 83) beziehungsweise nach § 20 des Ausführungsgesetzes zur Deutschen Civil-Prozeßordnung vom 24. März 1879 (Gesetz-Sammlung Seite 281)

Für die Sicherheit der Anleihescheine, wie für die pünktliche und unverkürzte Zahlung der Zinsen haftet die Stadtgemeinde mit ihrem ganzen gegenwärtigen und zukünftigen Vermögen und ihrer ganzen Steuerkraft.

Berlin, den . . . . . . 1890.

Magistrat
hiesiger Königlicher Haupt- und Residenzstadt.

* * *

Berliner Stadt-Anleihe von 1890.

Reihe . . . Zinsschein № . . .
über . . . . M. . . . Pf., № . . .
(Trockener Stempel.)
Stadtwappen
zum
Anleiheschein der Stadt Berlin,
Litt. . . . № . . . über . . . . M. Reichswährung.

Inhaber empfängt am . . . ten . . . . . 18 . . an halbjährlichen Zinsen aus der Stadt-Hauptkasse zu Berlin . . . . M. . . . Pf. Reichswährung.

Berlin, den . . . ten . . . . . . 18 . .

Magistrat
hiesiger Königlicher Haupt- und Residenzstadt.
(Unterschrift des Magistratsvorsitzenden und eines Magistratsmitgliedes.)
(Stadtwappen.)

. . . . . .
Kontrolbeamter.

Verjährt nach dem Gesetze vom 31. März 1838 am . . . .

Ungültig, wenn die Vorderseite durchkreuzt ist.

Ungültig, wenn eine Ecke abgeschnitten oder der Zinsschein durchlocht ist.

* * *

Anweisung

zum
Anleiheschein der Stadt Berlin
Litt. . . . № . . . über . . . . M. Reichswährung

Inhaber empfängt gegen diese Anweisung die . . . te Reihe Zinsscheine für die vier Jahre vom . . . . . . bis . . . . bei der Stadthauptkasse zu Berlin, sofern von dem Inhaber des Anleihescheins nicht rechtzeitig Widerspruch erhoben worden ist.

Berlin, den . . ten . . . . 18 . .

Magistrat
hiesiger Königlicher Haupt- und Residenzstadt.
(Unterschrift des Magistratsvorsitzenden und eines Magistratsmitgliedes.)
(Stadtwappen.)

. . . . . .
Kontrolbeamter.

Anmerkung zu den Schemas für die Zinsscheine und Anweisungen:

Die Namensunterschriften des Magistratsvorsitzenden und des zweiten Magistratsmitgliedes können mit Lettern oder Facsimilestempeln gedruckt werden, doch muß jeder Zinsschein oder jede Anweisung mit der Namensunterschrift eines Kontrolbeamten versehen werden.

Bekanntmachungen der Königlichen Ministerien.

21. **Tarif,**

nach welchem das Bohlwerks-, das Ein- und Auslade-, sowie das Stättegeld für die Benutzung der von dem Mühlenbesitzer **Schumacher** zu Oderberg i. M. am Finow-Kanal errichteten Ablage bis auf Weiteres zu erheben ist.

I. Bohlwerksgeld.

§ 1. Für jedes an der vorbezeichneten Ablage anlegende Fahrzeug ist ein Bohlwerksgeld zu entrichten. Dasselbe beträgt sowohl für Dampfer als für jedes andere Fahrzeug 0,50 M.

Vorbehalten bleibt, für Dampfer, welche einem regelmäßigen Personen- und Güterverkehr dienen, durch freiwillige Vereinbarung zwischen den Betheiligten einen Jahresbetrag festzusetzen.

§ 2. Liegt das Fahrzeug länger als 3 Tage an der Ablage, so sind für jeden weiteren, auch nur angefangenen Zeitraum von 3 Tagen 0,50 M. zu zahlen.

II. Ein- und Ausladegeld.

§ 3. Für das Ein- und Ausladen von Gegenständen ist eine Abgabe nach Maßgabe der vermessenen Tragfähigkeit des Fahrzeugs zu entrichten und zwar:

a. wenn die Ladung in Buhnenbusch, Rohr, Heu und Stroh besteht,
für ein Fahrzeug bis zu 25 Tonnen 1,00 M.,
„ „ „ von über 25 bis zu 50 Tonnen . . . . 2,00 „
„ „ „ von über 50 Tonnen 3,00 „

b. wenn die Ladung in anderen als den unter a. bezeichneten Gegenständen besteht,
für ein Fahrzeug bis zu 25 Tonnen 0,75 M.,
„ „ „ von über 25 bis zu 50 Tonnen . . . . 1,50 „
„ „ „ von über 50 Tonnen 2,00 „

III. Stättegeld.

§ 4. Für Schiffsfrachtgut und Flößholz beträgt die Abgabe bei einer Lagerung von über 24 Stunden:

1) für jedes Stück Bauholz:
   a. sofern es nicht länger als 48 Stunden lagert . . . . 0,10 M.,
   b. bei längerer Lagerung für jede Woche 0,20 „
2) für ein Schock (60 Stück) Bretter oder Bohlen für jede Woche . . . . 0,20 „
3) für ein Schock (60 Stück) Latten und Stangen für jede Woche . . . . 0,15 „
4) für je Tausend Mauersteine für jede Woche 0,15 „
5) „ „ „ Dachsteine „ „ „ 0,10 „
6) für alle vorstehend nicht genannten Gegenstände für jedes Quadratmeter der Lagerfläche und für jede Woche . . . . 0,05 M.

Die Lagerung von Bauholz darf auf dem Stätteplatz nur nach Anweisung des Besitzers des Platzes bezw. seines Stellvertreters stattfinden.

§ 5.

a. Bruchtheile der Erhebungs-Einheit oder der für die Abgabenberechnung maßgebenden Zeitabschnitte werden voll gerechnet.
b. Der Tag der Lagerung der Güter gelangt zur Anrechnung, nicht aber der Tag der Entnahme derselben.
c. Das Stättegeld ist vor der Abfahrt der Güter zu entrichten.
d. Wer die Ablage länger als 2 Wochen benutzen will, bedarf dazu der besonderen Erlaubniß des Besitzers.

IV. Befreiungen.

1) Befreit von den Abgaben zu I. und II. sind: Fahrzeuge, welche Königliches, Staats- oder Reichs-Eigenthum sind, und Fahrzeuge, welche lediglich für Königliche, Staats- oder Reichs-Rechnung Gegenstände befördern.
2) Befreit von der Abgabe zu III. sind: Gegenstände, welche Königliches, Staats- oder Reichs-Eigenthum sind, und Gegenstände, welche lediglich für Königliche, Staats- oder Reichs-Rechnung lagern.

Berlin, den 8. Juli 1890.

Der Minister der öffentlichen Arbeiten.
Im Auftrage: A. **Wiebe.**
Der Finanzminister.
Im Auftrage: **Schomer.**

Tarif.
III. 12233 M. d. ö. A.
III. 8974 Fin.-Min.

Bekanntmachung des Königlichen Ober-Präsidenten von Berlin.

Bekanntmachung.

19. Auf Grund des § 2 des Gesetzes über die Schonzeiten des Wildes vom 26. Februar 1870 in Verbindung mit § 107 des Gesetzes über die Zuständigkeit der Verwaltungs- und Verwaltungsgerichtsbehörden vom 1. August 1883 und § 43 Abs. 3 des Gesetzes über die allgemeine Landesverwaltung vom 30. Juli 1883 wird für das laufende Jahr der Beginn der Jagd auf Rebhühner im Stadtkreise Berlin auf

Montag, den 18. August,

festgesetzt. Die Jagdzeit dauert bis **Sonntag, den 14. Dezember,** einschließlich.

Potsdam, den 24. Juli 1890.

Der Ober-Präsident.
In Vertretung **v. Brandenstein.**

Bekanntmachungen des Königlichen Regierungs-Präsidenten.

Ortsbenennung.

147. Der Rittergutsbesitzer **Sommer** auf Schwante, Kreis Osthavelland, hat in der Gegend des im Jagen 16 der Schwanter Gutsforst abgebrochenen alten Forsthauses westlich des Weges von Schwante nach Hohenbruch und nördlich des Weges von Cremmen nach Quaden-Germendorf eine Ansiedelung von fünf Wohngehöften begründet, welche von ihm selbst, seinen Hausbeamten und vier Arbeiterfamilien bewohnt werden.

Dieser zum Gutsbezirke Schwante gehörigen, 6 km O von Cremmen, 4 km W von Germendorf, 3 km NO von Schwante und 7 km S von Hohenbruch begründeten Ansiedelung ist der Name

Sommerswalde

beigelegt worden.

Potsdam, den 28 Juli 1890.

Der Regierungs-Präsident.

148. Nachweisung der an den Pegeln der Spree und Havel im Monat Juni 1890 beobachteten Wasserstände.

Datum.	Berlin. Ober- N. N. Wasser.	Berlin. Unter- N. N. Wasser.	Spandau. Ober-Wasser.	Spandau. Unter-Wasser.	Potsdam.	Baumgartenbrück.	Brandenburg. Ober-Wasser.	Brandenburg. Unter-Wasser.	Rathenow. Ober-Wasser.	Rathenow. Unter-Wasser.	Havelberg.	Planer Brücke.
	Meter.	Meter.	Meter.	Meter.	Meter.	Meter.	Meter.	Meter.	Meter.	Meter.	Meter.	Meter.
1	32,35	30,64	2,18	0,52	0,95	0,49	1,94	1,08	1,36	1,04	1,80	1,60
2	32,35	30,66	2,20	0,54	0,94	0,48	1,98	1,08	1,32	0,90	1,78	1,58
3	32,35	30,64	2,16	0,52	0,94	0,48	1,94	1,08	1,32	0,88	1,74	1,56
4	32,36	30,66	2,14	0,52	0,93	0,48	1,96	1,08	1,32	0,84	1,70	1,54
5	32,36	30,64	2,12	0,50	0,93	0,48	1,98	1,06	1,32	0,82	1,68	1,54
6	32,35	30,66	2,10	0,50	0,93	0,48	1,98	1,08	1,32	0,82	1,68	1,54
7	32,35	30,66	2,10	0,50	0,93	0,48	1,98	1,06	1,32	0,82	1,70	1,54
8	32,32	30,66	2,10	0,54	0,97	0,48	1,90	1,06	1,32	0,80	1,74	1,54
9	32,32	30,66	2,12	0,54	0,96	0,47	1,92	1,04	1,32	0,78	1,70	1,52
10	32,36	30,66	2,12	0,52	0,95	0,47	1,98	1,06	1,32	0,78	1,66	1,52
11	32,36	30,66	2,12	0,56	0,93	0,47	1,98	0,98	1,32	0,78	1,62	1,52
12	32,36	30,66	2,12	0,52	0,94	0,47	1,98	0,98	1,32	0,74	1,60	1,54
13	32,35	30,68	2,10	0,54	0,95	0,48	1,98	1,06	1,32	0,74	1,60	1,56
14	32,35	30,66	2,10	0,54	0,96	0,48	1,98	1,08	1,32	0,72	1,60	1,58
15	32,38	30,68	2,10	0,54	0,96	0,49	1,96	1,08	1,32	0,76	1,60	1,60
16	32,38	30,72	2,14	0,56	0,96	0,50	1,96	1,10	1,32	0,78	1,60	1,60
17	32,38	30,66	2,12	0,56	0,96	0,50	1,96	1,12	1,32	0,80	1,66	1,62
18	32,36	30,66	2,12	0,62	0,97	0,51	1,94	1,12	1,32	0,80	1,66	1,62
19	32,42	30,66	2,12	0,58	0,98	0,52	1,98	1,12	1,32	0,80	1,68	1,62
20	32,44	30,66	2,14	0,60	0,99	0,53	1,98	1,14	1,32	0,84	1,70	1,64
21	32,45	30,66	2,16	0,58	0,99	0,54	1,98	1,16	1,32	0,88	1,78	1,66
22	32,48	30,66	2,18	0,54	0,99	0,54	2,00	1,16	1,32	0,90	1,88	1,66
23	32,48	30,67	2,20	0,60	0,98	0,55	2,02	1,16	1,32	0,92	1,96	1,66
24	32,48	30,66	2,22	0,58	0,99	0,55	2,00	1,16	1,32	0,92	2,00	1,66
25	32,50	30,68	2,22	0,62	1,00	0,55	2,00	1,18	1,32	0,92	2,04	1,66
26	32,50	30,70	2,22	0,62	1,01	0,56	2,02	1,18	1,32	0,94	2,06	1,66
27	32,50	30,70	2,22	0,66	1,03	0,56	2,02	1,18	1,32	0,94	2,10	1,66
28	32,48	30,70	2,24	0,66	1,04	0,57	2,04	1,18	1,32	0,92	2,12	1,66
29	32,50	30,70	2,24	0,64	1,04	0,57	2,04	1,16	1,32	0,92	2,08	1,66
30	32,49	30,70	2,26	0,64	1,04	0,58	2,04	1,16	1,32	0,92	2,04	1,64

Potsdam, den 24. Juli 1890.

Der Regierungs-Präsident.

Polizei-Verordnung,

betreffend die Ergänzung der Verordnung über den Betrieb der Personendampfschifffahrt vom 31. März 1884 (Amtsblatt 1884 S. 128), sowie der Verordnung über das Befahren der Wasserstraßen mit Frachtdampfbooten und Dampfschleppzügen vom 31. März 1885 (Amtsblatt 1885 S. 177).

149. Auf Grund der §§ 138 und 139 des Landesverwaltungsgesetzes vom 30. Juli 1883 (G.-S. S. 195 ff.) verordne ich unter Zustimmung des Bezirksausschusses hierselbst, was folgt:

I. Der § 10 der Polizei-Verordnung, betreffend den Betrieb der Personendampfschifffahrt vom 31. März 1884 (Amtsblatt 1884 S. 128) erhält folgende Fassung:

A. Mit der Schiffsglocke ist zu läuten:

a. bei der Abfahrt,

b. bei der Annäherung an Brücken, Schleusen, Fähranstalten und Anlageplätze,

c. bei der Annäherung an Fahrzeuge und Flöße im Fahrwasser,

d. mindestens von 5 zu 5 Minuten in der Dunkelheit und bei nebeligem Wetter.

B. Mit der Dampfpfeife sind Zeichen zu geben bei Annäherung an die Fähre zu Sacrow mindestens 600 m vor derselben in 3 lang gezogenen Tönen mit kurzen Zwischenräumen. Auch ist bei dem

Vorüberfahren an dieser Fährstelle die Geschwindigkeit auf dasjenige Maß herabzumindern, bei welchem die Steuerfähigkeit des Fahrzeugs noch erhalten bleibt.

Das Signalgeben mittelst der Dampfpfeife in geringerer Entfernung als 400 m von Eisenbahnen ist untersagt.

II. Der Polizei-Verordnung, betreffend das Befahren der Wasserstraßen mit Frachtdampfbooten und mit Dampfschleppzügen vom 31. März 1885 (Amtsblatt 1885 S. 177) wird hinter § 8 folgender § 8a. hinzugesetzt:

Bei Annäherung an die Fähranstalt zu Sacrow haben Schlepp- und Frachtdampfboote mindestens 600 m vor derselben mit der Dampfpfeife drei lang gezogene Töne mit kurzen Zwischenräumen zu geben. Auch ist bei dem Vorüberfahren an dieser Fährstelle die Geschwindigkeit auf dasjenige Maß herabzumindern, bei welchem die Steuerfähigkeit des Fahrzeugs noch erhalten bleibt.

Potsdam, den 4. Juli 1890.

Der Regierungs-Präsident.

Graf Hue de Grais.

Polizei-Verordnung,

betreffend Abänderung der Verordnung über den Personentransport auf Böten und Gondeln innerhalb der Havelstrecke vom Dorfe Cladow bis zum Dorfe Tegel vom 4 März 1876 (Amtsblatt 1876 S. 97).

150. Auf Grund der §§ 138 und 139 des Landesverwaltungsgesetzes vom 30. Juli 1883 (Ges.-S. S. 195 ff.) verordne ich unter Zustimmung des Bezirksausschusses hierselbst was folgt:

Die in der Polizei-Verordnung vom 4. März 1876 betreffend den Personentransport auf Böten und Gondeln innerhalb der Havelstrecke vom Dorfe Cladow bis zum Dorfe Tegel (Amtsbl. S. 97) im § 3 № 6 enthaltene Bestimmung, wonach das Havelufer bei Saatwinkel als öffentlicher Stand- und Landungsplatz für Gondeln und Böte benutzt werden darf, wird aufgehoben. Potsdam, den 5. Juli 1890.

Der Regierungs-Präsident.

In Vertretung: Frhr. v. Richthofen.

Communalbezirksveränderung betreffend.

151. Auf Antrag des Magistrats zu Liebenwalde hat der Bezirks-Ausschuß zu Potsdam in seiner Sitzung am 26. Juni 1890 nach Anhörung des Kreistags und nach ertheilter Einwilligung der Königl. Regierung, Abtheilung für directe Steuern, Domainen und Forsten hierselbst und der Eigenthümer der in Betracht kommenden Grundstücke

I. die Abtrennung der zum domainenfiscalischen Gutsbezirke Hammer gehörenden, im Grundbuche der Stadt Liebenwalde verzeichneten Trennstücke:

a. Band IX. Blatt 369 Kartenblatt 5 № 138 in der Grundsteuermutterrolle des Gutsbezirks Liebenwalde III. unter Artikel 7 eingetragen, mit einem Flächeninhalte von 12 ar 30 qm dem Königlichen Preußischen Fiskus (Steuerverwaltung) gehörig und

b. Band X. Blatt 420 Kartenblatt 5 № 137, in vorbezeichneter Grundsteuermutterrolle unter Artikel 9 eingetragen, mit einem Flächeninhalt von 18 ar 40 qm, der Wittwe Henriette Altmann, geborene Schöning, zu Liebenwalde gehörig,

aus dem domainenfiscalischen Gutsbezirke Hammer und

II. die Einverleibung ebenderselben Trennstücke in dem Gemeindebezirke Liebenwalde beschlossen, was hiermit gemäß § 2 Absatz 9 der Städteordnung vom 30. Mai 1853 zur öffentlichen Kenntniß gebracht wird.

Potsdam, den 24 Juli 1890.

Der Regierungs-Präsident.

Viehseuchen.

152. Festgestellt ist:

der Milzbrand bei mehreren Schweinen und bei 15 Lämmern auf dem Rittergute Laaske, Kreis Ostprignitz;

die Maul- und Klauenseuche unter dem Rindvieh des Landwirths Jürgen zu Neu-Weißensee, unter dem Rindvieh des Kossäthen Schultze zu Dalldorf, Kreis Niederbarnim. und unter den auf Vorwerk Berlowshof befindlichen Schafen des Rittergutspächters A. Stolze zu Dechtow, Kreis Osthavelland. Die Feldmark von Berlowshof ist gegen das Durchtreiben von Wiederkäuern und Schweinen gesperrt worden;

der Bläschenausschlag bei dem Gemeindebullen in Sechszehneichen und je einer Kuh der Kolonisten Hoffmann, Granzow, Lübcke und Koch zu Sechszehneichen, Kreis Ost-Prignitz.

Erloschen ist:

die Maul- und Klauenseuche unter dem Viehstande des Bauergutsbesitzers August Reich zu Linum, Kreis Osthavelland, und unter dem Rindviehbestande des Rittergutspächters Ritter zu Krahne, Kreis Zauch-Belzig;

die Räude bei den beiden Pferden des Ackerbürgers Rosin zu Neu-Lutterow, Kreis Ostprignitz.

Potsdam, den 29. Juli 1890.

Der Regierungs-Präsident.

Bekanntmachungen des Staatssekretairs des Reichs-Postamts.

Postpacketverkehr mit den Fidji-Inseln.

16. Von jetzt ab können Postpackete ohne Werthangabe im Gewicht bis zu 3 kg nach den Fidji-Inseln versandt werden. Die Packete müssen frankirt werden. Ueber die Taxen und Versendungsbedingungen ertheilen die Postanstalten auf Verlangen Auskunft.

Berlin W., 18 Juli 1890.

Der Staatssecretär des Reichspostamts.

Bekanntmachungen der Kaiserlichen Ober-Postdirektion zu Berlin.

Unbestellbare Einschreibbriefe.

73. Bei der Ober-Postdirection lagern folgende an den angegebenen Tagen zur Post gegebene Einschreibbriefe:

A. Aufgeliefert in Berlin,
mit dem Bestimmungsort Berlin:

an Paul Schmidt 17. Februar 1890, an Paul Schmidt 19. Februar 1890, an Anna Wolf 27. Februar 1890, an Gertrud Maul 4. März 1890, an Bertha Maaß 3. März 1890, an Haddenbruch 4. März 1890, an Behrendt 10. März 1890, an Rose 14. März 1890, an Berg 14. März 1890, an Towsky & Keck 14. März 1890, an Fürst von Bismarck 17 März 1890, an Clara Beencke 18. März 1890, an Flügel 21. März 1890, an J. Lindemann 22. März 1890, an Müller 25. März 1890, an Herm Kohl 28. März 1890, an Frau Emma Schoppe 31. März 1890, an G. Hankiwitz 1. April 1890, an Hans Rautenberg 1. April 1890, an Paul Schneider 1. April 1890, an C. Binger 3. April 1890, an Fürst zu Putbus 5. April 1890, an Heiser & Co. 9. April 1890, an Ihre Kgl. Hoheit Prinz. Victoria von Preußen 11. April 1890, an Frau Riek 22. April 1890, an Neumann 27. April 1890, an Recklitz 28. April 1890, an Fl. Eskario 29 April 1890, an Frau Schalm 2 Mai 1890, an Dr. de Graf 7. Mai 1890, an Hönink 14. Mai 1890, an Kaut 17. Mai 1890.

B. Aufgeliefert in Berlin,
mit anderen Bestimmungsorten:

an Georg Scherz, Lissabon, 3 Oktober 1889, an Rüdiger, Chicago, 23. Oktob r 1889, an Leverenz Kranz, Portland Origon, 10 Dezember 1889, an Neumann, Warschau, 18. Dezember 1889, an Therese Meyerhof, San Francisko, 29. Dezember 1889, an Jul. Sirack (Sivak), New-York, 7. Januar 1890, an Conciara, Pernambuco, 29. Januar 1890, an Rokos, Wien, 8. Februar 1890, an Wilh. Krause, Charlottenburg, 24. Februar 1890, an Frl. J. Schmidt, Straßburg Els., 25. Februar 1890, an E. Gebricke, Reichenberg (Schles f), 24. Februar 1890, an L Delsa, Königsberg (Pr.), 27. Februar 1890, an W. Kraetke, Bromberg, 3. März 1890, an Georges Appert, Warschau, 8. März 1890, an P. Gaßner, Königsberg (Pr.), 12. März 1890, an Erner, Leipzig, 14. März 1890, an Wwe Huwe, Schönfeld bei Byersdorf, 22. März 1890, an Herrn Hauptmann, Artl.-Regt. 6, Schweidnitz, 24. März 1890, an Tiemann, Braunschweig, 24. März 1890, an H Schickert, Spandau, 24 März 1890, an A. Hatschke, Fürstenwalde, 26. März 1890, an Dr. Jacoby, Gränau, 29 März 1890, an Frau Juckel, Potsdam, 3. April 1890, an Bargmann, Hamburg, 13. April 1890, an Last, Braila, 15 April 1890, an Dr. Marquardt, Friedenau, 16. April 1890, an Folschini, Liegnitz, 21. April 1890, an G. Elke, Ichstedt bei Artern, 22. April 1890, an Tralandt, Rheinsberg, 22. April 1890, an Klitzkowska, Stettin, 23. April 1890, an Caise de Reconnemerent, Paris, 24. April 1890, an Gietzelmann, Gifhorn, 29. April 1890, an E. S. C., Breslau, 30. April 1890, an Königsdorf, Braunschweig, 1. Mai 1890, an Frl. Müller, Saalfeld bei Magdeburg, 2. Mai 1890, an R. Kertzel, Erkner, 2 Mai 1890, an Knorr, St. Petersburg, 5. Mai 1890, an Wabelsberg, Warschau, 14 Mai 1890, an Peters, Jordensdorf, 16. Mai 1890, an Geyer, Mariaschein bei Teplitz, 17. Mai 1890, an Gropp, Braunschweig, 28. Mai 1890.

Die unbekannten Absender der vorbezeichneten Sendungen werden ersucht, zur Empfangnahme derselben spätestens innerhalb vier Wochen, — vom Tage des Erscheinens gegenwärtiger Bekanntmachung an gerechnet, — bei der hiesigen Ober-Postdirection schriftlich sich zu melden, widrigenfalls mit den Sendungen nach den gesetzlichen Vorschriften verfahren werden wird.

Berlin C., 21. Juli 1890.

Der Kaiserliche Ober-Postdirector.

Unanbringliche Postanweisungen.

74. Bei der Ober-Postdirection in Berlin lagern folgende bei hiesigen Postanstalten an den bezeichneten Tagen aufgelieferte, unanbringliche Postanweisungen: an Helbing in Hamburg über 181 M. 70 Pf., 20. Dezember 1889, an Meyer in Mülhausen Els über 4 M., 21. Dezember 1889, an Vereinszeitung in Berlin über 5 M., 28 Dezember 1889, an Graetz in Berlin über 10 M. 5 Pf., 3. Januar 1890, an L Müller in Braunschweig über 4 M. 20 Pf., 9 Januar 1890, an Lobinski in Lindenberg über 1 M. 90 Pf., 24. Januar 1890, an Gaßner in Königsberg (Preußen) über 20 Pf., 13. Februar 1890, an Marquardt in Berlin über 11 M. 52 Pf., 17. Februar 1890, an Emilie Schmidt in Berlin über 15 M., 28. Februar 1890, an Vereinsbüreau Berliner Aerzte über 3 M., 7. März 1890, an Frau Hancz in Berlin über 5 M., 11. März 1890, an Graubner in Berlin über 3 M., 18. März 1890, an Freude in Berlin über 20 M., 25. März 1890, an Sonnleithner in Wien über 10 M., 30. März 1890, an Elsner in Berlin über 11 Pf., 3. April 1890, an Elsner in Berlin über 11 Pf., 3 April 1890, an Ortskrankenkasse in Zehdenick über 3 M., 3 April 1890, an Frau Erff in Berlin über 20 M., 12. April 1890, an Jäger in Hirschberg Schl. über 50 Pf., 15. April 1890, an Saft in Berlin über 1 M., 15. April 1890, an Frau Blank in Frankfurt (Main) über 100 M., 1. Mai 1890, an Fächner in Berlin über 10 M., 1. Mai 1890, an Gerichtskasse in Elberfeld über 60 Pf., 3. Mai 1890, an Elsner in Berlin über 4 Pf., 8 Mai 1890, an Elsner in Berlin über 4 Pf., 8 Mai 1890, an Amtsgericht II. in Berlin über 4 M. 75 Pf., 10. Mai 1890, an Gerichtsschreiberei 82 in Berlin über 2 M., 17. Mai 1890.

Die unbekannten Absender der vorbezeichneten Postanweisungen werden ersucht, spätestens innerhalb vier Wochen, vom Tage des Erscheinens gegenwärtiger Bekanntmachung an gerechnet, bei der Ober-Postdirection schriftlich sich zu melden, widrigenfalls die Beträge der Postarmenkasse überwiesen werden.

Berlin C., 22. Juli 1890.

Der Kaiserliche Ober-Postdirector.

Unanbringliche Postsendungen.

75. Bei der Ober-Postdirektion in Berlin lagern:

A. Packete (in Berlin zur Post gegeben):

an Frangler, Leipzig-Gohlis, 1/2 kg, 8. Februar 1890, an Gründer, Pötzschal bei Wehlen, 4 kg, 28. Februar 1890, an Herrn Walter, Großbeeren, 1 kg, 8. März 1890, an Stäblich, Berlin, Krautstraße 36, 1 1/2 kg, 12. März 1890, an Schmidt, Altenkirchen, Westerwald, 2 1/2 kg, 17. März 1890, an Charbeven, Gr. Lichterfelde, 1 kg, 24. März 1890, an Fröhlich, Berlin, Reichenbergerstr. 62, 1/2 kg, 5. April 1890, an Friese, Berlin, Dresdenerstraße 38, 1/2 kg, 23 April 1890

B. Gegenstände, welche in Packeten ohne Aufschrift enthalten gewesen bz. Postsendungen entfallen oder bei hiesigen Postanstalten herrenlos aufgefunden worden sind:

Nähmaschinen-Nadeln, Kragen, Albumschlösser, Plüschzeug, Mäntelstickereien, Bisamfelle, schwarze Schnur, Noten, 1 Stirnband zu Pferdegeschirr, 1 Stammbuch, 1 Buch: Friedl. u Niza, 1 Knabenwintermütze, Bilder, 1 Federkasten, Halstücher, Serviettenhalter, 1 Börse, alte Schlipse, Schlösser, Schrauben, Bücher verschiedenen Inhalts, 1 Schlafrockquaste, 1 Album mit englischer Schrift, Sammet, 1 Märchenbuch, Tuchstücken mit eingesticktem Anker, Wollstoff, Wolle, 1 leinener Kittel, 1 Fläschchen Kongopillen, Schirmzwingen, 1 Knabenhose, Radfahrer-Medaillen, Glasschmuck, Etiquettes, Drahtgewebe, Roßhaare, 1 Signal-Pfeife, Glaspulver, Clichee's, Zwirn, 1 Paar zugeschnittene Schuhe, Pflanzen-Saamen, 1 Bohrer, Scheeren, Chocolade, Strümpfe, 1 Fächergestell, Blumenkörbchen, 1 Cigarrentasche mit Cigaretten, Nägel, Kupferdraht, Taschenmesser, 1 Uhrkette, Perlenschnüre, Schlüsselschilder, Borde, Haken, Messingbeschläge, 1 Korb, Hafergrütze, mehrere Ringe, Heftpflaster, Seife, 1 Stockknopf, Falzbeine, Metallkugeln, Getreideprober, Blechgefäße, Körbe, Schnallen, Rüschen, 1 Holzleiste, Bouillonkapseln, Conserven, Schmucksachen, 1 Erinnerungskreuz, 1 Mantel, Maschinentheile, Knöpfe, Gelatine, Bügel zu Cigarrentaschen, Buchdruckertypen, Haarwasser, Baumkerzen, 1 Zahnbürste, 1 Nähmaschinenschieber, Cacao, 1 Lederriemer, Häkelhaken, 1 Stock, Staniol, Zinkbeschläge, 1 Kamm, 1 Feile, Glückwunschkarten, 1 Büchse Striefelwichse, Tuchproben, 1 eiserner Durchlochungsapparat, 1 Blechbüchse Naturlab, Krammen.

Die unbekannten Absender der vorbezeichneten Sendungen werden ersucht, spätestens innerhalb vier Wochen — vom Tage des Erscheinens gegenwärtiger Bekanntmachung an gerechnet — bei der Ober-Postdirektion schriftlich sich zu melden, widrigenfalls die Gegenstände zum Besten des Post-Armenfonds werden versteigert werden.

Berlin C., den 22. Juli 1890.

Der Kaiserliche Ober-Postdirektor.

Unanbringliche Briefe mit Werthinhalt.

76. Bei der Ober-Postdirektion in Berlin lagern folgende bei hiesigen Postanstalten an den bezeichneten Tagen aufgelieferte Briefe, in welchen bei der Eröffnung die daneben vermerkten Beträge vorgefunden worden sind: an Frau Büschel in Hamburg 40 Pf., 21. Februar 1890, Stadler in Rummelsburg b. Berlin 1 M 50 Pf., 4. März 1890, ohne Aufschrift 2 M., 10. März 1890, Valentin Littmann in Krotoschin 1 M. 50 Pf., 10 März 1890, Day in Tetschen (Böhmen) 40 M., 11. März 1890, Graßmann in Sagan 1 M, 18. März 1890, Thiele in Berlin 20 M., 27. März 1890, Wieser in Stuttgart 10 M., 24. April 1890, Lindemann in Berlin 10 M., 1. Mai 1890, Wittwe Behrendt in Marienburg Westpr. 6 M, 7. Mai 1890.

Die unbekannten Absender der vorbezeichneten Briefe werden ersucht, spätestens innerhalb 4 Wochen — vom Tage des Erscheinens gegenwärtiger Bekanntmachung an gerechnet — bei der Ober-Postdirektion schriftlich sich zu melden, widrigenfalls die in den Sendungen vorgefundenen Beträge der Postarmenkasse überwiesen werden.

Berlin C, 22. Juli 1890

Der Kaiserliche Ober-Postdirektor.

Bekanntmachungen der Kaiserlichen Ober-Post-Direktion zu Potsdam.

Bekanntmachung.

77. In nachbezeichneten Landorten sind Posthülfstellen eingerichtet worden: Am Stolp, Bestellbezirk Kalkberge Rüdersdorf, Borgisdorf, Bestellbezirk Jüterbog, Brodowin, Bestellbezirk Chorin (Mark), Buckow, Bestellbezirk Barnewitz, Haage, Bestellbezirk Friesack (Mark), Hartekop, Bestellbezirk Haselberg (Mark), Ihlow, Bestellbezirk Batzlow, Kerzendorf, Bestellbezirk Ludwigsfelde, Klockow, Bestellbezirk Rechlin, Knoblauch, Bestellbezirk Wustermark, Königsberg, Bestellbezirk Herzsprung, Kuhz, Bestellbezirk Haßleben (Uckerm.), Lübars, Bestellbezirk Hermsdorf (Mark), Motrich, Bestellbezirk Wittenberge (Bz. Pdm.) 1 (Stadt), Neuhof, Bestellbezirk Zehdenick, Postlin, Bestellbezirk Karstädt, Prädickow, Bestellbezirk Prötzel, Reichenberg, Bestellbezirk Batzlow, Rotzis, Bestellbezirk Waltersdorf (Kr. Teltow), Siegrothsbruch, Bestellbezirk Dreetz, Siegelitz, Bestellbezirk Wilmersdorf (Kr. Angermünde), Wahrenberg Bestellbezirk Wittenberge (Bz. Pdm.) 1 (Stadt), Werbig, Bestellbezirk Reinsdorf (Mark), Zepernick, Bestellbezirk Bernau (Mark)

Potsdam, den 18. Juli 1890.

Der Kaiserliche Ober-Postdirector.

Bekanntmachungen des Provinzial-Steuer-Direktors.

Bekanntmachung.

7. Es wird hierdurch zur öffentlichen Kenntniß gebracht, daß der Fabrikbesitzer C. A. F. Kahlbaum, welchem durch den Herrn Finanz-Minister gestattet ist, das allgemeine Branntweindenaturirungsmittel und unvermischte Pyridinbasen als besonderes Denaturirungsmittel in steueramtlich verschlossenen und mit einer entsprechenden Bezeichnung versehenen Gefäßen zu verkaufen, seine chemische Fabrik von der Schlesischen Straße

№ 16—19 in Berlin nach Adlershof bei Cöpenick verlegt hat.

Berlin, den 23. Juli 1890.

Der Provinzial-Steuer-Direktor.

Bekanntmachungen der Königlichen Eisenbahn-Direktion zu Bromberg.

Bekanntmachung.

45. Mit sofortiger Giltigkeit treten im Verkehr **von Station Matheninken** des diesseitigen Bezirks nach sämmtlichen Stationen der Direktionsbezirke Berlin, Breslau, Bromberg und nach denjenigen Stationen des Direktionsbezirks Erfurt, welche östlich der Linie Ruhland-Calau liegen, **Ausnahmefrachtsätze für Torfstreu und Torfmull** in Wagenladungen von mindestens 10000 kg auf einen Frachtbrief und Wagen oder bei Frachtzahlung für dieses Gewicht in Kraft. Diese Ausnahme-Frachtsätze gelten für die Zeit **bis zum 31. August d. Js.** und gewähren eine Frachtermäßigung von 25 % gegenüber den Sätzen des Specialtarifs III. Näheres ist bei sämmtlichen Stationen unseres Bezirks in Erfahrung zu bringen.

Bromberg, den 21 Juli 1890.

Königliche Eisenbahn-Direktion, zugleich Namens der betheiligten Verwaltungen.

Bekanntmachungen anderer Behörden.

Ausschreiben der von den Mitgliedern der Städte-Feuer-Societät der Provinz Brandenburg für das I. Halbjahr 1890 zu entrichtenden Feuer-Societätsbeiträge.

Der Direktorialrath der Städte-Feuer-Societät der Provinz Brandenburg hat die Beiträge der Mitglieder der Societät für das I. Halbjahr 1890 für 100 M. Versicherungssumme festgesetzt:

	Klasse				
in Klasse	I A.	auf	2,1	Pf.	(0,21 pro mille),
= =	I.	=	3	=	(0,3 - -),
= =	I B.	=	3,9	=	(0,39 - -),
= =	II A.	=	6	=	(0,6 - -),
= =	II.	=	9	=	(0,9 - -),
= =	II B.	=	12	=	(1,2 - -),
= =	III.	=	21	=	(2,1 - -),
= =	III B.	=	30	=	(3 - -),
= =	IV.	=	42	=	(4,2 - -),
= =	IV B.	=	66	=	(6,6 - -).

Demzufolge werden nunmehr ausgeschrieben:

von	42 103 650 M.	Versicherungssumme in Klasse	I A.	8 841 M.	77 Pf.,
=	327 502 200 =	= = =	I.	98 250 =	66 =
=	22 805 100 =	= = =	I B.	8 893 =	99 =
=	5 487 400 =	= = =	II A.	3 292 =	44 =
=	144 209 050 =	= = =	II.	129 788 =	14 =
=	18 339 875 =	= = =	II B.	22 007 =	85 =
=	18 985 450 =	= = =	III.	39 869 =	45 =
=	6 308 525 =	= = =	III B.	18 925 =	57 =
=	1 552 625 =	= = =	IV.	6 521 =	03 =
=	1 391 350 =	= = =	IV B.	9 182 =	91 =
überhaupt von	588 685 225 M.	beitragspflichtiger Versicherungssumme		345 573 M.	81 Pf.
Dazu von	398 325 M.	Explosionsversicherungssumme zu 1 Pf.		39 =	83 =
=	148 700 =	= = 2 =		29 =	74 =
				345 643 M.	38 Pf.
Den Mitgliedern in 26 Städten sind wegen der guten Löscheinrichtungen der letzteren auf Grund des § 65 des Reglements 20 bezw. 15, 12 und 10 % ihrer Beiträge erlassen mit				16 838 =	80 =
				328 804 M.	58 Pf.
Dagegen wird von den Mitgliedern in 8 Städten auf Grund des § 65 Abs. 2 des Reglements ein Zuschlag von 20 bezw. 10 % der Beiträge erhoben mit				1 379 =	05 =
				330 183 M.	63 Pf.
Hiervon stehen den Magisträten 5 % zu mit				16 509 =	18 =
so daß zur Deckung des Bedarfs verfügbar sind				313 674 M.	45 Pf.

Dieser Bedarf beläuft sich für die in den Monaten Januar bis Juni 1890 stattgehabten, von der

Societät zu vergütenden 103 Brand- und 12 Blitzschäden, einschließlich der Spritzen- und Wasserwagen-Preise und Abschätzungskosten auf 251 305 M. 08 Pf.
und außerdem sind für Schäden an unversicherten Gegenständen, Postporto, Zuschüsse an die Feuerwehren ꝛc. erforderlich 10 837 „ 07 „
Dazu treten die Beiträge für die bei dem Verbande der öffentlichen Feuerversicherungs-Anstalten Deutschlands genommene Rückversicherung mit 66 314 „ 80 „

	328 456 M. 95 Pf.
Durch diese Rückversicherung sind gedeckt	63 280 „ 30 „
verbleiben	265 176 „ 65 „
Das obige Ausschreiben ergiebt	313 674 „ 45 „
mithin zur Ergänzung des Betriebsfonds mehr	48 497 M. 80 Pf.

Die Magisträte der betheiligten Städte wollen hiernach die von den Mitgliedern der Societät zu entrichtenden Beiträge ungesäumt einziehen und binnen 4 Wochen — § 70 des Reglements — an die Brandenburgische Landes-Hauptkasse hierselbst abführen lassen.

Berlin, den 18. Juli 1890. Der Direktor der Städte-Feuer-Societät der Provinz Brandenburg.

Personal-Chronik.

Im Kreise Ruppin ist der Administrator Klingenberg zu Gartow nach Ablauf seiner Amtszeit auf's Neue zum Amtsvorsteher-Stellvertreter des 8. Bezirks Dessow ernannt worden.

Im Kreise Beeskow-Storkow sind der Lehngutsbesitzer Wulff zu Neu-Golm, der Gemeindevorsteher Gliese zu Neubrück und der Amtspächter Bernau zu Münchehofe zu Amtsvorsteher-Stellvertretern der Amtsbezirke 6 Pfaffendorf, 7 Sauen und 13 Münchehofe ernannt worden.

Zu den Ortschaften ꝛc. des ehemaligen Amtsbezirks Zossen im Kreise Teltow, in welchen dem Bürgermeister Regener in Zossen die Besorgung der domainenfiscalischen und der fiscalischen Kirchen- ꝛc. Patronats-Geschäfte nach unseren Amtsblatts-Bekanntmachungen vom 6. November 1880 (№ 30) — Extrabeilage zum 46sten Stück des Amtsblatts für 1880 — und vom 15. März 1883 — Amtsblatt für 1883 Stück 13 — widerruflich übertragen worden ist, gehören auch: Neuhof, Vorwerk Gerlachshof, zum Gute Haus Zossen gehörig, Colonie Zossen, zum Stadtbezirk Zossen gehörig, und Gut Werben b. Nunsdorf.

Der geschiedenen Ehefrau Pawlowsky, Henriette geb. Geweke zu Rathenow ist das ihr im Jahre 1881 ertheilte Hebammenprüfungszeugniß durch rechtskräftiges Erkenntniß des Bezirksausschusses zu Potsdam vom 10. April 1890 entzogen worden und ist dieselbe daher nicht mehr als Hebamme anzusehen.

An Stelle des am 1. August d. J. in den Ruhestand tretenden Kreisbauinspektors Baurath Brunner ist der Kreisbauinspektor Zohl, bisher zu Naugard i. Pom., mit dem genannten Tage in die Kreisbauinspektorstelle zu Neu-Ruppin versetzt.

Der Königliche Regierungs-Bauführer Max Klötzscher, zur Zeit in Charlottenburg, ist am 10. Juli d. J. als solcher vereidigt worden.

Der bisherige Hilfsprediger Richard Eugen Georg Pohl in Herzfelde ist zum Diakonus in Meyenburg und zum Pfarrer von Penzlin, Diözese Pritzwalk, bestellt worden.

Die unter privatem Patronat stehende Oberpfarrstelle zu Friesack, Diözese Rathenow, kommt durch die Emeritirung des Oberpfarrers Beust zum 1. Oktober 1890 zur Erledigung.

Die unter Privat-Patronat stehende Pfarrstelle zu Sternhagen, Diözese Prenzlau I., kommt durch die nach neuem Rechte erfolgende Emeritirung des Pfarrers Everth zum 1. Oktober d. J. zur Erledigung.

Der ordentliche Lehrer, Titular-Oberlehrer Engel am Viktoria-Gymnasium zu Potsdam, ist zum Oberlehrer befördert worden.

Der Lehrer Gallasch in Potsdam ist als Elementarlehrer an der dortigen Realschule angestellt worden.

Personalveränderungen im Bezirke der Königlichen Eisenbahn-Direction zu Erfurt.

Ernennung. Stations-Assistent Wendt 1 in Berlin zum Güter-Expedienten.

Ausweisung von Ausländern aus dem Reichsgebiete.

Lauf. Nr.	Name und Stand des Ausgewiesenen.	Alter und Heimath des Ausgewiesenen.	Grund der Bestrafung.	Behörde, welche die Ausweisung beschlossen hat.	Datum des Ausweisungs-Beschlusses.
1.	2.	3	4.	5.	6.
		a. Auf Grund des § 39 des Strafgesetzbuchs:			
1	Emil Heuberger, Dienstknecht,	geboren am 8. Februar 1864 zu Freiburg, Baden, ortsangehörig zu Borsen, Kanton Aargau, Schweiz,	schwerer Diebstahl (zwei Jahre Zuchthaus laut Erkenntniß vom 5ten Juli 1888),	Kaiserlicher Bezirks-Präsident zu Colmar,	20. Juni 1890.

Lauf. Nr.	Name und Stand des Ausgewiesenen.	Alter und Heimath des Ausgewiesenen.	Grund der Bestrafung.	Behörde, welche die Ausweisung beschlossen hat.	Datum des Ausweisungs-Beschlusses.
1.	2.	3.	4.	5.	6.
		b. Auf Grund des § 362 des Strafgesetzbuchs:			
1	Franz Alois Amon, Weber,	geboren am 3. Dezember 1857 zu Jägerndorf, Oesterreichisch-Schlesien, ortsangehörig zu Groß-Ebersdorf, Bezirk Korneuburg, Nieder-Oesterreich,	Landstreichen und Betteln,	Königlich Preußischer Regierungspräsident zu Liegnitz,	24. Juni 1890.
2	Wenzel Baier, Schuhmachergeselle,	geboren am 31. Dezember 1863 zu Arnsdorf, Bezirk Hohenelbe, Böhmen, ortsangehörig ebendaselbst,	desgleichen,	Königlich Preußischer Regierungspräsident zu Merseburg,	26. Juni 1890.
3	Ludwig Barbieri, Erdarbeiter,	40 Jahre alt, geboren und ortsangehörig zu Salutie, Italien,	Landstreichen,	Kaiserlicher Bezirks-Präsident zu Metz,	24. Juni 1890.
4	Karl Guillemaux, Tagner,	geboren am 9. Mai 1859 zu Pont à Mousson, Departement Meurthe et Moselle, Frankreich, ortsangehörig ebendaselbst,	Landstreichen u. Betteln,	derselbe,	26. Juni 1890.
5	Johann Henke, Bäckergeselle,	geboren am 4. April 1869 zu Schönborn, Bezirk Rumburg, Böhmen, ortsangehörig ebendaselbst,	Betteln im wiederholten Rückfall,	Königlich Sächsische Kreishauptmannschaft zu Bautzen,	3. Juni 1890.
6	Leibuß Lewek Izraelski, Lehrer a. D.,	geboren im Jahre 1813 zu Przedec-Wloclawek, Gouvernement Warschau, Russisch-Polen, ortsangehörig zu Radzeiwa, Gouvernement Warschau,	Landstreichen und Betteln,	Königlich Preußischer Regierungspräsident zu Liegnitz,	23. Juni 1890.
7	Ignaz Kaltenbrunner, Schuhmacher,	geboren im Jahre 1855 zu Kolinec, Bezirk Klattau, Böhmen, ortsangehörig ebendaselbst,	Betteln im wiederholten Rückfall,	Königlich Sächsische Kreishauptmannschaft zu Bautzen,	3. Juni 1890.
8	Berthine Marie Lillegraven, Kassirerin,	geboren am 2. Februar 1865 zu Wang, Amt Bergen, Norwegen,	gewerbsmäßige Unzucht	Chef der Polizei in Hamburg,	23. Juni 1890.

Vermischte Nachrichten.

Bekanntmachung.

Auf das unterzeichnete Gericht geht vom 1. Oktober d. J. die Führung der Handels-, Genossenschafts-, Zeichen- und Musterregister für den diesseitigen Gerichtsbezirk über. Die Bekanntmachungen in Handelsregistersachen werden erfolgen durch den Deutschen Reichs- und Königlich Preußischen Staatsanzeiger, die Berliner Börsenzeitung, die Vossische Zeitung und das Teltower Kreisblatt, dagegen die Bekanntmachungen in Zeichen- und Musterregistersachen nur durch den Deutschen Reichs- und Königlich Preußischen Staatsanzeiger.

Zossen, den 18. Juli 1890.

Königliches Amtsgericht.

Hierzu Zwei Oeffentliche Anzeiger.

(Die Insertionsgebühren betragen für eine einspaltige Druckzeile 20 Pf. Belagsblätter werden der Bogen mit 10 Pf. berechnet.)

Redigirt von der Königlichen Regierung zu Potsdam.

Potsdam, Buchdruckerei der A. W. Hayn'schen Erben (E. Hayn, Hof-Buchdrucker).

Amtsblatt
der Königlichen Regierung zu Potsdam und der Stadt Berlin.

Stück 32. Den 8. August **1890.**

Allerhöchster Erlaß

wegen Herabsetzung des Zinsfußes der Westhavelländischen Kreis-anleihen vom 29. Juni 1890.

Auf den Bericht vom 22. Juni d. J. will Ich hiermit genehmigen, daß der zufolge Allerhöchsten Erlasses vom 14. September 1881 von $4^1/_2$ auf 4 Prozent ermäßigte Zinsfuß derjenigen Anleihen, zu deren Aufnahme der Kreis Westhavelland durch die Privilegien vom 30. August 1875 bezw. 24. Oktober 1877 ermächtigt worden ist, gemäß dem Kreistagsbeschlusse gedachten Kreises vom 18. Dezember v. J. anderweit und zwar von 4 auf $3^1/_2$ Prozent ermäßigt werde. Alle sonstigen Bestimmungen der vorbezeichneten Privilegien, insbesondere auch hinsichtlich der Tilgungsfristen bleiben unberührt. Di-ser Erlaß ist nach Vorschrift des Gesetzes vom 10. April 1872 (G.-S. S. 357) zu veröffentlichen.

Fredensborg, den 29. Juni 1890.

gez. **Wilhelm R.**

Zugleich für den Finanz-Minister ggez. Herrfurth.

An den Finanz-Minister und den Minister des Innern.

Bekanntmachungen des Königlichen Regierungs-Präsidenten.

Thierärztliche Untersuchung der nach den Nordseehafenstädten zu versendenden Wiederkäuer und Schweine.

147. Es wird hierdurch zur öffentlichen Kenntniß gebracht, daß von jetzt ab die durch meine Bekanntmachung vom 23. März 1889 (Amtsblatt Stück 14 Seite 122) angeordneten regelmäßigen kostenfreien thierärztlichen Untersuchungen der vom Eisenbahnhof Karstädt, Kreis Westprignitz, nach den Nordseehafenstädten zu versendenden Wiederkäuer und Schweine an jedem Mittwoch Nachmittag 2 Uhr wieder stattfinden werden.

Potsdam, den 30. Juli 1890.

Der Regierungs-Präsident.

Die Sperre der Potsdamer Eisenbahn-Drehbrücke über die Havel für den Schiffsverkehr.

148. Zum Zwecke des Abhebens der eisernen Ueberbauten der alten Eisenbahn-Drehbrücke über die Havel bei Potsdam wird diese Brücke für den gesammten Schiffsverkehr vom 7. August d. J. ab auf 4 Tage gesperrt. Potsdam, den 31. Juli 1890.

Der Regierungs-Präsident.

Generalkonsulat des Oranje-Freistaats.

149. Zum Generalkonsul des Oranje-Freistaats für das Deutsche Reich ist der Geschäftsinhaber der Berliner Handelsgesellschaft, Herr Hermann Rosenberg zu Berlin, ernannt worden. Potsdam, den 1. August 1890.

Der Regierungs-Präsident.

Marktpreise betreffend.

150. In den Stücken 24 und 28 des diesseitigen Amtsblattes vom laufenden Jahre ist auf den Seiten 121 bezw. 265 der Preis des Hafers in Beeskow für 100 kg statt für 50 kg angegeben worden, was hiermit zur öffentlichen Kenntniß gebracht wird.

Potsdam, den 5. August 1890.

Der Regierungs-Präsident.

Viehseuchen.

151. Festgestellt ist:

der Milzbrand bei einer Kuh des Bauern C. Porep zu Blumenthal, bei einer Kuh des Eigenthümers Köppen zu Bantikow, Kreis Ostprignitz, bei einem Ochsen auf dem Rittergute Haus Zossen, Kreis Teltow;

der Rotz unter den Pferden des Fuhrherrn Wintzer zu Neu-Weißensee, Waldemarstraße 32, Kreis Niederbarnim;

die Maul- und Klauenseuche unter den Kühen des Gemeindevorstehers Schindler zu Schwanebeck, des Bauern A. Dessin und des Kossäthen August Schultze zu Dalldorf, Kreis Niederbarnim.

Erloschen ist:

die Maulseuche unter dem Rindvieh zu Dornswalde, Kreis Jüterbog-Luckenwalde;

die Maul- und Klauenseuche auf dem Rittergute Klein-Beeren, Kreis Teltow.

Potsdam, den 5. August 1890.

Der Regierungs-Präsident.

Bekanntmachungen des Königlichen Polizei-Präsidiums zu Berlin.

Bekanntmachung,

betreffend die Desinfektion der Wohnungen nach ansteckenden Krankheiten durch städtische Beamte.

64. Die durch die Polizei-Verordnung vom 7. Februar 1887, betreffend Desinfektion bei ansteckenden Krankheiten erstrebte vollständige Unschädlichmachung der Ansteckungsstoffe ist bisher in ihrer Zuverlässigkeit dadurch häufig beeinträchtigt worden, daß die Desinfektion der infizirten Gebrauchsgegenstände und der Krankenräume nicht gleichzeitig stattfand, indem die in der städtischen Desinfektionsanstalt gereinigten Gebrauchsgegenstände oft in nicht vollständig desinfizirte Räume zurückgebracht werden mußten.

Um die für den erstrebten Erfolg unerläßlich erforderliche **Gleichzeitigkeit** der Desinfektion nach beiden Richtungen sicher zu stellen, haben die städtischen Behörden eine ausreichende Anzahl zuverlässiger Personen, nach vorheriger praktischer Ausbildung in der Ausführung der Desinfektion von Wohnungen und staatlicher Prüfung auf ihre Leistungsfähigkeit, als städtische Desinfektoren angestellt.

In Folge dessen bestimme ich hierdurch unter Aufhebung meiner Bekanntmachung vom 8. Februar 1887, betreffend die Ausführung der Desinfektion durch geprüfte Heildiener u. s. w.,

daß die im § 1 der Polizei-Verordnung vom 7. Februar 1887, betreffend Desinfektion bei ansteckenden Krankheiten (Amtsblatt 1887 Stück 7 Seite 69) vorgeschriebene Desinfektion nach Ablauf von Erkrankungen an **asiatischer Cholera, Pocken, Fleck- und Rückfall-Typhus, Diphtherie und eventuell Darm-Typhus, bösartigem Scharlachfieber und bösartiger Ruhr** nach Maßgabe der unter demselben Tage erlassenen Anweisung zum Desinfektionsverfahren bei Volkskrankheiten

vom 1. August laufenden Jahres ab lediglich von den **beamteten städtischen** Desinfektoren auszuführen ist.

Eine von anderen Personen bewirkte Desinfektion kann vom bezeichneten Tage ab als gesundheitspolizeilich ausreichend meinerseits nicht anerkannt werden.

Die städtischen Desinfektoren sind zugleich mit dem Wagen zur Abholung von Gebrauchsgegenständen aus der **städtischen Desinfektionsanstalt, Reichenbergerstraße 66,** durch Vermittelung des zuständigen Polizei-Reviers telegraphisch herbeizurufen.

Berlin, den 24. Juli 1890.

Der Polizei-Präsident. Freiherr von Richthofen.

Bekanntmachungen der Kaiserlichen Ober-Post-Direktion zu Berlin.

Bekanntmachung.

78. Für die Zeit vom 4. bis einschließlich 9ten August wird aus Anlaß des in Berlin stattfindenden X. internationalen medicinischen Congresses im Landes-Ausstellungsparke eine Postanstalt mit Telegraphenbetrieb und öffentlicher Fernsprechstelle, sowie im Hause Karlstraße Nr. 19 eine Postannahmestelle in Wirksamkeit treten.

Die Postanstalt erhält die Bezeichnung „Postamt des X. internationalen medicinischen Congresses". Dieselbe, sowie die Postannahmestelle in der Karlstraße werden für den Verkehr mit dem Publikum geöffnet sein **von 8 Uhr Vormittags bis 8 Uhr Nachmittags.** Die Geschäfte der neuen Postanstalt werden sich erstrecken:

a. auf den Verkauf von Postwerthzeichen jeder Art, sowie von Formularen zu Postkarten, Postanweisungen 2c.,

b. auf die Annahme und Abfertigung von gewöhnlichen und eingeschriebenen Briefpostsendungen, Postanweisungen, Telegrammen und Rohrpostsendungen,

c. auf die Bestellung von Briefpostgegenständen, Postanweisungen nebst den zugehörigen Geldbeträgen und von Telegrammen, welche an Theilnehmer des Congresses 2c. eingehen und nach dem Landesausstellungsparke gerichtet sind,

d. auf die Ausgabe von postlagernden Sendungen der bezeichneten Art und von postlagernden Rohrpostsendungen.

Die bei dem Postamte eingerichtete öffentliche Fernsprechstelle kann gegen Entrichtung der tarifmäßigen Gebühr benutzt werden.

Die Geschäfte der Postannahmestelle in der Karlstraße erstrecken sich lediglich auf die **Annahme** von Postsendungen jeder Art, ausgenommen Werthsendungen und gewöhnliche Packete, auf die **Annahme** von Telegrammen und Rohrpostsendungen und auf den Verkauf von Postwerthzeichen jeder Art, sowie von Formularen zu Postkarten u. s. w.

Berlin C., 31. Juli 1890.

Der Kaiserliche Ober-Postdirektor.

Bekanntmachungen der Königl. Kontrolle der Staatspapiere.

Bekanntmachung.

17. In Gemäßheit des § 20 des Ausführungsgesetzes zur Civilprozeßordnung vom 24. März 1879 (G.-S. S. 281) und des § 6 der Verordnung vom 16. Juni 1819 (G.-S. S. 157) wird bekannt gemacht, daß dem Rentner **Wilh. Köchy** zu Watenstedt bei Jerxheim im Herzogthum Braunschweig die Schuldverschreibung der konsolidirten 4 %igen Staatsanleihe von 1881 lit. D. № 212364 über 500 M. angeblich abhanden gekommen ist. Es wird Derjenige, welcher sich im Besitze dieser Urkunde befindet, hiermit aufgefordert, solches der unterzeichneten Kontrolle der Staatspapiere oder den Herren **N. S. Nathalion** Nachfolger zu Braunschweig anzuzeigen, widrigenfalls das gerichtliche Aufgebotsverfahren behufs Kraftloserklärung der Urkunde beantragt werden wird.

Berlin, den 31. Juli 1890.

Königliche Kontrolle der Staatspapiere.

Bekanntmachung.

18. In Gemäßheit des § 20 des Ausführungsgesetzes zur Civilprozeßordnung vom 24. März 1879 (G.-S. S. 281) und des § 6 der Verordnung vom 16. Juni 1819 (G.-S. S. 157) wird bekannt gemacht, daß dem Privatmann Karl **Radestock** zu Harzburg, angeblich am 1. Juli d. Js. auf dem Wege zwischen Rothehütte im Regierungsbezirk Hildesheim bis Blankenburg am Harz im Herzogthum Braunschweig die Schuldverschreibung der konsolidirten $3\frac{1}{2}$ %igen Staatsanleihe von 1889 lit. C. № 202730 über 1000 M. verloren gegangen ist. Es wird Derjenige, welcher sich im Besitze dieser Urkunde befindet, hiermit aufgefordert, solches der unterzeichneten Kontrolle der Staatspapiere oder dem Rechtsanwalt **Pauli** in Wernigerode am Harz anzuzeigen, widrigenfalls das gerichtliche Aufgebotsverfahren behufs Kraftloserklärung der Urkunde beantragt werden wird.

Berlin, den 2. August 1890.

Königliche Kontrolle der Staatspapiere.

Bekanntmachungen des Provinzial-Steuer-Direktors.

Bekanntmachung, betreffend die Veranlagung der Brennereien zum Kontingent.

8. Zufolge Bundesrathsbeschlusses vom 18 Juni d. J. erfolgt die Neubemessung der Jahresmenge Branntwein, welche die einzelnen Brennereien während der nächsten Kontingentirungsperiode zu dem niedrigeren Satze der Verbrauchsabgabe herstellen dürfen, in der Weise, daß

I. für das erste Betriebsjahr (1890/91)
 a. für die bestehenden Brennereien die zeitherigen Kontingentsmengen provisorisch zu vier Fünftheilen in Kraft bleiben,
 b. für die neu entstandenen landwirthschaftlichen Brennereien provisorisch entsprechende Kontingentsmengen ausgeworfen werden;

II. im zweiten Betriebsjahre (1891/92) zugleich die Abweichungen zwischen den provisorischen und den endgültig festgestellten Kontingentsmengen ausgeglichen werden, dergestalt, daß die im ersten Betriebsjahre zu dem niedrigeren Verbrauchsabgabensatze etwa zuviel abgebrannten Branntweinmengen von dem Jahreskontingent in Abzug gebracht, die zu wenig abgebrannten Jahresmengen aber zu diesem Kontingent zum Zweck des nachträglichen Abbrennens hinzugeschlagen, beziehungsweise durch Ertheilung von Berechtigungsscheinen ausgeglichen werden;

III. im Uebrigen nach besonderen Vorschriften verfahren wird, welche von den Betheiligten in den Geschäftszimmern der Steuerhebestellen während der Dienststunden eingesehen werden können.

Um Mißverständnissen, welche bereits wiederholt geäußert worden sind, für die Folge vorzubeugen, wird auf nachstehendes aufmerksam gemacht:

1) Nach § 2 des Gesetzes, betreffend die Besteuerung des Branntweins, vom 24. Juni 1887, erfolgt die Bemessung der neu zu gewährenden Kontingente nach Maßgabe der in den drei letzten Jahren, also seit dem 1. Oktober 1887, durchschnittlich zum niedrigeren Abgabensatze hergestellten Jahresmengen;
2) die seitdem neu entstandenen, sowie diejenigen landwirthschaftlichen Brennereien, welche während der letzten drei Jahre einen regelmäßigen Betrieb nicht gehabt haben, sind nach dem Umfange ihrer Betriebsanlagen und unter Berücksichtigung der landwirthschaftlichen Verhältnisse zum Kontingent zu veranlagen;
3) die Anträge auf Zuweisung eines Kontingents seitens der bisher daran noch nicht betheiligten landwirthschaftlichen Brennereien oder derjenigen am Kontingent bereits betheiligt gewesenen Brennereien, welche während der ganzen Dauer der Kontingentsperiode geruht haben, jedoch nicht gänzlich abgemeldet worden sind, sowie die Anträge der am Kontingent bereits betheiligten Brennereien auf Behandlung ihres Betriebes während der abgelaufenen Kontingentsperionde als eines unregelmäßigen, müssen schriftlich gestellt werden und dürfen nur dann berücksichtigt werden, wenn sie bei der Steuerbehörde, in deren Hebebezirk die Brennerei belegen ist, vor dem 1. November 1890 eingegangen sind.

Für Brennereien, welche bis zum 31. Oktober 1890 noch nicht betriebsfähig hergestellt worden sind, ist der Antrag auf Zuweisung eines Kontingents für die nächste Kontingentsperiode unzulässig.

Bei der Prüfung der vorstehend unter 3 gedachten Anträge erfolgt die Vornahme der örtlichen Ermittelungen durch eine für den betreffenden Bezirk niedergesetzte Kommission, welche aus dem Ober-Inspektor oder dessen Stellvertreter und zwei von der höheren Verwaltungsbehörde des Bezirks ernannten vereideten Sachverständigen der Brennerei-Berufsgenossenschaft besteht. Die Entscheidung über diese Anträge erfolgt durch den unterzeichneten Provinzial-Steuer-Direktor; gegen dieselbe ist die schriftliche Beschwerde an den Herrn Finanz-Minister zulässig, doch darf letztere nur dann berücksichtigt werden, wenn sie binnen 14 Tagen von der Zustellung der angefochtenen Entscheidung bei dem unterzeichneten Provinzial-Steuer-Direktor eingegangen ist. Die Entscheidung des Herrn Finanz-Ministers ist sodann eine endgültige.

Im Uebrigen wird darauf hingewiesen, daß es sich im Interesse der Betheiligten empfohlen wird, die unter 3 erwähnten Anträge thunlichst bald der zuständigen Amtsstelle einzureichen.

Berlin, den 24. Juli 1890.

Der Provinzial-Steuer-Direktor.

Bekanntmachung.

9. Der Bundesrath hat in der Sitzung vom 8. d. M. mehrfache Aenderungen und Ergänzungen des Amtlichen Waarenverzeichnisses zum Zolltarife, des Statistischen Waarenverzeichnisses und des Verzeichnisses der Massengüter, auf welche die Bestimmung im § 11 (Absatz 2 Ziffer 3) des Gesetzes vom 20. Juli 1879 über die Statistik des Waarenverkehrs Anwendung findet, beschlossen und angeordnet, daß die neuen Bestimmungen vom 1. September d. J. ab in Kraft zu treten haben. Eine Zusammenstellung der Abänderungen und Ergänzungen kann bei den Zollabfertigungsstellen eingesehen werden.

Berlin den 29. Juli 1890.

Der Provinzial-Steuer-Direktor.

Bekanntmachungen der Königlichen Eisenbahn-Direktion zu Berlin.

Norddeutscher Güterverkehr nach den unteren Donauländern.

32. Am 1. August dieses Jahres tritt zum Tarif für den Verkehr von Stationen der preußischen und sächsischen Staatsbahnen, der Werrabahn rc. nach Bodenbach, Tetschen, Eger, Halbstadt, Myslowitz, Oderberg, Oswiecim und Passau transito für Güter zur Ausfuhr nach den unteren Donauländern vom 1. November 1889 der II. Nachtrag in Kraft. Durch denselben werden die für die Anwendung des Tarifs jetzt bestehenden Kontrolvorschriften aufgehoben und

die Frachtsätze desselben bereits im Kartirungswege und zwar für alle diejenigen Sendungen gewährt, welche mit direkter Frachtbriefadresse, sowie mit den für direkte Sendungen vorgeschriebenen Zollpapieren nach den unteren Donauländern und darüber hinaus zur Auflieferung gelangen, sofern

a. für diese Sendungen direkte Tarifsätze entweder überhaupt nicht zur Verfügung stehen oder diese direkten Tarifsätze sich höher stellen, als die Abfertigung im gebrochenen Verkehr,

b. solche Sendungen auf Grund einer vorgeschriebenen Verzollungsstelle in einer bestimmten Grenzstation oder wegen Unterlassung bezw. Nichtbeachtung der für die Erlangung der direkten Tarife bestehenden Vorschriften nicht direkt abgefertigt werden können.

Der Nachtrag enthält weiter Berichtigungen bezw. Aenderungen und Ergänzungen des Vorworts, der besonderen Bestimmungen zum Betriebs-Reglement, anderweite besondere Tarifvorschriften, Frachtsätze für eine größere Anzahl neu in den Tarif aufgenommener Stationen, Erweiterung des Waarenverzeichnisses des Ausnahmetarifs № 1 für Eisen und Stahl durch Aufnahme der Artikel „Messingwaaren, sowie andere Halb- und Ganzfabrikate aus unedlen Metallen."

Die Frachtsätze für den Verkehr mit den Stationen der Hessischen Ludwigsbahn, der Main-Neckarbahn, der Badischen Staatsbahnen und einer größeren Anzahl Stationen der Direktionsbezirke Frankfurt a. M. und Köln (linksrh.) scheiden nunmehr vom 1. August aus dem oben bezeichneten Tarifheft aus und werden in den an demselben Tage in Kraft tretenden Tarif für den süddeutschen Güterverkehr nach den unteren Donauländern übernommen. Exemplare des Nachtrags sind zum Preise von 21 Pfg. von der Güterkasse Stettin und dem Auskunftsbüreau auf dem Stadtbahnhof Alexanderplatz hierselbst zu beziehen.

Berlin, den 29. Juli 1890.

Königliche Eisenbahn-Direktion.

Bekanntmachungen der Königlichen Eisenbahn-Direktion zu Bromberg.

46. Am 1. August d. J. erscheint eine neue Ausgabe des Ostdeutschen Eisenbahn-Kursbuchs, enthaltend die neuesten Fahrpläne der Eisenbahnstrecken östlich der Linie Stralsund—Berlin—Dresden, sowie Auszüge der Fahrpläne der anschließenden Bahnen von Mittel-Deutschland, Oesterreich, Ungarn und Rußland, auch Post- und Dampfschiffs-Verbindungen, Angaben über Rundreise- und Sommerkarten u. s. w. Das Kursbuch ist auf allen Stationen des vorbezeichneten Bezirks an der Fahrkarten-Ausgabestelle, den Bahnhofsbuchhändlern, sowie im Buchhandel zum Preise von 50 Pfennig zu beziehen.

Bromberg, den 27. Juli 1890.

Königliche Eisenbahn-Direktion.

Frachtbegünstigung für Ausstellungsgegenstände.

47. Für die in der nachstehenden Zusammenstellung näher bezeichneten Gegenstände, welche auf den daselbst erwähnten Ausstellungen ausgestellt werden und unverkauft bleiben, wird eine Frachtbegünstigung in der Art gewährt, daß nur für die Hinbeförderung die volle tarifmäßige Fracht berechnet wird, die Rückbeförderung an die Versand-Station und den Aussteller aber frachtfrei erfolgt, wenn durch Vorlage des ursprünglichen Frachtbriefes bezw. des Duplikat-Transportscheines für den Hinweg, sowie durch eine Bescheinigung der dazu ermächtigten Stelle nachgewiesen wird, daß die Gegenstände ausgestellt gewesen und unverkauft geblieben sind, und wenn die Rückbeförderung innerhalb der unten angegebenen Zeit stattfindet.

In den ursprünglichen Frachtbriefen bezw. Duplikat-Transportscheinen für die Hinsendung ist ausdrücklich zu vermerken, daß die mit denselben aufgegebenen Sendungen durchweg aus Ausstellungsgut bestehen.

№	Art der Ausstellung	Ort	Zeit 1890	Die Frachtbegünstigung wird gewährt für	Die Frachtbegünstigung wird gewährt auf den Strecken der	Zur Ausfertigung der Bescheinigung sind ermächtigt	Die Rückbeförderung muß erfolgen innerhalb
1	Ausstellung von Gegenständen medicinisch-wissenschaftlicher Art,	Berlin,	2. bis 11. August,	Gegenstände der nebenbezeichneten Art,	Preußischen Staatsbahnen und Eisenbahnen in Elsaß-Lothringen,	Ausstellungs-Commission,	4 Wochen nach Schluß der Ausstellung.
2	Fach-Ausstellung für die gesammte Papier-Industrie,	Köln,	9. bis 25. August,	Maschinen, Geräthe und Erzeugnisse der Papier-Industrie,	desgl.	desgl.	4 Wochen nach Schluß der Ausstellung.
3	Geflügel-Ausstellung	Karlsruhe,	7. bis 9. September,	Geflügel, sowie Geräthe und Erzeugnisse der Geflügelzucht,	desgl.	desgl.	4 Wochen nach Schluß der Ausstellung.

Bromberg, den 28. Juli 1890. Königl. Eisenbahn-Direktion.

Personal-Chronik.

Der Militär-Anwärter Carl Hamann ist zum Regierungs-Kanzlei-Diätar ernannt worden.

Die Regierungs-Assessoren von Kameke aus Posen und Moser aus Potsdam sind der Königlichen Direktion für die Verwaltung der direkten Steuern in Berlin zur dienstlichen Verwendung überwiesen, und dem Regierungs-Assessor Dombois ist die kommissarische Verwaltung des Landrathsamts im Kreise Prüm im Regierungs-Bezirk Trier übertragen worden. — Ferner sind bei der genannten Direktion 1) der Sekretariats-Assistent Ragonath zum Regierungs-Sekretair befördert, 2) der Militair-Supernumerar Thalmann als Sekretariats-Assistent angestellt, 3) der Regierungs-Sekretair Reishaus in Folge Ernennung zum Geheimen expedirenden Sekretair und Calculator im Ministerium der geistlichen ꝛc. Angelegenheiten und der Civil-Supernumerar Fleischmann Behufs Uebertritts in den Communaldienst ausgeschieden, 4) die Militairanwärter Melms und von Puttkamer als Militair-Supernumerare angenommen und 5) der Regierungs-Sekretair Nagel verstorben.

Bei der Königlichen Ministerial-Bau-Kommission zu Berlin sind im Laufe des 2. Kalenderquartals die Königlichen Regierungs-Bauführer Felix Louis Hentschel, Karl Adolf Georg Lotzin, Wilhelm Bernhard August Werdelmann und August Max Hermann Boost vereidigt worden.

Das unter Königlichem Patronat stehende Diakonat zu Kalkberge-Rüdersdorf, Parochie Rüdersdorf, Diözese Strausberg, kommt durch die Versetzung seines bisherigen Inhabers, des Diakonus Kausch, zum 1. Oktober 1890 zur Erledigung. Die Wiederbesetzung dieser Stelle erfolgt durch Gemeindewahl nach Maßgabe des Kirchengesetzes, betreffend das im § 32 № 2 der Kirchengemeinde- und Synodal-Ordnung vom 10. September 1873 vorgesehene Pfarrwahlrecht, vom 15. März 1886 — Kirchl. Ges.- und Verordn.-Bl de 1886 S. 39. — Bewerbungen um diese Stelle sind schriftlich bei dem Königlichen Konsistorium der Provinz Brandenburg einzureichen. § 6 a. a. O.

Der bisherige Hülfslehrer am Königlichen Gymnasium in Spandau Karl Schwarz ist als ordentlicher Lehrer an dieser Anstalt angestellt worden.

Der Lehrer Bröker ist als Vorschullehrer an dem Realprogymnasium in Luckenwalde angestellt worden.

Vermischte Nachrichten.

Vorlesungen an der Königlichen thierärztlichen Hochschule zu Hannover.

Wintersemester 1890/91.

Beginn 6. Oktober 1890.

Director, Geheimer Regierungs-Rath Dr. Dammann: Encyclopädie und Methodologie der Thierheilkunde; Specielle Chirurgie; Gerichtliche Thierheilkunde; Uebungen im Anfertigen von schriftlichen Gutachten und Berichten. — Professor Dr. Lustig: Specielle Pathologie und Therapie; Propädeutische Klinik; Spitalklinik für große Hausthiere. — Professor Dr. Rabe: Specielle pathologische Anatomie; Pathologisch-histologischer Cursus; Pathologisch-anatomische Uebungen und Obductionen; Spitalklinik für kleine Hausthiere. — Professor Dr. Kaiser: Exterieur des Pferdes und der übrigen Arbeitsthiere; Thierzuchtlehre und Gestütskunde; Operationsübungen; Ambulatorische Klinik. — Professor Tereg: Physiologie, II. Theil. — Professor Dr. Arnold: Anorganische Chemie; Pharmakognosie; Pharmaceutische Uebungen. — Lehrer Boether: Anatomie der Hausthiere; Anatomische Uebungen; Zoologie. — Oberlehrer Ehrlenholtz: Physik. — Beschlaglehrer Geiß: Theorie des Hufbeschlages. — Repetitor Arens: Anatomisch physiologische Repetitorien. — Repetitor Wedemeyer: Physikalisch-chemische Repetitorien. — Zur Aufnahme als Studirender ist der Nachweis der Reife für die Prima eines Gymnasiums oder eines Realgymnasiums oder einer durch die zuständige Central-Behörde als gleichstehend anerkannten höheren Lehranstalt erforderlich. Ausländer und Hospitanten können auch mit geringeren Vorkenntnissen aufgenommen werden, sofern sie die Zulassung zu den thierärztlichen Prüfungen in Deutschland nicht beanspruchen. Nähere Auskunft ertheilt auf Anfrage

die Direction der thierärztlichen Hochschule.

Bekanntmachung der Direktion der Städte-Feuer-Societät der Provinz Brandenburg.

Uebersicht

von den Ergebnissen der Verwaltung der Städte-Feuer-Societät der Provinz Brandenburg im Jahre 1889.

I. Versicherungssummen.

Am Schlusse des Jahres 1889 betrug die beitragspflichtige Versicherungssumme 590 586 050 M. für 181 837 Gebäude,
Gegen 586 377 600 „ „ 182 890 „
am Schlusse des Jahres 1888
hat sich daher die Versicherungssumme im Jahre 1889 vermehrt um 4 208 450 M.,
dagegen die Zahl der versicherten Gebäude vermindert um 1 053 Gebäude.

Wird der beitragspflichtigen Versicherungssumme von 590 586 050 M.
die beitragsfreie Hälfte der Versicherungssumme für Kirchen und Thürme mit 7 743 200 „
hinzugerechnet, so ergiebt sich eine Gesammt-Versicherungssumme bei der Societät von 598 329 250 M.

Gegen Explosionsgefahr waren am Schlusse des Jahres 1889 überhaupt 58 Gebäude mit 547 025 „ versichert.

II. Brand- und Blitzschäden.

Die Zahl der von der Societät zu vergütenden Brandschäden belief sich auf 236 (107 im I. Halbjahr, 129 im II. Halbjahr). Durch dieselben wurden in 84 Städten 429 Gebäude betroffen. Durch Einschlagen des Blitzes, ohne daß derselbe gezündet, fanden in 33 Fällen Beschädigungen an 40 Gebäuden statt.

Von den 236 Schadenfeuern sind 8 durch Explosion, 3 durch Gewitter, 4 durch Fahrlässigkeit, 8 durch unzurechnungsfähige Personen, 1 durch vorschriftswidrige Feuerungsanlagen, 1 durch Selbstentzündung und 4 durch Zufall nachweislich verursacht worden. In 194 Fällen sind die Entstehungsursachen der Brände unaufgeklärt und in 13 Fällen fehlen noch die Nachrichten vom Ergebniß der Untersuchung.

III. Schadensvergütungen, Prämien und Kosten.

Aus Anlaß der voraufgeführten Brand- und Blitzschäden (mit Einschluß von sieben Brandschäden aus dem Jahre 1888 sind festgesetzt:

A. Schadensvergütungen	467 100 M. 97 Pf.
B. Spritzen- und Wasserwagen-Prämien	1 533 „ 75 „
C. Schadensabschätzungskosten	5 947 „ 47 „
zusammen	474 582 M. 19 Pf.

IV. Beiträge der Mitglieder der Societät:

An Beiträgen wurden ausgeschrieben vom Hundert der Versicherungssumme in Klasse

	Kl. IA.	Kl. I.	Kl. IB.	Kl. IIA.	Kl. II.	Kl. IIB.	Kl. III.	Kl. IIIB.	Kl. IV.	Kl. IVB.
für das I. Halbjahr 1888 Pf.	2,1	3	3,9	6	9	12	21	30	42	66
„ „ II. „ „ „	2,1	3	3,9	6	9	12	21	30	42	66
zusammen	4,2	6	7,8	12	18	24	42	60	84	132

V. Ergebnisse der Jahres-Rechnungen.

A. Auszug aus der Rechnung vom laufenden Verwaltungsfonds für das Jahr 1889.

	Soll. M.	Soll. Pf.	Ist. M.	Ist. Pf.
Einnahme.				
A. Bestand aus voriger Rechnung	493 310	31	493 310	31
B. Einnahme-Reste	1 238	48	425	78
C. Aus dem laufenden Rechnungsjahre:				
1. Beiträge für das Jahr 1889	632 959	19	629 539	67
2. Wiedererstattungen	611	65	611	65
3. Zinsen von Kassenbeständen	12 086	90	12 086	90
4. Außerordentliche Einnahmen	9	68	9	68
Summe	1 140 216	21	1 135 983	99
Ausgabe.				
A. Ausgabe-Rückstände am Schlusse des Jahres 1888 125 711 M. 16 Pf. Abgang 62 „ 14 „	125 649	02	116 985	36
B. Aus dem laufenden Rechnungsjahre:				
1. Prüfungs- und Taxgebühren	13 572	14	13 572	14
2. Vergütungen: a. für Brand- und Blitzschäden	474 582	19	370 312	98
b. für Schäden an unversicherten Gegenständen	3 563	24	3 510	24
3. Belohnung für Löschhülfe	360	—	360	—
4. Kur- und Versäumnißkosten	343	54	343	54
5. Zuschüsse zu den Kosten militairisch organisirter Feuerwehren	8 363	32	8 363	32
6. Postporto	1 248	47	1 248	47
7. Prozeßkosten	18	60	18	60
8. Zurückzahlung überhobener Beiträge	25	39	25	39
9. Außerordentliche Ausgaben, einschließlich 14 285 M. Stempel und 7240 M. Zuschuß an den eisernen Fonds	21 685	78	21 685	78
Summe	649 411	69	536 425	82
Die Einnahme beträgt			1 135 983	99
mithin bleibt Bestand			599 558	17

und zwar: in Werthpapieren 50 000 M. — Pf.,
baar 549.558 „ 17 „

B. Auszug aus der Rechnung vom eisernen Fonds
für das Jahr vom 1. April 1889 bis 31. März 1890.

Einnahme.	M.	Pf.
A. Bestand aus voriger Rechnung	750 237	65
B. Erlös für ausgegebene Werthpapiere	72 100	—
C. Erworbene Werthpapiere	67 500	—
D. Zinsen von Werthpapieren und Hypotheken-Kapitalien	29 322	90
E. Sonstige Einnahmen	88	40
F. Zuschuß aus dem laufenden Verwaltungsfonds	7 240	—
Summe	926 488	95
Ausgabe.		
A. Ausgegebene Werthpapiere	72 100	—
B. Für erworbene Werthpapiere	72 003	10
C. Laufende Ausgaben:		
1. Reisekosten und Tagegelder der Mitglieder des Direktorialraths der Societät	695	60
2. Besoldungen und Remunerationen der Beamten	29 460	—
3. Für Bureau- und Kassenbedürfnisse	5 737	58
4. Sonstige Ausgaben	3 238	69
D. Außerordentliche Ausgaben	400	—
Summe	183 634	97
Die Einnahme beträgt	926 488	95
mithin bleibt Bestand	742 853	98
und zwar in Werthpapieren 135 000 M. — Pf., in Hypotheken 610 400 " — " bei 2546 M. 02 Pf. Vorschuß.		

Berlin, den 30. Juli 1890. Der Direktor der Städte-Feuer-Societät der Provinz Brandenburg.

Ausweisung von Ausländern aus dem Reichsgebiete.

Lauf. Nr.	Name und Stand des Ausgewiesenen.	Alter und Heimath des Ausgewiesenen.	Grund der Bestrafung.	Behörde, welche die Ausweisung beschlossen hat.	Datum des Ausweisungs-Beschlusses.
1.	2.	3.	4.	5.	6.
		a. Auf Grund des § 39 des Strafgesetzbuchs:			
1	Michael Kaminski, Arbeiter,	geboren am 17. Mai 1855 (oder 1856) zu Granat, Kreis Rypin, Russisch-Polen, ortsangehörig ebendaselbst,	Straßenraub (9 Jahre Zuchthaus, laut Erkenntniß vom 11. Juli 1881),	Königlich Preußischer Regierungspräsident zu Marienwerder,	28. Juni 1890.
		b. Auf Grund des § 362 des Strafgesetzbuchs:			
1	Josef Richt, Arbeiter,	geboren am 19. März 1873 zu Prag, Böhmen, ortsangehörig zu Lusdorf, Bezirk Reichenberg, ebendaselbst,	Landstreichen u. Betteln,	Königlich Preußischer Regierungspräsident zu Liegnitz,	24. Juni 1890.
2	Wilhelm Pignard, Weber,	geboren am 29. Dezember 1856 zu Pouilly les Feurs, Departement Loire, Frankreich, ortsangehörig ebendas.,	Landstreichen,	Kaiserlicher Bezirks-Präsident zu Metz,	desgleichen.
3	Franz Prochatzka, Bäckergeselle,	geboren am 25. Dezember 1871 zu Prag, Böhmen, ortsangehörig ebendaselbst,	Landstreichen und Betteln,	Königlich Preußischer Regierungspräsident zu Magdeburg,	23. Juni 1890.
4	Heinrich Seidel, Schuhmachergeselle,	geboren am 19. Januar 1851 zu Alt-Sedlowitz, Bezirk Trautenau, Böhmen, ortsangehörig ebendaselbst,	Betteln im wiederholten Rückfall,	Königlich Preußischer Regierungspräsident zu Liegnitz,	27. Juni 1890.

Lauf. Nr.	Name und Stand	Alter und Heimath	Grund der Bestrafung.	Behörde, welche die Ausweisung beschlossen hat.	Datum des Ausweisungs-Beschlusses.
	des Ausgewiesenen.				
1.	2.	3	4.	5.	6.
5	Josef Beranek, Arbeiter,	geboren am 28. Januar 1859 zu Mladotic, Bezirk Czaslau, Böhmen, ortsangeh. ebendaselbst,	Landstreichen u. Betteln,	Königlich Preußischer Regierungspräsident zu Lüneburg,	28. Juni 1890.
6	Karl Haberer, Sammetweber,	geboren am 28. Februar 1869 zu Wien, Oesterreich, ortsangeh ebendaselbst,	Betteln im wiederholten Rückfall,	Königlich Preußischer Regierungspräsident zu Stade,	14 Mai 1890.
7	Cyprien Liset, Melker,	geboren am 15. Juli 1849 zu Fontaine-Fourches, Departemen Seine et Maine, Frankreich, ortsangeh. ebendaselbst,	Landstreichen,	Kaiserlicher Bezirks-Präsident zu Metz,	4. Juli 1890.
8	Josef Zpevak, Schmiedegeselle,	geboren am 1. Oktober 1850 zu Böhmisch-Rothwasser, Bezirk Landskron, Böhmen, ortsangehörig ebendaselbst,	Betteln im wiederholten Rückfall,	Königlich Sächsische Kreishauptmannschaft zu Bautzen,	14. Juni 1890.
9	Nikolaus Zunic, (Sunitsch), Handelsmann,	geboren am 6. Dezember 1833 zu Zunice, Bezirk Tschermembel, Krain, Oesterreich, ortsangeh. zu Weinitz, ebendaselbst,	Nichtbeschaffung eines Unterkommens,	Königlich Preußischer Regierungspräsident zu Erfurt,	4. Juli 1890.
10	Moritz Bonnaud, Mechaniker,	geboren am 2. März 1871 zu Villefagnau, Departement Charente, Frankreich, ortsangehörig ebendaselbst,	Landstreichen,	Kaiserlicher Bezirks-Präsident zu Metz;	10. Juli 1890.
11	Jakob Bruneder, Müller,	33 Jahre alt, geboren zu Suben, Bezirk Schärding, Ober-Oesterreich, ortsangehörig zu Ort, Bezirk Ried, ebendaselbst,	desgleichen,	Königlich Bayerisches Bezirksamt Friedberg,	30. Juni 1890.
12	Anton Hoffmann, Tagelöhner,	18 Jahre alt, geboren zu Budweis, Böhmen, ortsangehörig zu Pisek, ebendaselbst,	desgleichen,	Stadtmagistrat Passau, Bayern,	21. Juni 1890.
13	Johann Falger, Händler,	33 Jahre alt, geboren zu Innsbruck, Tirol, ortsangehörig zu Mieming, Bezirk Imst, ebendaselbst,	desgleichen,	Königlich Bayerisches Bezirksamt Landsberg,	3. Juli 1890.

Hierzu Drei Oeffentliche Anzeiger.

(Die Insertionsgebühren betragen für eine einspaltige Druckzeile 20 Pf. Belagsblätter werden der Bogen mit 10 Pf. berechnet.)

Redigirt von der Königlichen Regierung zu Potsdam.

Potsdam, Buchdruckerei der A. W. Hayn'schen Erben (E. Hayn, Hof-Buchdrucker).

Amtsblatt

der Königlichen Regierung zu Potsdam und der Stadt Berlin.

Stück 33. Den 15. August **1890.**

Reichs-Gesetzblatt.

(Stück 22.) № 1910. Verordnung, betreffend die Ausdehnung der Zollermäßigungen in den Tarifen A. zu dem deutsch-italienischen und dem deutsch-spanischen Handels- und Schifffahrtsvertrage. Vom 9. Juli 1890.

(Stück 23.) № 1911. Gesetz, betreffend die Konsulargerichtsbarkeit in Samoa und die Uebernahme einer Bürgschaft seitens des Reichs für die durch Einrichtung einer anderweiten Rechtspflege dortselbst erwachsenden antheilmäßigen Kosten. Vom 6. Juli 1890.

№ 1912. Gesetz, betreffend die Friedenspräsenzstärke des deutschen Heeres. Vom 15. Juli 1890.

Gesetz-Sammlung für die Königlichen Preußischen Staaten.

(Stück 33.) № 9406. Gesetz, betreffend die Verpflichtung der Gemeinden in den Landkreisen der Rheinprovinz zur Bullenhaltung. Vom 27. Juni 1890.

№ 9407. Gesetz, betreffend das zulässige Ladungsgewicht der Fuhrwerke im Verkehr auf den Haupt- und Nebenlandstraßen, sowie auf den wichtigeren Nebenwegen der Provinz Schleswig-Holstein, mit Ausnahme des Kreises Herzogthum Lauenburg. Vom 27 Juni 1890.

№ 9408. Gesetz, betreffend die Entschädigung für an Milzbrand gefallene Thiere. Vom 29. Juni 1890.

№ 9409. Verfügung des Justizministers, betreffend die Anlegung des Grundbuchs für einen Theil der Bezirke der Amtsgerichte Gemünd, Aachen, Stolberg, Bonn, Waldbroel, Xanten, Cochem, Stromberg, Simmern, St. Goar, Cöln, Mülheim am Rhein, Bensberg, Neuß, Düsseldorf, Uerdingen, Gerresheim, Crefeld, Lennep, Grumbach, Saarlouis, Merzig, Trier, Bitburg, Wittlich, Prüm, Saarburg und Hermeskeil. Vom 11. Juli 1890.

(Stück 34) № 9410. Gesetz, betreffend die Abänderung einiger Bestimmungen der Wegegesetze im Regierungsbezirk Wiesbaden. Vom 27. Juni 1890.

№ 9411. Gesetz, betreffend die Erleichterung unentgeltlicher Abtretungen einzelner Gutstheile oder Zubehörstücke zu öffentlichen Zwecken. Vom 15. Juli 1890.

Allerhöchster Erlaß.

Auf den Bericht vom 2. Juni d. J., dessen Anlagen anbei zurückfolgen, will Ich der Stadtgemeinde Berlin auf Grund des Gesetzes vom 11. Juni 1874 (G.-S. S. 221) hiermit das Recht verleihen, die zur Ausführung der projektirten Regulirung des Zingergrabens in der Gemarkung Nieder-Schönhausen erforderlichen Flächen im Wege der Enteignung zu erwerben.

Neues Palais, den 17. Juni 1890.

gez. **Wilhelm.** R.

ggez. v. Maybach. Frhr. Lucius v. Ballhausen. v. Goßler. Herrfurth.

An die Minister der öffentlichen Arbeiten, für Landwirthschaft, Domainen und Forsten, der geistlichen, Unterrichts- und Medizinal-Angelegenheiten und des Innern.

Allerhöchster Erlaß.

Auf den Bericht vom 17. Juni d. J. will Ich auf Grund des Gesetzes vom 11. Juni 1874 (Ges.-S. S. 221) der Stadtgemeinde Charlottenburg das Enteignungsrecht zu Zwecken der Verlegung eines Druckrohres für die Kanalisation von Charlottenburg behufs Erwerbung bezw. Benutzung der für diese Zwecke erforderlichen, in den Gemeinde- bezw. Gutsbezirken von Charlottenburg, Spandau'er Forst, Ruhleben, Spandau und Pichelsdorf belegenen Flächenabschnitte und Wegetheile in der vollen Längenausdehnung der Druckrohrspur, wie solche auf dem anbei zurückfolgenden Abschnitte der Generalstabskarte „Section Spandau" (15) und auf dem in vier Blättern wieder anliegenden Lage- und Höhenplane (in rother Farbe) ersichtlich gemacht ist, hierdurch in Gnaden verleihen.

Christiania, den 4. Juli 1890.

gez. **Wilhelm** R.

ggez. v. Maybach. Frhr. Lucius v. Ballhausen. Herrfurth.

An die Minister der öffentlichen Arbeiten, für Landwirthschaft, Domainen und Forsten sowie des Innern.

Bekanntmachungen des Königlichen Ober-Präsidenten der Provinz Brandenburg.

Bekanntmachung.

20. Zufolge der von dem Herrn Minister des Innern und dem Herrn Finanz-Minister gemäß § 3 des Gesetzes, betreffend die Ueberweisung von Beträgen, welche aus landwirthschaftlichen Zöllen eingehen, an die Kommunalverbände, vom 14. Mai 1885 (Ges.-S. S. 128) festgestellten Berechnung ist der Stadt Berlin aus dem den Kommunalverbänden zustehenden Theile der Getreide- und Viehzölle des Etatsjahres 1889/90 die Summe von 3 364 579 Mark überwiesen worden, was hiermit zur öffentlichen Kenntniß gebracht wird.

Potsdam, den 8. August 1890.

Der Ober-Präsident.

In Vertretung: von Brandenstein.

Bekanntmachungen des Königlichen Regierungs-Präsidenten.

Markt-Verlegungen der Stadt Wendisch-Buchholz betreffend.

152. Vom Jahre 1891 ab werden die bisher an einem und demselben Tage abgehaltenen **Oster- und Weihnachts-Vieh- und Krammärkte** der Stadt **Wendisch-Buchholz** im Kreise Beeskow-Storkow an zwei verschiedenen Tagen stattfinden.

Für das Jahr 1891 ist
der Oster-Viehmarkt auf den **14.** März,
„ „ Krammarkt „ „ **16.** „
„ Weihnachts-Viehmarkt auf den **12.** Dezember,
„ „ Krammarkt „ „ **14.** „
anberaumt worden.

Potsdam, den 7. August 1890.

Der Regierungs-Präsident.

Betrifft den Vorsitz für das Schiedsgericht für Regiebauten in Jüterbog.

153. Zum Vorsitzenden des in der Stadt Jüterbog für die Regiebauten des Kreiscommunalverbandes Jüterbog—Luckenwalde errichteten Schiedsgerichtes ist der Regierungs-Rath Heidfeld ernannt.

Potsdam, den 8 August 1890.

Der Regierungs-Präsident.

Viehseuchen.

154. Festgestellt ist:
der Milzbrand bei einer Kuh des Rittergutsbesitzers Reuter zu Lentzke, Kreis Osthavelland.

Erloschen ist:
der Milzbrand unter dem Rindvieh des Bauergutsbesitzers Marzilger zu Knoblauch, Kreis Osthavelland;
die Maul- und Klauenseuche unter dem Rindviehstande des Ritterguts Eichstädt, Kreis Osthavelland;
die Räude bei dem Pferde des Topfhändlers Saeger zu Mittenwalde, Kreis Teltow.

Potsdam, den 12. August 1890.

Der Regierungs-Präsident.

156. **Nachweisung der Markt-** ꝛc.

Laufende Nummer	Namen der Städte	Getreide								Uebrige Markt-																	
		Es kosten je 100 Kilogramm																						Es			
																								Rindfleisch			
		Weizen		Roggen		Gerste		Hafer		Erbsen		Speisebohnen		Linsen		Eßkartoffeln		Richtstroh		Krummstroh		Heu		von der Keule		Bauchfleisch	
		M.	Pf.	M.	Pf.	M.	Pf.	M.	Pf.	M.	Pf.	M.	Pf.	M.	Pf.	M.	Pf.	M.	Pf.	M.	Pf.	M.	Pf.	M.	Pf.	M.	Pf.
1	Angermünde	20	13	16	77	14	77	17	58	27	60	30	—	33	75	6	60	5	25	3	—	3	50	1	44	1	10
2	Beeskow	19	20	16	10	—	—	17	50	25	—	27	50	35	—	4	13	4	—	3	—	4	—	1	36	1	16
3	Bernau	20	44	16	88	15	65	17	75	27	75	30	—	40	38	6	63	7	10	—	—	5	58	1	34	1	15
4	Brandenburg	19	50	17	10	15	05	17	57	27	50	35	—	55	—	4	65	5	—	—	—	4	19	1	40	1	20
5	Dahme	18	82	16	07	16	43	18	—	25	-	32	—	45	—	2	50	5	—	4	—	6	—	1	20	1	—
6	Eberswalde	20	01	16	53	16	50	16	95	23	—	23	—	30	—	5	50	6	-	—	—	4	56	1	40	1	18
7	Havelberg	20	19	16	22	15	50	18	78	25	—	45	—	55	—	3	67	5	—	3	—	4	50	1	35	1	20
8	Jüterbog	20	10	17	53	17	—	19	—	28	—	30	—	50	—	5	—	6	—	—	—	6	—	1	25	1	10
9	Luckenwalde	—	—	16	51	—	—	18	08	36	—	36	—	40	—	4	20	4	09	—	—	4	50	1	20	1	20
10	Perleberg	20	82	16	89	17	—	17	89	27	—	35	—	50	—	4	61	5	67	—	—	5	28	1	40	1	20
11	Potsdam	18	12	16	36	18	—	18	25	25	—	26	—	33	—	5	81	6	09	—	—	5	03	1	45	1	25
12	Prenzlau	20	02	16	95	15	50	17	13	18	—	22	50	25	—	4	50	5	66	4	—	5	—	1	30	1	—
13	Pritzwalk	18	30	15	61	15	75	16	34	19	—	30	—	39	—	5	51	4	31	3	38	3	75	1	20	1	—
14	Rathenow	20	69	16	11	15	06	17	50	30	—	35	—	44	—	4	64	4	75	—	—	4	14	1	80	1	40
15	Neu-Ruppin	20	—	16	40	16	—	18	31	30	—	32	-	50	—	4	04	6	50	—	—	5	50	1	40	1	15
16	Schwedt	20	—	15	92	16	80	16	48	26	67	31	25	31	25	4	—	4	80	—	—	5	15	1	20	1	—
17	Spandau	19	25	16	75	15	—	18	—	29	—	33	—	41	—	—	—	5	75	—	—	5	13	1	55	1	23
18	Strausberg	19	44	16	68	17	22	18	47	21	50	30	—	35	—	4	—	7	98	—	—	7	89	1	20	1	10
19	Teltow	20	39	16	79	15	64	17	62	40	—	40	—	50	—	4	25	6	—	2	88	3	—	1	60	1	20
20	Templin	21	—	17	—	18	25	19	—	20	—	50	—	40	—	3	25	6	—	4	—	6	—	1	20	—	—
21	Treuenbrietzen	20	53	16	23	17	—	18	—	26	—	24	—	30	—	2	60	4	60	—	—	4	40	1	20	1	—
22	Wittstock	19	23	16	04	16	—	17	64	18	—	36	—	44	—	3	27	5	—	4	—	4	—	1	21	1	04
23	Wriezen a. O.	18	83	15	99	12	40	17	50	22	—	28	—	34	—	5	05	4	75	4	07	4	50	1	30	1	10
	Durchschnitt	19	77	16	49	16	02	17	79	—	—	—	—	—	—	4	47	5	45	—	—	4	85	—	—	—	—

Potsdam, den 12. August 1890.

155.

Nachweisung

des Monatsdurchschnitts der gezahlten höchsten Tagespreise einschließlich 5 % Aufschlag im Monat Juli 1890 in den Hauptmarktorten des Regierungs-Bezirks Potsdam.

Laufende Nummer.	Es kosteten je 50 Kilogramm	Beeskow für Kreis Beeskow-Storkow.		Brandenburg für Brandenburg und Kreis West-havelland.		Luckenwalde für Kreis Jüterbog-Luckenwalde.		Perleberg für Kreis West-Prignitz.		Potsdam für Potsdam und Kreis Zauch-Belzig.		Prenzlau für die Kreise Prenzlau und Templin.		Neu-Ruppin für Kreis Ruppin.		Schwedt für Kreis Angermünde.		Wittstock für Kreis Ost-Prignitz.		Bemerkungen
		M.	Pf.	M.	Pf.	M.	Pf.	M.	Pf.	M.	Pf.	M.	Pf.	M.	Pf.	M.	Pf.	M.	Pf.	
1.	Hafer	9	45	9	50,5	9	69	9	39	9	98	9	27	9	68,1	8	65	9	33	Für die Kreise Ober-Barnim, Nieder-Barnim, Osthavelland und Teltow, und für Stadt Spandau gilt Berlin als Haupt-Marktort.
2.	Heu	2	31	2	40,5	2	63	3	03	3	18	3	15	2	88,75	2	70,5	2	10	
3.	Richtstroh	2	10	2	89	2	19	3	23	3	52	3	12	3	41,25	2	52	2	62,5	

Potsdam, den 12. August 1890. Der Regierungs-Präsident.

Preise im Monat Juli 1890.

Artikel – kostet je 1 Kilogramm										Ein Schock Eier		Ladenpreise in den letzten Tagen des Monats – Es kostet je 1 Kilogramm.																											
Schweinefleisch		Kalbfleisch		Hammelfleisch		Speck		Butter				Mehl: Weizen Nr. 1		Mehl: Roggen Nr. 1		Gerste: Graupe		Gerste: Grütze		Buchweizengrütze		Hafergrütze		Hirse		Reis, Java		Java-Kaffee mittler in gebr. Bohnen		Java-Kaffee gelber in gebr. Bohnen		Speisesalz		Schweineschmalz, hiesig.	
M.	Pf.	M.	Pf.	M.	Pf.	M.	Pf.	M.	Pf.	M.	Pf.	M.	Pf.	M.	Pf.	M.	Pf.	M.	Pf.	M.	Pf.	M.	Pf.	M.	Pf.	M.	Pf.	M.	Pf.	M.	Pf.	M.	Pf.	M.	Pf.
1	30	1	—	1	13	1	77	2	30	3	80	—	30	—	25	—	50	—	45	—	40	—	55	—	55	—	60	3	40	3	60	—	20	1	60
1	50	—	94	1	16	1	90	2	10	2	90	—	40	—	26	—	50	—	60	—	50	—	80	—	60	—	60	2	60	3	60	—	20	1	60
1	45	1	30	1	35	1	60	2	25	3	18	—	20	—	25	—	35	—	45	—	65	—	45	—	35	—	25	2	90	3	10	—	20	1	70
1	35	1	15	1	15	1	80	2	30	3	60	—	40	—	30	—	50	—	40	—	50	—	50	—	50	—	50	2	80	4	—	—	20	1	60
1	40	—	90	1	20	1	80	2	20	2	40	—	32	—	26	—	60	—	40	—	50	—	—	—	50	—	50	2	80	3	60	—	20	1	40
1	40	1	16	1	16	2	—	2	40	3	47	—	32	—	30	—	60	—	60	—	50	—	—	—	60	—	60	3	20	3	60	—	20	2	—
1	35	1	30	1	25	1	70	2	22	3	19	—	38	—	26	—	50	—	60	—	60	—	60	—	60	—	60	2	80	4	—	—	20	1	80
1	20	1	—	1	20	1	70	2	20	3	60	—	34	—	26	—	40	—	50	—	40	—	60	—	40	—	40	3	—	3	60	—	20	1	50
1	40	1	—	1	30	1	60	2	05	3	60	—	36	—	24	—	50	—	40	—	40	—	60	—	36	—	60	3	20	3	60	—	20	1	60
1	40	1	30	1	15	1	95	2	—	3	—	—	50	—	36	—	50	—	40	—	50	—	50	—	40	—	50	4	—	3	80	—	20	2	—
1	50	1	27	1	37	1	80	2	24	3	39	—	40	—	30	—	50	—	50	—	50	—	50	—	50	—	65	3	30	3	80	—	20	1	80
1	42	—	97	1	25	1	90	2	21	3	53	—	32	—	25	—	50	—	40	—	50	—	60	—	50	—	60	3	40	3	80	—	20	2	—
1	40	1	05	1	15	2	—	2	03	2	76	—	25	—	24	—	40	—	45	—	50	—	50	—	40	—	50	3	20	3	60	—	20	1	60
1	50	1	—	1	20	1	60	2	60	3	38	—	32	—	27	—	40	—	44	—	45	—	44	—	40	—	60	3	25	3	50	—	20	1	60
1	30	1	10	1	10	1	70	2	20	3	60	—	40	—	30	—	60	—	60	—	50	—	60	—	50	—	60	3	25	3	58	—	20	1	60
1	20	—	90	1	20	1	90	2	40	3	60	—	35	—	25	—	50	—	40	—	50	—	50	—	50	—	60	3	20	3	40	—	20	2	—
1	60	1	30	1	40	1	80	2	20	3	17	—	40	—	30	—	50	—	50	—	55	—	50	—	50	—	65	3	40	3	80	—	20	1	40
1	40	1	10	1	20	1	80	2	40	2	80	—	35	—	25	—	55	—	50	—	50	—	50	—	55	—	60	3	20	3	60	—	20	1	40
1	60	1	60	1	40	1	60	2	10	3	26	—	40	—	35	—	55	—	55	—	45	—	60	—	50	—	55	2	80	3	60	—	20	1	20
1	20	—	80	1	20	2	—	2	40	3	80	—	40	—	30	—	60	—	50	—	50	—	60	—	50	—	60	3	20	3	80	—	20	1	20
1	40	1	—	1	20	1	80	2	—	3	09	—	36	—	28	—	50	—	—	—	40	—	50	—	30	—	50	3	30	3	60	—	20	1	80
1	17	—	89	1	10	1	80	2	02	3	08	—	28	—	26	—	50	—	50	—	50	—	60	—	50	—	50	3	20	3	60	—	20	1	80
1	30	1	15	1	15	1	70	2	20	3	24	—	25	—	25	—	50	—	40	—	40	—	50	—	50	—	50	3	50	3	75	—	20	1	40
—	—	—	—	—	—	—	—	—	—	—	—	—	—	—	—	—	—	—	—	—	—	—	—	—	—	—	—	—	—	—	—	—	—	—	—	—	—	—	—

Der Regierungs-Präsident.

Bekanntmachungen der Königlichen Regierung.

Uebersicht des Zustandes der Elementarlehrer-Wittwenkasse für das Rechnungsjahr 1. April 1888|89.

7. In Verfolg der früheren Bekanntmachungen, insbesondere derjenigen vom 9. September v. J. — Amtsblatt Stück 37 Seite 333 — wird in Betreff der Verwaltung der Elementarlehrer-Wittwen- und Waisenkasse für das Rechnungsjahr 1. April 1888/89 gemäß § 19 der revidirten Statuten vom 7. Dezember 1871 hierdurch nachstehende Uebersicht, welche auch durch die Kreisblätter zu veröffentlichen ist, zur allgemeinen Kenntniß gebracht.

Lfd. Nr.	Näherer Nachweis.	Kapitalvermögen einschließlich der Werthpapiere. M.	Pf.	Baar. M.	Pf.
	Einnahme.				
	A. Bestand aus dem Rechnungsjahre 1887/88.	1 076 138	90	2 230	11
	B. An laufenden Einnahmen.				
1.	Antrittsgelder	—	—	2 640	—
2.	Gehaltsverbesserungsgelder	—	—	26 085	09
3.	Kapitalzinsen	—	—	46 492	33
4.	Jahresbeiträge der Kassenmitglieder	—	—	50 029	66
5.	Gemeindebeiträge	—	—	36 654	—
6.	Neubelegungen bezw. zurückgezahlte Kapitalien	92 250	—	98 230	—
7.	Sonstige Einnahmen	—	—	5	80
	Summa der Einnahme	1 168 388	90	262 366	99
	Ausgabe.				
1.	Verwaltungskosten	—	—	47	06
2.	Pensionen für Wittwen und Waisen	—	—	142 308	78
3.	Neubelegungen bezw. zurückgezahlte Kapitalien	98 230	—	100 891	95
4.	Sonstige Ausgaben	—	—	393	22
	Summa der Ausgabe	98 230	—	243 641	01
	Wiederholung.				
	Die Einnahme für das Rechnungsjahr 1888/89 beträgt	1 168 388	90	262 366	99
	Die Ausgabe für das Rechnungsjahr 1888/89 beträgt	98 230	—	243 641	01
	Bestand am 1. April 1889	1 070 158	90	18 725	98

Potsdam, den 5. August 1890.

Königliche Regierung. Abtheilung für Kirchen und Schulwesen.

Bekanntmachungen des Königlichen Polizei-Präsidiums zu Berlin.

Berliner und Charlottenburger Preise für Monat Juli 1890.

65. A. Engros-Marktpreise im Monatsdurchschnitt.

In Berlin:

für 100 Kilogr.	Weizen	(gut)	21	Mark	28 Pf.,
"	do.	(mittel)	20	"	39 "
"	do.	(gering)	19	"	66 "
"	Roggen	(gut)	17	"	23 "
"	do.	(mittel)	16	"	83 "
"	do.	(gering)	16	"	40 "
"	Gerste	(gut)	17	"	50 "
"	do.	(mittel)	15	"	67 "
"	do.	(gering)	13	"	51 "
"	Hafer	(gut)	18	"	47 "
"	do.	(mittel)	17	"	71 "
"	do.	(gering)	16	"	87 "
"	Erbsen	(gut)	19	"	60 "
"	do.	(mittel)	18	"	— "
"	do.	(gering)	17	"	20 "
"	Richtstroh		6	"	76 "
"	Heu		5	"	74 "

Monats-Durchschnitt der höchsten Berliner Tagespreise einschließlich 5 % Aufschlag für 50 kg

	Hafer	Stroh	Heu
im Monat Juli	9,85 Mk.,	3,78 Mk.,	3,61 Mk.

B. Detail-Marktpreise im Monatsdurchschnitt.

1) In Berlin:

für 100 Kilogr.	Erbsen (gelbe z. Kochen)	27	Mark	85 Pf.,
" " "	Speisebohnen (weiße)	30	"	— "
" " "	Linsen	40	"	17 "
" " "	Kartoffeln	7	"	68 "
" 1 Kilogr.	Rindfleisch v. d. Keule	1	"	37 "
" 1 "	" (Bauchfleisch)	1	"	16 "
" 1 "	Schweinefleisch	1	"	44 "
" 1 "	Kalbfleisch	1	"	33 "
" 1 "	Hammelfleisch	1	"	35 "
" 1 "	Speck (geräuchert)	1	"	60 "
" 1 "	Eßbutter	2	"	23 "
" 60 Stück	Eier	3	"	18 "

2) In Charlottenburg:

für 100 Kilogr.	Erbsen (gelbe z. Kochen)	32	Mark	50 Pf.,
" " "	Speisebohnen (weiße)	35	"	— "
" " "	Linsen	45	"	— "

				Mark		Pf.	
für	100	Klgr.	Kartoffeln	4	Mark	75	Pf,
„	1	Klgr.	Rindfleisch v. d. Keule	1	„	50	„
„	1	„	„ (Bauchfleisch)	1	„	20	„
„	1	„	Schweinefleisch	1	„	50	„
„	1	„	Kalbfleisch	1	„	36	„
„	1	„	Hammelfleisch	1	„	30	„
„	1	„	Speck (geräuchert)	1	„	60	„
„	1	„	Eßbutter	2	„	20	„
„	60	Stück	Eier	3	„	24	„

C. Ladenpreise in den letzten Tagen des Monats Juli 1890:

1) In Berlin:

				Mark		Pf.	
für	1	Klgr.	Weizenmehl № 1			36	Pf.,
„	1	„	Roggenmehl № 1			33	„
„	1	„	Gerstengraupe			43	„
„	1	„	Gerstengrütze			40	„
„	1	„	Buchweizengrütze			44	„
„	1	„	Hirse			40	„
„	1	„	Reis (Java)			70	„
„	1	„	Java-Kaffee (mittler)	2	Mark	75	„
„	1	„	„ (gelb in gebr. Bohnen)	3	„	78	„
„	1	„	Speisesalz			20	„
„	1	„	Schweineschmalz (hiesiges)	1	„	60	„

2) In Charlottenburg:

				Mark		Pf.	
für	1	Klgr.	Weizenmehl № 1			50	Pf.,
„	1	„	Roggenmehl № 1			40	„
„	1	„	Gerstengraupe			60	„
„	1	„	Gerstengrütze			50	„
„	1	„	Buchweizengrütze			50	„
„	1	„	Hirse			50	„
„	1	„	Reis (Java)			80	„
„	1	„	Java-Kaffee (mittler)	2	„	80	„
„	1	„	„ (gelb in gebr. Bohnen)	3	„	60	„
„	1	„	Speisesalz			20	„
„	1	„	Schweineschmalz (hiesiges)	1	„	30	„

Berlin, den 7. August 1890.

Königl. Polizei-Präsidium. Erste Abtheilung.

Bekanntmachungen des Staatssekretairs des Reichs-Postamts.

Bekanntmachung.

17. Auf der Insel Helgoland ist für den Post- und Telegraphenverkehr mit dem heutigen Tage ein Kaiserlich Deutsches Postamt in Wirksamkeit getreten. Von demselben Zeitpunkt ab finden auf den Post- und Telegraphenverkehr Helgolands die in Deutschland gültigen Tarife Anwendung; insbesondere unterliegen Postsendungen und Telegramme zwischen Helgoland und Deutschland den inneren Deutschen Taxen. Die Frankirung der auf der Insel Helgoland zur Auflieferung kommenden Postsendungen erfolgt durch Werthzeichen der Deutschen Reichs-Postverwaltung.

Berlin W., 10. August 1890.

Der Staatssecretair des Reichs-Postamts.

Bekanntmachungen der Kaiserlichen Ober-Post-Direktion zu Berlin.

Verlegung des Postamts 64 (Unter den Linden).

79. Am 14. August Abends nach Dienstschluß wird das Postamt 64 aus dem Hause Unter den Linden № 5 nach dem Hause Unter den Linden № 12 (Hofgebäude) verlegt werden.

Berlin C., 5. August 1890.

Der Kaiserliche Ober-Postdirektor.

Bekanntmachungen der Kaiserlichen Ober-Postdirektion zu Potsdam.

Bekanntmachung.

80. In Schenkendorf wird am 11. August eine mit der dortigen Postanstalt verbundene Reichs-Telegraphenanstalt eröffnet werden.

Potsdam, 9. August 1890.

Der Kaiserliche Ober-Postdirector.

Bekanntmachungen des Königlichen Konsistoriums der Provinz Brandenburg.

Errichtungs-Verfügung.

11. Mit der im Einverständnisse des Herrn Ministers der geistlichen, Unterrichts- und Medizinal-Angelegenheiten ertheilten Genehmigung des Evangelischen Ober-Kirchenraths wird die in der Parochie D.-Rixdorf, Diözese Cöln-Land II., bestehende Hilfspredigerstelle in ein Diakonat umgewandelt, welches am 1. Juli d. J. ins Leben tritt.

Personal-Chronik.

Von des Kaisers und Königs Majestät ist dem Domänenpächter, Oberamtmann Otto Müller in Königshorst der Character als „Amtsrath" Allergnädigst verliehen worden.

Dem Pächter des Joachimsthal'schen Schulamtsgutes zu Neuendorf im Kreise Angermünde Herrn Siegmund Meyer ist der Charakter als „Königlicher Ober-Amtmann" verliehen worden.

Die Ober-Försterstelle Zinna ist vom 1. Oktober d. J. ab dem Ober-Förster Lehnpfuhl zu Grünhof übertragen worden.

Der Civil-Anwärter Paul Müller ist zum Regierungs-Civil-Supernumerarius ernannt worden.

Der bisherige Pfarrer in Rheinsberg Johann Christoph Gottlob Karl Nauck ist zum II. Diakonus an der St. Bartholomäus-Kirche zu Berlin, Diözese Berlin-Stadt I, bestellt worden.

Personalveränderungen im Bezirke der Kaiserlichen Ober-Postdirection in Berlin.

Im Laufe des Monats Juli sind:

ernannt: zum Telegraphenamtskassirer der Ober-Postdirektionssekretair Vollmer,

angestellt: als Telegraphenmechaniker die Telegraphen-Hülfsmechaniker Bremer und Krause,

versetzt: von Berlin Ober-Postdirektionssekretair Pusch nach Hamburg, Ober-Postsekretair Klotz nach Danzig, Postsekretair Bräß nach Bromberg, Postsekretair Bundschuh nach Karlsruhe (Baden), Postsekretair Williger nach Frankfurt (Oder), Ober-Telegraphenassistent Frömchen nach Grünberg

(Schl.), nach Berlin Telegraphendirektor Jaite von Cöln (Rhein), Ober-Postsekretair Severin von Inowrazlaw, Postsekretair Käcke von Liegnitz, Postsekretair Prochnow von Greifenhagen,

in den Ruhestand versetzt: Telegraphendirektor Hane, Ober-Postsekretair von Westernhagen, die Postsekretaire Briese, Hensel und Thiele,

gestorben: Telegraphenassistent Kühlewind.

Personalveränderungen im Bezirk der Kaiserlichen Ober-Postdirection in Potsdam.

Etatsmäßig angestellt ist: der Postassistent Lindenberg als Postverwalter in Wiesenburg (Mark), der Telegraphenanwärter Grandt als Telegraphenassistent in Wittenberge (Bez Potsdam) 2 Bhf.

Ernannt ist: der Telegraphensecretair Thienel in Potsdam zum Ober-Telegraphensecretair.

Versetzt ist: der Postverwalter Glasewald von Seehausen (Uckermark) nach Trebbin (Kr. Teltow)

In den Ruhestand getreten ist: der Postsecretair Spielberger in Neu-Ruppin.

Vermischte Nachrichten.

Vorlesungen für das Studium der Landwirthschaft an der Universität Halle.

Das Wintersemester beginnt am 15. Oktober.

Von den für das Wintersemester 1890/91 angezeigten Vorlesungen der hiesigen Universität sind für die Studirenden der Landwirthschaft folgende hervorzuheben: a In Rücksicht auf fachwissenschaftliche Bildung. Einleitung in das Studium der Landwirthschaft: Geh. Reg.-Rath Prof. Dr. Kühn. Allgemeine Ackerbaulehre: Derselbe. Allgemeine Thierzuchtlehre: Derselbe. — Specielle Thierzuchtlehre: Prof. Dr Freytag. — Landwirthschaftliche Buchführung und Abschätzungslehre: Derselbe — Molkereiwesen: Dr. Albert. — Rindviehhaltung: Derselbe. — Landwirthschaftliches Repetitorium: Dr Heyer. — Obstbaulehre: Derselbe. — Die Kultur der exotischen Nutzpflanzen: Derselbe. — Forstwissenschaft (Laubhölzer und Forsteinrichtung): Prof. Dr. Ewald. — Landwirthschaftliche Handelswissenschaft: Oeconomierath von Mendel-Steinfels. — Grundzüge der Anatomie und Physiologie der Haussäugethiere: Prof. Dr. Pütz. — Ueber die wichtigsten Krankheiten unserer Hausthiere mit besonderer Berücksichtigung der Seuchen und Heerdekrankheiten, sowie der auf den Menschen übertragbaren Thierkrankheiten: Derselbe. — Elemente der Mechanik und Maschinenlehre: Prof. Dr. Cornelius. — Landwirthschaftliche Maschinen- und Gerätbekunde: Prof. Dr. Wüst. — Drainage und Wiesenbau: Derselbe. — Landwirthschaftliche Baukunde: Regierungsbaumeister Knoch. — Experimental-Chemie: Prof. Dr. Volhard. — Grundzüge der organischen Chemie: Prof Dr. Döbner. — Analytische Chemie: Dr. Erdmann. — Agrikultur-Chemie, 1. Theil (die Naturgesetze der Ernährung der landwirthschaftlichen Kulturpflanzen): Prof. Dr. Märcker. — Technologie der Kohlenhydrate (Landwirthschaftliche Nebengewerbe): Derselbe. — Gesteinslehre als Grundlage der Bodenkunde: Prof. Dr. von Fritsch. — Elemente der Geologie: Prof. Dr. Brauns. — Technische Geologie: Derselbe. — Anatomie und Physiologie der Pflanzen: Prof. Dr. Kraus. — Pflanzenfamilien: Derselbe. — Bakteriologie: Prof Dr. Zopf. — Elemente der Zoologie: Prof. Dr. Grenacher — Ausgewählte Kapitel aus der thierischen Morphologie: Derselbe. — Naturgeschichte der Säugethiere: Prof. Dr. O. Taschenberg. — Ueber thierische Parasiten: Derselbe. — Physiologie der vegetativen Prozesse: Prof. Dr. Bernstein. — Ausgewählte Kapitel der Hygiene für Landwirthe: Prof. Dr. Renk. — Ueber die deutschen Colonien: Dr. Schenk. — Nationalökonomie, 1. theoretischer Theil: Geh. Reg.-Rath Prof. Dr. Conrad. — Geschichte der Nationalökonomie: Ders. — Geschichte und Theorie der Statistik und deren 1. Theil: Bevölkerungsstatistik: Derselbe. — Finanzwissenschaft: Prof. Dr. Friedberg. — Theorie der Steuern: Prof. Dr. Eisenhart. — Nationalökonomisches Repetitorium: Prof. Dr Friedberg. — Handelsrecht und Wechselrecht: Prof. Dr. Lastig. — Landwirthschaftsrecht: Prof. Dr. Rümelin. b. In Rücksicht auf staatswissenschaftliche und allgemeine Bildung, insbesondere für Studirende höherer Semester. Vorlesungen aus dem Gebiete der Staatswissenschaften, der Philosophie, Geschichte, Literatur und ethischen Wissenschaften halten die Prof. Prof. Dr. Dr. Loening, Huber, Erdmann, Haym, Droysen, Lindner, Ewald, Vaihinger, Husserl, Uphues, Diehl rc. rc. Theoretische und praktische Uebungen. Staatswissenschaftliches Seminar: Geh. R.-R. Prof. Dr. Conrad. — Statistische Uebungen: Derselbe. — Praktische Uebungen im chemischen Laboratorium: Prof. Dr Volhard und Prof. Dr. Döbner. — Mineralogische und geologische Uebungen: Prof Dr. v. Fritsch und Prof. Dr. Lüdecke. — Mikroskopisches und physiologisches Praktikum und Pflanzendemonstrationen: Prof. Dr. Kraus. — Untersuchungen im kryptogamischen Laboratorium: Prof. Dr. Zopf. — Zoologische Uebungen: Prof Dr Grenacher. — Klinische Demonstrationen in der Thierklinik und mikroskopische Uebungen: Prof. Dr. Pütz. — Uebungen im landwirthschaftlich-physiologischen Laboratorium: Geh Reg.-Rath Prof. Dr. Kühn. — Uebungen im Untersuchen und Beurtheilen der Wolle: Prof. Dr. Freytag. — Uebungen im Bestimmen der Obstsorten: Prof. Dr. Heyer. — Technische Excursionen und Demonstrationen: Prof. Dr. Wüst. — Technologische Excursionen: Prof. Dr. Märcker. — Unterricht im Zeichnen und Malen: Zeichenlehrer Schenk.

Nähere Auskunft ertheilt die durch jede Buchhandlung zu beziehende Schrift: Das Studium der Landwirthschaft an der Universität Halle, Cottbus, E. Kühn's Verlagsbuchhandlung 1888 Briefliche Anfragen wolle man an den Unterzeichneten richten.

Halle (Saale), im Juli 1890.

Dr. Julius Kühn, Geh. Reg.-Rath,
ordentl. öffentl. Professor und Direktor
des landwirthschaftlichen Instituts an der Universität.

Ausweisung von Ausländern aus dem Reichsgebiete.

Lauf. Nr.	Name und Stand des Ausgewiesenen.	Alter und Heimath des Ausgewiesenen.	Grund der Bestrafung.	Behörde, welche die Ausweisung beschlossen hat.	Datum des Ausweisungs-Beschlusses.
1.	2.	3.	4.	5.	6.
		Auf Grund des § 362 des Strafgesetzbuchs:			
1	Adalbert Mayer, Geschirrhändler,	geboren 1870 zu Salzburg, Oesterreich, ortsangehörig zu Nauders, Bezirk Landeck, Tirol,	Landstreichen,	Königlich Bayerisches Bezirksamt Landsberg,	3. Juli 1890.
2	Georg Pellin, Geschirrhändler,	geboren im April 1870 zu Fischen, Bezirk Sonthofen, Bayern, ortsangehörig zu Telfs, Bezirk Innsbruck, Tirol,	desgleichen,	dasselbe,	desgleichen.
3	Mathäus Polauf, Bäckergeselle,	29 Jahre alt, geboren und ortsangehörig zu Schüttenhofen, Böhmen,	desgleichen,	Stadtmagistrat Passau, Bayern,	28. Juni 1890.
4	Thomas Sefcik, Metzger und Bräuer,	geboren am 26. Dezember 1859 zu Repic, Bezirk Strakonic, Oesterreich, ortsangehörig ebendaselbst,	desgleichen,	Stadtmagistrat Straubing, Bayern,	30. Juni 1890.
5	Anton Wlach, Eisengießer,	geboren am 15. Mai 1852 zu Chaloupek, Bezirk Horowitz, Böhmen, ortsangehörig ebendaselbst,	desgleichen,	derselbe,	desgleichen.
6	Adalbert Wobrazka, Kommis,	geboren am 17. Mai (März?) 1841 zu Neuötting, Bezirk Pilgram, Böhmen,	Betteln im wiederholten Rückfall,	Stadtmagistrat Kempten, Bayern,	20. Juni 1890.
7	Anton Zinecker, Tischlergeselle,	geboren am 20. August 1873 zu Marienthal, Bezirk Zwickau, Königreich Sachsen, ortsangehörig zu Arnau, Kreis Jicin, Böhmen,	desgleichen,	Königlich Preußischer Regierungspräsident zu Erfurt,	28. Juni 1890.
8	Joseph Gaßner, Steinmetzgehülfe,	geboren am 18 März 1866 zu Preßburg, Ungarn, ortsangehörig ebendaselbst,	Landstreichen,	Königlich Bayerisches Bezirksamt Gunzenhausen,	1. Juli 1890.
9	Josef Hainzl, Schlosserlehrling,	geboren am 3. Juni 1872 zu Voglau, Bezirk Passau, Bayern, ortsangehörig zu Bernhardsschlag, Bezirk Freistadt, Ober-Oesterreich,	desgleichen,	Königlich Bayerisches Bezirksamt Passau,	11. Juli 1890.
10	Josef Heyl, Schuhmacher,	geboren am 15. Oktober 1842 zu Bystra, Bezirk Politschka, Böhmen, ortsangehörig ebendas.,	Betteln im wiederholten Rückfall,	Königlich Preußischer Regierungspräsident zu Liegnitz,	15. Juli 1890.

Lauf. Nr.	Name und Stand des Ausgewiesenen.	Alter und Heimath des Ausgewiesenen.	Grund der Bestrafung.	Behörde, welche die Ausweisung beschlossen hat.	Datum des Ausweisungs-Beschlusses.
1.	2.	3.	4.	5.	6.
11	Leon Louis Leblanc, Gießer,	geboren am 26. Januar 1865 zu Tournan, Departement Seine et Marne, Frankreich, ortsangehörig ebendas.,	Landstreichen,	Kaiserlicher Bezirks-Präsident zu Metz,	10. Juli 1890.
12	Ludwig Musy, Tagner,	geboren am 9. Oktober 1849 zu Challe à Montagne, Frankreich,	Landstreichen u. Betteln,	derselbe,	13. Juli 1890.
13	Margaretha Peiffer, unverehelicht,	geboren am 1. Oktober 1863 zu Schengen, Luxemburg, ortsangehörig ebendaselbst,	Uebertretung sittenpolizeilicher Vorschriften,	derselbe,	17. Juli 1890.
14	Anton Pietsch, Kommis,	40 Jahre alt, geboren zu Komotau und ortsangehörig zu Märzdorf, Bezirk Komotau, Böhmen,	Landstreichen,	Stadtmagistrat Deggendorf, Bayern,	19. Juni 1890.
15	Andreas Rojecki, ohne Stand,	14 Jahre alt, geboren zu Horni-Badicsow, Komitat Trenczin, Ungarn,	desgleichen,	Königlich Preußischer Regierungspräsident zu Frankfurt a. O.,	11. Juni 1890.
16	Josef Scheithauer, ohne Stand,	geboren im Jahre 1876 zu Gurschdorf, Bezirk Weidenau, Oesterreich-Schlesien, ortsangehörig ebendaselbst,	Landstreichen und Betteln,	Königlich Preußischer Regierungspräsident zu Oppeln,	24. Juni 1890.
17	Johann Stephan, Arbeiter,	geboren am 5. Januar 1870 zu Tischlewitz, Bezirk Tetschen, Böhmen, ortsangehörig ebendaselbst,	desgleichen,	Königlich Preußischer Regierungspräsident zu Lüneburg,	16. Juli 1890.
18	Josef Weber, Bräuer,	21 Jahre alt, geboren und ortsangehörig zu Thayern, Bezirk St. Pölten, Oesterreich, ortsangehörig ebendas.,	desgleichen,	Königlich Bayrisches Bezirksamt zu Vilsbiburg,	9. Juni 1890.
19	Josef Wisniewski, Arbeiter,	etwa 44 Jahre alt, geboren zu Mockre, Kreis Czentochau, Gouvernement Petrikau, Russisch-Polen,	Landstreichen,	Königlich Preußischer Regierungspräsident zu Marienwerder,	desgleichen.
20	Friedrich Zimmer, Arbeiter,	geboren am 20. Januar 1842 zu Niederbartau, Bezirk Libau, Rußland, ortsangehörig ebendas.,	Landstreichen u. Betteln,	Königlich Preußischer Regierungspräsident zu Lüneburg,	16. Juli 1890.

Hierzu Zwei Oeffentliche Anzeiger.

(Die Insertionsgebühren betragen für eine einspaltige Druckzeile 20 Pf. Belagsblätter werden der Bogen mit 10 Pf. berechnet.)

Redigirt von der Königlichen Regierung zu Potsdam.

Potsdam, Buchdruckerei der A. W. Hayn'schen Erben (E. Hayn, Hof-Buchdrucker).

Amtsblatt
der Königlichen Regierung zu Potsdam und der Stadt Berlin.

Stück 34. Den 22. August **1890.**

Bekanntmachungen des Königlichen Regierungs-Präsidenten.

Vorsitz in den Schiedsgerichten für land- und forstwirthschaftliche Unfall-Versicherung.

157. Nachdem Seitens der zuständigen Herren Minister der Regierungsrath Freiherr von Speßhardt zum Vorsitzenden der Schiedsgerichte für land- und forstwirthschaftliche Unfallversicherung in den Kreisen Angermünde, Oberbarnim, Ost- und Westhavelland, Prenzlau, Ost- und Westprignitz, Ruppin und Templin, sowie in dem Stadtkreise Spandau ernannt worden, ist nunmehr der Regierungsassesor Heckmann zum Stellvertreter der beiden Vorsitzenden für die erwähnten Schiedsgerichte, nämlich des Regierungsraths Heidfeld und des Regierungsraths Freiherrn von Speßhardt bestellt.

Potsdam, den 9. August 1890.

Der Regierungs-Präsident.

Nachweisung

der den Communal-Verbänden aus den landwirthschaftlichen Zöllen des Rechnungsjahres 1889|90 überwiesenen Beträge.

158. In Gemäßheit des Gesetzes vom 14 Mai 1885 (Ges.-S. S. 128) sind aus den Erträgen der Getreide- und Viehzölle des Rechnungsjahres 1889/90 an die Communal-Verbände folgende Beträge überwiesen:

1)	dem	Kreise	Prenzlau	142 412	Mark,
2)	"	"	Templin	74 120	"
3)	"	"	Angermünde	132 118	"
4)	"	"	Oberbarnim	147 650	"
5)	"	"	Niederbarnim....	225 589	"
6)	"	Stadtkreise	Charlottenburg ...	78 634	"
7)	"	Kreise	Teltow........	237 071	"
8)	"	"	Beeskow-Storkow .	62 969	"
9)	"	"	Jüterbog-Luckenwalde	90 567	"
10)	"	"	Zauch-Belzig	117 123	"
11)	"	Stadtkreise	Potsdam	81 990	"
12)	"	Kreise	Osthavelland	106 956	"
13)	"	Stadtkreise	Spandau	34 056	"
14)	"	"	Brandenburg	43 648	"
15)	"	Kreise	Westhavelland ...	90 118	"
16)	"	"	Ruppin........	135 047	"
17)	"	"	Ostprignitz	116 167	"
18)	"	"	Westprignitz	143 999	"
			zusammen	2 060 234	Mark,

was hierdurch zur allgemeinen Kenntniß gebracht wird.

Potsdam, den 14. August 1890.

Der Regierungs-Präsident.

Sperrung der Aufzugsöffnung an der Langen Brücke über die Dahme in Cöpenick.

159. Dem schifffahrttreibenden Publikum wird hierdurch zur Kenntniß gebracht, daß der Neubau der festen Brücke über die Dahme bei Cöpenick soweit vorgeschritten ist, daß vom 13. September d. J. ab Schiffe durch dieselbe nur noch mit niedergelegtem Maste fahren können. Potsdam, den 13. August 1890.

Der Regierungs-Präsident.

Ersatzwahl eines Landtags-Abgeordneten.

160. Nachdem das Mitglied des Hauses der Abgeordneten für den hiesigen Wahlbezirk, Landesrath Dr. Kelch in Folge seiner Ernennung zum ständigen Hülfsarbeiter im Reichsamt des Innern ausgeschieden ist, hat eine Ersatzwahl stattzufinden.

Zu diesem Zwecke habe ich den Herrn Oberbürgermeister Bose hierselbst zum Wahlkommissar ernannt und den Tag der Wahlmänner-Ersatzwahlen auf **den 15. September d. J.**, den Tag zur Wahl des Abgeordneten auf **den 23. September d. J.** festgesetzt.

Potsdam, den 14. August 1890.

Der Regierungs-Präsident.

Viehseuchen.

161. Festgestellt ist:

die Maul- und Klauenseuche unter dem Rindvieh des Rittergutes Mehrow, unter den Kühen der Erbsitzerwittwe Kemnitz und des Erbsitzers Saland zu Neuholland, Kreis Niederbarnim, unter den Zugochsen des Rittergutes Britz, Kreis Teltow.

Erloschen ist:

der Milzbrand auf dem Rittergute Haus Zossen, Kreis Teltow;

die Maul- und Klauenseuche unter dem Rindvieh des Gemeindevorstehers Griese zu Blankenburg, Kreis Niederbarnim, unter den Schafen des dem Rittergutspächter A. Stolze zu Dechtow gehörigen Vorwerks Berlowshof, Kreis Osthavelland;

die Influenza unter dem Pferdebestande des Bauergutsbesitzers Knörk zu Gnewickow und des Brauereibesitzers Bünger zu Neu-Ruppin, Kreis Ruppin.

Potsdam, den 19. August 1890.

Der Regierungs-Präsident.

Bekanntmachungen der Königlichen Regierung.

8. Nachdem die Einnahmen und Ausgaben der Königlichen Preußischen Allgemeinen Wittwen-Verpflegungs-Anstalt auf die Regierungshauptkassen übergegangen sind, erleiden die Quittungsformulare zu den Wittwenpensionen folgende Abänderungen:

Zunächst sind zu den Quittungen die bisher üblichen Formulare anzuwenden, indessen ist statt des Satzes:

„habe ich aus der Königlich Preußischen General-Wittwenkasse baar gezahlt erhalten"

zu setzen:

„habe ich als Angehörige der Preußischen Allgemeinen Wittwen-Verpflegungsanstalt aus der Regierungshauptkasse zu Potsdam baar gezahlt erhalten."

Hat ein Vormund oder Pfleger der Empfangsberechtigten zu quittiren, so muß der letztere Satz lauten:

„habe ich als bestellter Vormund (Pfleger) der vorbezeichneten Angehörigen der Preußischen allgemeinen Wittwen-Verpflegungsanstalt aus u. s. w."

Die Zahlung der Wittwen-Pensionen erfolgt am 1. April und 1. Oktober jeden Etatsjahres in Halbjahres-Raten im Voraus. Es ist daher zu quittiren:

a. bei den Zahlungen der April-Rate

für das erste Halbjahr des Etatsjahres,

b. bei den Zahlungen der Oktober-Rate in den Fällen, in welchen auch die April-Rate bereits gezahlt ist,

über den Gesammtbetrag der Pensionen für das betreffende Etatsjahr, also abweichend von dem bisher üblich gewesenen Verfahren, durch Jahresquittung,

in solchen Fällen dagegen, in welchen die Pensionszahlung erst vom 1. Oktober des betreffenden Etatsjahres ab begonnen hat,

für das zweite Halbjahr des Etatsjahres,

Die oben bereits erwähnte Abänderung des Quittungs-Formulars besteht also darin, daß an Stelle der Worte:

„am 1ten........ 18.. für ein halbes Jahr praenumerando gebührende"

gesetzt wird, in den Halbjahrs-Quittungen:

„für das (erste) (zweite) Halbjahr des Etatsjahres 18 . . gebührende"

und in den Jahresquittungen:

„für das Etatsjahr 18 . . gebührende".

Potsdam, den 16. August 1890.

Königliche Regierung.

Bekanntmachungen des Reichs-Postamts.

Bekanntmachung.

18. Der am 25. Juni von Hamburg und am 2ten Juli von Lissabon abgegangene Dampfer „Buenos Aires" der Hamburg-Südamerikanischen Dampfschifffahrts-Gesellschaft ist auf der Reise nach Brasilien am 24. Juli bei Jeharara auf Raza Islands bei der Einfahrt in die Bucht von Rio de Janeiro gestrandet. Die zur Zeit des Unfalls an Bord gewesene Post hat nicht gerettet werden können und ist als verloren zu betrachten.

Berlin W., 11. August 1890.

Reichs-Postamt, I. Abtheilung.

Bekanntmachungen des Provinzial-Steuer-Direktors.

Bekanntmachung.

10. Nachstehende Vorschriften des Bundesraths, betreffend die Aenderung und Ergänzung des Regulativs für Gewerbsanstalten, in denen unter steuerlicher Kontrole stehender Branntwein gereinigt werden darf, werden hiermit zur öffentlichen Kenntniß gebracht.

Berlin, den 19. Juli 1890.

Der Provinzial-Steuer-Direktor.

* * *

Hinter § 9 sind unter Streichung der jetzigen §§ 10 und 11 beziehungsweise der Anlage T 3 folgende Paragraphen einzuschalten:

§ 9a. Ungereinigter Branntwein darf aus der Gewerbsanstalt nicht ausgeführt werden.

Besitzer von unter steuerlicher Kontrole stehenden Branntwein-Reinigungsanstalten, welche mit ungereinigtem Branntwein handeln wollen, haben denselben unter steuerlichem Mitverschluß zu lagern. Ob ausnahmsweise die Entnahme einer Post ungereinigten Branntweins aus der Reinigungsanstalt aus besonderen Gründen erfolgen darf, bleibt von der Bestimmung der Direktivbehörde abhängig.

Branntwein, welcher in der Reinigungsanstalt nur einen Filtrations-, keinen Destillationsprozeß durchgemacht hat, ist als ungereinigter zu behandeln.

Ausnahmsweise darf jedoch Branntwein, welcher nur der Filtration unterzogen worden ist, in solchen Reinigungsanstalten als gereinigter behandelt werden, welche schon zeither Branntwein im Wege der Filtration ohne Destillation gereinigt haben. Die näheren Bestimmungen hierüber sind für jede einzelne betheiligte Gewerbsanstalt von der obersten Landes-Finanzbehörde zu treffen. Auf nur filtrirten Branntwein finden die Vorschriften im § 11a. keine Anwendung.

In den Anmeldungen und Abmeldungen ist seitens des Inhabers der Gewerbsanstalt stets ausdrücklich anzugeben, ob der angemeldete Branntwein „ungereinigter", beziehungsweise der abgemeldete „gereinigter" ist.

§ 9b. Die Bestimmung, daß Branntwein, welcher behufs der Ausfuhr oder der steuerfreien Verabfolgung zu gewerblichen u. s. w. Zwecken unter Inanspruchnahme einer Steuervergütung oder eines Verbrauchs-Abgabenerlasses zur steuerlichen Abfertigung gestellt wird, einen Fuselölgehalt von nicht mehr als 2 Gewichtsprozent der in dem Branntwein enthaltenen Menge reinen Alkohols besitzen darf, findet auf Reinigungsanstalten gleichfalls Anwendung.

Die Einführung von Fuselölen in die Reinigungsanstalten ist verboten.

§ 9c. Auch alle Nebenerzeugnisse des Reinigungsverfahrens (Fuselöle ꝛc.), welche behufs steuerfreien

Uebergangs in den freien Verkehr aus der Reinigungsanstalt entfernt werden sollen, sind zuvor zum Ausgange abzumelden und amtlich abzufertigen.

Die Abmeldungen erfolgen nach Anlage T 3, über dieselben ist ein Notizregister nach Anlage T 4 zu führen.

Der Gehalt dieser steuerfrei zu belassenden Nebenerzeugnisse an eigentlichen Oelen hat mindestens 75 Prozent zu betragen. Die Prüfung hat nach der anliegenden Anleitung zu erfolgen.

Ergiebt die Prüfung Bedenken gegen die vorschriftsmäßige Beschaffenheit, so ist, unter Entnahme einer Probe von mindestens 1 Liter, eine Untersuchung durch einen amtlich bestellten Chemiker herbeizuführen und die Ausgangsabfertigung, vorbehaltlich des etwa einzuleitenden Strafverfahrens, vorläufig zu versagen.

Die in den steuerfrei belassenen Nebenerzeugnissen enthaltene Alkoholmenge wird vom Konto der Reinigungsanstalt nicht abgeschrieben.

Auf Antrag des Anstaltsinhabers kann die Vernichtung der Nebenerzeugnisse unter amtlicher Aufsicht und unter Eintragung der vernichteten Menge in das Notizregister erfolgen. Der Antrag ist ohne Rücksicht auf den Aethylalkoholgehalt der Nebenerzeugnisse zulässig.

§ 9d. Der Inhaber der Reinigungsanstalt hat sich für jeden Einzelfall, in dem nachgewiesen werden sollte,

1) daß Branntwein, Fuselöle oder sonstige Erzeugnisse des Reinigungsverfahrens ohne Abmeldung oder ohne amtliche Abfertigung aus der Anstalt entfernt, oder daß Fuselöl in die Anstalt eingebracht worden, oder
2) daß gereinigter Branntwein als ungereinigter zur Anstalt angemeldet oder ungereinigter oder lediglich der Filtration unterzogener als gereinigter Branntwein aus der Anstalt abgemeldet worden, oder
3) daß der aus der Anstalt behufs der Ausfuhr oder der Verwendung zu gewerblichen u. s. w. Zwecken unter Inanspruchnahme einer Steuervergütung oder eines Verbrauchsabgabenerlasses abgemeldete Branntwein einen Gehalt an Fuselölen von zusammen mehr als 2 Gewichtsprozent der in dem Branntwein enthaltenen Menge reinen Alkohols oder die abgemeldeten Nebenerzeugnisse einen Gehalt an eigentlichen Oelen von weniger als 75 Prozent gehabt, oder
4) daß die zur Aufbewahrung des Branntweins in der Anstalt dienenden Sammelgefäße, Bassins, Bottiche 2c., oder die an denselben zur Ersichtlichmachung ihres Raumgehaltes oder Inhaltes an Flüssigkeit angebrachten Zahlenangaben, Skalen, Schwimmervorrichtungen und dergleichen in einer die Steuerbehörde über den wahren Raumgehalt oder Inhalt zu täuschen geeigneten Weise abgeändert worden,

einer von der Direktivbehörde endgültig festzusetzenden Konventionalstrafe bis zu 10,000 Mark protokollarisch zu unterwerfen, unbeschadet des daneben etwa einzuleitenden Strafverfahrens.

Neben der Konventionalstrafe tritt die Entziehung der Vergünstigung ein, unter steuerlicher Kontrole stehenden Branntwein nach Maßgabe dieses Regulativs weiterhin reinigen zu dürfen, sofern nicht die oberste Landes-Finanzbehörde glaubt, ausnahmsweise von der letzteren Maßregel absehen zu können.

§ 9e. Die Bestimmungen im § 9 Absatz 5 und Absatz 6 erster Satz, im § 9a. Absatz 1 und 3, § 9b. Absatz 2, § 9c. Absatz 1 und § 9d. sind durch dauernden Aushang an einer oder mehreren von der Steuerbehörde zu bestimmenden Stellen der Anstalt zur allgemeinen Kenntniß zu bringen.

V. Bestandsaufnahme.

§ 10. Alljährlich zweimal, und zwar, sofern nicht mit Rücksicht auf die Betriebsverhältnisse der Gewerbsanstalt seitens der Direktivbehörde ein anderer Termin zugelassen wird, in den Monaten Juni und Dezember finden amtliche Bestandsaufnahmen des in der Gewerbsanstalt befindlichen, zur Reinigung abgelassenen Branntweins statt, und zwar an einem von der Steuerbehörde 8 Tage vorher zu bestimmenden Tage. Der Inhaber der Gewerbsanstalt ist verpflichtet, deren Betrieb so einzurichten, daß an dem festgesetzten Tage Vorräthe von stark fuselhaltigem Branntwein in erheblichen Mengen nicht vorhanden sind, sowie daß die amtliche Aufnahme der Bestände ohne unverhältnißmäßige Schwierigkeiten ermöglicht wird. Insbesondere hat er dafür Sorge zu tragen, daß der vorhandene Branntwein durch thunlichste Vollfüllung der Sammelgefäße (Bassins, Bottiche 2c.) möglichst konzentrirt und dadurch die Ermittelung des Bestandes vereinfacht und sicherer gestaltet wird.

Zum Zwecke dieser Bestandsaufnahme ist spätestens am Tage vor dem bestimmten Termine von dem Inhaber oder bevollmächtigten Vertreter der Anstalt eine Bestandsdeklaration nach Anlage T 6 bei der Steuerstelle abzugeben.

§ 11. Die Bestandsaufnahme hat durch 2 Beamte, darunter einen Oberbeamten, zu erfolgen und ist auf Feststellung der vorhandenen Litermenge reinen Alkohols zu richten.

Zur Herbeiführung einer möglichst genauen Feststellung des Istbestandes ist seitens der Steuerbehörde darauf hinzuwirken, daß die in der Gewerbsanstalt vorhandenen Branntweinbestände thunlichst der Verwiegung zugänglich gemacht werden. Insoweit die letztere, z. B. wegen der Größe der Vorräthe, nicht angängig erscheint, erfolgt die Feststellung der in den einzelnen Sammelgefäßen 2c. vorhandenen Litermenge reinen Alkohols nach Maßgabe des § 18 der Anleitung zur Ermittelung des Alkoholgehalts im Branntwein.

Hierauf ist der Sollbestand durch Abzug der seit der letzten Bestandsaufnahme nach dem Kontoregister aus der Anstalt zum Ausgange abgefertigten Litermenge reinen Alkohols von der Summe des bei der letzten Bestandsaufnahme ermittelten Istbestandes zuzüglich der seitdem nach dem Kontoregister in die Anstalt eingebrachten Litermenge reinen Alkohols zu berechnen.

Ergiebt hiernach der Istbestand eine Fehlmenge gegenüber dem Sollbestande, so kann die wirkliche Fehlmenge bis zur Höhe von 1 Prozent der seit der letzten Bestandsaufnahme zur Verarbeitung in der Reinigungsanstalt gelangten Alkoholmenge steuerfrei abgeschrieben werden; ein den Satz von 1 Prozent übersteigendes Manko ist zur Versteuerung zu ziehen. Als verarbeitete Menge ist hierbei die Differenz zwischen dem bei der gegenwärtigen Bestandsaufnahme ermittelten Istbestande an ungereinigtem Branntwein und der Summe des bei der letzten Bestandsaufnahme vorgefundenen Istbestandes an ungereinigtem Branntwein zuzüglich der seitdem nach dem Kontoregister in die Anstalt eingebrachten Litermenge reinen Alkohols anzusehen (vergl. Anlage T 6). Ist ausnahmsweise ungereinigter Branntwein aus der Anstalt wieder ausgeführt worden, so ist derselbe von der letzteren Summe abzurechnen.

§ 11a. Der 1 Prozent übersteigende wirkliche Schwund, bis zu $2^1/_2$ Prozent der seit der letzten Bestandsaufnahme zur Verarbeitung gelangten Alkoholmenge, ist in denjenigen Gewerbsanstalten steuerfrei abzuschreiben, welche sich den nachstehenden ferneren Bedingungen unterwerfen:

1) Branntwein und sonstige Erzeugnisse des Reinigungsverfahrens, welche sich bereits im freien Verkehr befinden, dürfen innerhalb des Bereichs der Reinigungsanstalt und des zugehörigen Areals nicht gelagert, sämmtliche zum Ausgang amtlich abgefertigte Erzeugnisse müssen möglichst bald nach der Abfertigung, und zwar unter den Augen des Abfertigungsbeamten, aus dem Bereiche der Reinigungsanstalt entfernt werden. Im Bedürfnißfalle können Ausnahmen seitens der Direktivbehörden unter Anordnung anderweiter Sicherungsmaßregeln zugelassen werden.

2) Der Inhaber der Anstalt hat sich protokollarisch der im § 9d. bezeichneten Konventionalstrafe, neben welcher die sonstigen dortbezeichneten Folgen gleichfalls eintreten, auch für jeden Einzelfall zu unterwerfen, in dem nachgewiesen werden sollte, daß dem in № 1 enthaltenen Verbote entgegen Erzeugnisse des Reinigungsverfahrens ohne Zuziehung von Beamten bei dem Ausgange aus der Anstalt entfernt, oder, bei der ausnahmsweisen Befreiung von dem gedachten Verbote, den angeordneten Sicherungsmaßregeln zuwider gehandelt worden.

3) Die nach Maßgabe der vorstehenden № 1 für die einzelne Reinigungsanstalt geltenden Bestimmungen sowie die Vorschrift zu № 2 sind durch dauernden Aushang an einer oder mehreren von der Steuerbehörde zu bestimmenden Stellen der Anstalt zur allgemeinen Kenntniß zu bringen.

Nr. . . . . . des Notizregisters. **Anlage T 3.**

Abmeldung

von

Nebenerzeugnissen des Reinigungsverfahrens (Fuselöle u. s. w.), welche aus der Branntwein-Reinigungsanstalt des . . . . zu . . . . -Straße Nr. . . . behufs steuerfreien Uebergangs in den freien Verkehr ausgeführt werden sollen.

Angabe des Abmelders.				Revisionsbefund			
Zahl und Art der Umschließungen.	Zeichen und Nummer	Bezeichnung des Inhalts.	Bruttogewicht.	Zahl und Art der Umschließungen.	Zeichen und Nummer	Bezeichnung des Inhalts.	Bruttogewicht.
1.	2.	3.	4	5	6.	7.	8

Datum und Unterschrift des Abmelders.

Datum und Unterschrift der Abfertigungsbeamten.

Anlage T 4.

Notizregister

über

die aus der Branntwein-Reinigungsanstalt des .... zu .... -Straße Nr. ... behufs Uebergangs in den freien Verkehr ausgeführten Nebenerzeugnisse des Reinigungsverfahrens (Fuselöle u. s. w.).

Dieses Register enthält .... Blätter, welche mit einer mit dem Dienstsiegel hier angesiegelten Schnur durchzogen sind.

.........., den ..ten .... 18 ..

Geführt von

Laufende Nummer	Zahl und Art der Umschließungen	Bezeichnung des Inhalts.	Brutto-gewicht.	Tag der Ausgangs-Abfertigung.	Bemerkungen.
1.	2.	3.	4.	5.	6.

Anlage T 5.

Anweisung

zur

Prüfung des Fuselöls (§ 9c.).

In ein reines und trockenes Probirglas wird bis zu einem dem Volumen von 30 ccm entsprechenden Striche Chlorcalciumlösung des specifischen Gewichts 1,225 gebracht; sodann wird bis zu einem das Volumen von 40 ccm anzeigenden Striche das zu untersuchende Fuselöl aufgefüllt. Hierauf wird das Glas mit einem gut passenden Kork verschlossen und eine Minute lang kräftig durchgeschüttelt. Man stellt alsdann das Gefäß senkrecht auf und läßt die beiden Schichten sich sondern. Etwa an den Wänden sitzende Oeltröpfchen entfernt man durch sanftes senkrechtes Klopfen auf die Handfläche oder durch Drehen der Röhre zwischen den Fingern. Haben sich nunmehr die beiden Schichten gesondert, so soll die

obere Schicht nach unten hin wenigstens noch bis zu dem mit 32,5 ccm bezeichneten Striche reichen, also wenigstens dem Volumen von 7,5 ccm entsprechen.

Demnächst werden in ein zweites trockenes Glas 100 ccm des zu untersuchenden Fuselöls gefüllt und demselben 5 ccm reines Wasser (destillirtes oder allenfalls Regenwasser) hinzugefügt. Wiederum wird das Glas mit einem gut passenden Kork verschlossen und eine Minute lang kräftig geschüttelt. Hierauf soll das Gemisch trübe erscheinen.

Die bei diesem Verfahren zu verwendende Chlorcalciumlösung wird entweder fertig aus Apotheken bezogen und mit einem amtlich beglaubigten Aräometer bei einer Temperatur von nahezu 15° geprüft oder selbst hergestellt, indem man 25 gr wasserfreies Chlorcalcium in 100 ccm Wasser löst und die Lösung, falls sie nicht klar sein sollte, filtrirt. Die einmal richtig bereitete Lösung kann in gut verschlossenen Gläsern beliebig lange aufbewahrt werden, ohne Veränderungen zu erleiden.

Des Kontroregisters Nr. . . . .

A n m e l

der Branntweinbestände zum
am . . ten . . . .
in der Branntwein-Reinigungs
zu . . . .

A n l e i

1) Die Spalten 1 bis 6 und 16 bis 21 sind vom Anmelder, die übrigen von den Revisionsbeamten
2) In jeder der Abtheilungen A und B sind die Gefäße, welche bereits in der Anstalt verarbeitete aufzuführen.
3) Bei jeder Feststellung des Brutto- und Nettogewichts eines Gebindes sind Bruchtheile eines Kilogramm, oder mehr betragen, als ein halbes Kilogramm anzunehmen.
4) Welche von den in Spalte 8 bezeichneten beiden Arten der Taraermittelung zur Anwendung gekommen, ersichtlich zu machen.
5) Bei jeder Feststellung einer Litermenge sind in der Schlußsumme sich ergebende Bruchtheile des Liter,

A. Bestände, welche durch Verwiegung ermittelt werden können.

Laufende Nummer.	Anmeldung					Revisionsbefund.								Bemerkungen.
	Der Gefäße (einzeln aufzuführen)			Des Branntweins		Der Gefäße				Des Branntweins				
	Bezeichnung.	Nummer.	Bruttogewicht nach Abzug etwaiger Rollbänder kg	wahre Stärke in Gewichts-Prozenten Prozent.	Litermenge reinen Alkohols l	Bruttogewicht nach Abzug etwaiger Rollbänder kg	a. durch steueramtliche Verwiegung; b. aichamtlich ermittelte Tara kg	Nettogewicht nach Abzug der amtlich ermittelten Tara (Spalte 8) kg	Nettogewicht nach Abzug der Normal-Tara kg	scheinbare Stärke in Gewichts-Prozenten Prozent.	Temperaturgrade nach Celsius	wahre Stärke in Gewichts-Prozenten Prozent.	Litermenge reinen Alkohols l	
1	2	3	4.	5.	6.	7.	8	9.	10.	11.	12.	13.	14.	15.
I. Gefäße, welche bereits in der Anstalt verarbeitete Bestände enthalten.														
II. Gefäße, welche in der Anstalt noch nicht verarbeitete Bestände enthalten.														

Anlage T 6.

Abgegeben, den . . ten . . . . 189 . .

dung

Zwecke der Bestandsaufnahme
. . . . 189 . .
anstalt d . . . .
. . . . Straße Nr. . . .

tung

auszufüllen.
Bestände enthalten, unter I., diejenigen, welche noch nicht verarbeitete Bestände enthalten, unter II. gesondert
wenn sie unter einem halben Kilogramm bleiben, außer Betracht zu lassen, wenn sie aber ein halbes Kilogramm
ist von den Revisionsbeamten durch Vorsetzen des Buchstabens a oder b vor das ermittelte Taragewicht
wenn sie unter einem halben Liter bleiben, unberücksichtigt zu lassen, andernfalls auf ein ganzes Liter abzurunden.

B. Bestände, welche nicht durch Verwiegung ermittelt werden können

Laufende Nummer.	Anmeldung.					Revisionsbefund.						Bemerkungen.
	Der Gefäße (einzeln aufzuführen)		Inhalt.			Des Branntweins				Die Litermenge des Branntweins in Spalte 22 von der in Spalte 24 angegebenen Temperatur und der in Spalte 25 angegebenen wahren Stärke entspricht einer Gewichtsmenge von	Aus Spalten 25 und 26 ergiebt sich als vorhandene Litermenge reinen Alkohols	
	Bezeichnung.	Nummer.	an Branntwein	wahre Stärke in Gewichts-Prozenten	an reinem Alkohol	vorgefundene Litermenge	scheinbare Stärke in Gewichts-Prozenten	Temperaturgrade nach Celsius	wahre Stärke in Gewichts-Prozenten			
			l	Prozent	l	l	Prozent		Prozent.	kg	l	
16	17.	18.	19.	20	21.	22.	23.	24	25.	26.	27.	28.
I. Gefäße, welche bereits in der Anstalt verarbeitete Bestände enthalten.												
II. Gefäße, welche in der Anstalt noch nicht verarbeitete Bestände enthalten.												

Datum und Unterschrift
des Anmelders.

Datum und Unterschrift
der Revisionsbeamten.

Abschluß.

Istbestand bei der letzten Bestandsaufnahme am 15. Juni d. J.:
a. an ungereinigtem Branntwein . . . 7 790 l reinen Alkohols
b. an gereinigtem Branntwein . . . . 1 000 „ „ „

8 790 l reinen Alkohols.

Neue Anschreibung seit der letzten Bestandsaufnahme . . . . 130 005 „ „ „

zusammen . . . 138 795 l reinen Alkohols.

Abschreibung seit der letzten Bestandsaufnahme . . . . 117 813 „ „ „

Sollbestand . . . 20 982 l reinen Alkohols.

Bei der gegenwärtigen Bestandsaufnahme vorgefundener Istbestand:
a. an ungereinigtem Branntwein . . . 10 790 l reinen Alkohols
b. an gereinigtem Branntwein . . . . 7 014 „ „ „

17 804 „ „ „

mithin Fehlmenge . . . 3 178 l reinen Alkohols.

Der steuerfrei abzuschreibende Schwund berechnet sich wie folgt:

Istbestand an ungereinigtem Branntwein bei der letzten Bestandsaufnahme . . . . 7 790 l reinen Alkohols.

Neue Anschreibung seit der letzten Bestandsaufnahme . . . . 130 005 „ „ „

zusammen . . . 137 795 l reinen Alkohols.

Bei der gegenwärtigen Bestandsaufnahme vorgefundener Istbestand an ungereinigtem Branntwein . . . . 10 790 „ „ „

also seit der letzten Bestandsaufnahme verarbeitet . . . . 127 005 l reinen Alkohols.

Hiervon beträgt der nach § 11 des Regulativs für die Reinigungsanstalten zulässige höchste Schwund — 1 Prozent — . . . . 1 270 „ „ „

Hiernach bleibt zu versteuernde Fehlmenge . . . . 1 908 l reinen Alkohols.

(Zusatz für die nach den Bestimmungen des § 11 a des Regulativs für die Reinigungsanstalten zu behandelnden Betriebe:

Da die Reinigungsanstalt des N. N. aber den Kontrolen des § 11 a. des Regulativs unterliegt, beträgt der höchste steuerfreie Schwund noch weitere $1\frac{1}{2}$ Prozent = ... 1 905 „ „ „

mithin bleiben zu versteuern . . . . 3 l reinen Alkohols)

und zwar erfolgt die Abschreibung und Versteuerung bei demjenigen auf dem Lager befindlichen Branntwein, welcher dem niedrigsten Abgabesatz unterliegt, also bei dem zu 0,50 Mk. zu versteuernden Branntwein.

Demnach sind zu zahlen:

954 (1,50 Mk).

Dagegen ist die steuerfrei bleibende Fehlmenge von 1270 (3175) l reinen Alkohols bei dem nach dem Konto vorhandenen Branntwein, auf welchem der höchste Abgabesatz ruht, also bei dem zu 0,74 Mk. abzuschreiben.

Nach den Eintragungen im Betriebsbuche sind seit der letzten Bestandsaufnahme verarbeitet worden:
durch Destillation . . . . 100 481 l reinen Alkohols,
durch Destillation und Filtration . . . . 26 018 „ „ „

zusammen . . . 126 499 l reinen Alkohols.

Die Differenz zwischen der im Betriebsbuche als verarbeitet nachgewiesenen und der in dem vorstehenden Abschluß als verarbeitet berechneten Branntweinmenge (127 005 l reinen Alkohols) giebt zu Bedenken keinen Anlaß.

. . . . , den . . ten . . . . 189 .

(Unterschriften)

III. 8779 und R. 722.

Bekanntmachungen des Königlichen Polizei-Präsidiums zu Berlin.

Bekanntmachung.

66. Nachdem auf Grund des § 15 des Enteignungsgesetzes vom 11. Juni 1874 von Landespolizeiwegen vorläufig festgestellt worden ist, daß von dem Grundstücke des Hofmaurermeisters Braun hierselbst Band 81 № 4261 des Grundbuchs von der Königstadt eine Fläche von 120 qm eine derjenigen Grundstücksflächen darstellt, hinsichtlich welcher der Königlichen Staatsbauverwaltung zur Verbesserung des Spreelaufs innerhalb der Stadt Berlin durch die Allerhöchste Cabinets-Ordre vom 17. September 1888 das Enteignungsrecht verliehen worden ist, wird der bezügliche Plan in Gemäßheit der §§ 18 flgde. a. a. O. vom Montag, den 25 August bis Montag, den 8. September d. J. einschließlich in der Registratur der I. Abtheilung des Königlichen Polizei-Präsidiums im neuen Polizei-Präsidialgebäude am Alexanderplatz hierselbst, Eingang IV. 2 Tr., Zimmer 339, zu Jedermanns Einsicht ausliegen. Einwendungen gegen diesen Plan sind bis zum Ablaufe der bestimmten Frist bei der Ersten Abtheilung des Königlichen Polizei-Präsidiums schriftlich einzureichen.

Berlin, den 11. August 1890.

Der Polizei-Präsident.

Bekanntmachung.

67. Nachdem bereits durch Erlaß des Herrn Justiz-Ministers und des Herrn Ministers des Innern vom 15. September 1879 die bei dem Königlichen Polizei-Präsidium in Berlin angestellten Kriminal-Polizei-Kommissarien, die mit der Führung der Revierpolizei-Verwaltung beauftragten Polizei-Lieutenants und deren Stellvertreter, sowie die mit der Handhabung der Marktpolizei beauftragten Polizei-Lieutenants und Polizei-Wachtmeister zu Hülfsbeamten der Staatsanwaltschaft bestimmt worden sind, haben die genannten Herren Minister durch Erlaß vom 10. Juli dieses Jahres bestimmt, daß auch die bei dieser Behörde inzwischen neu angestellten und weiterhin zur Anstellung gelangenden **Kriminal-Inspektoren** als Hülfsbeamte der Staatsanwaltschaft zu fungiren haben.

Berlin, den 12. August 1890.

Der Polizei-Präsident.

Bekanntmachung.

68. Nachdem auf Grund des § 15 des Enteignungsgesetzes vom 11. Juni 1874 von Landespolizeiwegen vorläufig festgestellt worden ist, daß von dem Grundstücke des Banquiers Busse hierselbst Band 1 № 36 des Grundbuchs von Alt-Cölln eine Fläche von 39 qm diejenige Grundstücksfläche darstellt, hinsichtlich welcher der Stadtgemeinde Berlin zum Zwecke des Umbaues der Kurfürsten- (Langen) Brücke durch die Allerhöchste Cabinets-Ordre vom 7. Mai 1890 das Enteignungsrecht verliehen worden ist, wird der bezügliche Plan in Gemäßheit der §§ 18 ff. a. a. O. vom Montag, den 25. August, bis Montag, den 8. September dieses Jahres einschließlich in der Plankammer des hiesigen Magistrats während der täglichen Dienststunden zu Jedermanns Einsicht ausliegen. Einwendungen gegen diesen Plan sind bis zum Ablaufe der bestimmten Frist bei der Ersten Abtheilung des Königlichen Polizei-Präsidiums schriftlich einzureichen.

Berlin, den 13. August 1890.

Der Polizei-Präsident.

Bekanntmachungen des Königlichen Oberbergamts zu Halle.

17. Nachstehende Verleihungsurkunde:

„Im Namen des Königs.

Auf Grund der am 17. April 1890 mit Präsentationsvermerk versehenen Muthung wird dem Ziegeleibesitzer Friedrich Robert Lehmann zu Hankels Ablage, Station der Berlin-Görlitzer Eisenbahn, unter dem Namen **Zernsdorf I.** das Bergwerkseigenthum in dem Felde, dessen Begrenzung auf dem heute von uns beglaubigten Situationsrisse mit den Buchstaben: a b c d a bezeichnet ist, und welches, einen Flächeninhalt von 2 186 284 qm, geschrieben: Zwei Millionen einhundert sechs und Achtzig Tausend zweihundert vier und achtzig Quadratmeter umfassend, in den Gemarkungen Zernsdorf, Senzig und Gussow im Kreise Teltow und Cablow im Kreise Beeskow-Storkow des Regierungsbezirks Potsdam und im Oberbergamtsbezirke Halle gelegen ist, zur Gewinnung der in dem Felde vorkommenden Braunkohlen hierdurch verliehen",

urkundlich ausgefertigt am heutigen Tage, wird mit dem Bemerken, daß der Situationsriß in dem Büreau des Königlichen Bergrevierbeamten zu Eberswalde zur Einsicht offen liegt, unter Verweisung auf die Paragraphen 35 und 36 des Allgemeinen Berggesetzes vom 24. Juni 1865 hierdurch zur öffentlichen Kenntniß gebracht.

Halle a. S., den 13. August 1890.

Königliches Oberbergamt.

18. Nachstehende Verleihungsurkunde:

„Im Namen des Königs.

Auf Grund der am 17. April 1890 mit Präsentationsvermerk versehenen Muthung wird dem Ziegeleibesitzer Friedrich Robert Lehmann zu Hankels Ablage, Station der Berlin-Görlitzer Eisenbahn, unter dem Namen **Zernsdorf II.** das Bergwerkseigenthum in dem Felde, dessen Begrenzung auf dem heute von uns beglaubigten Situationsrisse mit den Buchstaben: a b c d e f g a bezeichnet ist, und welches, einen Flächeninhalt von 2 188 958 qm, geschrieben: Zwei Millionen einhundert achtundachtzig Tausend neunhundert achtundfünfzig Quadratmeter umfassend, in den Gemarkungen Zernsdorf, Senzig und Zeesen im Kreise Teltow und Cablow im Kreise Beeskow-Storkow des Regierungsbezirks Potsdam und im Oberbergamtsbezirke Halle gelegen ist, zur Gewinnung der in dem Felde vorkommenden Braunkohlen hierdurch verliehen",

urkundlich ausgefertigt am heutigen Tage, wird mit dem Bemerken, daß der Situationsriß in dem Büreau des Königlichen Bergrevierbeamten zu Eberswalde zur Einsicht offen liegt, unter Verweisung auf die Paragraphen 35 und 36 des Allgemeinen Berggesetzes ...

24. Juni 1865 hierdurch zur öffentlichen Kenntniß gebracht.

Halle a. S., den 13. August 1890.

Königliches Oberbergamt.

19. Nachstehende Verleihungsurkunde:

„**Im Namen des Königs.**

Auf Grund der am 17. April 1890 mit Präsentationsvermerk versehenen Muthung wird dem Ziegeleibesitzer Friedrich Robert Lehmann zu Hankels Ablage, Station der Berlin-Görlitzer Eisenbahn, unter dem Namen **Zernsdorf III.** das Bergwerkseigenthum in dem Felde, dessen Begrenzung auf dem heute von uns beglaubigten Situationsrisse mit den Buchstaben: a b c d a bezeichnet ist, und welches, einen Flächeninhalt von 2 188 170 qm, geschrieben: Zwei Millionen einhundert acht und achtzig Tausend einhundert siebzig Quadratmeter umfassend, in den Gemarkungen Zernsdorf und Senzig im Kreise Teltow, sowie Cablow im Kreise Beeskow-Storkow des Regierungsbezirks Potsdam und im Oberbergamtsbezirke Halle gelegen ist, zur Gewinnung der in dem Felde vorkommenden Braunkohlen hierdurch verliehen",

urkundlich ausgefertigt am heutigen Tage, wird mit dem Bemerken, daß der Situationsriß in dem Büreau des Königlichen Bergrevierbeamten zu Eberswalde zur Einsicht offen liegt, unter Verweisung auf die Paragraphen 35 und 36 des Allgemeinen Berggesetzes vom 24. Juni 1865 hierdurch zur öffentlichen Kenntniß gebracht

Halle a. S., den 13. August 1890.

Königliches Oberbergamt.

20. Nachstehende Verleihungsurkunde:

„**Im Namen des Königs.**

Auf Grund der am 17. April 1890 mit Präsentationsvermerk versehenen Muthung wird dem Ziegeleibesitzer Friedrich Robert Lehmann zu Hankels Ablage, Station der Berlin-Görlitzer Eisenbahn, unter dem Namen **Zernsdorf V.** das Bergwerkseigenthum in dem Felde, dessen Begrenzung auf dem heute von uns beglaubigten Situationsrisse mit den Buchstaben: a b c d e f g h i k l m n a bezeichnet ist, und welches, einen Flächeninhalt von 2 189 000 qm, geschrieben: Zwei Millionen einhundert neunundachtzig Tausend Quadratmeter umfassend, in den Gemarkungen Zernsdorf, Senzig und Zeesen im Kreise Teltow und Cablow im Kreise Beeskow-Storkow des Regierungsbezirks Potsdam und im Oberbergamtsbezirke Halle gelegen ist, zur Gewinnung der in dem Felde vorkommenden Braunkohlen hierdurch verliehen",

urkundlich ausgefertigt am heutigen Tage, wird mit dem Bemerken, daß der Situationsriß in dem Büreau des Königlichen Bergrevierbeamten zu Eberswalde zur Einsicht offen liegt, unter Verweisung auf die Paragraphen 35 und 36 des Allgemeinen Berggesetzes vom 24. Juni 1865 hierdurch zur öffentlichen Kenntniß gebracht.

Halle a. S., den 13. August 1890.

Königliches Oberbergamt.

21. Nachstehende Verleihungsurkunde:

„**Im Namen des Königs.**

Auf Grund der am 17. April 1890 mit Präsentationsvermerk versehenen Muthung wird dem Ziegeleibesitzer Friedrich Robert Lehmann zu Hankels Ablage, Station der Berlin-Görlitzer Eisenbahn, unter dem Namen **Zernsdorf VII.** das Bergwerkseigenthum in dem Felde, dessen Begrenzung auf dem heute von uns beglaubigten Situationsrisse mit den Buchstaben: a b c d e f g h i k l a bezeichnet ist, und welches, einen Flächeninhalt von 2 189 000 qm, geschrieben: Zwei Millionen einhundert neunundachtzig Tausend Quadratmeter umfassend, in den Gemarkungen Zernsdorf, Neue Mühle, Hoherlöhme (Gemeinde und Gut) und Königs-Wusterhausen im Kreise Teltow und Niederlöhme im Kreise Beeskow-Storkow des Regierungsbezirks Potsdam und im Oberbergamtsbezirke Halle gelegen ist, zur Gewinnung der in dem Felde vorkommenden Braunkohlen hierdurch verliehen",

urkundlich ausgefertigt am heutigen Tage, wird mit dem Bemerken, daß der Situationsriß in dem Büreau des Königlichen Bergrevierbeamten zu Eberswalde zur Einsicht offen liegt, unter Verweisung auf die Paragraphen 35 und 36 des Allgemeinen Berggesetzes vom 24. Juni 1865 hierdurch zur öffentlichen Kenntniß gebracht.

Halle a. S., den 13. August 1890.

Königliches Oberbergamt.

22. Nachstehende Verleihungsurkunde:

„**Im Namen des Königs.**

Auf Grund der am 17. April 1890 mit Präsentationsvermerk versehenen Muthung wird dem Ziegeleibesitzer Friedrich Robert Lehmann zu Hankels Ablage, Station der Berlin-Görlitzer Eisenbahn, unter dem Namen **Zernsdorf VIII.** das Bergwerkseigenthum in dem Felde, dessen Begrenzung auf dem heute von uns beglaubigten Situationsrisse mit den Buchstaben: a b c d a bezeichnet ist, und welches, einen Flächeninhalt von 2 188 800 qm, geschrieben: Zwei Millionen einhundert achtundachtzig Tausend achthundert Quadratmeter umfassend, in den Gemarkungen Zernsdorf, Hoherlöhme (Gemeinde und Gut) und Königs-Wusterhausen im Kreise Teltow und Niederlöhme im Kreise Beeskow-Storkow des Regierungsbezirks Potsdam und im Oberbergamtsbezirke Halle gelegen ist, zur Gewinnung der in dem Felde vorkommenden Braunkohlen hierdurch verliehen",

urkundlich ausgefertigt am heutigen Tage, wird mit dem Bemerken, daß der Situationsriß in dem Büreau des Königlichen Bergrevierbeamten zu Eberswalde zur Einsicht offen liegt, unter Verweisung auf die Paragraphen 35 und 36 des Allgemeinen Berggesetzes vom 24. Juni 1865 hierdurch zur öffentlichen Kenntniß gebracht.

Halle a. S., den 13. August 1890.

Königliches Oberbergamt.

23. Nachstehende Verleihungsurkunde:

„Im Namen des Königs.

Auf Grund der am 17. April 1890 mit Präsentationsvermerk versehenen Muthung wird dem Ziegeleibesitzer Friedrich Robert Lehmann zu Hankels Ablage, Station der Berlin-Görlitzer Eisenbahn, unter dem Namen **Zernsdorf** das Bergwerkseigenthum in dem Felde, dessen Begrenzung auf dem heute von uns beglaubigten Situationsrisse mit den Buchstaben: a b c d e f g h i k l m a bezeichnet ist, und welches, einen Flächeninhalt von 2 189 000 qm, geschrieben: Zwei Millionen einhundert neunundachtzig Tausend Quadratmeter umfassend, in den Gemarkungen Zernsdorf, Senzig, Güssow und Königliche Forst Königs-Wusterhausen im Kreise Teltow, ferner Cablow im Kreise Beeskow-Storkow des Regierungsbezirks Potsdam und im Oberbergamtsbezirke Halle gelegen ist, zur Gewinnung der in dem Felde vorkommenden Braunkohlen hierdurch verliehen",

urkundlich ausgefertigt am heutigen Tage, wird mit dem Bemerken, daß der Situationsriß in dem Büreau des Königlichen Bergrevierbeamten zu Eberswalde zur Einsicht offen liegt, unter Verweisung auf die Paragraphen 35 und 36 des Allgemeinen Berggesetzes vom 24. Juni 1865 hierdurch zur öffentlichen Kenntniß gebracht.

Halle a. S., den 13. August 1890.

Königliches Oberbergamt.

Bekanntmachungen der Königlichen Eisenbahn-Direktion zu Bromberg.

Frachtbegünstigung für Ausstellungsgegenstände.

48. Für die in der nachstehenden Zusammenstellung näher bezeichneten Thiere und Gegenstände, welche auf den daselbst erwähnten Ausstellungen ausgestellt werden und unverkauft bleiben, wird eine Frachtbegünstigung in der Art gewährt, daß nur für die Hinbeförderung die volle tarifmäßige Fracht berechnet wird, die Rückbeförderung an die Versand-Station und den Aussteller aber frachtfrei erfolgt, wenn durch Vorlage des ursprünglichen Frachtbriefes für den Hinweg, sowie durch eine Bescheinigung der dazu ermächtigten Stelle nachgewiesen wird, daß die Gegenstände ausgestellt gewesen und unverkauft geblieben sind, und wenn die Rückbeförderung innerhalb der unten angegebenen Zeit stattfindet.

In den ursprünglichen Frachtbriefen für die Hinsendung ist ausdrücklich zu vermerken, daß die mit denselben aufgegebenen Sendungen durchweg aus Ausstellungsgut bestehen.

№	Art der Ausstellung	Ort	Zeit 1890	Die Frachtbegünstigung wird gewährt für	auf den Strecken der	Zur Ausfertigung der Bescheinigung sind ermächtigt	Die Rückbeförderung muß erfolgen innerhalb
1	Bienenwirthschaftliche Ausstellung,	Landsberg a. W.,	15. bis 17. August,	Bienen, sowie Geräthe und Erzeugnisse der Bienenzucht,	Direktionsbezirk Berlin, Breslau und Bromberg,	Ausstellungs-Commission,	14 Tage nach Schluß der Ausstellung.
2	desgl.	Kirn a. d. Nahe,	17. bis 31 August,	desgl.,	Preußischen Staatsbahnen,	desgl.	4 Wochen nach Schluß der Ausstellung.

Bromberg, den 11. August 1890.

Königl. Eisenbahn-Direktion.

Bekanntmachungen anderer Behörden.

Die neu begründete, mit einem Gehalte von 600 Mk. verbundene Kreisthierarztstelle des Kreises Schubin mit dem Amtswohnsitze in der gleichnamigen Kreisstadt soll sogleich besetzt werden. Dem anzustellenden Kreisthierarzte wird aus Kreiskommunalfonds ein jährlicher Zuschuß von 1000 Mk., vorläufig auf die Dauer von 2 Jahren, gewährt werden. Auch dürfte dem betreffenden Veterinär die Ueberwachung und Controle des öffentlichen Schlachthauses in Schubin, dessen Errichtung beabsichtigt wird, übertragen werden. Qualificirte Bewerber wollen sich unter Einreichung ihrer Zeugnisse und eines Lebenslaufes binnen 4 Wochen bei mir melden. Bromberg, den 11. August 1890.

Der Regierungs-Präsident.

Personal-Chronik.

An Stelle des ausgeschiedenen Polizei-Präsidenten Wolffgramm ist der bisherige Königl. Landrath Dr. von Koseritz zum Polizei-Direktor in Potsdam ernannt und demselben die Stelle endgültig übertragen worden.

Die Försterstelle Steinstücken in der Oberförsterei Potsdam ist vom 1. Oktober d. J. ab dem Förster Ballot zu Briesenluch, Oberförsterei Colpin, übertragen worden.

Die Försterstelle Nassenheide in der Oberförsterei Neuholland ist vom 1. Oktober d. J. ab dem Förster Scheuermann zu Neuendorf, Oberförsterei Lehnin, übertragen worden.

Die Försterstelle Neuendorf in der Oberförsterei Lehnin ist vom 1. Oktober d. J. ab dem Förster Hoffmann zu Neu-Glienicke, Oberförsterei Neu-Glienicke, übertragen worden.

Die Försterstelle Sternschanze in der Oberförsterei Potsdam ist vom 1. Oktober d. J. ab dem Förster Regling zu Dollgow, Oberförsterei Menz, übertragen worden.

Der versorgungsberechtigte Jäger, Forstaufseher Wenzke zu Pichelsberg in der Oberförsterei Grunewald ist zum Königlichen Förster ernannt und demselben die Försterstelle Dollgow in der Oberförsterei Menz vom 1. Oktober d. J. ab übertragen worden.

Der versorgungsberechtigte Reserveoberjäger Forstaufseher Zinger zu Saugarten in der Oberförsterei Cunersdorf ist zum Königlichen Förster ernannt und demselben die Försterstelle Neu-Glienicke in der Oberförsterei Neu-Glienicke vom 1. Oktober d. J. ab übertragen worden.

Der versorgungsberechtigte Jäger Forstaufseher Wolff zu Niemegk in der Oberförsterei Dippmannsdorf ist zum Königlichen Förster ernannt und demselben die Försterstelle zu Alt-Thymen in der Oberförsterei Neu-Thymen vom 1. Oktober d. J. ab übertragen worden.

Der versorgungsberechtigte Jäger Forstaufseher Schwarzenstein zu Rehbrücke in der Oberförsterei Potsdam ist zum Königlichen Förster ernannt und demselben die Försterstelle Briesen in der Oberförsterei Colpin vom 1. Oktober d. J. ab übertragen worden.

Der Thierarzt Hermann Fielitz zu Neu-Ruppin ist als Kreis-Thierarzt des Kreises Ruppin endgültig angestellt worden.

Der bisherige Hülfsprediger Paul Martin Karl Heller ist zum Pfarrer der Parochie Petkus, Diözese Baruth, bestellt worden.

Der bisherige Pfarrer der Französisch-reformirten Gemeinde zu Friedrichsdorf (i. Taunus) Henri Frédéric Kleinhans ist zum Prediger an der Französischen Klosterkirche zu Berlin berufen worden.

Der bisherige Hülfsprediger Christian Daniel Berthold Trapp ist zum Pfarrer der Parochie Alt-Trebbin, Diözese Wriezen a. O., bestellt worden.

Die unter Privat-Patronat stehende Pfarrstelle zu Bentwisch, Diözese Perleberg, kommt durch die Versetzung des Pfarrers Hirsch zum 1. Oktober 1890 zur Erledigung.

Die unter magistratualischem Patronat stehende, aber diesmal vom Kirchenregiment zu besetzende Ober-Pfarrstelle zu Wittstock, Diözese gleichen Namens, kommt durch die Versetzung des Oberpfarrers Trappe demnächst zur Erledigung.

Der Gemeindeschullehrer Adolf Luers ist als ordentlicher Lehrer an der Margarethenschule zu Berlin angestellt worden.

Die Lehrerinnen Remmin, Lehmann, Herzhoff, Krahmer und Lackowitz sind als Gemeindeschullehrerinnen in Berlin angestellt worden.

Ausweisung von Ausländern aus dem Reichsgebiete.

Laufende Nr.	Name und Stand des Ausgewiesenen.	Alter und Heimath des Ausgewiesenen.	Grund der Bestrafung.	Behörde, welche die Ausweisung beschlossen hat.	Datum des Ausweisungs-Beschlusses.
1.	2.	3.	4.	5.	6.
		Auf Grund des § 362 des Strafgesetzbuchs:			
1	Carlo Baratti, Erdarbeiter,	geboren am 14. April 1854 zu Cerana, Provinz Novara, Italien, ortsangehörig ebendas.,	Landstreichen,	Kaiserlicher Bezirks-Präsident zu Colmar,	22. Juni 1890.
2	Anton Sachse, Tischlergeselle,	geboren im Jahre 1858 zu Wien, Oesterreich, ortsangehörig zu Prag, Böhmen,	Betteln im wiederholten Rückfall,	Königlich Sächsische Kreishauptmannschaft Zwickau,	30. Juni 1890.
3	Josef Simeck, Kaminkehrergehülfe,	geboren am 13. März 1864 zu St. Agathon, Frankreich, ortsangehörig zu Austaletz, Bezirk Klattau, Böhmen,	Landstreichen und Betteln,	Königlich Bayerisches Bezirksamt Eggenfelden,	18. Juli 1890.
4	Anton Thume, Kaufmann,	geboren am 9. September 1840 zu Georgswalde, Kreis Leitmeritz, Böhmen,	Betteln im wiederholten Rückfall,	Königlich Preußischer Regierungspräsident zu Magdeburg,	26. Juni 1890.
5	Johann Ullmann, Handarbeiter,	geboren am 6. Juni 1861 zu Hirschenstand, Bezirk Graslitz, Böhmen, ortsangehörig ebendaselbst,	desgleichen,	Königlich Sächsische Kreishauptmannschaft Zwickau,	30. Juni 1890.

Hierzu Zwei Oeffentliche Anzeiger.

(Die Insertionsgebühren betragen für eine einspaltige Druckzeile 20 Pf.
Belagsblätter werden der Bogen mit 10 Pf. berechnet.)
Redigirt von der Königlichen Regierung zu Potsdam.
Potsdam, Buchdruckerei der A. W. Hayn'schen Erben (C. Hayn, Hof-Buchdrucker).

Amtsblatt

der Königlichen Regierung zu Potsdam und der Stadt Berlin.

Stück 35. Den 29. August **1890.**

Bekanntmachungen des Königlichen Regierungs-Präsidenten.

162\. Nachweisung der an den Pegeln der Spree und Havel im Monat Juli 1890 beobachteten Wasserstände.

Datum.	Berlin. Ober- N. N. Wasser.	Berlin. Unter- N. N. Wasser.	Spandau. Ober-Wasser.	Spandau. Unter-Wasser.	Potsdam.	Baumgartenbrück.	Brandenburg. Ober-Wasser.	Brandenburg. Unter-Wasser.	Rathenow. Ober-Wasser.	Rathenow. Unter-Wasser.	Havelberg.	Plauer Brücke.
	Meter.	Meter.	Meter.	Meter.	Meter.	Meter.	Meter.	Meter.	Meter.	Meter.	Meter.	Meter.
1	32,48	30,70	2,24	0,64	1,04	—	2,02	1,16	1,32	0,92	2,00	—
2	32,46	30,70	2,24	0,70	1,04	—	2,00	1,18	1,32	0,90	1,98	—
3	32,47	30,68	2,24	0,64	1,05	—	2,00	1,18	1,32	0,90	1,96	—
4	32,47	30,70	2,24	0,70	1,05	—	2,00	1,18	1,32	0,90	1,94	—
5	32,46	30,70	2,22	0,68	1,05	—	2,02	1,18	1,32	0,90	1,92	—
6	32,48	30,70	2,20	0,70	1,05	—	1,98	1,18	1,32	0,90	1,90	—
7	32,42	30,66	2,24	0,68	1,05	—	2,00	1,18	1,32	0,90	1,88	—
8	32,44	30,70	2,22	0,68	1,05	—	2,02	1,18	1,32	0,86	1,90	—
9	32,43	30,68	2,22	0,68	1,04	—	2,00	1,20	1,32	0,86	1,94	—
10	32,44	30,68	2,22	0,66	1,05	—	2,00	1,18	1,32	0,90	1,94	—
11	32,44	30,68	2,22	0,70	1,05	—	2,00	1,20	1,32	0,88	1,90	—
12	32,40	30,68	2,22	0,68	1,05	—	2,00	1,20	1,32	0,88	1,88	—
13	32,42	30,68	2,22	0,60	1,04	—	2,00	1,20	1,32	0,88	1,84	—
14	32,44	30,68	2,22	0,68	1,03	—	2,00	1,20	1,32	0,86	1,80	—
15	32,44	30,70	2,22	0,66	1,03	—	2,00	1,20	1,32	0,86	1,78	—
16	32,44	30,72	2,22	0,62	1,03	—	2,00	1,22	1,32	0,86	1,76	—
17	32,44	30,68	2,22	0,60	1,02	—	1,98	1,18	1,82	0,86	1,74	—
18	32,44	30,70	2,20	0,62	1,01	—	1,98	1,20	1,32	0,86	1,72	—
19	32,44	30,70	2,16	0,60	1,01	—	1,98	1,18	1,32	0,86	1,70	—
20	32,44	30,70	2,16	0,58	1,00	—	1,98	1,16	1,32	0,86	1,72	—
21	32,42	30,70	2,16	0,60	0,99	—	1,98	1,14	1,32	0,84	1,78	—
22	32,42	30,72	2,16	0,64	0,99	—	1,96	1,14	1,32	0,84	1,78	—
23	32,42	30,70	2,16	0,64	1,00	—	1,98	1,10	1,32	0,82	1,80	—
24	32,42	30,68	2,14	0,66	1,01	—	1,96	1,10	1,32	0,80	1,78	—
25	32,42	30,68	2,14	0,64	1,03	—	1,96	1,08	1,32	0,80	1,76	—
26	32,44	30,68	2,12	0,68	1,03	—	2,00	1,08	1,32	0,78	1,74	—
27	32,46	30,68	2,12	0,60	1,03	—	2,06	1,68	1,32	0,78	1,74	—
28	32,45	30,70	2,12	0,64	1,02	—	2,04	1,10	1,32	0,78	1,72	—
29	32,44	30,70	2,16	0,66	1,03	—	2,02	1,08	1,32	0,78	1,70	—
30	32,44	30,70	2,16	0,64	1,03	—	2,00	1,08	1,32	0,76	1,70	—
31	32,44	30,70	2,14	0,66	1,02	—	1,98	1,08	1,32	0,76	1,68	—

Potsdam, den 25. August 1890. Der Regierungs-Präsident.

163\. Zu Beauftragten der Berufsgenossenschaft der Bekleidungsindustrie für die Kreise Teltow, Beeskow-Storkow, Jüterbog-Luckenwalde und Zauch-Belzig sind **Karl Goldschmidt**, Wollhutf.brik, und **Felix Heimann** in Firma **Förster & Comp.**, beide zu Luckenwalde, ernannt.

Potsdam, den 22. August 1890.

Der Regierungs-Präsident.

164\. Diesem Stück des Amtsblatts ist die Concession und ein Statutenauszug zum Geschäftsbetrieb in Preußen für die zu Wien domicilirte Versicherungs-Gesellschaft Oesterreichischer Phönix in einem Druckexemplar beigefügt worden, worauf noch besonders hierdurch aufmerksam gemacht wird.

Potsdam, den 22. August 1890.

Der Regierungs-Präsident.

Betrifft die schußfreien Tage auf dem Schießplatze bei Cummersdorf für 1890.

165. Unter Hinweis auf die Polizei-Verordnung vom 2. November 1875 — Amtsblatt Seite 366 — bringe ich hierdurch zur öffentlichen Kenntniß, daß die **schußfreien** Tage auf dem Schießplatze bei Cummersdorf für das Jahr 1890 wie folgt festgesetzt worden sind:

August: 31.
September: 1., 3., 7., 8., 10., 14., 15., 17., 21., 22., 24., 28., 29.
Oktober: 1., 5., 6., 8., 12., 13., 15., 19., 20, 22, 26., 27., 29.
November: 2., 3., 5., 9., 10., 12, 16., 17., 19., 23., 24., 26., 30.
Dezember: 3., 4., 7., 10., 11., 14., 17., 18., 21., 24., 25., 26., 28., 31.

Potsdam, den 19. August 1890.

Der Regierungs-Präsident.

Hebeammen-Lehrkurse des Jahres 1890|91.

166. Der diesjährige Lehrkursus in der Königlichen Hebeammen-Lehranstalt in Berlin beginnt am 1. Oktober und in der Hebeammen-Lehranstalt zu Frankfurt a. O. am 2. Oktober d. J.

Schülerinnen, welche zur Theilnahme an einem der Lehrkurse berufen, jedoch an jenen Tagen bis 9 Uhr Morgens in der Lehranstalt nicht eingetroffen sind, haben zu gewärtigen, daß sie nicht mehr zugelassen werden.

Bezüglich der Dauer der Lehrkurse und der Höhe der Kostenbeiträge verweise ich auf meine den Hebeammen-Unterricht betreffende Bekanntmachung vom 28. Juli 1885 (Stück 32 Seite 307 des Amtsblatts für 1885).

Potsdam, den 20. August 1890.

Der Regierungs-Präsident.

Verkündigung ortspolizeilicher Verordnungen in der Stadt Mittenwalde.

167. Auf Grund des § 144 Absatz 2 des Gesetzes über die allgemeine Landesverwaltung vom 30. Juli 1883 bestimme ich hierdurch unter Vorbehalt jederzeitigen Widerrufs, daß die von der Polizei-Verwaltung zu Mittenwalde in Gemäßheit des § 5 des Gesetzes über die Polizei-Verwaltung vom 11. März 1850 zu erlassenden ortspolizeilichen Vorschriften ihrem ganzen Inhalte nach in die in Mittenwalde erscheinende „Mittenwalder Zeitung" aufzunehmen sind, und daß hiervon ihre Gültigkeit abhängen soll.

Im Uebrigen verbleibt es bei den Bestimmungen meiner Verordnung vom 25. Juni 1886 — Beilage zum 28. Stück des Amtsblattes.

Potsdam, den 19. August 1890.

Der Regierungs-Präsident.

Die bei den größeren Truppenübungen fungirenden Gendarmerie-Patrouillen.

168. Der von der Stellung und den Befugnissen der Gendarmerie-Patrouillen bei größeren Truppenübungen handelnde § 4 des Anhangs zu der durch Allerhöchste Ordre vom 10. Juni 1890 genehmigten Feldgendarmerie-Ordnung, welcher lautet:

§ 4. **Stellung und Befugnisse.**

Landgendarmerie.

1) In den Befugnissen der zu den Manövern herangezogenen Landgendarmen tritt durch das Kommando eine Aenderung nicht ein.

Mannschaften.

2) Den von den Truppen kommandirten Begleitmannschaften wird die Befugniß beigelegt, in Ausübung ihres Dienstes, wie die Wachen, Zivilpersonen vorläufig festzunehmen, welche

a. den Anordnungen der Mitglieder der Gendarmerie-Patrouille thätlich sich widersetzen oder sonst keine Folge leisten,

b. sich der Beleidigung gegen die Mitglieder der Gendarmerie-Patrouille schuldig machen, falls die Persönlichkeit des Beleidigers nicht sofort festgestellt werden kann.

3) Militairpersonen gegenüber haben die Begleitmannschaften in Ausübung des Dienstes die Befugnisse eines Wachthabenden.

4) Machen marschirende Truppenbagagen (§ 3) das Einschreiten der Gendarmerie-Patrouille zur Aufrechterhaltung der Ordnung erforderlich, so ist dies dem Führer der Bagage bezw. dessen Stellvertreter anzuzeigen.

Stellt derselbe die ihm kundgegebenen Unregelmäßigkeiten nicht ab, so darf die Patrouille doch ihre Dienstgewalt gegen die ersterem unterstellten Personen nicht geltend machen, und übernimmt dann der Führer die Verantwortung. Die Patrouille macht alsdann dem etwa vorhandenen Gendarmerie-Offizier oder Oberwachtmeister, andernfalls unmittelbar dem Leitenden des Manövers über den Vorfall Meldung.

wird hierdurch zur öffentlichen Kenntniß gebracht.

Derselbe ist an die Stelle des § 9 der Instruktion vom 8. Mai 1883 — vergl. Amtsblatt von 1883 Seite 206 — getreten

Potsdam, den 25. August 1890.

Der Regierungs-Präsident.

Fischerei-Aufsicht.

169. Im Anschluß an meine Bekanntmachung vom 20. September 1889 — Amtsbl. S. 352 — bringe ich hierdurch zur öffentlichen Kenntniß, daß der Königliche Forstaufseher Schneider zu Beerenbusch, Oberförsterei Menz, zum Fischerei-Aufseher im Nebenamte für

a. die nordöstlich vom Forsthaus Stechlin belegene Bucht des Gr. Stechliner See's,

b. die östlich der vorigen belegene kleinere Bucht desselben See's,

c. die dem Wulwitz-See gegenüber belegene nördliche Bucht des Nehmitz-See's,

d. den Breutzen-See;

und zwar neben dem unter № 14 der Eingangs bezeichneten Bekanntmachung aufgeführten Königlichen Förster Boas zu Forsthaus Stechlin ernannt worden ist.

Potsdam, den 22. August 1890.

Der Regierungs-Präsident.

Viehseuchen.

170. Festgestellt ist:

der Milzbrand bei einem Ochsen des Rittergutspächters Balzer zu Groß-Rietz, Kreis Beeskow-Storkow;

die Maul- und Klauenseuche unter dem Rindviehbestande des Ritterguts Zeestow I., Kreis Osthavelland.

Potsdam, den 26. August 1890

Der Regierungs-Präsident.

Bekanntmachungen des Königlichen Polizei-Präsidiums zu Berlin.

Bekanntmachung.

70. Diesem Stück des Amtsblattes ist eine Beilage, enthaltend die Concession und die Statuten der Bremer Lebensversicherungs-Bank, beigefügt, worauf ich mit dem Bemerken hierdurch hinweise, daß der Subdirektor Karl Ulrich in Berlin, Friedrichstraße Nr. 123, zum Generalbevollmächtigten der Bank für Preußen mit dem Domicil in Berlin bestellt worden ist.

Berlin, den 4. August 1890.

Der Polizei-Präsident.
In Vertretung: Friedheim.

Bekanntmachung

71. Eine Prämie von Drei Mark erhält Jeder, welcher **zuerst** ein Feuer meldet, falls derselbe nicht selbst vom Feuer betroffen ist, oder zu dem Hausstande bezw. den nächsten Angehörigen des vom Feuer Betroffenen gehört.

Erfolgt die Feuermeldung auf einem Polizei-Revier oder einer Feuerwache, so erhält der Meldende hierüber gleich eine Legitimationskarte daselbst ausgefertigt. Wird ein Feuer dagegen durch einen öffentlichen oder privaten Feuermelder oder durch Telephon gemeldet, so muß der Meldende die Ankunft der Feuerwehr an dem Ort, von wo die Meldung ergangen ist, erwarten, um die Legitimationskarte über die erfolgte Meldung in Empfang zu nehmen.

Die Meldeprämie kann unter Rückgabe der Legitimationskarte gegen Quittung auf jeder Feuerwache erhoben werden; wird dieselbe nicht innerhalb 8 Tagen in Empfang genommen, so geht das Anrecht auf Zahlung verloren. Berlin, den 22. August 1890.

Der Polizei-Präsident.

Bekanntmachungen des Staatssekretairs des Reichs-Postamts.

Postpacketverkehr mit Griechenland.

19. Nachdem Griechenland dem Uebereinkommen des Weltpostvereins in Betreff des Austausches von Postpacketen beigetreten ist, können fortan durch Vermittelung der Griechischen Postverwaltung Postpackete ohne Werthangabe bis zum Gewicht von 3 kg nach Aeghion (Vostiza), Argostoli, Arta, Athen, Calamata, Chalcis, Corfu, Korinth, Lamia, Larissa, Missolonghi, Nauplia, Patras, Pyräus, Pyrgos, Sparta, Syra, Triccala, Tripolitza, Volo und Zante befördert werden. Für solche Postpackete hat der Absender an Porto zu entrichten: a. bei der Leitung über Triest 1 M. 80 Pf., b. bei der Leitung über Italien (Brindisi) 2 M.

Berlin W., 16. August 1890.

Der Staatssecretär des Reichs-Postamts.

Bekanntmachungen der Kaiserlichen Ober-Postdirektion zu Potsdam.

81. Bei der Kaiserlichen Ober-Postdirektion in Potsdam lagern nachbezeichnete Postsendungen und Gegenstände, welche den Absendern bez. den Eigenthümern nicht haben zurückgegeben werden können.

A. Eine Postanweisung an Fräulein Catharina Maschladk in Goczyowo bei Bentschen über 1 Mark, aufgeliefert am 10. April d. J. in Ketzin (Havel).

B. Ein gewöhnlicher Zollstock aufgefunden am 15 September 1889 nach beendeter Fahrt der Personenpost von Halbe nach Teupitz im Innern des Postwagens.

Die unbekannten Absender bez. Eigenthümer der vorstehend bezeichneten Gegenstände werden aufgefordert, binnen 4 Wochen ihre Ansprüche geltend zu machen, widrigenfalls nach Maßgabe der gesetzlichen Bestimmungen verfahren werden wird.

Potsdam, den 18. August 1890.

Der Kaiserliche Ober-Postdirektor.

Bekanntmachungen der Kgl. Direktion der Rentenbank für die Provinz Brandenburg.

9. Die Rentenbank-Kasse, Klosterstraße Nr. 76 I hierselbst, wird a die am 1. Oktober d. J fälligen Zinsscheine der Rentenbriefe **aller Provinzen** schon vom 18. bis einschließlich 24. September d. J. und b. die ausgeloosten, am 1. Oktober d. J fälligen Rentenbriefe der **Provinz Brandenburg** vom 22. bis einschließlich 25. September d. J. einlösen und demnächst vom 1. Oktober d. J. ab mit der Einlösung fortfahren. Berlin, den 16. August 1890.

Königliche Direktion
der Rentenbank für die Provinz Brandenburg.

Bekanntmachungen der Königlichen Eisenbahn-Direktion zu Berlin.

33. Auf der Berliner Stadt- und Ringbahn wird die für die Beförderung von Hunden in den für die Reisenden bestimmten Wagenabtheilungen sowohl in der II als in der III. Klasse fortan auf kleine Hunde, welche auf dem Schoße getragen werden, beschränkt. Andere Hunde werden bis auf Weiteres versuchsweise zur Beförderung in dem Dienstraume des Zugführers zugelassen, falls deren Begleiter dort Platz nehmen.

Berlin, den 20. August 1890.

Königliche Eisenbahn-Direktion.

Ostdeutsch-Oesterreichischer Verband, Theil II.

34. Am 1. Oktober 1890 tritt ein neues Tarifheft 1 mit direkten Frachtsätzen zwischen Stationen der Böhmischen Nordbahn, Kaiser Ferdinands-Nordbahn, Mährisch-Schlesischen Centralbahn, k. k. Oesterreichischen Staatsbahnen, Oesterreichischen Nordwestbahn und Oesterreichisch-Ungarischen Staatseisenbahn-Gesellschaft einerseits und den Stationen des Direktionsbezirks Breslau sowie Station Breslau Freiburger und Märkischer Bahnhof andererseits in Kraft. Durch dieses

Heft, welches theils Verkehrs-Erweiterungen und Tarifermäßigungen, theils Verkehrs-Beschränkungen und Tariferhöhungen enthält, wird der bisherige ostdeutsch-österreichische Verbandtarif Theil II., Heft 1 vom 15. April 1885 nebst den Nachträgen I.—XII. und die zu diesem Tarifheft nach Erscheinen des Nachtrags XII im Wege der Bekanntmachung eingeführten Maßnahmen aufgehoben. Druckabzüge des Tarifheftes sind bei dem hiesigen Auskunftsbüreau, Bahnhof Alexanderplatz, zum Preise von 2,15 M. das Stück zu beziehen.

Berlin, den 15. August 1890.

Königliche Eisenbahn-Direktion.

Deutscher Levante-Verkehr über Hamburg seewärts.

85. Am 15. August d. Js. ist der Nachtrag I. zum Tarif für den obenbezeichneten Verkehr in Kraft getreten. Derselbe enthält neben Berichtigungen und Ergänzungen der Beförderungsbestimmungen der Güterklassifikation und des Tarifs neue Frachtsätze für verschiedene diesseitige, sowie Stationen anderer betheiligter Bahnen. Die bei Station Seidenberg berichtigten höheren Frachtsätze treten eist am 26. September d. J. in Wirksamkeit. Berlin, den 18 August 1890

Königliche Eisenbahn-Direktion.

Bekanntmachungen der Königlichen Eisenbahn-Direktion zu Bromberg.

49. Für diejenigen Gegenstände, welche auf der vom 23. bis 25. August d. J. in Leipzig stattfindenden Ausstellung für das Drechslergewerbe und die damit verwandten Gewerbe ausgestellt werden und unverkauft bleiben, wird auf den Strecken der Preußischen Staatsbahnen, sowie der thüringischen Privatbahnen eine Frachtbegünstigung in der Art gewährt, daß für die Hinbeförderung die volle tarifmäßige Fracht berechnet wird, die Rückbeförderung an die Versandstation und den Aussteller des der Sendung auf dem Hinwege beigegebenen Frachtbriefes aber frachtfrei erfolgt, wenn durch Vorlage dieses Frachtbriefes, sowie durch eine Bescheinigung des Ausstellungsvorstandes nachgewiesen wird, daß die fraglichen Gegenstände ausgestellt gewesen und unverkauft geblieben sind, und wenn die Rückbeförderung innerhalb 4 Wochen nach Schluß der Ausstellung stattfindet. Ist von einer Sendung Ausstellungsgut nur ein Theil unverkauft geblieben, so wird die frachtfreie Rücksendung nur für den betreffenden Theil gewährt.

In den ursprünglichen Frachtbriefen über die Hinsendung sind die betreffenden Sendungen als „Ausstellungsgut" zu bezeichnen, auch ist darin ausdrücklich zu vermerken, daß die mit denselben aufgegebenen Sendungen durchweg aus Ausstellungsgut bestehen.

Werden bei der Hinsendung Ausstellungsgüter mit anderen Gütern zu einer Frachtbriefsendung vereinigt, so ist die frachtfreie Rückbeförderung für eine Theilsendung ausgeschlossen.

Die Rückbeförderung darf nur in einer Sendung an den Aussteller des Frachtbriefes über die Hinbeförderung erfolgen. Die frachtfreie Rücksendung in mehreren Theilsendungen unter wiederholter Vorlage des Frachtbriefes über die Hinsendung ist nicht statthaft.

Für die als Gepäck aufgegebenen Gegenstände ist frachtfreie Rückbeförderung ausgeschlossen.

Das auf dem Heimwege eilgutmäßig beförderte Gut wird auf dem Rückwege nur auf besonderes Verlangen (bei Aufgabe mit rothem Frachtbriefe) als Eilgut, sonst aber als Frachtgut befördert.

Bei der Rückbeförderung ist Werthdeklaration zulässig, soweit nicht reglementarische Bestimmungen entgegenstehen, Interessedeklaration dagegen ausgeschlossen.

Für die Beförderung von Begleitern wird keine Vergünstigung gewährt.

Für die bei der frachtfreien Rückbeförderung eintretenden besonderen Leistungen (Verwiegen, Verladen, Versicherungen u. s. w.) werden die in den Tarifen oder durch besondere Bestimmungen festgesetzten Nebengebühren erhoben.

Bromberg, den 21. August 1890.

Königl. Eisenbahn-Direktion.

Personal-Chronik.

Des Kaisers und Königs Majestät haben mittelst A. C.-O. vom 10. August 1890 geruht, den Regierungs-Rath **Joachimi** zu Potsdam zum Stellvertreter des Regierungs-Präsidenten im Bezirks-Ausschuß daselbst auf die Dauer seines Haupt-Amtes am Sitze des letzteren zu ernennen.

Im Kreise Ruppin ist an Stelle des aus dem Bezirke verzogenen Rittergutspächters **Troll** zu Walsleben der bisherige Stellvertreter, Gutspächter **Knoop** zu Wahlendorf zum Amtsvorsteher, und für diesen der Schulze **Papenbrock** zu Mäzelin zum Amtsvorsteher-Stellvertreter des 15. Amtsbezirks Walsleben ernannt worden.

Im Kreise Westhavelland ist der Gemeindevorsteher **Künne** zu Pessin nach Ablauf seiner Amtszeit aufs Neue zum Amtsvorsteher-Stellvertreter des 14. Bezirks Pessin ernannt worden.

Im Kreise Angermünde sind der Gutsbesitzer **Wölle** zu Warnitz und der Amtmann **Graef** zu Bertikow, deren Dienstzeit mit dem 6. und 15. September d. Js. abläuft, auf's Neue zum Amtsvorsteher bezw. dessen Stellvertreter für den 1. Bezirk Seehausen ernannt worden.

Im Kreise Oberbarnim ist an Stelle des aus dem Dienste geschiedenen Administrators **Frick** zu Beerbaum der Lieutenant der Reserve **Gravenstein** zu Sydow zum Amtsvorsteher des 8. Bezirks Grünthal ernannt worden.

Im Kreise Osthavelland ist der Gemeindevorsteher **Kraatz** zu Markee nach Ablauf seiner Amtszeit von Neuem zum Amtsvorsteher-Stellvertreter für den 29. Bezirk Bredow ernannt worden.

Der Landmesser Otto **Boedecker** ist zum Kataster-Landmesser ernannt worden.

Die commissarische Verwaltung der durch das Ableben des Kreisthierarztes Hermann **Krüger** erledigten Kreisthierarztstelle des Kreises Templin ist dem Thierarzt Otto **Müller** in Templin, früher in Osterburg, übertragen worden,

Die Versetzung des Försters Scheuermann von Neuendorf nach Nassenheide, des Försters Hoffmann von Neu-Glienicke nach Neuendorf und des Forstaufsehers Zinger nach Neu-Glienicke ist aufgehoben worden.

Der versorgungsberechtigte Reserve-Oberjäger Forstaufseher Zinger zu Saugarten in der Oberförsterei Cunersdorf ist zum Königlichen Förster ernannt und demselben die Försterstelle Nassenheide in der Oberförsterei Neuholland vom 1. Oktober d. J. ab übertragen worden.

Der bisherige II. Prediger an dem Evangelischen Johannisstift in Berlin, Diözese Berlin II., Emil Ferdinand August Dumrese ist zum Vorsteher und Pfarrer an dem genannten Stift bestellt worden.

Der bisherige Predigtamts-Kandidat Otto Adolf Karl Johannes Zander ist zum Diakonus in Lenzen, Diözese gleichen Namens, bestellt worden.

Vermischte Nachrichten.

Verzeichniß der Vorlesungen
an der Königlichen Landwirthschaftlichen Hochschule zu Berlin, Invalidenstraße Nr. 42, im Winter-Semester 1890/91.

1. Landwirthschaft, Forstwirthschaft und Gartenbau.

Professor Dr. Orth: Allgemeine Acker- und Pflanzenbaulehre (Bodenkunde, Ent- und Bewässerung incl. Wiesenbau, Düngerlehre). Repetitorium der Ackerbaulehre. Prakticum im agronomisch-pedologischen Laboratorium, in Verbindung mit Dr. Bersu. — Professor Dr. Werner: Landwirthschaftliche Betriebslehre. Landwirthschaftliche Buchführung. Geschichtlicher Umriß der deutschen Landwirthschaft. Abriß der landwirthschaftlichen Productionslehre, Theil I.: Acker- und Pflanzenbau. Landwirthschaftliche Taxationslehre. — Professor Dr. Lehmann: Allgemeine Thierzuchtlehre. Schafzucht und Wollkunde. Landwirthschaftliche Fütterungslehre. — Ingenieur Schotte: Landwirthschaftliche Maschinenkunde. Prinzipien der Mechanik und Maschinenlehre. Zeichenübungen. — Forstmeister Krieger: Waldbau. Forstbenutzung, und zwar Gewinnung und Zugutemachung der Forstnebennutzungen. — Garten-Inspector Lindemuth: Obstbau.

2. Naturwissenschaften.

a. Botanik und Pflanzenphysiologie. Professor Dr. Kny: Anatomie und Entwickelungsgeschichte der Pflanzen, in Verbindung mit mikroskopischen Demonstrationen. Einführung in den Gebrauch des Mikroskops. Arbeiten für Fortgeschrittenere im botanischen Institut. — Professor Dr. Frank: Ernährung der Pflanzen. Krankheiten der Culturpflanzen. Pflanzenpathologisches Prakticum. Arbeiten für Fortgeschrittenere im pflanzenphysiologischen Institut. — Professor Dr. Wittmack: Samenkunde. Verfälschung der Nahrungs- und Futtermittel. Anleitung zu eigenen Arbeiten in der botanischen Abtheilung des Museums.

b. Chemie und Technologie. Geheimer Regierungs-Rath, Professor Dr. Landolt: Anorganische Experimentalchemie. Großes chemisches Prakticum. Kleines chemisches Prakticum. — Professor Dr. Delbrück: Spiritus-, Preßhefe- und Stärkefabrication nebst Uebungen. — Privatdocent Dr. Hayduck: Gährungs-Chemie. — Privatdocent Dr. Marckwald: chemische Untersuchung landwirthschaftlicher Producte.

c. Mineralogie, Geologie und Geognosie. Prof. Dr. Gruner: Geognosie und Geologie. Bodenkunde und Bonitirung. Uebungen zur Bodenkunde.

d. Physik. Professor Dr. Börnstein: Experimental-Physik, I. Theil. Ausgewählte Kapitel der mathematischen Physik. Physikalische Uebungen. Wetterkunde.

e. Zoologie und Thierphysiologie. Professor Dr. Nehring: Zoologie und vergleichende Anatomie, mit besonderer Berücksichtigung der Wirbelthiere. Die jagdbaren Säugethiere und Vögel Deutschlands. Zoologisches Colloquium. — Dr. Karsch: Ueber die der Landwirthschaft nützlichen und schädlichen Insecten, mit besonderer Berücksichtigung der Bienenzucht und des Seidenbaues. — Professor Dr. Zuntz: Physiologie des thierischen Stoffwechsels. Gesundheitspflege der Hausthiere. Arbeiten im thierphysiologischen Laboratorium.

3. Veterinärkunde.

Prof. Dr. Dieckerhoff: Seuchen und parisitische Krankheiten der Hausthiere. — Professor Müller: Anatomie der Hausthiere (Eingeweide), verbunden mit Demonstrationen. — Oberroßarzt Küttner: Hufbeschlagslehre.

4. Rechts- und Staatswissenschaft.

Professor Dr. Sering: Agrarwesen, Agrarpolitik und Landesculturgesetzgebung in Deutschland. Nationalökonomische Uebungen im staatswissenschaftlichen Seminar. Reichs- und preußisches Recht, mit besonderer Rücksicht auf die für den Landwirth, Landmesser und Culturtechniker wichtigen Rechtsverhältnisse; I. Theil: Staats- und Verwaltungsrecht.

5. Culturtechnik und Baukunde.

Meliorations-Bauinspector Gerhardt: Culturtechnik. Entwerfen culturtechnischer Anlagen. Culturtechnisches Seminar. — Professor Schlichting: Wasserbau. Brücken- und Wegebau. Entwerfen wasserbaulicher Anlagen.

6. Geodäsie und Mathematik.

Professor Dr. Vogler: Ausgleichungsrechnung. Landesvermessung. Praktische Geometrie. Meßübungen. Geodätisches Seminar. Zeichenübungen. Uebungen zur Landesvermessung — mit dem Assistenten Hegemann. Geodätische Rechenübungen — mit dem Assistenten Friebe. — Professor Dr. Börnstein: Darstellende Geometrie. Uebungen zur Algebra und darstellenden Geometrie — mit den Assistenten Friebe und Seiffert. — Professor Dr. Reichel: Analytische Geometrie und Analysis. Mathematische Uebungen.

Das Winter-Semester beginnt am 15. Oktober 1890. — Programme sind durch das Secretariat zu erhalten.

Berlin, den 12. Juli 1890.

Der Rector der Königl. Landwirthschaftlichen Hochschule.

Wittmack.

Ausweisung von Ausländern aus dem Reichsgebiete.

Lauf. Nr.	Name und Stand des Ausgewiesenen.	Alter und Heimath des Ausgewiesenen.	Grund der Bestrafung.	Behörde, welche die Ausweisung beschlossen hat.	Datum des Ausweisungs-Beschlusses.
1.	2.	3	4	5.	6.
		a. Auf Grund des § 39 des Strafgesetzbuchs:			
1	Josef Käppeli, Dienstknecht,	geboren am 8. Januar 1860 zu Mühlau, Kanton Aargau, Schweiz, ortsangehörig daselbst,	wiederholter schwerer Diebstahl (1 Jahr sechs Monat Zuchthaus laut Erkenntniß vom 25sten Februar 1889),	Kaiserlicher Bezirks-Präsident zu Colmar,	30. Juli 1890.
		b. Auf Grund des § 362 des Strafgesetzbuchs:			
2	Louis Festini, Erdarbeiter,	26 Jahre alt, ortsangehörig zu Comelico, Provinz Belluno, Italien,	Landstreichen,	Kaiserlicher Bezirks-Präsident zu Colmar,	24. Juli 1890.
3	Alois Frank, Schreiber,	geboren am 2. Mai 1860 zu Prag, Böhmen, ortsanhehörig ebendaselbst,	desgleichen,	Königlich Preußischer Regierungspräsident zu Magdeburg,	9. April 1890.
4	Josef Häfliger, Müllerknecht,	38 Jahre alt, ortsangehörig zu Langnau, Schweiz,	desgleichen,	Kaiserlicher Bezirks-Präsident zu Colmar,	24. Juli 1890.
5	Christian von Herzog, Schauspieler,	26 Jahre alt, aus Rotterdam, Niederlande ohne Wohnsitz,	Landstreichen und Betteln,	derselbe,	26. Juli 1890.
6	Karl Simon Kolasch, Bahnarbeiter,	geboren am 2. Februar 1845 zu Moldaudeni, Bezirk Budweis, Böhmen, Oesterreichischer Staatsangehöriger,	Betteln im wiederholten Rückfall,	Königlich Preußischer Regierungspräsident zu Merseburg,	desgleichen.
7	Alfonso Menia, Tagelöhner,	geboren am 14. September 1871 zu Belluno, Italien, ortsangehörig ebendaselbst,	Landstreichen u. Betteln,	Großherzoglich Badischer Landeskommissär zu Freiburg,	29. Juli 1890.
8	Heinrich Müller, Kellner,	38 Jahre alt, geboren und ortsangehörig zu Starkenbach, Böhmen,	Landstreichen,	Stadtmagistrat Deggendorf, Bayern,	17. Juli 1890.
9	Izik Okuniewski (Itzig Okinnowski), Handelsmann,	geboren am 28. Februar (oder 26. März) 1828 zu Nowogrod, Gouvernement Lomza, Russisch-Polen, ortsangehörig ebendaselbst,	Landstreichen u. Betteln,	Königlich Preußischer Regierungspräsident zu Osnabrück,	30. Juli 1890.

Hierzu

1) eine Beilage, enthaltend die Concession und einen Statutenauszug der zu Wien domicilirten Versicherungs-Gesellschaft Oesterreichischer Phönix,
2) eine Beilage, enthaltend die Concession und die Statuten der Bremer Lebensversicherungs-Bank,
3) eine Extra-Beilage, enthaltend die Concession und einen Auszug des Gesellschaftsvertrages der Aktien-Gesellschaft The Porous Waterproofing Company, Limited zu Liverpool,

sowie Drei Oeffentliche Anzeiger.

(Die Insertionsgebühren betragen für eine einspaltige Druckzeile 20 Pf.
Belagsblätter werden der Bogen mit 10 Pf. berechnet.)

Redigirt von der Königlichen Regierung zu Potsdam.

Potsdam, Buchdruckerei der A. W. Hayn'schen Erben (C. Hayn, Hof-Buchdrucker).

Extra-Beilage

zum 35sten Stück des Amtsblatts
der Königlichen Regierung zu Potsdam und der Stadt Berlin.

Den 29. August 1890.

Bekanntmachungen des Königlichen Polizei-Präsidiums zu Berlin.

Bekanntmachung.

69. Der zu Liverpool unter der Firma The Porous Waterproofing Company, Limited bestehenden Aktiengesellschaft ist vom Herrn Minister für Handel und Gewerbe am 5. April 1890 die Erlaubniß zum Geschäftsbetriebe in Preußen ertheilt worden.

Nachstehend bringe ich diese Erlaubniß, sowie im Auszug den Gesellschaftsvertrag und die Gesellschaftsartikel mit dem Bemerken zur öffentlichen Kenntniß, daß der Kaufmann Fritz Doller, Hinderſinstraße Nr. 14 in Berlin zum Generalbevollmächtigten der genannten Gesellschaft für das Königreich Preußen ernannt worden ist.

Berlin, den 15. August 1890.

Der Polizei-Präsident.

*

Original hat ein eine halbe Mark Stempel.

Der zu Liverpool unter der Firma The Porous Waterproofing Company, Limited bestehenden Aktien-Gesellschaft wird die Erlaubniß zum Geschäftsbetriebe in Preußen auf Grund des § 18 der Gewerbe-Ordnung vom 17. Januar 1845 und des Gesetzes vom 22. Juni 1861 (§ 12 der Gewerbe-Ordnung vom 21. Juni 1869) hiermit unter folgenden Bedingungen ertheilt:

1) Die Erlaubniß und ein von dem Königlichen Polizei-Präsidenten zu Berlin festzustellender Auszug des Statuts und etwaige Aenderungen der in diesem Auszuge enthaltenen Bestimmungen sind auf Kosten der Gesellschaft in dem Amtsblatt der Königlichen Regierung zu Potsdam und der Stadt Berlin in Deutscher Uebersetzung zu öffentlicher Kenntniß zu bringen.
2) Für jede Aenderung oder Ergänzung des Statuts ist die Zustimmung des Königlich Preußischen Ministers für Handel und Gewerbe zu erwirken.
3) In allen Prospekten und Bekanntmachungen der Gesellschaft ist als Gesellschaftsvermögen und Grundkapital nur das wirklich gezeichnete Aktien-Kapital aufzuführen.
4) Die Gesellschaft ist verpflichtet, in Berlin eine Zweigniederlassung mit einem Geschäftslokale und einem dort domicilirten General-Bevollmächtigten zu begründen und von diesem Orte aus regelmäßig ihre Verträge mit Preußischen Unterthanen abzuschließen, sowie auch wegen aller aus ihren Geschäften mit solchen entstehenden Verbindlichkeiten bei den Gerichten jenes Ortes als Beklagte Recht zu nehmen.
5) Dem Königlichen Polizei-Präsidenten zu Berlin ist in den ersten vier Monaten jedes Geschäftsjahrs
   a. die General-Bilanz der Gesellschaft,
   b. eine Special-Bilanz der Preußischen Geschäfts-Niederlassung, in welcher das in Preußen befindliche Aktivum abgesondert von den übrigen Aktivis nachzuweisen ist, einzureichen.

   Dem genannten Königlichen Polizei-Präsidenten bleibt vorbehalten, nähere Grundsätze für die Aufstellung der Special-Bilanz festzusetzen und nähere Erläuterungen über die darin aufzunehmenden Positionen zu verlangen.
6) Der General-Bevollmächtigte hat sich auf Erfordern des Königlichen Polizei-Präsidenten zu Berlin zum Vortheile sämmtlicher Preußischen Gläubiger der Gesellschaft persönlich und erforderlichen Falls unter Stellung zulänglicher Sicherheit zu verpflichten, für die Richtigkeit der eingereichten Special-Bilanz einzustehen.
7) Die Erlaubniß kann zu jeder Zeit und ohne daß es der Angabe von Gründen bedarf, nach dem Ermessen der Königlich Preußischen Staatsregierung zurückgenommen und für erloschen erklärt werden.
8) Die Befugniß zum Erwerbe von Grundeigenthum in Preußen wird nicht schon durch diese Erlaubniß, sondern erst durch besondere, in jedem einzelnen Falle nachzusuchende landesherrliche Erlaubniß erlangt.

Berlin, den 5. April 1890.

(L. S.)

Der Minister für Handel und Gewerbe.
Im Auftrage
gez. von Wendt.

Erlaubniß zum Geschäftsbetriebe in Preußen für die Aktiengesellschaft The Porous Waterproofing Company, Limited zu Liverpool. B. 1972.

* * *

Auszug.

Gesellschaftsvertrag der Imprägnirungs-Aktiengesellschaft.

1) Der Name der Gesellschaft ist, die Imprägnirungs-Aktiengesellschaft (Porous Waterproofing Company Limited).

2) Der eingetragene Geschäftssitz der Gesellschaft wird in England belegen sein.

3) Die Zwecke, zu welchen die Gesellschaft begründet ist, sind folgende:

(1) Einen vom 7. Juni 1889 datirten Vertrag zwischen Fritz Doller und Eduard Daus auf der einen Seite, James George Smith aus der Stadt Liverpool auf der andern Seite und schließlich Martin Luther Hall für diese Gesellschaft zu übernehmen und mit oder ohne Abänderungen auszuführen.

(2) Zu kaufen oder anderweitig von den Herren Doller und Daus aus Hamburg oder von irgend welcher andern Person, beziehungsweise Personen, das Geheimniß ihres Verfahrens zu erwerben, um Textilstoffe irgend welcher Art und andere Materialien zu imprägniren und das Verfahren in Betrieb zu setzen, sowie das bisher von den Herren Doller und Daus in Hamburg im Kaiserreiche Deutschland betriebene Geschäft zu kaufen, ebenso wie das Geschäftsvermögen, einschließlich der Ländereien, Baulichkeiten, Pflanzen, Maschinen, Geschäftsutensilien, Lager, angefertigte, sowie in der Anfertigung begriffene Waaren, sowie ferner die mit Bezug auf das gedachte Geschäft abgeschlossenen Verträge, die Buch- und anderen Schulden und alle oder einzelne Activa des gedachten Geschäfts zu übernehmen, sowie ferner in Verbindung hiermit alle Patente, brévets d'invention, Licenzen, Concessionen und Aehnliches, wodurch irgend ein ausschließliches oder nicht ausschließliches oder beschränktes Recht gewährt wird, eine Erfindung zu benutzen, welche den Zwecken der Gesellschaft dienlich sein, oder deren Erwerb direkt oder indirekt für die Zwecke der Gesellschaft berechnet sein kann, zu kaufen oder anderweitig zu erwerben, sowie ferner, das so erworbene Eigenthum resp. die Rechte in Benutzung zu nehmen, auszuüben und weiter zu entwickeln, oder Licenzen mit Bezug hierauf zu bewilligen oder in anderer Weise zu verwerthen.

(3) Geschäfte als Ingenieure, Fabrikanten und Händler von jeder Art Imprägnirungsstoff, als Gerber, Lederhändler, Papierfabrikanten, Spinner, Färber, Weber und Fabrikanten jeder Art der Textilbranche, als Tuchmacher, Segel- und Zeltfabrikanten, als Seil- und Netzmacher, Filz- und Hutmacher zu betreiben, sowie jedes andere Geschäft in Betrieb zu nehmen, welches in Verbindung mit dem vorstehenden, möglicherweise zweckmäßig für die Gesellschaft ausgeübt werden kann, oder welches direkt oder indirekt dazu bestimmt sein mag, den Werth des Eigenthums und und der Rechte der Gesellschaft zu vergrößern oder nutzbar zu machen.

(4) Zu kaufen oder anderweitig zu erwerben und zu übernehmen die Gesammtheit oder einen Theil von Geschäften, Eigenthum und Verbindlichkeiten von irgend einer Person oder Gesellschaft, welche irgend ein Geschäft betreibt, welches diese Gesellschaft zu betreiben befugt ist, oder welche Eigenthum besitzt, welches für die Zwecke der Gesellschaft geeignet ist.

(5) Irgend welche Fabriken, Waarenhäuser und andere Betriebe, welche irgend welchen Zwecken der Gesellschaft förderlich sein können, herzustellen, zu betreiben, in Betrieb zu erhalten, zu verbessern, zu leiten, zu bearbeiten, controlliren und beaufsichtigen, sowie zu solchen Operationen beizusteuern, sie zu unterstützen, ihnen aufzuhelfen oder daran Theil zu nehmen.

(6) Die Gesellschaft in irgend einem fremden Lande oder Orte eintragen oder anerkennen zu lassen.

(7) Mit irgend welchen Regierungen oder Behörden, sei es städtischen, localen oder anderen, irgend welche Vereinbarungen zu treffen und von solchen Regierungen oder Behörden alle Rechte, Concessionen und Privilegien, welche den Zwecken der Gesellschaft oder einigen derselben förderlich sein dürften, zu erwerben.

(8) Mit Personen oder Gesellschaften, welche irgend ein Geschäft betreiben oder betreiben wollen, zu dessen Betrieb diese Gesellschaft befugt ist, oder welche ein Geschäft oder eine Transaction in die Hand nehmen, welches direkt oder indirekt so ausgeführt werden kann, daß es dieser Gesellschaft von Vortheil sein kann, einen Gesellschaftsvertrag abzuschließen oder ein Abkommen auf Theilung des Gewinns auf Interessen-Gemeinschaft, auf wechselseitige Concessionen oder Mitwirkung einzugehen, sowie Aktien, Geschäftsvermögen, Pfandsicherheiten solcher Person oder Gesellschaft zu nehmen, oder anderweit zu erwerben und zu besitzen, sowie solcher Gesellschaft Subsidien zu geben, oder anderweit zu unterstützen und derartige Aktien und Pfandsicherheiten zu verkaufen, zu behalten, wieder in Umlauf zu setzen oder andere Geschäfte darin zu machen.

(9) Irgend welches dingliches oder persönliches Eigenthum, sowie anderweite Rechte oder Privilegien, welche die Gesellschaft für erforderlich oder für diese Zwecke dienlich erachten sollte, oder welche möglicherweise mit Bezug auf das Eigenthum und die Rechte dermalig vortheilhaft verwerthet werden können, ins Besondere Ländereien, Baulichkeiten, Servituten, Licenzen, Patente, Maschinen, Triebwerke, Schiffe, Lichter, Betriebsmaterialien, Pflanzenmaterial und Geschäftsvermögen, generell zu kaufen, zu pachten oder einzutauschen, zu miethen oder anderweitig zu erwerben.

(10) Bei der Errichtung und Unterstützung von Gesellschaften oder Instituten Beihülfe zu leisten, welche möglicherweise von der Gesellschaft ange-

stellten Personen oder solchen, die mit ihr in Verbindung stehen, förderlich sein können.

(11) Das Unternehmen der Gesellschaft oder irgend einen Theil daran für eine Valuta, welche der Gesellschaft genügend erscheint, zu verkaufen, insbesondere für Aktien, Schuldscheine oder Pfandsicherheiten irgend einer anderen Gesellschaft, deren Zwecke ganz oder zum Theil ähnlich denen dieser Gesellschaft sind.

(12) Irgend eine andere Gesellschaft zu dem Zwecke zu gründen, das ganze oder einen Theil des Eigenthums, der Rechte und Verbindlichkeiten dieser Gesellschaft zu erwerben oder um einen andern Zweck, welcher direkt oder indirekt dem Vortheil dieser Gesellschaft förderlich sein kann, zu erreichen.

(13) Die nicht unmittelbar gebrauchten Gelder der Gesellschaft in solchen Sicherheiten oder solcher Weise anzulegen und damit zu verfahren, wie von Zeit zu Zeit beschlossen werden mag.

(14) Gezogene und eigene Wechsel sowie andere negociirbare Papiere zu ziehen, zu acceptiren, zu giriren und auszustellen.

(15) An solche Personen und unter solchen Bedingungen Gelder auszuleihen, wie es vereinbart werden mag, insbesondere an Kunden und solche Personen, die mit der Gesellschaft in Geschäftsverbindung stehen, sowie ferner die Ausführung von Contracten durch Mitglieder der Gesellschaft und Personen, die mit ihr in Geschäftsverbindung stehen, zu garantiren.

(16) Alle die oben bezeichneten Sachen entweder als Principal oder Vermittler, als Contrahent oder in anderer Weise auszuführen und zwar entweder allein oder in Verbindung mit Anderen und entweder durch oder mit Vermittelung von Agenten, Unterkontrahenten, Bevollmächtigten oder in anderer Weise.

(17) Geld durch Ausgabe von Schuldscheinen oder in anderer Weise, die die Gesellschaft für geeignet erachtet, zu erheben

(18) Die Gesammtheit oder Theile des Eigenthums und die Rechte der Gesellschaft zu verkaufen, zu verbessern, zu cultiviren und zu bebauen, zu vervollkommenen, zu verpachten, verpfänden und darüber zu verfügen, nutzbar zu machen oder in anderer Weise damit zu verfahren.

(19) Alle anderen Sachen, welche mit den oben gedachten Zwecken in Verbindung stehen, oder ihrer Erreichung förderlich sind, auszuführen und zwar soll das Wort „Gesellschaft" in diesem Artikel jedwede Gesellschaft oder Personengemeinschaft, ob incorporirt oder nicht, ob im Vereinigten Königreich oder anderwärts domicilirt, mit einschließen.

4) Die Verbindlichkeit der Mitglieder ist eine beschränkte.

5) Das Kapital der Gesellschaft beträgt Lstr. 30000, eingetheilt in 3000 Aktien à Lstr. 10, von denen 1000 Verkäuferaktien sind und 2000 gewöhnliche, mit der Befugniß, das Grundkapital zu erhöhen und zwar soll das Kapital, gleichgiltig ob Grundkapital oder nachträgliches Kapital, in verschiedene Klassen getheilt werden, mit oder ohne Vorzugs- oder Spezialrechten, Privilegien oder Bedingungen, welche ihnen durch oder in Uebereinstimmung mit den dermaligen Satzungen der Gesellschaft beigelegt sein sollen.

Gesellschaftsartikel

der Imprägnirungsaktiengesellschaft.

Vorwort.

1) Keine der in Tabelle A. in dem ersten Schema zu dem Gesellschaftsgesetz von 1862 enthaltenen Bestimmungen soll auf diese Gesellschaft Anwendung finden.

2) Die folgenden Worte und Ausdrücke in diesen Gesellschaftsartikeln sollen die ihnen hierdurch beigelegten, respektiven Bedeutungen haben, es sei denn, daß irgend Etwas in der Sache selbst oder im Text einer derartigen Auslegung widersprechen sollte, nämlich:

Worte, welche nur die Singularzahl enthalten, sollen auch die Pluralzahl mit einschließen, und Worte, welche nur die Pluralzahl enthalten, sollen auch die Singularzahl einschließen.

Worte, welche nur das männliche Geschlecht bezeichnen, sollen auch das weibliche mit einschließen.

Worte, welche nur Personen bezeichnen, sollen auch Korporationen einschließen und umgekehrt.

Unter „Gesellschaft" soll die Imprägnirungs-Aktiengesellschaft verstanden sein.

„Die Gesetze" sollen bedeuten und einschließen die Gesellschaftsgesetzgebung von 1862—1886 und etwaige anderweite Gesetze über Aktiengesellschaften, die dermalig in Kraft stehen und auf die Gesellschaft Anwendung finden sollen.

„Die Artikel" oder „Diese Artikel" sollen bedeuten und einschließen die Gesellschaftsartikel und die dermalig in Kraft stehenden Bestimmungen der Gesellschaft.

„Mitglied" soll bedeuten ein Mitglied der Gesellschaft, das Aktien irgend welcher Art in Besitz hält.

„Eingetragenes Mitglied" soll bedeuten ein Mitglied der Gesellschaft, dessen Name im Register der Gesellschaftsmitglieder eingetragen ist.

„Direktoren" sollen bedeuten die dermaligen Gesellschaftsdirektoren (einschließlich des geschäftsführenden Direktors, wenn ein solcher vorhanden ist) es sei denn, daß derselbe ausdrücklich ausgenommen ist.

„Sekretair" soll den dermaligen Sekretair der Gesellschaft bedeuten.

„Geschäftssitz" soll den dermaligen, eingetragenen Geschäftssitz dieser Gesellschaft bedeuten.

„Monat" soll einen Kalendermonat bedeuten.

„Spezialabschluß" soll einen Spezialabschluß der Gesellschaft in Gemäßheit von § 51 des Gesellschaftsgesetzes von 1862 bedeuten.

„Außerordentlicher Beschluß" soll einen außerordentlichen Beschluß der Gesellschaft in Gemäßheit des § 129 des Gesellschaftsgesetzes von 1862 bedeuten.

„Siegel" soll das gewöhnliche Gesellschaftssiegel bedeuten.

Geschäfte.

3) Die Geschäfte der Gesellschaft können begonnen werden, sobald nach Konstituirung der Gesellschaft die Direktoren in unbeschränkter Machtvollkommenheit dies für geeignet erachten sollten.

4) Der Geschäftssitz soll in Liverpool sein.

5) Die Direktoren sollen sofort namens der Gesellschaft einen zwischen Fritz Doller und Eduard Daus auf der einen Seite, James George Smith auf der zweiten Seite und Martin Luther Hall auf Seiten der Gesellschaft abgeschlossenen Vertrag vom 7. Juni 1889 übernehmen.

Kapital und Vergrößerung des Kapitals.

6) Das Kapital der Gesellschaft beträgt Lstr. 30000, eingetheilt in 3000 Aktien à Lstr. 10, von denen 1000 Verkaufsaktien und 2000 gewöhnliche Aktien sind.

7) Die Gesellschaft darf durch Spezialbeschluß das Kapital der Gesellschaft durch Ausgabe neuer Aktien vermehren, und zwar soll diese Vermehrung von solchem Betrage sein und in Aktien von solchen Beträgen eingetheilt werden, wie die Gesellschaft in einer Generalversammlung bestimmen mag.

8) Die Direktoren dürfen, sofern dies vorher durch einen Spezialbeschluß der Gesellschaft entweder in der Versammlung, welche eine Kapitalsvermehrung genehmigt oder in einer anderen Versammlung genehmigt ist, entweder neue Aktien ausgeben, oder solche alte, welche nicht in Verkehr gekommen sein sollten, oder welche verfallen oder aufgegeben sein sollten und zwar mit Spezialprivilegien oder Vorzugsrechten über alle oder einen Theil der anderen Aktien, der Gesellschaft bezüglich der Zahlung von Zinsen oder Dividenden, Rückzahlung des Kapitals und Vertheilung von Aktivis oder in anderer Weise; die Direktoren dürfen ferner solche neue Aktien oder vorgedachte alte Aktien austheilen, bei denen ein solcher Betrag creditirt wird, wie darauf eingezahlt ist und die solchen Bedingungen und Einschränkungen bezüglich der Zeiträume, in denen Nachforderungen geltend gemacht werden dürfen und bezüglich der Höhe der Nachforderungen unterworfen sein sollen, wie die Direktoren für zweckentsprechend erachten sollten.

9) Die Direktoren dürfen, sofern vorher, wie im letztvorhergehenden Paragraphen bestimmt ist, durch einen Spezialbeschluß die Genehmigung dazu ertheilt ist, von Zeit zu Zeit über neue Aktien oder solche alte, welche unausgegeben geblieben, oder verfallen, oder aufgegeben sein sollten, zu Gunsten solcher Personen und unter solchen Bedingungen und Bestimmungen und in solcher Art und Weise verfügen, wie die Direktoren es für die Gesellschaft als vortheilhaft erachten sollten.

10) Alles Kapital, welches durch die Schaffung neuer Aktien erhoben ist, soll als ein Theil des ursprünglichen Kapitals angesehen werden und solche Privilegien oder Vorrechte, welche ihnen beigelegt sind, genießen, und in jeder Beziehung denselben Bestimmungen unterworfen sein, als ob es ein Theil des ursprüglichen Kapitals gewesen wäre; es sei denn, daß durch die Beschlüsse, welche die Erhöhung des Kapitals anordnen, in anderer Weise Vorsorge getroffen ist, und zwar so, wie in dem betreffenden Abkommen festgesetzt ist.

11) Die Gesellschaft darf durch Spezialbeschluß die Zahl der Aktien, in welche das Gesellschaftskapital getheilt ist, vergrößern oder verkleinern, dadurch, daß die Aktien in kleinere Nominalbeträge getheilt werden, oder dadurch, daß sie in größere Nominalbeträge vereinigt werden, und darf das Kapital in irgend einer gesetzlich zulässigen Weise reduciren.

Aktien.

12) Wenn zwei oder mehr Personen als Correalinhaber einer Aktie eingetragen sind, kann eine jede dieser Personen wirksame Quittung für Dividenden oder Geld, das auf die Aktie zahlbar ist, ausstellen.

Um die Zahl der Mitglieder für die Zwecke eines der nachfolgenden Artikel zu berechnen, sollen Correalinhaber als nur eine Person berechnet werden.

13) Niemand soll von der Gesellschaft als zu einem Bruchtheil einer Aktie berechtigt oder in anderer Weise außer als Alleininhaber oder Correalinhaber der Gesammtheit einer Aktie anerkannt werden und die Gesellschaft soll durch keinerlei Benachrichtigung von irgend welchen Verpfändungen bezüglich der Aktien tangirt werden. Jede Aktie soll immer durch die ihr ursprünglich angewiesene Zahl kenntlich sein.

14) Jedes Mitglied soll zu einer mit dem Siegel der Gesellschaft versehenen Bescheinigung befugt sein, in welcher die Aktie, oder die Aktien, deren Besitzer er ist, und der darauf eingezahlte Betrag anzugeben ist.

15) Wenn solche Bescheinigung zerrissen oder verloren ist, kann sie auf Grund des Vorbringens

solchen bona fide Beweises und nach Stellung einer solchen Sicherheitsleistung, wie sie die Direktoren anordnen, erneuert werden.

16) Kein Mitglied soll befugt sein, Dividenden in Empfang zu nehmen, oder in einer Versammlung zu stimmen, bis es der Gesellschaft Détails seines Namens, seiner Adresse, seines Geschäfts und Charakters zum Zwecke der Eintragung angegeben hat, und kein Mitglied, welches seinen Namen, Aufenthalt oder Wohnsitz ändern sollte, oder falls es eine Frau ist, heirathen sollte, soll zum Empfang von Dividenden oder Stimmen befugt sein, bis es zum Zwecke der Eintragung der Gesellschaft Nachricht über die Aenderung des Namens, des Aufenthalts oder der Verheirathung gegeben hat.

Nachforderungen auf Aktien.

17) Die Direktoren dürfen — abgesehen von etwaigen Einschränkungen, die in einem Prospekt oder einer Urkunde enthalten sind, nach deren Bestimmungen Aktien mit Rücksicht auf Nachforderungen auf solche Aktien ausgeloost werden dürfen — von Zeit zu Zeit von den Mitgliedern solche Nachforderungen, die ihnen zweckdienlich erscheinen, bezüglich der auf die Aktien noch nicht einbezahlten Beträge, machen, vorausgesetzt, daß ein Notifikatorium von mindestens drei Wochen für jede Nachforderung gegeben ist; ein jedes Mitglied soll verbunden sein, den Betrag der so ausgeschriebenen Nachzahlungen an die von den Direktoren festgesetzten Personen, zu den angegebenen Zeiten und an den angeordneten Stellen zu leisten. Um jedes Mitglied, für das Aktien auf Grund der Bestimmungen eines Prospekts, oder einer Urkunde, welcher die Beträge und die Termine zur Einzahlung mit Rücksicht auf diese Aktie specialisirt, ausgeloost sind, soll gehalten sein, solche Einzahlungen zu der so specificirten Zeit zu leisten und solche Einzahlungen sollen nach Maßgabe der nachfolgenden Artikel als Nachforderungen angesehen werden, die von solchen Mitgliedern zu den betreffenden Zeiten zu leisten sind.

18) Eine Nachforderung (womit nicht die vorgedachte Einzahlung gemeint ist) soll als zu der Zeit geschehen erachtet werden, zu der der Beschluß der Direktoren, durch welchen solche Nachforderung erlaubt wird, gefaßt wird.

19) Wenn eine auf eine Aktie zu leistende Nachzahlung nicht vor oder an dem zur Zahlung bestimmten Tage geleistet wird, so soll der damalige Inhaber der Aktie verpflichtet sein, Zinsen hierauf zu einem 10 % pro Jahr nicht übersteigenden Zinssatz, den die Direktoren von Zeit zu Zeit festsetzen, zu bezahlen und zwar von dem zur Zahlung bestimmten Tage bis zur Zeit der thatsächlichen Zahlung.

20) Die Direktoren dürfen, wenn sie es für zweckdienlich erachten, von Mitgliedern, von einem Mitgliede, das im Voraus bezahlen will, die Gesammtheit oder einen Theil der auf die von ihm innegehaltenen Aktien noch geschuldeten Beträge in Empfang nehmen und zwar über die thatsächlich nachgeforderten Beträge hinaus, und sofern das so im Voraus bezahlende Mitglied und die Direktoren nicht andere Bestimmungen treffen, sollen Dividenden auf solche im Voraus bezahlte Gelder oder den betreffenden Betrag, der über die Summe, der zur Zeit auf die Aktien, bezüglich deren die Nachzahlung stattgefunden hat, gemachten Nachforderungen hinausgeht, geleistet werden, und zwar in demselben Verhältniß, wie für den thatsächlich auf die Aktie verlangten Betrag der Nachforderung, für den Fall indessen das Mitglied, das solche Summe im Voraus bezahlt und die Direktoren dahin übereinkommen, soll die Gesellschaft Zinsen auf die überschießenden Beträge solcher im Voraus bezahlten Summen, entrichten und zwar zu dem vereinbarten Zinsfuße; in diesem Falle soll aber der so im Voraus bezahlte Betrag bei der Zahlung von Dividenden, Theildividenden oder Vergütungen nicht mit eingeschlossen oder in Rechnung gestellt werden.

Uebertragung und Abtretung von Aktien.

21) Abgesehen von den in diesen Artikeln enthaltenen Einschränkungen, darf jedes Mitglied alle oder einen Theil seiner Aktien durch schriftliche Urkunde übertragen und zwar in der gewöhnlichen, bei den Königlichen Stempelämtern gebräuchlichen Form oder in den von den Mitgliedern der Liverpooler Börse geübten Formen. Eine Uebertragung braucht aber nicht unter Siegel zu geschehen.

22) Die Gesellschaft soll ein Buch oder Bücher führen, in denen die Einzelheiten jeder Uebertragung und Abtretung einer Aktie eingetragen werden sollen.

23) Die Uebertragungs-Urkunde einer Gesellschafts-Aktie soll in Gegenwart eines oder mehrerer Zeugen sowohl durch den Uebertragenden, wie den Erwerber vollzogen werden und die Gesellschaft soll berechtigt sein, solche Uebertragungs-Urkunde in ihrem Besitz und Gewahrsam zu behalten, der Uebertragende soll so lange als Inhaber der Aktie angesehen werden, bis der Name des Erwerbers in dem Eintragungsbuche mit Bezug hierauf notirt ist.

24) Die Direktoren dürfen die Uebertragung einer Aktie in den nachfolgenden Fällen ablehnen

(1) Wenn Rasuren oder Unregelmäßigkeiten in der Uebertragungs-Urkunde enthalten sind, oder wenn dieselbe nicht mit dem Aktiencertificate verbunden ist.

(2) Wenn die Uebertragung nicht den Bestimmungen der Gesellschaft entsprechend erfolgt ist.

(3) Wenn die Direktoren der Ansicht sind, daß der Erwerber keine zahlungsfähige Person ist, oder eine Person, die als Aktionär nicht wünschenswerth erscheint, und zwar sind sie nicht verpflichtet, einen Grund für ihre Ansicht anzugeben.

(4) Wenn die Gesellschaft ein Pfandrecht an der Aktie hat.

25) Das Uebertragungs-Register darf während vierzehn Tage vor der jährlichen Generalversammlung geschlossen werden.

26) Die Testamentsexekutoren oder Nachlaßverwalter eines verstorbenen Mitglieds sollen als einzige Personen, die ein Anrecht auf die Aktie des Verstorbenen haben, erachtet werden.

27) Eine Person, die ein Anrecht auf eine Aktie in Folge des Todes, Konkurses oder der Zahlungsunfähigkeit eines Mitgliedes erwirbt, kann mit Zustimmung der Direktoren selbst als Mitglied sich eintragen lassen und zwar auf Grund solcher von ihm erbrachten Beweise, wie die Direktoren zur Zeit anordnen, sie kann auch nach Erbringung solchen Beweises, statt sich selbst eintragen zu lassen, solche Aktien durch eine gewöhnliche gestempelte Uebertragungs-Urkunde auf irgend eine andere Person übertragen und diese als Erwerber der Aktie eintragen lassen; die Gesellschaft hat indessen dieselben Befugnisse die Eintragung eines derartigen Erwerbes abzulehnen, wie dies bei anderen Uebertragungen geschehen kann.

28) Die Gesellschaft darf Gebühren belasten, die für die Registrirung und Eintragung einer Abtretung in die Bücher, für die Ausfertigung, Declaration oder eine andere Urkunde, die sich auf das Eigenthum von Aktien oder den Verlust des darüber ausgestellten Certifikats bezieht, nicht mehr als 2 sh 6 ₰ betragen darf.

Verfall von Aktien.

29) Wenn ein Mitglied säumig ist, an oder vor den zur Zahlung bestimmten Tagen einer Nachforderung nachzukommen, so kann jederzeit einem solchen Mitgliede durch oder Namens der Direktoren eine Warnung ertheilt werden, in der der schuldige Betrag zu specificiren ist und in der zur Zahlung der Summe nebst Zinsen innerhalb einer von den Direktoren für angemessen erachteten Frist — die nicht weniger als drei Wochen vom Tage der Warnung betragen darf, — bei Strafe des Verfalls aufgefordert wird, und wenn innerhalb der festgesetzten Zeit ein solcher Betrag (einschließlich der Zinsen) unbezahlt bleibt, so dürfen die Direktoren die Aktie, oder die Aktien, bezüglich deren eine solche Nachforderung oder ein Theil davon unbezahlt geblieben ist, für verfallen erklären und sollen demgemäß eine derartige Aktie, respective Aktien zum Nutzen der Gesellschaft verfallen sein.

30) Wenn eine Aktie für verfallen erklärt ist, soll dem Inhaber derselben eine Nachricht hiervon zugehen und eine Eintragung des Verfalls mit dem Datum desselben soll sofort in dem Register erfolgen.

31) Jede verfallene Aktie soll als Eigenthum der Gesellschaft angesehen werden und darf verkauft, zugetheilt oder in anderer Weise vergeben werden, wie im Nachstehenden vorgesehen ist, oder in anderer Weise, die die Direktoren für zweckdienlich erachten.

32) Jedes Mitglied, dessen Aktie oder dessen Aktien verfallen sein sollten, soll nichtsdestoweniger verbunden sein, die der Gesellschaft auf solche Aktie oder Aktien zur Zeit des Verfalls geschuldeten Nachforderungen mit den Zinsen hiervon zu leisten, ebenso wie alle auf Grund der Nichtinnehaltung der Nachforderung entstandenen Auslagen.

33) Abgesehen von den vorangehenden Artikeln soll der Verfall von Aktien das Erlöschen aller Ansprüche und Forderungen gegen die Gesellschaft zur Zeit des Verfalls in sich schließen, ebenso wie alle andern hiermit im Zusammenhange stehenden Rechte, einschließlich des Anspruchs auf bereits erklärte Dividenden oder Vergütungen.

34) Die Direktoren dürfen jederzeit, bevor eine so verfallene Aktie verkauft, zuertheilt oder anderweitig vergeben ist, den Verfall unter den ihnen geeignet erscheinenden Bedingungen annulliren.

35) Die Gesellschaft soll ein Prioritäts- und erstes Pfandrecht auf alle Aktien, die auf den Namen eines Mitgliedes eingetragen sind (gleichgiltig ob allein oder correaliter mit Anderen) für die Schuldverbindlichkeiten und Vertragsstipulationen, die derselbe allein oder correaliter mit Anderen mit der Gesellschaft eingegangen ist, haben und zwar gleichgiltig, ob die Zeit zur Zahlung, Erfüllung oder Erledigung thatsächlich bereits eingetreten ist oder nicht und dieses Pfandrecht soll sich auf alle auf solche Aktien erklärte Dividenden mit erstrecken.

36) Um dieses Pfandrecht auszuüben, dürfen die Direktoren die denselben unterworfenen Aktien verkaufen, aber kein Verkauf darf stattfinden, bis die vorgedachte Zeit eingetroffen ist und bis eine schriftliche Benachrichtigung von der Absicht des Verkaufes dem betreffenden Mitgliede, seinem Testamentsexekutor oder Nachlaßverwalter zugestellt ist und er oder sie 8 Tage nach der Benachrichtigung mit der Zahlung, Erfüllung, Erledigung der Schulden, Verbindlichkeiten oder Vertragsstipulationen säumig ist.

37) Der Nettobetrag eines solchen Verkaufs soll zur Berichtigung der Schulden, Verbindlichkeiten, Vertragsstipulationen verwandt werden, und der Rest (wenn ein solcher vorhanden) an das Mitglied, seinen Testamentsexekutoren oder Nachlaßverwalter ausbezahlt werden.

38) Auf Grund eines Verkaufs nach Maßgabe der in den §§ 31 und 36 bestimmten Machtbefug-

nisse dürfen die Direktoren den Namen des Käufers bezüglich der verkauften Aktien eintragen lassen und der Käufer soll nicht gehalten sein, auf die Ordnungsmäßigkeit des Verfahrens oder die Verwendung des Kaufgeldes zu achten. Nach der Eintragung seines Namens in das Register bezüglich solcher Aktien, soll der Verkauf ihm gegenüber von dem bisherigen Inhaber der Aktien oder des Kapitalantheils oder von einer andern Person nicht angefochten werden dürfen; das Rechtsmittel eines Mitgliedes oder einer anderen, durch einen derartigen Verkauf verletzten Person soll vielmehr ausschließlich in einem Schadenersatzanspruch gegen die Gesellschaft bestehen.

Befugniß zur Geldaufnahme.

39) Die Direktoren dürfen von Zeit zu Zeit von den Direktoren oder anderen Personen eine Summe oder Summen Geldes zu den Zwecken der Gesellschaft leihen.

40) Die Direktoren dürfen Geld erheben oder die Zahlung solcher Gelder sicher stellen in einer Weise und unter solchen Bedingungen und Festsetzungen in jeder Beziehung, wie sie es für zweckdienlich erachten und im Besonderen durch Ausstellung von Schuldscheinen der Gesellschaft, belastet mit dem Eigenthum und den Rechten der Gesellschaft (sowohl gegenwärtigen wie zukünftigen) einschließlich dem noch nicht nachgeforderten Kapital, oder durch Acceptiren, Giriren von trockenen oder gezogenen Wechseln Namens der Gesellschaft.

41) Jeder Schuldschein oder andere Urkunde, um die Zahlung des von der Gesellschaft aufgenommenen Geldes zu sichern, darf so abgefaßt sein, daß die so gesicherten Gelder überweisbar sein sollen und zwar frei von Billigkeitsverbindlichkeiten zwischen der Gesellschaft und der Person, für welche die Dokumente ausgestellt sind. Schuldscheine, Verschreibungen oder andere Dokumente oder Sicherungen dürfen mit einem Discont, einer Prämie oder in anderer Weise ausgegeben werden und auch mit etwaigen Specialprivilegien bezüglich der Amortisation, der Ueberlassung, dem Zeichnen und Ausloosen von Aktien oder in anderer Weise.

42) Die Direktoren sollen ein besonderes Register führen lassen in Gemäßheit des § 43 des Gesellschaftsgesetzes von 1862, für alle Pfänder und Belastungen, die das Gesellschaftseigenthum betreffen.

Ausgeben von Actien.

43) Die Direktoren dürfen Namens der Gesellschaft das Ueberlassene von Aktien acceptiren, bezüglich deren alle zur Zeit des Ueberlassens gemachten Nachforderungen berichtigt sind, vorausgesetzt, daß keine auf die Aktien bezahltes oder creditirtes Geld von der Gesellschaft bezahlt oder erstattet ist.

Generalversammlungen.

44) Eine Generalversammlung der Gesellschaft soll 4 Monate nach Eintragung der Gesellschaft abgehalten werden und demnächst soll eine Generalversammlung jedes Jahr stattfinden. Die Generalversammlungen sollen zu den Zeiten und an den Orten stattfinden, welche die Direktoren festsetzen.

45) Die oben erwähnten Generalversammlungen sollen ordentliche Generalversammlungen genannt werden, alle übrigen außerordentliche. —

46) Die Direktoren dürfen, wenn sie es für zweckdienlich halten, eine außerordentliche Generalversammlung berufen und sie sollen Dies thun auf Grund eines schriftlichen Antrages von mindestens einem Fünftel der eingetragenen Mitglieder der Gesellschaft, welche Aktien irgend einer Klasse zum Nominalbetrage von mindestens 1/10 des seiner Zeit gezeichneten Aktienkapitals besitzen. Hierbei wird vorausgesetzt, daß, wenn die Zahl der eingetragenen Mitglieder 250 übersteigt, die Direktoren dem vorgedachten Antrage nachkommen sollen, wenn derselbe von mindestens 50 Mitgliedern unterschrieben ist. Jeder von Mitgliedern gestellte Antrag soll den Gegenstand, der auf der Versammlung behandelt werden soll, bezeichnen und soll in den Bureaux niedergelegt werden. — Nach Empfang solchen Antrages sollen die Direktoren ohne Verzug mit der Einberufung einer außerordentlichen Generalversammlung vorgehen. Wenn innerhalb 14 Tagen nach der Niederlegung sie nicht die Versammlung zum Zusammentritt innerhalb 3 Wochen nach der Niederlegung berufen, so können entweder die Antragsteller oder eingetragenen Mitglieder, sofern die vorgeschriebene Zeit und der vorgeschriebene Kapitalsbetrag erreicht wird, selbst eine außerordentliche Generalversammlung zu den in dem Antrage niedergelegten Zwecken zusammenberufen.

Verfahren auf den Generalversammlungen.

47) Mindestens 7 Tage zuvor soll eine Benachrichtigung an die Mitglieder in der weiter unten geschilderten Art erlassen werden, in welcher der Ort, die Zeit und die Stunde der Versammlung und sofern es sich um ein Specialgeschäft handelt, der allgemeine Charakter dieser Geschäfte specialisirt wird, der Nichtempfang solcher Benachrichtigung durch irgend ein Mitglied soll indessen die Verhandlungen auf der Generalversammlung nicht ungiltig machen.

48) Alle Geschäfte sollen als Specialgeschäfte erachtet werden, die auf einer außerodentlichen Generalversammlung verhandelt werden, ebenso alle, die auf einer ordentlichen Generalversammlung zur Verhandlung kommen, mit Ausnahme der Wiederwahl abgehender Direktoren, der Ernennung von Revisoren, der Genehmigung einer von den Di-

rektoren empfohlenen Dividende, und der Prüfung der Rechnungen, Bilanzen und des gewöhnlichen Berichts der Direktoren.

49) Kein Gegenstand soll auf irgend einer Generalversammlung zur Verhandlung kommen, wenn nicht eine hinlängliche Anzahl von Mitgliedern entweder in Person oder in Vertretung zur Zeit, wenn die Versammlung ihr Geschäft beginnt, anwesend sind. Die hinlängliche Anzahl soll folgendermaßen festgesetzt werden.

Wenn die Zahl der eingetragenen Mitglieder zur Zeit der Generalversammlung zehn nicht überschreiten sollte, soll die genügende Anzahl drei betragen; wenn die Zahl 10 übersteigt, dann soll zu der obigen genügenden Anzahl einer für je weitere fünf Mitglieder hinzugefügt werden, 15 genügen jedenfalls, um die genügende Anzahl auszumachen. Hierbei wird festgesetzt, daß fünf Mitglieder, die entweder in Person oder in Vertretung gegenwärtig sind, unter allen Umständen eine genügende Anzahl zur Wahl eines Präsidenten, zur Festsetzung einer von den Direktoren empfohlenen Dividende und zur Vertagung der Versammlung (sofern dieselbe nicht auf Veranlassung oder durch einen Antrag von Mitgliedern berufen ist) bilden sollen.

50) Wenn eine halbe Stunde nach der für die Versammlung festgesetzten Zeit eine beschlußfähige Anzahl nicht versammelt ist, so soll die Versammlung, wenn sie durch oder auf Veranlassung von Mitgliedern einberufen ist, aufgelöst werden. In jedem anderen Falle soll sie auf denselben Tag in der folgenden Woche auf dieselbe Zeit und den nämlichen Ort als vertagt gelten, oder auf irgend einen andern Tag, Zeit und Ort, wie die zur Zeit anwesenden Mitglieder bestimmen sollten. Auf solchen vertagten Generalversammlungen sollen die anwesenden Mitglieder, gleichgiltig wie groß ihre Zahl ist, eine beschlußfähige Zahl bilden und sollen befugt sein, über alle Angelegenheiten Disposition zu treffen, über welche die vertagte Versammlung hätte Disposition treffen können, wenn die beschlußfähige Zahl versammelt gewesen wäre.

51) Der Präsident — wenn ein solcher vorhanden ist — des Direktorenraths soll als Präsident jeder Generalversammlung der Gesellschaft vorsitzen. Wenn kein solcher Präsident vorhanden ist, oder wenn er nicht innerhalb einer Viertelstunde nach der zur Abhaltung der Versammlung festgesetzten Zeit da sein sollte, sollen die Direktoren einen aus ihrer Zahl zum Vorsitzenden erwählen und im Falle der Abwesenheit der sämmtlichen Direktoren sollen die anwesenden Mitglieder einen aus ihrer Zahl zum Vorsitzenden wählen.

52) Der Vorsitzende darf mit Zustimmung der Versammlung eine Versammlung auf eine andere Zeit und auf einen andern Ort vertagen, aber auf solchen vertagten Versammlungen darf kein anderes Geschäft zur Verhandlung gebracht werden, als was unbeendigt von der früheren Versammlung übrig geblieben ist.

53) Auf jeder Generalversammlung soll eine Erklärung des Vorsitzenden, daß ein Beschluß gefaßt ist, oder daß er durch eine besondere Majorität gefaßt ist, oder daß er abgelehnt ist, oder durch eine besondere Majorität nicht gefaßt ist und eine diesbezügliche Eintragung in dem über die Verhandlungen der Gesellschaft geführten Buche einen genügenden Beweis für diese Thatsache bilden, ohne daß ein Beweis über die Zahl und das Verhältniß der Stimmen, die für oder gegen den Beschluß abgegeben sind, zulässig wäre, es sei denn, daß eine Abstimmung von einem Drittel der persönlich anwesenden und stimmberechtigten Mitglieder verlangt wird. Hierbei wird bestimmt, daß immer fünf so anwesende und stimmberechtigte Mitglieder unter allen Umständen eine Abstimmung verlangen dürfen. Jede rechtmäßig verlangte Abstimmung über Fragen, betreffend die Vertagung der Versammlung oder die Wahl eines Vorsitzenden soll auf der Versammlung ohne Vertagung stattfinden.

54) Wenn eine Abstimmung verlangt wird, wie sie in den letzt vorhergehenden Paragraphen vorgesehen ist, so soll sie entweder sofort oder innerhalb von 8 Tagen zu der Zeit, an dem Orte und in der Weise stattfinden, wie der Vorsitzende bestimmen sollte und das Resultat solcher Abstimmung soll als der Beschluß der Gesellschaft durch die Generalversammlung erachtet werden. Der Vorsitzende darf die Versammlung auf eine Zeit und an einen Ort vertagen, den er für die Feststellung des Resultats der Abstimmung festsetzen sollte und die Abstimmung darf während dieser Vertagung zu der von dem Vorsitzenden bestimmten Zeit vor sich gehen. Im Falle von Stimmengleichheit auf einer Generalversammlung soll der Vorsitzende zu einer zusätzlichen oder Ausschlag gebenden Stimme befugt sein.

55) Die Vorgänge auf jeder Generalversammlung sollen in einem zu diesem Zwecke geführten Buche eingetragen werden und sollen nach der Eintragung durch den Vorsitzenden dieser Versammlung unterzeichnet werden und sollen dieselben nach ihrer Eintragung und Vollziehung unter den Mitgliedern vollen Beweis für die Vorgänge und und von der Thatsache, daß die als Vorsitzender unterzeichnende Persönlichkeit dazu durch Wahl oder in anderer Weise legitimirt war, bilden.

Stimmen von Mitgliedern.

56) Jedes Mitglied soll eine Stimme auf jede von ihm innegehaltene Gesellschaftsaktie haben, mit Ausnahme der Verkäuferaktien; jeder Inhaber von Verkäuferaktien soll zwei Stimmen auf je fünf von ihm innegehabten derartigen Aktien haben.

57) Niemand, der einen Anspruch auf eine Aktie als Cessionar, Bevollmächtigter oder Konkursverwalter eines bankerotten Mitglieds, oder als Vater, Vormund, Pfleger, Vertreter, Executor oder Verwalter eines Kindes, Wahn- oder Blödsinnigen oder verstorbenen Mitgliedes, oder in anderer Weise geltend macht, soll befugt sein, eine Generalversammlung zu besuchen oder mit Rücksicht auf die Aktie eines solchen Mitgliedes zu stimmen, es sei denn, daß er ein eingetragenes Mitglied der Gesellschaft bezüglich der Aktien geworden wäre.

58) Wenn zwei oder mehrere Personen correaliter auf eine oder mehrere Aktien berechtigt sind, so soll nur dasjenige Mitglied, dessen Name als der erste in dem Mitgliederverzeichnisse der Inhaber der einen oder mehrerer Aktien verzeichnet ist — und kein anderer — befugt sein, bezüglich derselben Generalversammlungen wahrzunehmen und zu stimmen.

59) Kein Mitglied soll befugt sein, auf einer Geneversammlung zu stimmen, wenn nicht alle fälligen Nachforderungen von ihm bezahlt sind.

60) Stimmen können persönlich oder in Stellvertretung abgegeben werden. Die einen Stellvertreter ernennende Urkunde soll schriftlich sein und muß von dem Vollmachtgeber oder dessen Stellvertreter ordnungsmäßig unterzeichnet oder, wenn der Vollmachtgeber eine Korporation ist, mit dem gewöhnlichen Siegel versehen sein. Niemand soll zum Stellvertreter ernannt werden, der nicht ein zur Wahrung der Generalversammlung befugtes Mitglied ist.

61) Die einen Stellvertreter ernennende Urkunde soll mindestens 48 Stunden vor der für die Abhaltung der Versammlung, in welcher die in der Urkunde benannte Person zu stimmen beabsichtigt, festgesetzten Zeit auf dem Bureau niedergelegt werden, aber keine einen Stellvertreter ernennende Urkunde soll nach Ablauf eines Jahres nach ihrer Vollziehung Giltigkeit haben, es sei denn zu dem Zwecke, um auf einer vor der ursprüglich abgehaltenen, vertagten Versammlung zu stimmen, oder auf einer solchen, die innerhalb von drei Monaten nach solcher Vollmacht abgehalten werden sollte.

62) Jede einen Stellvertreter ernennende Urkunde soll in der nachfolgenden Form, oder so ähnlich wie möglich gehalten sein.

Ich . . . . aus . . . . . in der Grafschaft . . . . bin ein Mitglied der Imprägnirungsactiengesellschaft und ernenne hierdurch . . . . . aus . . . . . oder in seiner Abwesenheit . . . . . aus . . . . . als meinen Bevollmächtigten mit der Befugniß für mich und in meinem Namen auf der (ordentlichen oder außerordentlichen, wie der Fall sein mag) Generalversammlung der Gesellschaft die am . . . Tage des . . . . abgehalten werden soll und auf jeder Vertagung derselben (oder auf jeder Versammlung der Gesellschaft, die im Jahre stattfinden sollte) zu stimmen.

Zum Zeugniß dessen meine Handzeichen, heute am . . . . . 18 . .

Direktoren.

63) Die Zahl der Direktoren soll nicht weniger als drei betragen und nicht sieben übersteigen, abgesehen von dem leitenden Direktor (wenn ein solcher vorhanden ist).

64) Die Qualifikation eines Direktors soll darin bestehen, daß derselbe Aktien der Gesellschaft im Nominalbetrage von Lstr. 250 innehält.

65) Die ersten Direktoren der Gesellschaft sollen sein James George Smith, Unionbankgebäude in Liverpool, welcher Vorsitzender sein soll, Major William Inglis le Breton von dem Armeecorps in Bombay, James Parker Smith im Temple London und Fritz Doller zu Hamburg. Die ersten Direktoren sollen befugt sein, einen oder mehrere Personen zum Direktor oder zu Direktoren jederzeit vor der ordentlichen im Jahre 1890 abzuhaltenden Generalversammlung zu ernennen, jedoch mit der Beschränkung, daß die Gesammtzahl der Direktoren niemals die vorgeschriebene Maximalzahl übersteigen darf.

Befugnisse der Direktoren.

66) Die Geschäfte der Gesellschaft sollen durch die Direktoren geleitet werden, welche die Geschäfte beginnen dürfen, wenn sie es für zweckentsprechend erachten, wenn auch noch nicht die Gesammtheit des Kapitals gezeichnet sein sollte und welche alle Kosten, Lasten und Ausgaben bezahlen dürfen, welche bei und in Anbetracht der Gründung der Gesellschaft und der hiermit in Verbindung stehenden Vorverhandlungen entstanden sein sollten. Die Direktoren dürfen alle Machtbefugnisse der Gesellschaft, welche nicht durch die Gesetze oder diese Artikel durch die Gesellschaft in einer Generalversammlung ausgeübt werden sollen, ausüben, wenn sie auch der Kontrolle der Gesellschaft in den Generalversammlungen unterworfen sind; aber keine Festsetzung durch die Gesellschaft in einer Generalversammlung soll vorgängige Handlungen der Direktoren ungiltig machen und die in diesen Artikeln enthaltenen Vorschriften über spezielle Befugnisse der Direktoren sollen nicht die allgemeinen ihnen hierdurch beigelegten Machtbefugnisse verkürzen.

67) Im Besonderen sollen die Direktoren befugt sein, jeweilig für die auswärtige Leitung der Gesellschaftsgeschäfte in der ihnen zweckmäßig erscheinenden Art und Weise Vorsorge zu treffen, und insbesondere Personen als ihre Vertreter und Gesellschaftsagenten zu ernennen mit solchen Machtbefugnissen (einschließlich des Rechts auf Sub-

stitut'on) und unter solchen Bedingungen, wie sie es für geeignet erachten; sie dürfen jeden Beamten oder in andrer Weise von der Gesellschaft beschäftigten Personen eine Provision aus dem Gewinne eines besonderen Geschäfts der Abmachung oder einen Antheil aus dem Generalgewinne der Gesellschaft bewilligen und eine derartige Provision oder Gewinnantheil soll als ein Theil der Geschäftsausgabe der Gesellschaft erachtet werden.

68) Die Direktoren sollen indessen kein Geld der Gesellschaft, gleichgiltig ob dasselbe im Reservefond angelegt ist, oder nicht, zu dem Ankauf von Aktien für die Gesellschaft anlegen oder ausgeben.

69) 2c.

Unfähigkeit der Direktoren.

70) Mit einstimmiger Genehmigung der Direktoren darf ein Direktor ein Amt oder eine Stellung oder einen Gewinn bei der Gesellschaft in Verbindung mit seinem Amte als Direktor haben.

71) Das Amt eines Direktors mit Ausnahme des leitenden Direktors soll (unter den unten erwähnten Beschränkungen) frei werden:

I. Wenn er der Gesellschaft eine schriftliche Benachrichtigung von seiner Abdankung von dem Amte als Direktor zustellen läßt;

II. wenn er aufhört als eingetragenes Mitglied mit eigenem Rechte denjenigen Betrag von Aktien, der für seine Qualifikation erforderlich ist, zu besitzen, oder wenn er den Betrag nicht innerhalb eines Monats nach seiner Wahl oder Ernennung erwirbt;

III. wenn er unterläßt, der Gesellschaft einen Betrag von Lstr. 50 oder mehr, welchen er der Gesellschaft schuldet, binnen 14 Tagen zu zahlen, nachdem Zahlung von ihm durch eine schriftliche, von zwei Direktoren unterschriebene und an seine eingetragene Adresse, durch die Post aufgegebene Benachrichtigung verlangt ist;

IV. wenn er in Konkurs verfällt, eine Insolvenzerklärung abgiebt, Zahlungen einstellt, oder außergerichtlich mit seinen Gläubigern accordirt;

V. wenn er geisteskrank wird;

VI. wenn er es unterläßt die Versammlungen der Direktoren während 12 auf einander folgenden Monaten zu besuchen, es sei denn, daß er durch Krankheit, unvermeidliche Zufälle oder aus andern Gründen, welche den Direktoren genügend sind, daran verhindert ist;

VII. wenn er betheiligt ist oder Theil nimmt an dem Gewinne aus einem Vertrage mit der Gesellschaft, ohne die Natur und Ausdehnung seines Interesses zu erklären, wenn und soweit er gemäß der nächsten Nummer dazu aufgefordert wird,

VIII. wenn eine Generalversammlung, nachdem die vorgeschriebene Benachrichtigung in dem die Versammlung einberufenden Circular ergangen ist, dahin beschließt, daß es für die Gesellschaft vortheilhaft ist, daß er aufhört als Direktor zu fungiren.

72) Jeder Direktor (gleichgiltig ob er ein gewöhnlicher oder leitender Direktor ist) der in anderer Eigenschaft wie als Mitglied oder Direktor einer inkorporirten Gesellschaft an dem Gewinne eines mit der Gesellschaft abgeschlossenen Vertrages betheiligt ist oder Theil nimmt, oder der bei irgend einem Besitzthume interessirt ist, das von der Gesellschaft verkauft oder verpachtet werden soll, soll zu oder vor der Zeit, wenn ein derartiger Vertrag, Verkauf, Verpachtung für die Gesellschaft eingegangen oder abgeschlossen wird, die Natur und die Ausdehnung seines Interesses an dem solcherweise beabsichtigten Vertrage oder solchem Besitzthume offen legen und es soll diesbezüglich in dem Direktorial-Protokolle auch eine Eintragung gemacht werden. Wenn solche Offenlegung nicht ordnungsgemäßig gemacht wird, sobald und soweit sie verlangt wird (nicht auch in anderen Fällen), so soll ein Direktor als Bevollmächtigter der Gesellschaft bis zum Betrage irgend eines Vortheils oder Nutzens, welchen er auf Grund oder Veranlassung solchen Kontrakts oder solchen Verkaufs oder Pachtvertrages haben oder erzielen könnte, angesehn werden, und wenn ein solcher Direktor der einzige Interessent bei solchem Vertrage oder bei dem Verkaufe oder der Verpachtung solchen Besitzthums ist, so soll auf Erfordern der Gesellschaft der Vertrag oder Verkauf oder Verpachtung außer Kraft gesetzt werden.

Ein Direktor, der an dem Gewinne eines solchen Kontrakts oder solcher Unternehmung Theil nimmt und betheiligt ist, soll mit Bezug hierauf nicht stimmen, wenn auch sein Interesse lediglich das eines Mitgliedes oder Direktors einer incorporirten Gesellschaft ist oder wenn er auch sein Interesse pflichtgemäß angegeben hat. Wenn er trotzdem seine Stimme abgiebt, soll dieselbe nicht gezählt werden.

Turnus der Direktoren.

73) Die erwähnten ersten Direktoren der Gesellschaft und die Direktoren, welche nach den vorstehenden Bestimmungen ernannt sein mögen, sollen, sofern sie nicht sterben, abdanken oder ihre Qualifikation verlieren bis zu der im Jahre 1890 abzuhaltenden ordentlichen Generalversammlung im Amte bleiben und auf dieser ordentlichen Generalversammlung, sowie auf den ordentlichen Generalversammlungen jeden folgenden Jahres soll ein Direktor ausscheiden. Der Turnus der ersten Direktoren, die auszuscheiden haben, soll durch das Loos bestimmt werden, aber nach dem Ausscheiden aller solcher

Direktoren, sollen diejenigen Direktoren, welche am längsten im Amte sind, ausscheiden. Die Länge der Zeit, welche ein Direktor im Amte gewesen ist, soll von seiner letzten Wahl oder Ernennung gerechnet werden, und wenn zwei oder mehr die gleiche Zeit im Amte gewesen sind, sollen in Ermangelung eines Uebereinkommens unter ihnen, die Direktoren, die auszuscheiden haben, durch das Loos bestimmt werden.

74) Ein ausscheidender Direktor soll wieder wählbar sein.

75) Niemand außer einem ausscheidenden Direktor soll zum Direktor erwählt werden, wenn nicht mindestens 8 Tage vor der Versammlung, an welcher die Wahl stattfinden soll, eine schriftliche Benachrichtigung an den Sekretair eingesandt wird, in der der Name Desjenigen, der sich als Kandidat anbietet oder vorgeschlagen wird, angegeben ist.

76) Die Gesellschaft darf auf der Generalversammlung jeweilig durch einen Spezialbeschluß die Zahl der Direktoren vergrößeren oder verringeren und darf auch festsetzen, in welchem Turnus eine derartige vermehrte oder verminderte Zahl aus dem Amte auszuscheiden hat.

77) Jede zufällige Vakanz in der Reihe der Direktoren darf durch die Direktoren ausgefüllt werden, aber jede so erwählte Person darf ihr Amt nur so lange inne halten, wie diejenige Person, welche aufgehört haben sollte, Direktor zu sein, das Amt inne gehalten hätte, wenn sie nicht aufgehört hätte, Direktor zu sein. Sollte die Gesellschaft auf der Generalversammlung es aus irgend einem Grunde versäumen, einem Direktor an der Stelle eines ausscheidenden zu erwählen, so sollen die Direktoren selbst befugt sein, einen solchen zu erwählen und der so Gewählte soll in diesem Falle das Amt so lange inne halten, wie wenn er von der Gesellschaft auf der Generalversammlung gewählt worden wäre.

78) Die Gesellschaft darf auf der Generalversammlung einen Direktor vor Ablauf seiner Amtsperiode entlassen und einen anderen an seiner Stelle ernennen. Der so Ernannte soll sein Amt so lange innehalten, wie der Direktor, an dessen Stelle er ernannt ist, das Amt ohne seine Entlassung innegehalten hätte.

79) Die übrig bleibenden Direktoren dürfen ohne Rücksicht auf eine Vakanz in ihrer Gesammtheit handeln. —

Verfahren der Direktoren und Commissionen.

80) Die Direktoren dürfen nach Gutdünken zur Erledigung der Geschäfte zusammen kommen, sich vertagen oder in anderer Weise ihre Zusammenkünfte regeln und dürfen die zur Geschäftsführung beschlußfähige Anzahl festsetzen. Auf irgend einer Versammlung entstehende Fragen sollen durch Stimmenmehrheit entschieden werden, bei Stimmengleichheit soll der Vorsitzende eine zweite oder ausschlaggebende Stimme haben. Der Vorsitzende oder 2 andere Direktoren können jederzeit eine Versammlung der Direktoren zusammenberufen. Eine Versammlung der Direktoren, bei der eine abschlußfähige Zahl gegenwärtig ist, solle alle Machtbefugnisse, Vollmachten und Ermächtigungen haben, wie sie den Direktoren allgemein übertragen sind.

81) Die Direktoren sollen auf der ersten Versammlung nach Begründung der Gesellschaft und ebenso nach jeder ordentlichen Generalversammlung einen Vorsitzenden erwählen und wenn derselbe nicht freiwillig entsagt oder einstimmig von seinen Kollegen um seinen Rücktritt ersucht wird, soll er dies Amt bis zur nächstfolgenden ordentlichen Generalversammlung bekleiden. Wenn bei irgend einer Versammlung der Vorsitzende zu der für die Versammlung festgesetzten Zeit nicht anwesend ist, sollen die gegenwärtigen Direktoren einen aus ihrer Zahl zum Vorsitzenden der betreffenden Versammlung erwählen. —

82) Die Direktoren dürfen ihre Machtbefugnisse auf Commissionen übertragen, welche aus solchem Mitgliede oder solchen Mitgliedern der Gesellschaft, — gleichgiltig ob das oder dieselben ein Direktor oder Direktoren sind — bestehen, wie sie es für zweckdienlich erachten. Eine so gebildete Commission soll bei der Ausübung der so übertragenen Machtbefugnisse etwaige Vorschriften, die ihr von den Direktoren gegeben werden, berücksichtigen.

83) Eine Commission kann einen Vorsitzenden ihrer Versammlungen erwählen; wenn kein Präsident erwählt ist, oder wenn derselbe zu der für die Versammlung festgesetzten Zeit nicht anwesend ist, so sollen die Mitglieder Einen aus ihrer Mitte zum Vorsitzenden der betreffenden Versammlung erwählen.

84) Eine Commission kann sich versammeln und vertagen, wie sie es für angebracht hält. Fragen, die auf irgend einer Versammlung entstehen, sollen durch Mehrheit der Stimmen der gegenwärtigen Mitglieder entschieden werden, und im Falle von Stimmengleichheit soll der Vorsitzende eine zweite oder ausschlaggebende Stimme haben.

85) Die Direktoren sollen in dazu bestimmten Büchern über die nachfolgenden Angelegenheiten Protokoll führen lassen, nämlich:

A. Ueber Ernennungen und Entlassungen von Beamten, Dienern und durch die Direktoren ernannte Commissionen.

B. Ueber die Namen der bei jeder Versammlung des Direktorialrathes gegenwärtigen Direktoren.

C. Ueber alle Anordnungen, Beschlüsse und das Verfahren aller Generalversammlungen, der Direktoren und der Commissionen von Direktoren.

86) Alle Handlungen, welche von einer Versammlung der Direktoren oder einer Commission von Direktoren oder von irgend Jemand, der als Direktor auftritt, ausgehen, sollen, auch wenn nachträglich sich herausstellt, daß bei der Ernennung solcher Direktoren, oder wie vorgedacht auftretender Personen, irgend ein Fehler mit untergelaufen ist, oder daß sie, oder Einer von ihnen nicht qualifizirt waren, beziehungsweise war, oder aus irgend einem Grunde ihr oder sein Amt verwirkt hatten — ebenso giltig sein, als wenn solche Person ordnungsmäßig ernannt worden wäre, und sie ein ordnungsmäßig qualifizirter Direktor wäre.

87) 2c.

Dividenden und Reservefonds.

88) Die Gesellschaft darf auf einer Generalversammlung — mit den vorbesprochenen Einschränkungen bezüglich der Dividenden auf die verschiedenen Klassen von Aktien — anordnen, daß Dividenden an die Mitglieder im Verhältnisse zu den eingezahlten, oder auf die von ihnen innegehabten Aktien, als eingezahlt creditirten Beträgen, vertheilt werden, allerdings mit den vorbesprochenen Einschränkungen bezüglich der Zahlung von Zinsen auf Gelder, welche vor den Nachforderungen nach Abrede vorausbezahlt sind.

89) Keine Dividende soll zahlbar sein, außer aus dem aus den Geschäften der Gesellschaft erzielten Gewinne, und keine größere Dividende soll gezahlt werden, als die von den Direktoren nach Maßgabe der nachfolgenden Bestimmungen festgesetzte; aber die Aktionäre dürfen durch einen auf der Generalversammlung gefaßten Beschluß festsetzen, daß eine niedrigere Dividende als die von den Direktoren empfohlene ausgezahlt werde und solche niedrigere Dividende soll dementsprechend nur ausgezahlt werden.

90) Die Direktoren dürfen, bevor sie eine Dividende in Vorschlag bringen, jeweilig aus dem Gewinne der Gesellschaft solche Summen bei Seite legen, welche sie für nothwendig oder zweckdienlich erachten, um einen oder mehrere Reserve- oder Verminderungsfonds zu bilden, welche nach dem Gutdünken der Direktoren dazu verwendet werden sollen, die Dividende auszugleichen oder um neue Werke zu errichten, um die Maschinen, Pflanzen oder das Eigenthum der Gesellschaft zu erhalten, zu repariren, zu ersetzen, zu verbessern, auszudehnen oder zu vergrößeren, oder um bestimmte oder ungewisse Verpflichtungen oder Verbindlichkeiten der Gesellschaft zu decken, oder zu anderen Zwecken der Gesellschaft, allerdings mit den in den §§ 12 und 13 des vorerwähnten Abkommens enthaltenen Beschränkungen.

91) Alle Gelder, die zu einem Reserve- oder Verminderungsfond der Gesellschaft gebracht werden, sowie alle andern Gelder der Gesellschaft, welche nicht unmittelbar zur Benutzung verwandt werden, dürfen nach Gutdünken der Direktoren in das Depositum gelegt werden oder in solchen Pfandsicherheiten oder Anlagepapieren vorgelegt werden, wie die Direktoren jeweilig für zweckentsprechend erachten, und in Fällen, in denen die Direktoren dies für geeignet erachten, soll solches Depot oder Anlage auf den Namen der Bevollmächtigten erfolgen.

92) Die Direktoren dürfen bei dem Bankier solches Saldo haben, wie sie es jeweilig für geeignet erachten und wenn auch der oder die Bankiers Direktor oder Direktoren sind.

93) Die Direktoren dürfen, wenn sie glauben, daß der Gewinn der Gesellschaft dazu ausreicht, solche einstweilige Dividende vertheilen, als sie für zweckentsprechend erachten.

94) Die Direktoren dürfen von den Dividenden, die an die einzelnen Mitglieder zu zahlen sind, diejenigen Summen in Abzug bringen, welche dieselben auf Grund von Nachforderungen oder aus anderen Gründen der Gesellschaft verschulden.

95) Keine Dividende soll Zinsen gegenüber der Gesellschaft tragen.

Konten.

96) Die Direktoren sollen wahrheitsgemäße Konten halten lassen:

(A.) über das Eigenthum, die Forderungen und Verbindlichkeiten der Gesellschaft,

(B.) über die Geldbeträge, die von der Gesellschaft in Empfang genommen und verausgabt sind und den Gegenstand, in Bezug auf den solche Einnahmen und Ausgaben erfolgt sind,

(C) über den Gewinn und Verluß, der aus den Operationen der Gesellschaft sich ergiebt.

97) Die Direktoren sollen jeweilig bestimmen, ob und in welcher Art und zu welchen Zeiten und an welchen Orten, sowie unter welchen Bedingungen und Anordnungen die Konten und Bücher der Gesellschaft oder ein Theil davon, der Einsichtnahme der Mitglieder offen stehen soll, und kein Mitglied soll ein Recht haben, irgend ein Konto oder Geschäftsbuch oder Dokument der Gesellschaft einzusehen, es sei denn, wie es durch die Gesetze, die Bewilligung der Direktoren, oder einen Beschluß der Gesellschaft auf der Generalversammlung bestimmt ist.

98) Mindestens einmal im Jahre sollen die Direktoren der Gesellschaft in der Generalversammlung eine Bilanz und einen Bericht über die Einnahmen und Ausgaben für das vergangene Jahr und mit einem so nahe als möglich vor der Generalversammlung liegenden Tage abschließend, vorlegen. Der so abgefaßte Bericht soll in möglichst übersichtlichen Kapiteln geordnet,

den Betrag der Einnahmen und Ausgaben in Pausch und Bogen zeigen, soll die Ausgaben für Einrichtung, Gehälter und andere ähnliche Angelegenheiten trennen, jeder Ausgabeposten, der mit Fug und Recht dem Jahreseinkommen gegenüber debitirt werden kann, soll in Rechnung gestellt werden, so daß eine richtige Bilanz von Gewinn und Verlust der Gesellschaft vorgelegt werden kann; und in Fällen, wo irgend ein Ausgabeposten, der mit Fug und Recht über mehrere Jahre vertheilt werden könnte, in einem Jahre entstanden ist, soll der Gesammtbetrag solchen Postens aufgeführt werden, mit Hinzufügen der Gründe, warum nur ein Theil dieser Ausgabe auf das Einkommen des Jahres debitirt ist. Die Bilanz soll eine Uebersicht des Eigenthums und der Verbindlichkeiten der Gesellschaft enthalten und mit dem Tage des erwähnten Berichts abschließen und mit geeigneten Ueberschriften geordnet sein.

99) Jedes Konto der Gesellschaft soll, wenn revidirt und durch eine Generalversammlung bestätigt, vollen Beweis bilden, außer mit Bezug auf einen innerhalb von 3 Monaten nach der Bestätigung gefundenen Irrthum. Wenn ein solcher Irrthum innerhalb dieser Periode gefunden wird, soll das Konto sofort verbessert werden und alsdann vollen Beweis bilden.

Allgemeines Siegel.

100) Die Direktoren sollen sofort ein allgemeines Siegel für die Gesellschaft beschaffen und sie sollen jeweilig befugt sein, dasselbe zu vernichten und ein neues Siegel an seine Stelle zu substituiren. Das allgemeine Siegel der Gesellschaft soll während der Dauer der Gesellschaft an dem eingetragenen Geschäftssitze der Gesellschaft aufbewahrt werden.

101) Das allgemeine Siegel soll keiner Bescheinigung, Urkunde oder Dokument, außer auf einer Direktorialversammlung beigedrückt werden und in keiner anderen Weise als durch einen Direktor, der mit Genehmigung des Direktorialraths handelt, das ordnungsmäßige Beifügen des Siegels soll auf alle Fälle durch die Unterschriften eines Direktors und des Sekretairs bescheinigt werden und eine Eintragung hierüber soll in dem von der Gesellschaft geführten Buche gemacht werden.

Revision.

102) Mindestens einmal im Jahre sollen die Konten der Gesellschaft geprüft und die Richtigkeit der Bilanz durch einen oder mehrere Revisoren untersucht werden.

103) Die ersten Revisoren sollen durch die Direktoren ernannt werden und es soll kein Hinderungsgrund für ihre Thätigkeit sein, daß der Sekretair der Gesellschaft ein Mitglied ihrer Firma ist. Die späteren Revisoren sollen von der Gesellschaft auf der Generalversammlung ernannt werden.

104) Wenn nur ein Revisor ernannt ist, sollen alle hierin enthaltenen Vorschriften auf ihn Anwendung haben.

105) Die Revisoren dürfen Mitglieder der Gesellschaft sein, aber kein Direktor oder anderer Beamter soll während der Dauer seines Amts wählbar sein, und Niemand, der in anderer Weise außer als Mitglied bei einem Geschäfte der Gesellschaft interessirt ist, soll während der Dauer solchen Interesses wählbar sein.

106) Die Wahl der Revisoren soll jährlich auf der ordentlichen Generalversammlung durch die Gesellschaft erfolgen.

107) Die Vergütung der ersten Revisoren soll durch die Direktoren festgesetzt werden; die der späteren durch die Gesellschaft auf der Generalversammlung.

108) Jeder Revisor soll bei Aufgabe seines Amts wieder wählbar sein, Niemand — mit Ausnahme eines ausscheidenden Revisors — soll gewählt werden dürfen, wenn nicht in der früher mit Bezug auf die Wahl von Direktoren angegebenen Art und Weise eine Benachrichtigung über die Person der sich anbietenden oder vorgeschlagenen Kandidaten erfolgt ist.

109) Wenn eine zufällige Vakanz in dem Amte eines von der Gesellschaft ernannten Revisors entsteht, so sollen die Direktoren dieselbe ausfüllen.

110) Wenn keine Wahl von Revisoren in der vorgedachten Art geschehen ist, so kann das Handelsamt auf Antrag von mindestens 5 eingetragenen Mitgliedern der Gesellschaft einen Revisor für das laufende Jahr ernennen und die von der Gesellschaft für seine Dienste zu leistende Vergütung festsetzen.

111) Jeder Revisor soll eine Abschrift der Bilanz erhalten und es soll seine Aufgabe sein, dieselbe mit den hierauf bezüglichen Konten und Geschäftsbüchern zu prüfen.

112) Jeder Revisor soll eine Liste aller von der Gesellschaft geführten Bücher ausgehändigt erhalten und soll zu zweckmäßigen Zeiten Zugang zu den Büchern und Konten der Gesellschaft haben. Er kann auf Kosten der Gesellschaft Buchhalter oder andere Personen, die ihn bei der Prüfung der Konten unterstützen, anstellen, und er kann bezüglich der Konten die Direktoren oder andere Beamte der Gesellschaft ausfragen.

113) Die Revisoren sollen über die Bilanz und die Konten einen Bericht an die Mitglieder erstatten und in jedem solcher Berichte sollen sie angeben, ob ihrer Ansicht nach, die Bilanz und Konten vollständige, richtliche Berichte sind, welche die durch die Artikel verlangten Details enthalten und ob sie in geeigneter Weise entworfen sind, um eine klare und genaue Uebersicht über die

Auszug aus den revidirten Statuten

der

kaiserl. königl. privilegirten

Versicherungs-Gesellschaft Oesterreichischer Phönix

in Wien.

I.

Zweck, Firma, Sitz und Dauer der Gesellschaft.

§ 1.

Zweck der Gesellschaft.

Die kaiserl. königl. privilegirte Versicherungs-Gesellschaft

Oesterreichischer Phönix in Wien

ist eine mit staatlicher Genehmigung gegründete Actiengesellschaft. Zweck derselben ist die Uebernahme von Versicherungen und Rückversicherungen:

I. Gegen allen Schaden,

a) welcher durch Brand oder Blitzschlag sowie durch das Löschen, Niederreißen und Ausräumen, ferner durch Dampf- und Gasexplosion an Immobilien und Mobilien herbeigeführt wird;

b) welcher durch zufälligen Bruch an Spiegeln und anderen Glastafeln entsteht;

c) welchem Transportgüter und Transportmittel zu Land und zu Wasser ausgesetzt sind;

d) welchen Bodenerzeugnisse durch Hagelschaden erleiden können.

II. gegen Unfälle aller Art unter den von der Staatsverwaltung speciell zu genehmigenden, beziehungsweise festzusetzenden Modalitäten, und zwar:

a) durch einzelne Unfall-Versicherungen;

b) durch Seereise-Versicherungen;

c) durch Collectiv-Versicherungen;

d) durch Haftpflicht-Versicherungen;

III. zum Betriebe von Versicherungsgeschäften auf das Leben des Menschen, und zwar von Kapital-Versicherungen auf den Todes- und Erlebensfall sowie von Leibrenten-Versicherungen jeder Art ist die Gesellschaft nur in sofern berechtiget, als dies zur Abwickelung der von ihr auf Grund der früheren Statuten abgeschlossenen derlei Geschäften erforderlich ist.

§ 2.

Firma der Gesellschaft.

Die Gesellschaft führt die Firma: Kaiserl. königl. privilegirte Versicherungs-Gesellschaft Oesterreichischer Phönix in Wien und wurde unter derselben nach Vorschrift der Gesetze registrirt.

Für die Gesellschaft zeichnen rechtsverbindlich ein Mitglied des Verwaltungsrathes in Gemeinschaft mit dem Director oder dessen mit der Procura versehenen Stellvertreter, indem dieselben den mit Stampiglie vorgedruckten oder von wem immer geschriebenen Worten Kaiserl. königl. privilegirte Versicherungs-Gesellschaft Oesterreichischer Phönix in Wien ihre eigenhändige Unterfertigung — der Director-Stellvertreter mit einem die Procura andeutenden Zusatze — beisetzen.

§ 3.

Sitz der Gesellschaft.

Die Gesellschaft hat ihren Sitz in Wien und ist berechtigt, allenthalben im In- und Auslande gegen Beobachtung der einschlägigen gesetzlichen Vorschriften Zweigniederlassungen und Agenturen zum Betriebe eines, mehrerer oder aller der in diesen Statuten bezeichneten Geschäftszweige zu errichten.

§ 4.

Dauer der Gesellschaft.

Die Dauer der Gesellschaft ist eine unbestimmte.

II.

Stammcapital und Actien.

§ 5.

Stammcapital.

Das Actiencapital der Gesellschaft war ursprünglich auf drei Millionen Gulden österr. Währung, ge-

Abschrift.
Zum Original ist ein Stempel von 1,50 Mk. verwendet.

Concession

zum Geschäftsbetriebe in Preußen für die Versicherung und Rückversicherung gegen Schäden durch den Transport zu Wasser und zu Lande für die Kaiserliche Königliche privilegirte Versicherungs-Gesellschaft Oesterreichischer Phönix in Wien. [A. 986.]

Der Kaiserlichen Königlichen privilegirten Versicherungs-Gesellschaft Oesterreichischer Phönix in Wien wird auf Grund der vorgelegten Statuten die Concession zum Geschäftsbetriebe in Preußen für die Versicherung und Rückversicherung gegen Schäden durch den Transport zu Wasser und zu Lande unter nachstehenden Bedingungen ertheilt:

1. Jede Veränderung der Gesellschafts-Statuten ist anzuzeigen und bei Verlust der ertheilten Concession der Genehmigung des Ministers für Handel und Gewerbe zu unterbreiten.

2. Die Concession, ein von der Landespolizeibehörde (Nr. 6) festzustellender Auszug des Statuts und etwaige Aenderungen des Statuts sind in den Amtsblättern derjenigen Bezirke, in welchen die Gesellschaft durch Agenten Geschäfte betreiben will, auf Kosten der Gesellschaft zu veröffentlichen.

3. In allen Prospecten und Bekanntmachungen der Gesellschaft ist als Gesellschaftsvermögen und Grundcapital nur das wirklich gezeichnete Antheilschein-Capital aufzuführen.

4. Die Gesellschaft hat wenigstens in einem der Preußischen Orte, in welchen sie Geschäfte betreibt, einen dort ansässigen, zur Haltung eines Geschäftslokals verpflichteten General-Bevollmächtigten zu bestellen und wegen aller aus ihren Geschäften mit Preußischen Staatsangehörigen entstehenden Verbindlichkeiten, je nach der Wahl der Versicherten, entweder bei dem Gerichte jenes Ortes oder im Gerichtsstande des die Versicherung vermittelnden Agenten Recht zu nehmen. Die diesbezügliche Verpflichtung ist in jede für Preußische Staatsangehörige auszustellende Police aufzunehmen.

Sollen die Streitigkeiten durch Schiedsrichter geschlichtet werden, so müssen diese letzteren mit Einschluß des Obmanns Preußische Staatsangehörige sein.

5. Alle Verträge mit Preußischen Staatsangehörigen sind von dem Wohnorte des in Preußen bestellten General-Bevollmächtigten oder eines der Preußischen Unter-Agenten aus abzuschließen.

6. Der Königlichen Landespolizeibehörde, in deren Bezirk die Geschäfts-Niederlassung sich befindet, ist in den ersten vier Monaten jedes Geschäftsjahres von dem General-Bevollmächtigten außer dem allgemeinen Rechnungsabschluß der Gesellschaft ein besonderer Rechnungsabschluß der bezüglichen Geschäfts-Niederlassung für das verflossene Jahr einzureichen und in dieser das in Preußen befindliche Vermögen von dem übrigen Vermögen gesondert aufzuführen. Der zuständigen Behörde bleibt überlassen, über die Aufstellung dieses Rechnungsabschlusses besondere Bestimmung zu treffen. Der allgemeine Rechnungsabschluß muß eine Gegenüberstellung sämmtlicher Forderungen und sämmtlicher Schulden, letzterer einschließlich des Grundcapitals enthalten, unter den Vermögen dürfen die vorhandenen Werthpapiere höchstens zu dem Tagespreise erscheinen, welchen dieselben zur Zeit der Rechnungsaufstellung haben, sofern dieser Preis jedoch den Anschaffungswerth übersteigt, höchstens zu letzterem angesetzt werden; bloße Gründungs- oder Verwaltungskosten dürfen nicht als Guthaben aufgenommen werden.

7. Der General-Bevollmächtigte hat sich zum Vortheile sämmtlicher Gläubiger der Gesellschaft in Preußen persönlich und erforderlichenfalls unter Stellung hinlänglicher Sicherheit zu verpflichten, für die Richtigkeit des eingereichten Rechnungsabschlusses einzustehen.

8. Der General-Bevollmächtigte ist verpflichtet, die von der Gesellschaft ausgehenden oder bereits ausgegangenen, auf den Geschäftsbetrieb sich beziehenden Schriftstücke, namentlich Instructionen, Tarife, Geschäftsanweisungen auf Erfordern des Ministers für Handel und Gewerbe oder der Landespolizeibehörde vorzulegen, auch alle in Bezug auf die Gesellschaft und die Niederlassung zu gebende sonstige Auskunft zu beschaffen und die betreffenden Papiere vorzulegen.

9. Die Concession wird nur für den Transportversicherungszweig und auch für diesen nur auf so lange ertheilt, als die Gesellschaft sich auf den Betrieb dieses Zweiges beschränkt. Sollte sie zum Betriebe anderer Geschäftszweige übergehen, so ist dies zur Kenntniß des Ministers für Handel und Gewerbe zu bringen und die Verlängerung der Concession nachzusuchen. Letztere kann zu jeder Zeit, und ohne daß es der Angabe von Gründen bedarf, lediglich nach dem Ermessen des Ministers für Handel und Gewerbe zurückgenommen und für erloschen erklärt werden.

10. Durch diese Concession wird die Befugniß zum Erwerbe von Grundstücken in Preußen nicht ertheilt, vielmehr bedarf es dazu in jedem einzelnen Falle der besonders nachzusuchenden landesherrlichen Genehmigung.

Berlin, den 24. März 1890.

(L. S.) **Der Minister für Handel und Gewerbe.**

In Vertretung: gez. Magdeburg.

VI.
Verwaltung der Gesellschaft.

§ 14.
Gliederung der Verwaltung.

Die Verwaltungsorgane der Gesellschaft sind:

a) die Generalversammlung der Actionäre,
b) der Verwaltungsrath,
c) der Director.

§ 15.
Vorstand der Gesellschaft.

Der Verwaltungsrath und der Director zusammen bilden den Vorstand der Gesellschaft im Sinne der Artikel 237—241 H.-G.-B. und vertreten dieselbe gerichtlich und außergerichtlich mit den ihnen daselbst eingeräumten Befugnissen und auferlegten Verpflichtungen.

VII.
Auflösung der Gesellschaft.

§ 42.
Liquidatoren.

Im Falle der Auflösung der Gesellschaft ernennt die Generalversammlung aus der Mitte der Actionäre ein Liquidations-Comité, welches aus drei Mitgliedern und zwei Ersatzmännern zu bestehen hat.

Die Liquidatoren haben alle zur Abwicklung der Geschäfte erforderlichen Vollmachten und können alle Rechte und Pflichten der Gesellschaft auf andere übertragen.

Mit ihrer Ernennung erlischt die Wirksamkeit des Verwaltungsrathes, während die Befugnisse der Generalversammlung und der Revisionscommission bis zur Beendigung der Liquidation fortbestehen.

Dieselbe ist während der Dauer der Liquidation von den Liquidatoren einzuberufen.

VIII.
Kundmachungen.

§ 43.

Die Verlautbarungen der Gesellschaft erfolgen rechtswirksam durch die amtliche Wiener Zeitung.

Für den Geschäftsbetrieb im Auslande finden die Verlautbarungen durch die betreffenden Amtsblätter statt.

IX.
Staatsaufsicht.

§ 44.
Versicherungs-Bedingungen.

Die Versicherungs-Bedingungen der Gesellschaft wurden vor der Eröffnung des Geschäftsbetriebes der Staatsregierung vorgelegt, ohne deren Genehmigung eine Abänderung derselben nicht erfolgen darf.

§ 45.
Aufsicht.

Die Staatsverwaltung übt ihr gesetzliches Aufsichtsrecht dahin aus, daß die Statuten, die bestehenden Gesetze und Vorschriften, insbesondere die Bestimmungen des Versicherungs-Regulativs vom 18. August 1880, R.-G.-Bl. 110, beobachtet werden. Dem zur unmittelbaren Ausübung dieses Aufsichtsrechtes bestellten landesfürstlichen Commissär steht insbesondere das Recht zu, an den Sitzungen der Generalversammlungen und des Verwaltungsrathes theilzunehmen und gegen jeden Beschluß, durch welchen er die Gesetze oder Statuten verletzt erachtet, Einspruch zu erheben. Insolange die vorgesetzte Behörde diesen Einspruch nicht aufgehoben hat, bleibt die Ausführung des bezüglichen Beschlusses sistirt.

§ 46.
Vergütung.

Mit Rücksicht auf die der Staatsverwaltung durch die Ausübung ihres Aufsichtsrechtes erwachsende Geschäftslast wird seitens der Gesellschaft eine von der Regierung zu bestimmende Pauschalvergütung alljährlich an den Staatsschatz entrichtet.

X.
Schlichtung von Streitigkeiten aus dem Gesellschafts-Verhältnisse.

§ 47.

Streitigkeiten aus dem Gesellschafts-Verhältnisse unter den Actionären oder zwischen denselben und dem Gesellschaftsvorstande werden bei dem ordentlichen competenten Gerichte in Wien ausgetragen.

Z. 17.109.

Vorstehende Statuten, welche an die Stelle der unterm 8. Juli 1887, Z. 11.041 bestätigten Statuten treten, werden genehmigt.

Wien, am 14. September 1889.

L. S. (Stempel.) — Taaffe m. p.

Den H.-G. vorgelegenen mit 2 fl. 50 kr. Stempel versehenen Original-Statuten gleichlautend!

Vom k. k. Handelsgerichte

Wien, am 21. September 1889.

(L. S.) — Buhl.

Druck von R. Leupold, Königsberg in Pr.

Der unter der Firma:

„Bremer Lebensversicherungs-Bank"

errichteten, in **Bremen** domicilirten Versicherungs-Gesellschaft wird die Concession zum Geschäftsbetriebe in dem Königlich Preußischen Staate, auf Grund der vorgelegten Statuten hiermit unter folgenden Bedingungen ertheilt:

1. Jede Veränderung der bei der Zulassung gültigen Statuten muß bei Verlust der Concession angezeigt und ehe nach denselben verfahren werden darf, von der Preußischen Staats-Regierung genehmigt werden.

2. Die Veröffentlichung der Concession, der Statuten und der etwaigen Aenderungen derselben erfolgt in den Amtsblättern resp. amtlichen Publicationsorganen derjenigen Bezirke, in welchen die Bank Geschäfte zu betreiben beabsichtigt, auf Kosten der Bank.

3. Die Bank hat wenigstens an einem bestimmten Orte in Preußen eine Haupt-Niederlassung mit einem Geschäftslokale und einem dort domicilirten Generalbevollmächtigten zu begründen.

   Derselbe ist verpflichtet, derjenigen Königlichen Regierung, in deren Bezirk sein Wohnsitz belegen, in den ersten sechs Monaten eines jeden Geschäftsjahres neben dem Verwaltungsberichte, Rechnungsabschlusse und der Generalbilanz der Bank eine ausführliche Uebersicht der im verflossenen Jahre in Preußen betriebenen Geschäfte einzureichen.

   In dieser Uebersicht — für deren Aufstellung von der betreffenden Regierung nähere Bestimmungen getroffen werden können — ist das in Preußen befindliche Aktivum von dem übrigen Aktivum gesondert aufzuführen.

   Die Bilanz, der Rechnungsabschluß und die gedachte Uebersicht sind alljährlich durch den Deutschen Reichs- und Preußischen Staatsanzeiger auf Kosten der Bank bekannt zu machen.

   Für die Richtigkeit der Bilanz und der Uebersicht des Rechnungsabschlusses (Gewinn- und Verlust-Konto) sowie der von ihm geführten Bücher, einzustehen, hat der Generalbevollmächtigte sich persönlich und erforderlichen Falls unter Stellung zulänglicher Sicherheit zum Vortheile sämmtlicher Preußischer Gläubiger zu verpflichten. Außerdem muß derselbe auf amtliches Verlangen unweigerlich alle diejenigen Mittheilungen machen, welche sich auf den Geschäftsbetrieb der Bank oder auf den der Preußischen Geschäftsniederlassung beziehen, auch die zu diesem Behufe etwa nöthigen Schriftstücke, Bücher, Rechnungen pp. zur Einsicht vorlegen.

4. Durch den Generalbevollmächtigten und von dem inländischen Wohnorte desselben aus sind alle Verträge der Bank mit den Preußischen Staatsangehörigen abzuschließen.

   Die Bank hat wegen aller aus ihren Geschäften mit Preußischen Staatsangehörigen entstehenden Verbindlichkeiten, je nach Verlangen des Versicherten, entweder in dem Gerichtsstande des Generalbevollmächtigten oder in demjenigen des Agenten, welcher die Versicherung vermittelt hat, als Beklagte Recht zu nehmen und diese Verpflichtung in jeder für einen Preußischen Staatsangehörigen auszustellenden Versicherungspolice ausdrücklich auszusprechen.

   Sollen die Streitigkeiten durch Schiedsrichter geschlichtet werden, so müssen diese letzteren mit Einschluß des Obmanns, Preußische Unterthanen sein.

5. Alle statutenmäßigen Bekanntmachungen der Bank sind auch durch den Deutschen Reichs- und Preußischen Staats-Anzeiger zu veröffentlichen.

Die vorliegende Concession — welche übrigens die Befugniß zum Erwerbe von Grundeigenthum in dem Preußischen Staate, wozu es der in jedem einzelnen Falle besonders nachzusuchenden Erlaubniß bedarf, nicht in sich schließt — kann zu jeder Zeit und ohne daß es der Angabe von Gründen bedarf, lediglich nach dem Ermessen der Preußischen Staatsregierung zurückgenommen und für erloschen erklärt werden.

Berlin, den 28sten Juni 1890.

(L. S.)

Der Minister des Innern.
Im Auftrage
gez. **Lodemann.**

Concession
zum Geschäftsbetriebe in dem Königl. Preußischen Staate für die **Bremer Lebensversicherungs-Bank zu Bremen.**
Ia 5975.

A. Verfassung.

I. Grundlagen.

1. Name, Gerichtsstand, Zweck.

§ 1. Der am 9. August 1867 unter dem Namen **Bremer Lebensversicherungs-Bank** gegründete Verein ist eine auf dem Grundsatze der Gegenseitigkeit beruhende Versicherungsgesellschaft. Dieselbe hat ihren Sitz in Bremen und ihren Gerichtsstand vor den bremischen Gerichten, unbeschadet des Rechts der Gesellschaft, vor anderen Gerichten Recht zu nehmen.

Sofern die Regierung eines anderen Staates die Concession zum Geschäftsbetriebe an die Bedingung knüpft, daß die Bank bei Streitigkeiten mit dortigen Staatsangehörigen wegen der Ansprüche aus Versicherungsverträgen auch vor den dortigen Gerichten Recht zu nehmen habe, ist die Gesellschaft befugt, eine derartige Verpflichtung einzugehen.

§ 2. Die Bank hat den Zweck, Lebens-, Aussteuer- und Militairdienst-Versicherungen zu übernehmen. Jede dieser Versicherungsarten bildet eine besondere Abtheilung der Bank.

Die erste Abtheilung umfaßt Lebensversicherungen, die zweite Aussteuerversicherungen und Versicherungen auf den Erlebensfall, die dritte Militairdienstversicherungen.

2. Haftung und Gewinnbetheiligung.

§ 3. Die gegenseitige Haftung und Gewinnbetheiligung erstreckt sich lediglich auf diejenigen Mitglieder, welche der betreffenden Abtheilung angehören.

§ 4. Wird eine Versicherung mit allen Rechten und Pflichten während der Versicherungsdauer auf eine andere Person mit Genehmigung der Direction übertragen, so geht damit die Mitgliedschaft auf den neuen Inhaber der Police über.

3. Vermögensverwaltung.

§ 5. Die sämmtlichen Activa der Bank werden einheitlich verwaltet, eine Sonderung der Activen der einzelnen Abtheilungen findet nicht statt.

Die Prämieneinnahmen fließen den einzelnen Abtheilungen zu; die Zinsen der Activen werden den einzelnen Abtheilungen nach Verhältniß der bei Schluß des Rechnungsjahres angesammelten Prämienreserve und Ueberschüsse zugeschrieben.

Nach Maßgabe des durch die Verwaltung der einzelnen Abtheilungen entstandenen Aufwandes werden die allgemeinen Betriebskosten verhältnißmäßig auf die einzelnen Abtheilungen vertheilt, etwaige Kapitalverluste werden nach Verhältniß der angesammelten Prämienreserven den einzelnen Abtheilungen belastet. Das Rechnungsjahr der Bank ist das Kalenderjahr.

§ 6. Die Gelder der Bank sind, soweit sie nicht zur Bestreitung nothwendiger Ausgaben flüssig zu halten sind, verzinslich anzulegen.

Diese Belegung erfolgt:

a. in pupillarisch sicheren Hypotheken,

b. in Inhaberpapieren, welche vom Deutschen Reiche oder von einem Deutschen Bundesstaate ausgegeben sind, oder welche unter Autorität eines der vorgedachten Staaten von Corporationen oder Communen ausgestellt und zu einem unabänderlichen Zinssatze verzinslich sind. Die Belegung von Geldern der Bank in Papieren eines anderen Staates ist nur in soweit gestattet, als von dem betreffenden Staate für die Zulassung zum Geschäftsbetriebe in demselben Cautionen in dessen Papieren gefordert, oder bei Stellung von Dienstcautionen die Hinterlegung in solchen Papieren verlangt wird.

c. durch Beleihung der von der Bank selbst ausgestellten Policen und durch Gewährung von Dienstcautionen an ihre Versicherten. Der Ankauf von Grundstücken ist nur soweit zulässig, als es sich um Beschaffung von Geschäftslocalitäten oder um Deckung einer Forderung handelt.

4. Bekanntmachungen.

§ 7. Alle öffentlichen Einladungen und Aufforderungen der Bank haben im Deutschen Reichs- und Preußischen Staatsanzeiger, in den in Bremen erscheinenden „Weser-Zeitung", „Bremer Nachrichten", „Bremer Courier" und der in Berlin erscheinenden „Deutschen Versicherungs-Zeitung" zu erfolgen. Der Verwaltungsrath ist berechtigt, unter Vorbehalt der Zustimmung der nächsten Generalversammlung, an Stelle eines der vier letzteren Blätter vorläufig ein anderes zu bestimmen, doch ist eine bezügliche Veränderung sofort in den übrigen Gesellschaftsblättern bekannt zu machen.

5. Statutenänderung.

§ 8. Eine Abänderung der Statuten ist nur zulässig, wenn einer Generalversammlung mit 2/3 Majorität beschlossen Beschluß von einer längstens innerhalb 4 Monaten berufenen zweiten Generalversammlung genehmigt wird. Den Zeitpunkt des Inkrafttretens der neuen Statuten bestimmt der Verwaltungsrath, nachdem die Bestätigung von denjenigen Regierungen, welche sich bei der Concessionsertheilung dieselbe vorbehalten haben, eingeholt ist.

II. Organe der Gesellschaft.

§ 9. Die Organe der Gesellschaft sind: 1) Die Generalversammlung. 2) Der Verwaltungsrath 3) Die Direction. 4) Die Revisionscommission.

1. Generalversammlung.

§ 10. Die Generalversammlungen sind entweder ordentliche oder außerordentliche. Die ordentliche Generalversammlung findet alljährlich innerhalb der ersten 6 Monate statt. Außerordentliche Generalversammlungen werden anberaumt:

1) Sobald der Verwaltungsrath es für erforderlich erachtet.
2) Auf Antrag der Direction.
3) Auf schriftlichen, durch Beifügung der für die Tagesordnung bestimmten Gegenstände begründeten Antrag von wenigstens fünfzig stimmberechtigten Mitgliedern.

Die Generalversammlungen werden vom Verwaltungsrathe anberaumt und am Sitze der Gesellschaft abgehalten.

Wird die Berufung einer Generalversammlung seitens der Direction oder seitens einer genügenden Anzahl Mitglieder beantragt, so ist der Verwaltungsrath verpflichtet, innerhalb 2 Monaten nach Eingang des Antrages eine Generalversammlung stattfinden zu lassen.

§ 11. Eine Generalversammlung ist ordnungsmäßig berufen, wenn die Einladung zu derselben wenigstens zweimal in jedem der Gesellschaftsblätter und zwar zuletzt spätestens 5 Tage vor der Generalversammlung erfolgt ist. Soweit thunlich, sind in der Einladung die zur Verhandlung stehenden Gegenstände namhaft zu machen.

Eine ordnungsmäßig berufene Generalversammlung ist beschlußfähig, ohne Rücksicht auf die Zahl der erschienenen Mitglieder.

§ 12. Stimmberechtigt in der Generalversammlung ist jedes Mitglied der Bank.

Mitglieder, welche mit der Prämienzahlung im Rückstande oder deren Versicherungen in beitragsfreie Policen umgewandelt sind, sind zur Theilnahme an der Generalversammlung nicht berechtigt.

Jedes Mitglied hat für sich nur eine Stimme, ist jedoch berechtigt, auf Grund notariell oder gerichtlich beglaubigter schriftlicher Vollmacht andere Mitglieder zu vertreten, jedoch kann ein Mitglied in solcher Weise nicht mehr als drei Mitglieder vertreten. Eine Ehefrau kann durch ihren Ehemann, eine minderjährige Person durch ihren gesetzlichen Vertreter vertreten werden.

§ 13. Die Zulassung zur Generalversammlung findet statt auf Grund einer Eintrittskarte, welche spätestens am Tage vor der Generalversammlung am Bureau der Gesellschaft zu lösen ist, oder gegen Vorzeigung der letzten noch gültigen Prämienquittung.

§ 14. Die Beschlüsse der Generalversammlung werden, abgesehen von dem Fall der Statutenänderung und der Auflösung, mit absoluter Majorität gefaßt, bei Stimmengleichheit ist der Antrag abgelehnt. Bei Wahlen entscheidet bei Stimmengleichheit das vom Vorsitzenden zu ziehende Loos. Die statutenmäßig gefaßten Beschlüsse sind für alle Mitglieder der Gesellschaft bindend.

§ 15. Die zur Berathung und Beschlußfassung der Generalversammlung gehörigen Gegenstände sind:

1) Der Jahresbericht.
2) Der Bericht der Revisionscommission.
3) Die Entlastung des Verwaltungsrathes und der Direction.
4) Die Wahl der Mitglieder des Verwaltungsrathes und der Revisionscommission.
5) Die Entlassung der Mitglieder der Direction, des Verwaltungsrathes und der Revisionscommission auf Grund der §§ 19, 20, und 24.
6) Der Erwerb von Grundstücken zu Geschäftszwecken.
7) Die Abänderung der Statuten.
8) Sonstige Gegenstände, welche vom Verwaltungsrathe auf die Tagesordnung gesetzt sind.

§ 16. Der Vorsitzende, in dessen Verhinderung ein anderes Mitglied des Verwaltungsraths, leitet die Generalversammlung; das Protocoll wird, wenn nicht eine notarielle Protocollführung erfolgt, von dem Schriftführer, in dessen Verhinderung von einem anderen Mitgliede des Verwaltungsraths geführt und in das Protocollbuch der Bank eingetragen. Das Protocoll muß in der Generalversammlung vorgelesen und genehmigt werden; daß solches geschehen, ist von dem protocollirenden Notar oder dem Vorsitzenden und Protocollführer zu bescheinigen.

§ 17. Die Abstimmung erfolgt, sofern die Generalversammlung nicht anders beschließt, bei Wahlen durch Stimmzettel, in anderen Fällen ohne Stimmzettel.

§ 18. Der Verwaltungsrath besteht aus 5 Mitgliedern der Bank, welche Zahl auf Antrag des Verwaltungsrathes von der Generalversammlung auf 7 erhöht werden kann. Die Mitglieder desselben werden von der Generalversammlung gewählt und zwar auf die Dauer von 4 Jahren. Alle 2 Jahre treten, je nach der Zahl der Mitglieder des Verwaltungsrathes, das erste Mal 3 bezw. 4, das folgende Mal 2 bez. 3 Mitglieder und zwar stets die dem Amtsalter nach ältesten aus dem Verwaltungsrathe aus, doch sind Wiederwahlen gestattet. Wählbar sind nur Personen, welche sich im Besitze der vollen bürgerlichen Ehrenrechte befinden und in ihrer Vermögensfähigkeit keiner Beschränkung unterliegen. Mitglieder des Verwaltungsrathes, welche während ihrer Amtsdauer den Besitz der vollen bürgerlichen Ehrenrechte verlieren oder in ihrer Vermögensfähigkeit beschränkt werden, scheiden damit aus dem Verwaltungsrathe aus. Bei eintretender Vacanz hat der Verwaltungsrath bis zur nächsten Generalversammlung eine vorläufige Besetzung der Stelle vorzunehmen. Die in der nächsten ordentlichen Generalversammlung vorzunehmende Neuwahl erfolgt für die Zeit der noch nicht abgelaufenen Amtsdauer des Ausgeschiedenen.

§ 19. Mitglieder des Verwaltungsrathes, welche sich in Ausübung ihres Amtes nachweislich unehrenhafter Handlungen oder grober Pflichtverletzungen schuldig gemacht haben, können durch Beschluß der Generalversammlung ihres Amtes enthoben werden. Für den durch ihre Handlung entstandenen Schaden bleiben dieselben der Bank haftbar.

§ 20. Dem Verwaltungsrathe liegt die allseitige Wahrnehmung der Interessen der Gesellschaft ob; er faßt im Namen der Gesellschaft rechtsverbindliche Beschlüsse über alle Gegenstände, welche nicht ausdrücklich einem anderen Gesellschaftsorgane vorbehalten sind. In Fällen, in denen diese Statuten zweifelhafte oder unzureichende Bestimmungen enthalten sollten, ist der Verwaltungsrath berechtigt, unter Hinzuziehung des Rechtsconsulenten der Bank das Nähere bis zur nächsten Generalversammlung, welche alsdann darüber entscheidet, zu bestimmen.

Insbesondere steht dem Verwaltungsrathe zu:

1) Die Wahl der Directionsmitglieder, jedoch unter Hinzuziehung der Revisoren, sowie einer von der Generalversammlung zu wählenden Commission, deren Mitgliederzahl diejenige des Verwaltungsraths und der Revisionscommission um eins übersteigen muß; ferner die Ertheilung der Instruction für die Directionsmitglieder, sowie die Ueberwachung der Geschäftsführung der Direction.
2) Die vorläufige Enthebung eines Directors aus seinem Amte bei groben Dienstvergehen oder grober Fahrlässigkeit in Amtsverrichtungen. Ueber den Antrag sind sämmtliche Mitglieder des Verwaltungsraths zu hören. Die Beschlußfassung erfolgt mit drei Viertel Majorität.
3) Die Wahl eines oder mehrerer Bankärzte, welche mit Begutachtung der bei der Direction zum Abschluß von Lebensversicherungen ein laufenden Antragspapiere beauftragt werden, sowie die Genehmigung der Anstellung und Entlassung der Bankbeamten, soweit dieselben ein Jahresgehalt von mehr als 2000 Mk. beziehen.
4) Die Aufsicht über die Leitung der Vermögensverwaltung der Gesellschaft, insbesondere die Genehmigung der von der Direction gestellten Anträge auf Ausleihung von Geldern auf Handfesten und Hypotheken sowie auf Belegung von Capitalien in Werthpapieren, auf Ankauf, Verkauf und Verpfändung von Grundstücken. Werthpapiere, welche für das laufende Geschäft nicht gebraucht werden, hat ein Mitglied des Verwaltungsrathes unter Mitverschluß zu halten.
5) Die Controllirung und Revision der Bücher, Casse, sowie der Correspondenzen und sonstigen Urkunden.
6) Die Prüfung der Jahresrechnungen, sowie die Festsetzung von Dividenden und etwaigen Nachschüssen.
7) Die Beschlußfassung über Abänderung der bestehenden und Einführung neuer Versicherungstabellen und Tarife der Gesellschaft.
8) Die Berufung der Generalversammlung und deren Leitung, sowie die Festsetzung der Tagesordnung.
9) Die Prüfung der von der Direction abgeschlossenen Verträge.

§ 21. Die Mitglieder der Direction nehmen auf Einladung des Verwaltungsrathes an den Sitzungen desselben mit berathender Stimme Theil. Der Verwaltungsrath wählt alljährlich aus seiner Mitte einen Vorsitzenden und einen Stellvertreter desselben, sowie einen Schriftführer. Die über die Sitzungen des Verwaltungsrathes zu führenden Protocolle sind in das Protocollbuch der Bank einzutragen und vom Vorsitzenden und Schriftführer zu unterzeichnen. Im Uebrigen kann der Verwaltungsrath einzelne der ihm obliegenden Funktionen nach seinem Ermessen auf einzelne seiner Mitglieder übertragen.

§ 22. Der Verwaltungsrath ist beschlußfähig bei Anwesenheit von wenigstens 3 Mitgliedern bezw. 5 Mitgliedern, wenn der Verfache Majorität, bei Stimmengleichheit gilt ein Antrag als abgelehnt.

3. Direction.

§ 23. Die Leitung der Bank liegt in den Händen der Direction, welche aus dem Director und einem stellvertretenden Director besteht, von denen jeder allein, soweit diese Statuten nicht ein Anderes bestimmen, die Bank rechtsverbindlich zu zeichnen berechtigt ist. Die Generalversammlung ist berechtigt auf Antrag des Verwaltungsraths, falls die Erweiterung des Geschäfts es erforderlich macht, die Ernennung weiterer stellvertretender Directoren zu beschließen. Den Umfang der Befugnisse der stellvertretenden Mitglieder der Direction bestimmt der Verwaltungsrath.

§ 24. Directionsmitglieder, welche während ihrer Amtsdauer den Besitz der vollen bürgerlichen Ehrenrechte oder ihre volle Vermögensfähigkeit verlieren, scheiden damit aus ihrem Amte aus.

§ 25. Den Mitgliedern der Direction ist untersagt, ohne ausdrückliche Genehmigung des Verwaltungsrathes Nebengeschäfte zu betreiben oder dem Vorstande oder Aufsichtsrathe einer Actien- oder sonstigen Erwerbs Gesellschaft anzugehören.

§ 26. Die Direction leitet die geschäftlichen Angelegenheiten der Gesellschaft nach Maßgabe des Statuts und der vom Verwaltungsrathe ertheilten Instruction, sowie der von demselben gefaßten Beschlüsse. Ihr liegt insbesondere ob die gerichtliche und außergerichtliche Vertretung der Bank, der Abschluß von Versicherungs- und anderen Verträgen, die Bestellung und Entlassung von Vertretern und Agenten und des Bankpersonals, soweit deren Anstellung und Entlassung nicht der Genehmigung des Verwaltungsrathes unterliegt, sowie die Buch- und Cassaführung.

Verträge mit Agenten und Angestellten dürfen ohne vorgängige Genehmigung des Verwaltungsrathes nur mit längstens jederzeitiger dreimonatlicher Kündigung abgeschlossen werden.

§ 27. Von der Direction vorgenommene Rechtsgeschäfte sind mit Ausnahme von Versicherungsanträgen Dritten gegenüber gültig, auch wenn die statutenmäßig erforderliche Genehmigung des Verwaltungsrathes nicht ertheilt ist. Versicherungsverträge sind gültig nachdem die von einem Mitgliede der Direction unterzeichnete Police von einem Mitgliede des Verwaltungsrathes gegengezeichnet ist.

§ 28. Bei Ausübung ihrer Functionen sind die Mitglieder der Direction für diejenigen Handlungen verantwortlich, welche gegen die Statuten und gegen die vom Verwaltungsrathe ertheilten Instructionen verstoßen, sowie für solche Versehen, welche bei Anwendung geschäftsüblicher Vorsicht hätten vermieden werden können. Die Rechtsgiltigkeit der betreffenden Handlungen Dritten gegenüber wird hierdurch nicht berührt.

§ 29. Fur Verhinderungsfälle eines Directors kann der Verwaltungsrath aus seinen Mitgliedern oder aus den Beamten der Bank einen Stellvertreter bestellen, der für die Zeit seiner Amtsdauer dieselben Rechte und Pflichten hat, wie ein Director.

§ 30. Zur Legitimation der Directoren sowie eines Stellvertreters dient das Protocoll der betreffenden Verwaltungsrathssitzung.

4. Die Revisions-Commission.

§ 31. Die Revisionscommission besteht aus 2 Mitgliedern der Bank, welche in der ordentlichen Generalversammlung auf 2 Jahre gewählt werden. Alljährlich scheidet das dem Dienstalter nach ältere Mitglied aus.

In Beziehung auf die Wahl und Entlassung der Mitglieder der Revisionscommission finden die Bestimmungen der §§ 18 und 19 entsprechende Anwendung.

Bei eintretender Vacanz hat der Verwaltungsrath für die Zeit der noch nicht abgelaufenen Amtsdauer des Betreffenden eine Neuwahl vorzunehmen.

§ 32. Die Revisionscommission hat über Monita, welche Seitens der Direction bezw. des Verwaltungsrathes nicht erledigt werden, in der nächsten ordentlichen Generalversammlung zu berichten. Die Revisoren haben in geeigneten Zwischenräumen Einsicht von dem Rechnungswesen und der Buchführung der Bank zu nehmen.

Die Revisionscommission hat den Rechnungsabschluß an Hand der Bücher zu prüfen und über den Befund dem Verwaltungsrathe zu berichten. Die Höhe der Vergütung für die Revisionscommission bestimmt der Verwaltungsrath.

III. Agenten.

§ 33. Zur Vermittelung des Abschlusses von Versicherungsverträgen stellt die Bank Agenten an; dieselben sind zur Vertretung der Bank nur kraft besonderen Auftrages berechtigt.

IV. Höhe der Versicherung.

§ 34. Die Bank ist berechtigt, Versicherungen bis zur Höhe von 60 000 Mark zu übernehmen, wovon jedoch mindestens der 30 000 Mark übersteigende Betrag in [illegible]

V. Prämienreserve, Tantième, Nachschuß.

§ 35. Aus den Einnahmen jeder Abtheilung werden die Ausgaben, als Verwaltungskosten, Provisionen, Versicherungsgelder und Verluste gedeckt, sowie die Prämienreserve zurückgestellt.

Der Prämienreservefond soll diejenige Summe enthalten, welche rechnungsmäßig erforderlich ist, um in Verbindung mit den von den Versicherungsnehmern fernerhin zu erwartenden Prämienzahlungen den eingegangenen Verpflichtungen zu genügen. Die Berechnung der Prämien-Reserve erfolgt unter Zugrundelegung eines dreieinhalbprocentigen Zinsfußes nach der Sterblichkeitstafel der siebenzehn englischen Gesellschaften und einer Einstellungsquote von fünfzig Procent bei Militairdienst-Versicherungen.

Für jede abgeschlossene Versicherung wird auf Grund der Reservetabellen die Prämienreserve zurückgestellt, so lange die Versicherung fortbesteht.

§ 36. Von dem nach Dotirung der Prämienreserve verbleibenden Ueberschusse werden 5% als Tantième für die Direction, und weitere 5% als Tantième für den Verwaltungsrath abgesetzt, doch wird dem Vorsitzenden des Verwaltungsraths eine jährliche Tantième von 1200 Mark, den übrigen Mitgliedern eine solche von je 800 Mark garantirt.

Weitere 2% des Ueberschusses werden zur Bildung eines Kriegsreservefonds verwandt, in denselben sind auch die nach § 65 der Statuten im Falle der Versicherung gegen Kriegsgefahr zu zahlenden Zusatzprämien einzustellen; dem Kriegsreservefonds sind, vom Jahresschlusse ab, jährlich $3\frac{1}{2}$% Zinsen zuzuschreiben. Der Kriegsreservefonds dient im Falle eines Krieges zunächst zur Deckung der in Folge desselben entstehenden Ansprüche.

Der Verwaltungsrath ist berechtigt, unter Zustimmung der Generalversammlung, einen Theil des Ueberschusses zur Bildung eines Beamten-Unterstützungs- und Pensionsfonds zu verwenden.

Der verbleibende Rest wird gemäß den §§ 56–58, 92, 93, 115—117 als Dividende vertheilt.

§ 37. Sollten bei Abschluß eines Geschäftsjahres die Einnahmen einer Abtheilung der Bank zur Deckung der Ausgaben und zur Dotirung der Prämienreserve derselben nicht hinreichend sein, so sind zur Deckung des Ausfalles die zurückbehaltenen Ueberschüsse der früheren Jahre zu verwenden; ein dann etwa noch bleibender Fehlbetrag ist, soweit der Verwaltungsrath dies für erforderlich erachtet, durch einen Prämiennachschuß zu decken, der procentmäßig nach der Höhe ihrer Prämienzahlung von den Mitgliedern einzuziehen ist; der Beschluß, daß und in welcher Höhe ein Prämiennachschuß einzufordern sei, erfolgt durch den Verwaltungsrath nach eingeholtem Berichte der Direction und der Revisionscommission; der Beschluß des Verwaltungsraths ist für alle Mitglieder verbindlich und unanfechtbar.

VI. Auflösung.

§ 38. Die Zeitdauer der Bank ist unbestimmt.

Die Auflösung kann, abgesehen von Fällen, wo dieselbe auf Grund gesetzlicher Bestimmungen erfolgt, lediglich geschehen, wenn dieselbe vom Verwaltungsrathe und der Direction einstimmig beantragt und in einer zu diesem Zwecke besondes berufenen Generalversammlung $\frac{3}{4}$ der erschienenen stimmberechtigten Mitglieder diesem Antrage zugestimmt und in einer zweiten frühesten innerhalb 2 Monaten und längstens innerhalb 3 Monaten berufenen Generalversammlung wiederum $\frac{3}{4}$ der erschienenen Mitglieder sich für den Antrag erklärt haben.

§ 39. In der die definitive Auflösung aussprechenden Generalversammlung sind gleichzeitig die erforderlichen Bestimmungen wegen Vornahme der Liquidation zu treffen.

Die Vertheilung des vorhandenen Vermögens erfolgt nach Verhältniß der für jeden einzelnen Versicherten zurückgestellten Reserve, nachdem zuvor sämmtliche Schulden und Verbindlichkeiten der Bank geordnet sind.

B. Lebens-Versicherungs-Bedingungen.

I. Antrag auf Versicherung.

§ 40. Wer eine Lebensversicherung abzuschließen beabsichtigt, hat bei der Bank einen schriftlichen Versicherungsantrag unter Beifügung des Geburtsscheines oder eines sonstigen Altersnachweises, sowie eines ärztlichen Gesundheitszeugnisses der zu versichernden Person einzureichen.

Die Nachlieferung des Altersnachweises ist statthaft. Der Versicherungsantrag ist auf einem gedruckten Antragsformular der Bank zu stellen und sind die in demselben enthaltenen Fragen von dem Antragsteller, bezw. von dem Antragsteller und der zu versichernden Person, gewissenhaft unter Beifügung der eigenhändigen Unterschrift zu beantworten.

oder eine Carrenzzeit zu vereinbaren; bei Sterbefällen innerhalb der Carrenzzeit wird die Versicherungssumme nicht gezahlt, hingegen die gezahlte Prämie zurückvergütet. Im Uebrigen ist die Direction berechtigt, auch sonstige besondere Bedingungen nach ihrem Ermessen zu vereinbaren.

Versicherungen, welche von der Direction unter Vorbehalt einer erhöhten Prämienzahlung, einer Carrenzzeit oder mit sonstigen besonderen Bedingungen angenommen werden, gelten, wenn seitens des Antragstellers diese Bedingungen nicht schon vorher genehmigt sind, als abgeschlossen, wenn die darüber ausgefertigte Police von dem Antragsteller eingelöst wird.

§ 42. Corporationsversicherungen seitens Behörden oder Personenvereinen und Versicherungen von Personen, welche ein Gewerbe betreiben, welches nachtheilig einwirkend auf die Gesundheit, oder welches für das Leben der zu versichernden Person mit größeren Gefahren verknüpft erscheint, sind unter vom Verwaltungsrathe und der Direction näher festzustellenden besonderen Prämiensätzen und Bedingungen zulässig.

§ 43. Die Direction ist nicht verpflichtet, bei Ablehnung von Versicherungsanträgen Gründe anzugeben; die eingereichten Antragspapiere, mit Ausnahme des Geburtsscheines oder des Altersnachweises, bleiben unter allen Umständen Eigenthum der Bank.

§ 44. Das Alter der zu versichernden Person wird stets nach vollen Jahren berechnet und kommt das laufende Lebensjahr mit in Rechnung. Die Prämienberechnung erfolgt, abgesehen von Fällen besonderer Vereinbarung, nach den von der Bank aufgestellten Prämientabellen.

II. Versicherungsurkunden.

§ 45. Ueber die Annahme der Versicherung wird eine Urkunde (Police) ausgefertigt und gegen Zahlung der erstmaligen Prämie, sowie der von der Bank etwa verauslagten Stempelgebühren ausgehändigt. Die Police enthält insbesondere die Angabe der Versicherungssumme, sowie der Höhe und der Verfallzeit der Prämie.

In der Regel wird bei Ausfertigung einer Police eine Policengebühr berechnet, die bei Aushändigung der Police mit erhoben wird.

§ 46. Ueber die Zahlung der Prämien werden Prämienquittungen ausgestellt.

III. Prämienzahlung.

§ 47. Durch die Annahme des Versicherungsantrages seitens der Bank wird der Antragsteller verpflichtet, die Prämie für das erste Versicherungsjahr sowie die Policengebühr und die Stempelauslagen für die Police zu zahlen; die ausgefertigte Police muß von dem Antragsteller innerhalb 30 Tagen, nachdem er von der Ausfertigung Kenntniß erhalten hat, eingelöst werden. Erfolgt die Zahlung nicht rechtzeitig, so kann die Direction die Prämie und Gebühren gerichtlich einziehen und bei nachträglich erfolgter Zahlung in die Fortsetzung der Versicherung willigen.

§ 48. Die Prämie ist jährlich im Voraus zu bezahlen, wenn nicht die Zahlung für einen längeren Zeitraum als ein Jahr vereinbart ist. Die Direction ist berechtigt, halb- und vierteljährliche Prämienzahlung zu gestatten, doch wird in diesem Falle in Rücksicht auf vermehrten Kostenaufwand und Zinsverlust eine besondere Vergütung erhoben in Höhe von 5% der Jahresprämie bei vierteljährlicher, und von 3% bei halbjährlicher Prämienzahlung.

§ 49. Die Prämie kann innerhalb 30 Tagen nach Verfall rechtsgültig gezahlt werden. Bei Versicherungen, welche über 1 Jahr in Kraft sind, kann die Direction diese Frist verlängern, jedoch, abgesehen von den Bestimmungen des § 70, nicht über den Zeitraum von zwölf Monaten hinaus. Erfolgt die Zahlung nicht innerhalb der statutenmäßigen oder vereinbarten Frist, so erlischt die Versicherung und damit jeder Anspruch gegen die Bank, vorbehältlich der Bestimmungen des § 51. Die Versicherung tritt jedoch wieder in Kraft, wenn innerhalb der nächsten 6 Monate nach Ablauf dieser Frist die Versicherungsprämie bei der Bank eingeht, vorausgesetzt, daß der Versicherte zur Zeit des Eingangs der Zahlung noch am Leben und gesund ist, worüber die Direction die Einlieferung eines ärztlichen Attestes verlangen kann. Erscheint der Direction der Gesundheitszustand nicht vollständig genügend, so kann dieselbe die Erneuerung der Versicherung ablehnen. Bei Versicherungen, welche über 5 Jahre bestanden, behält es in diesem Falle mit der im § 51 vorgesehenen Umwandlung sein Bewenden.

§ 50. Stirbt ein Versicherter, welcher die Zahlung der Prämie in terminlichen Raten vereinbart hatte, zu einer Zeit, wo die volle Jahresprämie des in Frage kommenden Versicherungsjahres noch nicht bezahlt ist, so werden die noch rückständigen Raten der Jahresprämie von der Versicherungssumme gekürzt.

§ 51. Versicherungen, welche länger als 5 Jahre in Kraft sind

Zahlung geltenden Prämiensätzen in der Weise berechnet wird, daß die auf diese Versicherung beim letzten Jahresabschlusse zurückgestellte Prämienreserve, unter Verrechnung eines etwa noch rückständigen Theiles der Jahresprämie und unter Abzug eines etwa darauf entnommenen Vorschusses als einmalige Capitalzahlung gilt. Diese Umwandlung tritt jedoch nur ein, wenn die auf diese Weise sich ergebende Versicherungssumme wenigstens Dreihundert Mark beträgt. Für die Berechnung wird dasjenige Alter angenommen, welches der Versicherte zur Zeit der Umwandlung erreicht hat, jedoch unter Berücksichtigung einer bei Abschluß der Versicherung zu Grunde gelegten Alterserhöhung.

Wird innerhalb zwei Jahren nach Umwandlung der Versicherung die Police bei der Direction nicht zur Umschreibung eingereicht, so erlöschen alle Ansprüche an die Bank.

§ 52. Die Bank ist berechtigt, beitragsfreie Versicherungen auf Antrag wieder in die ursprünglichen Versicherungen umzuwandeln, wenn die Versicherten den Nachweis voller Gesundheit bringen, und die inzwischen fällig gewordenen Prämien mit Zinsen zu 5 % p. a. nachzahlen.

§ 53. Bewilligt die Bank eine Verlängerung der Zahlungsfrist oder nimmt sie verspätete Prämienzahlungen an, so ist sie berechtigt, für jeden angefangenen Monat der verspäteten Zahlung ½ % Verzugszinsen nebst Portoauslagen und eine Agenturgebühr, die indeß für eine Prämienrate 1 Mark nicht übersteigen soll, sich vergüten zu lassen.

§ 54. Die fälligen Prämien müssen ohne besondere Aufforderung gezahlt werden. Erlischt eine Versicherung in Folge nicht rechtzeitiger Prämienzahlung, so steht dem Betreffenden nicht der Einwand zu, daß die Bank regelmäßig die Prämien einziehe oder eine Zahlungsaufforderung erlasse.

An Orten, wo sich Bankagenturen befinden, geschieht die Zahlung in der Regel bei den Agenturen und bedarf in diesem Falle die von der Bank ausgestellte Prämienquittung zu ihrer Rechtsgültigkeit der Mitunterzeichnung des die Zahlung in Empfang nehmenden Agenten.

§ 55. Die Zahlung der vollen Jahresprämie hat, wenn nichts anderes festgesetzt ist, mit Vollendung des achtzigsten Lebensjahres oder beim Sterbefalle ihr Ende erreicht. Die Versicherungssumme wird in Ermangelung anderer Vereinbarung ausbezahlt, wenn der Versicherte das 85. Lebensjahr vollendet.

IV. Gewinnvertheilung.

§ 56. Der für die Lebensversicherungsabtheilung verbleibende Ueberschuß wird zunächst 5 Jahre lang von der Bank zurückbehalten und kommt im sechsten Jahre auf die dann noch in Kraft befindlichen Versicherungen als Dividende des ersten Jahres zur Vertheilung; um eine größere Gleichmäßigkeit der Dividende herbeizuführen, ist der Verwaltungsrath jedoch berechtigt, eine den Ueberschüssen der letzten fünf Jahre entsprechende Durchschnittsdividende festzusetzen. Die Festsetzung der Dividende erfolgt durch den Verwaltungsrath nach eingeholtem Berichte der Direction und Revisionscommission. Der Beschluß des Verwaltungsrathes ist für alle Mitglieder rechtsverbindlich und unanfechtbar.

§ 57. Die Dividende wird, wenn nichts anderes vereinbart ist, auf die nächstfällige Jahresprämie des Versicherten abgerechnet, der die betreffende Quittung an den gewöhnlichen Terminen seiner Prämienzahlung bei dem Agenten in Empfang zu nehmen hat. Verzichtet ein Mitglied auf Anrechnung der Dividende, so kann die letztere nach näher zu treffender Vereinbarung mit der Direction von der Bank verzinslich bis zum Erlöschen der Versicherung, jedoch unter Vorbehalt einer kurzen Kündigungsfrist weiter verwaltet werden.

§ 58. Bei abgekürzten Lebensversicherungen entfällt die Dividende nur auf eine Prämie in der Höhe, wie solche auf lebenslängliche Versicherungen zu zahlen sein würde. In Fällen, in welchen die Prämie durch einmalige Zahlung für die ganze Lebensdauer entrichtet ist, wird die Dividende nach Verhältniß der entsprechenden Jahresprämie berechnet. Auf Versicherungen, welche in beitragsfreie umgewandelt sind, entfällt keine Dividende.

V. Beginn und Erlöschen der Versicherung.

§ 59. Die Versicherung tritt in Kraft mit Einlösung der Versicherungspolice. Die Versicherung tritt nicht in Kraft, wenn bei Aushändigung der Police der Versicherte nicht mehr lebt oder die Gesundheitsverhältnisse desselben seit Stellung des Antrages in wesentlich ungünstiger Weise sich verändert haben, er insbesondere an einer inzwischen hervorgetretenen Krankheit leidet.

§ 60. Die abgeschlossene Versicherung wird, abgesehen von dem Falle des Erlöschens in Folge nicht rechtzeitiger Prämienzahlung, gemacht, oder in den eingereichten ärztlichen Zeugnissen eine unrichtige Angabe, welche mit Wissen des Antragstellers oder des Versicherten aufgenommen ist, sich findet, welche für die Beurtheilung des Gesundheitszustandes des Versicherten von Erheblichkeit hätte sein können; doch findet diese Bestimmung keine Anwendung auf Versicherungen, welche länger als fünf Jahre in Kraft sind, wenn die Gesellschaft nicht innerhalb dieser fünf Jahre die Ungültigkeit geltend gemacht hat. Die Bank bleibt jedoch berechtigt, auch bei Versicherungen, welche länger als fünf Jahre in Kraft sind, die Ungültigkeit geltend zu machen, wenn die unrichtigen Angaben von dem Antragsteller oder dem Versicherten in betrügerischer Absicht gemacht oder veranlaßt sind.

2) Wenn der Versicherte innerhalb der ersten fünf Jahre nach Ausfertigung der Police in Folge Veränderung seines Berufes oder seiner Beschäftigung sich höheren Gefahren aussetzt. Die Versicherung wird insbesondere auch nach Ablauf von fünf Jahren ungültig, wenn der Versicherte in Seedienst tritt. Die Bank ist jedoch berechtigt, in diesen Fällen gegen Vereinbarung eines höheren Prämiensatzes die Versicherung in Kraft zu erhalten.

3) Wenn das Leben der versicherten Person absichtlich von demjenigen gefährdet oder der Tod des Versicherten von demjenigen herbeigeführt wurde, welchem die Versicherungssumme zufallen würde; hatte der Schuldige nur auf einen Theil der Versicherungssumme Anspruch so findet diese Bestimmung nur auf diesen Theil der Versicherung Anwendung.

§ 61. Die abgeschlossene Versicherung wird suspendirt:

1) Wenn der Versicherte in Kriegszeiten bei einem mobilen Truppenkörper steht oder in denselben eintritt, und zwar vom Zeitpunkte der Mobilmachung bezw. des Eintritts ab, jedoch ist der Versicherte in diesem Falle auch berechtigt, die Aufhebung des Versicherungsvertrages zu verlangen, wenn die Versicherung über drei Jahre in Kraft war, und werden ihm in diesem Falle drei Viertel der auf die betr. Versicherung zurückgestellten Prämienreserve zurückerstattet

2) Wenn der Versicherte als Passagier eine außeroropäische Reise antritt und solange er sich außer Europa aufhält. Ohne Einfluß auf den Bestand der Versicherung bleibt jedoch die Reise als Passagier auf Dampfschiffen in directer Linie zwischen den Häsen Europas und den Häsen an der Ostküste von Nordamerika innerhalb des 33. und 60. Grades nördlicher Breite, sowie der Aufenthalt in den bewohnten Theilen von Nordamerika innerhalb der nämlichen Breitengrade.

§ 62. Während der Zeit der Suspension ist der Versicherte zur Zahlung von Prämien nicht verpflichtet; durch Zahlung von Prämien während der Zeit der Suspension und durch Annahme derselben seitens der Bank wird die Suspension nicht aufgehoben.

§ 63. Stirbt der Versicherte während der Suspension, so wird nicht die Versicherungssumme, sondern die volle auf die betr. Versicherung zurückgestellte Prämienreserve gezahlt. Stirbt der Versicherte während des Kriegsdienstes, so werden die gezahlten Prämien abzüglich einer halben Jahresprämie zurückgezahlt. Der Versicherte ist berechtigt, nach Wegfall des die Suspension bewirkenden Grundes einen neuen Versicherungsantrag nebst Gesundheitszeugniß einzureichen; wird der Versicherte von der Bank wieder aufgenommen, so hat er den Prämienbetrag, welcher während der Zeit der Suspension hätte entrichtet werden müssen, mit fünf Procent Zinsen nachzuzahlen. Mit erfolgter Nachzahlung tritt die frühere Police wieder in Kraft. Lehnt die Bank die Wiederaufnahme ab, so ist dem Versicherten, bezw. dem Antragsteller die volle auf die betr. Versicherung zurückgestellte Prämienreserve zurückzuvergüten.

§ 64. Die Versicherung erlischt, so daß alle Ansprüche an die Bank verloren gehen, wenn innerhalb zwei Jahren nach Eintritt der Suspension weder die Aufhebung der Versicherung verlangt (§ 61), noch ein neuer Versicherungsantrag (§ 63) gestellt ist. Die Direction der Bank ist jedoch berechtigt, die Dauer der Suspension durch Vereinbarung zu verlängern.

§ 65. In den die Suspension der Versicherung bewirkenden Fällen ist die Bank berechtigt, gegen Vereinbarung besonderer Prämiensätze die Versicherung auch während der Dauer des die Suspension bewirkenden Umstandes in Kraft zu lassen.

§ 66. Liegt der dringende Verdacht vor, daß der Versicherte seinen Tod durch Selbstmord gefunden hat, so wird, wenn die Versicherung ein Jahr in Kraft gewesen, zwar nicht die in der Police vereinbarte Versicherungssumme, sondern diejenige Summe gezahlt, welche sich nach den für einmalige Capitalzahlung bestehenden Prämiensätzen als Versicherungssumme ergiebt, wenn die auf die betr. Versicherung

peinvoller, unheilbarer Krankheit oder bei gestörtem geistigen Zustande erfolgt ist, so wird stets die volle Versicherungssumme gezahlt.

§ 68. Die Bank ist berechtigt, bei Versicherungen, welche weniger als fünf Jahre bestehen, die Versicherung unter Rückerstattung der auf dieselbe zurückgestellten Prämienreserve aufzuheben, wenn der Versicherte zu einer Freiheitsstrafe von länger als drei Jahren verurtheilt ist, oder sich dem Trunke, der Morphiumsucht, oder einem ausschweifenden Lebenswandel ergiebt.

§ 69. Bei Versicherungen, welche länger als fünf Jahre in Kraft sind, ist der Versicherte zu einer Kündigung des Versicherungsvertrages berechtigt und werden in diesem Falle drei Viertel der auf die betr. Versicherung zurückgestellten Prämienreserve zurückvergütet, unter Verrechnung eines etwa noch rückständigen Theiles der Jahresprämie.

VI. Vorschüsse und Cautionsdarlehen.

§ 70. Die Bank ist berechtigt, auf Versicherungen, welche länger als fünf Jahre in Kraft sind, Vorschüsse bis zur Höhe von zwei Drittel der für die betr. Versicherung zurückgestellten Prämienreserve unter Verrechnung eines etwa noch rückständigen Theiles der Jahresprämie gegen Zinsvergütung und unter näher zu vereinbarenden Bedingungen zu gewähren; ebenso kann sie bei solchen Versicherungen Prämienbeträge bis zu dieser Höhe gegen Zinsvergütung stunden. In diesen Fällen bleiben die Versicherungen in Kraft, sofern die vereinbarten Bedingungen erfüllt werden.

Die Bank ist berechtigt, den bei ihr Versicherten unter näher zu vereinbarenden Bedingungen Dienstcautionen zu gewähren.

VII. Fälligkeit der Versicherung.

§ 71. Beim Todesfall eines Versicherten hat der Inhaber der Police bezw. der aus der Police Berechtigte dem zunächst wohnenden Bankagenten oder der Bankdirection sobald als möglich, spätestens innerhalb 4 Wochen, Anzeige zu machen, und dabei die bekannte oder vermuthete Todesursache anzugeben, auch einen amtlichen Todesschein und, soweit möglich, einen ausführlichen Bericht des Arztes über die letzte Krankheit oder die sonstige Todesursache des Verstorbenen auf seine Kosten beizubringen.

Werden wissentlich von dem Empfangsberechtigten falsche oder gefälschte Documente eingeliefert, so erlöschen alle Ansprüche an die Bank

§ 72. Die Bank ist berechtigt in zweifelhaften Fällen die auf ihre Kosten vorzunehmende Sektion der Leiche der versicherten Person zu verlangen oder anderweitige Nachforschungen anzustellen, ehe sie die Versicherungssumme auszahlt. Im Fall der Weigerung der Sektion seitens der Angehörigen ist die Bank zur Zahlung der vollen Versicherungssumme nicht verpflichtet, sondern nur zur Zahlung der Prämienreserve dieser Versicherung.

§ 73. Wird der Altersnachweis erst nach dem Versicherungsabschlusse oder nach erfolgtem Todesfalle eingeliefert, und ergiebt sich, daß in dem Versicherungsantrage und der Police ein zu geringes Alter angegeben ist, so ist die Differenz zwischen der gezahlten Prämie und derjenigen Prämie, welche nach Maßgabe des wirklichen Alters nach den Bestimmungen der Bank zu zahlen gewesen wäre, mit Zinseszinsen zu 5 % p. a nachzugewähren.

§ 74. Erachtet die Direction die beigebrachten Sterbefall-Documente als genügend, so zahlt sie die Versicherungssumme an die Empfangsberechtigten aus.

Die Auszahlung der Versicherungssumme geschieht, wenn die Police zahlbar an den Inhaber lautet, gegen Rückgabe derselben in Bremen am Bureau der Bank, an Orten, wo sich Bankagenturen befinden, durch diese oder durch Baarsendung auf Kosten der Bank Wird Zusendung nach Plätzen gewünscht, wo sich Bankagenturen nicht befinden, so geschieht dieselbe auf Kosten und Gefahr der Empfangsberechtigten. Erfolgt die Auszahlung durch Baarsendung, so ist, wenn erforderlich, die Police, und auf Verlangen auch die zuletzt bezahlte Prämienquittung der Bank vorher einzusenden. Lautet die Versicherung zu Gunsten dritter Personen, so kann die Zahlung ohne Rücklieferung der Police an die Empfangsberechtigten geschehen.

§ 75. Wird der Bank nicht innerhalb zwei Jahren vom Tage des Sterbefalls an gerechnet Anzeige von demselben gemacht, oder werden ihr nicht innerhalb fünf Jahren die erforderlichen Dokumente (§ 71) eingeliefert, so erlöschen alle Ansprüche an die Bank. Ebenso erlöschen alle Ansprüche, wenn die Bank die Auszahlung der Versicherungsumme weigert, und nicht innerhalb zwei Jahren nach der Zahlungsweigerung Klage gegen dieselbe erhoben wird.

§ 76. Die Bank ist berechtigt, bei auf den Inhaber lautenden Policen die Legitimation des Inhabers zu prüfen, jedoch nicht dazu verpflichtet.

VIII. Abhanden gekommene Policen.

ein Duplicat auszustellen; mit Aushändigung des Duplicates tritt die früher ausgefertigte Police außer Kraft.

Ist eine auf den Inhaber lautende Police abhanden gekommen, so ist die Bank berechtigt, die Außerkraftsetzung der Police durch ein gerichtliches Aufgebotsverfahren zu verlangen und nach Beendigung desselben eine neue Police zu Gunsten des Berechtigten auf dessen Kosten auszustellen.

Wird eine auf den Inhaber lautende Police der Bank als abhanden gekommen angemeldet, so ist die letztere auf Antrag berechtigt, wenn in den nächsten zwei Jahren Prämienzahlungen von einer anderen Person auf diese Police nicht erfolgen, dem früheren Inhaber der Police ein Duplicat derselben auszustellen.

C. Aussteuer-Versicherungs-Bedingungen.

§ 78. Die Aussteuer-Versicherung bildet eine Zweigabtheilung der Bremer Lebens-Versicherungs-Bank in der Weise, daß sich die Haftung und Gewinnbetheiligung auf die Mitglieder dieser Zweigabtheilung beschränkt. Die Abtheilung Aussteuer-Versicherung umfaßt auch solche Versicherungen, welche sich auf den Erlebensfall beziehen.

§ 79. Die Prämienberechnung erfolgt, abgesehen von Fällen besonderer Vereinbarung, nach den von der Bank aufgestellten Prämientabellen.

Bei Versicherungen, bei denen die Prämienzahlung im Fall des Todes des Versicherungsnehmers aufhört, kann die Bank sich von dem Versicherungsnehmer (Vater, Versorger) ein ärztliches Attest über dessen Gesundheitszustand einliefern lassen und ist auch berechtigt, die Versicherung abzulehnen. Wenn bezüglich des Gesundheitszustandes seitens des Versicherungsnehmers unwahre Angaben gemacht sind, so kann die Bank die Versicherung wieder außer Kraft setzen. Bei Versicherungen, welche länger als 5 Jahre in Kraft sind, ist die Bank zur Aufhebung nur dann berechtigt, wenn die unwahren Angaben in betrügerischer Absicht gemacht sind

§ 80. Die Prämie ist jährlich im Voraus zu bezahlen, wenn nicht die Zahlung für einen längeren Zeitraum vereinbart ist. Die Direction ist berechtigt, halb- und vierteljährliche Prämienzahlung zu gestatten, doch wird in diesem Falle in Rücksicht auf vermehrten Kostenaufwand und Zinsverlust eine besondere Vergütung erhoben in Höhe von 5 % der Jahresprämie bei vierteljährlicher und von 3 % bei halbjährlicher Zahlung Außer der Prämie und etwaigen Stempelabgaben werden als Beitrag zu den Betriebskosten einmalige Policengebühren erhoben.

§ 81. Zur Beurkundung des richtigen Alters ist der Bank ein amtlicher Altersnachweis (Geburtsschein) einzuliefern. Sollte der Altersnachweis nicht sofort beim Abschlusse der Versicherung eingereicht werden, dann ist derselbe jedenfalls vor Auszahlung der Versicherungssumme einzuliefern. Falls dann in der Police ein damit nicht übereinstimmendes Alter angegeben ist, so ist die Differenz zwischen der gezahlten Prämie und derjenigen Prämie, welche nach Maßgabe des wirklichen Alters nach den Bestimmungen der Bank zu zahlen gewesen wäre, mit Zinseszinsen zu 5 % p. a. nachzugewähren, wogegen etwa zu viel gezahlte Prämien ohne Zinsen zurückvergütet werden.

§ 82. Der zum Zwecke der Befreiung von der Prämienzahlung bezw. Rückforderung von Prämieneinzahlungen zu bringende Nachweis über das Ableben des Versicherungsnehmers oder des versicherten Kindes ist durch eine Sterbeurkunde zu führen.

§ 83. Ueber die stipulirte Versicherungssumme wird von der Bank eine Urkunde (Police) ausgefertigt und gegen Zahlung der erstmaligen Prämie und Gebühren ausgehändigt. In dieser Police ist Zeit und Höhe der zu zahlenden Prämie bemerkt. Wird die Prämie nicht durch einmalige Zahlung für die ganze Versicherungsdauer berichtigt, so werden über die einzelnen Zahlungen Prämienquittungen ausgestellt, von denen die letzte bei Fälligkeit der Versicherungssumme auf Verlangen vorzulegen ist.

§ 84. Die Einlösung ausgefertigter Policen muß seitens der Antragsteller innerhalb dreißig Tagen geschehen, nachdem dieselben von der Ausfertigung in Kenntniß gesetzt sind. Bei später fällig werdenden Prämienzahlungen ist vom Fälligkeitstage an eine Zahlungsfrist von dreißig Tagen gestattet. Für Prämienzahlungen, welche nicht innerhalb der dreißigtägigen Frist erfolgen, kann die Bank für jeden angefangenen Monat ½ % des Prämienbetrags als Verzugszinsen, nebst Portoauslagen und eine Agenturgebühr, welch' letztere indeß für eine Prämienrate 1 Mark nicht übersteigen soll, sich vergüten lassen. — Die Versicherung erlischt, wenn die Prämie einschließlich etwaiger Verzugszinsen nicht innerhalb sechs Monaten nach dem Fälligkeitstage oder innerhalb der etwa vereinbarten längeren Zahlungsfrist gezahlt ist. Die erste Jahresprämie ist dessenungeachtet voll zu zahlen.

§ 85. Bei Versicherungen, die über drei Jahre in Kraft sind, kann die Bank, wenn es beantragt wird, die bis dahin eingezahlten Prämien

Umwandlung tritt bei Policen, welche über fünf Jahre in Kraft sind, von selbst ein, wenn die Prämienzahlung nicht innerhalb der zulässigen Zahlungsfrist erfolgt ist (§ 84); wird jedoch in diesem Falle die Police nicht innerhalb zwei Jahren nach der Umwandlung bei der Bank zur Umschreibung in die beitragsfreie Police eingereicht, so erlöschen alle Ansprüche an die Bank.

§ 86. Bei der Umwandlung in eine beitragsfreie Police (§ 85) wird die einmalige Prämie nach dem Alter berechnet, welches das versicherte Kind zur Zeit der Umwandlung erreicht hat; falls das versicherte Kind dann über 10 resp. 12 Jahre alt ist, so ist das Alter von 10 resp. 12 Jahren der Berechnung zu Grunde zu legen und mittelst Zinszurechnung von 5 % p. a. zu der Prämie die Versicherungssumme festzustellen. Bei Versicherungen, welche in der Weise abgeschlossen sind, daß die Prämienzahlungen in Folge Ablebens der Versicherungsnehmer aufhören, kommt nur derjenige Theil der Prämie, welcher nach der entsprechenden Tabelle ohne Befreiung von Prämienzahlung im Fall Ablebens der Versicherungsnehmer zu zahlen gewesen wäre, in Anrechnung. Ein Rückkauf der Police oder Gewährung von Darlehn findet nicht statt.

§ 87. Die fälligen Prämien müssen ohne besondere Aufforderung bezahlt werden. Erlischt eine Versicherung in Folge nicht rechtzeitiger Zahlung der Prämien, so steht dem Betreffenden nicht der Einwand zu, daß die Bank regelmäßig die Prämien einziehe, oder eine Zahlungsaufforderung erlasse.

An Orten, wo sich Bankagenturen befinden, geschieht die Zahlung in der Regel bei den Agenturen, und bedarf in diesem Falle die von der Bank ausgestellte Prämienquittung zu ihrer Rechtsgültigkeit der Mitunterzeichnung des die Zahlung in Empfang nehmenden Agenten.

§ 88. Mit dem Ableben eines versicherten Kindes erlischt die Versicherung. Etwa zurückzugewährende Prämien werden abzüglich einer halben Jahresprämie innerhalb eines Monats nach dem Ableben zurückgezahlt.

§ 89. Die Auszahlung der Aussteuer-Versicherungssumme erfolgt, wenn die versicherte Person das für die Versicherung zu Grunde gelegte Alter vollendet hat und ist dieses der Bank glaubhaft nachzuweisen. Das Alter wird als erreicht angenommen, wenn das versicherte Kind vier Wochen vor dem in Frage kommenden Geburtstage noch am Leben war. Die Auszahlung erfolgt in der Regel am Geburtstage der versicherten Person.

Wenn von Jahresprämien zur Zeit der Auszahlung der Versicherungssumme noch Ratenzahlungen rückständig sind, so müssen diese von der Versicherungssumme gekürzt werden. Gelangt die Versicherungssumme vor Beendigung des vollen Versicherungsjahres zur Auszahlung, dadurch, daß sie an dem Geburtstage der versicherten Person zu zahlen ist, so werden 5 % Discont p. a. von der solchergestalt erfolgten früheren Zahlung berechnet.

§ 90. Falsche Angaben oder Einlieferung falscher oder gefälschter Papiere zwecks Erhebung der Versicherungssumme oder der Prämiengelder ziehen Verlust aller Ansprüche nach sich und wird die Versicherungspolice dadurch ungültig. Die Bank ist berechtigt, die Versicherungssumme an die in der Police benannte Person auch ohne Vorlage der Police auszuzahlen.

§ 91. Die Auszahlung der Versicherungssumme geschieht in Bremen am Bureau der Bank, an Orten, wo sich Bankagenturen befinden, durch diese, oder durch Baarsendung auf Kosten der Bank. Wird Zusendung nach Plätzen gewünscht, wo sich Bankagenturen nicht befinden, so geschieht dieselbe auf Kosten und Gefahr der Empfangsberechtigten.

§ 92. Der für die Aussteuer-Versicherung verbleibende Ueberschuß wird als Dividende den einzelnen Versicherungen in procentmäßiger Höhe der Jahresprämie, bezw. bei Versicherungen, bei denen die Zahlung für einen längeren Zeitraum als ein Jahr erfolgt, in entsprechender Höhe zugeschrieben.

§ 93. Der Ueberschuß (Dividende) (§ 92) entfällt nur auf Versicherungen, bei denen die Versicherten zur Zeit der Fälligkeit der Versicherungssumme noch am Leben waren; wogegen solche Versicherungen, deren Versicherte früher verstorben sind, keinen Antheil an dem Ueberschusse (Dividende) haben.

§ 94. Ist eine Police abhanden gekommen, so ist die Direction berechtigt, an deren Stelle ein Duplicat auszustellen. Mit Aushändigung des Duplicats tritt die früher ausgefertigte Police außer Kraft.

D. Militärdienst-Versicherungs-Bedingungen.

§ 95. Die Militairdienst-Versicherung bildet eine Zweigatheilung der Bremer Lebensv

Bei Versicherungen, bei denen die Prämienzahlung im Falle des Todes des Versicherungsnehmers aufhört, kann die Bank sich von dem Versicherungsnehmer (Vater, Versorger) ein ärztliches Attest über dessen Gesundheitszustand einliefern lassen und ist auch berechtigt, die Versicherung abzulehnen. Wenn bezüglich des Gesundheitszustandes seitens des Versicherungsnehmers unwahre Angaben gemacht sind, so kann die Bank die Versicherung wieder außer Kraft setzen. Bei Versicherungen, welche länger als fünf Jahre in Kraft sind, ist die Bank zur Aufhebung nur dann berechtigt, wenn die unwahren Angaben in betrügerischer Absicht gemacht sind.

§ 97. Die Prämie ist jährlich im Voraus zu bezahlen, wenn nicht die Zahlung für einen längeren Zeitraum vereinbart ist. Die Direction ist berechtigt, halb- und vierteljährliche Prämienzahlungen zu gestatten, doch wird in diesem Falle in Rücksicht auf vermehrten Kostenaufwand und Zinsverlust eine besondere Vergütung erhoben in Höhe von 5 % der Jahresprämie bei vierteljährlicher und 3 % bei halbjährlicher Zahlung. Außer der Prämie und etwaigen Stempelabgaben werden als Beitrag zu den Betriebskosten einmalige Policengebühren erhoben.

§ 98. Zur Beurkundung des richtigen Alters ist der Bank ein amtlicher Altersnachweis (Geburtsschein) einzuliefern. Sollte der Altersnachweis nicht sofort beim Abschlusse der Versicherung eingereicht werden, dann ist derselbe jedenfalls vor Auszahlung der Versicherungssumme einzuliefern. Falls dann in der Police ein damit nicht übereinstimmendes Alter angegeben ist, so ist die Differenz zwischen der gezahlten Prämie und derjenigen Prämie, welche nach Maßgabe des wirklichen Alters nach den Bestimmungen der Bank zu zahlen gewesen wäre, mit Zinseszins zu 5 % p. a. nachzugewähren, wogegen etwa zu viel gezahlte Prämien ohne Zinsen zurückvergütet werden.

§ 99. Der zum Zwecke der Befreiung von der Prämienzahlung, bezw. Rückforderung von Prämienzahlungen zu bringende Nachweis über das Ableben des Versicherungsnehmers oder des versicherten Kindes ist durch eine Sterbeurkunde zu führen.

§ 100. Ueber die stipulirte Versicherungssumme wird von der Bank eine Urkunde (Police) ausgefertigt und gegen Zahlung der erstmaligen Prämie und Gebühren ausgehändigt. In dieser Police ist Zeit und Höhe der zu zahlenden Prämie bemerkt. Wird die Prämie nicht durch einmalige Zahlung für die ganze Versicherungsdauer berichtigt, so werden über die einzelnen Zahlungen Prämienquittungen ausgestellt, von denen die letzte bei Fälligkeit der Versicherungssumme auf Verlangen vorzulegen ist.

§ 101. Die Einlösung ausgefertigter Policen muß seitens der Antragsteller innerhalb dreißig Tagen geschehen, nachdem dieselben von der Ausfertigung in Kenntniß gesetzt sind. Bei später fällig werdenden Prämienzahlungen ist vom Fälligkeitstage an eine Zahlungsfrist von dreißig Tagen gestattet. Für Prämienzahlungen, welche nicht innerhalb der dreißigtägigen Frist erfolgen, kann die Bank für jeden angefangenen Monat $^{1}/_{2}$ % des Prämienbetrags als Verzugszinsen nebst Portoauslagen und einer Agenturgebühr, welch' letztere indeß für eine Prämienrate 1 Mark nicht übersteigen soll, sich vergüten lassen. Die Versicherung erlischt, wenn die Prämie, einschließlich etwaiger Verzugszinsen, nicht innerhalb sechs Monaten nach dem Fälligkeitstage oder innerhalb der etwa vereinbarten längeren Zahlungsfrist gezahlt ist. Die erste Jahresprämie ist dessenungeachtet voll zu zahlen.

§ 102. Bei Versicherungen, die über drei Jahre in Kraft sind, kann die Bank, wenn es beantragt wird, die bis dahin eingezahlten Prämien, unter Wegfall einer Jahresprämie, als einmalige Zahlung in Anrechnung bringen und die Police in eine beitragsfreie umwandeln. Diese Umwandlung tritt bei Policen, welche über fünf Jahre in Kraft sind, von selbst ein, wenn die Prämienzahlung nicht innerhalb der zulässigen Zahlungsfrist erfolgt ist (§ 101), wird jedoch in diesem Falle die Police nicht innerhalb zwei Jahren nach der Umwandlung bei der Bank zur Umschreibung in die beitragsfreie Police eingereicht, so erlöschen alle Ansprüche an die Bank.

§ 103. Bei der Umwandlung in eine beitragsfreie Police (§ 102) wird die einmalige Prämie nach dem Alter berechnet welches der versicherte Knabe zur Zeit der Umwandlung erreicht hat; falls der versicherte Knabe dann über 12 Jahre alt ist, so ist das letztere Alter der Berechnung zu Grunde zu legen und mittelst Zinszurechnung von 5 % p. a zu der Prämie die Versicherungssumme festzustellen. Bei Versicherungen, welche in der Weise abgeschlossen sind, daß die Prämienzahlungen in Folge Ablebens des Versicherungsnehmers aufhören, kommt nur derjenige Theil der Prämie, welcher nach der entsprechenden Tabelle ohne Befreiung von Prämienzahlung im Fall Ablebens der Versicherungsnehmer zu zahlen gewesen wäre, in Anrechnung. Ein Rückkauf der Police oder Gewährung von Darlehn findet nicht statt.

§ 104. Die fälligen Prämien müssen ohne besondere Aufforderung bezahlt werden. Erlischt eine Versicherung in Folge nicht rechtzeitiger

Bank ausgestellte Prämienquittung zu ihrer Rechtsgültigkeit der Mitunterzeichnung des die Zahlung in Empfang nehmenden Agenten.

§ 105. Die letzte Jahresprämie ist in dem laufenden 20. Lebensjahre der Versicherten zu zahlen. Treten Militairpflichtige vor dem 1. October desjenigen Jahres, in welchem dieselben das 20. Lebensjahr vollenden, in den Militairdienst, so werden 5 % Discont p. a. von jeder früheren Zahlung berechnet. Wenn alsdann den obigen Bestimmungen gemäß noch Prämienzahlungen zu machen sind, so können solche von der zu zahlenden Versicherungssumme gekürzt werden

§ 106. Um die Versicherungssumme erheben zu können, ist die erfolgte Einstellung durch eine entsprechende Bescheinigung der vorgesetzten Dienstbehörde nachzuweisen, falls aber eine solche von der vorgesetzten Behörde verweigert werden sollte, ist die erfolgte Einstellung auf andere Art glaubhaft nachzuweisen. Falsche Angaben oder Einlieferung falscher oder gefälschter Papiere zwecks Erhebung der Versicherungsgelder ziehen Verlust aller Ansprüche nach sich, und wird die Versicherungspolice dadurch ungültig.

§ 107. Die Auszahlungen geschehen, wenn in der Police nicht andere Zahlungstermine angegeben sind, der Regel nach ratenweise und zwar:

a) acht Tage nach Beibringung der Bescheinigung über den erfolgten Eintritt in das stehende Heer oder in die Flotte, mit vier Zehntel, 18 Monate später mit vier Zehntel und bei der Entlassung der Rest mit zwei Zehntel;

b) bei Versicherten, welche ihrer Dienstzeit als Einjährig-Freiwillige genügen, acht Tage nach Beibringung der Eintrittsbescheinigung mit fünf Zehntel, 6 Monate später mit vier Zehntel und bei der Entlassung mit einem Zehntel;

c) erhalten Versicherte, welche sich ganz dem militärischen Berufe widmen, die Hälfte der Versicherungssumme acht Tage nach erfolgtem Nachweise ihrer Einstellung und die andere Hälfte 12 Monate später;

d) erhalten Versicherte, deren Dienstzeit in Folge ihres Berufs als Mediciner, Lehrer, Theologen ꝛc. von der gewöhnlichen Dienstzeit abweicht, die Hälfte der Versicherungssumme acht Tage noch erfolgtem Nachweise ihrer Einstellung und die andere Hälfte im Laufe der Dienstzeit;

e) werden diejenigen Versicherungen bei denen die Auszahlung der Versicherungssumme, ohne Rücksicht auf den Eintritt in den Militairdienst erfolgt, im Monate December desjenigen Jahres, in welchem die Versicherten das einundzwanzigste Lebensjahr vollenden, ausbezahlt, sofern dieselben bis zum 1. December dieses Jahres in das stehende Heer oder in die Flotte nicht eingestellt wurden und am 31. December desjenigen Jahres, in welchem sie das dienstpflichtige Alter von 20 Jahren erreicht haben, noch am Leben waren, welch' letzteres der Bankdirection durch eine entsprechende Bescheinigung glaubhaft nachzuweisen ist, andernfalls nur die eingezahlte Prämie, unter Kürzung einer Jahresprämie rückzahlbar ist. Ist die Einstellung vor obenbenanntem Zeitpunkte erfolgt, dann geschehen die Zahlungen den Bedingungen, sub a—d gemäß.

Die Bank ist berechtigt, die Versicherungssumme an die in der Police benannte Person auch ohne Vorlage der Police auszuzahlen.

§ 108. Die Auszahlung der Versicherungssumme geschieht in Bremen am Bureau der Bank, an Orten, wo sich Bankagenturen befinden, durch diese oder durch Baarsendung auf Kosten der Bank. Wird Zusendung nach Plätzen gewünscht, wo sich Bankagenturen nicht befinden, so geschieht dieselbe auf Kosten und Gefahr der Empfangsberechtigten.

§ 109. Die Bank ist berechtigt, aber nicht verpflichtet, auf Antrag von Versicherten das Capital in einer Summe statt in Raten auszuzahlen, gegen Abzug von 5 % Discont p. a.

§ 110. Sofern die Versicherungspolice nicht anders lautet, erlischt die Verpflichtung zur Zahlung der Versicherungssumme:

a) durch gänzliche Befreiung des Versicherten vom Militairdienst;

b) durch Ueberweisung des Versicherten in die Ersatzreserve unter Berücksichtigung der Bestimmungen des § 111;

c) durch Ableben des Versicherten, wenn solches vor der Einstellung und vor dem 31. December desjenigen Jahres erfolgt, in welchem derselbe das dienstpflichtige Alter von 20 Jahren erreicht hat.

Tritt einer der sub a, b, c erwähnten Fälle ein, so werden auf solche Versicherungen, welche mit event. Prämienrückgewähr abgeschlossen sind, die eingezahlten Prämien, abzüglich einer dem Eintrittsalter entsprechenden Jahresprämie, nach Beibringung der betreffenden Bescheinigung ausbezahlt.

§ 111. Wenn Versicherte der Ersatzreserve überwiesen und zur Uebung eingezogen werden, so ist denjenigen Versicherten, deren Versicherungen ohne Prämienrückgewähr abgeschlossen sind, ein Fünftel der Versicherungssumme auszuzahlen. Die Zahlung ist fällig bei der ersten Uebung und erfolgt acht Tage nach Beibringung der Einstellungsbescheinigung.

§ 112. Wenn Versicherte, welche in das stehende Heer oder die Flotte eingestellt waren, vor Ablauf der gesetzlichen Dienstzeit entlassen werden, oder während der Dienstzeit sterben, so werden die bis dahin noch nicht bezahlten Raten der Versicherungssumme an den Versicherten bezw. dessen Erben in derselben Weise weitergezahlt, als wenn der Versicherte im Dienste verblieben wäre.

§ 113. Die zu zahlende erste Rate der Versicherungssumme muß innerhalb zwei Jahren vom Tage der Einstellung des Versicherten an gerechnet, abgefordert werden, widrigenfalls ein Anspruch wegen dieser Ratenzahlung nicht mehr erhoben werden kann Ebenso erlischt der Anspruch auf jede weitere Ratenzahlung und auf die im § 111 erwähnte Summe, wenn dieselbe nicht innerhalb zwei Jahren, vom Fälligkeitstage an gerechnet, abgefordert ist.

§ 114. Nach jeder stattgehabten Musterung ist der Direction oder einem Vertreter der Bank das Original oder eine amtlich beglaubigte Abschrift des dem Versicherten über das Resultat der Musterung ertheilten Certificats einzuliefern Ist ein derartiges Certificat bis zum 1. December desjenigen Jahres, in welchem der Versicherte das 25. Lebensjahr vollendet, nicht eingeliefert, und der Direction auch nicht angezeigt, daß der Versicherte Ausstand vom Militairdienst nachgesucht und erhalten hat, so ist die Versicherung erloschen und können aus dem Versicherungsvertrage keine Ansprüche mehr erhoben werden; doch können unter Umständen Direction und Verwaltungsrath verspätet geltend gemachte Ansprüche berücksichtigen.

§ 115. Der für die Militairdienst-Versicherungs-Abtheilung verbleibende Ueberschuß wird als Dividende den einzelnen Versicherungen in procentmäßiger Höhe der Versicherungssummen zugeschrieben.

§ 116. Die Dividende wird unter die Versicherten, welche in das stehende Heer oder die Flotte, oder als Ersatzreservisten zur Uebung eingestellt worden sind, resp an deren Erben im Verhaltniß zur Höhe der Versicherungssumme vertheilt. Die Nichteingestellten participiren an der Dividende nicht.

§ 117. Die auf die Versicherung zugeschriebene Dividende wird mit der letzten Ratenzahlung ausbezahlt Ist die Auszahlung der Versicherung in einer Summe erfolgt, so wird die Dividende mit Ende des Jahres in welchem die Zahlung erfolgte, oder zu Anfang des darauf folgenden Jahres nachbezahlt.

§ 118. Die Feststellung der Prämien ist auf Grundlage § 1 des Reichsmilitairgesetzes vom 2. Mai 1874, der Gesetze vom 6. Mai 1880 und vom 11. März 1887 für den Procentsatz der Friedens-Präsenzstärke des deutschen Heeres erfolgt.

Wenn eine erhebliche Mehreinstellung erfolgen sollte, als bei Feststellung der Prämiensätze angenommen wurde, oder während der Versicherungsdauer der Procentsatz der Friedens-Präsenzstärke durch Gesetz erhöht werden sollte, so kann eine dementsprechende Ermäßigung der auszuzahlenden Summe stattfinden.

§ 119. Ist eine Police abhanden gekommen, so ist die Direction berechtigt, an deren Stelle ein Duplicat auszustellen Mit Aushändigung des Duplicats tritt die früher ausgefertigte Police außer Kraft.

Uebergangsbestimmungen.

§ 1. Die auf Grund der bisherigen Statuten der Bremer Lebensversicherungsbedingungen abgeschlossenen Verträge über Begräbnißversicherungen berechtigen zur Theilnahme an den Generalversammlungen, gewähren jedoch kein Stimmrecht.

§ 2. Für die auf Grund der bisherigen Versicherungsbedingungen abgeschlossenen Versicherungsverträge bleiben die bisherigen Versicherungsbedingungen in Kraft, soweit nicht von den Versicherten unter Zustimmung der Bank beantragt wird, die neuen Versicherungsbedingungen auf die betreffende Versicherung in Anwendung zu bringen.

Amtsblatt

der Königlichen Regierung zu Potsdam und der Stadt Berlin.

Stück 36. Den 5. September **1890.**

Reichs-Gesetzblatt.

(Stück 24.) № 1913. Gesetz, betreffend die Gewerbegerichte. Vom 29. Juli 1890.

(Stück 25.) № 1914. Bekanntmachung, betreffend allgemeine polizeiliche Bestimmungen über die Anlegung von Dampfkesseln. Vom 5. August 1890.

(Stück 26.) № 1915. Verordnung, betreffend die Rechtsverhältnisse in dem südwestafrikanischen Schutzgebiete. Vom 10. August 1890.

Gesetz-Sammlung für die Königlichen Preußischen Staaten.

(Stück 35.) № 9412. Gesetz, enthaltend Bestimmungen über das Notariat und über die gerichtliche oder notarielle Beglaubigung von Unterschriften oder Handzeichen. Vom 15. Juli 1890.

№ 9413. Staatsvertrag zwischen Preußen und Lippe wegen Herstellung von Eisenbahnen von Detmold nach Sandebeck und von Lage nach Hameln. Vom 22. September 1889.

№ 9414. Staatsvertrag zwischen Preußen und Sachsen-Meiningen wegen Herstellung einer Eisenbahn von Zeitz nach Camburg. Vom 24. Oktober 1889.

№ 9415 Staatsvertrag zwischen Preußen und Sachsen-Coburg-Gotha wegen Herstellung mehrerer, Gothaisches Gebiet berührender Eisenbahnen. Vom 16. Januar 1890.

Bekanntmachungen des Königlichen Regierungs-Präsidenten.

Dampfkesselrevisionen innerhalb des Baukreises Ruppin.

171. In Gemäßheit zu № 3 des Regulativs über die Revision der Dampfkessel vom 24. Juni 1872 (A.-Bl. S. 207 ff) und im Anschlusse an meine Verordnung vom 20. September 1872 (A.-Bl. S. 379) wird hierdurch zur öffentlichen Kenntniß gebracht, daß der mit der Verwaltung der Kreisbauinspection Ruppin beauftragte Königliche Kreisbauinspector Johl in Neu-Ruppin mit der Revision der Dampfkessel innerhalb des gedachten Baukreises betraut worden ist.

Potsdam, den 26. August 1890.

Der Regierungs-Präsident.

Befugnisse der Dampfkessel-Ingenieure zur Prüfung und Abnahme von Dampfkesseln

172. Der Herr Minister für Handel und Gewerbe hat durch Erlaß vom 13. August d. Js. genehmigt, daß dem Ingenieur von Schedlin-Czarlinski beim Dampfkessel-Revisionsverein zu Berlin die nachgesuchte Berechtigung zur Vornahme der regelmäßigen Revisionen und Wasserdruckp. oben bei allen für Vereinsmitglieder erbauten Kesseln widerruflich unter den üblichen Bedingungen ertheilt werde.

Potsdam, den 28. August 1890.

Der Regierungs-Präsident.

Veränderung im Sektionsvorstande und im Bestande der Vertrauensmänner der Sektion I. der Berufsgenossenschaft der chemischen Industrie; welche am 1. Oktober 1890 eintritt

173. a. Aus dem Sektionsvorstande ist geschieden: Herr Commerzienrath G. Heyl in Charlottenburg. An dessen Stelle ist der bisherige Stellvertreter Herr Dr Schäffer in Charlottenburg und an Stelle des letzteren Herr F Sponnagel i. F. van Baerle & Sponnagel in Berlin, Hermsdorferstraße 8 gewählt.

b Aus dem Bestande der Vertrauensmänner ist geschieden: im Bezirk II., umfassend den Regierungs-Bezirk Potsdam, mit Ausschluß der Kreise Berlin, Charlottenburg, Niederbarnim und Teltow: Herr Julius Nürrenbach i. F Gebr. Nürrenbach in Potsdam. An dessen Stelle ist Herr A. Grubitz in Potsdam gewählt. Zum II. und III. Ersatzmann für den Vertrauensmann des II. Bezirks sind gewählt die Herren F. Sponnagel in Freienwalde a. O., wohnhaft in Berlin, Hermsdorferstraße 8, und Dr. Tesmer in Firma Gebr. Tesmer in Wittenberge.

Potsdam, den 27. August 1890.

Der Regierungs-Präsident.

Baugewerks-Innung in Potsdam.

174. Für den Bezirk der Baugewerks-Innung in Potsdam wird gemäß § 100e. der Reichsgewerbe-Ordnung unter Vorbehalt jederzeitigen Widerrufs bestimmt,

1) daß Streitigkeiten aus den Lehrverhältnissen der im § 120a. der Gewerbeordnung bezeichneten Art auf Anrufen eines der streitenden Theile von der zuständigen Innungsbehörde auch dann zu entscheiden sind, wenn der Arbeitgeber, obwohl er ein in der Innung vertretenes Gewerbe betreibt und selbst zur Aufnahme in die Innung fähig sein würde, gleichwohl der Innung nicht angehört,

2) daß die von der Innung erlassenen Vorschriften über die Regelung des Lehrlingsverhältnisses, sowie über die Ausbildung und Prüfung der Lehrlinge auch dann bindend sind, wenn deren Lehrherr zu den unter № 1 bezeichneten Arbeitgebern gehören,

3) daß Arbeitgeber der unter № 1 bezeichneten Art vom 1. März 1891 ab Lehrlinge nicht mehr annehmen dürfen.

Ich bringe dies mit dem Bemerken zur öffentlichen Kenntniß, daß in der Innung die Gewerke der Maurer und Zimmerer vertreten sind und daß der Bezirk der Innung die Städte Potsdam und Werder, sowie die Amtsbezirke Fahrland, Sanssouci, Bornim und Bornstedt des Kreises Osthavelland, Neuendorf mit Neu-Babelsberg, Nowawes, Stahnsdorf und Drewitz des Kreises Teltow und endlich Potsdamer Forst, Caputh, Saarmund, Phöben und Alt-Töplitz des Kreises Zauch-Belzig umfaßt. Potsdam, den 29. August 1890.

Der Regierungs-Präsident.

Chausseegelderhebung auf der Eberswalde-Oderberg'er Kreis-Chaussee.

175. Dem Kreise Angermünde ist seitens des Herrn Ministers der öffentlichen Arbeiten durch Erlaß vom 18. Juli 1889 — III. 12980 — die Genehmigung ertheilt worden, auf der Eberswalde-Oderberg'er Kreis-Chaussee in Station 14,4 nach Aufhebung der bisherigen Hebestelle in Station 10,3 eine neue Hebestelle zu errichten und an derselben das tarifmäßige Chausseegeld für eine Meile zu erheben.

Mit der Erhebung des Chausseegeldes an der neuen Hebestelle wird am 1. Oktober d. J. begonnen werden. Potsdam, den 30. August 1890.

Der Regierungs-Präsident.

Belobigung für Rettung aus Lebensgefahr.

176. Der Zimmergeselle Hermann Otto Kolrep zu Eberswalde hat am 20. Mai d. Js. das einjährige Kind des Arbeiters Lobejäger bei der Kolonie Kupferhammer aus dem Finow-Kanal vom Tode des Ertrinkens gerettet. Diese von Muth und Entschlossenheit zeugende That wird hiermit belobigend zur allgemeinen Kenntniß gebracht.

Potsdam, den 30. August 1890.

Der Regierungs-Präsident.

Viehseuchen.

177. Festgestellt ist:

der Milzbrand bei einer Kuh auf dem Rittergute Tornow, Kreis Ostprignitz;

die Maul- und Klauenseuche unter den Rindviehbeständen der Bauergutsbesitzer Siedow und Reinicke zu Tremmen, Kreis Westhavelland.

Erloschen ist:

der Milzbrand unter dem Rindvieh des Rittergutsbesitzers Sommer zu Schwante, Kreis Osthavelland;

die Influenza unter den Pferden des Superintendenten Hosemann zu Mahlsdorf, Kreis Niederbarnim;

die Maul- und Klauenseuche unter dem Rindvieh des Gemeindevorstehers Schindler zu Schwanebeck, Kreis Niederbarnim, unter den Rindern der Bauernwittwe Pundt und des Koffäthen Heinrich zu Schöneiche, Kreis Teltow;

der Bläschenausschlag bei dem Gemeindebullen und den Kühen der Colonisten Hoffmann, Granzow, Lüdecke und Koch zu Sechszehneichen, Kreis Ostprignitz. Potsdam, den 2. September 1890.

Der Regierungs-Präsident.

Bekanntmachungen der Königlichen Regierung.

Vermerkung forstversorgungsberechtigter Jäger betreffend.

9. Auf Grund des § 26 des Regulativs über Ausbildung, Prüfung und Anstellung für die unteren Stellen des Forstdienstes in Verbindung mit dem Militärdienst im Jägerkorps, vom 1. Februar 1887, werden bei den Königlichen Regierungen zu Gumbinnen, Marienwerder, Potsdam, Frankfurt a. O., Stettin, Coeslin, Stralsund, Posen, Breslau, Magdeburg, Merseburg, Schleswig, Lüneburg, Wiesbaden und Cöln sowie im Bereiche der Hofkammer der Königlichen Familiengüter neue Notirungen forstversorgungsberechtigter Jäger der Klasse A. bis auf Weiteres dergestalt ausgeschlossen, daß bei den genannten Behörden nur Meldungen solcher Jäger angenommen werden dürfen, welche zur Zeit der Ausstellung des Forstversorgungsscheins mindestens 2 Jahre im Königlichen Forstdienste des Bezirkes beschäftigt sind. Die Zahl der Anwärter ist gegenwärtig verhältnißmäßig am günstigsten in den Regierungsbezirken Hildesheim, Stade, Osnabrück (incl. Aurich), Minden, Cassel, Danzig und Bromberg.

Berlin, den 18. August 1890.

Der Minister für Landwirthschaft, Domänen und Forsten.

Im Auftrage. Donner.

* * *

Vorstehende Bestimmung wird hiermit zur öffentlichen Kenntniß gebracht.

Potsdam, den 28. August 1890.

Königliche Regierung.

Bekanntmachungen des Königlichen Polizei-Präsidiums zu Berlin.

Bekanntmachung.

72. Der bekannte Bandwurmheilkünstler Richard Mohrmann, vor dessen Treiben bereits wiederholentlich gewarnt worden ist, empfiehlt neuerdings in den Zeitungen seine Bücher „Der Friedensbote" und „Johannistrieb", welche im Wesentlichen mit dem von ihm früher herausgegebenen „goldenen Buch für Männer" übereinstimmen. Der Inhalt soll durch Ausschweifungen heruntergekommene Menschen in Angst versetzen und zu Ausgaben verleiten, welche dem Verfasser zu Gute kommen. Das Publikum wird vor diesem Treiben und vor der Kurpfuscherei des Richard Mohrmann ernstlich gewarnt.

Berlin, den 28. August 1890.

Der Polizei-Präsident.

Bekanntmachungen der Kaiserlichen Ober-Postdirektion zu Potsdam.

Bekanntmachung.

82. Vom 1. September 1890 ab wird der im Kreise Westprignitz belegene Ort Mannsfeldt vom Bestellbezirke der Kaiserlichen Postagentur in Laaske abgezweigt und dem Bezirke des Kaiserlichen Postamts in Putlitz zugetheilt.

Potsdam, den 28. August 1890.

Der Kaiserliche Ober-Postdirektor.

Bekanntmachungen der Königlichen Hauptverwaltung der Staatsschulden und der Reichsschuldenverwaltung.

Ausreichung neuer Zinsscheine zu den Schuldverschreibungen der Reichsanleihen vom Jahre 1882 und 1886.

17. Die Zinsscheine Reihe III. № 1 bis 8 zu den Schuldverschreibungen der **Deutschen 4 prozentigen** Reichsanleihe von 1882 **und** Reihe II. № 1 bis 8 zu den Schuldverschreibungen der Deutschen 3½ prozentigen Reichsanleihe von 1886 über die Zinsen für die vier Jahre vom 1. Oktober 1890 bis 30 September 1894 nebst den Anweisungen zur Abhebung der folgenden Reihe werden von der Königlich Preußischen Kontrolle der Staatspapiere hierselbst, Oranienstraße 92/94 unten links, **vom 15. September d. J. ab** Vormittags von 9 bis 1 Uhr, mit Ausnahme der Sonn- und Festtage und der letzten drei Geschäftstage jedes Monats, ausgereicht werden.

Die Zinsscheine können bei der Kontrolle selbst in Empfang genommen oder durch die Reichsbankhauptstellen, die Reichsbankstellen und die mit Kasseneinrichtung versehenen Reichsbanknebenstellen, sowie durch diejenigen Kaiserlichen Oberpostkassen, an deren Sitz sich eine der vorgedachten Bankanstalt nicht befindet, bezogen werden.

Wer die Empfangnahme bei der Kontrolle selbst wünscht, hat derselben persönlich oder durch einen Beauftragten die zur Abhebung der neuen Reihe berechtigenden Zinsschein-Anweisungen für jede Anleihe mit einem besonderen Verzeichnisse zu übergeben, zu welchem Formulare ebenda unentgeltlich zu haben sind. Genügt dem Einreicher der Zinsscheinanweisungen eine numerirte Marke als Empfangsbescheinigung, so ist das Verzeichniß einfach, wünscht er eine ausdrückliche Bescheinigung, so ist es doppelt vorzulegen. In letzterem Falle erhält der Einreicher das eine Exemplar, mit einer Empfangsbescheinigung versehen, sofort zurück. Die Marke oder Empfangsbescheinigung ist bei der Ausreichung der neuen Zinsscheine zurückzugeben.

In Schriftwechsel kann die Kontrolle der Staatspapiere sich mit den Inhabern der Zinsscheinanweisungen nicht einlassen.

Wer die Zinsscheine durch eine der oben genannten Bankanstalten oder Oberpostkassen beziehen will, hat derselben die Anweisungen für jede Anleihe mit einem doppelten Verzeichnisse einzureichen.

Das eine Verzeichniß wird, mit einer Empfangsbescheinigung versehen, sogleich zurückgegeben und ist bei Aushändigung der Zinsscheine wieder abzuliefern.

Formulare zu diesen Verzeichnissen sind bei den gedachten Ausreichungsstellen unentgeltlich zu haben.

Der Einreichung der Schuldverschreibungen bedarf es zur Erlangung der neuen Zinsscheine nur dann, wenn die Zinsscheinanweisungen abhanden gekommen sind; in diesem Falle sind die Schuldverschreibungen an die Kontrolle der Staatspapiere oder an eine der genannten Bankanstalten und Oberpostkassen mittelst besonderer Eingabe einzureichen.

Schließlich wird darauf aufmerksam gemacht, daß die nächsten Zinsscheinreihen zu den Schuldverschreibungen der Deutschen Reichsanleihen von 1882 und 1886 die Zinsscheine für die **zehn** Jahre vom 1. Oktober 1894 bis 30. September 1904 umfassen werden und daß die mit den Zinsscheinreihen III. bezw. II. ausgegebenen Anweisungen eine dementsprechende Fassung erhalten haben. Berlin, den 27. August 1890.

Reichsschuldenverwaltung.

Bekanntmachungen der Königl. Kontrolle der Staatspapiere.

Bekanntmachung.

19. In Gemäßheit des § 20 des Ausführungsgesetzes zur Civilprozeßordnung vom 24. März 1879 (G.-S. S. 281) und des § 6 der Verordnung vom 16. Juni 1819 (G.-S. S. 157) wird bekannt gemacht, daß der Frau Anna Krause, geb. Werfel, zu Halle a. d. S. — Meckelstraße 3 I. — die Schuldverschreibung der konsolidirten 4 %igen Staatsanleihe von 1881 Lit. F. № 134168 über 200 Mark angeblich abhanden gekommen ist. Es wird Derjenige, welcher sich im Besitze dieser Urkunde befindet, hiermit aufgefordert, solches der unterzeichneten Kontrolle der Staatspapiere oder der Frau Krause anzuzeigen, widrigenfalls das gerichtliche Aufgebotsverfahren behufs Kraftloserklärung der Urkunde beantragt werden wird.

Berlin, den 23. August 1890.

Königliche Kontrolle der Staatspapiere.

Bekanntmachungen der Königl. Direktion der Rentenbank der Provinz Brandenburg.

Verloosung von Rentenbriefen.

10. Bei der in Folge unsrer Bekanntmachung vom 23. April d. J. heute geschehenen öffentlichen Verloosung **von Rentenbriefen der Provinz Brandenburg** sind folgende Stücke gezogen worden:

Litt. A. zu 3000 M. (1000 Thlr.) 153 Stück

und zwar die Nummern:

48 55 431 776 906 954 999 1294 1420 2271
2393 2556 2585 2802 2891 2932 3170 3194 3233
3409 3432 3500 3858 3933 4084 4208 4238 4308
4348 4559 4685 4692 5026 5725 5852 6365 6403
6449 6482 6504 6527 6954 6965 7321 7360 7363
7522 7697 7701 7905 7985 8185 8420 8478 8486
8587 8737 8768 8835 9082 9087 9236 9248 9460
9557 9700 9854 9895 9926 10079 10191 10307
10396 10481 10635 10727 10814 10960 10961
10972 11069 11085 11246 11338 11422 11846
11937 11979 12062 12120 12234 12531 12565
12589 12807 12889 13051 13123 13151 13157
13235 13363 13436 13564 13750 13931 13959
14073 14241 14317 14524 14570 14728 14858
14981 15014 15045 15050 15079 15093 15135
15642 15813 15861 16045 16052 16071 16214
16272 16311 16421 16449 16506 16652 16702
16777 16849 16871 16920 17133 17330 17838
17961 18140 18216 18291 18351 18447 18556
18563 18727 19169 19238.

Litt. B. zu 1500 M. (500 Thlr.) 53 Stück
und zwar die Nummern:

587 604 625 727 764 1167 1341 1488 1843 2071 2080 2506 2557 2673 2916 3319 3347 3610 3641 3698 3798 3904 4032 4071 4117 4447 4489 4873 4888 4938 4955 4991 5014 5106 5123 5179 5365 5516 5583 5685 5738 5820 5833 6127 6308 6336 6438 6462 6608 6763 6766 6779 6806.

Litt. C. zu 300 M. (100 Thlr.) 205 Stück
und zwar die Nummern:

194 245 383 604 833 909 926 1091 1304 1493 1659 1970 2060 2199 2311 2323 2517 2607 2766 3074 3259 3376 3652 3674 3676 3762 3952 4036 4289 4497 4509 4621 4850 5008 5069 5254 5389 5562 5624 5639 5673 5751 5793 5918 6163 6165 6168 6361 6719 7506 7565 7945 8057 8193 8317 8371 8385 8446 8455 8456 8529 8747 8819 8940 9017 9210 9235 9374 9609 9903 9908 9930 10043 10159 10359 10763 10923 11011 11014 11160 11181 11407 11589 11686 11709 11723 11786 12268 12329 12450 12495 12529 12683 13106 13138 13323 13336 13757 13766 13769 13826 13847 13941 13982 13991 14035 14128 14653 15074 15110 15436 15528 15654 16038 16158 16169 16183 16262 16285 16359 16868 16919 16997 17044 17076 17085 17134 17296 17378 17461 17982 18012 18025 18147 18173 18175 18205 18214 18812 18837 18868 18875 18963 19100 19255 19266 19272 19408 19412 19495 19668 19698 19742 19824 19865 19916 20038 20072 20121 20321 20359 20363 20453 20565 20591 20635 20642 21011 21040 21118 21184 21547 21804 21954 22067 22203 22224 22386 22505 22610 22622 22645 23048 23145 23177 23395 23444 23488 23512 23701 23756 23765 23778 23804 23894 23955 24012 24054 24089 24203 24210 24271 24382 24620 24624.

Litt. D. zu 75 M. (25 Thlr.) 170 Stück
und zwar die Nummern:

42 92 117 451 479 618 813 869 948 1085 1122 1134 1567 1966 2153 2687 2920 2924 3213 3254 3478 3886 4205 4412 4422 4505 4622 4822 4833 4960 4979 5033 5245 5415 5435 5475 5637 6002 6027 6088 6090 6125 6260 6369 6503 6558 6580 6785 6801 6847 6935 7053 7062 7354 7515 7546 7564 7659 7911 8074 8108 8408 8691 8742 8784 8851 9018 9024 9164 9414 9877 9901 10075 10138 10270 10370 10432 10449 10637 10961 10975 11021 11077 11273 11381 11421 11435 11599 11823 11904 11921 12000 12011 12040 12060 12079 12231 12383 12407 12486 12541 12581 12879 13090 13212 13272 13405 13502 13650 13672 13792 13925 14070 14174 14367 14398 14433 14576 14595 14602 14904 14911 14950 15162 15215 15354 15411 15423 15521 15655 15673 15764 16144 16393 16413 16417 16464 16871 16992 17062 17131 17249 17507 17559 17664 17782 17848 17891 18084 18203 18308 18440 18477 18502 18517 18625 19194 19218 19579 19914 20078 20133 20169 20176 20247 20256 20261 20329 20409 20462.

Die Inhaber dieser Rentenbriefe werden aufgefordert, dieselben in coursfähigem Zustande mit den dazu gehörigen Talons bei der hiesigen Rentenbank-Kasse, Klosterstraße Nr. 76, vom 1. Oktober d. J. ab an den Wochentagen von 9 bis 1 Uhr einzuliefern, um hiergegen und gegen Quittung den Nennwerth der Rentenbriefe in Empfang zu nehmen. Vom 1. Oktober d. J. ab hört die Verzinsung der ausgeloosten Rentenbriefe auf. Von den früher verloosten Rentenbriefen der Provinz Brandenburg sind nachstehend genannte Stücke noch nicht zur Einlösung bei der Rentenbank-Kasse vorgelegt worden, obwohl seit deren Fälligkeit 2 Jahre und darüber verflossen sind.

Vom 1. Oktober 1882 Litt. C. № 2124.

Vom 1. April 1883 Litt. C. № 185.

Vom 1. Oktober 1883 Litt. A. № 5689. Litt. C. № 8068. Litt. D. № 25 1038 6743.

Vom 1. April 1884 Litt. C. № 6431 19129. Litt. D. № 2504.

Vom 1. Oktober 1884 Litt. B. № 3754. Litt. C. № 1229 2410 13626. Litt. D. № 3276 5183 6741 8623 8638.

Vom 1. April 1885 Litt. A. № 6437. Litt. C. № 5166 5876 6196. Litt. D. № 12065 13382.

Vom 1. Oktober 1885 Litt. A. № 557. Litt. C. № 541 10171 19186. Litt. D. № 4416 9719 18119.

Vom 1. April 1886 Litt. B. № 1500. Litt. C. № 4610. Litt. D. № 3082 7404 8261 17269.

Vom 1. Oktober 1886 Litt. A. № 3075. Litt. B. № 1495. Litt. C. № 5617 10469. Litt. D. № 1983 9137 9203 14276.

Vom 1. April 1887 Litt. A. № 4377. Litt. C. № 3663 5578 22732 22783. Litt. D. № 1722 3973 4988 7645 8886 13887.

Vom 1. Oktober 1887 Litt. C. № 413 2591 6367 6811 7608 17416 Litt. D. № 617 7259 12636 16337 16360 16818.

Vom 1. April 1888 Litt. C № 958 22350. Litt D. № 3343 4689 4704 5003 9784 10373.

Die Inhaber dieser Rentenbriefe werden wiederholt aufgefordert, den Nennwerth derselben nach Abzug des Betrages der von den mitabzuliefernden Coupons etwa fehlenden Stücke bei unserer Kasse in Empfang zu nehmen. Wegen der Verjährung der ausgeloosten Rentenbriefe ist die Bestimmung des Gesetzes über die Errichtung der Rentenbanken vom 2. März 1850 § 44 zu beachten.

Die Einlieferung ausgelooster Rentenbriefe an die Rentenbank-Kasse kann auch durch die Post portofrei und mit dem Antrage erfolgen, daß der Geldbetrag auf gleichem Wege übermittelt werde.

Die Zusendung des Geldes geschieht dann auf Gefahr und Kosten des Empfängers und zwar bei Summen bis zu 400 M. durch Postanweisung. Sofern es sich um Summen über 400 Mark handelt, ist einem solchen Antrage eine ordnungsmäßige Quittung beizufügen.

Berlin, den 17. Mai 1890.

Königliche Direktion
der Rentenbank für die Provinz Brandenburg.

Bekanntmachungen der Königlichen Eisenbahn-Direktion zu Bromberg.

Frachtbegünstigung für Ausstellungsgegenstände.

50. Für die in der nachstehenden Zusammenstellung näher bezeichneten Gegenstände, welche auf den daselbst erwähnten Ausstellungen ausgestellt werden und unverkauft bleiben, wird eine Frachtbegünstigung in der Art gewährt, daß nur für die Hinbeförderung die volle tarifmäßige Fracht berechnet wird, die Rückbeförderung an die Versand-Station und den Aussteller aber frachtfrei erfolgt, wenn durch Vorlage des ursprünglichen Frachtbriefes für den Hinweg, sowie durch eine Bescheinigung der dazu ermächtigten Stelle nachgewiesen wird, daß die Gegenstände ausgestellt gewesen und unverkauft geblieben sind, und wenn die Rückbeförderung innerhalb der unten angegebenen Zeit stattfindet. In den ursprünglichen Frachtbriefen für die Hinsendung ist ausdrücklich zu vermerken, daß die mit denselben aufgegebenen Sendungen durchweg aus Ausstellungsgut bestehen.

№	Art der Ausstellung	Ort	Zeit 1890	Die Frachtbegünstigung wird gewährt für	auf den Strecken der	Zur Ausfertigung der Bescheinigung sind ermächtigt	Die Rückbeförderung muß erfolgen innerhalb
1	Ausstellung von Geräthen und sonstigen Gegenständen für den Weinbau und die Weinbehandlung,	Worms,	6. bis 10 September,	Geräthe u sonstige Gegenstände für den Weinbau und die Weinbehandlung,	Preußischen Staatsbahnen, der Main-Neckar Eisenbahn und den Reichs-Eisenbahnen in Elsaß-Lothringen,	Ausstellungs-Commission,	4 Wochen nach Schluß der Ausstellung.
2	Allgemeine Kunstausstellung,	Brüssel,	15. September bis 15. November,	Kunstgegenstände,	Preußischen Staatsbahnen und Reichs-Eisenbahnen in Elsaß-Lothringen,	desgl.	6 Wochen nach Schluß der Ausstellung.
3	Wanderversammlung des Verbandes deutscher Architekten- und Ingenieur-Vereine,	Hamburg,	24. bis 28 August,	Baupläne u Bauzeichnungen aller Art, sowie Modelle ausgeführter oder beabsichtigter Bauten u. Bauconstructionen oder andere Ausstellungsgegenstände,	desgl.	desgl.	4 Wochen nach Schluß der Ausstellung.

Bromberg, den 23. August 1890. Königl. Eisenbahn-Direktion.

Ausweisung von Ausländern aus dem Reichsgebiete.

Lauf. Nr.	Name und Stand des Ausgewiesenen	Alter und Heimath des Ausgewiesenen	Grund der Bestrafung.	Behörde, welche die Ausweisung beschlossen hat.	Datum des Ausweisungs-Beschlusses.
1.	2.	3	4.	5	6
		Auf Grund des § 362 des Strafgesetzbuchs:			
1	Peter Polack, Bäckergehilfe,	24 Jahre alt, geboren und ortsangehörig zu Schüttenhofen, Böhmen,	Landstreichen,	Stadtmagistrat Deggendorf, Bayern,	17. Juli 1890.
2	Adolf Schön, Handelsmann,	36 Jahre alt, ortsangehörig zu Budapest, Ungarn,	Landstreichen und Betteln,	Großherzoglich Badischer Landeskommissär zu Karlsruhe,	31. Juli 1890.

Laufende Nr.	Name und Stand des Ausgewiesenen	Alter und Heimath des Ausgewiesenen	Grund der Bestrafung	Behörde, welche die Ausweisung beschlossen hat.	Datum des Ausweisungs-Beschlusses
1.	2.	3.	4.	5	6
3	Florian Schrei, Schuhmacher,	geboren am 1. Februar 1868 zu Fahring, Steiermark, ortsangehörig in Wallendorf, Bezirk St. Gotthard, Ungarn,	Landstreichen,	Königlich Preußischer Regierungspräsident zu Potsdam,	2. August 1890.
4	Michel Simon, Arbeiter,	geboren am 25 Juni 1850 zu Villerupt, Departement Moselle, wohnhaft zuletzt in Bellevaux, Departement Haute-Savoie, Frankreich,	Landstreichen u. Betteln,	Kaiserlicher Bezirks-Präsident zu Metz,	29. Juli 1890.
5	Die Zigeuner: Johann Szczyrbok und dessen Ehefrau Anna Szczyrbok,	42 Jahre alt, geboren zu Hrabin, Oesterreichisch-Schlesien, 48 Jahre alt, geboren zu Hrabin,	Landstreichen,	Königlich Preußischer Regierungspräsident zu Oppeln,	16 Juli 1890.
6	Franz Josef Titz, Schneidergeselle,	geboren am 7. Mai 1871 zu Braunsdorf, Oesterreich,	Betteln im wiederholten Rückfall,	Chef der Polizei in Hamburg,	desgleichen.
7	Nicolaus Bednorz, Arbeiter,	geboren im Jahre 1840 zu Lonkavice, Oesterreich,	Landstreichen,	Königlich Preußischer Regierungspräsident zu Oppeln,	5. August 1890.
8	Marie Hardy, Tagnerin,	geboren am 3. Mai 1864 zu le Havre, Departement Seine inférieure, Frankreich, ortsangehörig ebendas.,	desgleichen,	Kaiserlicher Bezirks-Präsident zu Straßburg,	18. Juli 1890.
9	Nikolaus Florimond Huart, Küfer,	geboren am 13 September 1865 zu Gomont, Departement Ardennes, Frankreich,	desgleichen,	derselbe,	desgleichen.
10	Israel Moldauer, Chorsänger,	geboren am 20. Dezember 1853 zu Warschau, Russisch-Polen, ortsangehörig ebendaselbst,	Landstreichen und Betteln,	Königlich Preußischer Regierungspräsident zu Oppeln,	9. August 1890.
11	Johann Strnadel (Stirnadel), Messerschmied,	geboren am 1. März 1869 zu Usti, Bezirk Wsetin, Mähren,	desgleichen,	derselbe,	18. Juli 1890.
12	Anton Wotruba, Hafner,	41 Jahre alt, geboren und ortsangehörig zu Taus, Böhmen,	Landstreichen,	Stadtmagistrat Straubing, Bayern,	desgleichen.

Personal-Chronik.

Der Königliche Regierungs-Bauführer Curt Bachmann, z. Z. in Berlin, ist am 27. August 1890 als solcher vereidigt worden.

Die unter Privatpatronat stehende Oberpfarrstelle zu Wilsnack, Diözese Havelberg-Wilsnack, kommt durch die Versetzung des Oberpfarrers Nesemann im September d. J. zur Erledigung.

Hierzu Drei Oeffentliche Anzeiger.

(Die Insertionsgebühren betragen für eine einspaltige Druckzeile 20 Pf. Belagsblätter werden der Bogen mit 10 Pf. berechnet.)

Redigirt von der Königlichen Regierung zu Potsdam.

Potsdam, Buchdruckerei der A. W. Hayn'schen Erben (E. Hayn, Hof-Buchdrucker).

Zwangsversteigerung.

124. Auf Antrag der Benefizialerben des am 25. Februar 1890 zu Caputh verstorbenen Dachdeckermeisters Hermann Schlotthauer soll das zum Nachlasse des Letzteren gehörige, im Grundbuche von Caputh Band XI. Blatt № 466 auf den Namen des Dachdeckermeisters Hermann Schlotthauer eingetragene, zu Caputh belegene Grundstück **am 24. Oktober 1890 Vormittags 10 Uhr,** vor dem unterzeichneten Gericht, an Gerichtsstelle, im Terminszimmer der Abtheilung I. zwangsweise versteigert werden.

Das Grundstück hat eine Fläche von 0,0282 Hektar und ist mit 102 M. Nutzungswerth zur Gebäudesteuer veranlagt. Auszug aus der Steuerrolle, beglaubigte Abschrift des Grundbuchblatts, etwaige Abschätzungen und andere das Grundstück betreffende Nachweisungen, sowie besondere Kaufbedingungen können in der Gerichtsschreiberei der Abtheilung I. eingesehen werden.

Alle Realberechtigten werden aufgefordert, die nicht von selbst auf den Ersteher übergehenden Ansprüche, deren Vorhandensein oder Betrag aus dem Grundbuche zur Zeit der Eintragung des Versteigerungsvermerks nicht hervorging, insbesondere derartige Forderungen von Kapital, Zinsen, wiederkehrenden Hebungen oder Kosten, spätestens im Versteigerungstermin vor der Aufforderung zur Abgabe von Geboten anzumelden und, falls der Benefizialerbe widerspricht, dem Gerichte glaubhaft zu machen, widrigenfalls dieselben bei Feststellung des geringsten Gebots nicht berücksichtigt werden und bei Vertheilung des Kaufgeldes gegen die berücksichtigten Ansprüche im Range zurücktreten.

Diejenigen, welche das Eigenthum des Grundstücks beanspruchen, werden aufgefordert, vor Schluß des Versteigerungstermins die Einstellung des Verfahrens herbeizuführen, widrigenfalls nach erfolgtem Zuschlag das Kaufgeld in Bezug auf den Anspruch an die Stelle des Grundstücks tritt.

Das Urtheil über die Ertheilung des Zuschlags wird **am 25. Oktober 1890 Vormittags 11 Uhr,** an Gerichtsstelle verkündet werden.

Potsdam, den 16. August 1890.

Königliches Amtsgericht, Abtheilung I.

Veröffentl: Kokkot, als Gerichtsschreiber.

Zwangsversteigerung.

125. Das im Grundbuche von Hennigkendorf Band XXB. Blatt № 51 auf den Namen des Büdners Martin Friedrich Schröder, der verstorbenen Hanne Luise Rosin, verwittweten Lehmann, geb. Liesegang, und des Büdners Friedrich Ferdinand Richter in Hennigkendorf eingetragene, in Hennigkendorf belegene Grundstück soll auf Antrag der Erben der Frau Hanne Luise Rosin, nämlich ihres Ehemannes, des Büdners Friedrich Wilhelm Rosin zu Hennigkendorf und ihrer drei Kinder, der verehelichten Büdner Caroline Wringe, geb. Lehmann, zu Zauchwitz bei Beelitz, des Büdnersohnes Friedrich Wilhelm Rosin in Hennigkendorf und der unverehelichten Auguste Rosin ebenda, sämmtlich vertreten durch den Rechtsanwalt Schramme in Luckenwalde, zum Zwecke der Auseinandersetzung unter den Miteigenthümern **am 5. November 1890 Vormittags 10 Uhr,** vor dem unterzeichneten Gericht, an Gerichtsstelle, zwangsweise versteigert werden.

Das Grundstück ist mit 24 M. Nutzungswerth zur Gebäudesteuer veranlagt. Auszug aus der Steuerrolle, beglaubigte Abschrift des Grundbuchblatts, etwaige Abschätzungen und andere das Grundstück betreffende Nachweisungen, sowie besondere Kaufbedingungen können in der Gerichtsschreiberei eingesehen werden.

Diejenigen, welche das Eigenthum des Grundstücks beanspruchen, werden aufgefordert, vor Schluß des Versteigerungstermins die Einstellung des Verfahrens herbeizuführen, widrigenfalls nach erfolgtem Zuschlag das Kaufgeld in Bezug auf den Anspruch an die Stelle des Grundstücks tritt.

Das Urtheil über die Ertheilung des Zuschlags wird **am 8. November 1890 Vormittags 10 Uhr,** an Gerichtsstelle verkündet werden.

Luckenwalde, den 26. August 1890.

Königliches Amtsgericht.

Auktionen und Lizitationen.

126. Auf dem **am Freitag, dem 12. September d. J.** im Gasthofe zum Deutschen Hause in Eberswalde **von Vormittags 10 Uhr ab** stattfindenden **Brennholz-Versteigerungstermine** kommen aus der **Oberförsterei Chorin** zum Ausgebote: Ca. 176 Rm. Buch.-Klob. gesund, 1259 Rm. Kief.-Klob. ges. u. 261 Rm. Kief.-Klob. anbrüchig. Das Holz steht auf der fiskalischen Ablage zu Kahlenberg am Finow-Kanale.

Chorin, den 30. August 1890.

Der Oberförster.

Oberförsterei Neubrück/Spree.

127. Holzverkauf im Wege des schriftlichen Aufgebots. Die in nachstehenden Schlägen: Jagen 128 Loos-№ 1 von 4 ha mit ca. 1140 Fm. Kiefern mit einzelnen Eichen und Birken, Jagen 179 Loos-№ 2 und 3 von je 2,5 ha mit je 780 Fm. Kiefern aufstehenden Hölzer mit Ausschluß des Reisig- und Stockholzes sollen im Wege des schriftlichen Aufgebots auf dem Stocke verkauft werden. Für die vorstehend angegebenen Flächengrößen und den superficiell geschätzten Massengehalt wird Gewährleistung nicht übernommen. Die Offerten sind getrennt für jedes Loos pro 1 Fm. der nach erfolgtem Einschlage durch Aufmessung zu ermittelnden Derbholzmasse, ohne Unterschied der Holzarten abzugeben. Die Taxe pro 1 Fm. dieser Derbholzmasse beträgt: Loos-№ 1 14 M, Loos-№ 2 und 3 10,50 M. Das 8 Tage nach dem Zuschlage zu zahlende Angeld ist bei Loos-№ 1 auf 3000 M., bei Loos-№ 2 und 3 auf je 1500 M. festgesetzt. Die sonstigen Verkaufsbedingungen können bei dem Oberförster eingesehen, auch von demselben gegen Copialien von 1 M. bezogen werden. Die mit der Erklärung, daß Offerant sich diesen Bedingungen unterwirft, abzugebenden Offerten sind bis zum 14. September d. J. dem unterzeichneten Oberförster unterschrieben und verschlossen und mit der äußerlichen Aufschrift „Holzsubmission" versehen, einzureichen. Die Oeffnung dieser Offerten erfolgt **am 16. September d. J., Vormittags 10 Uhr**, im Zedler'schen Gasthause hierselbst. Die die einzelnen Schläge bildenden Loose, welche an Ort und Stelle deutlich abgegrenzt und mit den betreffenden Loosnummern bezeichnet sind, werden auf Erfordern von den betreffenden Beamten, und zwar Loos-№ 1 Förster Hennig zu Spreehorst bei Neubrück/Spree, Loos-№ 2 und 3 Forstaufseher Emmerich zu Frankfurter Niederlage bei Briesen i. M. örtlich vorgezeigt werden.

Neubrück/Spree, den 30. August 1890.

Der Oberförster Krumbaar.

Pferde-Verkauf.

128. **Montag, den 15. September d. J., Vormittags 9 Uhr**, sollen an der bedeckten altstädtischen Reitbahn in Brandenburg ca. 20 auszurangirende Pferde des Regiments öffentlich meistbietend gegen gleich baare Bezahlung verkauft werden.

Kürassier-Regiment Kaiser Nicolaus I. (6).

Bekanntmachungen verschiedenen Inhalts.

129. Bei den Unteroffizierschulen können im Oktober d. J. noch Freiwillige zur Einstellung gelangen. Anmeldungen von jungen Leuten, welche in der Stadt Potsdam und dem Kreise Zauch-Belzig ihren Wohnsitz haben, nimmt das unterzeichnete Bezirks-Commando entgegen. Potsdam, den 30. August 1890.

Königliches Bezirks-Commando.

Bekanntmachung.

130. Durch die Allerhöchste Cabinets-Ordre vom 3. Februar 1890 ist der hiesigen Stadtgemeinde das Recht verliehen worden, die zur Freilegung der Wollinerstraße erforderlichen Grundstücksflächen im Wege der Enteignung zu erwerben.

Hierzu gehört auch eine Grundstücksparzelle von 159 qm Größe des den Kaufleuten Max und Johann Lepke, Bernauerstraße Nr. 45/46 bezw. Oderbergerstraße Nr. 3 wohnhaft, gehörigen, im Grundbuche von den Umgebungen Band 125 № 5950 verzeichneten Grundstücks. Auf den am 15. August eingegangenen Antrag des Magistrats hierselbst vom 10. Mai 1890 ist in Gemäßheit der §§ 24 fg. des Enteignungsgesetzes vom 11. Juni 1874 das Enteignungsverfahren behufs Feststellung der Entschädigung der Eigenthümer für die Abtretung des Eigenthums an der gedachten Grundstücksparzelle eingeleitet worden.

Zur commissarischen Verhandlung über die Entschädigung habe ich einen Termin auf **Mittwoch, den 17. September d. J., Mittags 12 Uhr**, in meinem Dienstzimmer im Polizei-Dienstgebäude am Alexanderplatz, Eingang IV., 1 Treppe, Zimmer № 140, hierselbst anberaumt, zu welchem diejenigen Betheiligten, welche nicht bereits persönliche Vorladung erhalten haben, in Gemäßheit des § 25 des Enteignungsgesetzes hierdurch unter der Verwarnung vorgeladen werden, daß im Falle ihres Ausbleibens ohne ihr Zuthun die Entschädigung festgestellt bezw. Entscheidung getroffen werden wird.

Berlin, den 26. August 1890.

Der Commissar des Königlichen Polizei-Präsidenten
Steinmeister, Regierungs-Assessor.

Offene Küster- und Lehrerstelle.

131. Die hiesige Küster- und Lehrerstelle mit einem Jahres-Einkommen von 900 M. außer freier Wohnung und Feuerung soll schleunigst besetzt werden. Qualificirte Bewerber wollen sich unter Beifügung ihrer Zeugnisse bei dem Unterzeichneten melden.

Hohen-Finow, den 1. September 1890.

Der Patron.
von Bethmann-Hollweg,
Königlicher Landrath a. D.

Potsdam, Buchdruckerei der A. W. Hayn'schen Erben (E. Hayn, Hof-Buchdrucker).

Amtsblatt

der Königlichen Regierung zu Potsdam und der Stadt Berlin.

Stück 37. Den 12. September **1890.**

Bekanntmachungen der Königl. Ministerien.

Volkszählung am 1. Dezember 1890.

22. Bei der am 1. Dezember 1890 stattfindenden Volkszählung werden die Militärpersonen in derselben Weise aufgenommen, wie die Civilpersonen. Für die militärischen Anstalten — Kasernen, Militär-Lazarethe ꝛc. — liegt die Eintheilung der Zählbezirke den Kommandanten bz. den Garnison-Aeltesten ob, welchen seitens der Lokal-Civilbehörden die erforderlichen Formulare und sonstigen Mittheilungen rechtzeitig zugehen werden.

Den von diesen Behörden bezüglich der Volkszählung eingehenden Requisitionen ist thunlichst zu entsprechen.

Berlin, den 13. August 1890.

Kriegsministerium.

gez. von Verdy.

№ 149/8 90 A. 2.

23. Bekanntmachung,

betreffend den Ankauf volljähriger Kavallerie-Reit- und Artillerie-Zugpferde.

Berlin, den 20. August 1890.

Regierungsbezirk Potsdam.

Zum Ankauf von Kavallerie-Reit-. und Artillerie-Zugpferden im Alter von 5 bis 8 Jahren ist im Bereich der Königlichen Regierung zu Potsdam ein Morgens 8 Uhr beginnender Markt

„am 13. Oktober in Wilsnack"

anberaumt worden.

Bemerkt wird hierbei, daß die Kommission nur geschonte gut gebaute und für die betreffende Waffengattung hinreichend fundamentirte, dabei aber vor allem gängige Pferde mit hinreichendem Blute gebrauchen kann. Auch dürfen sich die Pferde nicht in dürftigem Zustande befinden.

Die von der Kommission erkauften Pferde werden zur Stelle abgenommen und sofort gegen Quittung baar bezahlt.

Pferde mit solchen Fehlern, welche nach den Landesgesetzen den Kauf rückgängig machen, sind vom Verkäufer gegen Erstattung des Kaufpreises und der Unkosten zurückzunehmen.

Krippensetzer sind vom Ankauf ausgeschlossen und wird verlangt, daß die Schweife der Pferde nicht übermäßig verkürzt werden.

Die Verkäufer sind verpflichtet, jedem verkauften Pferde eine neue starke rindlederne Trense mit starkem glatten Gebiß (keine Knebeltrense) und eine neue starke Kopfhalfter von Leder oder Hanf mit zwei mindestens zwei Meter langen Strängen von Hanf ohne besondere Vergütung mitzugeben.

Kriegsministerium.

Remontirungs-Abtheilung.

Bekanntmachungen des Königlichen Ober-Präsidenten.

Anbringung von Blechtafeln mit aufgedruckter Anweisung zur Wiederbelebung Ertrunkener.

21. Um die Kenntniß der zur Wiederbelebung Ertrunkener geeigneten Maßregeln in möglichst weiten Kreisen zu verbreiten, hat der Vorstand des Deutschen Samariter-Vereins eine durch Zeichnungen erläuterte Anweisung zusammenstellen und auf Blechtafeln überdrucken lassen, die er unentgeltlich an die Eigenthümer und Führer aller Preußischen See-, Fluß- und Binnenschiffe abzugeben bereit ist, welche in der Empfangs-Bescheinigung sich zur Anheftung der Tafeln auf ihren Schiffen verpflichten.

Indem ich Vorstehendes zur Kenntniß der Betheiligten bringe, bemerke ich, daß die nachstehenden Behörden zur Vertheilung dieser Tafeln ausersehen sind:

1) das Polizei-Schifffahrts-Büreau zu Berlin, Probststraße № 8,
2) die Königliche Polizei-Direktion zu Charlottenburg,
3) die sämmtlichen Königlichen Landraths-Aemter der Provinz,
4) die Königliche Polizei-Direktion zu Potsdam,
5) sowie die Polizei-Verwaltungen zu Brandenburg, Spandau, Crossen, Frankfurt a. O., Cüstrin und Landsberg a. W.

Potsdam, den 3. September 1890.

Der Ober-Präsident,

Staatsminister von Achenbach.

Bekanntmachung.

22. Auf Grund von § 22 2 Ziffer 1 des Invaliditäts und Alters-Versicherungs-Gesetzes vom 22. Juni 1889 und der Bekanntmachung über die Ausführung desselben vom 26. Juni 1890 (Amtsblatt der Königlichen Regierung zu Potsdam und der Stadt Berlin vom 11. Juli 1890 S. 264) setze ich hierdurch nach Anhörung des Magistrates von Berlin für die in der Land- und Forstwirthschaft beschäftigten, bei der Versicherungsanstalt für den Stadtkreis Berlin versicherungspflichtigen Personen, soweit dieselben nicht Mitglieder einer Orts-, Betriebs- (Fabrik-), Bau- oder Innungs-Krankenkasse sind, den Jahresarbeitsverdienst, wie folgt, fest:

1) für erwachsene, d. h. mehr als 16 Jahre alte männliche Arbeiter auf . . . . 720 M.,
2) für erwachsene, weibliche Arbeiter auf . . 450 M.,
3) für männliche Lehrlinge über 16 Jahre auf . . . . 390 M.,
4) für weibliche Lehrlinge über 16 Jahre auf . . . . 300 M.

Potsdam, den 1. September 1890.

Der Oberpräsident von Berlin,
Staatsminister von Achenbach.

Bekanntmachungen des Königlichen Regierungs-Präsidenten.

Ersatzwahl eines Landtags-Abgeordneten.

178. In Folge des Ablebens des Mitgliedes des Abgeordneten-Hauses für den Wahlbezirk III. (Prenzlau-Angermünde) Ritterschafts-Directors von Wedell-Malchow hat eine Ersatzwahl stattzufinden.

Zu diesem Zwecke habe ich den Herrn Landrath, Geh. Regierungs-Rath v. Winterfeld zu Prenzlau zum Wahlkommissar ernannt und den Tag der Wahlmänner-Ersatzwahlen **auf den 27. September**, den Tag zur Wahl des Abgeordneten **auf den 4. Oktober** festgesetzt.

Potsdam, den 5. September 1890.

Der Regierungs-Präsident.

Viehseuchen.

179. Festgestellt ist:

der Milzbrand bei einer Kuh auf dem Vorwerk Seegefeld, Kreis Osthavelland;

die Influenza unter den Pferden des Ritterguts Blankensee, Kreis Templin, und bei einem Pferde des Ackerbürgers Ernst Hübner in Spandau, Seeburgerstraße Nr. 4.

Wegen Verdachtes der Ansteckung mit der Rotzkrankheit ist unter Beobachtung gestellt das Pferd des Handelsmanns Schleusener zu Alt-Landsberg, Kreis Niederbarnim.

Potsdam, den 9 September 1890.

Der Regierungs-Präsident.

181. **Nachweisung der Markt- rc.**

Laufende Nummer	Namen der Städte	Getreide				Uebrige Markt-									
		Es kosten je 100 Kilogramm											Es		
													Rindfleisch	
		Weizen M. Pf.	Roggen M. Pf.	Gerste M. Pf.	Hafer M. Pf.	Erbsen M. Pf.	Speisebohnen M. Pf.	Linsen M. Pf.	Eßkartoffeln M. Pf.	Richtstroh M. Pf.	Krummstroh M. Pf.	Heu M. Pf.	von der Keule M. Pf.	Bauchfleisch M. Pf.
1	Angermünde	18 89	15 55	14 47	15 —	27 —	28 80	35 —	2 80	3 63	1 71	3 50	1 56	1 20
2	Beeskow	17 50	15 60	15 —	12 50	25 —	27 50	35 —	3 90	2 75	— —	3 75	1 40	1 20
3	Bernau	19 27	16 08	15 38	15 57	28 38	31 25	42 —	4 47	4 50	— —	5 20	1 50	1 20
4	Brandenburg	19 50	16 50	14 84	15 69	27 50	35 —	55 —	4 20	3 50	— —	4 20	1 46	1 20
5	Dahme	18 82	16 07	16 43	18 —	25 —	32 —	45 —	3 —	4 67	3 67	5 67	1 20	1 —
6	Eberswalde	19 37	15 96	15 05	15 98	23 —	23 —	30 —	4 29	3 78	— —	4 06	1 40	1 20
7	Havelberg	19 11	16 28	15 —	15 50	25 —	45 —	55 —	4 02	5 —	3 —	3 75	3 —	1 20
8	Jüterbog	18 83	15 83	15 83	13 83	28 —	30 —	50 —	4 —	4 —	— —	5 —	1 30	1 20
9	Luckenwalde	17 33	15 30	13 14	14 21	36 —	36 —	40 —	4 01	3 16	— —	4 50	1 40	1 40
10	Perleberg	18 78	14 98	15 75	16 85	27 —	35 —	50 —	4 67	3 75	— —	5 25	1 40	1 20
11	Potsdam	18 33	15 41	15 92	15 82	26 50	26 —	35 —	4 70	4 48	— —	4 97	1 51	1 26
12	Prenzlau	18 17	15 12	14 50	16 33	18 —	22 50	25 —	4 39	4 11	2 61	4 67	1 39	1 14
13	Pritzwalk	17 70	15 07	15 75	14 46	17 20	30 —	39 —	5 71	3 45	2 63	3 55	1 32	1 12
14	Rathenow	18 22	15 11	15 03	15 —	30 —	35 —	44 —	3 54	3 75	— —	3 75	1 80	1 40
15	Neu-Ruppin	19 50	16 76	14 52	12 92	30 —	32 —	50 —	4 13	5 —	— —	5 50	1 46	1 21
16	Schwedt	19 50	16 50	16 —	15 —	26 67	31 25	31 25	4 —	3 93	— —	5 11	1 40	1 20
17	Spandau	19 75	15 75	15 —	13 50	29 —	33 —	41 —	5 —	3 25	— —	5 —	1 60	1 23
18	Strausberg	19 89	16 71	17 74	16 73	21 50	33 —	35 —	4 —	6 91	— —	7 03	1 29	1 14
19	Teltow	19 81	16 37	14 92	17 03	40 —	40 —	50 —	4 25	4 40	3 50	4 53	1 70	1 30
20	Templin	20 —	16 —	16 —	17 —	19 50	45 —	38 —	4 —	5 —	— —	5 —	1 60	1 40
21	Treuenbrietzen	21 53	16 23	15 83	16 34	26 —	24 —	30 —	3 01	4 16	— —	4 16	1 23	1 04
22	Wittstock	17 85	14 65	14 50	13 54	17 —	36 —	44 —	4 38	3 50	2 67	5 —	1 28	1 08
23	Wriezen a. O.	18 28	15 37	13 81	14 82	22 —	28 —	34 —	4 20	2 93	1 93	4 36	1 50	1 20
	Durchschnitt	18 95	15 79	15 23	15 29	— —	— —	— —	4 12	4 50	— —	4 68	— —	— —

Potsdam, den 8. September 1890.

180. # Nachweisung

des Monatsdurchschnitts der gezahlten höchsten Tagespreise einschließlich 5 % Aufschlag im Monat August 1890 in den Hauptmarktorten des Regierungs-Bezirks Potsdam.

Laufende Nummer.	Es kosteten je 50 Kilogramm	Beeskow für Kreis Beeskow-Storkow. M.	Pf.	Brandenburg für Brandenburg und Kreis West-havelland. M.	Pf.	Luckenwalde für Kreis Jüterbog-Luckenwalde. M.	Pf.	Perleberg für Kreis West-Prignitz. M.	Pf.	Potsdam für Potsdam und Kreis Zauch-Belzig. M.	Pf.	Prenzlau für die Kreise Prenzlau und Templin. M.	Pf.	Neu-Ruppin für Kreis Ruppin. M.	Pf.	Schwedt für Kreis Angermünde. M.	Pf.	Wittstock für Kreis Ost-Prignitz. M.	Pf.	Bemerkungen.
1.	Hafer	6	83	8	76	7	7	9	01	8	93	9	27	7	67,5	7	87,5	7	25,5	Für die Kreise Ober-Barnim, Nieder-Barnim, Osthavelland und Teltow, sowie für Stadt Spandau gilt Berlin als Haupt-Marktort.
2	Heu	2	10	2	52	2	63	2	89	3	05	3	15	2	88,7	2	68,5	2	62,5	
3	Richtstroh	1	58	2	10	1	75	2	10	2	58	2	43	2	62,5	2	06,5	1	83,5	

Potsdam, den 8. September 1890. Der Regierungs-Präsident.

Preise im Monat August 1890.

Artikel kostet je 1 Kilogramm: Schweinefleisch (M. Pf.)	Kalbfleisch (M. Pf.)	Hammelfleisch (M. Pf.)	Speck (M. Pf.)	Butter (M. Pf.)	Ein Schock Eier (M. Pf.)	Ladenpreise in den letzten Tagen des Monats. Es kostet je 1 Kilogramm. Mehl: Weizen Nr. 1 (M. Pf.)	Mehl: Roggen Nr. 1 (M. Pf.)	Gerste: Graupe (M. Pf.)	Gerste: Grütze (M. Pf.)	Buchweizengrütze (M. Pf.)	Hafergrütze (M. Pf.)	Hirse (M. Pf.)	Reis, Java (M. Pf.)	Java-Kaffee mittler in gebr. Bohnen (M. Pf.)	Java-Kaffee gelber in gebr. Bohnen (M. Pf.)	Speisesalz (M. Pf.)	Schweineschmalz, hiesig. (M. Pf.)
1 45	1 —	1 28	1 91	2 40	3 92	— 30	— 25	— 50	— 40	— 40	— 50	— 50	— 60	3 40	3 60	— 20	1 60
1 30	— 95	1 20	1 80	2 46	3 03	— 40	— 26	— 50	— 60	— 50	— 80	— 60	— 60	2 60	3 60	— 20	1 60
1 50	1 48	1 44	1 70	2 20	3 23	— 20	— 20	— 40	— 40	— 70	— 40	— 30	— 30	2 80	2 40	— 20	1 60
1 35	1 21	1 24	1 80	2 30	3 80	— 35	— 30	— 50	— 40	— 50	— 50	— 50	— 50	3 60	4 —	— 20	1 60
1 40	— 90	1 20	1 80	2 20	2 40	— 32	— 26	— 60	— 40	— 50	— —	— 50	— 50	2 80	3 60	— 20	1 40
1 40	1 20	1 20	2 —	2 40	3 78	— 32	— 30	— 60	— 60	— 50	— —	— 60	— 60	3 20	3 60	— 20	2 —
1 45	1 30	1 26	1 90	2 04	3 30	— 40	— 26	— 50	— 60	— 60	— 60	— 60	— 60	2 80	4 —	— 20	1 80
1 30	1 10	1 40	1 70	2 20	3 60	— 34	— 26	— 40	— 50	— 40	— 60	— 40	— 40	3 —	3 60	— 20	1 60
1 60	1 —	1 40	1 80	2 15	3 80	— 36	— 24	— 50	— 40	— 40	— 60	— 36	— 60	2 30	3 60	— 20	1 80
1 50	1 50	1 30	2 10	2 24	3 33	— 50	— 36	— 50	— 40	— 50	— 50	— 40	— 50	4 —	3 80	— 20	2 20
1 50	1 30	1 50	1 80	2 26	3 59	— 40	— 30	— 50	— 50	— 50	— 50	— 45	— 70	3 30	3 80	— 20	1 80
1 45	1 —	1 29	1 90	2 35	3 80	— 32	— 25	— 50	— 40	— 50	— 60	— 50	— 60	3 40	3 80	— 20	2 —
1 42	1 14	1 15	2 —	2 08	3 02	— 25	— 24	— 40	— 45	— 50	— 50	— 40	— 50	3 20	3 60	— 20	1 60
1 50	1 —	1 20	1 60	2 60	3 75	— 32	— 27	— 40	— 44	— 45	— 44	— 40	— 60	3 25	3 50	— 20	1 60
1 30	1 10	1 16	1 70	2 40	3 82	— 40	— 30	— 60	— 60	— 50	— 60	— 50	— 60	3 25	3 58	— 20	1 60
1 40	1 —	1 20	2 —	2 40	4 —	— 35	— 25	— 50	— 40	— 50	— 50	— 50	— 60	3 20	3 40	— 20	2 —
1 55	1 40	1 50	1 80	2 30	3 35	— 40	— 30	— 50	— 50	— 55	— 50	— 50	— 55	3 40	3 80	— 20	1 40
1 40	1 20	1 40	1 80	2 40	2 80	— 35	— 25	— 55	— 50	— 50	— 50	— 55	— 60	3 20	3 60	— 20	1 40
1 70	1 50	1 50	1 60	2 10	3 20	— 40	— 35	— 55	— 55	— 45	— 60	— 50	— 55	2 80	3 80	— 20	1 20
1 40	1 —	1 20	2 —	2 60	4 —	— 40	— 30	— 60	— 50	— 50	— 60	— 50	— 60	3 20	3 80	— 20	1 40
1 40	1 02	1 20	1 80	2 16	3 20	— 36	— 28	— 50	— —	— 40	— 50	— 30	— 50	3 30	3 60	— 20	1 80
1 28	— 99	1 25	1 93	2 15	3 24	— 28	— 26	— 50	— 50	— 50	— 60	— 50	— 50	3 20	3 60	— 20	2 —
1 33	1 30	1 20	1 73	2 20	3 40	— 25	— 24	— 50	— 40	— 40	— 50	— 50	— 60	3 50	3 75	— 20	1 40

Der Regierungs-Präsident.

Betreffend die Winterschonzeit, das Gebot des Lachsfanges mit Zug- und Treib-Netzen, sowie das Verbot des Krebsfanges.

182. Auf die folgenden Bestimmungen der Allerhöchsten Verordnung zur Ausführung des Fischereigesetzes vom 8. August 1887 wird hierdurch hingewiesen.

In den nachbenannten Gewässern: a. in der Nuthe von Saarmund an aufwärts, b. in der Nieplitz von Buchholz bei Treuenbrietzen an aufwärts, c. in der Plane von Golzow an aufwärts, d. in dem Belziger, Baitzer und Fredersdorfer Bach im Kreise Zauch-Belzig, e. in dem Boytzenburger Strom, der Quillow und der Beecke in den Kreisen Templin und Prenzlau ist der Betrieb der Fischerei während der Zeit vom 15. Oktober Morgens 6 Uhr bis 14. Dezember Abends 6 Uhr (Winterschonzeit) nur mit ausdrücklicher Genehmigung des Unterzeichneten gestattet (§ 3 № 2)

Die Lachs-Fischerei mit Zug- und Treib-Netzen ist in der Elbe a. auf der Strecke unterhalb der Eisenbahnbrücke bei Wittenberge in der Zeit vom 15. September bis 15. Dezember einschließlich, b. auf der Strecke oberhalb der Eisenbahnbrücke bei Wittenberge in der Zeit vom 1. Oktober bis 31. Dezember einschließlich verboten (§ 3 № 4).

Während der Dauer der Winterschonzeit müssen in den benannten nicht geschlossenen Gewässern die durch das Fischereigesetz vom 30 Mai 1874 nicht beseitigten ständigen Fischerei-Vorrichtungen hinweggeräumt oder abgestellt sein (§ 9).

In der Zeit vom 1. November bis zum 31. Mai einschließlich ist der Fang von Krebsen in allen nicht geschlossenen Gewässern verboten.

Gelangen Krebse während der angeordneten Schonzeit lebend in die Gewalt des Fischers, so sind dieselben mit der zu ihrer Erhaltung erforderlichen Vorsicht sofort wieder in das Wasser zu setzen (§ 10).

Zuwiderhandlungen gegen die vorstehenden Vorschriften werden, soweit dieselben nicht den Strafbestimmungen des Fischereigesetzes oder des Strafgesetzbuches für das Deutsche Reich unterliegen, mit Geldstrafe bis zu 150 Mark oder Haft bestraft.

Potsdam, den 3. September 1890.

Der Regierungs-Präsident.

Belobigung für Rettung aus Lebensgefahr.

183. Der Büdner August Reinecke zu Cladow hat wiederholt, zuletzt am 23 April d. J., Menschen vom Tode des Ertrinkens gerettet. Diese von Entschlossenheit und Selbstaufopferung zeugenden Thaten werden hiermit belobigend zur allgemeinen Kenntniß gebracht.

Potsdam, den 5. September 1890.

Der Regierungs-Präsident.

Belobigung für Rettung aus Lebensgefahr.

184. Der Schneidergeselle Julius Jahnke zu Neuer Zoll bei Hohensaathen hat am 7. Juni d. J. das Kind des Schneidermeisters Lehmann daselbst vom Tode des Ertrinkens gerettet. Diese von Muth und Entschlossenheit zeugende That des Jahnke wird hiermit belobigend zur allgemeinen Kenntniß gebracht.

Potsdam, den 5. September 1890.

Der Regierungs-Präsident.

Bekanntmachungen der Königlichen Regierung.

Bekanntmachung.

10. Es sind uns in neuerer Zeit vielfach Entwürfe zu Schul-Neu- oder Erweiterungsbauten zur Prüfung von Oberaufsichtswegen vorgelegt worden, welche den an sie in bautechnischer Beziehung zu stellenden Anforderungen in keiner Weise entsprachen und zur Umarbeitung zurückgegeben werden mußten.

Zur Vermeidung von Verzögerungen in der Bauausführung machen wir die betheiligten Behörden und Beamten darauf aufmerksam, daß die unserer Prüfung und Genehmigung unterliegenden Entwürfe zu Schulgebäuden folgende Unterlagen umfassen müssen:

1) Die Zeichnungen.

Diese müssen enthalten:

a. die Grundrisse sämmtlicher Geschosse, in welche die Bestimmung der einzelnen Räume eingetragen, die wichtigsten Lichtmaße eingeschrieben und die Maßstäbe verzeichnet sind;

b. mindestens zwei Durchschnitte, welche die lichten Höhenmaße, die wichtigsten Dach- und Decken-Constructionen und den höchsten Grundwasserstand zu enthalten haben:

c. eine bis zwei Ansichten des Gebäudes;

d. den Lageplan des ganzen Grundstückes einschließlich der bebauten Nachbargrundstücke an den Grenzen und den Straßen; die Abstände der Nachbargebäude und der gegenüber liegenden Baufluchten müssen mit Sicherheit zu erkennen sein. —

2) Den Erläuterungs-Bericht.

In diesem soll die Zahl der Schüler beiderlei Geschlechtes, die Vertheilung derselben auf die einzelnen Klassen kurz nachgewiesen und die Wahl der Gesammtordnung der Zugänge, Treppen, Klassengrößen, Aborte u. s. w. näher begründet sein. Die Einzelanordnungen der Beleuchtung, Heizung und Lüftung müssen in den Hauptzügen klar gestellt sein. Endlich sind auch die wichtigsten Constructionen soweit zu erläutern, daß daraus die Tragfähigkeit der Decken 2c. und die Feuersicherheit des Hauses beurtheilt werden kann. —

Bauentwürfe, welche diesen Erfordernissen nicht entsprechen, werden von uns nach wie vor zur Umarbeitung zurückgegeben werden.

Die Vorlege von Kostenanschlägen wird bei solchen Entwürfen, zu denen der Staat keine Beihilfe gewährt, in der Regel nicht erfordert.

Potsdam, den 5. September 1890.

Königliche Regierung,
Abtheilung für Kirchen und Schulwesen.

Bekanntmachungen des Königlichen Polizei-Präsidiums zu Berlin.

Berliner und Charlottenburger Preise für Monat August 1890.

73. A. Engros-Marktpreise im Monatsdurchschnitt.

In Berlin:

für 100 Klgr.	Weizen (gut)	19 Mark	68 Pf.,
„ „ „	do. (mittel)	19 „	22 „
„ „ „	do. (gering)	18 „	78 „
„ „ „	Roggen (gut)	16 „	59 „
„ „ „	do. (mittel)	16 „	04 „
„ „ „	do. (gering)	15 „	46 „
„ „ „	Gerste (gut)	17 „	06 „
„ „ „	do. (mittel)	15 „	32 „
„ „ „	do. (gering)	13 „	67 „
„ „ „	Hafer (gut)	16 „	61 „
„ „ „	do. (mittel)	15 „	85 „
„ „ „	do. (gering)	14 „	95 „
„ „ „	Erbsen (gut)	19 „	60 „
„ „ „	do. (mittel)	18 „	11 „
„ „ „	do. (gering)	17 „	21 „
„ „ „	Richtstroh	4 „	46 „
„ „ „	Heu	5 „	23 „

Monats-Durchschnitt der höchsten Berliner Tagespreise **einschließlich 5% Aufschlag** für 50 kg

	Hafer	Stroh	Heu
im Monat August	8,94 Mk.,	2,61 Mk.,	3,40 Mk.

B. Detail-Marktpreise im Monatsdurchschnitt.

1) In Berlin:

für 100 Klgr.	Erbsen (gelbe z. Kochen)	28 Mark	02 Pf.,
„ „ „	Speisebohnen (weiße)	30 „	38 „
„ „ „	Linsen	40 „	96 „
„ „ „	Kartoffeln	5 „	53 „
„ 1 Klgr.	Rindfleisch v. d. Keule	1 „	50 „
„ 1 „	„ (Bauchfleisch)	1 „	20 „
„ 1 „	Schweinefleisch	1 „	50 „
„ 1 „	Kalbfleisch	1 „	48 „
„ 1 „	Hammelfleisch	1 „	43 „
„ 1 „	Speck (geräuchert)	1 „	62 „
„ 1 „	Eßbutter	2 „	20 „
„ 60 Stück	Eier	3 „	20 „

2) In Charlottenburg:

für 100 Klgr.	Erbsen (gelbe z. Kochen)	32 Mark	50 Pf.,
„ „ „	Speisebohnen (weiße)	35 „	— „
„ „ „	Linsen	45 „	— „
„ „ „	Kartoffeln	4 „	50 „
„ 1 Klgr.	Rindfleisch v. d. Keule	1 „	50 „
„ 1 „	„ (Bauchfleisch)	1 „	20 „
„ 1 „	Schweinefleisch	1 „	55 „
„ 1 „	Kalbfleisch	1 „	45 „
„ 1 „	Hammelfleisch	1 „	40 „
„ 1 „	Speck (geräuchert)	1 „	60 „
„ 1 „	Eßbutter	2 „	20 „
„ 60 Stück	Eier	3 „	25 „

C. Ladenpreise in den letzten Tagen des Monats August 1890:

1) In Berlin:

für 1 Klgr.	Weizenmehl № 1		34 Pf.,
„ 1 „	Roggenmehl № 1		30 „
„ 1 „	Gerstengraupe		42 „
„ 1 „	Gerstengrütze		39 „
„ 1 „	Buchweizengrütze		44 „
„ 1 „	Hirse		40 „
„ 1 „	Reis (Java)		68 „
„ 1 „	Java-Kaffee (mittler)	2 Mark	75 „
„ 1 „	„ (gelb in gebr. Bohnen)	3 „	78 „
„ 1 „	Speisesalz		20 „
„ 1 „	Schweineschmalz (hiesiges)	1 „	60 „

2) In Charlottenburg:

für 1 Klgr.	Weizenmehl № 1		50 Pf.,
„ 1 „	Roggenmehl № 1		40 „
„ 1 „	Gerstengraupe		60 „
„ 1 „	Gerstengrütze		50 „
„ 1 „	Buchweizengrütze		50 „
„ 1 „	Hirse		50 „
„ 1 „	Reis (Java)		80 „
„ 1 „	Java-Kaffee (mittler)	2 „	80 „
„ 1 „	„ (gelb in gebr. Bohnen)	3 „	80 „
„ 1 „	Speisesalz		20 „
„ 1 „	Schweineschmalz (hiesiges)	1 „	30 „

Berlin, den 5. September 1890.

Königl. Polizei-Präsidium. Erste Abtheilung.

Bekanntmachungen des Staatssecretairs des Reichs-Postamts.

Postanweisungen nach Britisch Betschuanaland.

20. Von jetzt ab sind nach Britisch-Betschuanaland Postanweisungen bis zum Betrage von 10 Pfd. Sterling zulässig.

Ueber die näheren Bedingungen ertheilen die Postanstalten Auskunft.

Berlin W, 29. August 1890.

Der Staatssecretair des Reichs-Postamts.

Bekanntmachungen der Königlichen Hauptverwaltung der Staatsschulden.

Bekanntmachung.

18. Die am 1. Oktober 1890 fälligen **Zinsscheine der Preußischen Staatsschulden** werden bei der Staatsschulden-Tilgungskasse, W. Taubenstraße 29 hierselbst, bei der Reichsbankhauptkasse, sowie bei den früher zur Einlösung benutzten Königlichen Kassen und Reichsbankanstalten vom **24sten d. M.** ab eingelöst.

Die Zinsscheine sind, nach den einzelnen Schuldgattungen und Werthabschnitten geordnet, den Einlösungsstellen mit einem Verzeichniß vorzulegen, welches die **Stückzahl** und den **Betrag** für jeden Werthabschnitt angiebt, aufgerechnet ist und des Einliefernden Namen und Wohnung ersichtlich macht.

Wegen Zahlung der am 1. Oktober fälligen Zinsen für die in das **Staatsschuldbuch** eingetragenen

Forderungen bemerken wir, daß die **Zusendung** dieser Zinsen mittels der **Post,** sowie ihre Gutschrift auf den Reichsbank-Giroconten der Empfangsberechtigten zwischen dem **17. September und 8. Oktober** erfolgt; die **Baarzahlung aber bei der Staatsschulden-Tilgungskasse am 17. September, bei den Regierungs-Hauptkassen am 24sten September** und bei den mit der Annahme direkter Staatssteuern außerhalb Berlins betrauten Kassen am **1. Oktober** beginnt.

Die Staatsschulden-Tilgungskasse ist **für die Zinszahlungen** werktäglich von 9 bis 1 Uhr mit Ausschluß des vorletzten Tages in jedem Monat, am letzten Monatstage aber von 11 bis 1 Uhr geöffnet.

Die Inhaber Preußischer 4prozentiger und 3½prozentiger Konsols machen wir wiederholt auf die durch uns veröffentlichten „Amtlichen Nachrichten über das Preußische Staatsschuldbuch aufmerksam, welche durch jede Buchhandlung für 40 Pfennig oder von dem Verleger J. Guttentag (D. Collin) in Berlin durch die Post für 45 Pfennig franko zu beziehen sind.

Berlin, den 4. September 1890

Hauptverwaltung der Staatsschulden.

Bekanntmachungen der Königlichen Eisenbahn-Direktion zu Bromberg.

51. Mit dem 5. September 1890 tritt zum Verbands-Gütertarif zwischen Stationen des Bezirks Bromberg und der Marienburg-Mlawkaer Bahn der Nachtrag X. in Kraft. Derselbe enthält: a Aenderungen und Ergänzungen der speziellen Tarifvorschriften; b. Neue Frachtsätze für Alexandrowo, Bartschin, Jadownik, Janowitz i. P., Lichterberg-Friedrichsfelde, Nakel, Ostrowitt, Pakosch, Wapno, Worgrowitz und Znin des Bezirks Bromberg; c. Ausnahmefrachtsätze für getrocknetes Obst. Abdrücke des Nachtrages X können durch die Fahrkarten-Ausgabestellen der Verbandsstationen bezogen werden

Bromberg, den 30 August 1890.

Königliche Eisenbahn-Direktion

Bekanntmachung.

52. Vom 1. Oktober d J. ab führt die an der Strecke Posen-Stralkowo gelegene Haltestelle Gutowo die Bezeichnung Kieparz.

Bromberg, den 1. September 1890.

Königliche Eisenbahn-Direktion.

Personal-Chronik.

Im Kreise Niederbarnim sind der Rittergutsbesitzer **Schrobsdorff** zu Mahlsdorf und der Administrator **Voigt** zu Kaulsdorf nach Ablauf ihrer Amtszeit auf's Neue zum Amtsvorsteher bezw. Stellvertreter für den 4. Bezirk Biesdorf ernannt worden.

Die durch Tod ihres bisherigen Inhabers erledigte Inspectorstelle am Königlichen Waisenhause zu Oranienburg ist vom 1 Oktober d. J. ab dem Lehrer **Arendsee** zu Oranienburg übertragen worden.

Der bisherige Pfarrer zu Frankenförde Paul Karl Ernst **Sprockhoff** ist zum Pfarrer der Parochie Felgentreu, Diözese Luckenwalde, bestellt worden.

Der bisherige Diakonus zu Wittenberge, Franz Hugo **Wulkow**, ist zum Oberpfarrer in Wittenberge, Diözese Perleberg, bestellt worden.

Der wissenschaftliche Hilfslehrer Dr. **Gerhardt** ist als ordentlicher Lehrer am Gymnasium in Potsdam angestellt worden.

Personalveränderungen im Bezirke der Kaiserlichen Ober-Postdirection in Berlin.

Im Laufe des Monats August sind:

ernannt: zum Postrath der Geheime exped. Sekretär **Wagner**, zum Ober-Postdirektionssekretär der Postsekretär **Gerken**, zu Ober-Telegraphensekretären die Telegraphensekretäre **Feldheim**, **Knüppel**, **Langemann** und **Ortmann**, zu Ober-Postassistenten die Postassistenten **Borchmann**, **Gomoltzig**, **Günther**, **Leitke**, **Patzer**, **Reinecke** und **Otto Runge**, zu Ober-Telegraphenassistenten die Telegraphenassistenten **Hartmann** und **Metze**;

angestellt: als Postsekretäre die Postpraktikanten **Bukes**, **Hartung**, **Janßen**, **Theil**, **Thomas**, als Postassistenten die Postassistenten **Hababicki**, **Klonowski**, **Kunza**, **Polm**, **Weiland**, als Telegraphenassistenten die Telegraphenanwärter **Braun** und **Zillmann**, der Postassistent **Gruffke**, als Postverwalter der Postassistent **Bahldieck** in Stralau;

in den Ruhestand versetzt: der Ober-Telegraphenassistent **Köbler**;

gestorben: Ober-Postdirektor, Geheime Ober-Postrath **Schiffmann**.

Personalveränderungen im Bezirk der Kaiserlichen Ober-Postdirection in Potsdam

Versetzt sind: die Postdirektoren **Hülsenkamp** von Spandau nach Myslowitz und **Wessel** von Myslowitz nach Spandau.

Personalveränderungen im Bezirke des Kammergerichts in den Monaten Juli und August 1890.

I. Richterliche Beamte.

Ernannt sind: zu Kammergerichtsräthen die Landgerichtsräthe **Hellweg** in Hannover und Dr. **Scholz** in Berlin; zu Landgerichtsdirektoren bei dem Landgericht I. in Berlin die Landgerichtsräthe **Haack** in Berlin und **Rieck** in Frankfurt. a O.; zu Amtsrichtern die Gerichtsassessoren **Hamel** bei dem Amtsgericht in Rathenow und **Kuttner** bei dem Amtsgericht in Forst.

Versetzt sind: der Landgerichtsrath **Albrecht** in Prenzlau an das Landgericht in Potsdam; der Oberlandesgerichtsrath **Leweß** in Hamm als Kammergerichtsrath an das Kammergericht; die Amtsrichter Dr. **Hertz** in Forst als Landrichter an das Landgericht in Cottbus; **Brandt** in Dobrilugk an das Amtsgericht in Landsberg a. W., Dr. **Geppert** in Calau an das Amtsgericht in Frankfurt a. O, **Haberstroh** in Sonnenburg als Landrichter an das Landgericht in Prenzlau.

Pensionirt ist der Landgerichtsrath Kloß beim Landgericht II. in Berlin.

Entlassen ist aus dem Justizdienste der Amtsgerichtsrath Seidler in Crossen a. O.

II. Assessoren.

Zu Gerichtsassessoren sind ernannt die Referendare von Roehl, Appel, Bleyberg, Silberstein, Lieber, Sternsdorff, Grimm, Dr. Klein, Traeger, Dr. Rudolphi, Hempel, Schallehn, Hennigson, Franc, von Arnim, Reimer, Mommsen

Uebernommen ist Meyer aus dem Bezirk des Oberlandesgerichts Marienwerder. Versetzt ist Birkenfeld in den Bezirk des Oberlandesgerichts Cöln.

Entlassen ist Dr. Piutti zwecks Uebertritts in die allgemeine Staatsverwaltung.

III. Rechtsanwälte und Notare.

Gelöscht sind in der Liste der Rechtsanwälte: der Rechtsanwalt Justizrath Wenzig bei dem Landgericht I. in Berlin, der Rechtsanwalt Rudolph bei dem Amtsgericht in Schwedt a. O.

Eingetragen sind in die Liste der Rechtsanwälte: der Rechtsanwalt Paul Meyer aus Cöpenick bei dem Landgericht II. in Berlin, der Rechtsanwalt Dr. Krause aus Königsberg i. Pr. und die Gerichtsassessoren Dr. Rosenthal, Preibisch, Dr. Emil Sachs und Dr. Max Gelpcke bei dem Landgericht I. in Berlin; der Rechtsanwalt Lewin aus Mogilno bei dem Amtsgericht in Charlottenburg, der Rechtsanwalt Rudolph aus Schwedt bei dem Landgericht in Prenzlau, der Gerichtsassessor Silberstein bei dem Amtsgericht in Schwiebus, der frühere Amtsgerichtsrath Seidler in Crossen a. O. bei dem Landgericht in Landsberg a. W.

Zu Notaren sind ernannt: die Rechtsanwälte Richter in Dahme, Roedenbeck in Cöpenick, Abraham in Rixdorf, Justizrath Frommer in Charlottenburg.

IV. Referendare.

Zu Referendaren sind ernannt die bisherigen Rechtskandidaten Hellwig, Schumacher, Baatz, Freytag, Zahn, Hirschberg, Brückner, Freiherr von Stengel, Schmidt, Hopfen, Nürnberg, Kehrl, Randolf, Schneider, Jauernik, Bresges, Lehmann, Holländer, Raettig, Schultz, Griebel, Rocholl, Hartmann, von Simson, Landsberger, Padel, Freiherr von Bülow, Schacht, Gisevius, Crodel, Eckardt, Coler, Czarnikow.

Uebernommen sind von Wussow aus dem Bezirke des Oberlandesgerichts zu Stettin, Kuhn aus dem Bezirk des Oberlandesgerichts zu Königsberg, Müller-Dany aus dem Bezirke des Oberlandesgerichts zu Naumburg a. S., Henrici aus dem Bezirke des Oberlandesgerichts zu Posen.

Versetzt sind: Prollius in den Bezirk des Oberlandesgerichts zu Marienwerder, Schiff in den Bezirk des Oberlandesgerichts zu Kiel, Präfer in den Bezirk des Oberlandesgerichts zu Frankfurt a. Main.

Entlassen sind: Schliack Zwecks Uebertritts in die Verwaltung des Johanniter-Ordens, Kurt Wolf, Graf Clairon d'Haussonville, Dr Groos, von Minckwitz, Heinrich Schulz, Dr. Max Reuscher Zwecks Uebertritts in den Verwaltungsdienst, Litzmann Zwecks Uebertritts in den Militärverwaltungsdienst, Kinder, Appelbaum und Stolzenberg auf ihren Antrag und Ronne.

V. Subalternbeamte.

Ernannt sind: zu Gerichtsschreibern die etatsmäßigen Gerichtsschreibergehülfen Hasselmann in Finsterwalde bei dem Amtsgericht in Havelberg, Goetzke vom Amtsgericht II. in Berlin bei dem Amtsgericht in Cüstrin, zum Gerichtsvollzieher der Gerichtsdiener Bayer bei dem Amtsgericht I. in Berlin, zu Kanzlisten die Kanzleidiätare Kosse bei der Staatsanwaltschaft zu Frankfurt a. O., Gohlke und Völker bei dem Landgericht zu Landsberg a. W.

Versetzt sind: die Gerichtsschreiber Lüdicke in Haselberg und Isenberg in Cüstrin an das Amtsgericht I. zu Berlin, die Gerichtsvollzieher Herrmann in Dahme an das Amtsgericht I. in Berlin, Milsch in Luckau an das Amtsgericht in Guben, Reimann in Neudamm an das Amtsgericht in Freienwalde a./O.

Pensionirt sind: die Gerichtsschreiber Kanzleirath Rosenbaum beim Kammergericht, Kanzleirath Kriesen und Weyergang beim Amtsgericht I. zu Berlin.

Verstorben sind: der Gerichtsschreiber Reier in Züllichau und der Kanzlist Kluge bei der Staatsanwaltschaft des Landgerichts I. zu Berlin.

Entlassen sind: die Gerichtsvollzieher Pohl und Mattheus bei dem Amtsgericht I. zu Berlin.

Vermischte Nachrichten.

Nach der Bekanntmachung des Herrn Justizministers vom 11. Februar 1890 (Justiz-Ministerial-Blatt Seite 74) geht die Führung der Handels-, Genossenschafts- und Musterregister vom 1 Oktober 1890 ab auf das unterzeichnete Amtsgericht für dessen Bezirk über. Von diesem Tage ab werden im Laufe des Geschäftsjahres 1890 die öffentlichen Bekanntmachungen der Eintragungen in Firmen-, Gesellschafts- und Prokuren-Register durch a. den Deutschen Reichs- und Königlich Preußischen Staatsanzeiger, b. die Vossische Zeitung, c. die Berliner Börsenzeitung, d je nach dem Orte der Niederlassung durch das Teltower, bezw. Niederbarnimer, bezw. Beeskow-Storkower Kreisblatt, der Eintragungen in das Genossenschafts-Register durch dieselben Blätter und außerdem durch den Oeffentlichen Anzeiger des Amtsblatts der Königlichen Regierung zu Potsdam; für kleinere Genossenschaften jedoch außer durch den Deutschen Reichsanzeiger nur durch das betreffende Kreisblatt, der Eintragungen in Zeichen- und Musterregister dagegen nur durch den Deutschen Reichsanzeiger erfolgen. Anmeldungen und Anträge in Handels-, Genossenschafts- und Muster-Register-Sachen werden **an jedem Montag Vorm. von 10 bis 12 Uhr** an hiesiger Gerichtsstelle entgegengenommen.

Coepenick, den 3. September 1890.

Königliches Amtsgericht.

Ausweisung von Ausländern aus dem Reichsgebiete.

Lauf. Nr.	Name und Stand des Ausgewiesenen.	Alter und Heimath des Ausgewiesenen.	Grund der Bestrafung.	Behörde, welche die Ausweisung beschlossen hat.	Datum des Ausweisungs-Beschlusses.
1.	2.	3	4.	5.	6
		a. Auf Grund des § 39 des Strafgesetzbuchs:			
1	Emil Marti, Bürstenmacher und Kellereiarbeiter,	geboren am 15. Februar 1860 zu Cappeln bei Arlberg, Steiermark, ortsangehörig zu Rüggisberg, Kanton Bern, Schweiz,	schwerer Diebstahl (zwei Jahre Zuchthaus laut Erkenntniß vom 1sten August 1888),	Königlich Sächsische Kreishauptmannschaft Leipzig,	18. Juli 1890.
2	Abraham (Abel) Silberberg, Kürschner,	geboren im Jahre 1831 zu Kutno, Gouvernement Warschau, Russisch-Polen, ortsangehörig zu Dzorskow, Gouvernement Kalisch, ebendaselbst,	Münzverbrechen (6 Jahre Zuchthaus laut Erkenntniß vom 12. Oktober 1883),	Königlich Preußischer Regierungspräsident zu Posen,	14. August 1890.
		b. Auf Grund des § 362 des Strafgesetzbuchs:			
3	Julianus Henrikus Buissink, Kellner,	geboren am 23 April 1865 zu Gemert, Provinz Nordbrabant, Niederland, ortsangehörig ebendaselbst,	Landstreichen,	Großherzoglich Badischer Landeskommissär zu Constanz,	3. August 1890.
4	Julius Candiani, Schriftsetzer,	geboren am 18. Dezember 1866 zu Mailand, Italien,	desgleichen,	Kaiserlicher Bezirks-Präsident zu Metz,	16. August 1890.
5	Ignaz Fabian, Schneidergehilfe,	43 Jahre alt, geboren und ortsangehörig zu Moldautein, Böhmen,	desgleichen,	Königlich Bayrisches Bezirksamt Stadtamhof,	28. Juli 1890.
6	Leopold Fery, Arbeiter,	geboren am 14 November 1849 zu Maiweiler, Elsoß-Lothringen, französischer Staatsangehöriger,	Landstreichen und Betteln,	Kaiserlicher Bezirks-Präsident zu Metz	14 August 1890.
7	Joseph Kozisch, Schmiedegeselle,	geboren am 11. Januar 1837 zu Sypravitz, Bezirk Pilgram, Böhmen,	desgleichen,	Königlich Bayerisches Bezirksamt Pfarrkirchen,	2. August 1890.
8	Franz Putnar, Schneider,	geboren am 17. November 1845 zu Strenitz, Bezirk Leitomischl, Böhmen, ortsangehörig ebendaselbst,	desgleichen,	Königlich Preußischer Regierungspräsident zu Breslau,	8. August 1890.
9	David Rosenfeld, Zehngebotschreiber,	geboren am 24 April 1824 zu Lublin, Rußland, ortsangehörig ebendaselbst,	desgleichen,	Kaiserlicher Bezirks-Präsident zu Colmar,	16. August 1890.

Hierzu Fünf Oeffentliche Anzeiger.

(Die Insertionsgebühren betragen für eine einspaltige Druckzeile 20 Pf. Belagsblätter werden der Bogen mit 10 Pf. berechnet.)

Redigirt von der Königlichen Regierung zu Potsdam.

Potsdam, Buchdruckerei der A. W. Hayn'schen Erben (E. Hayn, Hof-Buchdrucker).

Amtsblatt

der Königlichen Regierung zu Potsdam und der Stadt Berlin.

Stück 38. Den 19. September **1890.**

Bekanntmachungen der Königl. Ministerien.

Polizei-Verordnung.

24. Meine im Stück 11 des Amtsblattes der Königlichen Regierung zu Potsdam und der Stadt Berlin vom Jahre 1879 veröffentlichte Polizei-Verordnung vom 21 Januar 1879, betreffend die Zweigbahn vom Personenbahnhofe Berlin der Niederschlesisch-Märkischen Eisenbahn nach den Gasanstalten in der Gitschinerstraße hierselbst, wird dahin abgeändert, daß der dritte Absatz der Verordnung — Ziffer 1 der besonderen Anordnungen für die bezeichnete Bahnstrecke — die nachstehende Fassung erhält:

„Zu §§ 43 und 44:

1) Die zwischen dem Bahnhofe der Niederschlesisch-Märkischen Eisenbahn (dem jetzigen Schlesischen Bahnhofe) und der Koepenickerstraße belegene Strecke der Zweigbahn darf mit Ausnahme des in die Mühlenstraße selbst fallenden Theiles derselben von Reitern und Fuhrwerken nicht benutzt werden. Fußgängern ist die Benutzung der Strecke von der Mühlenstraße bis zur Koepenickerstraße in den Zeiten gestattet, welche seitens des Magistrats hiesiger Königlicher Haupt- und Residenzstadt im Einverständniß mit der Eisenbahn-Behörde an den vor und hinter der Spreebrücke aufgestellten Tafeln bekannt gegeben werden. Der Uebergang über die Drehbrücke über den Louisenstädtischen Kanal ist für Reiter und Fuhrwerk überhaupt, für Fußgänger aber nur bei der Annäherung und während der Durchfahrt eines Zuges verboten."

Unter Bezugnahme auf § 136 des Gesetzes über die allgemeine Landesverwaltung vom 30. Juli 1883 (G.-S. S 195) wird solches hiermit zur öffentlichen Kenntniß gebracht.

Berlin, den 30. August 1890.

Der Minister der öffentlichen Arbeiten.

25. **Bekanntmachung,**
betreffend den Ankauf volljähriger Kavallerie-Reit- und Artillerie-Zugpferde.

Berlin, den 20. August 1890.

Regierungsbezirk Potsdam.

Zum Ankauf von Kavallerie-Reit- und Artillerie-Zugpferden im Alter von 5 bis 8 Jahren ist im Bereich der Königlichen Regierung zu Potsdam ein Morgens 8 Uhr beginnender Markt

„am 13. Oktober in Wilsnack"

anberaumt worden.

Bemerkt wird hierbei, daß die Kommission nur geschonte gut gebaute und für die betreffende Waffengattung hinreichend fundamentirte, dabei aber vor allem gängige Pferde mit hinreichendem Blute gebrauchen kann. Auch dürfen sich die Pferde nicht in dürftigem Zustande befinden.

Die von der Kommission erkauften Pferde werden zur Stelle abgenommen und sofort gegen Quittung baar bezahlt.

Pferde mit solchen Fehlern, welche nach den Landesgesetzen den Kauf rückgängig machen, sind vom Verkäufer gegen Erstattung des Kaufpreises und der Unkosten zurückzunehmen.

Krippensetzer sind vom Ankauf ausgeschlossen und wird verlangt, daß die Schweife der Pferde nicht übermäßig verkürzt werden.

Die Verkäufer sind verpflichtet, jedem verkauften Pferde eine neue starke rindlederne Trense mit starkem glatten Gebiß (keine Knebeltrense) und eine neue starke Kopfhalfter von Leder oder Hanf mit zwei mindestens zwei Meter langen Strängen von Hanf ohne besondere Vergütung mitzugeben.

Kriegsministerium.
Remontirungs-Abtheilung.

Bekanntmachungen des Königlichen Regierungs-Präsidenten.

Viehseuchen.

185. Festgestellt ist:

der Milzbrand bei einer verendeten Kuh des Kossäthen Gläser zu Klobbicke, Kreis Ober-Barnim;

die Influenza — in Form eines seuchenartigen Katarrhs der Luftwege — unter den Pferden des Gemeindevorstehers Stolp zu Dallgow, Kreis Osthavelland; ferner in Form der Pferde-Staupe unter den Pferden des Dominium Buskow, Kreis Ruppin;

die Maulseuche bei einer Kuh des Gemeindevorstehers Posselt zu Zesch, Kreis Jüterbog-Luckenwalde;

die Maul- und Klauenseuche unter den Rindviehbeständen des Bauergutsbesitzers Zahn zu Wustermark, des Viehhändlers Stolze zu Nauen, des Bauern Eichstädt zu Markee, Kreis Osthavelland, und des Bauergutsbesitzers Grasow zu Berge, Kreis Westhavelland.

Die Ortschaft Wustermark, Kreis Osthavelland, ist gegen das Durchtreiben von Wiederkäuern und Schweinen gesperrt worden.

Potsdam, den 16 September 1890.

Der Regierungs-Präsident.

186. Nachweisung der an den Pegeln der Spree und Havel im Monat August 1890 beobachteten Wasserstände.

Datum.	Berlin. Ober- N. N. Wasser.	Berlin. Unter- N. N. Wasser.	Spandau. Ober- Wasser.	Spandau. Unter- Wasser.	Potsdam.	Baumgartenbrück.	Brandenburg. Ober- Wasser.	Brandenburg. Unter- Wasser.	Rathenow. Ober- Wasser.	Rathenow. Unter- Wasser.	Havelberg.	Plauer Brücke.
	Meter.	Meter.	Meter.	Meter.	Meter.	Meter.	Meter.	Meter.	Meter.	Meter.	Meter.	Meter.
1	32,44	30,70	2,14	0,64	1,02	—	2,00	1,08	1,32	0,72	1,66	—
2	32,46	30,70	2,14	0,64	1,01	—	2,00	1,10	1,32	0,72	1,64	—
3	32,46	30,72	2,14	0,64	1,02	—	2,00	1,10	1,32	0,72	[illegible]	—
4	32,46	30,70	2,16	0,64	1,02	—	2,00	1,10	1,32	0,72	1,60	—
5	32,46	30,70	2,16	0,62	1,02	—	2,00	1,10	1,32	0,72	1,56	—
6	32,46	30,72	2,14	0,62	1,01	—	2,00	1,12	1,32	0,72	1,54	—
7	32,44	30,70	2,14	0,62	1,01	—	2,00	1,12	1,32	0,76	1,52	—
8	32,45	30,74	2,12	0,66	1,01	—	1,98	1,10	1,32	0,76	1,50	—
9	32,44	30,68	2,10	0,62	1,00	—	2,00	1,10	1,32	0,76	1,48	—
10	32,46	30,64	2,10	0,54	0,99	—	2,00	1,08	1,32	0,76	1,48	—
11	32,45	30,68	2,10	0,62	0,99	—	2,00	1,08	1,32	0,76	1,48	—
12	32,44	30,68	2,08	0,62	0,99	—	1,98	1,06	1,32	0,74	1,60	—
13	32,44	30,64	2,06	0,60	0,99	—	2,02	1,06	1,32	0,74	1,98	—
14	32,44	30,64	2,06	0,62	0,99	—	2,02	1,06	1,32	0,74	2,26	—
15	32,44	30,62	2,04	0,58	0,99	—	2,00	1,04	1,32	0,74	2,48	—
16	32,45	30,68	2,00	0,62	0,98	—	2,00	1,04	1,32	0,74	2,64	—
17	32,44	30,68	2,02	0,60	0,98	—	2,00	1,02	1,32	0,70	2,78	—
18	32,42	30,66	2,06	0,60	0,97	—	2,00	1,02	1,32	0,70	2,78	—
19	32,41	30,66	2,02	0,62	0,97	—	1,98	1,00	1,32	0,68	2,62	—
20	32,38	30,60	2,00	0,62	0,98	—	1,98	1,00	1,32	0,68	2,42	—
21	32,38	30,62	2,00	0,60	0,98	—	1,96	0,98	1,32	0,66	2,24	—
22	32,40	30,60	1,98	0,62	0,97	—	1,94	0,96	1,32	0,66	2,12	—
23	32,48	30,60	1,98	0,64	0,96	—	1,98	0,94	1,32	0,64	2,00	—
24	32,40	30,64	2,00	0,52	0,95	—	1,98	0,94	1,32	0,64	1,92	—
25	32,40	30,60	2,00	0,52	0,95	—	2,00	0,94	1,32	0,64	1,82	—
26	32,40	30,66	2,00	0,56	0,95	—	2,02	0,94	1,32	0,64	1,72	—
27	32,40	30,64	1,98	0,58	0,95	—	2,00	0,92	1,32	0,64	1,66	—
28	32,34	30,62	1,98	0,60	0,98	—	1,90	0,90	1,32	0,60	1,64	—
29	32,35	30,64	2,00	0,58	0,98	—	2,00	0,94	1,32	0,60	1,60	—
30	32,38	30,62	2,00	0,56	0,97	—	2,02	0,94	1,32	0,60	1,56	—
31	32,40	30,60	2,02	0,52	0,97	—	2,00	0,94	1,32	0,60	1,54	—

Potsdam, den 16. September 1890. Der Regierungs-Präsident.

Beschluß,

betr. Erhöhung der Vergütungssätze für den zu den diesjährigen Herbstübungen gestellten Vorspann.

187. Die von dem Bundesrath festgestellten Vergütungssätze für geleisteten Vorspann werden gemäß § 4 Art. II. des Gesetzes vom 21. Juni 1887 (R.-G.-Bl. S. 245) und § 9 der dazu erlassenen Instruction vom 30. August 1887 (R.-G.-Bl. S. 433 ff) hierdurch für die Landkreise Prenzlau, Ruppin und Teltow, sowie für den Stadtkreis Potsdam um ein Fünftel erhöht.

Potsdam, den 12. September 1890.

Der Regierungs-Präsident.

Bekanntmachung.

188. Auf Antrag der Königlichen Intendantur 3. Armee-Corps zu Berlin ist das Enteignungsverfahren behufs Feststellung der Entschädigung für die zur Anlage des 2. Artillerie-Schießplatzes bei Jüterbog erforderliche, dem Hüfner Friedrich Schulze zu Zinna gehörige, im Grundbuche von Zinna Band I. № 2 eingetragene Grundstücksfläche von 12,8360 ha und für einen Theil des den Separations-Interessenten zu Zinna gehörigen Weges № 76 mit 14,90 a eingeleitet worden und hat bereits eine Abschätzung durch die ernannten Sachverständigen, Gutsbesitzer Bohnstedt aus Kaltenhausen, Rentier Buchholtz aus Berlin, Oberförster Dossow aus Zinna und Oberförster Liebeldt aus Frohnsdorf unter Leitung meines Kommissars, Regierungs-Raths Joachimi, unter Zustimmung und in Gegenwart der Eigenthümer stattgefunden.

Die übrigen, an den enteigneten Grundstücken etwa Berechtigten werden hierdurch aufgefordert, ihr Interesse an der Feststellung der Entschädigung oder ihre sonstigen Ansprüche innerhalb einer Woche bei mir anzumelden, widrigenfalls wegen Auszahlung oder Hinterlegung der Entschädigungssumme ohne Anberaumung eines Termines an Ort und Stelle verfügt werden wird.

Potsdam, den 13. September 1890.

Der Regierungs-Präsident.

Ernennung von Sachverständigen der Brennerei-Berufsgenossenschaft.

189. Auf Grund des § 10 der Vorschriften für die Veranlagung der Brennereien zum Contingent sind zu Sachverständigen der Brennerei-Berufsgenossenschaft zur Prüfung der von den Brennerei-Besitzern erhobenen Ansprüche:

1) der Königliche Amtsrath Schmidt zu Löhme bei Werneuchen,
2) der Königliche Amtsrath Schrader zu Alt-Landsberg

ernannt werden. Potsdam, den 15 September 1890

Der Regierungs-Präsident.

Ersatzwahl eines Landtags-Abgeordneten

190. In Abänderung meiner Verfügung vom 5. d. M. I. 1899/8 (A.-Bl. St. 37 S. 342) bestimme ich für die bevorstehende Ersatzwahl eines Landtags-Abgeordneten an Stelle des verstorbenen Vertreters des Wahlbezirks III. (Prenzlau-Angermünde), Ritterschaftsdirektors v. Wedell-Malchow als Termine

1) für die Wahlmänner-Ersatzwahl **den 11. Oktober d. J.** und
2) für die Abgeordneten-Wahl **den 18. desselben Monats.**

Potsdam, den 16. September 1890

Der Regierungs-Präsident.

Bekanntmachungen der Königlichen Regierung.

Zahlungen aus Domänen- und Forstveräußerungen und Ablösungen betreffend.

11. Unter Bezugnahme auf die Amtsblatts-Bekanntmachung vom 9. September 1885 bezw 10. September 1889 — Amtsblatt Stück 38 S. 348 bezw. Stück 38 S. 344 — wird im Interesse des betheiligten Publikums wiederholt darauf hingewiesen, daß die Einzahlungen aus Domänen- und Forst-Veräußerungs-, sowie Ablösungsgeschäften ohne Unterschied des Betrages an die Regierungs-Haupt-Kasse hierselbst unmittelbar zu erfolgen haben und derartige Zahlungen ausnahmsweise nur dann bei einer Specialkasse stattfinden dürfen, wenn dies auf den besonderen Antrag des Zahlungspflichtigen von der unterzeichneten Regierung ausdrücklich genehmigt worden ist.

Potsdam, den 8. September 1890.

Königliche Regierung,
Abtheilung für direkte Steuern, Domänen und Forsten.

Bekanntmachungen des Königlichen Polizei-Präsidiums zu Berlin.

Bekanntmachung

74. Nachdem auf Grund des § 15 des Enteignungsgesetzes vom 11. Juni 1874 von Landespolizeiwegen vorläufig festgestellt worden ist, daß von dem dem Banquier Karl Heintze hierselbst gehörigen, Band 1 № 69 des Grundbuchs von Alt-Cölln verzeichneten Grundstücke, hier, Breitestraße 24, eine Fläche von 9 qm Größe eine derjenigen Grundstücksflächen darstellt, hinsichtlich welcher der Staatsbauverwaltung behufs der zur Verbesserung des Spreelaufs innerhalb der Stadt Berlin auszuführenden Bauten durch die Allerhöchste Cabinetsordre vom 17. September 1888 das Enteignungsrecht verliehen worden ist, wird der bezügliche Plan in Gemäßheit der §§ 18 ff. a. a. O. **vom Montag, den 29. September bis Montag, den 13. Oktober dieses Jahres** einschließlich in der Registratur der I Abtheilung des Königlichen Polizei-Präsidiums im neuen Polizei-Präsidialgebäude am Alexanderplatz hierselbst, Eingang IV., 2 Treppen, Zimmer Nr. 339, zu Jedermanns Einsicht ausliegen.

Einwendungen gegen diesen Plan sind bis zum Ablaufe der bestimmten Frist bei der Ersten Abtheilung des Königlichen Polizei-Präsidiums schriftlich einzureichen.

Berlin, den 10. September 1890.

Der Polizei-Präsident.
Freiherr von Richthofen.

Bekanntmachungen des Reichs-Postamts.

Postpacketverkehr mit Siam.

21. Von jetzt ab können Postpackete ohne Werthangabe im Gewicht bis zu 3 kg nach Siam (vorerst jedoch nur nach Bangkok) versandt werden. Die Packete müssen frankirt werden. Ueber die Taxen und Versendungsbedingungen ertheilen die Postanstalten auf Verlangen Auskunft.

Berlin W., 10. September 1890.

Reichs-Postamt, I. Abtheilung.

Bekanntmachungen des Königlichen Konsistoriums der Provinz Brandenburg.

Errichtung einer neuen geistlichen Stelle bei der St. Johannis-Kirche in Moabit

12. Mit der im Einverständnisse des Herrn Ministers der geistlichen, Unterrichts- und Medizinal-Angelegenheiten ertheilten Genehmigung des Evangelischen Ober-Kirchenraths und auf Grund der Beschlüsse der Gemeindeorgane der St. Johannis-Kirche in Moabit vom 12. März resp. 8. Mai d. J. wird in der Parochie dieser Kirche eine vierte geistliche Stelle, welche als II. Diakonat neben das bereits bestehende Diakonat tritt, mit dem Sitze in Berlin errichtet. Die Besetzung dieses II. Diakonats erfolgt gemäß § 32 № 2 der Kirchengemeinde- und Synodal-Ordnung vom 10. September 1873, sowie dem dazu ergangenen Kirchengesetz vom 15. März 1886.

Berlin, den 15. August 1890.

(L. S.) Der Königliche Polizei-Präsident

Berlin, den 4. August 1890.

(L. S.)

Das Königliche Konsistorium der Provinz Brandenburg.

Bekanntmachungen der Königl. Kontrolle der Staatspapiere.

Bekanntmachung.

20. In Gemäßheit des § 20 des Ausführungsgesetzes zur Civilprozeßordnung vom 24. März 1879 (G.-S. S. 281) und des § 6 der Verordnung vom 16. Juni 1819 (G.-S. S. 157) wird bekannt gemacht, daß die Schuldverschreibungen der konsolidirten $3^1/_2$ %igen Staatsanleihe von 1890 lit. D. № 485226 und

486958 über je 500 M., welche angeblich in einem am 24. Juli d. Js. von der Firma Albert Samson zu Berlin, Behrenstraße 54, zur Post (Postamt 49) gegebenen, nach Oels i. Schl abressirten Einschreibbrief enthalten waren, bei Beförderung mit der Post abhanden gekommen sind. Es werden Diejenigen, welcher sich im Besitze dieser Urkunden befinden, hiermit aufgefordert, solches der unterzeichneten Kontrolle der Staatspapiere oder der Generalbevollmächtigten der Basler Transport-Versicherungs-Gesellschaft, der Firma Felix Leo Meyer (Inhaber: Kaufmann Richard Schmid) zu Berlin W., Französischestraße 17, anzuzeigen, widrigenfalls das gerichtliche Aufgebotsverfahren behufs Kraftloserklärung der Urkunden beantragt werden wird. Berlin, den 8. September 1890.

Königliche Kontrolle der Staatspapiere.

Bekanntmachungen der Königlichen Eisenbahn-Direktion zu Berlin.

36. Vom 17. September d. J. ab werden für den Bahnhof Wilmersdorf-Friedenau die Be- und Entladefristen bezüglich derjenigen Interessenten, welche innerhalb eines Umkreises von 5 km von der Station entfernt wohnen, bis auf Weiteres auf 8 Tagesstunden (einschließlich der Mittagsstunden) herabgesetzt.

Berlin, den 14. September 1890.

Königliche Eisenbahn-Direktion.

Bekanntmachungen der Königlichen Eisenbahn-Direktion zu Magdeburg.

19. **Sonderzüge zur Magdeburger Messe.**

am Sonntag, den 21. und 28. September d. J.

1) Abfahrt Berlin, Potsdamer Bahnhof $5^{\underline{20}}$ Vorm.
   " Potsdam $6^{\underline{02}}$ "
   Ankunft Magdeburg 8^{39} "
2) Abfahrt Magdeburg $10^{\underline{00}}$ Abds.
   Ankunft Berlin, Potsdamer Bahnhof $1^{\underline{26}}$ Nachts.

Der Zug hält im Bedarfsfalle auch in Steglitz und Zehlendorf.

Fahrkarten, welche zur Rückfahrt innerhalb 2 Tagen, den Lösungstag mitgerechnet, für alle fahrplanmäßigen Personenzüge — ausschließlich der Schnellzüge — ab Magdeburg berechtigen, sowie auch für den am Tage der Hinfahrt $10^{\underline{00}}$ Abends von Magdeburg abgehenden Sonderzug gelten, können von jetzt ab bis zum Abgang der Züge in Berlin, Steglitz, Zehlendorf und Potsdam für 6,00 M. in II. und 4,00 M. in III. Wagenkasse gelöst werden.

Fahrtunterbrechung ist weder auf der Hinfahrt noch auf der Rückfahrt gestattet. Freigepäck wird nicht gewährt. Berlin, den 6. September 1890.

Königliches Eisenbahn-Betriebsamt
(Berlin—Magdeburg).

Bekanntmachungen der Königlichen Eisenbahn-Direktion zu Bromberg.

Frachtbegünstigung für Ausstellungsgegenstände.

53. Für die in der nachstehenden Zusammenstellung näher bezeichneten Thiere und Gegenstände, welche auf den daselbst erwähnten Ausstellungen ausgestellt werden und unverkauft bleiben, wird eine Frachtbegünstigung in der Art gewährt, daß nur für die Hinbeförderung die volle tarifmäßige Fracht berechnet wird, die Rückbeförderung an die Versand-Station und den Aussteller aber frachtfrei erfolgt, wenn durch Vorlage des ursprünglichen Frachtbriefes bezw. des Duplikat-Transportscheines für den Hinweg, sowie durch eine Bescheinigung der dazu ermächtigten Stelle nachgewiesen wird, daß die Gegenstände ausgestellt gewesen und unverkauft geblieben sind, und wenn die Rückbeförderung innerhalb der unten angegebenen Zeit stattfindet. In den ursprünglichen Frachtbriefen bezw. Duplikat-Transportscheinen für die Hinsendung ist ausdrücklich zu vermerken, daß die mit denselben aufgegebenen Sendungen durchweg aus Ausstellungsgut bestehen.

№	Art der Ausstellung	Ort	Zeit 1890	Die Frachtbegünstigung wird gewährt für	auf den Strecken der	Zur Ausfertigung der Bescheinigung sind ermächtigt	Die Rückbeförderung muß erfolgen innerhalb	
1	Ausstellung von Gegenständen des Wagenbaus und der verwandten Gewerbe,	Marienburg,	11. bis 17. September,	Gegenstände der nebenbezeichneten Art,	Königlichen Eisenbahn-Direktion Bromberg,	Ausstellungs-Commission,	14 Tage	nach Schluß der Ausstellung.
2	Ausstellung für Gartenbau, Bienen-, Geflügel- und Fischzucht,	Cöslin,	12. bis 14. September,	Thiere und Gegenstände der nebenbezeichneten Art,	Königlichen Eisenbahn-Direktionen Berlin, Breslau und Bromberg,	desgl.	14 Tage	
3	Gartenbau-Ausstellung,	Essen,	13. bis 22. September,	Gegenstände des Gartenbaues,	Preußischen Staatsbahnen,	desgl.	4 Wochen	

Bromberg, den 7. September 1890. Königl. Eisenbahn-Direktion.

Personal-Chronik.

Die unter Magistratualischem Patronat stehende Predigerstelle an der Waisenerziehungsanstalt des großen Friedrichs-Waisenhauses zu Rummelsburg, Diözese Berlin I., kommt durch die Versetzung ihres Inhabers zum 1. Oktober d. J. zur Erledigung.

Im Kreise Ruppin ist der Lieutenant Kohlbach zu Lüchfeld zum Amtsvorsteher-Stellvertreter des 11 Bezirks Lüchfeld ernannt worden

Der bisherige Königliche Regierungs-Baumeister Coqui in Prenzlau ist zum Königlichen Kreisbauinspector ernannt und demselben die von ihm seit dem 1. April d. Js. auftragsweise verwaltete Kreisbauinspectorstelle in Prenzlau vom 1. September d. Js. ab endgiltig verliehen worden.

Der Oberpfarrer Karl Adolf Klügel in Pritzwalk ist zum Superintendenten der Diözese Pritzwalk ernannt worden.

Der bisherige Pfarrer zu Kiekebusch, Georg Wilhelm Heinrich Albrecht Richter, ist zum Pfarrer der Parochie Waltersdorf, Diözese Königs-Wusterhausen, bestellt worden.

Der bisherige Hilfsprediger der evangelischen Landeskirche Bernhard Paulus Schmidt ist zum II. Diakonus an der Heilig-Kreuz-Kirche hierselbst, Diözese Cöln-Stadt, bestellt worden.

Die unter Privat-Patronat stehende Pfarrstelle zu Dobberzin, Diözese Angermünde, ist durch das Ableben des Pfarrers Deutsch am 18. August 1890 zur Erledigung gekommen.

Der Schulamtskandidat Max Benecke ist als ordentlicher Lehrer am Friedrichs-Werderschen Gymnasium in Berlin und der Gemeindeschullehrer Splettstößer ist an dem Luisenstädtischen Gymnasium in Berlin als Vorschullehrer angestellt worden.

Der bisherige Oberlehrer an der Charlottenschule in Berlin Dr. Michaelis ist als Rektor der 7ten höheren Bürgerschule ebenda angestellt worden.

Der bisherige wissenschaftliche Hilfslehrer Heinrich am Französischen Gymnasium in Berlin ist als ordentlicher Lehrer am Königlichen Gymnasium in Schöneberg angestellt worden.

Der bisherige ordentliche Lehrer Dr. Coste am Askanischen Gymnasium in Berlin ist als Oberlehrer an dem in Schöneberg zu eröffnenden Gymnasium angestellt worden.

Die Lehrer Kühle, Grumbach, Thiem, Herzog, Zeisiger, Krüger sind als Gemeindeschullehrer in Berlin angestellt worden.

Die Lehrerin Fräulein Schottmüller ist als Gemeindeschullehrerin in Berlin angestellt worden.

Der Lehrerin Frau Borth geborenen von Ostheim in Berlin ist die Erlaubniß zur Einrichtung und Leitung einer höheren Mädchenschule in dem Stadttheile Moabit der Stadt Berlin ertheilt worden.

Ausweisung von Ausländern aus dem Reichsgebiete.

Lauf. Nr.	Name und Stand des Ausgewiesenen.	Alter und Heimath des Ausgewiesenen.	Grund der Bestrafung.	Behörde, welche die Ausweisung beschlossen hat.	Datum des Ausweisungs-Beschlusses.
1.	2.	3	4.	5	6.
		a. Auf Grund des § 39 des Strafgesetzbuchs:			
1	Emil Demonte, Händler,	geboren im Jahre 1853 zu Chambery, Frankreich, ortsangehörig ebendaselbst,	schwerer Diebstahl (vier Jahre Zuchthaus laut Erkenntnisse vom 21 Januar und 27. Juli 1887),	Großherzoglich Badischer Landeskommissär zu Karlsruhe,	18. August 1890.
2	Nathan Weiß, Handelsmann,	geboren am 3. Juni 1859 zu Neu-Sandez, Galizien, ortsangehörig ebendaselbst,	schwerer Diebstahl (sieben Jahre Zuchthaus laut Erkenntniß vom 4ten März 1884),	Königlich Preußischer Regierungspräsident zu Posen	16. August 1890.
		b Auf Grund des § 362 des Strafgesetzbuchs:			
3	Salomon Schatz, Metzgerknecht,	geboren am 1. Mai 1850 zu Frauenburg, Rußland, ortsangehörig ebendaselbst,	Landstreichen,	Kaiserlicher Bezirks-Präsident zu Colmar,	16. August 1890.
4	Wenzel Weinhold, Arbeiter und Maurer,	geboren im Jahre 1832 zu Wekow bei Josephstadt, Böhmen, ortsangehörig zu Wolkow, Bezirk Königshof ebendaselbst,	desgleichen,	Königlich Preußischer Regierungspräsident zu Hannover,	14. August 1890.
5	Franz Zebrakofski, Knecht,	geboren am 6. Januar 1867 zu Strazist, Bezirk Pisek, Böhmen, ortsangehörig zu Myhlin, ebendaselbst,	Landstreichen u. Betteln,	Königlich Preußischer Regierungspräsident zu Oppeln,	1. August 1890.

Lauf. Nr.	Name und Stand	Alter und Heimath	Grund der Bestrafung	Behörde, welche die Ausweisung beschlossen hat	Datum des Ausweisungs-Beschlusses
	des Ausgewiesenen				
1.	2.	3	4	5	6.
6	Gustav Zimmermann, Arbeiter,	geboren am 2. Juli 1868 zu Genf, Schweiz,	Landstreichen,	Kaiserlicher Bezirks-Präsident zu Metz,	18. August 1890.
7	Georg Zimmermann, Dreher,	geboren am 22 April 1870 zu Genf, Schweiz,	desgleichen,	derselbe,	desgleichen.
8	Karl Augustin, Bäcker,	27 Jahre alt, geboren und ortsangehörig zu Brünn, Mähren,	Betteln im wiederholten Rückfall,	Großherzoglich oldenburgisches Staatsministerium zu Oldenburg,	11. August 1890.
9	Lorenz Dostocil, Lohgerbergeselle,	geboren am 8 Februar 1851 zu Beraun, Bezirk Prag, Böhmen, ortsangehörig ebendaselbst,	desgleichen,	Königlich Preußischer Regierungspräsident zu Merseburg,	19. August 1890.
10	Johann Josef Grandry, Tuchweber,	geboren am 10. Januar 1843 zu Verviers, Belgien, ortsangehörig ebendaselbst,	Landstreichen,	Kaiserlicher Bezirks-Präsident zu Straßburg,	21. August 1890.
11	Michael Herzberg, Handelsmann,	geboren am 25. März 1835 zu Tuckum, Curland, Rußland, wohnhaft zuletzt in Berlin,	desgleichen,	Königlich Preußischer Regierungspräsident zu Frankfurt a. O.,	22. Juli 1890.
12	Martin Nadler, Tagelöhner,	32 Jahre alt, geboren zu Graz, Steiermark ortsangehörig zu Preheischen, Bezirk Mies, Böhmen,	desgleichen,	Königlich Bayerisches Bezirksamt Ebersberg,	19 August 1890
13	Karoline Nilsson, Näherin,	geboren am 25. Januar 1870 zu Blekinge-Blae, Schweden,	gewerbsmäßige Unzucht,	Chef der Polizei in Hamburg,	23. August 1890.
14	Luigi Piani, Bäcker und Tagelöhner,	geboren am 22 Februar 1841 zu Rocca-Pietore, Provinz Bellano, Italien,	Betteln im wiederholten Rückfall,	Großherzoglich Badischer Landeskommissär zu Constanz,	14. August 1890.
15	Georg Wachal, Fabrikarbeiter,	22 Jahre alt, geboren zu Domazlice, Bezirk Taus, Böhmen, ortsangehörig zu Taus,	Landstreichen,	Stadtmagistrat Regensburg, Bayern,	desgleichen.
16	Josef Wanitschek, Gelbgießergeselle,	geboren am 26. Januar 1851 zu Chlumetz, Bezirk Gitschin, Böhmen, ortsangehörig ebendaselbst,	Betteln im wiederholten Rückfall,	Königlich Sächsische Kreishauptmannschaft Leipzig,	5. August 1890.

(Hierzu eine Beilage, enthaltend den Fahrplan der Königlichen Eisenbahn-Direktion Bromberg, gültig vom 1. Oktober 1890 ab, sowie Drei Oeffentliche Anzeiger.)

(Die Insertionsgebühren betragen für eine einspaltige Druckzeile 20 Pf.
Belagsblätter werden der Bogen mit 10 Pf. berechnet.)

Redigirt von der Königlichen Regierung zu Potsdam.

Potsdam, Buchdruckerei der A. W. Hayn'schen Erben (E. Hayn, Hof-Buchdrucker).

Amtsblatt

der Königlichen Regierung zu Potsdam und der Stadt Berlin.

Stück 39. Den 26. September 1890.

Bekanntmachungen der Königlichen Ministerien.

26. Bekanntmachung, betreffend den Ankauf volljähriger Kavallerie-Reit- und Artillerie-Zugpferde.

Berlin, den 20. August 1890.

Regierungsbezirk Potsdam.

Zum Ankauf von Kavallerie-Reit- und Artillerie-Zugpferden im Alter von 5 bis 8 Jahren ist im Bereich der Königlichen Regierung zu Potsdam ein Morgens 8 Uhr beginnender Markt

„am 13. Oktober in Wilsnack"

anberaumt worden.

Bemerkt wird hierbei, daß die Kommission nur geschonte gut gebaute und für die betreffende Waffengattung hinreichend fundamentirte, dabei aber vor allem gängige Pferde mit hinreichendem Blute gebrauchen kann. Auch dürfen sich die Pferde nicht in dürftigem Zustande befinden.

Die von der Kommission erkauften Pferde werden zur Stelle abgenommen und sofort gegen Quittung baar bezahlt.

Pferde mit solchen Fehlern, welche nach den Landesgesetzen den Kauf rückgängig machen, sind vom Verkäufer gegen Erstattung des Kaufpreises und der Unkosten zurückzunehmen.

Krippensetzer sind vom Ankauf ausgeschlossen und wird verlangt, daß die Schweife der Pferde nicht übermäßig verkürzt werden.

Die Verkäufer sind verpflichtet, jedem verkauften Pferde eine neue starke rindlederne Trense mit starkem glatten Gebiß (keine Knebeltrense) und eine neue starke Kopfhalfter von Leder oder Hanf mit zwei mindestens zwei Meter langen Strängen von Hanf ohne besondere Vergütung mitzugeben.

Kriegsministerium.
Remontirungs-Abtheilung.

Bekanntmachungen des Oberpräsidenten.

Bekanntmachung.

23. Dem Königlichen Oberpräsidium beehrt sich das General-Kommando hierdurch seinen ergebensten Dank zu sagen für die auch in diesem Jahre vortreffliche Aufnahme der Truppen des Gardekorps gelegentlich der Herbstübungen, sowie das an allen Orten bethätigte Entgegenkommen der Behörden und gesammten Einwohnerschaft.

Der kommandirende General
(gez.) Frhr. von Hülleſſem.

Vorstehendes Schreiben bringe ich hierdurch zur öffentlichen Kenntnißnahme.

Potsdam, den 15. September 1890.

Der Oberpräsident, Staatsminister von Achenbach.

Bekanntmachungen des Königlichen Regierungs-Präsidenten.

Einfuhr von Schweine-Magen, -Lebern und -Därmen.

191. Es wird hierdurch zur Kenntniß der Betheiligten gebracht, daß bei der Einfuhr von Schweine-Därmen aus dem Auslande — soweit dieselbe überhaupt erlaubt ist — fortan von der Einforderung von Ursprungszeugnissen gänzlich Abstand genommen, auch die Einfuhr von Schweine-Magen, -Lebern und -Därmen Dänischer Herkunft fortan ohne die Beibringung dieser Zeugnisse zugelassen wird.

Potsdam, den 16. September 1890.

Der Regierungs-Präsident.

Versendung von Wiederkäuern und Schweinen nach den Nordseehafenstädten.

192. Im Anschluß an die Bekanntmachung vom 3. Oktober 1888 — Amtsbl. Stück 41 Seite 394 — wird hierdurch zur öffentlichen Kenntniß gebracht, daß nunmehr, nachdem die Kreisthierarztstelle des Kreises Ruppin endgültig besetzt worden ist, die dem Gestütsroßarzt Mickley zu Friedrich-Wilhelms-Gestüt und dem Thierarzt E. Schmidt zu Wildberg ertheilte Ermächtigung zur Vornahme der zufolge Beschlusses des Bundesraths vom 3. November 1887 angeordneten Untersuchungen der nach den Nordseehafenstädten zu befördernden Wiederkäuer und Schweine zurückgezogen worden ist, und daß zur Vornahme der angeordneten Untersuchungen sowie zur Ausstellung gültiger Befundsscheine für den Kreis Ruppin fortan nur der Kreisthierarzt Fielitz zu Neu-Ruppin berechtigt ist.

Potsdam, den 17. September 1890.

Der Regierungs-Präsident.

Chausseegelderhebung auf der Teltower Kreis-Chaussee von Runsdorf über Schünow bis zur Zossen-Siethener-Chaussee vor Nächst-Neuendorf mit Abzweigung nach Dergischow.

193. Dem Kreise Teltow ist Seitens des Herrn Ministers der öffentlichen Arbeiten durch Erlaß vom 13. Februar 1890 — III. 2402 — die Genehmigung ertheilt worden, für die Benutzung der Chaussee von Runsdorf über Schünow bis zur Zossen-Siethen'er Chaussee vor Nächst-Neuendorf einschließlich der Abzweigung nach Dergischow an der auf der Zossen-Siethen'er Chaussee zwischen Station 26 und 27 bei Nächst-Neuendorf bereits vorhandenen Hebestelle das tarifmäßige Chausseegeld für eine Meile mit erheben zu lassen, jedoch mit der Maßgabe, daß für Fuhrwerke und Thiere der Einwohner von Dergischow beim Verkehr in der Richtung auf Zossen nach wie vor das Chausseegeld für anderthalb Meilen nur für die Hinfahrt erhoben werden darf, die für Fuhrwerke und Thiere der Einwohner von Schünow früher gewährte gleiche Vergünstigung aber in Wegfall kommt.

Mit der Erhebung des Chausseegeldes wird am 1. Oktober d. J. begonnen werden.

Potsdam, den 18. September 1890.

Der Regierungs-Präsident.

Preis-Verzeichniß der Königlichen Landes-Baumschule in Alt-Geltow und bei Potsdam für 1. Oktober 1890/91.

194. Das Preis-Verzeichniß der Königlichen Landes-Baumschule in Alt-Geltow und bei Potsdam für 1890/91 liegt zur Einsicht auf sämmtlichen Königlichen Landrathsämtern des Bezirks, sowie bei den Magistraten zu Brandenburg a. H., Charlottenburg, Spandau, Luckenwalde, Schwedt a. O. und Wriezen a. O. aus.

Potsdam, den 19. September 1890.

Der Regierungs-Präsident.

Betreffend die Oeffnungszeiten der Eisenbahn-Drehbrücken über die Havel bei Potsdam und Werder.

195. Nachstehend werden diejenigen Zeiten, während welcher die Eisenbahn-Drehbrücken über die Havel bei Potsdam und Werder vom 1. Oktober d. J. ab bis auf Weiteres für den Schifffahrts-Verkehr in der Regel geöffnet sein werden, zur öffentlichen Kenntniß gebracht.

Für die Brücke bei Potsdam.

1) Von 5·42 Vm. bis 6·15 Vm.
2) " 6·45 " " 7·00 "
3) " 8·8 " " 8·32 "
4) " 11·10 " " 11·26 "
5) " 5·35 Nm. " 5·50 Nm.

Für die Brücke bei Werder.

1) Von 5·30 Vm. bis 6·00 Vm.
2) " 8·15 " " 8·40 "
3) " 10·15 " " 10·54 "
4) " 11·40 " " 12·10 Nm.
5) " 3·00 Nm. " 3·30 "
6) " 4·00 " " 4·25 "
7) " 5·25 " " 6·00 "
8) " 7·00 " " 7·40 "

Potsdam, den 20. September 1890.

Der Regierungs-Präsident.

Einstellung der Beiträge zum II. Kurmärkischen Kriegsschulden-Steuer-Verbande.

196. Die höheren Erträge der Braumalzsteuer haben auch einen vermehrten Ertrag des Zuschlages herbeigeführt, der von dieser Steuer gemäß Beschluß des Communallandtages der Kurmark vom 13. Februar 1882, wegen Aufbringung der Kurmärkischen Kriegsschulden in der 7. Amortisationsperiode, mit 50 Pfg. für den Centner Braumalz zu erheben ist. Die Kapitalbestände des II. Kriegsschuldensteuer-Verbandes sind infolgedessen dergestalt angewachsen, daß aus denselben die nach № 1 des Beschlusses dieses Landtages vom 20. Februar 1882 auf 30 000 M. jährlich festgesetzten Contingente auf die Dauer der laufenden letzten Amortisationsperiode werden bestritten werden können.

Mit Rücksicht hierauf wird meine Bekanntmachung vom 6. Juni 1882, soweit dieselbe die Einhebung der Beiträge des II. Verbandes betrifft, hiermit dahin abgeändert, daß

1) die monatliche Einhebung der von den Städten der Kurmark und dem Flecken Fürstenwerder mit jährlich 36671 M. 40 Pf. zu leistenden Beiträge mit Ende des Etatsjahres 1889/90 aufhört;
2) das auf Beschluß des Communallandtages vom 20. Februar 1882 zum Tilgungsfonds abzuführende jährliche Contingent von 30 000 M., sowie die Kosten des Communallandtages aus den angesammelten Capitalbeständen entnommen werden.

Die Verfügung über den am Schlusse der 7. Tilgungsperiode verbleibenden Capitalsbestand bleibt dem weiteren Beschlusse des Communallandtages vorbehalten.

Die für das Kriegsschuldenwesen der Kurmark bisher ergangenen Bestimmungen und Verordnungen bleiben auch ferner gültig, soweit sie nicht durch die vorstehende Bekanntmachung abgeändert oder aufgehoben worden sind.

Nach vorstehenden, durch die Allerhöchste Kabinets-Ordre vom 13. August 1890 genehmigten Bestimmungen haben sich die Steuerpflichtigen, die Ortsbehörden, die Herren Landräthe, die Kreiskassen und die Steuerämter zu achten.

Potsdam, den 22. September 1890.

Der Regierungs-Präsident.

Jahrmarkt-Verlegung in Pritzerbe.

197. Der für die Stadt Pritzerbe auf den 15. Oktober d. J. angesetzte Jahrmarkt ist auf den 29. Oktober verlegt worden.

Potsdam, den 22. September 1890.

Der Regierungs-Präsident.

Betrifft die Marktpreise für August d. J.

198. In Abänderung meiner Bekanntmachung vom 8. d. M. (Amtsblatt Stück 37 S. 342/43) bringe ich zur allgemeinen Kenntniß, daß in Havelberg der Durchschnittsmarktpreis für Hammelfleisch 1 M. 25 Pf. und für Rindfleisch von der Keule 1 M. 50 Pf. pro Kilogramm beträgt.

Potsdam, den 20. September 1890.

Der Regierungspräsident.

Viehseuchen.

199. Festgestellt ist:

der Milzbrand bei einer Kuh des Gemeindevorstehers Bree zu Uetz, Kreis Osthavelland;

die Maul- und Klauenseuche unter dem Rindviehbestande des Oberamtmanns Manger auf Grabow, Kreis Westhavelland.

Die Ortschaften Tremmen und Berge, Kreis Westhavelland, und deren Feldmarken sind wegen der allgemeineren Ausbreitung derselben Seuche unter Sperre gestellt.

Erloschen ist:

der Milzbrand in Groß-Rietz, Kreis Beeskow-Storkow;

die Influenza (Pferdestaupe) unter dem Pferdebestande des Dominiums Buskow, Kreis Ruppin;

die Maulseuche unter den Zugochsen des Rittergutes Britz, Kreis Teltow;

die Maul- und Klauenseuche unter dem Rindvieh des Landwirths Jürgen zu Neu-Weißensee und des Kossäthen Schultze zu Dalldorf, Kreis Niederbarnim.

Wegen Verdachtes der Behaftung mit dem Hautrotze ist unter Stallsperre gestellt ein Pferd der Domaine Lietzow, Kreis Westhavelland. Das, als der Ansteckung durch Rotz verdächtig, unter Beobachtung gestellte Pferd des Handelsmanns Heiseler zu Linum, Kreis Osthavelland, ist getödtet worden, und ist nunmehr nach Tödtung aller rotzverdächtiger Thiere die Seuche im Gemeinde- und Gutsbezirk Linum als erloschen anzusehen.

Potsdam, den 23. September 1890.

Der Regierungs-Präsident.

Bekanntmachungen des Königlichen Polizei-Präsidiums zu Berlin.

Anlegung von Dampfkesseln.

75. Auf Grund der Bestimmung im § 24 der Gewerbeordnung hat der Bundesrath nachstehende

Allgemeine polizeiliche Bestimmungen über die Anlegung von Dampfkesseln

erlassen.

I. Bau der Dampfkessel.

§ 1. Die vom Feuer berührten Wandungen der Dampfkessel, der Feuerröhren und der Sieberöhren dürfen nicht aus Gußeisen hergestellt werden, sofern deren lichte Weite bei cylindrischer Gestalt fünf und zwanzig Centimeter, bei Kugelgestalt dreißig Centimeter übersteigt.

Die Verwendung von Messingblech ist nur für Feuerröhren, deren lichte Weite zehn Centimeter nicht übersteigt, gestattet.

§ 2. Die um oder durch einen Dampfkessel gehenden Feuerzüge müssen an ihrer höchsten Stelle in einem Abstand von mindestens zehn Centimeter unter dem festgesetzten niedrigsten Wasserspiegel des Kessels liegen. Dieser Minimalabstand muß für Kessel auf Fluß- und Landseeschiffen bei einem Neigungswinkel der Schiffsbreite gegen die Horizontalebene von vier Grad, für Kessel auf Seeschiffen bei einem Neigungswinkel von acht Grad noch gewahrt sein.

Diese Bestimmungen finden keine Anwendung auf Dampfkessel, welche aus Sieberöhren von weniger als zehn Centimeter Weite bestehen, sowie auf solche Feuerzüge, in welchen ein Erglühen des mit dem Dampfraum in Berührung stehenden Theiles der Wandungen nicht zu befürchten ist. Die Gefahr des Erglühens ist in der Regel als ausgeschlossen zu betrachten, wenn die vom Wasser bespülte Kesselfläche, welche von dem Feuer vor Erreichung der vom Dampf bespülten Kesselfläche bestrichen wird, bei natürlichem Luftzug mindestens zwanzigmal, bei künstlichem Luftzug mindestens vierzigmal so groß ist, als die Fläche des Feuerrostes.

II. Ausrüstung der Dampfkessel.

§ 3. An jedem Dampfkessel muß ein Speiseventil angebracht sein, welches bei Abstellung der Speisevorrichtung durch den Druck des Kesselwassers geschlossen wird.

§ 4. Jeder Dampfkessel muß mit zwei zuverlässigen Vorrichtungen zur Speisung versehen sein, welche nicht von derselben Betriebsvorrichtung abhängig sind, und von denen jede für sich im Stande ist, dem Kessel die zur Speisung erforderliche Wassermenge zuzuführen. Mehrere zu einem Betriebe vereinigte Dampfkessel werden hierbei als ein Kessel angesehen.

§ 5. Jeder Dampfkessel muß mit einem Wasserstandsglase und mit einer zweiten geeigneten Vorrichtung zur Erkennung seines Wasserstandes versehen ein. Jede dieser Vorrichtungen muß eine gesonderte Verbindung mit dem Innern des Kessels haben, es sei denn, daß die gemeinschaftliche Verbindung durch ein Rohr von mindestens sechzig Quadratcentimeter lichtem Querschnitt hergestellt ist.

§ 6. Werden Probirhähne zur Anwendung gebracht, so ist der unterste derselben in der Ebene des festgesetzten niedrigsten Wasserstandes anzubringen. Alle Probirhähne müssen so eingerichtet sein, daß man behufs Entfernung von Kesselstein in gerader Richtung hindurchstoßen kann.

§ 7. Der für den Dampfkessel festgesetzte niedrigste Wasserstand ist an dem Wasserstandsglase, sowie an der Kesselwandung oder dem Kesselmauerwerk durch eine in die Augen fallende Marke zu bezeichnen.

An der Außenwand jedes Dampfschiffskessels ist die Lage der höchsten Feuerzüge nach der Richtung der Schiffsbreite in leicht erkennbarer dauerhafter Weise kenntlich zu machen; ferner sind an derselben zwei Wasserstandsgläser in einer zur Längenrichtung des Schiffes normalen Ebene, in gleicher Höhe, symmetrisch zur Kesselmitte und möglichst weit von ihr nach rechts und links abstehend anzubringen. Durch das hierdurch bei Dampfschiffskesseln geforderte zweite Wasserstandsglas wird die im § 5 angeordnete zweite Vorrichtung zur Erkennung des Wasserstandes nicht entbehrlich gemacht.

§ 8. Jeder Dampfkessel muß mit wenigstens einem zuverlässigen Sicherheitsventil versehen sein.

Wenn mehrere Kessel einen gemeinsamen Dampfsammler haben, von welchem sie nicht einzeln abgesperrt werden können, so genügen für dieselben zwei Sicherheitsventile.

Dampfschiffs-, Lokomobil- und Lokomotivkessel müssen immer mindestens zwei Sicherheitsventile haben. Bei Dampfschiffskesseln, mit Ausschluß derjenigen auf Seeschiffen, ist dem einen Ventil eine solche Stellung zu geben, daß die vorgeschriebene Belastung vom Verdeck aus mit Leichtigkeit untersucht werden kann.

Die Sicherheitsventile müssen jederzeit gelüftet werden können. Sie sind höchstens so zu belasten, daß sie bei Eintritt der für den Kessel festgesetzten Dampfspannung den Dampf entweichen lassen.

§ 9. An jedem Dampfkessel muß ein zuverlässiges Manometer angebracht sein, an welchem die festgesetzte höchste Dampfspannung durch eine in die Augen fallende Marke zu bezeichnen ist. An Dampfschiffskesseln müssen zwei dergleichen Manometer angebracht werden, von denen sich das eine im Gesichtskreise des Kesselwärters, das andere mit Ausnahme der Seeschiffe auf dem Verdeck an einer für die Beobachtung bequemen Stelle befindet. Sind auf einem Dampfschiffe mehrere Kessel vorhanden, deren Dampfräume mit einander in Verbindung stehen, so genügt es, wenn außer den an den einzelnen Kesseln befindlichen Manometern auf dem Verdeck ein Manometer angebracht ist.

§ 10. An jedem Dampfkessel muß die festgesetzte höchste Dampfspannung, der Name des Fabrikanten, die laufende Fabriknummer und das Jahr der Anfertigung, bei Dampfschiffskesseln außerdem die Maaßziffer des festgesetzten niedrigsten Wasserstandes auf eine leicht erkennbare und dauerhafte Weise angegeben sein.

Diese Angaben sind auf einem metallenen Schilde (Fabrikschild) anzubringen, welches mit Kupfernieten so am Kessel befestigt ist, daß es auch nach der Ummantelung oder Einmauerung des letzteren sichtbar bleibt.

III. Prüfung der Dampfkessel.

§ 11. Jeder neu aufzustellende Dampfkessel muß nach seiner letzten Zusammensetzung vor der Einmauerung oder Ummantelung unter Verschluß sämmtlicher Oeffnungen mit Wasserdruck geprüft werden.

Die Prüfung erfolgt bei Dampfkesseln, welche für eine Dampfspannung von nicht mehr als fünf Atmosphären Ueberdruck bestimmt sind, mit dem zweifachen Betrage des beabsichtigten Ueberdrucks, bei allen übrigen Dampfkesseln mit einem Druck, welcher den beabsichtigten Ueberdruck um fünf Atmosphären übersteigt. Unter Atmosphärendruck wird ein Druck von einem Kilogramm auf das Quadratcentimeter verstanden. Die Kesselwandungen müssen dem Probedruck widerstehen, ohne eine bleibende Veränderung ihrer Form zu zeigen und ohne undicht zu werden. Sie sind für undicht zu erachten, wenn das Wasser bei dem höchsten Druck in anderer Form als der von Nebel oder feinen Perlen durch die Fugen dringt. Nachdem die Prüfung mit befriedigendem Erfolge stattgefunden hat, sind von dem Beamten oder staatlich ermächtigten Sachverständigen, welcher dieselbe vorgenommen hat, die Niete, mit welchen das Fabrikschild am Kessel befestigt ist (§ 10), mit einem Stempel zu versehen. Dieser ist in der über die Prüfung aufzunehmenden Verhandlung (Prüfungszeugniß) zum Abdruck zu bringen.

§ 12. Wenn Dampfkessel eine Ausbesserung in der Kesselfabrik erfahren haben, oder wenn sie behufs der Ausbesserung an der Betriebsstätte ganz blos gelegt worden sind, so müssen sie in gleicher Weise, wie neu aufzustellende Kessel, der Prüfung mittelst Wasserdrucks unterworfen werden.

Wenn bei Kesseln mit innerem Feuerrohr ein solches Rohr und bei den nach Art der Lokomotivkessel gebauten Kesseln die Feuerbüchse behufs Ausbesserung oder Erneuerung herausgenommen, oder wenn bei cylindrischen und Siedekesseln eine oder mehrere Platten neu eingezogen werden, so ist nach der Ausbesserung oder Erneuerung ebenfalls die Prüfung mittelst Wasserdrucks vorzunehmen. Der völligen Bloslegung des Kessels bedarf es hier nicht.

§ 13. Der bei der Prüfung ausgeübte Druck darf nur durch ein genügend hohes offenes Quecksilbermanometer oder durch das von dem prüfenden Beamten geführte amtliche Manometer festgestellt werden.

An jedem Dampfkessel muß sich eine Einrichtung befinden, welche dem prüfenden Beamten die Anbringung des amtlichen Manometers gestattet.

IV. Aufstellung der Dampfkessel.

§ 14. Dampfkessel, welche für mehr als sechs Atmosphären Ueberdruck bestimmt sind und solche, bei welchen das Product aus der feuerberührten Fläche in Quadratmetern und der Dampfspannung in Atmosphären Ueberdruck mehr als dreißig beträgt, dürfen unter Räumen, in welchen Menschen sich aufzuhalten pflegen, nicht aufgestellt werden. Innerhalb solcher Räume ist ihre Aufstellung unzulässig, wenn dieselben überwölbt oder mit fester Balkendecke versehen sind.

An jedem Dampfkessel, welcher unter Räumen, in welchen Menschen sich aufzuhalten pflegen, aufgestellt wird, muß die Feuerung so eingerichtet sein, daß die Einwirkung des Feuers auf den Kessel sofort gehemmt werden kann. Dampfkessel, welche aus Siederöhren von weniger als zehn Centimeter Weite bestehen und solche, welche in Bergwerken unterirdisch oder in Schiffen aufgestellt werden, unterliegen diesen Bestimmungen nicht.

§ 15. Zwischen dem Mauerwerk, welches den Feuerraum und die Feuerzüge feststehender Dampfkessel einschließt und den dasselbe umgebenden Wänden muß ein Zwischenraum von mindestens acht Centimeter verbleiben, welcher oben abgedeckt und an den Enden verschlossen werden darf.

V. Bewegliche Dampfkessel (Lokomobilen.)

§ 16. Bei jedem Dampfentwickler, welcher als beweglicher Dampfkessel (Lokomobile) zum Betriebe an wechselnden Betriebsstätten benutzt werden soll, müssen sich befinden:

1) Eine Ausfertigung der Urkunde über seine Genehmigung, welche die Angaben des Fabrikschildes (§ 10) enthält und mit einer Beschreibung und maaßstäblichen Zeichnung, dem Prüfungszeugniß (§ 11 Absatz 4), der im § 24 Absatz 3 der Gewerbeordnung vorgeschriebenen Bescheinigung und einem Vermerk über die zulässige Belastung der Sicherheitsventile verbunden ist.
2) Ein Revisionsbuch, welches die Angaben des Fabrikschildes (§ 10) enthält. Die Bescheinigungen über die Vornahme der im § 12 vorgeschriebenen Prüfungen und der periodischen Untersuchungen müssen in das Revisionsbuch eingetragen oder demselben beigefügt sein.

Die Genehmigungsurkunde und das Revisionsbuch sind an der Betriebsstätte des Kessels aufzubewahren und jedem zur Aufsicht zuständigen Beamten oder Sachverständigen auf Verlangen vorzulegen.

§ 17. Als bewegliche Dampfkessel dürfen nur solche Dampfentwickler betrieben werden, zu deren Aufstellung und Inbetriebnahme die Herstellung von Mauerwerk, welches den Kessel umgiebt, nicht erforderlich ist.

§ 18. Die Bestimmungen der §§ 16 und 17 treten außer Anwendung, wenn ein beweglicher Dampfkessel an einem Betriebsorte zu dauernder Benutzung aufgestellt wird.

VI. Dampfschiffskessel.

§ 19. Die Bestimmungen des § 16 finden auf jeden mit einem Schiffe dauernd verbundenen Dampfkessel (Dampfschiffskessel) mit der Maßgabe Anwendung, daß die vorgeschriebene maaßstäbliche Zeichnung sich auch auf den Schiffstheil, an welchem der Kessel eingebaut oder aufgestellt ist, zu erstrecken hat.

VII. Allgemeine Bestimmungen.

§ 20. Wenn Dampfkesselanlagen, die sich zur Zeit bereits im Betriebe befinden, den vorstehenden Bestimmungen aber nicht entsprechen, eine Veränderung der Betriebsstätte erfahren sollen, so kann bei deren Genehmigung eine Abänderung in dem Bau der Kessel nach Maßgabe der §§ 1 und 2 nicht gefordert werden. Im Uebrigen finden die vorstehenden Bestimmungen auch für solche Fälle Anwendung, jedoch mit der Maßgabe, daß für Lokomobilen und Dampfschiffskessel den Vorschriften in den §§ 10, 11, 16 bis zum 1. Januar 1892 zu entsprechen ist.

§ 21. Die Zentralbehörden der einzelnen Bundesstaaten sind befugt, in einzelnen Fällen von der Beachtung der vorstehenden Bestimmungen zu entbinden.

§ 22. Die vorstehenden Bestimmungen finden keine Anwendung:

1) auf Kochgefäße, in welchen mittelst Dampfes, der einem anderweitigen Dampfentwickler entnommen ist, gekocht wird;
2) auf Dampfüberhitzer oder Behälter, in welchen Dampf, der einem anderweitigen Dampfentwickler entnommen ist, durch Einwirkung von Feuer besonders erhitzt wird;
3) auf Kochkessel, in welchen Dampf aus Wasser durch Einwirkung von Feuer erzeugt wird, wofern dieselben mit der Atmosphäre durch ein unverschließbares, in den Wasserraum hinabreichendes Standrohr von nicht über fünf Meter Höhe und mindestens acht Centimeter Weite oder durch eine andere von der Zentralbehörde des Bundesstaates genehmigte Sicherheitsvorrichtung verbunden sind.

§ 23. In Bezug auf die Kessel in Eisenbahnlokomotiven bleiben die Bestimmungen des Bahnpolizei-Reglements für die Eisenbahnen Deutschlands in der Fassung vom 30. November 1885 und der Bahnordnung für Deutsche Eisenbahnen untergeordneter Bedeutung vom 12. Juni 1878 in Geltung.

§ 24. Die Bekanntmachung, betreffend allgemeine polizeiliche Bestimmungen über die Anlegung von Dampfkesseln, vom 29. Mai 1871 (Reichs-Gesetzbl. S. 122) und die diese Bekanntmachung abändernden Bekanntmachungen vom 18. Juli 1883 (Reichs-Gesetzbl. S. 245) und vom 27. Juli 1889 (Reichs-Gesetzbl. S. 173) werden aufgehoben.

Berlin, den 5. August 1890.

Der Reichskanzler.

In Vertretung. gez. von Boetticher.

* * *

Obige Bestimmungen werden hierdurch zur öffentlichen Kenntniß gebracht.

Berlin, den 18. September 1890.

Der Polizei-Präsident.

Bekanntmachung.

76. In dem in der Extrabeilage zum 35. Stück des Amtsblattes der Königlichen Regierung zu Potsdam und der Stadt Berlin vom 29. vorigen Monats abgedruckten Auszuge aus dem Gesellschaftsvertrage und den Gesellschaftsartikeln der Aktien-Gesellschaft The Porous Waterproofing Company Limited zu Liverpool sind folgende Druckfehler enthalten: Seite 3, rechte Hälfte, Zeile 6 „Verzugs-" statt „Vorzugs"(rechten), Zeile 10 „sollen" statt „sollten", (Vorwort) sub 2 Absatz 4 Zeile 2 „die" statt „diese", Seite 5 sub 16 Zeile 9, zwischen „oder" und „Stimmen" fehlt das Wort „zum", sub 17 Zeile 16 „Um" statt „Und", sub 19 Zeile 3 „damalige" statt „dermalige", Seite 6 sub 27 Zeile 6 „erbrachten" statt „erbrachter", sub 28 Zeile 2 Original und Abdruck „Regiſtirung" statt „Registrirung", sub 32 letzte Zeile „Nachforderung" statt „Nachforderungen", sub 35 Zeile 5 „Schuldverbindlichkeiten" statt „Schuldenverbindlichkeiten", Seite 7 Ueberschrift zu 39 „Befugniß" statt „Befugnisse", sub 43 Zeile 5 „keine" statt „kein", sub 44 Zeile 4 „Generalversl." statt „Generalversſ.", Seite 9 sub 60 vorletzte Zeile, „Wahrung" statt „Wahrnehmung", sub 67 Zeile 5 „und" statt „oder", Seite 11 sub 82 Zeile 4, fehlt hinter „das" ein Theilungszeichen. Dies wird zur Ergänzung beziehungsweise Richtigstellung hierdurch zur öffentlichen Kenntniß gebracht. Berlin, den 18. September 1890.

Der Königliche Polizei-Präsident.

Bekanntmachungen des Staatssekretairs des Reichs-Postamts.

Telegraphische Verbindung mit Ostafrika.

22. Zwischen Zanzibar einerseits und Bagamoyo bz. Dar-es-Salaam an der Ostküste von Afrika andererseits ist eine telegraphische Kabelverbindung hergestellt und in Bagamoyo am 18. September eine Kaiserlich Deutsche Telegraphenanstalt eingerichtet worden; in Dar-es-Salaam wird die Eröffnung einer gleichen Verkehrsanstalt in den nächsten Tagen erfolgen. Die Wortgebühr für Telegramme aus Deutschland nach Bagamoyo bz. Dar-es-Salaam beträgt 7 M. 85 Pf. Für den inneren Telegraphenverkehr zwischen Bagamoyo und Dar-es-Salaam gelten die Bestimmungen der Telegraphenordnung für das Deutsche Reich und der Deutsche Tarif: 6 Pf. für das Wort, Mindestgebühr 60 Pf.

Berlin W., 19. September 1890.

Der Staatssecretär des Reichs-Postamts.

Bekanntmachungen der Kaiserlichen Ober-Postdirektion zu Potsdam.

Bekanntmachung.

83. In Alexanderhof wird am 20. September eine mit der Posthülfstelle dortselbst vereinigte Telegraphenhülfstelle in Wirksamkeit treten.

Potsdam, 18. September 1890.

Der Kaiserliche Ober-Postdirektor.

Bekanntmachungen der Königlichen Hauptverwaltung der Staatsschulden.

Bekanntmachung.

19. Bei der heute in Gegenwart eines Notars öffentlich bewirkten 10. Verloosung von $3^1/_2$ prozentigen, unterm 2. Mai 1842 ausgefertigten Staatsschuldscheinen sind die in der Anlage verzeichneten Nummern gezogen worden. Dieselben werden den Besitzern zum 1. Januar 1891 mit der Aufforderung gekündigt, die in den ausgeloosten Nummern verschriebenen Kapitalbeträge vom 2. Januar 1891 ab gegen Quittung und Rückgabe der Staatsschuldscheine und der dazu gehörigen Anweisungen zur Abgabe der Zinsscheinreihe XXI. bei der Staatsschulden-Tilgungskasse, Taubenstraße Nr. 29, hierselbst zu erheben. Die Zahlung erfolgt von 9 Uhr Vormittags bis 1 Uhr Nachmittags, mit Ausschluß der Sonn- und Festtage und der letzten drei Geschäftstage jeden Monats. Die Einlösung geschieht auch bei den Regierungs-Hauptkassen und in Frankfurt a. M. bei der Kreiskasse. Zu diesem Zwecke können die Effekten einer dieser Kassen schon vom 1. Dezember 1890 ab eingereicht werden, welche sie der Staatsschulden-Tilgungskasse zur Prüfung vorzulegen hat und nach erfolgter Feststellung die Auszahlung vom 2. Januar 1891 ab bewirkt.

Mit dem 1. Januar 1891 hört die Verzinsung der verloosten Staatsschuldscheine auf.

Zugleich werden die bereits früher ausgeloosten, auf der Anlage verzeichneten, noch rückständigen Staatsschuldscheine wiederholt und mit dem Bemerken aufgerufen, daß die Verzinsung derselben mit den einzelnen Kündigungsterminen aufgehört hat.

Die Staatsschulden-Tilgungskasse kann sich in einen Schriftwechsel mit den Inhabern der Staatsschuldscheine über die Zahlungsleistung nicht einlassen.

Formulare zu den Quittungen werden von sämmtlichen oben gedachten Kassen unentgeltlich verabfolgt.

Berlin, den 3. September 1890.

Hauptverwaltung der Staatsschulden.

Bekanntmachung.

20. Bei der heute in Gegenwart eines Notars öffentlich bewirkten 36. Verloosung der Staatsprämien-Anleihe vom Jahre 1855 sind die 58 Serien № 23 58 64 76 133 236 251 285 292 356 372 384 385 386 397 407 451 501 512 568 598 635 655 691 779 785 786 802 827 839 844 866 893 902 920 923 941 980 997 1072 1092 1145 1146 1164 1169 1186 1224 1241 1247 1262 1268 1304 1350 1391 1394 1400 1458 1466 gezogen worden.

Die zu diesen 58 Serien gehörigen 5800 Stück Schuldverschreibungen werden den Besitzern mit der Aufforderung gekündigt, den Prämienbetrag von 366 M. für jede Schuldverschreibung vom 1. April 1891 ab gegen Quittung und Rückgabe der Schuldverschreibungen und der dazu gehörigen Zinsscheine Reihe V. № 4 bis 7 über die Zinsen vom 1. April 1890 ab, welche nach dem Inhalte der Schuldverschreibungen unentgeltlich abzuliefern sind, bei der Staatsschulden-Tilgungskasse hierselbst, Taubenstraße Nr. 29, zu erheben. Die Zahlung erfolgt von 9 Uhr Vormittags bis 1 Uhr Nachmittags mit Ausschluß der Sonn- und Festtage und der letzten drei Geschäftstage jeden Monats.

Die Einlösung geschieht auch bei den Regierungs-Hauptkassen und zu Frankfurt a. M. bei der Kreiskasse. Zu diesem Zwecke können die Schuldverschreibungen nebst Zinsscheinen einer dieser Kassen schon vom 2. März 1891 ab eingereicht werden, welche sie der Staatsschulden-Tilgungskasse zur Prüfung vorzulegen hat und nach erfolgter Feststellung die Auszahlung vom 1. April 1891 ab bewirkt.

Der Betrag der etwa fehlenden Zinsscheine wird von dem zu zahlenden Prämienbetrage zurückbehalten.

Formulare zu den Quittungen werden von den gedachten Kassen unentgeltlich verabfolgt.

Die Staatsschulden-Tilgungskasse kann sich in einen Schriftwechsel mit den Inhabern der Schuldverschreibungen nicht einlassen.

Von den bereits früher verloosten und gekündigten Serien und zwar: aus der 10. Verloosung (1865) von Serie 870, aus der 11. Verloosung (1866) von Serie 1114, aus der 17. Verloosung (1872) von Serie 1433, aus der 18. Verloosung (1873) von Serie 320, aus der 19. Verloosung (1874) von Serie 232, aus der 22. Verloosung (1877) von Serie 34, 615, aus der 24. Verloosung (1879) von Serie 1443, aus der 25. Verloosung (1880) von Serie 596, aus der 27. Verloosung (1882) von Serie 897, aus der 28. Verloosung (1883) von Serie 333 876 1144 1256 1384, aus der 30. Verloosung (1885) von Serie 365 682 1034 1349, aus der 31. Verloosung (1886) von Serie 26, 193, 1359, 1427, aus der 32. Verloosung (1887) von Serie 289 845 984 1017 1358, aus der 33. Verloosung (1888) von Serie 85 163 176 330 335 358 519 526 548 574 605 626 628 731 758 874 963 1022 1052 1123 1154 1190 1232 1252 1316 1373 1390 1447, aus der 34. Verloosung (1889) von Serie 14 33 80 130 141 147 192 235 238 244 247 262 273 367 405 456 464 537 552 611 616 651 667 670 673 705 712 717 753 755 757 821 836 879 900 906 953 1015 1041 1105 1119 1230 1235 1255 1318 1332 1354 1365 1396 1401 1428 1440 1442 1493, aus der 35. Verloosung (1890) von Serie 7 32 65

83 116 118 121 161 173 210 243 255 272 310 323 412 480 533 539 541 619 723 754 772 856 905 955 1027 1058 1061 1079 1167 1185 1212 1233 1253 1265 1278 1312 1319 1340 1363 1389 1398 sind viele Schuldverschreibungen bis jetzt nicht realisirt; es werden daher die Inhaber derselben zur Vermeidung weiterer Zinsverluste an die baldige Erhebung ihrer Kapitalien hierdurch von Neuem erinnert.

Berlin, den 15. September 1890.

Hauptverwaltung der Staatsschulden.

Bekanntmachungen der Königlichen Kontrolle der Staatspapiere.

Bekanntmachung.

21. In Gemäßheit des § 20 des Ausführungsgesetzes zur Civilprozeßordnung vom 24. März 1879 (G.-S. S. 281) und des § 6 der Verordnung vom 16. Juni 1819 (G.-S. S. 157) wird bekannt gemacht, daß dem Rentner Peter Hegner (Hegener) zu Wehlen im Regierungsbezirk Trier die Schuldverschreibungen der konsolidirten 4 %gen Staatsanleihe von 1885:

Lit. J. Nr. 46439, 46440 über je 3000 M.,
- C. Nr. 695780 über 1000 M. und
- D. Nr. 753593 über 500 M.

angeblich im August d. J. abhanden gekommen sind.

Es werden diejenigen, welche sich im Besitze dieser Urkunden befinden, hiermit aufgefordert, solches der unterzeichneten Kontrolle der Staatspapiere oder dem Rechtsanwalt Kratz zu Berncastel a. d Mosel anzuzeigen, widrigenfalls das gerichtliche Aufgebotsverfahren behufs Kraftloserklärung der Urkunden beantragt werden wird.

Berlin, den 16. September 1890.

Königliche Kontrolle der Staatspapiere.

Bekanntmachung.

22. In Gemäßheit des § 20 des Ausführungsgesetzes zur Civilprozeßordnung vom 24. März 1879 (G.-S. S. 281) und des § 6 der Verordnung vom 16. Juni 1819 (G.-S. S. 157) wird bekannt gemacht, daß dem Fräulein Emilie Schniewind in Godesberg, Regierungsbezirk Cöln, die Schuldverschreibung der konsolidirten 3½ %igen Staatsanleihe von 1886 Lit. A. № 13194 über 5000 M. angeblich abhanden ist. Es wird Derjenige, welcher sich im Besitze dieser Urkunde befindet, hiermit aufgefordert, solches der unterzeichneten Kontrolle der Staatspapiere oder dem Fräulein Schniewind in Godesberg anzuzeigen, widrigenfalls das gerichtliche Aufgebotsverfahren behufs Kraftloserklärung der Urkunde beantragt werden wird.

Berlin, den 20. September 1890.

Königliche Kontrolle der Staatspapiere.

Bekanntmachungen des Landesdirektors der Provinz Brandenburg.

Bekanntmachung.

9. In der Extrabeilage zu diesem Stücke des Amtsblatts wird das Allerhöchst unter dem 29. Juli d. J. genehmigte, von dem Brandenburgschen Provinziallandtage in der Sitzung vom 10. März 1890 beschlossene Statut der Brandenburgschen Feuerwehr-Unfallkasse mit dem Bemerken bekannt gemacht, daß die Kasse nach der Bestimmung des Herrn Oberpräsidenten der Provinz (§ 27 St.) mit dem 1. Oktober d. J. ihre Thätigkeit zu beginnen hat.

Berlin, den 13. September 1890.

Der Landesdirektor der Provinz Brandenburg
von Levetzow.

Bekanntmachungen der Königl. Direktion der Rentenbank der Provinz Brandenburg.

Bekanntmachung.

11. Die Inhaber von **Rentenbriefen der Provinz Brandenburg,** zu denen der letzte der ausgegebenen Coupons am 1. Oktober d. J. fällig wird, werden hierdurch aufgefordert, **vom 1. November d. J. ab die Abhebung der neuen Zinscoupons Ser. VI. Nr. 1—16 nebst Talons auf Grund der mit den Zinscoupons Ser. V. ausgegebenen Talons** zu bewirken und dabei Folgendes zu beachten:

1) Zu den bis **einschließlich zum 1. Oktober 1890 ausgeloosten Rentenbriefen** werden neue Coupons **nicht** verabreicht, vielmehr sind bei der Realisirung der ausgeloosten Rentenbriefe die Talons nach unserer Bekanntmachung vom 17. Mai d. J. und den bei früheren Ausloosungen ergangenen Bekanntmachungen **an die Rentenbank-Kasse** mit abzuliefern.
2) **Die Einlieferung der Talons behufs Empfangnahme neuer** Coupons und Talons ist zu bewirken:
   a. **in Berlin selbst** in dem Lokale der Rentenbank-Kasse **Klosterstraße Nr. 76 I.** an den Wochentagen Vormittags von 9 bis 12 Uhr,
   b. **von auswärts mit der Post** portofrei unter der Adresse der unterzeichneten Rentenbank-Direction.
3) Den Talons ist **bei der Einreichung eine spezielle Nachweisung nach dem untenstehenden Schema in nur Einem Exemplar** beizufügen. In derselben sind **die Talons nach Klassen** — die höhern der niederen vorangehend — sowie **innerhalb jeder Klasse nach der laufenden Nummerfolge** zu ordnen und es muß **auf der Nachweisung,** gleichviel ob die Einreichung in Berlin selbst oder von auswärts mit der Post erfolgt, **die vom Einliefernden ausgefertigte und vollzogene Quittung über die neuen Coupons und Talons gleich mit befindlich sein.** Die sorgfältige und richtige Aufstellung der Nachweisung nebst Empfangsbescheinigung wird zur Vermeidung von Weiterungen dringend empfohlen; bei wesentlichen Mängeln werden die Talons ohne die neuen Coupons zurückgegeben.

Formulare zu den Nachweisungen werden vom **20. Oktober d. J. ab** von der Rentenbank-Kasse in Berlin, sowie von sämmtlichen Kreis-Kassen der Provinz auf Ersuchen unentgeltlich verabreicht.

4) Werden **die Talons im Locale der Rentenbank-Kasse abgegeben** (zu 2a.), so erhält der Einliefernde entweder sofort die neuen Coupons und Talons oder eine Gegenbescheinigung, worin ein bestimmter Tag angegeben wird, an welchem die Empfangnahme der neuen Coupons und Talons gegen Rückgabe der Gegenbescheinigung zu bewirken ist.

5) Werden **die Talons mit der Post eingereicht** (zu 2b.), so erfolgt innerhalb 14 Tagen nach der Absendung entweder die Zusendung der neuen Coupons und Talons oder eine Benachrichtigung über die obwaltenden Hindernisse. Sollte weder das Eine noch das Andere geschehen, so ist davon gleich nach Ablauf der 14 Tage der unterzeichneten Rentenbank-Direction mittelst eingeschriebenen Briefes Anzeige zu erstatten. Die Uebermittelung der neuen Coupons erfolgt unter Declaration **des vollen Rennwerths**, wenn nicht **bei der Einreichung der Talons beantragt wird, daß die Sendung unter Declaration eines geringeren Werths** oder unter der **Bezeichnung: „Einschreiben!"** zur **Post gegeben werde.**

6) **Sind Talons abhanden gekommen,** so müssen behufs Ausreichung der neuen Coupons und Talons die Rentenbriefe selbst der unterzeichneten Rentenbank-Direction mit besonderer Eingabe eingereicht werden, und es ist in solchem Falle Inhabern der Rentenbriefe anzurathen, die Einreichung **vor dem 1. November d. J.** zu bewirken, damit nicht etwa vorher die Ausreichung der neuen Coupons an einen Anderen gegen Vorlegung der Talons erfolgt.

Berlin, den 17. September 1890.

Königliche Direction
der Rentenbank für die Provinz Brandenburg.

* * *

Des Einreichers **Namen und Stand** . . . .
. . . . **Wohnort** . . . .
nächste Poststation des Wohnorts . . . .
in Städten Wohnung . . . .

Gegen Ablieferung der zu untenstehend verzeichneten Rentenbriefen der Provinz Brandenburg gehörigen Talons der Coupon-Serie V., nämlich zu

. . . Stück Lit. A. zu 3000 M. über . . . M. Capital,
. . . " - B. zu 1500 M. " . . . " "
. . . " - C. zu 300 M. " . . . " "
. . . " - D. zu 75 M. " . . . " "

zus. . . . Stück über . . . . M. Capital, geschrieben . . . . sind die Zinscoupons Ser. VI. Nr. 1—16 über die Zinsen vom 1. Oktober 1890 bis 30. September 1898 nebst Talons von der Königlichen Direktion der Rentenbank für die Provinz Brandenburg zu Berlin an den Unterzeichneten ausgereicht worden.

. . . . den . . ten . . . . . . 189 . .

* * *

Nachweisung

über . . . Stück Talons Serie V. vom 1. Juni 1882 zu Rentenbriefen der Provinz Brandenburg.

Lfd. Nr.	Der Rentenbriefe Lit.	Nr.	Betrag Mark	Summe für jede Klasse Mark
1	A.	10	3000	
2	-	6416	3000	6000
3	B.	415	1500	1500
4	C.	1491	300	
5	-	1492	300	
6	-	1493	300	900
7	D.	910	75	75
			Summa	8475

Bekanntmachungen der Königlichen Eisenbahn-Direktion zu Berlin.

Eröffnung der Station Rummelsburg-Rangirbahnhof für den unbeschränkten Eil- und Fracht-Stückgut-Verkehr.

37. Am 1. Oktober d. J. wird die Station Rummelsburg-Rangirbahnhof für den unbeschränkten Eil- und Fracht-Stückgut-Verkehr eröffnet.

Berlin, im September 1890.

Königliche Eisenbahn-Direktion.

Bekanntmachungen der Königlichen Eisenbahn-Direktion zu Bromberg.

Bekanntmachung.

34. Am 1. Oktober wird die zwischen Tuchel und Frankenhagen gelegene Haltestelle Sehlen für den unbeschränkten Personen- und Gepäckverkehr eröffnet.

Die Berechnung der Beförderungspreise erfolgt auf Grund der im Nachtrage 12 zum Kilometerzeiger, giltig vom 1. Oktober d. J., enthaltenen Entfernungen sowie der Preistafel des Lokal-Personentarifs für den Direktionsbezirk Bromberg.

Die Abfahrtszeiten der Züge von Sehlen sind in dem am 1. Oktober in Kraft tretenden Winterfahrplan angegeben.

Näheres ist auf allen Stationen und Haltestellen zu erfahren.

Bromberg, den 18. September 1890.

Königliche Eisenbahn-Direktion.

Bekanntmachungen der Königlichen Eisenbahn-Direktion zu Magdeburg.

20. **Sonderzüge zur Magdeburger Messe**

am Sonntag, den 21. und 28. September d. J.

1) Abfahrt Berlin, Potsdamer Bahnhof 5^{20} Vorm.
" Potsdam 6^{02} "
Ankunft Magdeburg 8^{39} "
2) Abfahrt Magdeburg 10^{00} Abds.
Ankunft Berlin, Potsdamer Bahnhof 1^{28} Nachts.

Der Zug hält im Bedarfsfalle auch in Steglitz und Zehlendorf.

Fahrkarten, welche zur Rückfahrt innerhalb 2 Tagen, den Lösungstag mitgerechnet, für alle fahrplanmäßigen Personenzüge — ausschließlich der Schnellzüge — ab Magdeburg berechtigen, sowie auch für den am Tage der Hinfahrt 10 00 Abends von Magdeburg abgehenden Sonderzug gelten, können von jetzt ab bis zum Abgang der Züge in Berlin, Steglitz, Zehlendorf und Potsdam für 6,00 M. in II. und 4,00 M. in III. Wagenklasse gelöst werden.

Fahrtunterbrechung ist weder auf der Hinfahrt noch auf der Rückfahrt gestattet. Freigepäck wird nicht gewährt. Berlin, den 6. September 1890.

Königliches Eisenbahn-Betriebsamt (Berlin—Magdeburg).

Personal-Chronik.

Im Kreise Westhavelland ist der Gemeindevorsteher Buge zu Retzow nach Ablauf seiner Dienstzeit auf's Neue zum Amtsvorsteher-Stellvertreter des 15. Bezirks Selbelang ernannt worden.

An Stelle des verstorbenen Kreiswundarztes Börner ist der pr. Arzt Dr. med. Richard Giese zum Kreiswundarzt des Kreises Prenzlau mit dem Amtssitze in Prenzlau ernannt worden.

Der versorgungsberechtigte Feldwebel Forstaufseher Theulières zu Heidehaus in der Oberförsterei Potsdam, ist zum Königlichen Förster ernannt und demselben die Försterstelle Hegermühle in der Oberförsterei Biesenthal vom 1. November d. J. ab übertragen worden.

Der Archidiakonus Robert Cäsar Riegel in Perleberg ist zum Superintendenten der Diözese Perleberg ernannt worden.

Der bisherige Hülfsprediger Ludwig Friedrich Wilhelm Crolow ist zum Diakonus an der Stadtkirche zu Wittenberge, Diözese Perleberg, bestellt worden.

Der Lehrer Tschierske ist als Gemeindeschullehrer in Berlin angestellt worden.

Personal-Veränderungen im Bezirke der Königlichen Eisenbahn-Direktion zu Erfurt.

Versetzungen: die Stationsvorsteher 2. Klasse Sauerteig von Jüterbog nach Delitzsch und Erdmann von Elsterwerda nach Jüterbog ab 1. September d. J.

Vermischte Nachrichten.

Bekanntmachung.

Die Führung der Handels-, Genossenschafts- und Musterregister geht vom 1. Oktober 1890 ab auf die Amtsgerichte zu Cöpenick, Königs-Wusterhausen, Mittenwalde, Rixdorf, Trebbin und Zossen für deren Bezirke über. Berlin, den 22. September 1890.

Königliches Amtsgericht II. Abtheilung VIII.

Bekanntmachung.

Vom 1. Oktober 1890 geht nach der Bekanntmachung des Herrn Justizministers vom 11. Februar 1890 (Justiz-Ministerial-Blatt Seite 74) die Führung der Handels-, Genossenschafts- und Musterregister auf das unterzeichnete Amtsgericht für dessen Geschäftsbezirk über. Für das laufende Geschäftsjahr wird die öffentliche Bekanntmachung der Eintragungen: I. in das Firmen-, Gesellschafts- und Procuren-Register durch: a. den Deutschen Reichs- und Königlich Preußischen Staatsanzeiger, b. die Berliner Börsenzeitung, c. das Niederbarnimer Kreisblatt, d. die Liebenwalder Zeitung, II. in das Genossenschafts-Register durch die ad a. b. d. bezeichneten Blätter und durch den öffentlichen Anzeiger des Amtsblatts der Königlichen Regierung zu Potsdam; für kleinere Genossenschaften jedoch nur durch den Deutschen Reichsanzeiger und durch die Liebenwalder Zeitung, III. in das Zeichen- und Musterregister nur durch den Deutschen Reichsanzeiger erfolgen. Die Aufnahme von Anträgen in Handels-, Genossenschafts- und Musterregister-Sachen findet an jedem Mittwoch Vormittags von 10 bis 1 Uhr an hiesiger Gerichtsstelle statt. Liebenwalde, den 20. September 1890.

Königliches Amtsgericht.

Bekanntmachung.

Nach Anordnung des Herrn Justiz-Ministers vom 11. Februar 1890 (Justiz-Ministerial-Blatt Seite 74) geht die Führung der Handels-, Genossenschafts- und Muster-Register vom 1. Oktober 1890 ab auf das unterzeichnete Amtsgericht für dessen Bezirk über.

Von diesem Tage ab werden im Laufe des Geschäftsjahres 1890 die öffentlichen Bekanntmachungen der Eintragungen in den Firmen-, Gesellschafts-, Prokuren-, Zeichen- und Muster-Registern durch den Deutschen Reichs- und Königlich Preußischen Staatsanzeiger, die Berliner Börsenzeitung, das Amtsblatt der Königlichen Regierung zu Potsdam und das Wochenblatt zu Strausberg erfolgen. Anmeldungen und Anträge in Handels-, Genossenschafts- und Muster-Registersachen werden **an jedem Mittwoch Vormittags von 10 bis 12 Uhr** an hiesiger Gerichtsstelle entgegen genommen. Strausberg, den 15. September 1890.

Königliches Amtsgericht.

Bekanntmachung.

Vom 1. Oktober 1890 ab geht die Führung der Handels-, Gesellschafts-, Zeichen- und Musterregister für den Bezirk des Königlichen Amtsgerichts zu Liebenwalde auf letzteres Gericht über. Es sind deshalb von dem gedachten Tage ab alle Anträge in derartigen Sachen nicht mehr an uns, sondern an das Königliche Amtsgericht zu Liebenwalde zu richten.

Oranienburg, den 10. September 1890.

Königliches Amtsgericht.

Bekanntmachung.

Die Handels-, Genossenschafts- und Muster-Registersachen werden für den Amtsgerichtsbezirk Zehdenick vom 1. Oktober 1890 ab bei dem unterzeichneten Amtsgerichte bearbeitet und die Eintragungen im Deutschen Reichs- und Preußischen Staatsanzeiger, in der Berliner Börsen-Zeitung und im Amtsblatt der Königlichen Regierung zu Potsdam, die Eintragungen in das Genossenschafts-Register außerdem im Zehdenicker Anzeiger bekannt gemacht werden.

Zehdenick, den 17. September 1890.

Königliches Amtsgericht, Abtheilung 1.

Ausweisung von Ausländern aus dem Reichsgebiete.

Lauf. Nr.	Name und Stand des Ausgewiesenen.	Alter und Heimath des Ausgewiesenen.	Grund der Bestrafung.	Behörde, welche die Ausweisung beschlossen hat.	Datum des Ausweisungs-Beschlusses.
1.	2.	3.	4.	5.	6.
		a. Auf Grund des § 39 des Strafgesetzbuchs:			
1	Josef Janetschek, Dienstknecht,	geboren am 9. Juli 1863, ortsangehörig zu Kaladei, Bezirk Moldautein, Böhmen,	Diebstahl (1 Jahr drei Monate Zuchthaus laut Erkenntniß vom 18ten Mai 1889),	Königlich Bayerisches Bezirksamt Ansbach,	18. Juli 1890.
		b. Auf Grund des § 362 des Strafgesetzbuchs:			
2	Reinhold Blach, Musiker,	geboren im Jahre 1865 zu Schwaz, Tirol, ortsangehörig zu Buchkirchen, Oberösterreich,	Landstreichen,	Königlich Bayerisches Bezirksamt Garmisch,	1. Juli 1890.
3	Ursula Blach, ledig,	geboren im Jahre 1867 zu Cilli, Kärnthen, ortsangehörig zu Buchkirchen,	desgleichen,	dasselbe,	desgleichen.
4	Josef Englbrecht, Tagelöhner,	geboren am 2. oder 4. April 1849 zu Eger, Böhmen, ortsangehör. ebendaselbst,	Betteln im wiederholten Rückfall,	Königlich Bayerisches Bezirksamt Neustadt a./W. N.,	25. August 1890.
5	Conrad Hamp, Schuhmacher,	geboren am 8. Dezember 1859 zu Irmsdorf, Bezirk Römerstadt, Mähren, ortsangehörig ebendaselbst,	desgleichen,	Königlich Preußischer Regierungspräsident zu Oppeln,	18. August 1890.
6	Peter Koneczny, Zimmermaler,	geboren am 28. Januar 1864 zu Koumpisch, Bez. Schönberg, Mähren, ortsangehörig zu Blanda, Bez. Schöneberg,	desgleichen,	Königlich Sächsische Kreishauptmannschaft Bautzen,	8. August 1890.
6	Karl Pfeifer, Metzger,	geboren am 10. Juni 1864 zu Schatzlar, Bez. Trautenau, Böhmen,	Landstreichen u. Betteln,	Königlich Bayerisches Bezirksamt Bruck,	22. August 1890.
7	Anton Rostagni, Sänger,	geboren am 17. März 1872 zu Nic, Departement Finistère, Frankreich,	Landstreichen,	Kaiserlicher Bezirks-Präsident zu Metz,	29. August 1890.

Hierzu
1) eine Beilage, enthaltend das Statut der Brandenburgschen Feuerwehrunfallkasse,
2) eine Beilage, enthaltend das Verzeichniß der in der 10. Verloosung gezogenen, durch die Bekanntmachung der Königlichen Hauptverwaltung der Staatsschulden vom 3. September 1890 zur baaren Einlösung am 2. Januar 1891 gekündigten 3½prozentigen, unterm 2. Mai 1842 ausgefertigten Staatsschuldscheine, und das Verzeichniß der aus früheren Verloosungen noch rückständigen 3½prozentigen Staatsschuldscheine von 1842, sowie Vier Oeffentliche Anzeiger.

(Die Insertionsgebühren betragen für eine einspaltige Druckzeile 20 Pf. Belagsblätter werden der Bogen mit 10 Pf. berechnet.)

Redigirt von der Königlichen Regierung zu Potsdam.

Potsdam, Buchdruckerei der A. W. Hayn'schen Erben (E. Hayn, Hof-Buchdrucker).

Statut

der

Brandenburgschen Feuerwehrunfallkasse.

Zweck.

§ 1.

Von dem Provinzialverbande von Brandenburg wird, mit Zustimmung des Kommunallandtags der Kurmark für die Landfeuersocietät der Kurmark und der Niederlausitz, für den Bezirk der Provinz Brandenburg im Anschluß an

a) die Städtefeuersocietät der Provinz Brandenburg,
b) die Landfeuersocietät der Kurmark und der Niederlausitz,
c) die Landfeuersocietät der Neumark,

eine Feuerwehrunfallkasse errichtet zu dem Zweck, im Dienste verunglückten Mitgliedern von Feuerwehren und ihren Hinterbliebenen, nach Maßgabe der Bestimmungen dieses Statutes, Entschädigung zu gewähren.

Die Kasse führt den Namen „Brandenburgsche Feuerwehrunfallkasse“ und hat ihren Sitz in Berlin.

Mittel.

§ 2.

Als Stammkapital werden der Kasse vom Provinzialverbande von Brandenburg 30000 Mark überwiesen. Dem Stammkapital treten hinzu die Beträge, welche der Kasse von den vorgenannten öffentlichen Feuersocietäten und dem Verbande freiwilliger Feuerwehren der Provinz (§ 28) überwiesen werden, ferner die Eintrittsgelder, welche von den für ihre Feuerwehren der Kasse beitretenden Gemeinden nach § 7 zu entrichten sind.

Die Zinsen des Stammkapitals und die nach § 7 zu leistenden Beiträge bilden die ordentlichen Jahreseinnahmen der Kasse. Reichen diese zur Bestreitung ihrer Ausgaben nicht aus, so wird das Fehlende durch Zuschüsse der drei Feuersocietäten ergänzt.

§ 3.

Die erforderlichen Zuschüsse (§ 2) werden auf die drei Societäten in der Weise vertheilt, daß die Hälfte davon aufgebracht wird nach Verhältniß der Gesammtversicherungssumme jeder Societät innerhalb derjenigen Orte, welche durch ihre Feuerwehren an der Kasse betheiligt sind (§ 5a, b), und die andere Hälfte nach der Zahl der Mitglieder derselben Feuerwehren.

§ 4.

Jahresüberschüsse fließen dem Stammkapital zu.

Mitgliedschaft.

§ 5.

Mitglieder der Kasse sind

a) die dem Verbande freiwilliger Feuerwehren der Provinz Brandenburg angehörigen Wehren, sofern sie sich bei der Kasse angemeldet haben,
b) diejenigen städtischen oder ländlichen Gemeinden der Provinz Brandenburg, welche, um ihren Feuerwehren die nach diesem Statut zu gewährenden Entschädigungen zu sichern, unter Uebernahme der Beitragspflicht (§ 7) der Kasse beigetreten sind.

§ 6.

Als Feuerwehren (§ 5a, b) gelten nur solche freiwillige, Berufs- und Pflichtwehren, welche eine geschlossene und gegliederte, durch bestimmte Abzeichen erkennbare Truppe bilden, die zur Hülfeleistung bei Bränden verpflichtet, mit den nöthigen Geräthen dazu ausgerüstet ist und zu ihrer Ausbildung regelmäßige Uebungen hält.

Beiträge.

§ 7.

Die dem Verbande freiwilliger Feuerwehren der Provinz Brandenburg angehörigen Wehren (§ 5a) haben keinerlei Beiträge zur Kasse zu zahlen. Diejenigen Gemeinden, welche ihre Feuerwehren an der

Kasse betheiligen wollen, (§ 5b) haben ein Eintrittsgeld und jährliche Beiträge zu entrichten. Das Eintrittsgeld beträgt 1 M. für jedes Mitglied der zu betheiligenden Wehr. Die jährlichen Beiträge sind mit 60 Pf. für jedes Mitglied der Wehr im Voraus für das ganze Geschäftsjahr zu zahlen. Eine Vermehrung oder Verminderung der Mitgliederzahl einer Wehr im Laufe des Geschäftsjahres ändert die für das Jahr zu entrichtende Beitragssumme nicht. Solchen Gemeinden, die im Laufe des Geschäftsjahres der Kasse beitreten, kann für das Jahr des Beitritts ein verhältnißmäßiger Theil der Beiträge erlassen werden. Wenn aus der Verwaltung der Kasse sich Ueberschüsse ergeben (§ 4), können die jährlichen Beiträge mit Zustimmung des Provinzialausschusses vorübergehend ermäßigt oder auch erlassen werden.

Unterstützungspflicht.

§ 8.

Die Unterstützungspflicht der Kasse tritt ein, wenn ein Mitglied einer an ihr betheiligten Feuerwehr in Ausübung des Feuerlöschdienstes innerhalb der Provinz oder in den Grenzorten, oder bei den angeordneten Uebungen sich eine Verletzung oder Erkrankung zuzieht und dadurch, zeitweise oder dauernd, ganz oder theilweise, erwerbsunfähig wird, oder um's Leben kommt.

Dasselbe gilt, wenn die Feuerwehr bei gemeiner Gefahr anderer Art (Ueberschwemmung und dergl.) auf Anrufen öffentlicher Behörden in Thätigkeit getreten ist.

§ 9.

Ausnahmsweise können Unterstützungen aus der Kasse auch solchen Personen gewährt werden, welche, ohne der Feuerwehr anzugehören, dieselbe beim Brande thätig unterstützt haben.

Umfang der Unterstützung.

§ 10.

An Entschädigungen gewährt die Kasse

a) bei zeitweiser Erwerbsunfähigkeit, falls dieselbe länger als 3 Tage gedauert hat, ein tägliches Krankengeld von 60 Pf. bis zu 3 M. Dauert die zeitweise Erwerbsunfähigkeit länger als 3 Monate, so wird für die fernere Zeit eine Rente nach den Sätzen zu b gewährt; —

b) bei dauernder Erwerbsunfähigkeit eine lebenslängliche Rente, welche wenn die Erwerbsunfähigkeit eine vollständige ist, bis zu 60 M. monatlich, wenn sie dagegen nur eine theilweise ist, bis zu 40 M. monatlich beträgt;

c) im Todesfalle eine Rente bis zu 25 M. monatlich an die Wittwe des Verunglückten, so lange sie im Wittwenstande bleibt; ferner für jedes hinterlassene Kind bis zum vollendeten 15. Lebensjahre desselben eine Unterstützung bis zu 9 M. monatlich.

War der Verunglückte unverheirathet, aber der einzige Ernährer hülfsbedürftiger Eltern oder von Geschwistern unter 15 Jahren, so kann für diese die gleiche Unterstützung, wie für die Wittwe und Kinder bewilligt werden.

d) die Kosten der Heilung und der Beerdigung bis zur Höhe von je 50 M.

An Stelle des Krankengeldes zu a kann die Unterbringung zur Heilung und Verpflegung in einem Krankenhause treten und daneben kann ein Theil des Krankengeldes der Familie des Verunglückten gewährt werden.

§ 11.

Bei der Abmessung der Unterstützung kommt die wirthschaftliche Lage des Verunglückten, bezw. seiner Hinterbliebenen sowie dasjenige in Betracht, was aus öffentlicher oder privater Versicherung in Anlaß des Unfalls gewährt wird.

Treten in den Verhältnissen, nach denen die Unterstützung bemessen worden, wesentliche Veränderungen ein, so können die bewilligten Beträge den neuen Verhältnissen entsprechend bis zu den angegebenen Höchstbeträgen erhöht oder auch herabgesetzt werden.

In besonderen Fällen können ausnahmsweise auch höhere Sätze, als vorstehend festgesetzt, gewährt werden.

Fortfall der Unterstützung.

§ 12.

Der Unterstützungsanspruch fällt fort:

a) wenn der Unfall eine Folge von Ungehorsam, Trunkenheit oder grober Fahrlässigkeit des Verunglückten war;

b) wenn der Letztere seine Genesung durch Fahrlässigkeit oder Nichtbefolgung ärztlicher Vorschriften verhindert, oder wenn er durch unwahre Angaben über die Veranlassung und Art seiner Verletzung oder Erkrankung die Kasse zu hintergehen versucht.

§ 13.

War der Verunglückte schon vor dem Unfalle leidend oder gebrechlich und ist durch diesen Umstand der Unfall veranlaßt oder mit herbeigeführt oder in seinen Folgen verschlimmert worden, so kann die sonst zu gewährende Entschädigung je nach den Umständen entsprechend ermäßigt oder auch ganz versagt werden.

§ 14.

In besonders dringenden Fällen kann eine Unterstützung auch gewährt werden, wenn nach §§ 12/13 der Anspruch darauf fortgefallen ist.

Beendigung der Mitgliedschaft.

§ 15.

Für die dem Verbande freiwilliger Feuerwehren der Provinz Brandenburg angehörigen Wehren (§ 5a) endet die Kassenmitgliedschaft mit ihrem Ausscheiden aus jenem Verbande.

Jedem anderen Mitgliede (§ 5 b) steht mit dem Ablaufe des Geschäftsjahres nach voraufgegangener dreimonatlicher Kündigung der Austritt aus der Kasse frei.

In gleicher Weise kann von Seiten der Verwaltung jedem Mitgliede (§ 5a und b) die Mitgliedschaft gekündigt werden, wenn diejenigen Eigenschaften der Feuerwehr, die nach § 6 zur Theilnahme an der Kasse berechtigen, nicht mehr vorhanden sind, oder das Mitglied die ihm nach diesem Statut und der Verwaltungsordnung obliegenden Verpflichtungen zu erfüllen verweigert oder in unentschuldbarer Weise unterläßt.

§ 16.

Die Mitgliedschaft erlischt, wenn ein Mitglied länger als 3 Monate mit der Zahlung der Beiträge (§ 7) im Rückstande bleibt. Jedoch kann in diesem Falle das ausgeschlossene Mitglied, wenn nachträglich noch im Laufe des Geschäftsjahres die Entrichtung der Beiträge erfolgt, ohne Zahlung eines Eintrittsgeldes wieder zugelassen werden.

§ 17.

Ausgeschiedene oder ausgeschlossene Mitglieder haben auf das Vermögen der Kasse keinerlei Anspruch.

Verwaltung.

§ 18.

Der Direktor der Städtefeuersocietät der Provinz Brandenburg führt, unter Aufsicht des Provinzialausschusses und unter Mitwirkung eines Beirathes (§ 19), nach Maßgabe der von dem Provinzialausschuß zu erlassenden Verwaltungsordnung die laufende Verwaltung und vertritt die Kasse nach Außen. Er führt den Titel „Direktor der Brandenburgschen Feuerwehrunfallkasse".

§ 19.

Der Beirath besteht, unter dem Vorsitz des Direktors, aus je einem von den beiden anderen Societäten (§ 1) abzuordnenden Vertreter derselben und aus drei von dem Provinzialausschuß auf eine dreijährige Amtsdauer zu wählenden Vertretern der Feuerwehren; zwei von diesen sind aus dem Vorstande des Verbandes freiwilliger Feuerwehren der Provinz Brandenburg zu entnehmen, solange als ein solcher Verband besteht.

§ 20.

Die gewählten Mitglieder des Beirathes erhalten für die Theilnahme an den außerhalb ihres Wohnortes abgehaltenen Sitzungen Entschädigung nach Maßgabe der Verwaltungsordnung.

§ 21.

Der Beirath wird vom Vorsitzenden berufen und faßt seine Beschlüsse nach Stimmenmehrheit. Bei Stimmengleichheit giebt die Stimme des Vorsitzenden den Ausschlag. Der Beirath ist beschlußfähig, wenn außer dem Vorsitzenden zwei Mitglieder anwesend sind. In eiligen Sachen kann die Beschlußfassung auf schriftlichem Wege herbeigeführt werden.

Im Uebrigen regelt der Beirath seinen Geschäftsgang durch eine von dem Provinzialausschuß zu bestätigende Geschäftsordnung.

§ 22.

Der Beirath hat zu beschließen

a) über Beschwerden gegen Verfügungen des Direktors,
b) über die Höhe des von den Societäten zu leistenden Jahreszuschusses (§ 3),
c) über die Ermäßigung und den Erlaß der Jahresbeiträge (§ 7),
d) über die ausnahmsweise Gewährung einer Unterstützung (§ 9),

e) über Gewährung der Unterstützung im Falle dauernder Erwerbsunfähigkeit und im Todesfalle (§ 10b und c),
f) über die Gewährung einer höheren Entschädigung in besonderen Fällen (§ 11 Absatz 3),
g) über den theilweisen oder gänzlichen Fortfall der Unterstützung und die ausnahmsweise Gewährung einer solchen (§§ 12, 13, 14),
h) über den Ausschluß eines Mitgliedes aus der Kasse (§ 15, Abs. 3),
i) über andere ihm vom Direktor überwiesene Kassenangelegenheiten.

Er hat die Jahresrechnung zu begutachten und ist befugt, von dem Stande der Verwaltung durch Einsicht der Akten und Bücher der Kasse Kenntniß zu nehmen.

§ 23.

Die Beschlüsse des Beirathes über ausnahmsweise Gewährung der Unterstützung in den Fällen der §§ 9 und 14 (§ 22 zu d u. g) sind endgültig; im Uebrigen steht den Betheiligten innerhalb 4 Wochen ausschließender Frist die Berufung an den Provinzialausschuß offen. Die Entscheidung des Letzteren ist endgültig.

Der Rechtsweg ist überall ausgeschlossen.

§ 24.

Alljährlich hat der Direktor über die geführte Verwaltung ordnungsmäßig Rechnung zu legen. Diese ist mit dem Gutachten des Beirathes (§ 22 a. E.) dem Provinziallandtage zur Prüfung und Entlastung vorzulegen.

Aenderung des Statutes.

§ 25.

Abänderungen des vorstehenden Statutes können durch den Provinzialausschuß in Uebereinstimmung mit dem Kassenbeirath, beim Mangel dieser Uebereinstimmung aber nur durch den Provinziallandtag beschlossen werden und bedürfen, soweit sie den Sitz, den Zweck, die äußere Vertretung und die Auflösung der Kasse betreffen, der Allerhöchsten Genehmigung, im Uebrigen derjenigen des Oberpräsidenten der Provinz Brandenburg. Dieselben treten mit dem nächsten Geschäftsjahre in Kraft, nachdem sie vorher durch die Amtsblätter der Provinz bekannt gemacht worden sind.

Auflösung der Kasse.

§ 26.

Die Kasse kann durch Beschluß des Provinziallandtags aufgelöst werden.

Alsdann sind die vorhandenen Mittel derselben zur Deckung der noch zu erfüllenden Verpflichtungen zu verwenden. Ueber die Verwendung des alsdann noch verbleibenden Bestandes der Kasse bestimmt der Provinziallandtag.

Uebergangsbestimmungen.

§ 27.

Der Zeitpunkt, mit welchem die Kasse ihre Thätigkeit zu beginnen hat, wird, auf Antrag des Direktors, von dem Oberpräsidenten bestimmt und durch die Amtsblätter der Provinz bekannt gemacht.

§ 28.

Die Kasse übernimmt in dem durch die §§ 10 und 11 bestimmten Umfange diejenigen Verpflichtungen, welche die zur Zeit bestehende Unterstützungskasse des Verbandes der freiwilligen Feuerwehren der Provinz Brandenburg ihren Mitgliedern gegenüber eingegangen ist unter der Bedingung, daß die der Kasse zu überweisenden Bestände dieser Unterstützungskasse (§ 2) vom Beirath unter Zustimmung des Provinzialausschusses zur Erfüllung der zu berechnenden Verpflichtungen für ausreichend erachtet worden.

Vorstehendes Statut der Brandenburgschen Feuerwehrunfallkasse ist vom Brandenburgschen Provinziallandtage in seiner Sitzung vom 10. März 1890 beschlossen worden.

Berlin, den 25. März 1890.

(L. S.)

Der Landesdirektor der Provinz Brandenburg.

gez. **von Levetzow.**

ad J.-Nr. 727 C.

Beglaubigte Abschrift.

Auf den Bericht vom 17. Juli d. J. will Ich der „Brandenburgschen Feuerwehr-Unfallkasse" in Berlin auf Grund des zurückfolgenden Statuts vom 25. März 1890 unter der Voraussetzung hierdurch die Rechte einer juristischen Person verleihen, daß der § 2 Absatz 2 dieses Statuts eine durch den Provinzial-Ausschuß zu bewirkende Aenderung dahin erfährt, daß zwischen den Worten „des" und „Stammkapitals" der Passus: „gemäß § 39 der Vormundschaftsordnung zinsbar zu belegenden" eingeschaltet wird.

Wilhelmshaven, den 29. Juli 1890.

gez. **Wilhelm** R.

Zugleich für den Justizminister:

ggez. **Herrfurth.**

An

die Minister des Innern und der Justiz.

Für richtige Abschrift:

(L. S.) gez. **Languer,**
Geheimer Kanzlei-Sekretair.

ad I. A. 7449.

Auf Grund der Ermächtigung des Provinziallandtags durch den Beschluß vom 10. März 1890 hat der Brandenburgsche Provinzialausschuß in seiner Sitzung vom 1. September 1890 beschlossen:

In § 2 Absatz 2 des Statuts der „Brandenburgschen Feuerwehrunfallkasse" sind zwischen den Worten „des" und „Stammkapitals" die Worte:

„gemäß § 39 der Vormundschaftsordnung zinsbar zu belegenden"

einzuschalten.

Berlin, den 6. September 1890.

Der Landesdirektor der Provinz Brandenburg.

gez. **von Levetzow.**

ad J.-Nr. 2602. C.

Druck der Deutschen Verlags- und Buchdruckerei-Aktien-Gesellschaft, Berlin SW. 61370

Amtsblatt

der Königlichen Regierung zu Potsdam und der Stadt Berlin.

Stück 40. Den 3. Oktober **1890.**

Bekanntmachungen des Königlichen Regierungs-Präsidenten.

Konsulat der Vereinigten Staaten von Nordamerika.

200. Zum Konsular-Agenten der Vereinigten Staaten von Nordamerika in Guben ist Herr Wilhelm Kempe ernannt worden. . Potsdam, den 25. September 1890.

Der Regierungs-Präsident.

Dampfkessel-Revisionen innerhalb des Baukreises Prenzlau

201. In Gemäßheit zu № 3 des Regulativs über die Revision der Dampfkessel vom 24. Juni 1872 (A.-Bl. S. 207 ff.) und im Anschlusse an meine Verordnung vom 20. September 1882 (A.-Bl. S. 379) wird hierdurch zur öffentlichen Kenntniß gebracht, daß der mit der Verwaltung der Kreisbauinspektion Prenzlau beauftragte Kreisbauinspektor Coqui zu Prenzlau mit der Revision der Dampfkessel innerhalb des gedachten Baukreises betraut worden ist.

Potsdam, den 26. September 1890.

Der Regierungs-Präsident.

Wahl des Grabeninspekters für den Havelländischen Luchgrabenschau-Verband betreffend.

202. Nachdem durch die General-Versammlung der Luch-Interessenten der Königliche Kreisbauinspektor Baurath von Lancizolle zu Nauen vom 1. Oktober d. J. ab zum Grabeninspektor des Havelländischen Luchgraben-Schauverbandes gewählt worden, ist diese Wahl von mir gemäß § 7 der Grabenschau-Ordnung für das Havelländische Luch vom 4. April 1842 (Amtsbl. Beilage zum 21. Stück) bestätigt worden.

Potsdam, den 1. Oktober 1890.

Der Regierungs-Präsident.

Viehseuchen.

203. Festgestellt ist:

der Milzbrand bei einer Kuh des Büdners Wilhelm Kühne zu Wensickendorf, Kreis Niederbarnim;

der Rotz bei einem Pferde des Steinsetzmeisters Becker zu Neu-Ruppin, Kreis Ruppin;

die Maul- und Klauenseuche unter dem Rindvieh des Ritterguts Markau, Kreis Osthavelland.

Erloschen ist:

die Maulseuche bei der erkrankten Kuh des Gemeindevorstehers Possekt zu Zesch, Kreis Jüterbog-Luckenwalde, und die Maul- und Klauenseuche unter dem Rindvieh der Wittwe A. Kemnitz und des Erbbesitzers Ferdinand Saland zu Neu-Holland, Kreis Niederbarnim.

Potsdam, den 30. September 1890.

Der Regierungs-Präsident.

Bekanntmachungen des Königlichen Polizei-Präsidiums zu Berlin.

Bekanntmachung.

77. Der Herr Ober-Präsident der Provinz Brandenburg hat durch Erlaß vom 13. d. M. folgenden Personen zur Anlegung neuer Apotheken in Berlin Concessionen ertheilt:

1) ungefähr an der Ecke der Paul-, Melanchthon- und Flemmingstraße dem Apotheker Herrmann Wißmann zu Berlin,
2) ungefähr an der Ecke der Blücher- und Bärwaldstraße dem Apotheker Paul Reimer zu Groß-Lichterfelde,
3) ungefähr an der Ecke der Fenn- und Tegelerstraße dem Apotheker Herrmann Reinige zu Oberndkirchen und
4) ungefähr an der Ecke der Lübecker- und Perlebergerstraße dem Apotheker Herrmann Feller zu Berlin.

Berlin, den 19. September 1890.

Der Polizei-Präsident.

Bekanntmachungen der Kaiserlichen Ober-Postdirektion zu Berlin.

Verlegung des Postamts in Reinickendorf

84. Am 27. September Abends nach Dienstschluß wird das Postamt in Reinickendorf aus dem Hause Residenzstraße № 99 nach dem Hause Residenzstraße № 100 verlegt werden.

Berlin C., 22. September 1890.

Der Kaiserliche Ober-Postdirektor.

Aufhebung des Kaiserlichen Postamts Nr. 50 (Kaiserhof).

85. Das Kaiserliche Postamt № 50 (Kaiserhof) wird am 30. September mit dem Schlusse der Dienststunden außer Wirksamkeit treten.

Berlin C., 24. September 1890.

Der Kaiserliche Ober-Postdirector.

Verlegung des Postamts in Weißensee bei Berlin.

86. Am 27. September Abends nach Dienstschluß wird das Postamt in Weißensee bei Berlin aus dem Hause Königschaussee № 31 nach dem Hause Königschaussee № 14 verlegt. Berlin C., 24. September 1890.

Der Kaiserliche Ober-Postdirektor.

Verlegung des Postamts Nr. 90 (Brunnenstraße).

87. Am 30. September Abends nach Dienstschluß wird das Postamt № 90 aus dem Hause Brunnenstraße Nr. 129b. nach dem Hause Veteranenstraße Nr. 24 verlegt. Das Postamt führt künftig die Bezeichnung Postamt № 90 (Veteranenstraße).

Berlin C., 28. September 1890.

Der Kaiserliche Ober-Postdirector.

Aenderung in der Geldbestellung.

88. Vom 1. Oktober ab bis Ende März nächsten Jahres kommt in Berlin die vierte wochentägliche, um 5 Uhr Nachmittags beginnende Geldbestellung, wie in früheren Winterhalbjahren in Fortfall. Der Beginn der dritten Geldbestellung wird für diese Zeit von 2 Uhr auf 3½ Uhr Nachmittags verlegt.

Berlin C., 23. September 1890.

Der Kaiserliche Ober-Post-Direktor.

Verlegung der Postagentur in der Urbanstraße.

89. Am 1. Oktober wird die Postagentur aus dem Hause Urbanstraße 82 nach dem Hause Kottbuserdamm Nr. 42 verlegt und dem Kaufmann Hugo Wolter daselbst übertragen. Die Postagentur führt künftig die Bezeichnung: Postagentur 32 (Kottbuserdamm).

Berlin C., 25. September 1890.

Der Kaiserliche Ober-Postdirektor.

Bekanntmachung.

90. Am 27. September Abends nach Dienstschluß wird das Kaiserliche Postamt Nr. 45 aus dem Hause Scharrenstraße Nr. 10 nach dem Hause Scharrenstraße Nr. 12/13 verlegt werden.

Berlin C., 24. Dezember 1890.

Der Kaiserliche Ober-Postdirektor.

Bekanntmachungen der Kaiserlichen Ober-Postdirektion zu Potsdam.

Bekanntmachung.

91. In dem zum Kreise Westprignitz gehörenden Kirchdorfe Kleinow wird am 1. Oktober eine Postagentur in Wirksamkeit treten.

Die Postagentur erhält Verbindung mit dem Kaiserlichen Postamte in Perleberg durch zwei Botenposten, von denen die eine werktäglich mit beschränkter Postsachenbeförderung, die andere täglich mit unbeschränkter Postsachenbeförderung verkehren soll. Die Botenposten erhalten folgenden Gang:

Werktags beschränkt	Werktags unbeschränkt	Sonnt. unbeschränkt		Werktags unbeschränkt	Werktags beschränkt	Sonnt. unbeschränkt
7^{30}	12^{15}	7^{30}	Perleberg	5^{15}	8^{45}	5^{15}
8^{20}	1^{05}	8^{20}	Düpow (Posthülfstelle)	4^{35}	8^{05}	4^{35}
9^{25}	2^{25}	9^{25}	Kleinow	3^{30}	7^{00}	3^{30}

Dem Landbestellbezirke von Kleinow werden folgende Ortschaften u. s. w. zugetheilt: Neukleinow; Uenze mit Abbauten und Mühle, Ponitz, Rambow mit Abbauten, Burghagen Dorf, Abbau und Mühle, Groß-Gottschow mit Abbau, Kahlhorst mit Mühle, Krampfer Dorf, Ziegelei und Abbau, Kleinow Ziegelei.

Die Posthülfstelle in Kleinow tritt mit dem 30sten September außer Wirksamkeit.

Potsdam, den 27. September 1890.

Der Kaiserliche Ober-Postdirektor.

Bekanntmachungen der Königlichen Hauptverwaltung der Staatsschulden.

Bekanntmachung.

21. Der Kaufmann H. Schlegel hierselbst, Ziegelstraße 18/19, hat im Auftrage des Kaufmanns Albert Schlegel in Alsleben a. S. auf Umschreibung der Schuldverschreibung der konsolidirten 4%igen Staatsanleihe von 1880 Lit. D. № 149382 über 500 M. angetragen, weil sich auf der Rückseite derselben ein Außerkurssetzungsvermerk des Königlichen Amtsgerichts in Alsleben a. S. vom 18. Oktober 1881 befindet.

In Gemäßheit des § 3 des Gesetzes vom 4. Mai 1843 (Ges.-S. S. 177) wird deshalb Jeder, der an diesem Papier ein Anrecht zu haben vermeint, aufgefordert, dasselbe binnen 6 Monaten und spätestens

am 5. Februar 1891

uns anzuzeigen, widrigenfalls das Papier kassirt und dem Antragsteller ein neues kursfähiges ausgehändigt werden wird. Berlin, den 19. Juli 1890.

Hauptverwaltung der Staatsschulden.

Bekanntmachungen des Königlichen Ober-Bergamts zu Halle.

24. Nachstehende Verleihungsurkunde:

„Im Namen des Königs.

Auf Grund der am 25. Juli 1890 mit Präsentationsvermerk versehenen Muthung wird dem Gutsbesitzer Rudolph Richter in Mahlow unter dem Namen **Mahlow** das Bergwerkseigenthum in dem Felde, dessen Begrenzung auf dem heute von uns beglaubigten Situationsrisse mit den Buchstaben: a b c d e f g h i a bezeichnet ist, und welches, einen Flächeninhalt von 2 189 000 qm, geschrieben: Zwei Millionen einhundert neunundachtzig Tausend Quadratmeter umfassend, in den Gemarkungen Gut und Gemeinde Mahlow im Kreise Teltow des Regierungsbezirks Potsdam und im Oberbergamtsbezirke Halle gelegen ist, zur Gewinnung der in dem Felde vorkommenden Braunkohlen hierdurch verliehen",

urkundlich ausgefertigt am heutigen Tage, wird mit dem Bemerken, daß der Situationsriß in dem Büreau des Königlichen Bergrevierbeamten zu Eberswalde zur Einsicht offen liegt, unter Verweisung auf die Paragraphen 35 und 36 des Allgemeinen Berggesetzes vom 24. Juni 1865 hierdurch zur öffentlichen Kenntniß gebracht.

Halle a. S., den 22. September 1890.

Königliches Oberbergamt.

Bekanntmachungen der Königlichen Eisenbahn-Direktion zu Berlin.

Eröffnung der Haltestelle Alt-Ranft für den Stückgut- und Vieh-Verkehr.

38. Am 1. Oktober d. J. wird die Haltestelle Alt-Ranft für den unbeschränkten Eil- und Frachtstückgut-Verkehr und für den Vieh-Verkehr eröffnet.

Berlin, im September 1890.

Königliche Eisenbahn-Direktion.

Bekanntmachungen der Königlichen Eisenbahn-Direktion zu Bromberg.

55. Für diejenigen Gegenstände, welche auf der vom 2. bis 11. Oktober d. J. in Schrimm statt findenden bienenwirthschaftlichen Provinzial-Ausstellung ausgestellt werden und unverkauft bleiben, wird auf den Strecken der Königlichen Eisenbahn-Direktionen Berlin,

Breslau und Bromberg eine Frachtbegünstigung in der Art gewährt, daß nur für die Hinbeförderung die volle tarifmäßige Fracht berechnet wird, die Rückbeförderung an die Versandstation und den Aussteller aber frachtfrei erfolgt, wenn durch Vorlage des ursprünglichen Frachtbriefes für den Hinweg, sowie durch eine Bescheinigung der Ausstellungs-Kommission nachgewiesen wird, daß die Gegenstände ausgestellt gewesen und unverkauft geblieben sind, und wenn die Rückbeförderung innerhalb 8 Tagen nach Schluß der Ausstellung stattfindet. In den ursprünglichen Frachtbriefen über die Hinsendung ist ausdrücklich zu vermerken, daß die mit denselben aufgegebenen Sendungen **durchweg** aus **Ausstellungsgut** bestehen.

Bromberg, den 20. September 1890.

Königliche Eisenbahn-Direktion.

56. Für diejenigen Gegenstände, welche auf der in der Zeit vom 4. bis 30. September d. J. in Stuttgart stattfindenden Ausstellung für volksverständliche Gesundheits- und Krankenpflege ausgestellt werden und unverkauft bleiben, wird auf den Strecken der Preußischen Staatsbahnen und der Eisenbahnen in Elsaß-Lothringen eine Frachtbegünstigung in der Art gewährt, daß nur für die Hinbeförderung die volle tarifmäßige Fracht berechnet wird, die Rückbeförderung an die Versandstation und den Aussteller aber frachtfrei erfolgt, wenn durch Vorlage des ursprünglichen Frachtbriefes für den Hinweg, sowie durch eine Bescheinigung der Ausstellungs-Kommission nachgewiesen wird, daß die Gegenstände ausgestellt gewesen und unverkauft geblieben sind, und wenn die Rückbeförderung innerhalb 4 Wochen nach Schluß der Ausstellung stattfindet. In den ursprünglichen Frachtbriefen für den Hinweg ist ausdrücklich zu vermerken, daß die mit denselben aufgegebenen Sendungen durchweg aus Ausstellungsgut bestehen.

Bromberg, den 25. September 1890.

Königliche Eisenbahn-Direktion.

57. Am 1. Oktober d. J. erscheint eine neue Ausgabe des Ostdeutschen Eisenbahn-Kursbuchs, enthaltend die Winter-Fahrpläne der Eisenbahnstrecken östlich der Linie Stralsund-Berlin-Dresden, sowie Auszüge der Fahrpläne der anschließenden Bahnen von Mittel-Deutschland, Oesterreich, Ungarn und Rußland, auch Post- und Dampfschiffsverbindungen, Angaben über Rundreise- und Sommerkarten u. s. w. Das Kursbuch ist auf allen Stationen des vorbezeichneten Bezirks an der Fahrkarten-Ausgabestelle, bei den Bahnhofsbuchhändlern, sowie im Buchhandel zum Preise von 50 Pfennig zu beziehen. Bromberg, den 25. September 1890.

Königliche Eisenbahn-Direktion.

Bekanntmachung.

58. Vom 1. Oktober berechtigen Schülerzeitkarten, soweit dieselben zur Hin- und Rückfahrt gültig ausgestellt sind; an den zulässigen Benutzungstagen zur beliebigen Fahrt auf den in Frage kommenden Bahnstrecken ohne Fahrpreiserhöhung.

Bromberg, den 24. September 1890.

Königliche Eisenbahn-Direktion.

Bekanntmachung.

59. Am 1. Oktober 1890 kommen für den Direktionsbezirk Bromberg zur Einführung: 1) Der Nachtrag 12 zum Kilometerzeiger vom 1. April 1888, enthaltend Entfernungen für Bajaken P. H. und Sehlen, sowie einzelne Berichtigungen. Die durch letztere in einem Falle herbeigeführten Erhöhungen treten erst mit dem 15. November 1890 in Kraft. 2) Besondere Ausnahmefrachtsätze für Getreide und Holz, im Verkehr zwischen Alt-Damm, Carolinenhorst und Stettin einer- und Sehlen andererseits, welche bei den Stationen unseres Bezirks zu erfahren sind.

Bromberg, den 24. September 1890.

Königliche Eisenbahn-Direktion.

Bekanntmachung.

60. Am 1. Oktober d. J. wird die zwischen Posen (Gerberdamm) und $\frac{\text{Schwersenz}}{\text{Kobelnitz}}$ gelegene bisherige Güterladestelle Glowno auch für den Personen- und Gepäck-Verkehr eröffnet. Die Berechnung der Beförderungspreise erfolgt auf Grund des Kilometerzeigers und der Preistafel des Lokal-Personen-Tarifs für den Eisenbahn-Direktions-Bezirk Bromberg. Die Abfahrtszeiten der Züge von Glowno sind in dem vom 1. Oktober d. J. giltigen Fahrplan enthalten. Näheres ist auf den Stationen und Haltestellen zu erfahren.

Bromberg, den 27. September 1890.

Königliche Eisenbahn-Direktion.

Bekanntmachungen der Königlichen Eisenbahn-Direktion zu Magdeburg.

Bekanntmachung.

21. Vom 1. Oktober d. J. ab werden außer den in den Aushang-Fahrplänen bekannt gegebenen Personenzügen zwischen Berlin, Potsdamer Bahnhof und Wildpark noch die folgenden Localpersonenzüge täglich bis auf Weiteres gefahren:

a. Localzug P. 20a.

von Berlin nach Wildpark.

Berlin, Potsdamer Bahnhof, ab 9^{55} Vm.
Potsdam von 10^{23}—10^{24} Vm.
Wildpark an 10^{31} Vm.

b. Localzug P. 48.

von Berlin nach Wildpark.

Berlin, Potsdamer Bahnhof, ab 4^{0} Nm.
Potsdam von 4^{27}—4^{28} Nm.
Wildpark an 4^{35} Nm.

c. Localzug P. 47a.

von Wildpark nach Berlin.

Wildpark ab 4^{50} Nm.
Potsdam von 4^{57}—4^{58} Nm.
Berlin, Potsdamer Bahnhof, an 5^{28} Nm.

Die Züge führen alle 4. Wagenklasse.

Berlin, den 22. September 1890.

Königliches Eisenbahn-Betriebsamt (Berlin—Magdeburg).

Personal-Chronik.

Der Civil-Anwärter Eugen Mendelson ist zum Regierungs-Civil-Supernumerarius ernannt worden.

Ernannt sind: der Bürgermeister Suckau zum Amts-Anwalt bei dem Königlichen Amts-Gericht in Lindow, — der Hauptmann a. D. Lau zum Stellvertreter des Amts-Anwalts bei dem Königlichen Amtsgericht in Spandau und der Oberförster Lehnpfuhl zum Forst-Amts-Anwalt für den Königlichen Forstbezirk Zinna.

Der Erste Kataster-Inspektor, Steuer-Rath Schulze, ist vom 1. Oktober 1890 ab auf seinen Antrag mit Pension in den Ruhestand übergetreten.

Seitens des Herrn Finanz-Ministers ist der bisherige Zweite Kataster-Inspektor Mahler zum Ersten Kataster-Inspektor und der bisherige Kataster-Kontroleur Stötzer in Berlin zum Zweiten Kataster-Inspektor bei der Königlichen Regierung in Potsdam ernannt worden.

Im Kreise Oberbarnim ist der Rittergutsbesitzer Baron Arnold von Eckardstein zu Closterdorf nach Ablauf seiner Dienstzeit auf's Neue zum Amtsvorsteher-Stellvertreter des 15. Bezirks Garzau ernannt worden.

Die unter privatem Patronat stehende Pfarrstelle zu Pröttlin, Diözese Lenzen, kommt durch die Versetzung des Pfarrers Richter am 1. Oktober d. J. zur Erledigung.

Der bisherige Oberlehrer an dem Leibniz-Gymnasium in Berlin, Dr. Max Marcuse, ist als Rektor der 8. städtischen höheren Bürgerschule ebenda angestellt worden.

Vermischte Nachrichten.

Bekanntmachung.

Das Büreau des Königlichen Bergreviers Frankfurt a. O. befindet sich vom 1. Oktober d. J. ab Oderstraße 30 I. Treppe hoch, und ist nach wie vor Vormittags von 9 bis 12 Uhr, Nachmittags von 3 bis 6 Uhr geöffnet.

Frankfurt a. O., im September 1890.

Der Königliche Bergrevierbeamte Humperdinck.

Bekanntmachung.

Es wird hiermit zur öffentlichen Kenntniß gebracht, daß die bezüglichen Publikationen, betreffend Eintragung von Firmen, Handelsgesellschaften, Procuren, Genossenschaften, soweit vom 1. Oktober 1890 ab diese Register bei hiesigem Gericht geführt werden, in folgenden Blättern: a. Reichs- und Staatsanzeiger, b. Vossische Zeitung, c. Berliner Börsenzeitung, d. Rixdorfer Zeitung, für Genossenschaften außerdem im Amtsblatt der Regierung zu Potsdam, für Zeichen- und Muster-Register allein im Reichsanzeiger erfolgen werden; die auf die gedachten Register bezüglichen Geschäfte werden vom 1. Oktober d. J. ab vom Herrn Amtsrichter Lampe unter Mitwirkung des Herrn Sekretär Thielemann bearbeitet.

Rixdorf, den 29. September 1890.

Königliches Amtsgericht.

Bekanntmachung.

Zufolge Verfügung des Herrn Justiz-Ministers vom 11. Februar d. J. ist den Königlichen Amtsgerichten zu Zehdenick und zu Lychen vom **1. Oktober d. J.** ab die Führung der Handels-, Genossenschafts- und Musterregister je für ihren Bezirk übertragen worden. Es werden daher von diesem Tage ab die bisher zur Zuständigkeit des unterzeichneten Gerichts gehörig gewesene Register-Sachen a. aus dem Stadtbezirke Zehdenick und den Amtsbezirken Badingen, Forsthaus Zehdenick, Liebenberg, Reiersdorf, Ribbeck und Zehdenick, sowie Storkow, mit Ausschluß des Gemeindebezirks Hindenburg-Reinfeld vom Königlichen Amtsgerichte Zehdenick und b. aus dem Stadtbezirke Lychen, den Amtsbezirken Lychen, Himmelpfort Ost und West und Boitzenburg — mit Ausschluß der Gemeinde- bezw. Gutsbezirke Boitzenburg, Berkholz, Claushagen, Naugarten, Wichmannsdorf, Crewitz, Lichtenhain und Lindensee, — sowie aus den Gemeinde- bezw. Gutsbezirken Densow und Annenwalde vom Königlichen Amtsgerichte Lychen bearbeitet werden.

Templin, den 23. September 1890.

Königliches Amtsgericht.

Bekanntmachung.

Nach der Bekanntmachung des Herrn Justiz-Ministers vom 11. Februar 1890 — J.-M.-Bl. S. 74 — geht die Führung der Handels-, Genossenschafts- und Muster-Register vom 1. Oktober 1890 an auf das unterzeichnete Amtsgericht für dessen Bezirk über. Im Geschäftsjahr 1890 erfolgt die Bekanntmachung der Eintragungen des Firmen-, Gesellschafts- und Procuren-Registers durch: a. den Reichsanzeiger, b. die Berliner Börsenzeitung, c. das Teltower Kreisblatt, der Eintragungen des Genossenschafts-Registers auch durch das Amtsblatt der Königlichen Regierung zu Potsdam, derjenigen des Zeichen- und Muster-Registers allein durch den Reichsanzeiger. Anmeldungen, einschließlich der Zeichnung von Firmen und Unterschriften, werden an jedem Mittwoch Vormittags von 9—12 Uhr vom Gerichtsschreiber, Sekretär Jenne, entgegengenommen.

Königs-Wusterhausen, den 25. September 1890.

Königliches Amtsgericht.

Bekanntmachung.

Nach Anordnung des Herrn Justiz-Ministers vom 11. Februar 1890 (Justizministeral-Blatt Seite 74) geht die Führung der Handels-, Genossenschafts- und Muster-Register vom 1. Oktober 1890 ab auf das unterzeichnete Amtsgericht für dessen Bezirk über. Von diesem Tage ab werden im Laufe des Geschäftsjahres 1890 die öffentlichen Bekanntmachungen der Eintragungen in das Firmen-, Gesellschafts-, Prokuren-, Zeichen- und Muster-Register durch den Deutschen Reichs- und Königlich Preußischen Staats-Anzeiger, die Berliner Börsenzeitung, das Amtsblatt der Königlichen Regierung zu Potsdam, das Kreisblatt zu Nauen und das Cremmener Wochenblatt erfolgen. Anmeldungen und Anträge in Handels-, Genossenschafts- und Muster-Registersachen werden an jedem Mittwoch Vormittag von 10 bis 12 Uhr an hiesiger Gerichtsstelle entgegengenommen.

Cremmen, den 27. September 1890.

Königliches Amtsgericht.

Ausweisung von Ausländern aus dem Reichsgebiete.

Lauf. Nr.	Name und Stand des Ausgewiesenen.	Alter und Heimath des Ausgewiesenen.	Grund der Bestrafung.	Behörde, welche die Ausweisung beschlossen hat.	Datum des Ausweisungs-Beschlusses.
1.	2.	3.	4.	5.	6.
		a. Auf Grund des § 362 des Strafgesetzbuchs:			
1	Conrad Baumgarten, Friseur,	geboren am 16. März 1857 zu Jägerndorf, Oesterreich-Schlesien,	Betteln im wiederholten Rückfall,	Königlich Preußischer Regierungspräsident zu Oppeln,	12. August 1890.
2	Jacob Berg, Beutelmacher,	13 Jahre alt, geboren und ortsangehörig zu Warschau, Russisch-Polen,	Landstreichen,	Königlich Preußischer Regierungspräsident zu Potsdam,	3. September 1890.
3	Johann Giraud, Blumengärtner,	geboren am 3. März 1860 zu Moulins, Departement Allier, Frankreich, ortsangehörig ebendaselbst,	desgleichen,	Kaiserlicher Bezirkspräsident zu Colmar,	31. August 1890.
4	Peritz Glückmann, Cigarrenmacher,	aus Plotzk, Russisch-Polen, russischer Unterthan,	desgleichen,	Königlich Preußischer Regierungspräsident zu Bromberg,	19. Juni 1890.
5	Saja Goldmann, Gamaschenarbeiter,	15 Jahre alt, geboren und ortsangehörig zu Warschau, Russisch-Polen,	desgleichen,	Königlich Preußischer Regierungspräsident zu Potsdam,	3. September 1890.
6	Josef Havlicek, Schneidergeselle,	geboren am 9. März 1867 zu Lüby, Böhmen, ortsangehörig ebendaselbst,	Landstreichen und Betteln,	Kaiserlicher Bezirkspräsident zu Colmar,	5. September 1890.
7	Bernhard Horowitz, Weber,	aus Lodz, Russisch-Polen, russischer Unterthan,	Landstreichen,	Königlich Preußischer Regierungspräsident zu Bromberg,	19. Juni 1890.
8	Josepha (Maria) Kalny, geborene Kretschy, verw. Tagelöhnerin,	50 Jahre alt, geboren zu Grasselau, Bezirk Strakonitz, Böhmen, ortsangehörig zu Bukovnik, Bezirk Schüttenhofen, ebendaselbst,	Landstreichen und Betteln,	Königlich Bayerisches Bezirksamt Mühldorf,	29. August 1890.
9	Die Zigeunerinnen:				
a.	Peppi Kolewrot, Wittwe,	48 Jahre alt,	Landstreichen,	Königlich Preußischer Regierungspräsident zu Oppeln,	20. August 1890.
b.	Cölestine Kolewrot,	34 Jahre alt,			
c.	Wirba Kolewrot,	28 Jahre alt,			
d.	Ludwina Kolewrot,	16 Jahre alt,			
e.	Valeska Kolewrot,	16 Jahre alt, sämmtlich geboren und ortsangehörig zu Kotzobenz, Bezirk Teschen, Böhmen,			
10	Adalbert Phorien, Goldarbeiter,	geboren am 28. Oktober 1871 zu Neufchâtel, Schweiz, ortsangehörig ebendaselbst,	desgleichen,	Kaiserlicher Bezirkspräsident zu Colmar,	31. August 1890.
11	Franz Pospischil, Tagelöhner,	geb. im Dezember 1858 zu Landskron, Böhmen, ortsangehörig ebendas.,	desgleichen,	Königlich Preußischer Regierungspräsident zu Breslau,	1. September 1890.

Lauf. №.	Name und Stand	Alter und Heimath	Grund der Bestrafung.	Behörde, welche die Ausweisung beschlossen hat.	Datum des Ausweisungs-Beschlusses.
	des Ausgewiesenen.				
1.	2.	3.	4.	5.	6.
	b. Auf Grund des § 39 des Strafgesetzbuchs:				
1	Susanne (Pauline) Burianski, ledige Zigeunerin,	geboren im Jahre 1867 oder 1868 zu Zablocie bei Strumien, Oesterreich, ortsangehörig zu Nieder-Kurzwald, Bezirk Bielitz, Mähren,	schwerer Diebstahl (zwei Jahre Zuchthaus, laut Erkenntniß vom 6. September 1888),	Königlich Preußischer Regierungspräsident zu Liegnitz,	3. September 1890.
2	Karl Klier, Fabrikarbeiter,	geboren am 10. April 1869 zu Linz, Oesterreich, ortsangehörig zu Hartmannsgrün, Bezirk Ludit, Böhmen,	Diebstahl im wiederholten Rückfall (1 Jahr 6 Monate Zuchthaus, laut Erkenntniß vom 20. Februar 1889),	Königlich Sächsische Kreishauptmannschaft Leipzig,	18. Juli 1890.

(Hierzu die Fahrpläne der Königlichen Eisenbahn-Direktionen zu Berlin und Altona, gültig vom 1. Oktober 1890 ab, sowie Drei Oeffentliche Anzeiger.)

(Die Insertionsgebühren betragen für eine einspaltige Druckzeile 20 Pf.
Belagsblätter werden der Bogen mit 10 Pf. berechnet.)

Redigirt von der Königlichen Regierung zu Potsdam.

Potsdam, Buchdruckerei der A. W. Hayn'schen Erben (E. Hayn, Hof-Buchdrucker).

Amtsblatt
der Königlichen Regierung zu Potsdam
und der Stadt Berlin.

Stück 41. Den 10. Oktober **1890.**

Bekanntmachungen der Königlichen Ministerien.

27. Bekanntmachung, betreffend den Ankauf volljähriger Kavallerie-Reit- und Artillerie-Zugpferde.

Berlin, den 20. August 1890.

Regierungsbezirk Potsdam.

Zum Ankauf von Kavallerie-Reit- und Artillerie-Zugpferden im Alter von 5 bis 8 Jahren ist im Bereich der Königlichen Regierung zu Potsdam ein Morgens 8 Uhr beginnender Markt

„am 18. Oktober in Wilsnack"

anberaumt worden.

Bemerkt wird hierbei, daß die Kommission nur geschonte gut gebaute und für die betreffende Waffengattung hinreichend fundamentirte, dabei aber vor allem gängige Pferde mit hinreichendem Blute gebrauchen kann. Auch dürfen sich die Pferde nicht in dürftigem Zustande befinden.

Die von der Kommission erkauften Pferde werden zur Stelle abgenommen und sofort gegen Quittung baar bezahlt.

Pferde mit solchen Fehlern, welche nach den Landesgesetzen den Kauf rückgängig machen, sind vom Verkäufer gegen Erstattung des Kaufpreises und der Unkosten zurückzunehmen.

Krippensetzer sind vom Ankauf ausgeschlossen und wird verlangt, daß die Schweife der Pferde nicht übermäßig verkürzt werden.

Die Verkäufer sind verpflichtet, jedem verkauften Pferde eine neue starke rindlederne Trense mit starkem glatten Gebiß (keine Knebeltrense) und eine neue starke Kopfhalfter von Leder oder Hanf mit zwei mindestens zwei Meter langen Strängen von Hanf ohne besondere Vergütung mitzugeben.

Kriegsministerium.
Remontirungs-Abtheilung.

Bekanntmachung.

28. Zur Ausführung des Gesetzes, betreffend die Gewerbegerichte, vom 29. Juli 1890 (R.-G.-Bl. S. 141) wird auf Grund des § 83 desselben bestimmt:

I. Unter der Bezeichnung „weiterer Communalverband" sind die Provinzial-Verbände und auch die communalständischen Verbände der Regierungsbezirke Cassel und Wiesbaden, sowie die Kreisverbände, in den Hohenzollernschen Landen der Landescommunalverband und die Oberamtsbezirksverbände zu verstehen.

II. Die Beschlußfassung über die Statuten der zu errichtenden Gewerbegerichte steht zu:
   a. in den Stadtgemeinden:
      dem Gemeindevorstande und der Stadtverordnetenversammlung (Bürgerschaftscollegium u. s. w.) gemeinsam,
   b. in den Landgemeinden:
      der Gemeindeversammlung bezw. den die Befugnisse einer solchen wahrnehmenden anderen Gemeindevertretungskörpern,
   c. in den Kreisen:
      dem Kreistage,
   d. in den Oberamtsbezirken:
      der Amtsversammlung,
   e. in den Provinzen:
      dem Provinziallandtage,
   f. in den communalständischen Verbänden der Regierungsbezirke Cassel und Wiesbaden und in dem Hohenzollernschen Landescommunalverbande:
      dem Communallandtage.

III. Unter der Bezeichnung „höhere Verwaltungsbehörde" sind zu verstehen:
   a. die Bezirksausschüsse in Bezug auf die Genehmigung der Ortsstatuten von Gemeinden (§ 1 Abs. 2 und 3), die Entscheidung über Beschwerden gegen die Rechtsgültigkeit der Wahlen zu Gewerbegerichten, welche von einer oder mehreren Gemeinden oder einem Kreisbezw. Oberamtsbezirksverbande errichtet sind (§ 15 Abs. 1), und die Enthebung von Mitgliedern solcher Gewerbegerichte (§ 19 Abs. 1);
   b. die Provinzialräthe in Bezug auf die Entscheidung über Beschwerden gegen die Rechtsgültigkeit von Wahlen zu Gewerbegerichten (§ 15 Abs. 1) und die Enthebung von Mitgliedern derselben (§ 19 Abs. 1) — sofern die in Frage kommenden Gewerbegerichte von einem Provinzialverbande oder von den communalständischen Verbänden der Regierungsbezirke Cassel und Wiesbaden errichtet sind —;
   c. die Regierungs-Präsidenten in Bezug auf die Bestätigung der Wahl der Vorsitzenden und deren Stellvertreter (§ 15 Abs. 2), die Anordnung zur Vornahme von Wahlen nach Maßgabe des § 16 Abs. a., die Ernennung von Mitgliedern der Gewerbegerichte im Falle des § 16 Abs. b., die Zuständigkeit zu dem

Antrage auf Erhebung der Klage auf Amtsentsetzung von Mitgliedern der Gewerbegerichte (§ 19 Abs. 2), die Bestellung desjenigen Beamten, welcher den Vorsitzenden und dessen Stellvertreter vor ihrem Amtsantritte eidlich zu verpflichten hat (§ 20) — sofern die in Betracht kommenden Gewerbegerichte von Gemeinden oder Kreis- bezw. Oberamtsbezirksverbänden errichtet sind —, und endlich die Ertheilung der Genehmigung zur Uebertragung der dem Gemeindevorsteher nach § 71 bis 73 obliegenden Geschäfte auf einen Stellvertreter;

d. die Ober-Präsidenten in Bezug auf die Bestätigung der Wahl des Vorsitzenden und dessen Stellvertreter (§ 15 Abs. 2), die Anordnung zur Vornahme der Wahlen nach Maßgabe des § 16 Abs. a., die Ernennung der Mitglieder von Gewerbegerichten im Falle des § 16 Abs. b., die Zuständigkeit zu dem Antrage auf Erhebung der Klage auf Amtsentsetzung von Mitgliedern der Gewerbegerichte (§ 19 Abs. 2), die Bestellung desjenigen Beamten, welcher den Vorsitzenden und dessen Stellvertreter vor ihrem Amtsantritte eidlich zu verpflichten hat (§ 20) — sofern die in Frage kommenden Gewerbegerichte von einem Provinzialverbande oder von einem der Communalverbände der Regierungs-Bezirke Cassel und Wiesbaden errichtet sind.

Für die Hohenzollernschen Lande tritt an die Stelle des Ober-Präsidenten und des Provinzialrathes der Minister des Innern.

Für den Stadtkreis Berlin werden alle durch das Gesetz der höheren Verwaltungsbehörde übertragenen Befugnisse von dem Ober-Präsidenten wahrgenommen.

IV. Die Wahl der Vorsitzenden und deren Stellvertreter erfolgt

für Gewerbegerichte, welche von Kreisen bezw.

206. Nachweisung der Markt- rc.

Laufende Nummer	Namen der Städte	Getreide				Uebrige Markt[...]								
		Es kosten je 100 Kilogramm											Es[...]	
													Rindfleisch	
		Weizen M. Pf.	Roggen M. Pf.	Gerste M. Pf.	Hafer M. Pf.	Erbsen M. Pf.	Speisebohnen M. Pf.	Linsen M. Pf.	Eßkartoffeln M. Pf.	Richtstroh M. Pf.	Krummstroh M. Pf.	Heu M. Pf.	von der Keule M. Pf.	Bauchfleisch M. Pf.
1	Angermünde	18 50	15 82	14 50	13 05	27 —	30 —	35 —	3 60	3 —	1 33	3 50	1 60	1 20
2	Beeskow	18 51	16 47	15 10	13 —	25 —	32 50	40 —	3 90	3 25	— —	4 25	1 40	1 20
3	Bernau	19 06	16 65	16 73	14 34	27 88	31 88	43 25	4 63	4 50	— —	5 40	1 50	1 20
4	Brandenburg	19 50	16 55	14 70	14 72	27 50	35 —	50 —	4 85	3 50	— —	4 20	1 50	1 20
5	Dahme	18 24	16 30	15 27	13 —	25 —	32 —	45 —	4 —	4 —	3 —	5 —	1 20	1 20
6	Eberswalde	19 02	16 04	16 44	14 44	23 —	23 —	30 —	4 75	3 89	— —	4 50	1 40	1 20
7	Havelberg	18 64	16 36	14 63	12 50	25 —	45 —	55 —	5 25	5 25	3 —	4 13	1 50	1 20
8	Jüterbog	19 —	17 50	16 25	14 57	28 —	30 —	50 —	6 —	4 —	— —	5 —	1 30	1 20
9	Luckenwalde	— —	15 80	— —	12 31	36 —	36 —	40 —	4 79	3 17	— —	4 50	1 40	1 40
10	Perleberg	18 99	15 86	15 06	14 64	27 —	35 —	50 —	5 —	3 81	— —	4 81	1 40	1 20
11	Potsdam	19 95	16 73	17 67	15 06	25 —	25 50	32 —	6 53	4 22	— —	4 76	1 55	1 35
12	Prenzlau	18 30	15 64	15 03	12 81	18 —	22 50	25 —	4 50	3 50	2 —	4 50	1 40	1 18
13	Pritzwalk	17 89	15 09	15 75	12 28	17 —	30 —	35 50	4 65	2 75	2 13	3 25	1 40	1 20
14	Rathenow	18 —	15 41	14 72	12 47	30 —	35 —	44 —	4 72	3 17	— —	3 25	1 80	1 40
15	Neu-Ruppin	19 50	16 70	15 —	12 37	30 —	32 —	50 —	4 63	4 60	— —	5 —	1 50	1 15
16	Schwedt	19 60	16 88	16 —	14 15	26 67	31 25	31 25	4 50	3 60	— —	4 69	1 40	1 20
17	Spandau	18 50	16 05	15 50	14 50	25 —	30 —	39 50	5 —	3 50	— —	5 —	1 60	1 25
18	Strausberg	19 45	16 35	18 —	16 22	21 50	33 —	35 —	4 50	4 95	— —	6 79	1 40	1 20
19	Teltow	19 07	16 42	16 17	14 70	40 —	40 —	45 —	4 25	5 75	3 75	6 50	1 50	1 25
20	Templin	18 50	16 —	14 50	14 —	19 —	45 —	36 —	4 —	4 —	3 —	5 —	1 30	—
21	Treuenbrietzen	19 20	15 38	11 50	12 62	26 —	24 —	30 —	4 —	3 10	— —	4 —	1 40	1 40
22	Wittstock	18 44	15 10	14 50	11 82	17 —	36 —	44 —	4 11	3 50	2 67	5 —	1 40	1 21
23	Wriezen a. O.	18 30	15 88	15 99	13 44	23 25	27 75	34 —	4 71	2 75	1 75	4 25	1 50	1 20
	Durchschnitt	18 83	16 13	15 41	13 61	— —	— —	— —	4 65	3 82	— —	4 66	— —	—

Potsdam, den 7. Oktober 1890.

Oberamtsbezirken errichtet sind, durch die Kreis- bezw. Amtsausschüsse,

für Gewerbegerichte, welche von Provinzen oder von einem der communalständischen Verbände der Regierungsbezirke Cassel und Wiesbaden oder dem Hohenzollernschen Landescommunalverbande errichtet sind, durch die Provinzialausschüsse, bezw. die Landesausschüsse, falls nicht durch das Statut die Mitwirkung der Kreistage, der Amtsversammlungen, der Provinziallandtage oder in den Regierungsbezirken Cassel und Wiesbaden, sowie in den Hohenzollernschen Landen die Mitwirkung des Communallandtages vorgesehen ist.

Berlin, den 23. September 1890.

Der Minister für Handel und Gewerbe.
Frh. v. Berlepsch.

Der Minister des Innern.
In Vertretung. Braunbehrens.

B. 5620. M. f. H. II. 12141. M. d. J.

Bekanntmachungen des Königlichen Regierungs-Präsidenten.

204. Der Ingenieur Eugen Schindler-Berlin, Elisabeth-Ufer 27, ist zum II. Beauftragten der Brauerei- und Mälzerei-Berufsgenossenschaft ernannt.

Potsdam, den 30. September 1890.
Der Regierungs-Präsident.

Fischerei-Aufsicht.

205. Im Anschluß an meine Bekanntmachung vom 20. September 1889 (Amtsbl. S. 352) wird hierdurch zur öffentlichen Kenntniß gebracht, daß an Stelle des Fischereipächters Emil Glaeser zu Neubrück den Fischerei-Aufsehern Wilhelm Ruden zu Teupitz und Johann Groggert zu Blossin die Fischerei-Aufsicht auf dem Klein-Köritzer, Hölzernen-, Huscht-, Schmälde- und Manink-See im Königlich Hammer'schen Forst-Revier übertragen worden ist.

Potsdam, den 4. Oktober 1890.
Der Regierungs-Präsident.

Preise im Monat September 1890.

Artikel: kostet je 1 Kilogramm					Ein Schock Eier	Ladenpreise in den letzten Tagen des Monats. Es kostet je 1 Kilogramm. Mehl		Gerste						Java-Kaffee in gebr. Bohnen			
Schweinefleisch	Kalbfleisch	Hammelfleisch	Speck	Butter		Weizen Nr. 1	Roggen Nr. 1	Graupe	Grütze	Buchweizengrütze	Hafergrütze	Hirse	Reis, Java	mittler	gelber	Speisesalz	Schweineschmalz, hiesig
M. Pf.	M. Pf.	M. Pf.	M. Pf.	M. Pf.	M. Pf.	M. Pf.	M. Pf.	M. Pf.	M. Pf.	M. Pf.	M. Pf.	M. Pf.	M. Pf.	M. Pf.	M. Pf.	M. Pf.	M. Pf.
1 50	1 —	1 28	2 —	2 36	4 —	— 35	— 25	— 50	— 40	— 45	— 55	— 50	— 60	3 40	3 60	— 20	1 60
1 30	1 —	1 20	2 —	2 21	3 10	— 40	— 26	— 50	— 60	— 50	— 80	— 60	— 60	2 60	3 60	— 20	1 60
1 53	1 50	1 39	1 70	2 30	3 54	— 25	— 25	— 35	— 35	— 65	— 45	— 35	— 35	2 90	3 —	— 20	1 50
1 35	1 25	1 30	1 80	2 30	4 —	— 35	— 30	— 60	— 40	— 50	— 50	— 50	— 50	3 60	3 80	— 20	1 60
1 60	1 —	1 20	1 80	2 20	2 40	— 32	— 26	— 60	— 40	— 50	— —	— 50	— 50	2 80	3 60	— 20	1 40
1 40	1 20	1 20	2 —	2 40	4 13	— 32	— 30	— 60	— 60	— 50	— —	— 60	— 60	3 20	3 60	— 20	2 —
1 48	1 30	1 25	1 90	2 35	3 60	— 40	— 26	— 50	— 60	— 60	— 60	— 60	— 60	2 80	4 —	— 20	1 80
1 30	1 10	1 40	1 70	2 20	3 60	— 34	— 28	— 40	— 50	— 40	— 60	— 40	— 40	3 —	3 60	— 20	1 60
1 60	1 —	1 40	1 80	2 10	3 60	— 36	— 24	— 50	— 40	— 40	— 60	— 36	— 60	2 50	3 60	— 20	1 80
1 50	1 50	1 30	2 10	2 15	3 50	— 50	— 36	— 50	— 40	— 50	— 50	— 40	— 50	4 —	3 80	— 20	2 20
1 50	1 30	1 50	1 80	2 28	4 09	— 40	— 33	— 50	— 50	— 50	— 50	— 45	— 60	3 30	3 90	— 20	1 80
1 49	1 —	1 30	1 90	2 40	3 80	— 32	— 28	— 50	— 40	— 50	— 60	— 50	— 60	3 40	3 80	— 20	2 —
1 40	1 20	1 15	2 —	1 99	3 06	— 27	— 25	— 40	— 40	— 50	— 50	— 40	— 50	3 20	3 60	— 20	1 60
1 50	1 —	1 20	1 60	2 60	3 75	— 30	— 26	— 40	— 44	— 45	— 44	— 40	— 60	3 25	3 50	— 20	1 60
1 30	1 10	1 20	1 70	2 40	4 —	— 40	— 30	— 60	— 60	— 50	— 60	— 50	— 60	3 25	3 58	— 20	1 60
1 40	1 —	1 20	2 —	2 40	4 —	— 35	— 25	— 50	— 40	— 50	— 50	— 50	— 60	3 20	3 40	— 20	2 —
1 50	1 40	1 50	1 80	2 20	3 70	— 40	— 30	— 50	— 50	— 55	— 50	— 50	— 55	3 40	3 80	— 20	1 40
1 40	1 20	1 40	1 80	2 40	2 80	— 35	— 25	— 55	— 50	— 50	— 50	— 55	— 60	3 20	3 60	— 20	1 40
1 60	1 50	1 50	1 60	2 30	3 20	— 40	— 35	— 60	— 50	— 50	— 60	— 50	— 60	2 80	3 20	— 20	1 20
1 40	1 20	1 30	2 —	2 40	4 —	— 40	— 30	— 60	— 50	— 50	— 60	— 50	— 60	3 60	3 80	— 20	1 20
1 20	1 10	1 20	1 80	2 20	3 44	— 35	— 28	— 50	— —	— 40	— 50	— 30	— 50	3 30	3 60	— 20	1 60
1 33	1 02	1 27	1 90	2 11	3 31	— 28	— 26	— 50	— 50	— 50	— 60	— 50	— 50	3 20	3 60	— 20	2 —
1 40	1 30	1 20	1 80	2 20	3 76	— 25	— 26	— 50	— 40	— 40	— 50	— 50	— 60	3 50	3 75	— 20	1 40

Der Regierungs-Präsident.

207. **Nachweisung**

des Monatsdurchschnitts der gezahlten höchsten Tagespreise einschließlich 5 % Aufschlag im Monat September 1890 in den Hauptmarktorten des Regierungs-Bezirks Potsdam.

Laufende Nummer.	Es kosteten je 50 Kilogramm.	Beeskow für Kreis Beeskow-Storkow.		Brandenburg für Brandenburg und Kreis Westhavelland.		Luckenwalde für Kreis Jüterbog-Luckenwalde.		Perleberg für Kreis Westprignitz.		Potsdam für Potsdam und Kreis Zauch-Belzig.		Prenzlau für die Kreise Prenzlau und Templin.		Neu-Ruppin für Kreis Ruppin.		Schwedt für Kreis Angermünde.		Wittstock für Kreis Ostprignitz.		Bemerkungen.
		M.	Pf.	M.	Pf.	M.	Pf.	M.	Pf.	M.	Pf.	M.	Pf.	M.	Pf.	M.	Pf.	M.	Pf.	
1.	Hafer	7	08	8	19	6	67	7	92	8	28	6	07	6	81	7	43	6	32	Für die Kreise Oberbarnim, Niederbarnim, Osthavelland und Teltow, sowie für Stadt Spandau gilt Berlin als Hauptmarktort.
2.	Heu	2	36	2	52	2	63	2	66	2	90	3	15	2	62,5	2	45,5	2	62,5	
3.	Richtstroh	1	83	2	10	1	75	2	13	2	33	2	10	2	42,5	1	89	1	83,5	

Potsdam, den 7. Oktober 1890. Der Regierungs-Präsident.

Ertheilung von Wandergewerbescheinen.

208. Aus Anlaß eines Spezialfalles veranlasse ich die Amtsvorsteher und Polizeiverwaltungen, die Verhältnisse derjenigen Personen, welche die Ausstellung von Wandergewerbescheinen oder ihre Erneuerung beantragen, strengstens zu prüfen und, falls Bedenken obwalten sollten, dieselben bei Ueberreichung der Gesuchsnachweisungen näher zu erörtern.

Potsdam, den 1. Oktober 1890.

Der Regierungs-Präsident.

Dampfkessel-Revisionen innerhalb des Baukreises Zehdenick.

209. In Gemäßheit zu № 3 des Regulatives über die Revision der Dampfkessel vom 24. Juni 1872 (A.-Bl. S. 207 ff.) und im Anschlusse an meine Verordnung vom 20. September 1882 (A.-Bl. S. 379) wird hierdurch zur allgemeinen Kenntniß gebracht, daß der mit der Verwaltung der Wasserbauinspektion Zehdenick beauftragte Königliche Wasserbauinspektor Schmidt in Zehdenick mit der Revision der Dampfkessel innerhalb des gedachten Baukreises betraut ist.

Potsdam, den 4. Oktober 1890.

Der Regierungs-Präsident.

Viehseuchen.

210. Festgestellt ist:

der Rotz bei einem Pferde des Fuhrherrn Wilhelm Tau zu Brandenburg a. H., bei einem Pferde des Roßschlächters Stolzenburg zu Prenzlau, Kreis Prenzlau; bei drei Pferden des Fuhrherrn Schöneberg zu Rixdorf, Kreis Teltow; bei einem Pferde des Domänenpächters Stolze in Lietzow, Kreis Westhavelland;

die Maul- und Klauenseuche unter dem Rindviehbestande des Gutsbesitzers Wilhelm Schmidt zu Schmergow, Kreis Zauch-Belzig, der Bauergutsbesitzer Liepe, Matzahn und Giese sowie des Gutspächters Els zu Etzin und des Bauergutsbesitzers Gutschmidt zu Uetz, Kreis Osthavelland. Beide Ortschaften sind gegen das Durchtreiben von Wiederkäuern und Schweinen gesperrt worden.

Festgestellt ist ferner:

der Bläschenausschlag bei einem Bullen des Bauergutsbesitzers Adolf Marzahn und je einer Kuh des Bauergutsbesitzers Johann Scheel und des Bauergutsbesitzers Wilhelm Scheel zu Göricke, Kreis Ostprignitz.

Erloschen ist:

der Milzbrand in Lentzke, Kreis Osthavelland;

die Maul- und Klauenseuche unter dem Rindviehbestande des Gutes Grabow, Kreis Westhavelland.

Potsdam, den 7. Oktober 1890.

Der Regierungs-Präsident.

Bekanntmachungen des Königlichen Polizei-Präsidenten von Berlin.

Bekanntmachung.

79. Die, durch die Bekanntmachung vom 18. Juni d. J. auf 14 Tage ausgedehnte Liegefrist der Obsthandelsschiffe auf den Wasserstraßen des hiesigen Polizeibezirks findet auch für die, mit Kartoffeln beladenen Fahrzeuge Anwendung.

Berlin, den 27. September 1890.

Der Polizei-Präsident.

Bekanntmachungen des Staatssekretairs des Reichs-Postamts.

Bekanntmachung.

23. In Dar-es-Salaam ist eine Kaiserlich Deutsche Telegraphenanstalt für den allgemeinen Verkehr eröffnet worden. Die Worttgebühr für Telegramme aus Deutschland nach Dar-es-Salaam beträgt 7 M. 85 Pf.

Berlin W., 1. Oktober 1890.

Der Staatssecretair des Reichs-Postamts.

Bekanntmachungen des Reichs-Postamts.

Postpacketverkehr mit Echowe (Zululand) und mit Borneo.

24. Von jetzt ab können Postpackete ohne Werthangabe im Gewicht bis 3 kg nach Echowe (Zululand), nach den Stationen Gaya, Kudat, Mempakol, Sandakan und Silam der Britisch-Nord-Borneo-Gesellschaft, sowie nach Sarawak (Borneo) versandt werden. Die Packete müssen frankirt werden.

Ueber die Taxen und Versendungsbedingungen ertheilen die Postanstalten auf Verlangen Auskunft.

Berlin W., 18. September 1890.

Reichs-Postamt, I. Abtheilung.

Bekanntmachungen der Kaiserlichen Ober-Postdirektion zu Potsdam.

Bekanntmachung.

92. Das für die Dauer der Sommermonate in Schlachtensee bei Zehlendorf (Kr. Teltow) eingerichtete Postamt mit Telegraphenbetrieb tritt mit dem 30. September außer Wirksamkeit.

Potsdam, 30. September 1890.

Der Kaiserliche Ober-Postdirektor.

Bekanntmachungen des Königlichen Ober-Bergamts zu Halle.

Bergpolizeiverordnung,

betreffend die Sicherung der Salzlagerstätten vor Wassersgefahr.

25. Auf Grund der §§ 196 und 197 des Allgemeinen Berggesetzes vom 24. Juni 1865 wird hierdurch für den Bezirk des unterzeichneten Oberbergamts verordnet:

§ 1. Wer im freien oder verliehenen Felde zur Aufsuchung von Steinsalz oder mit demselben auf der nämlichen Lagerstätte vorkommenden Salzen Bohrungen unternimmt, hat vor dem Beginn der Bohrarbeit den Ansatzpunkt derselben bei der Bergbehörde derartig anzuzeigen, daß derselbe auf der Muthungsübersichtskarte bez. auf dem Grubenbilde aufgetragen werden kann.

§ 2. Von der Einstellung der Bohrarbeit ist der Bergbehörde sofort Anzeige zu machen.

Das Bohrloch ist vor dem Verlassen von der Bohrlochssohle aus 100 m hoch, wenn aber eine oder mehrere Salzlagerstätten erbohrt worden sind, von der Sohle aus bis zu einem 100 m über der obersten Salzlagerstätte gelegenen Punkte nach der Anordnung der Bergbehörde mit wasserabdämmenden Stoffen (Letten, Thon, Cement u. dergl.) so dicht auszufüllen, daß dadurch das Eindringen der Wasser des Deckgebirges in die Salzlagerstätten verhütet wird.

Erreicht das Bohrloch nicht die Tiefe von 100 m, so ist dasselbe bis zur Tagesoberfläche auszufüllen.

Auf Anordnung der Bergbehörde muß das Bohrloch auch über 100 m aufwärts bis zu der von derselben bezeichneten Höhe ausgefüllt werden.

§ 3. Von der wasserabdämmenden Ausfüllung der Bohrlöcher kann ausnahmsweise mit Genehmigung des Oberbergamtes Abstand genommen werden.

§ 4. Die gegenwärtige Verordnung tritt mit dem 1. November 1890 in Kraft.

§ 5. Uebertretungen dieser Verordnung werden nach § 208 des Allgemeinen Berggesetzes vom 24. Juni 1865 mit Geldstrafe bis zu Einhundert und fünfzig Mark bestraft.

Halle, den 1. Oktober 1890.

Königliches Oberbergamt.

v. Rynsch. v. Rohr. Pinno. Stein. Broja. Täglichsbeck. Arndt.

Bekanntmachungen der Königlichen Eisenbahn-Direktion zu Bromberg.

Bekanntmachung.

61. Mit dem 1. Oktober 1890 wird die zwischen Kornatowo und Stolno belegene Haltestelle Kamlarken für den beschränkten Wagenladungs-Güterverkehr eröffnet. Sendungen nach Kamlarken werden nur frankirt, von Kamlarken nur unfrankirt und in beiden Richtungen nur ohne Nachnahmebelastung angenommen, auch können Fahrzeuge daselbst nicht verladen werden. Der Frachtberechnung werden bis auf Weiteres die Entfernungen für Kornatowo und Stolno unter Zuschlag von 5 bezw. 7 km zu Grunde gelegt.

Bromberg, den 29. September 1890.

Königliche Eisenbahn-Direktion.

Bekanntmachungen des Landesdirektors der Provinz Brandenburg.

Bekanntmachung.

10. In der Beilage werden die gemäß § 124 des zweiten Nachtrags zu dem revidirten Reglement der Städte-Feuer-Societät der Provinz Brandenburg von dem Provinzial-Ausschuß festgesetzten allgemeinen Bedingungen für die Versicherung beweglicher Sachen mit dem Bemerken bekannt gemacht, daß die Bekanntmachung des Zeitpunkts, mit welchem diese Versicherung in Kraft tritt, demnächst erfolgen wird.

Berlin, den 1. Oktober 1890.

Der Landesdirektor der Provinz Brandenburg.

von Levetzow.

Bekanntmachungen der Kreisausschüsse.

29. Auf Antrag der Betheiligten haben wir die Ausscheidung der zum Gutsbezirk Haselberg gehörigen Wiese N. 1 und 2 der Grundsteuer-Bücher von Platz, Artikel 4 der Grundsteuermutterrolle, Grundbuch von Platz Band I. Bl. 2 in Größe von 13,0700 ha, deren Eigenthümer der Gasthofsbesitzer Gabbe in Alt-Ranft ist, aus dem Gutsbezirk Haselberg und deren Einverleibung in den Gemeindebezirk Alt-Ranft, genehmigt.

Freienwalde a. O., den 29. Juli 1890.

Der Kreis-Ausschuß des Kreises Ober-Barnim.

Personal-Chronik.

1) An Stelle des zum zweiten Katasterinspektor bei der Königlichen Regierung zu Cöln ernannten Katasterkontroleur Schmidt II. ist der seitherige Katasterassistent Voigt unter Ernennung zum Katasterkontroleur mit der Verwaltung des Katasteramts Berlin II. zunächst widerruflich beauftragt. 2) Der Katasterkontroleur Wiemer zu Neu-Ruppin ist endgiltig zum Katasterkontroleur ernannt und demselben die Verwaltung des Katasteramtes Ruppin fernerhin übertragen. 3) Der Katasterlandmesser Detzner ist zum Katasterassistenten hierselbst berufen.

Der Katasterzeichner August Heine ist, zunächst widerruflich, zum etatsmäßigen Katasterzeichner bei dem Katasteramte Ostprignitz ernannt worden.

Der Katasterzeichner Karl Herrmann, genannt Mentzel ist, zunächst widerruflich, zum etatsmäßigen

Katasterzeichner bei dem Katasteramte Potsdam ernannt worden.

Der bisherige wissenschaftliche Hilfslehrer in Berlin **Richard Köhler** ist als ordentlicher Lehrer an der 1. höheren Bürgerschule ebenda angestellt worden.

Der bisherige wissenschaftliche Hilfslehrer Dr. **Kleinecke** am Französischen Gymnasium in Berlin ist als ordentlicher Lehrer am Königlichen Gymnasium in Schöneberg angestellt worden.

Der Elementarlehrer **Blohmer** ist als Vorschullehrer an dem Königlichen Gymnasium in Charlottenburg angestellt worden.

Personal-Veränderungen im Bezirke der Kaiserlichen Ober-Postdirection in Potsdam.

Etatsmäßig angestellt ist: der Postassistent **Oesterreich** in Fischerwall als Postverwalter ebendaselbst.

Ernannt sind: der Postkassirer **Wegner** in Potsdam zum Postinspector, der Ober-Postdirectionssecretair **Sydow** in Potsdam zum Telegrapheninspector, die Postsecretaire **Stip** und **Zahn**, sowie die Telegraphensecretaire **Ruck** und **Schiche** in Potsdam zu Ober-Postdirectionssecretairen, die Postsecretaire **Backe** in Jüterbog, **Eberstein** in Rathenow und **Kogel** in Luckenwalde zu Ober-Postsecretairen.

Versetzt sind: der Postsecretair **Pigulla** von Wittenberge (Bz. Pdm.) nach Schwedt, der Ober-Telegraphenassistent **Oberüber** von Potsdam nach Königsberg (Preußen), die Postverwalter **Buchholz** von Greiffenberg (Uckerm.) nach Biesenthal 2 (Bhf.) und **Gain** von Biesenthal 2 (Bhf.) nach Neustadt (Dosse) 2 (Stadt).

Vermischte Nachrichten.

Bekanntmachung.

Nach Anordnung des Herrn Justiz-Ministers vom 11. Februar 1890 (J.-M.-Bl. S. 74) geht die Führung der Handels-, Genossenschafts- und Muster-Register vom 1. Oktober 1890 ab auf das unterzeichnete Amtsgericht für dessen Bezirk über. Von diesem Tage ab werden im Laufe des Geschäftsjahres 1890 die öffentlichen Bekanntmachungen der Eintragungen in das Firmen-, Gesellschafts- und Prokuren-Register durch den Deutschen Reichs- und Königlich Preußischen Staats-Anzeiger, die Berliner Börsenzeitung, das Amtsblatt der Königlichen Regierung zu Potsdam, das Osthavelländische Kreisblatt zu Nauen und die Fehrbelliner Zeitung, der Eintragungen in das Genossenschafts-Register und in das Zeichen- und Muster-Register nur durch den Deutschen Reichs- und Königlichen Preußischen Staats-Anzeiger und das Osthavelländische Kreisblatt zu Nauen erfolgen. Anmeldungen und Anträge in Handels-, Genossenschafts- und Muster-Registersachen werden an jedem Mittwoch Vormittag von 10 bis 12 Uhr an hiesiger Gerichtsstelle entgegengenommen.

Fehrbellin, den 4. Oktober 1890.

Königliches Amtsgericht.

Ausweisung von Ausländern aus dem Reichsgebiete.

Lauf. Nr.	Name und Stand des Ausgewiesenen.	Alter und Heimath des Ausgewiesenen.	Grund der Bestrafung.	Behörde, welche die Ausweisung beschlossen hat.	Datum des Ausweisungs-Beschlusses.
1.	2.	3.	4.	5.	6.
		Auf Grund des § 362 des Strafgesetzbuchs:			
1	Anton Biebl, Glasarbeiter,	46 Jahre alt, geboren zu Nagelberg, Bezirk Waidhofen, Nieder-Oesterreich, ortsangehörig zu Brand-Nagelberg, ebendaselbst,	Betteln im wiederholten Rückfall,	Stadtmagistrat Regensburg, Bayern,	21. August 1890.
2	Josef Deibl, Maurergeselle,	geboren am 25. Februar 1840 zu Schwan, Bezirk Mies, Böhmen, ortsangehörig ebendas.,	desgleichen,	Königlich Sächsische Kreishauptmannschaft Zwickau,	2. August 1890.

Hierzu

1) eine Extra-Beilage, enthaltend das Statut des Feuerversicherungs-Verbandes Deutscher Fabriken zu Berlin,
2) eine Beilage, enthaltend die Allgemeinen Bedingungen für die Versicherung beweglicher Sachen bei der Städte-Feuer-Societät der Provinz Brandenburg,
sowie Drei Oeffentliche Anzeiger.

(Die Insertionsgebühren betragen für eine einspaltige Druckzeile 20 Pf. Belagsblätter werden der Bogen mit 10 Pf. berechnet.)

Redigirt von der Königlichen Regierung zu Potsdam.

Potsdam, Buchdruckerei der A. W. Hayn'schen Erben (E. Hayn, Hof-Buchdrucker).

Zeichnungsschein.

Von den zu begebenden 2000 Stück Obligationen des „Feuerversicherungs-Verbandes deutscher Fabriken" zu Berlin, lautend über je Fünfhundert Mark, verpflichte ich mich hiermit dem Gründungs-Comité gegenüber auf Grund des von demselben entworfenen, mir behändigten Statuts de dato Berlin, den 24. Januar 1890 ...... Stück über zusammen Mark zu übernehmen, und, insoweit mir solche durch Beschluß des Comités bezw. des Aufsichtsrathes (§ 50 des Statuts) zugetheilt werden, die statutenmäßige Baareinzahlung mit einhundert fünfundzwanzig Mark pro Stück, zuzüglich fünf Prozent Zinsen vom 1. Januar 1890 ab, innerhalb 14 Tagen nach erhaltener desfallsiger Aufforderung des Aufsichtsrathes (§ 50 des Statuts) an die aufgegebene Zahlstelle prompt abzuführen und an die letztere gleichzeitig die Solawechsel à 375 Mark einzusenden.

Ich bevollmächtige inzwischen den Aufsichtsrath, gemäß § 51 des Statutenentwurfes alle Abänderungen des Statuts vorzunehmen, welche etwa Seitens der Staatsregierung vorgeschrieben werden sollten, wie auch alles dasjenige zu thun, was derselbe behufs Organisation des Verbandes für erforderlich erachten sollte. Indem ich mich den Handlungen des Aufsichtsrathes nach diesen beiden Richtungen hin im Voraus unterwerfe, gewärtige ich seiner Zeit Aushändigung der Obligationen.

(Ort und Datum:) ....

(Unterschrift:) ....

Schema A.

.... den .... 19 ..

Für Mark 375.

Vier Wochen nach Vorzeigung, welche spätestens am .... erfolgen muß, zahle .... in Berlin bei .... gegen diesen .... -Wechsel an die Ordre des „Feuerversicherungs-Verbandes deutscher Fabriken" daselbst die Summe von Dreihundert fünfundsiebzig Mark.

Unterschrift: ....

Zur Obligation №

Schema B.

Feuerversicherungs-Verband deutscher Fabriken zu Berlin.

Obligation № ......

Inhaber dieser Obligation .... hat an die Kasse des Feuerversicherungs-Verbandes deutscher Fabriken zu Berlin

Einhundert fünfundzwanzig Mark

baar eingezahlt und ferner einen Solawechsel über Dreihundert fünfundsiebzig Mark bei der genannten Kasse deponirt.

Der Verband ist verpflichtet, den auf diese Obligation baar eingezahlten Betrag von 125 Mark jährlich mit **fünf Prozent** zu verzinsen, zahlbar am 31. Dezember jeden Jahres gegen Rückgabe des betreffenden Coupons.

Die Obligation ist gegen Rückzahlung von 125 Mark baar nebst den entfallenden Zinsen, sowie gegen Rückgabe des hinterlegten Solawechsels über 375 Mark, an die Kasse des Feuerversicherungs-Verbandes deutscher Fabriken auszuliefern, sobald diese gemäß § 42 des Statuts ausgeloost wird.

Für diese Obligation haften gemäß §§ 42 und 47 des Statuts das gesammte Vermögen bezw. die sämmtlichen Mitglieder des Verbandes.

Berlin, den ....

Feuerversicherungs-Verband deutscher Fabriken.

Für den Aufsichtsrath: Der Vorstand

Der Vorsitzende: N. N.

N. N.

Eingetragen in das Obligationenbuch Fol. .... Nr. ....

(Unterschrift des Kontrolbeamten:)

Rückseite: § 42 des Statuts und Uebertragungs-Vermerk.

Schema C. №

Zins-Coupon

zur

Obligation №

des

Feuerversicherungs-Verbandes deutscher Fabriken zu Berlin.

Am 31. Dezember 18 . . empfängt der Inhaber dieses Scheines gegen Einlieferung desselben Sechs Mark und 25 Pfennig Zinsen für das Jahr 18 . . an unserer Kasse baar ausgezahlt.

Feuerversicherungs-Verband deutscher Fabriken.

Für den Aufsichtsrath: Der Vorstand:

. . . .

(Faksimilirte Unterschriften.)

Rückseite.

Coupons, welche innerhalb vier Jahren nach dem 31. Dezember des Fälligkeitsjahres nicht erhoben werden, verfallen zu Gunsten des Reservefonds des Feuerversicherungs-Verbandes deutscher Fabriken (§ 41 des Statuts).

Eine Mortifikation verloren gegangener Zins-Coupons findet nicht statt.

Schema D.

Vorderseite.

Talon

zur

Obligation №

des

Feuerversicherungs-Verbandes deutscher Fabriken zu Berlin.

(Stempel.)

Eingetragen sub Fol. . . . . des Registers.

(Unterschrift des Kontrolbeamten.)

Rückseite.

Inhaber dieses Talons empfängt gegen Einlieferung desselben am . . ten . . . . 18 . . die . . . . Serie des Zinscoupons zu der umstehend bezeichneten Obligation.

Feuerversicherungs-Verband deutscher Fabriken.

Für den Aufsichtsrath: Der Vorstand:

. . . .

(Faksimilirte Unterschriften.)

Eine Mortifikation verloren gegangener Talons findet nicht statt.

Auf den Bericht vom 6. August d. J. will Ich dem mit dem Sitze in Berlin zu errichtenden „Feuerversicherungs-Verbande deutscher Fabriken" unter Genehmigung des anliegenden Statuts vom 10. Juli 1890 hierdurch die Rechte einer juristischen Person verleihen. Diese Verleihung erfolgt jedoch nur unter dem ausdrücklichen Vorbehalte, daß die Gesellschaft ihre Geschäftsthätigkeit nicht eher beginnen darf, bis die in § 42 des Statuts vorgesehenen baaren Einzahlungen auf den Betriebs-Fonds und die Belegung des Restes durch Solawechsel der Aufsichtsbehörde nachgewiesen worden sind, und daß die ertheilte Concession erlischt, wenn der gedachte Nachweis nicht binnen sechs Monaten — von der Behändigung der gegenwärtigen Statutsgenehmigung ab gerechnet — geführt wird.

Narwa, den 18. August 1890.

gez. **Wilhelm** R.

Zugleich für den Justiz-Minister.

ggez. Herrfurth.

Für den Minister für Handel und Gewerbe.

von Boetticher.

An die Minister des Innern, der Justiz und für Handel und Gewerbe.

Potsdam, Buchdruckerei der A. W. Hayn'schen Erben (E. Hayn, Hof-Buchdrucker).

Extra-Beilage

zum 41sten Stück des Amtsblatts

der Königlichen Regierung zu Potsdam und der Stadt Berlin.

Den 10. Oktober 1890.

Bekanntmachungen des Königlichen Polizei-Präsidiums zu Berlin.

Bekanntmachung.

78. Nachstehend bringe ich das durch Allerhöchsten Erlaß vom 18. August dieses Jahres genehmigte Statut des in Berlin zu errichtenden Feuerversicherungs-Verbandes Deutscher Fabriken nebst dem Allerhöchsten Erlasse selbst zur öffentlichen Kenntniß.

Berlin, den 9. September 1890.

Der Polizei-Präsident.
In Vertretung Friedheim.

* * *

Statut

des

Feuerversicherungs-Verbandes Deutscher Fabriken

zu

Berlin.

I. Firma, Sitz, Gerichtsstand, Zweck und Dauer.

§ 1. Unter der Firma:

„Feuerversicherungs-Verband Deutscher Fabriken“

wird auf Grund des gegenwärtigen Statuts ein Verein von nicht geschlossener Mitgliederzahl gebildet.

Der Zweck des Verbandes besteht in der Versicherung von Fabriken und gewerblichen Anlagen — nebst zugehörigen Wohn-, Wirthschafts- und Lagergebäuden und deren Inhalt — innerhalb Preußens und — soweit die betreffenden Staatsbehörden dies genehmigen — innerhalb der übrigen deutschen Staaten gegen die Gefahren des Feuers, des Blitzschlages und der Explosion, und zwar nach dem Prinzip der Gegenseitigkeit und der genössenschaftlichen, auf Oeffentlichkeit beruhenden Selbstverwaltung. (§ 4.)

§ 2. Der Verband hat seinen Sitz in Berlin.

Sofern die Staatsregierung eines außerpreußischen Landes die Konzession zum Geschäftsbetriebe an die Bedingung knüpft, daß der Verband bei Streitigkeiten mit dortigen Staatsangehörigen wegen der Ansprüche aus Versicherungsverträgen auch vor den dortigen Gerichten Recht zu nehmen habe, ist der Verband befugt, eine derartige Verpflichtung einzugehen.

§ 3. Die Dauer des Verbandes wird auf eine bestimmte Zeit nicht beschränkt.

II. Eintritt und Ausscheiden, Rechte und Pflichten der Mitglieder.

§ 4. Mitglied des Verbandes ist jede Person bezw. jede Firma, welche gegen die in § 2 aufgeführten Gefahren bei dem Verbande Versicherung in Gemäßheit der Statuten desselben nimmt.

Die Mitglieder sind in ihrer Gesammtheit die alleinigen Eigenthümer des Vermögens des Verbandes; sie haben nach Maßgabe der Bestimmungen in § 40 Anspruch auf die jährlichen Gewinnüberschüsse des Verbandes, dagegen haften sie für die Verbindlichkeiten des Verbandes gemäß den Bestimmungen in den §§ 7, 37, 42 und 47.

§ 5. Die Aufnahme als Mitglied wird auf Grund einer schriftlichen Anmeldung durch Unterzeichnung eines Versicherungsantrages nachgesucht und erfolgt nach Entrichtung der Prämiengelder durch Aushändigung einer vom Vorstande oder dem dazu ermächtigten Generalagenten vollzogenen Aufnahmeurkunde (Police) nebst Mitgliedskarte.

§ 6. Das Ausscheiden aus dem Verbande erfolgt:

a. mit dem Ablauf, bezw. der Aufhebung, des Versicherungsvertrages;
b. durch Auflösung der bei dem Verbande versicherten Firma;
c. im Falle des Besitzwechsels eines bei dem Verbande versicherten Etablissements, abgesehen von Erbschaftsfällen.

§ 7. Ausgeschiedene Mitglieder, ingleichen die Erben verstorbener Mitglieder, bleiben dem Verbande in Bezug auf alle den Mitgliedern zur Zeit des Ausscheidens obliegenden Verpflichtungen innerhalb der gesetzlichen Verjährungsfristen haftbar.

Den ausgeschiedenen Mitgliedern, bezw. deren Erben, steht kein Recht an dem Vermögen des Verbandes zu.

Dagegen bleiben die bis zum Erlöschen der Mitgliedschaft gegen den Verband erworbenen Rechte, einschließlich des Dividendenbezuges (§ 40), unberührt.

§ 8. Die Mitglieder des Verbandes sind berechtigt:

a. Anträge und Beschwerden an den Vorstand, den Aufsichtsrath und die General-Versammlung zu bringen;
b. an den Verhandlungen und Beschlüssen der General-Versammlung, einschließlich der Wahlen, theilzunehmen;
c. Anträge auf Einberufung außerordentlicher General-Versammlungen zu stellen (§§ 12 und 14).

Die Namen sämmtlicher Mitglieder des Aufsichtsrathes sind nach jeder Wahl im Deutschen Reichsanzeiger öffentlich bekannt zu machen.

Die Mitglieder des Aufsichtsraths führen den Nachweis ihrer Vertretungsbefugniß durch ein von dem Polizeipräsidenten zu Berlin auf Grund der betreffenden Wahlprotokolle auszustellendes Zeugniß.

§ 23. Beschlußfähig ist der Aufsichtsrath, wenn die Hälfte, mindestens aber fünf Mitglieder und unter diesen der Vorsitzende oder dessen Stellvertreter anwesend sind.

Bei Abstimmung entscheidet einfache Stimmenmehrheit der anwesenden Mitglieder, bei Stimmengleichheit die Stimme des Vorsitzenden, bei Wahlen das von letzterem zu ziehende Loos.

§ 24. In dringenden Fällen ist es dem Vorstande gestattet, eine schriftliche Abstimmung der Aufsichtsraths-Mitglieder einzuholen, wobei ebenfalls die Stimmenmehrheit und event. bei Stimmengleichheit die Stimme des Vorsitzenden entscheidet.

§ 25. Der Aufsichtsrath versammelt sich, so oft es die Geschäfte erheischen, gewöhnlich aber alle drei Monate einmal. Die Einladungen zu den Versammlungen erfolgen auf Anordnung des Vorsitzenden oder dessen Stellvertreters, schriftlich durch den Vorstand, unter Angabe der Tagesordnung.

Eine Zusammenberufung des Aufsichtsraths muß längstens innerhalb vier Wochen erfolgen, wenn zwei Aufsichtsraths-Mitglieder, oder der Vorstand, unter schriftlicher Begründung darauf antragen.

§ 26. Die Geschäfte des Aufsichtsraths sind im Allgemeinen:

a. die Wahl und bezw. Entlassung der Vorstandsmitglieder, sowie die eventuelle Anstellung technischer oder juristischer Beiräthe und Revisoren, und die Vereinbarung der Anstellungsbedingungen mit denselben;
b. die Festsetzung der allgemeinen Versicherungs-Bedingungen, sowie die Ertheilung der Instruktionen für den Vorstand, insbesondere hinsichtlich der Festsetzung des in Rückversicherung zu gebenden Antheils der Risiken;
c. die Prüfung und Feststellung der vom Vorstande zu übernehmenden Jahresrechnung und Bilanz;
d. die Bestimmung über die Verwendung bezw. zinsbare Anlegung der disponiblen Gelder, sowie über die Erwerbung und Veräußerung von Immobilien, nach Maßgabe der Bestimmungen in § 28;
e. die Festsetzung der etwa erforderlich werdenden Nachzahlungen (§ 37);
f. die Entscheidung über die Zulässigkeit der von den Mitgliedern für die Generalversammlung gestellten Anträge (§ 14);
g. die Festsetzung der Tagesordnung für die Generalversammlungen.

§ 27. Ueber die Verhandlungen und Beschlüsse des Aufsichtsraths sind Protokolle abzufassen, welche von den anwesenden Aufsichtsraths-Mitgliedern vollzogen und mit den sonstigen Akten, Urkunden und Schriften des Aufsichtsraths im Archive des Verbandes aufbewahrt werden.

Es steht jedem Mitgliede des Aufsichtsraths, sowie dem Vorstande, das Recht zu, seine vom Beschluß abweichende Ansicht motivirt zu Protokoll zu geben.

Die Verträge, Ausfertigungen und Bekanntmachungen des Aufsichtsrathes sind für diesen, bezw. den Verband, verbindlich, wenn sie von dem Vorsitzenden oder dessen Stellvertreter unterzeichnet sind.

§ 28. Der Aufsichtsrath kann nach seinem Ermessen Vertrauensmänner (Bezirksausschüsse) für einzelne, oder für sämmtliche, geographisch abzugrenzende, Geschäftsdistrikte des Verbandes ernennen, welche über die Annahme oder Ablehnung der Versicherungen, sowie über Maßnahmen behufs Verhütung oder Verminderung der Feuersgefahren in den einzelnen Fabriken bezw. gewerblichen Anlagen sich gutachtlich zu äußern und bei der Regulirung von Brandschäden mitzuwirken haben.

Befürchtet ein Verbandsmitglied durch die Zuziehung des betreffenden Vertrauensmannes die Schädigung seiner Geschäftsinteressen, so kann es denselben ablehnen und Zuziehung eines anderen geeigneten, auf seinen Vorschlag vom Vorstand zu ernennenden, Vertrauensmannes verlangen.

§ 29. Der Aufsichtsrath bezieht außer dem Ersatze der behufs Ausführung seines Amtes erforderlichen baaren Auslagen eine Entschädigung, welche jährlich von der Generalversammlung festgesetzt wird.

C. Von dem Vorstande.

§ 30. Die Ausführung der Beschlüsse des Aufsichtsrathes und der General-Versammlung, die gerichtliche und außergerichtliche Vertretung des Verbandes und die unmittelbare Leitung der Geschäfte ist dem Vorstande übertragen. Seine Befugniß zur Vertretung des Verbandes erstreckt sich auch auf diejenigen Geschäfte und Rechtshandlungen, für welche nach den Gesetzen eine Spezialvollmacht erforderlich ist. Der Vorstand besteht aus einem oder mehreren Direktoren. Die Wahl der Vorstands-Mitglieder erfolgt zu notariellem Protokoll vom Aufsichtsrathe, und es sind die Namen der gewählten Vorstands-Mitglieder im Deutschen Reichsanzeiger (§ 43) bekannt zu machen. Als Legitimation derselben gilt ein von dem Polizeipräsidenten zu Berlin auf Grund der betreffenden Wahlprotokolle ausgestelltes Zeugniß.

§ 31. Die Anstellungsbedingungen werden vom Aufsichtsrath mit dem Vorstande vereinbart und kontraktlich festgestellt.

Für Verhinderungsfälle des Vorstandes werden Stellvertreter für denselben aus dem höheren Beamtenpersonal des Verbandes vom Aufsichtsrathe, auf Vorschlag des Vorstandes, ernannt.

Die Wahl der Stellvertreter erfolgt ebenfalls zu notariellem Protokoll, und es sind deren Namen im Deutschen Reichsanzeiger bekannt zu machen. Als Legitimation gilt ein von dem Polizeipräsidenten zu Berlin auf Grund des betreffenden Wahlprotokolls ausgestelltes Zeugniß.

Dritten Personen gegenüber darf, wenn ein Stellvertreter fungirt hat, niemals der Einwand erhoben werden, es habe der Fall der Stellvertretung nicht vorgelegen.

§ 32. Der Vorstand ist, unter Beachtung der ihm vom Aufsichtsrathe ertheilten Geschäftsinstruktion, berechtigt, bezw. verpflichtet:

a. Beamte, General-, Haupt- und Spezialagenten anzustellen und zu entlassen, sowie deren Remuneration zu bestimmen. Jedoch darf er Beamte, welche über 3000 Mark Jahresgehalt beziehen, nur mit Genehmigung des Aufsichtsrathes anstellen;
b. Rückversicherungsverträge abzuschließen, vorbehaltlich der Genehmigung des Aufsichtsrathes;
c. Versicherungen anzunehmen, abzuschließen oder abzulehnen und aufzukündigen;
d. Schadensersatz-Ansprüche anzuerkennen oder abzulehnen, bezw. deren Auszahlung zu verfügen;
e. vierteljährlich kurze Rechnungsübersichten und Berichte zur Beurtheilung des Standes der Geschäfte, sodann alljährlich nach dem 31. Dezember die Hauptabschlüsse der Rechnungen und Bilanzen dem Aufsichtsrathe zur Prüfung und Feststellung vorzulegen;
f. den Geschäftsbericht für die Generalversammlungen abzufassen.

In den Sitzungen des Aufsichtsrathes, welchen der Vorstand mit berathender Stimme beizuwohnen berechtigt und verpflichtet ist, hat derselbe den Vortrag in allen Angelegenheiten der administrativen Geschäftsführung.

Der Vorstand zeichnet die Firma des Verbandes wie folgt:

Feuerversicherungs-Verband deutscher Fabriken.
Der Vorstand:
N. N.

Die Stellvertreter zeichnen wie oben:

J. V. (In Vertretung:)

Der Vorstand ist an die Statuten, wie an die Beschlüsse der Generalversammlung und des Aufsichtsrathes, welche ihm abschriftlich mitzutheilen sind, ferner an die von Letzterem ihm ertheilte Geschäftsinstruktion gebunden. Dritten Personen gegenüber ist jedoch diese Geschäftsinstruktion ohne Wirkung und darf diesen niemals entgegengesetzt werden.

IV. Betriebs- und Garantiemittel des Verbandes.

§ 33. Die Betriebs- und Garantiemittel des Verbandes bestehen in:

a. den fortlaufenden, pränumerando zu entrichtenden Beiträgen der Mitglieder (§ 10);
b. dem Betriebsfond (§ 42);
c. dem Reservefond (§ 41);
d. der Nachschußverbindlichkeit der Mitglieder (§§ 4 und 37).

§ 34. Die disponibeln Gelder und Fonds des Verbandes werden nach der Bestimmung des Aufsichtsrathes zinstragend angelegt, und zwar:

a. durch Ausleihung auf pupillarisch sichere Hypotheken;
b. durch Ankauf von pupillarisch sicheren Inhaberpapieren, welche von dem Deutschen Reiche, oder von einem zu demselben gehörigen Staate, emittirt oder garantirt, oder welche unter Autorität eines der vorgedachten Staaten von Korporationen oder Kommunen ausgestellt und mit einem ein für alle Male bestimmten Satze verzinslich sind;
c. durch Ankauf von pupillarisch sicheren Effekten mit realer Sicherheit, insbesondere von deutschen Eisenbahnprioritäten und Pfandbriefen.

Die Vorschriften über die Anlegung der Gelder des Verbandes finden keine Anwendung auf die durch den Geschäftsverkehr entstehenden Außenstände bei Bankhäusern und Agenten.

Die Erwerbung von Grundstücken ist nur soweit gestattet, als es sich um Beschaffung von Geschäftslokalen für den Verband oder um Abwendung von Verlusten an ausstehenden Forderungen handelt.

Die Vermögensbestände des Verbandes — Werthpapiere, Hypotheken ꝛc. — werden im Tresor eines eisernen Geldschrankes unter dreifachem Verschluß aufbewahrt, oder bei der Reichsbank deponirt. Je einen Schlüssel zu dem Tresor führen die Vorstandsmitglieder, der Kassirer und der Vorsitzende des Aufsichtsrathes, bezw. deren Stellvertreter.

V. Von der Jahresrechnung und Bilanz.

§ 35. Das Rechnungsjahr des Verbandes ist das Kalenderjahr.

Die Inventur des Vermögens des Verbandes erfolgt am 31. Dezember jeden Jahres.

Der Aufsichtsrath hat zu bestimmen, wie viel auf den Kostenwerth der im Besitze des Verbandes befindlichen Mobilien und Immobilien abzuschreiben ist; jedoch darf die Abschreibung für Immobilien nicht unter 1 %, für jede andere Kategorie nicht unter 5 % jährlich betragen, wobei dem Aufsichtsrathe zur Pflicht gemacht wird, einen höheren Satz zu bestimmen, wenn dies nach Maßgabe der Abnutzung und der sonstigen Verhältnisse angemessen scheint.

§ 36. Die Bücher werden nach den Regeln der kaufmännischen doppelten Buchhaltung geführt und am 31. Dezember jeden Jahres abgeschlossen. Auf Grund derselben wird die Jahresrechnung und Bilanz über das Vermögen des Verbandes auf diesen Tag von dem Vorstande bis spätestens ultimo März des nächstfolgenden Jahres aufgestellt, zunächst von dem Aufsichtsrathe und dann von der Revisionskommission (§ 18) speziell geprüft und von der Generalversammlung dechargirt.

Die Vergleichung der Einnahmen und Ausgaben ergiebt den Ueberschuß, oder das Defizit, des Rechnungsjahres, welche am Schlusse der Bilanz besonders auszuwerfen sind.

Die Abrechnung wird wie folgt aufgestellt:

Zu den Einnahmen gehören:

a. die erhobenen Prämien;
b. die im Vorjahr zurückgestellten Prämien- und Schädenreserven;
c. alle sonstigen Einnahmen, sowie das Guthaben auf Zinsen, welche im nächsten Rechnungsjahr zahlbar werden, bis zum Jahresschlusse berechnet (Stückzinsen).

Unter den Ausgaben sind aufzuführen:

1) die bezahlten Schäden;
2) die Rückversicherungsprämien;
3) die Reserve für die bis zum Schlusse des Jahres zwar angemeldeten, aber noch nicht abgewickelten, Schäden in Höhe der angemeldeten Beträge;
4) die Prämienreserve für die am Schlusse des Rechnungsjahres noch nicht abgelaufenen Versicherungen;
5) die Zinsen und Amortisationsquoten der Obligationen (§ 42);
6) die Verwaltungskosten zuzüglich der Gründungs- und Organisationskosten.

Die dem Verbande bis zu seiner Konzessionirung erwachsenen Kosten — Gründungskosten — müssen in der Abrechnung für das erste Geschäftsjahr in Ausgabe erscheinen.

Die von der Konzessionirung des Verbandes ab bis zum Schlusse des ersten Geschäftsjahres für Organisation aufgewendeten Kosten bis zum Höchstbetrage von 50 000 M. dürfen in der Abrechnung für diesen Zeitraum mit $^1/_5$ in Ausgabe erscheinen. Der Rest muß in den Abrechnungen der nächsten 4 Jahre je mit $^1/_4$ in Ausgabe gestellt werden.

Uebersteigen im ersten Geschäftsjahre die Organisationskosten den Betrag von 50 000 M., so ist der bezfallsige Mehrbetrag außer der Rate von 10 000 M. in der Abrechnung für diesen Zeitraum ebenfalls in Ausgabe aufzuführen.

Weitere, nach Schluß des ersten Geschäftsjahres nothwendig werdende Organisationskosten dürfen den bis dahin erwachsenen nicht zugeschrieben und mit diesen amortisirt werden, sondern müssen jedesmal in der Abrechnung des Jahres, in welchem sie entstanden sind, in Ausgabe erscheinen;

7) die Abschreibungen auf die dem Verbande gehörenden Grundstücke, oder anderes Besitzthum (§ 36);
8) gemeinnützige und sonstige Ausgaben.

Von dem sich hiernach ergebenden Ueberschusse fließen 10 % in den Reservefond (§ 41); ferner kommen die statutarischen und vertragsmäßigen Tantiemen, bezw. Entschädigungen und Vergütungen in Abzug. Aus dem Restbetrag wird die Dividende an die Verbandsmitglieder gezahlt (§ 40).

Bei Ziehung der Bilanz sind aufzunehmen:

I. Unter die Aktiva:
   a. der baare Kassenbestand am Jahresschluß;
   b. der Bestand an Effekten und Werthpapieren; dieselben müssen nach Gattungen spezifizirt und dürfen höchstens zum Tagescourse am 31. Dezember, jedoch nicht höher als zum Anschaffungswerthe, in Ansatz gebracht werden;
   c. in den ersten 5 Geschäftsjahren die von der Konzessionirung des Verbandes ab bis zum Schluß des ersten Geschäftsjahres entstandenen Organisationskosten bis zum Höchstbetrage von 50 000 M., soweit sie nicht amortisirt sind;
   d. die Ausstände und Forderungen aller Art, unter Berücksichtigung des Werthes, welchen sie nach den erforderlichen Falles stattgehabten Abschreibungen am Schlusse des Jahres haben;
   e. die Werthe der Immobilien, Mobilien 2c., soweit dieselben nicht bis zum Schluß des betreffenden Jahres bereits amortisirt sind;
   f. das Guthaben auf Zinsen, welche erst im nächsten Rechnungsjahr zahlbar werden, bis zum Jahresschlusse berechnet (Stückzinsen);
   g. alles andere Eigenthum zu demjenigen Werthe, welchen dasselbe nach sorgfältiger Erwägung am Jahresschlusse hat.

II. Unter die Passiva:
   1) die Reserve für die angemeldeten, aber am Schlusse des Jahres noch nicht berichtigten, Schäden in Höhe der angemeldeten Beträge;
   2) die Prämienreserve für die am Schlusse des Jahres noch nicht abgelaufenen Versicherungen;
   3) der auf den Betriebsfond baar eingezahlte Betrag, insoweit derselbe noch nicht amortisirt ist;
   4) die im Voraus vereinnahmten Zinsen, soweit dieselben in das nächste Rechnungsjahr gehören;
   5) die Schulden des Verbandes aller Art.

Die den vorstehenden Bestimmungen gemäß aufzustellende jährliche Bilanz muß durch den Deutschen Reichsanzeiger nach Dechargirung durch die Generalversammlung öffentlich bekannt gemacht werden.

VI. Nachzahlungen und Dividenden.

§ 37. Falls die im Voraus zur Erhebung gelangenden Prämien zur Deckung der Schäden und Lasten am Schlusse eines Rechnungsjahres nicht ausreichend sein sollten, so wird zunächst der Reservefond (§ 41) zur Deckung des Ausfalles verwendet. Sollte letzterer hierzu nicht ausreichen, so werden die Mitglieder zu Nachzahlungen herangezogen. Die Höhe der Nachzahlungen wird vom Aufsichtsrathe festgesetzt, und es werden dieselben nur in vollen Prozenten der entfallenden Jahresprämie von sämmtlichen Mitgliedern erhoben und zwar in der Weise, daß die in dem betreffenden Jahre nach dem 1. Juli neu eingetretenen Mitglieder nur die Hälfte, und die nach dem 1. Oktober neu eingetretenen Mitglieder nur ein Viertheil des prozentualen Nachschusses zu zahlen haben.

Die Nachschußverbindlichkeit der Mitglieder beschränkt sich in einem Jahre auf den dreifachen Betrag der für das betreffende Jahr entfallenden Prämienbeiträge. Sollte die Erhebung einer dreifachen Nachschußzahlung zur Deckung der entstandenen Verluste in einem Jahre nicht ausreichen, so haften diejenigen Verbandsmitglieder, welche in dem betreffenden Verlustjahre versichert waren — ohne Rücksicht darauf, ob dieselben dem Verbande derzeit noch als Mitglieder angehören oder nicht — auch für den weiteren Fehlbetrag je mit einer dreifachen Nachschußverbindlichkeit ihrer auf das Verlustjahr entfallenen Prämienbeiträge, und zwar für jedes der folgenden Jahre, so lange, bis die gesammten Verbindlichkeiten des Verbandes aus jenem Verlustjahre gänzlich getilgt sind. Dem Aufsichtsrathe ist in einem solchen Falle gestattet, behufs sofortiger Tilgung der Verbindlichkeiten des Verbandes eine Anleihe für den letzteren aufzunehmen, für welche die in den Verlustjahren versichert gewesenen Mitglieder nach Maßgabe der vorstehenden Bestimmungen aufzukommen haben.

§ 38. Jedes Mitglied empfängt mittelst eingeschriebenen Briefes eine Aufforderung des Vorstandes zur Entrichtung der etwaigen Nachschußzahlungen. Kein Mitglied kann bezüglich einer Zahlungssäumniß den Nichtempfang einer brieflichen Zahlungsaufforderung als Entschuldigung vorschützen, auch steht keinem Mitgliede das Recht zu, gegen die Feststellung und Höhe dieser Nachzahlungen Einwendungen zu erheben.

§ 39. Kommt ein Mitglied der Zahlungsaufforderung (§ 38) binnen vier Wochen nach der im Ausschreiben angegebenen Frist nicht nach, so verfällt dasselbe in eine Konventionalstrafe im Betrage von 100 Prozent der ausgeschriebenen schuldigen Nachschußquote.

§ 40. Ergeben die Einnahmen am Schlusse eines Jahres einen Ueberschuß, so wird derselbe nach Maßnahme der Beschlüsse der Generalversammlung als Dividende an die Mitglieder zurückvergütet.

Die Dividenden gelangen nur in vollen Prozenten — nicht unter 10 Prozent — der Jahresprämien zur Auszahlung. Erreicht der Jahresüberschuß das Minimum von 10 Prozent der Prämieneinnahmen nicht, so fließt derselbe dem Reservefond (§ 41) zu, falls die Generalversammlung nichts Anderes beschließt.

Die innerhalb 4 Jahren nach dem festgesetzten Auszahlungstermine nicht erhobenen Dividenden sind zu Gunsten der Verbandes verfallen und fließen in den Reservefond (§ 41).

VII. Reservefond.

§ 41. Der Reservefond wird gebildet:

a. aus 10 % der jährlichen Ueberschüsse, bis zu einem von der Generalversammlung festzusetzenden Maximum;
b. aus den nicht zur Vertheilung gelangten Jahresüberschüssen (§ 40);
c. aus den erlegten Konventionalstrafen und verfallenen Dividenden der Mitglieder (§§ 39 und 40), sowie aus den nicht erhobenen Zinsen aus den Obligationen.

Die Gelder des Reservefonds werden zinstragend angelegt und fließen die Zinseneinnahmen aus demselben diesem selbst wieder zu.

VIII. Betriebsfond.

§ 42. Zum Geschäftsbetriebe des Verbandes wird ein Betriebsfond in Höhe von Einer Million Mark gebildet, welcher in zweitausend Obligationen zu je fünfhundert Mark zerlegt wird. Auf jede Obligation sind fünfundzwanzig Prozent, also Einhundert fünfundzwanzig Mark, baar einzuzahlen. Für den Rest von fünfundsiebzig Prozent werden Solawechsel nach Schema A. ausgestellt und bei der Verbandskasse deponirt, deren Bezahlung jedoch nur auf Beschluß des Aufsichtsraths gefordert werden kann.

Der auf die Obligationen baar eingezahlte Betrag wird jährlich mit fünf Prozent fest verzinst.

Die Obligationen werden auf Namen lautend unter fortlaufenden Nummern nach dem Schema B. ausgefertigt, und die Zinscoupons und Talon nach dem Schema C. und D. ausgegeben. Die Aushändigung einer neuen Serie von Zinscoupons erfolgt gegen Einreichung der betreffenden Talons.

Die Obligationen, welche unter genauer Bezeichnung des Inhabers nach Namen, Stand und Wohnort in das Obligationenbuch des Verbandes eingetragen werden, können nur mit Genehmigung des Aufsichtsraths auf Andere übertragen werden; diese Genehmigung kann ohne Angabe von Gründen verweigert werden.

Der Rechtsnachfolger im Besitze einer Obligation hat einen Wechsel nach dem Schema A. auszustellen, wogegen der Wechsel des Vorbesitzers zurückgegeben wird.

Der Betriebsfond bildet ein Seitens der Obligationsgläubiger unkündbares Darlehen, für welches die sämmtlichen Mitglieder des Verbandes gemäß den §§ 2, 4, 7, 37 und 47 des Statuts, sowie das gesammte Vermögen, des Verbandes haften.

Spätestens nach Ablauf der ersten drei Rechnungsjahre beginnt, soweit es der Reservefond gestattet, die Amortisation des Betriebsfonds durch jährliche Ausloosung von mindestens 60 Stück Obligationen. Ueber event. höhere Jahresraten beschließt die Generalversammlung. Die Nummern der vom Aufsichtsrathe nach stattgehabter Generalversammlung ausgeloosten Obligationen werden durch den Deutschen Reichsanzeiger veröffentlicht und die Inhaber derselben von der erfolgten Ausloosung mittelst eingeschriebener Briefe benachrichtigt. Die Verzinsung der ausgeloosten Obligationen hört mit dem 31. Dezember desjenigen Jahres, in welchem die Ausloosung stattfindet, auf.

Der Betriebsfond kann nöthigenfalls zur prompten Bezahlung der Schäden vorschußweise mit herangezogen werden.

IX. Oeffentliche Bekanntmachungen.

§ 43. Alle öffentlichen Aufforderungen, Einladungen und Bekanntmachungen, welche entweder von dem Vorsitzenden des Aufsichtsraths, oder von dem Vorstande, zu unterzeichnen sind, haben für die Mitglieder Rechtswirkung und die Kraft besonders behändigter Vorladungen, wenn sie durch den Deutschen Reichsanzeiger publizirt worden sind.

X. Von der Auflösung und Liquidation.

§ 44. Die Auflösung des Verbandes findet statt:

a. sobald eine gehörig berufene Generalversammlung die Auflösung beschließt;

b. durch Eröffnung des Konkurses.

Die Auflösung und Liquidation des Verbandes kann nur in einer außerordentlichen Generalversammlung mit einer Dreiviertel-Majorität der abgegebenen Stimmen beschlossen werden und bedarf der landesherrlichen Genehmigung.

Die Auflösung des Verbandes muß, wenn sie nicht eine Folge des eröffneten Konkurses ist, durch den Vorstand zu drei verschiedenen Malen in Zwischenräumen von je acht Tagen durch den Deutschen Reichsanzeiger bekannt gemacht werden.

Durch diese Bekanntmachungen müssen zugleich die Gläubiger des Verbandes aufgefordert werden, sich beim Vorstande bezw. der Liquidationskommission des Verbandes zu melden.

§ 45. Die Liquidation des Geschäftes geschieht, sofern nicht ein gerichtliches Konkursverfahren eröffnet worden ist, oder die Generalversammlung nichts anderes beschließt, durch den Vorstand unter Mitwirkung des Aufsichtsrathes.

Ordentliche Generalversammlungen finden, nachdem die Auflösung und Liquidation beschlossen ist, nicht mehr statt.

§ 46. Vom Tage der beschlossenen Auflösung an dürfen neue Mitglieder nicht mehr aufgenommen werden, und es erlöschen die sämmtlichen laufenden Versicherungen sechs Wochen nach dem Auflösungsbeschlusse, bezw. dem Tage der gerichtlichen Konkurseröffnung, jedoch unbeschadet aller statutarischen Verpflichtungen der Verbandsmitglieder für die Vergangenheit (§ 47).

§ 47. Die sämmtlichen Aktiva des Verbandes werden sofort eingezogen bezw. realisirt. Reichen die Aktiva zur Deckung der Passiva nicht aus, so sind die Mitglieder bis zur gänzlichen Tilgung der Schuldverbindlichkeiten des Verbandes, einschließlich des noch nicht amortisirten Betrages des Betriebsfonds, sowie der Verwaltungs- und Liquidationskosten, zu weiteren Beitragszahlungen verpflichtet, deren Höhe der Aufsichtsrath und event. die Liquidationskommission gemäß § 37 festsetzt. Diese Beiträge werden in derselben Weise und mit gleichen Folgen eingefordert und erhoben, wie dies in den §§ 37 ff. festgesetzt ist.

§ 48. Die Ueberschüsse werden an diejenigen Mitglieder, welche dem Verbande am Tage der beschlossenen Auflösung noch angehört haben, nach Verhältniß ihrer gesammten geleisteten Beiträge vertheilt.

§ 49. Nachdem alle Verbindlichkeiten des Verbandes erfüllt sind, hat der Vorstand, bezw. die Liquidationskommission, eine Schlußrechnung anzufertigen und solche einer demnächst zu berufenden letzten Generalversammlung zur Genehmigung, bezw. zur Entlastung der Liquidatoren, vorzulegen.

Die Generalversammlung beschließt über die Vertheilung bezw. Verwendung der etwa verbleibenden Aktivüberschüsse.

XI. Uebergangsbestimmungen.

§ 50. Nachdem der Betriebsfond vollständig gezeichnet ist, fordert der in der konstituirenden Generalversammlung erwählte Aufsichtsrath die Zeichner mittelst „eingeschriebener" Briefe, in welchen die Zahlstelle zu bezeichnen ist, zur Baareinzahlung von 25 Procent des gezeichneten Nominalbetrages auf. Der Aufsichtsrath wählt den Vorstand und event. die technischen und juristischen Beiräthe und schließt mit denselben die Engagementsverträge ab, vorbehaltlich des Inkrafttretens der letzteren nach erfolgter staatlicher Konzessionirung des Verbandes.

§ 51. Sollte das gegenwärtige Statut behufs Erlangung der staatlichen Konzession irgend welcher Abänderungen bedürfen, so ist der von der konstituirenden Generalversammlung gewählte Aufsichtsrath ermächtigt, diese Abänderungen mittelst notarieller oder gerichtlicher Erklärung vorzunehmen.

§ 52. Das erste Geschäftsjahr soll ausnahmsweise die Zeit vom Geschäftsbeginn bis 31. Dezember des nächstfolgenden Jahres umfassen, so daß die erste Inventur und Bilanz erst zu letzterem Zeitpunkte aufgemacht, und der Gewinn oder Verlust des Verbandes bis dahin seit dem Entstehen derselben ermittelt und festgestellt wird.

XII. Staatsaufsicht.

§ 53. Die Königlich Preußische Staatsregierung ist befugt, zur Wahrnehmung des Aufsichtsrechtes über den Verband für beständig oder für einzelne Fälle, einen Kommissar zu bestellen, welcher das Recht hat, die Verbandsorgane einschließlich der Generalversammlung auf Kosten des Verbandes gültig zu berufen, ihren Berathungen beizuwohnen und jeder Zeit von den Kassen, Büchern, Rechnungen und sonstigen Schriftstücken des Verbandes Einsicht zu nehmen.

Berlin, den 10. Juli 1890.

Der Aufsichtsrath:

Dr. J. F. Holtz.	Rudolf Koepp.
Eduard Oehler.	Julius Rütgers.
Hermann Käsemacher.	Dr. Julius Schenkel.

* * *

Allgemeine Bedingungen

für die

Versicherung beweglicher Sachen

bei der

Städte-Feuer-Societät

der

Provinz Brandenburg.

(§ 124 des Regl.)

A. Versicherungsfähigkeit.

§ 1.

Von der Versicherung sind ausgeschlossen: Urkunden, Werthpapiere, baares Geld, ungefaßte Edelsteine und Perlen, sowie unverarbeitetes Gold und Silber.

§ 2.

Besonders werthvolle Schmucksachen, ferner Gold- und Silbergeräthe, Bildwerke, Gemälde, Uhren, Spitzen und andere Gegenstände, welche einen besonderen wissenschaftlichen, Kunst- oder Liebhabereiwerth haben, gelten nur dann als versichert, wenn sie in dem Versicherungsantrage (§ 9) und dem Versicherungsbrief (§ 10) mit ihren Versicherungssummen besonders aufgeführt sind.

Im Uebrigen werden die versicherten Gegenstände nur nach Gattungen benannt, und es sind alle unter die verschiedenen Gattungen gehörigen, in dem Versicherungsraume (§ 3) befindlichen Gegenstände in der Versicherung einbegriffen, sofern nicht einzelne, näher zu bezeichnende, Gegenstände hiervon ausdrücklich ausgenommen worden sind.

Fremdes Eigenthum ist als solches im Versicherungsantrage zu bezeichnen, jedoch gilt der Versicherungsnehmer, der Societät gegenüber, als der allein Berechtigte und Verpflichtete.

Potsdam, den 8. Oktober 1890.

---

tsdam

1890.

dieser Markt am

).

dent.

gensgefahr.

llstein zu Halen-

ekannte Frau vom

rettet. Diese von

That des Holl-

gemeinen Kenntniß

dent.

orddeutschen Edel-

nossenschaft ist der

, Bandelstraße 20,

ent.

ei Spandau.

Eisenbahn belegene

wird, zur öffent-

12·35
1·08
1·40
2·57
4·40
5·25
5·55
6·23
7·00
8·31
9·05
9·45
11·40
1·47
2·54
4·24
5·30
7·01
8·19
9·30
11·30

Der Regierungs-Präsident.

§ 3.

Zum Versicherungsraume gehören die in dem Versicherungsbriefe bezeichneten Gebäude und Räume mit den dazu gehörigen Höfen und Gärten. Innerhalb derselben ist dem Versicherten während der Dauer der Versicherung ein Wechsel im Aufbewahrungsorte der versicherten Gegenstände gestattet.

Ausnahmsweise bleibt die Versicherung bestehen bei vorübergehender Entfernung der versicherten Gegenstände aus den Versicherungsräumen zu Zwecken des gewöhnlichen Gebrauches oder des wirthschaftlichen Betriebes oder der Bergung vor Gefahr. Weitere Ausnahmen können mit dem Versicherungsnehmer vereinbart werden.

B. Werthsermittelung, Versicherungssumme und Klasseneintheilung.

§ 4.

Als Maßstab für den Werth der zu versichernden Gegenstände gilt bei Hausgeräth und bei Maschinen der Anschaffungspreis abzüglich der durch Gebrauch, Alter und bezw. verändertes Betriebswesen verursachten Werthsverminderung, — bei marktgängigen Waaren deren Markt- oder Börsenpreis, bei anderen Waaren oder eigenen Fabrikaten deren Einkaufs- bezw. Herstellungspreis.

Regel ist, daß die Versicherungssumme den gemeinen Werth der Gegenstände niemals übersteigen darf. Eine Ausnahme gilt, abgesehen von den im § 2 Abs. 1 aufgeführten Gegenständen, auch bei Waarenlagern, Erntevorräthen und dergleichen, einem steten Wechsel des Bestandes und Werthes unterworfenen Gesammtheiten, insofern als sie zu dem höchsten Werthe, welcher innerhalb der Versicherungsdauer muthmaßlich sich ergeben kann, versichert werden dürfen.

§ 5.

Im Uebrigen hängt die Bestimmung der Summe, zu welcher versichert werden soll, von dem Versicherungsnehmer ab, jedoch muß dieselbe in Beträgen, welche durch die Zahl 100 theilbar sind, abgerundet sein.

In allen Fällen kann dem Versicherungsnehmer ein Selbstversicherungsantheil auferlegt werden.

§ 6.

Der Direktor ist befugt, während der Versicherungsdauer jederzeit eine Prüfung des Versicherungsbestandes und der Richtigkeit der zum Zwecke der Versicherung gemachten Angaben vorzunehmen und von dem Versicherten alle diejenigen Angaben und Nachweise zu verlangen, welche zu dieser Prüfung nothwendig sind.

Den Bestand versicherter Gesammtheiten (§ 4 Abs. 2) muß der Versicherte jeder Zeit durch Wirthschaftsverzeichnisse oder Handlungsbücher nachzuweisen im Stande sein.

§ 7.

Die beweglichen Sachen gehören, der Regel nach, in dieselbe Gefahrenklasse wie die Gebäude, in denen sie sich befinden. Nach dem Grade der Gefahr jedoch, welche sie, abgesehen von ihrem Aufbewahrungsraume, durch den Stoff, aus dem sie bestehen, durch die Art ihres Gebrauches, durch die größere oder geringere Schwierigkeit ihrer Rettung beim Brande, durch die persönlichen Eigenschaften ihres Besitzers oder durch andere Umstände darbieten, ist eine abweichende Einordnung zulässig. Zu diesem Behufe werden für die Versicherung beweglicher Sachen 25 besondere (Mobiliar)-Abtheilungen innerhalb der Gebäudeversicherungsklassen hergestellt, nach welchen die von dem Versicherten zu leistenden Beiträge sich richten. (§ 14 ff.)

Sind die Gegenstände in mehreren Gebäuden verschiedener Klassen untergebracht, so wird die Abtheilung, in welche sie insgesammt gehören, mittelst durchschnittlicher Berechnung ermittelt.

§ 8.

Gegenstände, welche entweder niemals oder nur zeitweise in Gebäuden untergebracht zu werden pflegen, oder welche thatsächlich im Freien sich befinden, z. B. Bauholz, Brennstoffe, Ackergeräth, Holzbestände, Obstpflanzungen, Getreide-, Heu- und Strohmieten, ordnet der Direktor nach freiem Ermessen in die Klassen ein, jedoch mit der Maßgabe, daß Mieten nicht günstiger als Gebäude mit feuerunsicherer Bedachung angesehen werden dürfen.

Auch bezüglich aller anderen Sachen gilt der Grundsatz, daß dieselben, wenn besondere, die Gefahr erhöhende oder vermindernde Um-

ıtsdam

1890.

dieser Markt am

).
dent.
lensgefahr.
llstein zu Halen-
ekannte Frau vom
rettet. Diese von
That des Holl-
gemeinen Kenntniß

dent.
ordddeutschen Edel-
nossenschaft ist der
, Bandelstraße 20,

ent.

bei Spandau.
Eisenbahn belegene
wird, zur öffent-

12·35
1·08
1·40
2·57
4·40
5·25
5·55
6·23
7·00
8·31
9·05
9·45
11·40
1·47
2·54
4·24
5·30
7·01
8·19
9·30
11·30

Potsdam, den 8. Oktober 1890. Der Regierungs-Präsident.

stände vorliegen, abweichend von obigen Regeln ungünstiger oder günstiger eingeordnet werden dürfen.

C. Abschluß der Versicherung.

§ 9.

Die Versicherung beweglicher Sachen bei der Societät ist jeder Zeit zulässig.

Der Versicherungsantrag, sowohl für Neuversicherung als auch für Erhöhung einer bestehenden Versicherung muß schriftlich, unter Angabe der zu versichernden Gegenstände, ihres Werthes und der sonst noch für die Entscheidung über den Antrag nothwendigen Grundlagen, nach einem von der Societät zu liefernden Musterblatte, bei dem Geschäftsführer (§ 126 des Regl.) angebracht werden. Der Versicherungsnehmer ist der Societät zur größten Gewissenhaftigkeit bei diesen Angaben verpflichtet. Falsche Angaben oder solchen gleich zu achtendes Verschweigen machen die Versicherung ungültig, ohne daß eine Rückerstattung der gezahlten Beiträge erfolgt.

Unter dem Antrage muß in Gemäßheit des § 14 des Gesetzes vom 8. Mai 1837 von der Ortspolizeibehörde bescheinigt sein:

> Daß der Annahme des Versicherungsantrages in polizeilicher Hinsicht kein Bedenken entgegensteht.

Die Societät ist befugt, die Angaben, nöthigenfalls unter Zuziehung Sachverständiger, zu prüfen. Die Kosten dieser Prüfung trägt der Versicherungsnehmer, wenn dieselbe die Unrichtigkeiten in wesentlichen Punkten herausstellt.

§ 10.

Der Direktor entscheidet über die Feststellung und Annahme der Versicherung und ertheilt dem Versicherten einen Versicherungsbrief, welcher über den Gegenstand, den Beginn und die Dauer der Versicherung, die Versicherungssumme und den Beitragssatz Auskunft giebt.

Die Versicherung beginnt, falls in dem Versicherungsbriefe kein anderer Zeitpunkt bestimmt ist, mit dem Beginn des Tages, an welchem jener ausgestellt worden.

§ 11.

Wird nicht innerhalb 2 Wochen, nachdem der Versicherungsantrag von dem Geschäftsführer an den Direktor abgesandt worden, dem Antragsteller die die Versicherung beanstandende, abändernde oder ablehnende Entscheidung des Direktors zugestellt, so gilt die Versicherung als am Tage der Absendung nach dem Antrage abgeschlossen. In diesem Falle wird jedoch die Versicherung abgeändert bezw. aufgehoben mit der Zustellung der bezüglichen Entscheidung.

§ 12.

Hat der Direktor die Versicherung beanstandet oder unter Abänderung des Antrages angenommen, so ist der Versicherungsnehmer berechtigt, binnen 8 Tagen nach dem Tage der Zustellung der Entscheidung seinen Antrag auf Versicherung bezw. Erhöhung der bestehenden Versicherung zurückzunehmen.

§ 13.

Wer in die Societät eintreten will, zahlt bei der Stellung seines Versicherungs-Antrages einen Vorschuß von 1 M. 50 Pf. für je 1000 M. der beantragten Versicherungssumme (das angefangene Tausend für voll gerechnet). Daraus werden bestritten:

a) die Gebühren des Geschäftsführers,
b) die Kosten für Postgeld, Stempel und dergl.,
c) die den Versicherungsnehmer etwa nach § 9 treffenden Prüfungskosten,
d) der Beitrag für das laufende Jahr bezw. die verabredete kürzere Versicherungszeit (§ 16, 18).

Für jeden Versicherungsantrag, sowohl für Neuversicherung als für Abänderung einer bestehenden Versicherung, ist an den Geschäftsführer eine Gebühr nach dem festgestellten Gebührenverzeichniß zu zahlen. Diese Gebühr ist auch dann zu zahlen, wenn der Versicherungsantrag nach § 12 zurückgenommen wird.

Reicht der eingezahlte Vorschuß zur Deckung der Beträge zu a bis c nicht aus, so hat der Versicherte bei Empfang des Versicherungsbriefes das Fehlende zu ergänzen, während ein Ueberschuß ihm dabei zurückgezahlt wird.

D. Beitragsleistung der Versicherten.

§ 14.

Die Beiträge, welche die Versicherten zu zahlen haben (§ 7), werden nach folgenden festen Sätzen erhoben:

Potsdam, den 8. Oktober 1890. Der Regierungs-Präsident.

Es zerfällt

die Klasse der Gebäudeversicherung	in Abtheilung der Versicherung beweglicher Sachen	Die Abtheilung zahlt halbjährlich für 100 M. Versicherungssumme Pfennig
I A.	1	2,1
	2	2,6
I.	3	3
I B.	4	3,9
	5	5
II A.	6	6
	7	7
	8	8
II.	9	9
	10	10
	11	11
II B.	12	12
	13	14
	14	16
	15	18
III.	16	21
	17	24
	18	27
III B.	19	30
	20	34
	21	38
IV.	22	42
	23	50
	24	58
IV B.	25	66

§ 15.

Dieses Beitragsverhältniß unterliegt von fünf zu fünf Jahren erneuerter Prüfung und erforderlichenfalls der Abänderung. Eine solche Abänderung bleibt jedoch während der Dauer des Versicherungszeitraumes (§ 18) ohne Einfluß auf die Beitragspflicht des Versicherten.

§ 16.

Die Beiträge werden bei Eingehung der Versicherung, bezw. im Januar und Juli jeden Jahres, im Voraus für das laufende Kalenderhalbjahr erhoben. Sie werden berechnet vom Anfange des Monats ab, in welchem die Versicherung begonnen hat.

Die Beiträge sind kostenfrei an den Geschäftsführer der Societät zu zahlen. Erfolgt die Zahlung nicht innerhalb 2 Wochen nach geschehener Aufforderung, so ruht die Versicherung bis zum Ablaufe des Tages, an welchem die Zahlung erfolgt. Werden die versicherten Gegenstände während des Ruhens der Versicherung von einem Brandschaden betroffen, so wird eine Schadensvergütung von der Societät nicht gewährt, dagegen bleibt die Pflicht des Versicherten zur Zahlung der Beiträge unberührt.

§ 17.

Treten während der Dauer der Versicherung Veränderungen ein, welche eine Klassenversetzung der versicherten Gegenstände zur Folge haben, so kommt eine dadurch bedingte Erhöhung der Beiträge vom Beginne des Monats, in welchem die Veränderung erfolgt ist, eine solche Verminderung der Beiträge dagegen vom Beginne des nächstfolgenden Monats ab zur Berechnung.

E. Dauer und Aufhebung der Versicherung.

§ 18.

Die Versicherung dauert, wenn nichts Anderes verabredet ist, bis zum Ablauf desjenigen Kalenderjahres, welches auf das Kalenderjahr, in dem sie begonnen hat, folgt, kann aber auch auf mehrere Jahre geschlossen werden. Sie gilt, wenn sie nicht rechtzeitig schriftlich gekündigt worden, (§§ 19, 20) in allen Fällen als auf ein ferneres Kalenderjahr verlängert.

Versicherungen, die auf kürzere Dauer verabredet sind, erlöschen mit dem Ablauf des letzten Tages der verabredeten Versicherungszeit.

Bei Versicherungen, die auf mehrere Jahre unter Vorausbezahlung der gesammten Beiträge genommen werden, ist der Direktor befugt, einen Beitragserlaß bis zu 20 Prozent zu bewilligen.

Potsdam, den 8. Oktober 1890.

Der Regierungs-Präsident.

otsdam

1890.

dieser Markt am

0.
dent.

bensgefahr.
llstein zu Halen-
bekannte Frau vom
erettet. Diese von
That des Holl-
lgemeinen Kenntniß

).
dent.
Norddeutschen Edel-
enossenschaft ist der
, Bandelstraße 20,

).
dent.

bei Spandau.
Eisenbahn belegene
wird, zur öffent-

n

12·35
1·08
1·40
2·57
4·40
5·25
5·55
6·23
7·00
8·31
9·05
9·45
11·40
1·47
2·54
4·24
5·30
7·01
8·19
9·30
11·30

§ 19.

Die Kündigung von Seiten des Versicherungsnehmers muß, um wirksam zu sein, spätestens am 30. November desjenigen Jahres, mit welchem die Versicherung abläuft, (§ 18 Abs. 1) bei dem Geschäftsführer oder dem Direktor angebracht werden.

Aus besonderen Gründen kann der Direktor von dieser Vorschrift entbinden.

§ 20.

Der Direktor ist befugt, jede Versicherung nach seinem Ermessen mit einer Frist von 4 Wochen zu kündigen. In diesem Falle werden die Beiträge nur bis zum Ablaufe desjenigen Monats berechnet, in welchem die Versicherung erlischt, der hiernach zu viel erhobene Betrag aber dem Versicherten zurückgezahlt.

§ 21.

Die Versicherung erlischt während des Versicherungszeitraumes von selbst, wenn ohne Genehmigung des Direktors versicherte Gegenstände aus den Versicherungsräumen entfernt werden, so weit dies nicht ausnahmsweise zulässig ist (§ 3.) Das Erlöschen der Versicherung betrifft nur die entfernten, nicht aber auch die zurückgebliebenen Gegenstände.

Ebenso erlischt die Versicherung wenn auf die versicherten Gegenstände oder auf Gegenstände, welche sich zugleich mit den versicherten in den Versicherungsräumen befinden, ohne Genehmigung des Direktors anderweit Versicherung genommen worden ist.

Durch spätere Genehmigung des Direktors tritt in beiden Fällen die erloschene Versicherung wieder in Kraft. Im Falle des Erlöschens der Versicherung sind die Beiträge nur bis zum Schlusse des laufenden Monats zu zahlen.

§ 22.

In Erb- und Konkursfällen gehen die Rechte und Pflichten aus der Versicherung ohne Weiteres auf die Erben bezw. die Gläubigerschaft über.

Andere Eigenthumswechsel müssen binnen 2 Wochen dem Geschäftsführer oder dem Direktor angezeigt werden. Vom Ablaufe dieser Frist ruht die Versicherung, (vergl. § 16) bis die Anzeige erfolgt ist. Der bisherige Eigenthümer bleibt der Societät für die Erfüllung aller Verbindlichkeiten aus der Versicherung bis zur ordnungsmäßigen Uebertragung derselben auf seinen Rechtsnachfolger bezw. bis zur Auflösung der Versicherung verhaftet.

F. Schadenvergütung.

§ 23.

Die §§ 88 bis 90 des Reglements bestimmen den Umfang der Ersatzverbindlichkeit der Societät auch für die beweglichen Sachen. Auch derjenige Schaden, welcher durch das nothwendige Ausräumen oder durch Abhandenkommen der letzteren entsteht, wird vergütet.

Nicht vergütet wird dagegen ein Schaden, welcher versicherte Gegenstände dadurch getroffen hat, daß dieselben zu einem gewerblichen oder wirthschaftlichen Zwecke (Darren, Trocknen, Sieden, Räuchern u. dergl.) der Einwirkung des Feuers oder der Wärme ausgesetzt worden sind.

§ 24.

Bei der Vergütung gilt als Grundsatz, daß die Versicherung nicht zu einem Gewinn führen soll. Daher kommt, wenn nicht ein außerordentlicher Werth besonders versichert ist (§ 2 Abs. 1) nur der gemeine Werth der versicherten Gegenstände, wie sie am Tage des Brandes vorhanden und beschaffen sind, in Betracht. Nach dem Verhältniß dieses Werthes zur Versicherungssumme wird die Vergütung berechnet.

§ 25.

Der Versicherte hat längstens innerhalb 3 Tagen nach Löschung des Brandes von demselben dem Geschäftsführer Anzeige zu machen. Behufs Ermittelung des durch den Brand entstandenen Schadens hat der Versicherte auf Verlangen der Societät ein Verzeichniß aller zur Zeit des Brandes vorhanden gewesenen, der davon verbrannten oder abhanden gekommenen, sowie aller beschädigt oder unbeschädigt geretteten Gegenstände, unter Beisetzung ihres Werthes (§ 24) anzufertigen und dasselbe binnen 2 Wochen nach dem Brande dem Geschäftsführer einzureichen.

Potsdam, den 8. Oktober 1890. Der Regierungs-Präsident.

otsdam

1890.

dieser Markt am

)0.
ident.

ebensgefahr.
ollstein zu Halen-
ibekannte Frau vom
jerettet. Diese von
e That des Holl-
llgemeinen Kenntniß

).
ident.

Norddeutschen Edel-
jenossenschaft ist der
n, Bandelstraße 20,

).
dent.

bei Spandau.
Eisenbahn belegene
n wird, zur öffent-

:n

12·35
1·08
1·40
2·57
4·40
5·25
5·55
6·23
7·00
8·31
9·05
9·45
11·40
1·47
2·54
4·24
5·30
7·01
8·19
9·30
11·30

Beansprucht der Versicherte für Gegenstände, die entwendet oder sonst abhanden gekommen sind, Vergütung, so muß er binnen 3 Tagen nach dem Brande der Ortspolizeibehörde ein Verzeichniß dieser Gegenstände einreichen und auf Verfolgung des Diebstahls antragen.

Der Versicherte ist verpflichtet, jede zur Ermittelung der Entstehung und des Anfanges des Schadens verlangte Auskunft getreulich zu ertheilen und die zum Nachweise seines Verlustes dienenden Bücher, Schriftstücke u. dergl. vorzulegen.

§ 26.

Mangels einer gütlichen Einigung über den Werth der zu vergütenden Gegenstände und den an denselben entstandenen Schaden findet eine Ermittelung durch zwei sachverständige Vertrauensmänner statt, von denen jeder Theil (die Societät und der Versicherte) Einen auf seine Kosten stellt. Können diese sich nicht einigen, so entscheidet ein von der Societät ernannter Obmann.

Auf diese 3 Personen findet § 22 Abs. 2 des Reglements Anwendung.

§ 27.

Die Societät ist berechtigt, die beschädigten Gegenstände ganz oder theilweise zum abgeschätzten Werthe zu übernehmen.

§ 28.

Auf Grund der über die Ermittelung des Schadens gepflogenen Verhandlungen wird die zu gewährende Entschädigung durch den Direktor festgesetzt. Um den Betrag derselben, falls dieser 300 M. übersteigt, vermindert sich die Versicherung von selbst.

Innerhalb 4 Wochen nach der Festsetzung wird die Entschädigungssumme gezahlt, vorbehaltlich der Bestimmung im § 94 des Reglements.

§ 29.

Abgesehen von den Fällen der §§ 92, 93, 97 und 110 des Reglements geht der Entschädigungsanspruch verloren, wenn der Versicherte die im § 25 vorgeschriebenen Verzeichnisse falsch anfertigt oder auf andere Weise bei Ermittelung des Schadens die Societät zu betrügen versucht, oder die von ihm verlangte Auskunft und Vorlegung von Beweisstücken verweigert (§ 25 Abs. 4), oder die Anzeige von dem Brande in der vorgeschriebenen Zeit ohne zwingenden Grund zu erstatten unterläßt (§ 25 Abs. 1).

Berlin, den 1. September 1890.

Der Brandenburgsche Provinzial-Ausschuß.

gez. **H. von Rochow.**

Nr. 2546 C.

Potsdam, den 8. Oktober 1890.

ptsdam

1890.

dieser Markt am

)0.
ident.
ebensgefahr.
ollstein zu Halen-
ibekannte Frau vom
gerettet. Diese von
e That des Holl-
llgemeinen Kenntniß

).
ident.
Norddeutschen Edel-
genossenschaft ist der
n, Vandelstraße 20,

).
dent.

bei Spandau.
Eisenbahn belegene
n wird, zur öffent-

m

s 12·35
1·08
1·40
2·57
4·40
5·25
5·55
6·23
7·00
8·31
9·05
9·45
11·40
1·47
2·54
4·24
5·30

IX. Oeff

§ 43. Alle
dungen und Be
dem Vorsitzenden
stande, zu unterz
Rechtswirkung
Vorladungen, w
anzeiger publizir

X. Von de

§ 44. Die

a. sobald eine
die Auflösun
b. durch Eröff

Die Auflös
kann nur in e
lung mit einer
Stimmen beschl
herrlichen Genes

Die Auflösu
eine Folge des
stand zu drei
von je acht Ta
bekannt gemacht

Durch dies
Gläubiger des
Vorstande bezw
bandes zu meld

§ 45. Di
sofern nicht ein
worden ist, oder
beschließt, durch
Aufsichtsrathes.

Ordentliche
dem die Auflösu
mehr statt.

§ 46. Be
dürfen neue Mi
und es erlösch
rungen sechs
bezw. dem T
jedoch unbescha
der Verbandsm

§ 47. D
werden sofort
Aktiva zur De
Mitglieder bis
verbindlichkeiten
nicht amortisir
der Verwaltung
Beitragszahlun
sichtsrath und
§ 37 festsetz
Weise und
hoben, wie d

festgesetzt ist.

Deutsche Verlags- und Buchdruckerei-Aktien-Gesellschaft, Berlin SW.

Amtsblatt
der Königlichen Regierung zu Potsdam
und der Stadt Berlin.

Stück 42. Den 17. Oktober **1890.**

Bekanntmachungen des Königlichen Regierungs-Präsidenten.

Bekanntmachung, betreffend die Märkte in der Stadt Lenzen.

211. Seitens des Provinzialraths der Provinz Brandenburg ist die Einrichtung von alljährlich vier neuen Schweinemärkten in Lenzen a. E. zunächst versuchsweise auf die Dauer von fünf Jahren genehmigt worden. Im Jahre 1891 finden diese Märkte am

Montag, den 12. Januar,
Freitag, den 20. März,
Montag, den 14. September und
Montag, den 16. November

statt. Potsdam, den 11. Oktober 1890.

Der Regierungs-Präsident.

Bekanntmachung, betreffend die Errichtung eines neuen Vieh- und Pferdemarktes in der Stadt Jüterbog.

212. Seitens des Provinzialrathes der Provinz Brandenburg ist die Errichtung eines neuen Vieh- und Pferdemarktes in Jüterbog von 1891 ab genehmigt worden. Im Jahre 1891 findet dieser Markt am 9. April statt.

Potsdam, den 11. Oktober 1890.

Der Regierungs-Präsident.

Belobigung für Rettung aus Lebensgefahr.

213. Der Bootsmann Georg Hollstein zu Halensee hat am 24. Juli d. J. eine unbekannte Frau vom Tode des Ertrinkens im Halensee gerettet. Diese von Muth und Entschlossenheit zeugende That des Hollstein wird hiermit belobigend zur allgemeinen Kenntniß gebracht.

Potsdam, den 6. Oktober 1890.

Der Regierungs-Präsident.

214. Für die Sektion II. der Norddeutschen Edel- und Unedel-Metall-Industrie-Berufsgenossenschaft ist der Ingenieur Paul Hosemann-Berlin, Bandelstraße 20, als Beauftragter bestellt.

Potsdam, den 7. Oktober 1890.

Der Regierungs-Präsident.

Bekanntmachung,

betreffend die Oeffnungszeiten der Drehbrücke im Zuge der Berlin—Lehrter Eisenbahn über die Havel bei Spandau

215. Nachstehend werden die Zeiten, während welcher die im Zuge der Berlin—Lehrter Eisenbahn belegene Drehbrücke über die Havel bei Spandau vom 1. Oktober d. J. ab in der Regel geöffnet sein wird, zur öffentlichen Kenntniß gebracht.

Beim Verkehren sämmtlicher Züge einschließlich der Bedarfszüge.

		von		bis
Vormittags	von	12·25	bis	12·35
⸗	⸗	12·50	⸗	1·08
⸗	⸗	1·24	⸗	1·40
⸗	⸗	1·55	⸗	2·57
⸗	⸗	3·45	⸗	4·40
⸗	⸗	4·55	⸗	5·25
⸗	⸗	6·10	⸗	6·23
⸗	⸗	6·38	⸗	7·00
⸗	⸗	7·15	⸗	8·31
⸗	⸗	8·50	⸗	9·05
⸗	⸗	9·20	⸗	9·45
⸗	⸗	10·37	⸗	11·40
Nachmittags	⸗	12·15	⸗	1·47
⸗	⸗	2·17	⸗	2·54
⸗	⸗	3·25	⸗	4·05
⸗	⸗	4·39	⸗	5·30
⸗	⸗	6·42	⸗	7·01
⸗	⸗	7·35	⸗	8·19
⸗	⸗	8·58	⸗	9·12
⸗	⸗	9·45	⸗	10·21
⸗	⸗	10·59	⸗	11·30

Beim Nichtverkehren der Bedarfszüge.

		von		bis
Vormittags	von	12·25	bis	12·35
⸗	⸗	12·50	⸗	1·08
⸗	⸗	1·24	⸗	1·40
⸗	⸗	1·55	⸗	2·57
⸗	⸗	3·12	⸗	4·40
⸗	⸗	4·55	⸗	5·25
⸗	⸗	5·40	⸗	5·55
⸗	⸗	6·10	⸗	6·23
⸗	⸗	6·38	⸗	7·00
⸗	⸗	7·15	⸗	8·31
⸗	⸗	8·50	⸗	9·05
⸗	⸗	9·20	⸗	9·45
⸗	⸗	10·37	⸗	11·40
Nachmittags	⸗	12·15	⸗	1·47
⸗	⸗	2·17	⸗	2·54
⸗	⸗	3·25	⸗	4·24
⸗	⸗	4·39	⸗	5·30
⸗	⸗	6·42	⸗	7·01
⸗	⸗	7·35	⸗	8·19
⸗	⸗	8·34	⸗	9·30
⸗	⸗	9·45	⸗	11·30

Potsdam, den 8. Oktober 1890.

Der Regierungs-Präsident.

Bekanntmachung, betreffend die Märkte in der Stadt Wittenberge.

216. Seitens des Provinzialrathes der Provinz Brandenburg ist genehmigt worden, daß in der Stadt Wittenberge vom Jahre 1891 an in jedem Monat ein Vieh- und Pferdemarkt stattfindet, die Zahl der Krammärkte in dieser Stadt dagegen auf zwei vermindert werden.

Demgemäß werden in der Stadt Wittenberge im Jahre 1891 folgende Märkte abgehalten werden:

1)	Sonnabend,	den 10. Januar,	Vieh- u. Pferdemarkt,
2)	Freitag,	den 27. Februar,	do.
3)	Freitag,	den 20. März,	do.
4)	Freitag,	den 24. April,	do.
5)	Montag,	den 11. Mai,	do.
6)	Dienstag,	den 12. Mai,	Krammarkt,
7)	Freitag,	den 26. Juni,	Vieh- u. Pferdemarkt,
8)	Freitag,	den 31. Juli,	do.
9)	Freitag,	den 21. August,	do.
10)	Freitag,	den 25. September,	do.
11)	Sonnabend,	den 26. September,	Krammarkt,
12)	Freitag,	den 23. Oktober,	Vieh- u. Pferdemarkt,
13)	Freitag,	den 27. November,	do.
14)	Sonnabend,	den 19. Dezember,	do.

Potsdam, den 10. Oktober 1890.

Der Regierungs-Präsident.

Viehseuchen.

217. Festgestellt ist:

der Milzbrand bei einer Kuh des Bauern Liepe zu Markau, Kreis Osthavelland;

der Rotz bei einem Pferde in der Brauerei von A. F. Thöns Nachfolger zu Spandau, Breitestraße 33;

die Maul- und Klauenseuche unter den Rindviehbeständen des Bauern Schrobsdorf zu Markau, Kreis Osthavelland, und des Bauergutsbesitzers Gromann zu Wagenitz, Kreis Westhavelland.

Erloschen ist:

die Maul- und Klauenseuche in Nauen, Kreis Osthavelland.

Potsdam, den 14. Oktober 1890.

Der Regierungs-Präsident.

Bekanntmachungen des Königlichen Polizei-Präsidiums zu Berlin.

Berliner und Charlottenburger Preise im Monat September 1890

80. A. Engros-Marktpreise im Monatsdurchschnitt.

In Berlin:

				Mark	Pf.
für 100 Klgr.	Weizen	(gut)	19	Mark	42 Pf.,
„ „ „	do.	(mittel)	19	„	05 „
„ „ „	do.	(gering)	18	„	69 „
„ „ „	Roggen	(gut)	17	„	04 „
„ „ „	do.	(mittel)	16	„	73 „
„ „ „	do.	(gering)	16	„	44 „
„ „ „	Gerste	(gut)	19	„	05 „
„ „ „	do.	(mittel)	16	„	42 „
„ „ „	do.	(gering)	14	„	79 „
„ „ „	Hafer	(gut)	15	„	13 „
„ „ „	do.	(mittel)	14	„	28 „
„ „ „	do.	(gering)	13	„	60 „
für 100 Klgr.	Erbsen	(gut)	19	Mark	58 Pf.,
„ „ „	do.	(mittel)	18	„	14 „
„ „ „	do.	(gering)	17	„	27 „
„ „ „	Richtstroh		4	„	41 „
„ „ „	Heu		5	„	14 „

Monats-Durchschnitt der höchsten Berliner Tagespreise **einschließlich 5 % Aufschlag** für 50 Klgr.

	Hafer	Stroh	Heu
im Monat September	8,15 Mk.,	2,53 Mk.,	3,37 Mk.

B. Detail-Marktpreise im Monatsdurchschnitt.

1) In Berlin:

		Mark	Pf.
für 100 Klgr.	Erbsen (gelbe z. Kochen)	26 Mark	87 Pf.,
„ „ „	Speisebohnen (weiße)	30 „	87 „
„ „ „	Linsen	42 „	04 „
„ „ „	Kartoffeln	5 „	66 „
„ 1 Klgr.	Rindfleisch v. d. Keule	1 „	50 „
„ 1 „	„ (Bauchfleisch)	1 „	20 „
„ 1 „	Schweinefleisch	1 „	51 „
„ 1 „	Kalbfleisch	1 „	50 „
„ 1 „	Hammelfleisch	1 „	39 „
„ 1 „	Speck (geräuchert)	1 „	73 „
„ 1 „	Eßbutter	2 „	30 „
„ 60 Stück	Eier	3 „	55 „

2) In Charlottenburg:

		Mark	Pf.
für 100 Klgr.	Erbsen (gelbe z. Kochen)	32 Mark	50 Pf.,
„ „ „	Speisebohnen (weiße)	35 „	— „
„ „ „	Linsen	45 „	— „
„ „ „	Kartoffeln	4 „	75 „
„ 1 Klgr.	Rindfleisch v. d. Keule	1 „	50 „
„ 1 „	„ (Bauchfleisch)	1 „	20 „
„ 1 „	Schweinefleisch	1 „	55 „
„ 1 „	Kalbfleisch	1 „	45 „
„ 1 „	Hammelfleisch	1 „	50 „
„ 1 „	Speck (geräuchert)	1 „	60 „
„ 1 „	Eßbutter	2 „	20 „
„ 60 Stück	Eier	3 „	81 „

C. Ladenpreise in den letzten Tagen des Monats September 1890:

1) In Berlin:

		Mark	Pf.
für 1 Klgr.	Weizenmehl № 1		36 Pf.,
„ 1 „	Roggenmehl № 1		33 „
„ 1 „	Gerstengraupe		48 „
„ 1 „	Gerstengrütze		40 „
„ 1 „	Buchweizengrütze		42 „
„ 1 „	Hirse		40 „
„ 1 „	Reis (Java)		70 „
„ 1 „	Java-Kaffee (mittler)	2 Mark	75 „
„ 1 „	„ (gelb in gebr. Bohnen)	3 „	78 „
„ 1 „	Speisesalz		20 „
„ 1 „	Schweineschmalz (hiesiges)	1 „	60 „

2) In Charlottenburg:

		Mark	Pf.
für 1 Klgr.	Weizenmehl № 1		50 „
„ 1 „	Roggenmehl № 1		40 „
„ 1 „	Gerstengraupe		60 „
„ 1 „	Gerstengrütze		50 „

für 1 Klgr.	Buchweizengrütze		50 Pf.,
„ 1 „	Hirse		50 „
„ 1 „	Reis (Java)		70 „
„ 1 „	Java-Kaffee (mittler)	2 Mark	80 „
„ 1 „	„ (gelb in gebr. Bohnen)	3 „	60 „
„ 1 „	Speisesalz		20, „
„ 1 „	Schweineschmalz (hiesiges)	1 „	30 „

Berlin, den 8. Oktober 1890.

Königl. Polizei-Präsidium. Erste Abtheilung.

Bekanntmachungen der Kaiserlichen Ober-Postdirektion zu Berlin.

Verlegung der Post-Zollabfertigungsstelle III

93. Am 15. Oktober wird die Post-Zollabfertigungsstelle III. von dem Postgrundstücke in der Oranienburgerstraße Nr. 70 nach dem Grundstücke Schiffbauerdamm Nr. 22 verlegt, woselbst der Betrieb am 16. Oktober 8 Uhr früh eröffnet werden wird. Gleichzeitig findet eine anderweite Vertheilung der Postbezirke auf die hiesigen 3 Post-Zollabfertigungsstellen in der Weise statt, daß künftig 1) die Bezirke SW., S. und SO. zur Post-Zollabfertigungsstelle I. (Ritterstraße Nr. 7), 2) die Bezirke C., O., NO. und von N. die Bestellbezirke der Postämter № 28, 37, 54 und 58 zur Post-Zollabfertigungsstelle II. (Klosterstraße Nr. 76), 3) die Bezirke W., NW. und von N. die Bestellbezirke der Postämter № 4, 20, 24, 31, 39 und 65 zur Post-Zollabfertigungsstelle III. (Schiffbauerdamm Nr. 22) gehören werden. Bei welcher der 3 Zollabfertigungsstellen die Verzollung der Postsendungen stattzufinden hat, werden die auf den Packetadressen aufgeklebten Hinweiszettel erkennen lassen. Bezüglich der auf dem Packhofe zu verzollenden Packetsendungen tritt eine Aenderung nicht ein. Berlin C., den 9. Oktober 1890.

Der Kaiserliche Ober-Postdirektor.

Bekanntmachungen des Königlichen Consistoriums der Provinz Brandenburg.

13. In der Zeit vom 30. Oktober bis 7. November d. J. findet in der Diözese Potsdam II. unter der Leitung des General-Superintendenten Oberhofpredigers D. Kögel eine General-Kirchenvisitation statt, über deren Plan die Geistlichen und Gemeinde-Kirchenräthe der Diözese Auskunft ertheilen können.

Bekanntmachungen der Königlichen Kontrolle der Staatspapiere.

Bekanntmachung.

23. In Gemäßheit des § 20 des Ausführungsgesetzes zur Civilprozeßordnung vom 24. März 1879 (G.-S. S. 281) und des § 6 der Verordnung vom 16. Juni 1819 (G.-S. S. 157) wird bekannt gemacht, daß die Schuldverschreibungen der konsolidirten $3^1/_2$ %igen Staatsanleihe von 1887/88 Lit. E. № 156080, 164102 und 164103 über je 300 M., welche in einem von der Union Bank of London Limited zu London am 6. Dezember 1889 der Londoner Postbehörde übergebenen, an Herrn Joseph Roth zu Freiburg im Breisgau (Baden) adressirten Packet mit Werthpapieren enthalten waren, bei der Beförderung mit der Post angeblich verloren gegangen sind.

Es werden diejenigen, welche sich im Besitze dieser Urkunden befinden, hiermit aufgefordert, solches der unterzeichneten Kontrolle der Staatspapiere oder dem Rechtsanwalt und Notar, Justizrath Friedrich Ernst in Berlin W., Behrenstraße 3, anzuzeigen, widrigenfalls das gerichtliche Aufgebotsverfahren behufs Kraftloserklärung der Urkunden beantragt werden wird.

Berlin, den 4. Oktober 1890.

Königliche Kontrolle der Staatspapiere.

Bekanntmachungen des Königlichen Ober-Bergamts zu Halle.

26. Nachstehende Verleihungsurkunde:

„Im Namen des Königs.

Auf Grund der am 17. April 1890 mit Präsentationsvermerk versehenen Muthung wird dem Ziegeleibesitzer Friedrich Robert Lebmann zu Hankels Ablage, Station der Berlin-Görlitzer Eisenbahn unter dem Namen **Zernsdorf VI.** das Bergwerkseigenthum in dem Felde, dessen Begrenzung auf dem heute von uns beglaubigten Situationsrisse mit den Buchstaben: a b c d e f g h i k a bezeichnet ist, und welches, einen Flächeninhalt von 2 140 339 qm, geschrieben: Zwei Millionen einhundertvierzig Tausend dreihundertneununddreißig Quadratmeter umfassend, in den Gemarkungen Zernsdorf, Neue Mühle, Königs-Wusterhausen (Amt, Forst und Gemeinde) und Hoherlöhme im Kreise Teltow und Niederlöhme und Cablow im Kreise Beeskow-Storkow des Regierungsbezirks Potsdam und im Oberbergamtsbezirke Halle gelegen ist, zur Gewinnung der in dem Felde vorkommenden Braunkohlen hierdurch verliehen",

urkundlich ausgefertigt am heutigen Tage, wird mit dem Bemerken, daß der Situationsriß in dem Büreau des Königlichen Bergrevierbeamten zu Eberswalde zur Einsicht offen liegt, unter Verweisung auf die Paragraphen 35 und 36 des Allgemeinen Berggesetzes vom 24. Juni 1865 hierdurch zur öffentlichen Kenntniß gebracht.

Halle a. S., den 6. Oktober 1890.

Königliches Oberbergamt.

Bekanntmachungen der Königlichen Eisenbahn-Direktion zu Berlin.

39. Die laut unserer Bekanntmachung vom 14ten September d. J. auf 8 Tagesstunden herabgesetzte Frist für die Be- und Entladung der Wagen in Wilmersdorf-Friedenau wird vom 10. d. M. ab wieder auf 12 Tagesstunden verlängert.

Berlin, den 9. Oktober 1890.

Königliche Eisenbahn-Direktion.

40. Am 5. Oktober d. J. ist zum Tarif für den Deutschen Levante-Verkehr über Hamburg seewärts der Nachtrag 2 in Kraft getreten. Derselbe enthält neben Ergänzungen der Güterklassifikation und Berichtigungen eine Abänderung des Artikels 11, eine Erhöhung der Seefracht für sperrige Güter nnd die Aufnahme der diesseitigen-Stationen Anclam, Frankenstein, Gräben, Grube, Vaterland, Merzdorf, Sorau, Spremberg sowie verschiedener Stationen anderer Direktionsbezirke. Abzüge des Nachtrags sind bei der Güterkasse Stettin sowie im hiesigen Auskunftsbureau auf dem Stadtbahnhof Alexanderplatz unentgeltlich zu haben.

Berlin, den 6. Oktober 1890.

Königliche Eisenbahn-Direktion.

Bekanntmachungen der Königlichen Eisenbahn-Direktion zu Bromberg.

62. Mit dem 15. Oktober 1890 wird die bisher nur für den Personen-Verkehr eingerichtete Haltestelle Biskupitz auch für den Wagenladungs-Güterverkehr eröffnet. Schwerwiegende Fahrzeuge können daselbst nicht ver- bezw. entladen werden.

Bromberg den 10. Oktober 1890.

Königliche Eisenbahn-Direktion.

Bekanntmachungen des Provinzial-Steuer-Direktors.

Tarif, nach welchem die Abgabe für die Benutzung des Winterhafens bei Wittenberge zu erheben ist.

11. § 1. Für die Benutzung des Winterhafens ist zu entrichten:

	Für die ganze Winterliegezeit		Für die tageweise Bergungsdauer. Bis zum 15ten Tage für jeden Tag		Vom 16ten bis zum 30sten Tage für jeden Tag		Vom 31sten bis zum 45sten Tage für jeden Tag		Vom 46sten Tage an für jeden Tag	
	M.	Pf.	M.	Pf.	M.	Pf.	M.	Pf.	M.	Pf.
A. Von Schraubendampfkähnen, Segelschiffen oder Schleppkähnen für jede vollen oder angefangenen 25 Tonnen Tragfähigkeit	4	—	—	10	—	8	—	5	—	4
B. Für ein Kettenschiff	90	—	2	25	1	80	1	13	—	90
C. Für Dampfschiffe ausschließlich der Schraubendampfkähne und der Kettenschiffe:										
a. bis 100 qm des benutzten Flächenraumes	30	—	—	75	—	60	—	37	—	30
b. über 100 bis 300 qm des benutzten Flächenraumes	80	—	2	—	1	60	1	—	—	80
c. über 300 qm des benutzten Flächenraumes	100	—	2	50	2	—	1	25	1	—
D. Für Boote und Handkähne, Flöße, Fähr- und Baggerprahme, Maschinen und Brückenpontons, Ladeschiffe und ähnliche Fahrzeuge für jede vollen oder angefangenen 10 qm der von ihnen benutzten oder durch sie der Benutzung durch andere Fahrzeuge entzogenen Fläche	1	60	—	4	—	3	—	2	—	2

Anmerkung zu C.

Der zu verabgabende Flächenraum wird durch Multiplikation der größten Länge mit der größten Breite des Schiffsgefäßes, bei Räderdampfschiffen unter Hinzurechnung der Breite eines Radkastens zur größten Breite des eigentlichen Schiffsgefäßes ermittelt.

§ 2. Die Abgabe wird erhoben für die Benutzung des Winterhafens in dem Zeitraum vom 1. Dezember bis 15. März.

Fahrzeuge jedoch, welche innerhalb dieses Zeitraumes im Winterhafen löschen oder laden, sind abgabenfrei, falls sie spätestens binnen 3 Tagen nach dem Tage des Einlaufens mit dem Löschen oder Laden beginnen und spätestens binnen 3 Tagen nach dem Tage der Beendigung des Löschens oder Ladens den Hafen verlassen, sofern sie daselbst im Ganzen nicht länger als 14 Werktage verweilen.

Die Abgabe kann nach Wahl des Schiffsführers entweder für die ganze Winterliegezeit im Voraus ohne Rücksicht auf die Dauer des Aufenthalts, oder nachträglich, jedoch **vor** dem Verlassen des Hafens nach der Anzahl der im Hafen zugebrachten Tage, einschließlich der Tage des Einlaufens und des Auslaufens entrichtet werden. Für die Berechnung der letzteren Abgabe ist die im § 1 aufgestellte Tabelle maßgebend.

Die Erklärung, welche Art der Abgabenentrichtung gewählt wird, ist sofort beim Einlaufen in den Hafen bei der Hebestelle abzugeben. Die bei der erstmaligen Benutzung eines Hafens in einer Winterperiode getroffene Wahl der Abgaben-Entrichtung schließt die Wahl der anderen Entrichtungsart bei der späteren Benutzung desselben Hafens nicht aber bei der späteren Benutzung anderer Häfen aus.

Für Fahrzeuge, welche nach Entrichtung der Abgabe für die ganze Winterlagerzeit den Hafen verlassen, aber in demselben Winter demnächst wieder benutzen, ist für diese fernere Benutzung keine Abgabe zu entrichten.

Ebenso bleiben Fahrzeuge, welche in demselben Winter in einem der fiskalischen Schutzhäfen zu Magdeburg, Mühlberg, Wittenberg, Halle a. S. (Sophienhafen) und Aken a. E. bereits gelegen, und Hafengeld **für die ganze Winterlagerzeit im Voraus** entrichtet haben, abgabenfrei, jedoch mit der Maßgabe, daß der Differenzbetrag nachzuentrichten, sofern in dem vorher benutzten Hafen die Abgabe weniger betragen hatte.

Dagegen findet diese Anrechnung auf die nach Tagen zu entrichtende Abgabe nicht statt.

Bei der Berechnung des Abgabenbetrages sind Pfennigbeträge nur soweit sie durch 5 ohne Rest theilbar sind, unter Weglassung der überschießenden Pfennige zur Erhebung zu stellen.

§ 3. Während der Zeit vom 16. März bis einschließlich 30. November ist die abgabenfreie Benutzung des Winterhafens nach Maßgabe der Bestimmungen der Hafenordnung gestattet.

§ 4. **Befreiungen.**

Befreit von der Abgabe sind:

1) Fahrzeuge, welche dem Könige, dem Preußischen Staate oder dem Deutschen Reiche gehören oder ausschließlich für Rechnung des Königs, des Preußischen Staates oder des Deutschen Reiches beladen sind.
2) Handkähne und andere kleine Fahrzeuge, welche zu größeren Fahrzeugen gehören und mit diesen zusammen im Hafen liegen.

Berlin, den 29. September 1890.

Der Minister der öffentlichen Arbeiten.
Im Auftrage gez. Schultz.

Der Minister für Handel und Gewerbe.
In Vertretung gez. Magdeburg.

Der Finanz-Minister.
Im Auftrage gez. Schomer.

* * *

Berlin, den 10. Oktober 1890.

Vorstehender Tarif wird auf Anordnung des Herrn Finanz-Ministers hiermit zur öffentlichen Kenntniß gebracht.

Der in Stück 17 des Amtsblatts vom 25. April d. J. veröffentlichte Tarif vom 25. März 1890 ist aufgehoben.

Der Provinzial-Steuer-Director.

Bekanntmachungen der Kreisausschüsse.

Bekanntmachung.

30. Auf Grund des § 25 des Zuständigkeitsgesetzes vom 1. August 1883 in Verbindung mit dem § 1 Absatz 4 des Landgemeindeverfassungsgesetzes vom 14. April 1856 sind im Kreise Templin folgende Communalbezirks-Veränderungen genehmigt:

1) die dem Königlichen Forstfiskus gehörenden, im Grundbuche von Wesendorf Band I. Blatt 11 eingetragenen, in der Grundsteuermutterrolle des Gemeindebezirks Wesendorf auf Artikel 10 Kartenblatt 3 als Flächenabschnitte 27/17 und 28/20 verzeichneten Wiesengrundstücke von 19,1356 ha Größe werden von dem Gemeindebezirk Wesendorf abgetrennt und mit dem Gutsbezirk Forst Zehdenick vereinigt, und
2) die dem Bauer Friedrich Wilhelm August Maaß zu Wesendorf gehörenden, im Grundbuche von Zehdenick, Königliche Forst Band I. Blatt 3 eingetragenen, in der Grundsteuermutterrolle des Gutsbezirks Zehdenick Forst auf Artikel 2 Kartenblatt 2 als Flächenabschnitte 66/1, 67/4 und 68/5 verzeichneten Holzungs- und Wiesengrundstücke von 6,6466 ha Größe werden von dem Gutsbezirk Forst Zehdenick abgetrennt und mit dem Gemeindebezirk Wesendorf vereinigt.

Templin, den 2. Oktober 1890.

Der Kreisausschuß des Kreises Templin.

31. **Nachweisung**

der vom Kreis-Ausschusse des Kreises Prenzlau auf Grund des § 25 des Zuständigkeitsgesetzes vom 1. August 1883 in Verbindung mit dem § 1 des Gesetzes vom 14. April 1856 genehmigten Gemeinde- und Gutsbezirks-Veränderungen pro III. Quartal 1890.

Bezeichnung des Grundstücks	Tag der Genehmigung.	Name des neuen Besitzers.	Künftiger Gemeinde- oder Gutsbezirk.
Die 90 qm große, bisher dem Domainenfiskus gehörige Dorfauenparzelle № 186/47 in Wollschow.	5. Juli 1890.	Bauerhofsbesitzer Heinrich Duckwitz in Wollschow.	Gemeindebezirk Wollschow.

Prenzlau, den 4. Oktober 1890.

Der Kreis-Ausschuß des Kreises Prenzlau.

32. **Zusammenstellung**

der vom Kreis-Ausschuß des Kreises Ost-Prignitz im III. Vierteljahr 1890 genehmigten Kommunalbezirks-Veränderungen.

Tag der Genehmigung	Bezeichnung der Grundstücke.	bisheriger Kommunalbezirk.	zukünftiger Kommunalbezirk.	Größe der Grundstücke ha	ar	qm
5. August 1890.	Die in das Eigenthum des Königlichen Forstfiskus übergegangenen Grundstücke Blatt 3 Parzellen-Nummer 340/89, 341/92, 343/92 und Kartenblatt 4 Parzellen-Nummer 66/2, 67/2, 7, 8, 9, 10, 11, 12, 13, 14, 15 und 16 der Gemarkungskarte von Gadow.	Gemeinde Gadow.	Forstfiskalischer Gutsbezirk Neudorf bei Wittstock.	94	81	81

Kyritz, den 4. Oktober 1890.

Namens des Kreis-Ausschusses, der Vorsitzende.

Personal-Chronik.

Im Kreise Ostprignitz ist der Rittergutsbesitzer von Freier zu Hoppenrade nach Ablauf seiner bisherigen Amtszeit auf's Neue zum Amtsvorsteher des 36. Bezirks Hoppenrade ernannt worden.

Im Verwaltungsbezirke der Königlichen Hofkammer ist der Förster Weber zu Lubolz, Oberförsterei Klein-Wasserburg, in den Ruhestand getreten und der bisherige Forstaufseher Mützell zum Königlichen Förster in Lubolz ernannt.

Der bisherige Diakonus Hans Heinrich Lamprecht an der St. Marien-Kirche zu Strausberg ist zum evangelischen Prediger und Hausgeistlichen an der Stadtvoigtei-Gefangenenanstalt zu Berlin berufen worden.

Die unter dem Patronat der Königlichen Hofkammer der Königlichen Familiengüter stehende Pfarrstelle an der Friedenskirche in Potsdam, Diözese Potsdam I., ist durch das Ableben des Hofpredigers, Pfarrers Dr. Windel, am 9. September d. J. zu Erledigung gekommen.

Die unter Königlichem Patronat stehende Pfarrstelle zu Niederwerbig, Diözese Belzig, deren Einkommen außer freier Wohnung auf 1801 M. jährlich veranschlagt wird, ist durch die Versetzung ihres bisherigen Inhabers, des Pfarrers Rupprecht, zum 1. Oktober d. J. zur Erledigung gekommen. Die Wiederbesetzung dieser Stelle erfolgt durch Gemeindewahl nach Maßgabe des Kirchengesetzes, betreffend das im § 32 № 2 der Kirchengemeinde- und Synodal-Ordnung vom 10. September 1873 vorgesehene Pfarrwahlrecht vom 15. März 1886 — Kirchl. Ges.- und Verordn.-Bl. de 1886 S. 39. — Bewerbungen um diese Stelle sind schriftlich bei dem Königlichen Konsistorium der Provinz Brandenburg einzureichen. § 6 a. a. O.

Der Lehrer Hermann Vogt an der St. Hedwigs-Schule zu Berlin ist als Rektor an derselben Anstalt angestellt worden.

Die Lehrerin Hedwig Hauser ist als Lehrerin an der St. Hedwigs-Schule in Berlin angestellt worden.

Personalveränderungen im Bezirke des Kammergerichts im Monat September 1890.

I. Richterliche Beamte.

Ernannt sind zu Amtsrichtern die Gerichtsassessoren Eichler bei dem Amtsgericht in Crossen a. O., Ganz bei dem Amtsgericht in Forst, Dr. Albrecht bei dem Amtsgericht in Dobrilugk und Großmann bei dem Amtsgericht in Calau; zu Handelsrichtern der Kaufmann und Direktor der Berliner Brodfabrik-Aktiengesellschaft Reinhold Leßhafft, die Kaufleute Wilhelm Titel, Hermann Jacoby, Rudolf Molenaar, Sigismund Samuel, Hugo Heymann, Bernhard Croner, der Fabrikant Otto Mundt und der Fabrikbesitzer Gustav Boerner, sämmtlich in Berlin; zu stellvertretenden Handelsrichtern die Kaufleute Heimann Auerbach, Salomon Mosse, Paul Gause, Paul Zabel, Franz Gaedicke, Hermann Lehmann, Konrad Lehmann, Adolph Philipsthal, George Joachimsthal, Robert Hirsch, Julius Rosenheim, Richard Boehme und der Direktor Oskar Grunow, sämmtlich in Berlin.

Versetzt sind: der Amtsgerichtsrath Hauschildt in Angermünde an das Amtsgericht in Bielefeld; der Landrichter Engelmann in Gleiwitz und der Amtsrichter Berner in Coepenick als Landrichter an das Landgericht II. in Berlin; der Amtsgerichtsrath Rehse in Sorau als Landgerichtsrath an das Landgericht in Frankfurt a. O.; der Amtsrichter Stubenrauch in Coepenick als Landrichter an das Landgericht I. in Berlin; der Staatsanwalt Schönian in Neu-Ruppin an das Landgericht in Hildesheim.

Pensionirt sind: der Amtsgerichtsrath Ebel in Berlin I.; der Landgerichtsrath von Albrecht in Potsdam; der Landgerichtsdirektor Martens beim Landgericht I. in Berlin.

Der Amtsrichter Havenstein in Arnswalde ist in Folge seiner Ernennung zum Regierungsrath aus dem Justizdienst geschieden.

II. Assessoren.

Zu Gerichtsassessoren sind ernannt die Referendare Sillies, Tiedge, Grunow, Schneider.

Entlassen ist: Dr. jur. Friedrich Schmidt Zwecks Uebertritts in die allgemeine Staatsverwaltung.

III. Rechtsanwälte und Notare.

Gelöscht sind in der Liste der Rechtsanwälte: der Rechtsanwalt Marcuse beim Landgericht in Prenzlau, der Rechtsanwalt Liepschütz beim Landgericht I. in Berlin.

Eingetragen sind in die Liste der Rechtsanwälte der Gerichtsassessor Prochnow beim Amtsgericht in Zielenzig, der Landrichter a. D. von Dechend und der Rechtsanwalt Liepschütz aus Berlin beim Kammergericht.

Zum Notar ist ernannt der Rechtsanwalt Müller in Brandenburg a. H.

IV. Referendare.

Zu Referendaren sind ernannt die bisherigen Rechtskandidaten Peiser, Schüler, Treichel, Rittler, von Perponcher und von Falkenhausen.

Uebernommen ist: Salinger aus dem Bezirke des Oberlandesgerichts in Marienwerder.

Entlassen sind: Stechow Zwecks Uebertritts in den Verwaltungsdienst, Dr. Anton, Paul Fischer und Wellmann.

V. Subalternbeamte.

Ernannt sind: die Militäranwärter Güldner und Riedler zu Gerichtsvollziehern bei den Amtsgerichten I. in Berlin bezw. in Luckau; der Aktuar Kliese zum etatsmäßigen Gerichtsschreibergehülfen beim Amtsgericht in Finsterwalde, der Kanzleidiätar Kuckuk bei der Staatsanwaltschaft des Landgerichts II. in Berlin zum Kanzlisten bei der Staatsanwaltschaft des Landgerichts I. in Berlin.

Pensionirt ist der Gerichtsschreiber, Kanzleirath Burmeister bei dem Amtsgericht in Potsdam.

Verstorben sind: die Gerichtsschreiber von der Burg und Körner beim Amtsgericht I. in Berlin,

Mester in Sorau; der etatsmäßige Gerichtsschreibergehülfe Bleidorn in Havelberg.

Entlassen ist der Sekretär Bombe bei der Staatsanwaltschaft in Prenzlau.

Personalveränderungen im Bezirk der Kaiserlichen Ober-Postdirektion in Berlin.

Im Laufe des Monats September sind **versetzt:** von Berlin der Telegraphenamtskassirer Fritzsche nach Straßburg (Els.), der Postsecretair Froelich nach Stralsund; nach Berlin der Ober-Postdirektionssecretair Wiegmann von Breslau; **in den Ruhestand versetzt:** der Postsecretair Wöhe, der Ober-Telegraphenassistent Jädicke; **gestorben:** der Postassistent Georg Becker.

Personal-Veränderungen im Bezirke der Königlichen Eisenbahn-Direktion Bromberg.

Pensionirt: Güter-Expedient Schmidt zu Lichtenberg-Friedrichsfelde.

Versetzt: die Stations-Vorsteher I. Klasse Olms von Berlin nach Danzig und Kublank von Landsberg a. W. nach Berlin, Güter-Expedient Pukaß von Cüstrin als Güter-Kassirer nach Berlin.

Vermischte Nachrichten.

Bekanntmachung.

Gemäß Anordnung des Herrn Justizministers vom 11. Februar 1890 (Justizministerial-Blatt Seite 74) ist die Führung der Handels-, Genossenschafts-, Zeichen- und Muster-Register vom 1. Oktober 1890 an auf das unterzeichnete Amtsgericht für dessen Bezirk übergegangen. Im Geschäftsjahr 1890 erfolgt die Bekanntmachung der Eintragungen: I. des Handelsregisters durch a. den Deutschen Reichs- und Königlich Preußischen Staats-Anzeiger, b. die Berliner Börsenzeitung, c. die Märkische Zeitung; II. des Genossenschaftsregisters durch a. den Deutschen Reichs- und Königlich Preußischen Staats-Anzeiger, b. die Märkische Zeitung; III. des Zeichen- und Muster-Registers durch den Deutschen Reichs- und Königlich Preußischen Staats-Anzeiger. Anmeldungen und Anträge in Handels-, Genossenschafts- und Musterregistersachen werden an jedem Sonnabend Vormittags von 10 bis 12 Uhr an Gerichtsstelle entgegen genommen.

Lindow, den 13. Oktober 1890.

Königliches Amtsgericht.

Ausweisung von Ausländern aus dem Reichsgebiete.

Lauf. Nr.	Name und Stand	Alter und Heimath	Grund der Bestrafung.	Behörde, welche die Ausweisung beschlossen hat.	Datum des Ausweisungs-Beschlusses.
	des Ausgewiesenen.				
1.	2.	3.	4.	5.	6.
	Auf Grund des § 362 des Strafgesetzbuchs:				
1	Heinrich Gned, Fleischergeselle,	geboren am 10. Januar 1859 zu Komotau, Böhmen, ortsangehörig ebendaselbst,	Landstreichen u. Betteln,	Königlich Preußischer Regierungspräsident zu Erfurt,	15. September 1890.
2	Therese Resniczek, ledige Tagelöhnerin,	38 Jahre alt, geboren und ortsangehörig zu Haselbach, Bez. Taus, Böhmen,	desgleichen,	Königlich Bayerisches Bezirksamt Traunstein,	29. August 1890.
3	Moses Scheps, genannt Skowiritsch, Kürschnergeselle,	29 Jahre alt, geboren und ortsangehörig zu Warschau, Russisch-Polen,	desgleichen,	Königlich Preußischer Regierungspräsident zu Lüneburg,	15. September 1890.
4	Karl Scholl, Erdarbeiter,	31 Jahre alt, geboren und ortsangehörig zu Villeneuve, Arrondissement St. Quentin, Departement Ht. Garonne, Frankreich,	Landstreichen,	Kaiserlicher Bezirkspräsident zu Colmar,	8. September 1890.
5	Itzig Schrösky, Schneider,	geboren im Jahre 1872 zu Malawi, Russisch-Polen, ortsangehörig ebendaselbst,	desgleichen,	Königlich Preußischer Regierungspräsident zu Potsdam,	12. September 1890.
6	Franz Stibor, Maurer,	geboren am 2. April 1851 zu Wien, Wyden, Bezirk Groß-Meseritsch, Mähren, ortsangeh. zu Smilkau, Bez. Wotitz, Böhmen,	Betteln im wiederholten Rückfall,	Königlich Sächsische Kreishauptmannschaft Zwickau,	2. August 1890.

Lauf. Nr.	Name und Stand des Ausgewiesenen.	Alter und Heimath des Ausgewiesenen.	Grund der Bestrafung.	Behörde, welche die Ausweisung beschlossen hat.	Datum des Ausweisungs-Beschlusses.
1.	2.	3.	4.	5.	6.
7	Karl Emil Trago, Handarbeiter,	geboren am 12. Dezember 1848 zu Malmö, Schweden,	Landstreichen,	Königlich Preußischer Regierungspräsident zu Osnabrück,	6. September 1890.
8	Wenzel Blaha (Plager), Strumpfwirker,	38 Jahre alt, geboren und ortsangehörig zu Wälischbirken, Bezirk Prachatitz, Böhmen,	Landstreichen und Betteln,	Königlich Bayerisches Bezirksamt Vilsbiburg,	11. September 1890.
9	Stephan Böhm, Schleifergeselle,	geboren am 8. November 1860 zu Großwöhlen, Bezirk Tetschen, Böhmen, ortsangehörig ebendaselbst,	Betteln im wiederholten Rückfall,	Königlich Sächsische Kreishauptmannschaft Zwickau,	14. August 1890.
10	Elias Gronner, Kellner,	geboren am 5. Januar 1870 zu Makow, Galizien,	Landstreichen und Betteln,	Königlich Bayerisches Bezirksamt Karlstadt,	2. September 1890.
11	Josef Isakowitz, Schneider,	geboren im Jahre 1872 zu Munkacs, Komitat Bereg, Ungarn,	desgleichen,	Königlich Preußischer Regierungspräsident zu Oppeln,	14. August 1890.
12	Franz Simek, Sattler,	geboren im Mai 1857 zu Deschna, Bezirk Pilgram, Böhmen, ortsangehörig ebendas.,	desgleichen,	Stadtmagistrat Straubing, Bayern,	7. März 1890.
13	Franz Springer, Bäckergeselle,	geboren am 2. November 1861 zu Leitmeritz, Böhmen, ortsangehörig ebendaselbst,	Landstreichen,	Königlich Sächsische Kreishauptmannschaft Zwickau,	8. August 1890.
14	Adolf Watzlawski, Müllergeselle,	geboren im Mai 1867 zu Mühlendorf, Bezirk Bielitz, Oesterreichisch-Schlesien,	Landstreichen und Betteln,	Königlich Preußischer Regierungspräsident zu Oppeln,	6. September 1890.
15	Israel Weisengrün, Arbeiter,	geboren im Jahre 1871 zu Rudky, Galizien,	desgleichen,	derselbe,	14. August 1890.

Hierzu Vier Oeffentliche Anzeiger.

(Die Insertionsgebühren betragen für eine einspaltige Druckzeile 20 Pf. Belagsblätter werden der Bogen mit 10 Pf. berechnet.)

Redigirt von der Königlichen Regierung zu Potsdam.

Potsdam, Buchdruckerei der A. W. Hayn'schen Erben (E. Hayn, Hof-Buchdrucker).

Amtsblatt
der Königlichen Regierung zu Potsdam
und der Stadt Berlin.

Stück 43. Den 24. Oktober 1890.

Bekanntmachungen des Königlichen Ober-Präsidenten.

24. Auf Grund der §§ 137 und 139 des Gesetzes über die allgemeine Landesverwaltung vom 30. Juli 1883 (G.-S. S. 195) sowie der §§ 6, 12 und 15 des Gesetzes über die Polizei-Verwaltung vom 11. März 1850 (G.-S. S. 265) wird unter Zustimmung des Provinzialrathes für die Provinz Brandenburg hierdurch verordnet, was folgt:

An Stelle des § 3 Absatz 1 der Polizei-Verordnung für die Provinz Brandenburg, betreffend die Untersuchung des Schweinefleisches auf Trichinen vom 17. März 1886 (Amtsblatt der Königlichen Regierung zu Potsdam S. 145 ff., Amtsblatt der Königlichen Regierung zu Frankfurt a. O., Außerordentliche Beilage zum Stück 14) tritt vom 1. Januar 1891 ab folgende Vorschrift:

Zur Untersuchung frisch geschlachteter Schweine sind aus den Muskeln am Kehlkopfe und am Halse, den Kaumuskeln, aus der Zungenwurzel, den Bauchmuskeln und ganz besonders aus dem s. g. Zwerchfellpfeiler (pars lumbalis diaphragmatis) stets und ausnahmslos Probestücke zu entnehmen. Aus jedem dieser Probestücke sind mindestens fünf angemessene Präparate zu fertigen und mikroskopisch zu untersuchen.

Potsdam, den 2. Oktober 1890.

Der Ober-Präsident, Staatsminister
von Achenbach.

Polizei-Verordnung
über die Benutzung der Hunde als Zugthiere

25. Auf Grund der §§ 6, 12 und 15 des Gesetzes über die Polizei-Verwaltung vom 11. März 1850 (G.-S. S. 263) und der §§ 137 und 139 bezw. 43 Abs. 1 des Gesetzes über die allgemeine Landesverwaltung vom 30. Juli 1883 (G.-S. S. 195) wird für den Umfang der Provinz Brandenburg und des Stadtkreises Berlin, in Betreff der ersteren unter Zustimmung des Provinzialraths, folgende Polizei-Verordnung erlassen.

§ 1. Jeder vor ein Fuhrwerk gespannte Hund muß einen sichern, zweckmäßig eingerichteten Maulkorb tragen, welcher dem Hunde das freie Athmen und Abkühlen der Zunge gestattet, das Beißen aber unmöglich macht.

§ 2. Hunde, welche wegen Krankheit, äußerer Schäden oder wegen ihrer körperlichen Beschaffenheit im Allgemeinen zum Ziehen nicht geeignet sind, dürfen nicht angespannt werden.

Das Gleiche gilt von Hunden, welche vorübergehend zum Ziehen untauglich sind, z. B. hitzigen, hochträchtigen oder säugenden Hündinnen während der Dauer dieses Zustandes.

§ 3. Hunde, welche nach den vorstehenden Merkmalen als zum Ziehen ungeeignet oder zeitweise untauglich anzusehen sind, können von der Polizei sofort von der Straße bezw. aus dem Fuhrwerke entfernt werden.

§ 4. Das Gewicht des Wagens und der Ladung darf nicht so groß sein, daß die Kräfte des Hundes überanstrengt werden.

Die Ueberlastung eines Hundefuhrwerks ist strafbar und giebt der Polizei das Recht, die sofortige Unterbrechung der Fahrt anzuordnen und deren Fortsetzung so lange zu untersagen, bis eine angemessene Verminderung der Last stattgefunden hat.

§ 5. Auf dem Fuhrwerke muß sich ein zum Tränken des Hundes geeignetes Gefäß, sowie, während der Zeit vom 1. Oktober bis 1. April, für jeden Hund eine Unterlage und eine Decke zum Auflegen befinden, welche während des Stillhaltens zu benutzen sind.

§ 6. Der Führer eines Hundefuhrwerks darf sich während der Fahrt niemals auf dem Wagen befinden, muß vielmehr neben dem Hunde gehen und denselben an einer Leine führen, auf städtischen und anderen verkehrsreichen Straßen aber die Deichsel des Wagens beständig in der Hand halten.

Will der Führer das Fuhrwerk während des Haltens verlassen, so ist der Hund abzusträngen und in solcher Weise am Wagen zu befestigen, daß er sich weder losmachen noch den letzteren fortbewegen kann.

§ 7. Hundefuhrwerke müssen allen anderen ihnen begegnenden oder sie einholenden Wagen und Reitern bis zum äußersten Rande des Weges ausweichen.

§ 8. Mit Hunden bespannte Wagen dürfen nicht an andere in der Fahrt begriffene Fuhrwerke angehängt werden.

§ 9. Die Benutzung zweirädriger Hundekarren ist nur unter der Bedingung gestattet, daß die Hunde lediglich zum Ziehen dienen und nicht durch das Gewicht des Karrens im Rücken belastet werden können.

§ 10. Die über die Bezeichnung und Beleuchtung der Fuhrwerke, sowie die über das Befahren der Gräben, Böschungen und Banquets der Chausseen erlassenen Bestimmungen finden auch auf Hundefuhrwerke sinngemäße Anwendung.

§ 11. Zuwiderhandlungen gegen diese Polizei-Verordnung werden, sofern nicht nach den allgemeinen

Strafgesetzen härtere Strafen verwirkt sind, mit Geldstrafe bis zu 60 Mark bestraft.

§ 12. Diese Verordnung tritt am 1. Januar 1891 in Kraft.

Potsdam, den 3. Oktober 1890.

Der Ober-Präsident, Staatsminister
von Achenbach.

Bekanntmachungen des Königlichen Regierungs-Präsidenten.

Betrifft die schußfreien Tage auf dem Schießplatze bei Cummersdorf für 1890.

218. Unter Hinweis auf die Polizei-Verordnung vom 2. November 1875 — Amtsblatt Seite 366 — bringe ich hierdurch zur öffentlichen Kenntniß, daß die **schußfreien** Tage auf dem Schießplatze bei Cummersdorf für das Jahr 1890 wie folgt festgesetzt worden sind:

Oktober: 26., 27., 29.

November: 2., 3., 5., 9., 10., 12., 16., 17., 19., 23., 24., 26., 30.

Dezember: 3., 4., 7., 10., 11., 14., 17., 18., 21., 24., 25., 26., 28., 31.

Potsdam, den 18. Oktober 1890.

Der Regierungs-Präsident.

Chausseegeld-Erhebung auf der Königs-Wusterhausen-Ragow'er Kreis-Chaussee.

219. Dem Kreise Teltow ist seitens des Herrn Ministers der öffentlichen Arbeiten durch Erlaß vom 9. Mai d. J. — III. 9108 — die Genehmigung ertheilt worden, die an der Einmündung der Ragow-Königswusterhausen'er Kreis-Chaussee in die Mittenwalde-Klein-Ziethen'er Kreis-Chaussee bei der Püttkenmühle bestehende Chausseegeldhebestelle zwischen Station 0,5 und 0,6 der Mittenwalde-Klein-Ziethen'er Kreis-Chaussee zu verlegen. Mit der Erhebung des Chausseegeldes an der zuletzt bezeichneten Stelle wird am 15. November d. J. begonnen werden. Durch die Verlegung wird eine Aenderung in der Hebe-Befugniß nicht bedingt.

Potsdam, den 17. Oktober 1890.

Der Regierungs-Präsident.

Viehseuchen.

220. Festgestellt ist:

der Milzbrand bei einer Kuh auf dem Rittergut Möthlow, Kreis Westhavelland;

die Maul- und Klauenseuche unter dem Rindvieh- und Schafbestande des Ritterguts Lützlow, Kreis Angermünde, und unter dem Rindviehbestande des Bauern Boettcher zu Uetz, Kreis Osthavelland.

Potsdam, den 21. Oktober 1890.

Der Regierungs-Präsident.

Bekanntmachungen der Bezirksausschüsse.

Schluß der Jagd auf Rebhühner.

13. Die diesjährige Jagd auf **Rebhühner** im diesseitigen Regierungsbezirk wird mit Ablauf des **Sonnabend, des 15. November 1890,** geschlossen.

Potsdam, den 16. Oktober 1890.

Der Bezirksausschuß zu Potsdam.

Bekanntmachungen des Königlichen Polizei-Präsidiums zu Berlin.

Bestimmungen über die Genehmigung, Prüfung und Revision der Dampfkessel.

(Nach einer Vereinbarung der verbündeten Regierungen des Reichs in der Bundesrathssitzung vom 3. Juli 1890.)

81. I. Dampfkessel im Allgemeinen.

1) Dampfkessel aus dem Auslande müssen der Druckprobe nach den Vorschriften im § 11 der allgemeinen polizeilichen Bestimmungen vom 5. August 1890 im Inlande unterworfen werden.

Dampfkessel, welche in einem Bundesstaate am Verfertigungsort von einem hiermit beauftragten Beamten oder staatlich ermächtigten Sachverständigen nach den §§ 11 und 13 der allgemeinen polizeilichen Bestimmungen vom 5. August 1890 oder nach Vornahme einer Ausbesserung in Gemäßheit des § 12 a. a. O. geprüft und den Vorschriften unter § 11 Absatz 4 a. a. O. entsprechend abgestempelt worden sind, unterliegen, sobald sie im Ganzen nach ihrem Aufstellungsort transportirt werden, auch wenn dieser in einem anderen Bundesstaate belegen ist, einer weiteren Wasserdruckprobe vor ihrer Einmauerung beziehungsweise vor ihrer Wiederinbetriebsetzung nur dann, wenn sie durch den Transport oder aus anderer Veranlassung Beschädigungen erlitten haben, welche die Wiederholung der Probe geboten erscheinen lassen.

II. Bewegliche Kessel
(Lokomobilen, §§ 16 ff. der allgemeinen polizeilichen Bestimmungen vom 5. August 1890).

2) Bewegliche Kessel, deren Inbetriebnahme in einem Bundesstaate auf Grund des § 24 der Gewerbeordnung nnd der allgemeinen polizeilichen Bestimmungen genehmigt worden ist, können in allen anderen Bundesstaaten ohne nochmalige vorgängige Genehmigung in Betrieb gesetzt werden, sofern seit ihrer letzten Untersuchung (Ziffer 5) nicht mehr als ein Jahr verflossen ist.

Hinsichtlich der örtlichen Aufstellung und des Betriebes kommen die polizeilichen Vorschriften desjenigen Bundesstaates zur Anwendung, in welchem der Kessel benutzt wird.

3) Die Genehmigung kann für mehrere bewegliche Kessel von übereinstimmender Bauart, Ausrüstung und Größe, welche in einer Fabrik im Laufe eines Kalenderjahres hergestellt werden, gemeinsam im Voraus beantragt und durch eine Urkunde ertheilt werden.

Für jeden auf Grund dieser Genehmigungsurkunde hergestellten beweglichen Kessel ist eine mit der Fabriknummer zu versehende beglaubigte Abschrift der Genehmigungsurkunde und ihrer Zubehörungen anzufertigen. Dieselbe gilt als Genehmigungsurkunde für den Kessel, dessen Fabriknummer sie trägt.

Die Beglaubigung der Abschrift kann durch den Beamten oder staatlich ermächtigten Sachverständigen, welcher die im § 11 der allemeinen polizeilichen Bestimmungen vorgesehene Untersuchung vornimmt, geschehen.

4) Bevor ein beweglicher Kessel in dem Bezirke einer Ortspolizeibehörde in Betrieb genommen wird, ist der letzteren von dem Betriebsunternehmer oder dessen Stellvertreter unter Angabe der Stelle, an welcher der Betrieb stattfinden soll, Anzeige zu erstatten.

5) Jeder bewegliche Kessel ist mindestens alljährlich einer äußeren Revision, und alle drei Jahre einer inneren Revision oder Wasserdruckprobe zu unterwerfen. Die innere Revision kann der Revisor nach seinem Ermessen durch eine Wasserdruckprobe ergänzen. Die äußere Revision kommt jedoch in demjenigen Jahre in Fortfall, in welchem eine innere Revision oder Wasserdruckprobe vorgenommen wird.

Die Wasserdruckprobe erfolgt bei Kesseln, welche für eine Dampfspannung von nicht mehr als 10 Atmosphären Ueberdruck bestimmt sind, mit dem anderthalbfachen Betrage des genehmigten Ueberdrucks, bei allen übrigen Kesseln mit einem Drucke, welcher den genehmigten Ueberdruck um 5 Atmosphären übersteigt. Bei der Probe ist, soweit dies vom Revisor verlangt wird, die Ummantelung des Kessels zu beseitigen.

6) Der Betriebsunternehmer oder dessen Vertreter hat dem zuständigen Revisor zu der Zeit, zu welcher die innere Revision oder Wasserdruckprobe auszuführen ist, davon Anzeige zu erstatten, wann und wo der Kessel zur Untersuchung bereit steht.

7) Die nach Maßgabe des § 24 Absatz 3 der Gewerbeordnung von einem hierzu ermächtigten Beamten oder Sachverständigen eines Bundesstaates ausgestellten Bescheinigungen, die Bescheigungen über die in Gemäßheit des § 12 der allgemeinen polizeilichen Bestimmungen vom 5. August 1890 vorgenommenen Wasserdruckproben und die Bescheinigungen über die Vornahme periodischer Untersuchungen werden in allen anderen Bundesstaaten anerkannt.

III. Dampfschiffskessel

(§ 19 der allgemeinen polizeilichen Bestimmungen vom 5. August 1890).

8) Die in Gemäßheit des § 24 der Gewerbeordnung erforderliche Genehmigung zur Anlegung eines Dampfschiffskessels hat die nach den Landesgesetzen zuständige Behörde desjenigen Bundesstaates zu ertheilen, in welchem sich der Heimathshafen des Schiffes, in Ermangelung eines solchen der Wohnsitz des Schiffseigners befindet.

9) Die technische Untersuchung einer Dampfschiffskesselanlage, welche nach Maßgabe des § 24 Absatz 3 der Gewerbeordnung vor Inbetriebnahme des Kessels auszuführen ist, kann in dem Heimathshafen des Schiffes oder in dem ersten deutschen Anlaufshafen oder auch an dem Orte vorgenommen werden, an welchem der Kessel in das Schiff eingebaut oder mit demselben verbunden worden ist.

Ist dieser Ort in einem anderen Bundesstaate gelegen als der Heimathshafen des Schiffes, und erfolgt diese Untersuchung nicht in dem Heimathshafen, so ist bei derselben gleichzeitig festzustellen, ob denjenigen Konzessionsbedingungen, welche nach Maßgabe der im Staate des Heimathshafens über die Anlegung von Dampfschiffskesseln geltenden besonderen polizeilichen Bestimmungen vorgeschrieben wurden, entsprochen worden ist.

10) Dampfschiffskessel, deren Inbetriebnahme in einem Bundesstaate auf Grund des § 24 der Gewerbeordnung und nach den allgemeinen polizeilichen Bestimmungen genehmigt worden ist, können, wenn sie sich auf Schiffen befinden, welche Gewässer verschiedener Bundesstaaten befahren, innerhalb des Gebietes der letzteren ohne nochmalige vorgängige Genehmigung betrieben werden, sofern seit ihrer letzten Untersuchung nicht mehr als ein Jahr verflossen ist.

11) Jeder Dampfschiffskessel ist mindestens alljährlich einer äußeren Revision und alle zwei Jahre einer inneren Revision oder Wasserdruckprobe zu unterwerfen. Die innere Revision kann der Revisor nach seinem Ermessen durch eine Wasserdruckprobe ergänzen.

Diese Wasserdruckprobe erfolgt bei Kesseln, welche für eine Dampfspannung von nicht mehr als 10 Atmosphären Ueberdruck bestimmt sind, mit dem anderthalbfachen Betrage des genehmigten Ueberdrucks, bei allen übrigen Kesseln mit einem Drucke, welcher den genehmigten Ueberdruck um 5 Atmosphären übersteigt. Bei der Probe ist, soweit dies vom Revisor verlangt wird, die Ummantelung des Kessels zu beseitigen.

12) Die Bestimmungen der Ziffern 6 und 7 finden auf Dampfschiffskessel gleichmäßig Anwendung.

Obige Bestimmungen werden hierdurch zur öffentlichen Kenntniß gebracht.

Berlin, den 14. Oktober 1890.

Der Polizei-Präsident.

Bekanntmachungen des Staatssekretairs des Reichs-Postamts.

Bekanntmachung.

25. In Zanzibar, Bagamoyo und Dar-es-Salaam sind Kaiserlich Deutsche Postagenturen eingerichtet worden. Dieselben vermitteln den Austausch von Briefsendungen jeder Art unter den Bedingungen des Weltpostvereins. In Deutschland werden erhoben: für frankirte Briefe 20 Pf. für je 15 g, für unfrankirte Briefe 40 Pf. für je 15 g, für Postkarten 10 Pf., für Postkarten mit Antwort 20 Pf., für Drucksachen, Waarenproben und Geschäftspapiere 5 Pf. für je 50 g, mindestens jedoch 10 Pf. für Waarenproben und 20 Pf. für Geschäftspapiere, an Einschreibgebühr 20 Pf.

Berlin W., 10. Oktober 1890.

Der Staatssecretair des Reichs-Postamts.

Bekanntmachungen der Kreisausschüsse.

33.

Nachweisung

der Seitens des Kreis-Ausschusses des Kreises Teltow auf Grund des § 1 des Gesetzes vom 14. April 1856 in Verbindung [mit] dem § 25 Absatz des Zuständigkeits-Gesetzes vom 1. August 1883 genehmigten Veränderungen von Gemeinde- und Guts-gren[zen] für das III. Quartal 1890.

Bezeichnung des in Betracht kommenden Grundstücks.	des seitherigen Gemeinde- resp. Gutsbezirks.	des künftigen Gemeinde- resp. Gutsbezirks.
1) Das dem Fräulein Marie Meyerhoff zu Groß-Beeren gehörige, im Grundbuch von Groß-Beeren Band I. Blatt 13 Kartenblatt 2 Parzelle $\frac{403,\ 404}{32}$ verzeichnete Grundstück.	Gutsbezirk Groß-Beeren.	Gemeindebezirk Groß-Beeren.
2) Das der Kirche zu Groß-Beeren gehörige, im Grundbuch von Groß-Beeren Band VII. Blatt 156 Kartenblatt 2 Parzelle 399/31, 467/31, 468/31 verzeichnete Grundstück.	Desgl.	Desgl.
3) Das der Pfarre zu Groß-Beeren gehörige, im Grundbuche von Groß-Beeren Band VII. Blatt 157 Kartenblatt 2 Parzelle $\frac{405,\ 406}{33}$ verzeichnete Grundstück.	Desgl.	Desgl.
4) Das der verehelichten Tagelöhner Johanna Christiane Stuck, geb. Richter, zu Staakow gehörige, Kartenblatt 1 Parzelle 143/57 verzeichnete Grundstück in einer Größe von 6 ar 10 qm.	Gutsbezirk Staakow.	Gemeindebezirk Staakow.
5) Das dem Arbeiter August Münchow zu Staakow gehörige, Kartenblatt 1 Parzelle 147/40 verzeichnete Grundstück in einer Größe von 19 ar 62 qm.	Desgl.	Desgl.
6) Die Seitens der Königlichen Hofkammer an die Berlin-Görlitz'er Eisenbahn veräußerten Parzellen von 10 hect 71 ar 66 qm Größe und zwar:		
Kartenblatt 1 Parzelle 354 in einer Größe von — h 70 ar 70 qm.		
Kartenblatt 1 Parzelle 493/247 in einer Größe von — - 30 - 90 -		
Kartenblatt 1 Parzelle 918/308 in einer Größe von — - 5 - 25 -		
Kartenblatt 1 Parzelle 1034/342 in einer Größe von — 1 - 24 -		
Kartenblatt 1 Parzelle 1034/342 in einer Größe von — - — - 09 -		
Kartenblatt 1 Parzelle 1267/308 in einer Größe von 6 - 79 - 26 -		
Kartenblatt 1 Parzelle 801/249 in einer Größe von — - 68 - 10 -		
Kartenblatt 1 Parzelle 802/96 in einer Größe von — - 94 - 86 -		
Kartenblatt 1 Parzelle 803/96 in einer Größe von — - 35 - 80 -		
Kartenblatt 1 Parzelle 961/261 in einer Größe von — - 47 - 50 -		
Kartenblatt 1 Parzelle 1278/54 in einer Größe von — - 2 - 66 -		
Kartenblatt 1 Parzelle 1278/54 in einer Größe von — - 5 - 80 -		
Kartenblatt 4 Parzelle 53/31 in einer Größe von — - 26 - — -		
Kartenblatt 4 Parzelle 54/38 in einer Größe von — - 3 - 50 -		
zus. 10 h 71 ar 66 qm.		

Berlin, den 6. Oktober 1890.

Der Landrath des Kreises Teltow.

34.

Nachweisung

der vom Kreis-Ausschuß des Kreises Angermünde im III. Quartal 1890 genehmigten Gemeinde- und Gutsbezirks-Veränderungen.

Bezeichnung des Grundstücks.		Artikel der Mutterrolle.	Grundbuch-Bezeichnung. Band.	Blatt.	Nummer des Kartenblatts.	Nummer der Parzelle.	Name des Erwerbers.	Künftiger Gemeinde- oder Guts-Verband.
Parzellen von den sog. Sandländereien der Gemarkung Nieder-Finow und zwar:							Königl. Forstfiskus.	Guts-Verband, Königl. Forst Chorin.
a. Parzelle des Ackermanns August Dühring das. verzeichnet unter .... mit einem Flächeninhalte von	2,87 ha	5	I.	7	5	123/1		
b. Parzelle des Büdners August Grewe das. verzeichnet unter .... mit einem Flächeninhalte von	5,50 -	72	II.	90	6	4/6		
c. Parzelle der Wittwe Caroline Siewert das. verzeichnet unter .... mit einem Flächeninhalte von	6,5470 -	6	I.	8	6	7/8		
d. Parzelle der Wittwe Martha Grewe das. verzeichnet unter .... mit einem Flächeninhalte von	22,0590 -	4	I.	5	6	1/3		
Summa der Flächen	36,9760 ha							

Angermünde, den 8. Oktober 1890. Der Landrath.

35.

Nachweisung

der Seitens des Kreis-Ausschusses des Kreises Nieder-Barnim auf Grund des § 1 des Gesetzes vom 14. April 1856 in Verbindung mit § 25 des Zuständigkeitsgesetzes vom 1. August 1883 im II. Vierteljahr 1890/91 genehmigten Veränderungen von Gemeinde- bezw. Gutsbezirksgrenzen.

Lfd. Nr.	Bezeichnung der in Betracht kommenden Grundstücke.	Bisheriger Gemeinde- bezw. Gutsbezirk.	Künftiger Gemeinde- bezw. Gutsbezirk.
1	Parzelle, verzeichnet im Grundbuch von den Rittergütern des Kreises Nieder-Barnim, Band I. Blatt № 337, Kartenblatt 1, Parzellen № 491/8, 492/196, 493/198, von 8 ar 45 qm Größe.	Gutsbezirk Hermsdorf.	Gemeindebezirk Hermsdorf.
2	Chausseehausgrundstück an der Berlin-Bernau'er Chaussee von 62½ □R. Größe.	Gutsbezirk Malchow.	Gemeindebezirk Malchow.

Berlin, den 9. Oktober 1890. Der Kreis-Ausschuß des Kreises Nieder-Barnim.

Bekanntmachungen des Königlichen Consistoriums der Provinz Brandenburg.

Errichtung einer neuen geistlichen Stelle bei der Dankeskirche in Berlin.

14. Mit der im Einverständnisse des Herrn Ministers der geistlichen, Unterrichts- und Medizinal-Angelegenheiten ertheilten Genehmigung des Evangelischen Ober-Kirchenraths und auf Grund der Beschlüsse der Gemeindeorgane der Dankeskirche in Berlin vom 12. resp. 16. Dezember 1889 wird in der Parochie dieser Kirche eine neue geistliche Stelle, welche als dritte Predigerstelle neben die beiden bestehenden Predigerstellen tritt, mit dem Sitz in Berlin errichtet. Die Besetzung dieser dritten Predigerstelle erfolgt durch Gemeindewahl. Berlin, den 8. Oktober 1890.

Königlicher Polizei-Präsident.

Berlin, den 27. September 1890.

Königliches Konsistorium der Provinz Brandenburg.

Bekanntmachungen der Königlichen Kontrolle der Staatspapiere.

24. In Gemäßheit des § 20 des Ausführungsgesetzes zur Civilprozeßordnung vom 24. März 1879 (G.-S. S. 281) und des § 6 der Verordnung vom 16. Juni 1819 (G.-S. S. 157) wird bekannt gemacht, daß von der verwittweten Frau Konsistorialrath Unger zu Dessau die Schuldverschreibung der konsolidirten 4 %igen Staatsanleihe von 1876/79 Lit. C. № 66636 über 1000 M. angeblich verbrannt ist. Es wird derjenige, welcher sich im Besitze dieser Urkunde befindet, hiermit aufgefordert, solches der unterzeichneten Kontrolle der Staatspapiere oder dem Konsistorial-Rendanten Spieler zu Dessau anzuzeigen, widrigenfalls das gerichtliche Aufgebotsverfahren behufs Kraftloserklärung der Urkunde beantragt werden wird.

Berlin, den 13. Oktober 1890.

Königliche Kontrolle der Staatspapiere.

Bekanntmachungen der Königlichen Eisenbahn-Direktion zu Berlin.

Bekanntmachung.

41. Im Bezirke der Preußischen Staatseisenbahnen werden Frachtstundungen mit einmonatlicher Frist für entstehende Frachten und sonstige der Eisenbahn-Verwaltung reglements-, tarif- oder vertragsmäßig zustehende Forderungen gewährt. Druckexemplare der Stundungsbedingungen werden von den Königlichen Eisenbahn-Betriebsämtern unentgeltlich verabfolgt. An letztere sind auch Anträge auf Frachtstundungen zu richten. Berlin, den 12. Oktober 1890.

Königliche Eisenbahn-Direktion.

Bekanntmachungen anderer Behörden.

In Gemäßheit des § 4 des Gesetzes vom 27. Juli 1885, betreffend Ergänzung und Abänderung einiger Bestimmungen über Erhebung der auf das Einkommen gelegten directen Kommunalabgaben (Gesetz-Samml. S. 327) wird hiermit zur öffentlichen Kenntniß gebracht, daß das im laufenden Steuerjahre kommunalabgabepflichtige Reineinkommen aus dem Betriebsjahre 1889/90 bei der Paulinenaue-Neu-Ruppiner Eisenbahn auf 85 000,00 M., bei der Wittenberge-Perleberger Eisenbahn auf 22 163,86 M., bei der Prignitzer Eisenbahn auf 81 000,00 M., bei der Dahme-Uckroer Eisenbahn auf 10 500,00 M. festgestellt worden ist.

Berlin, den 15. Oktober 1890.

Königliches Eisenbahn-Commissariat.

Bekanntmachung.

Die Ausreichung der Zinsscheine Serie XII. über die Zinsen vom 1. Januar 1891 bis ult. Dezember 1895 zu den Schlesischen 4% Pfandbriefen Litt. B. wird in der Zeit vom **27. Oktober bis incl. 6. Dezember d. J.** an den Wochentagen Vormittags bei der Königlichen Instituten-Kasse hierselbst, im Regierungsgebäude am Lessingplatze, dergestalt stattfinden, daß von 9 bis 11 Uhr die Annahme der Pfandbriefe gegen Quittung der gedachten Kasse und nach einigen Tagen von 11 bis 1 Uhr deren Rückgabe erfolgt. Bei Vorlegung der Pfandbriefe behufs Abstempelung der Zinsscheine ist ein Verzeichniß der Pfandbriefe, wozu Formulare in der Kasse unentgeltlich verabfolgt werden, abzugeben. Die Wiederausgabe der Pfandbriefe mit den Zinsscheinen erfolgt nur gegen Rückgabe der von der Königlichen Instituten-Kasse ertheilten Quittung ohne Prüfung der Legitimation des Empfängers. Auf einen Schriftwechsel mit Privatpersonen behufs Uebersendung der Zinsscheine können wir uns nicht einlassen, vielmehr muß die Einreichung und der Rückempfang der Pfandbriefe persönlich beziehungsweise durch einen Beauftragten erfolgen. Die Ausgabe der Zinsscheine zu den in der obenbezeichneten Zeit nicht eingereichten Pfandbriefen kann erst in einigen Monaten stattfinden, worüber besondere Bekanntmachung erfolgen wird.

Breslau, den 14. Oktober 1890.

Königliches Kredit-Institut für Schlesien.

Personal-Chronik.

Der Oberförster **Mechow** in Oranienburger Mühle ist zum Forst-Amts-Anwalt für den Königlichen Forstbezirk Oranienburg ernannt worden.

Der Stadtsekretär **Weber** in Dahme ist zum Stellvertreter des Amts-Anwalts bei dem Königlichen Amts-Gericht daselbst ernannt worden.

Im Kreise Prenzlau ist an Stelle des Schulzen a. D. **Holtz** zu Schönermark, welcher sein Amt niedergelegt hat, der Gemeindevorsteher Carl **Holtz** zu Schönermark zum Amtsvorsteher-Stellvertreter des XIII. Bezirks Arendsee ernannt worden.

Der bisherige wissenschaftliche Hülfslehrer Dr. **Hammer** ist als ordentlicher Lehrer an der 4. höheren Bürgerschule zu Berlin angestellt worden.

Der bisherige Gemeindeschullehrer Dr. **von Hanstein** in Berlin ist als ordentlicher Lehrer an der 6. höheren Bürgerschule ebenda angestellt worden.

Die bisherige Gemeindelehrerin Fräulein Else **Bahn** ist als ordentliche Lehrerin an der Luisenschule zu Berlin angestellt worden.

Der Schulamtskandidat Dr. Ernst **Trampe** ist als ordentlicher Lehrer am Lessing-Gymnasium in Berlin angestellt worden.

Personal-Veränderungen im Bezirke der Königlichen Eisenbahn-Direktion zu Erfurt.

Ernennungen: Stationsassistent **Strelow** in Berlin zum Güter-Expedienten, Stationsaufseher **Illmer** in Ludwigsfelde zum Stationsvorsteher 2. Klasse unter Versetzung nach Zossen.

Versetzungen: Güter-Expedient **Büchner** von Berlin nach Leipzig, Stationsvorsteher 2. Klasse **Walther** von Trebbin nach Roßleben, Stationsvorsteher 2. Klasse **Pasewald** von Zossen nach Trebbin.

Vermischte Nachrichten.

Bekanntmachung.

Vom 1. d. M. ab haben wir die Führung der Handels-, Genossenschafts- und Musterregister für unseren Bezirk übernommen. — Im Jahre 1890 wird die vorgeschriebene Bekanntmachung der Eintragungen a. in die Zeichen- und Musterregister durch den Deutschen Reichs- und Preußischen Staatsanzeiger, b. in die übrigen Register durch letzteren und das Templiner Kreisblatt erfolgen.

Lychen, den 15. Oktober 1890.

Königliches Amtsgericht.

Hierzu Vier Oeffentliche Anzeiger.

(Die Insertionsgebühren betragen für eine einspaltige Druckzeile 20 Pf. Belagsblätter werden der Bogen mit 10 Pf. berechnet.)

Redigirt von der Königlichen Regierung zu Potsdam.

Potsdam, Buchdruckerei der A. W. Hayn'schen Erben (E. Hayn, Hof-Buchdrucker).

Amtsblatt
der Königlichen Regierung zu Potsdam und der Stadt Berlin.

Stück 44. Den 31. Oktober 1890.

Bekanntmachungen der Königlichen Ministerien.

Bekanntmachung.

220. Mit Bezug auf die Allerhöchste Verordnung vom 21. d. Mts., durch welche die beiden Häuser des Landtages der Monarchie, das Herrenhaus und das Haus der Abgeordneten, auf den 12. November d. J. in die Haupt- und Residenzstadt Berlin zusammenberufen worden sind, mache ich hierdurch bekannt, daß die besondere Benachrichtigung über den Ort und die Zeit der Eröffnungssitzung in dem Büreau des Herrenhauses und in dem Büreau des Hauses der Abgeordneten am 11. November d. J. in den Stunden von 8 Uhr früh bis 8 Uhr Abends und am 12. November d. J. in den Morgenstunden von 8 Uhr ab offen liegen wird. In diesen Büreaus werden auch die Legitimationskarten zu der Eröffnungssitzung ausgegeben und alle sonst erforderlichen Mittheilungen in Bezug auf dieselbe gemacht werden.

Berlin, den 22. Oktober 1890.

Der Minister des Innern. Herrfurth.

Bekanntmachungen des Königlichen Regierungs-Präsidenten.

221. Es ist der Fall vorgekommen, daß bei der Schätzung der dem Besitzer eines wegen Rotzseuchenverdachts getödteten, bei der Section aber gesund befundenen Pferdes (§ 17 des Preußischen Gesetzes vom 12. März 1881, betreffend die Ausführung des Reichs-Viehseuchengesetzes vom 23. Juni 1880) der Werth der nutzbaren Cadavertheile zum Schaden der Staatskasse nicht gemäß § 59 des Reichsgesetzes vom 23. Juni 1880 abgerechnet worden ist.

Die Bekanntmachung vom 5. März 1861 (Amtsblatt Seite 87/88) bestimmt zwar, daß das außer der Viehseuche abgestandene, d. h. alles zum ferneren Gebrauch der Menschen untüchtig gewordene, also auch das deshalb getödtete, ingleichen das beim Schlachten unrein befundene Vieh dem Abdecker anzusagen ist; hieraus ergiebt sich indessen keine Berechtigung des Abdeckers, in Fällen der polizeilich angeordneten Tödtung von Thieren, welche später gesund befunden werden, dem Besitzer die volle Ausnutzung des Cadavers vorzuenthalten. Vielmehr ist in diesen Fällen der Besitzer verpflichtet, von dem amtlich abgeschätzten Werthe des Cadavers sich den Werth der nutzbaren Theile anrechnen zu lassen.

Hiernach haben sich die Ortsbehörden, die bei der Tödtung betheiligten Beamten und Viehbesitzer, sowie die Abdecker zu richten.

Potsdam, den 18. Oktober 1890.

Der Regierungs-Präsident.

Betrifft die anderweite Abgrenzung der Baukreise Perleberg und Nauen.

222. Die in der zweiten Extra-Beilage zum 39. Stück des diesseitigen Amtsblattes vom 29. September 1882 veröffentlichte Nachweisung der Geschäftskreise der Baubeamten im Regierungsbezirk Potsdam wird dahin abgeändert, daß die im Kreise West-Havelland belegenen Amtsbezirke Berge und Tremmen von dem Baukreise Perleberg abgezweigt und dem Baukreise Nauen vom 25. Oktober d. J. ab zugelegt werden.

Potsdam, den 22. Oktober 1890.

Der Regierungs-Präsident.

Beauftragter der Tiefbau-Berufsgenossenschaft.

223. Als Vertrauensmann bezw. Beauftragter im Sinne der §§ 82 ff. des Unfallversicherungsgesetzes vom 6. Juli 1884 ist Seitens der Tiefbauberufsgenossenschaft für den hiesigen Regierungsbezirk für das Jahr 1. Oktober 1890/1891 der Bauunternehmer Gottl. Lange zu Charlottenburg, Spreestraße 19, und als dessen Stellvertreter der Tiefbauunternehmer Herm. Frosch in Berlin, Händelstraße 9, bestellt worden.

Potsdam, den 23. Oktober 1890.

Der Regierungs-Präsident.

Beauftragter der Berufsgenossenschaft der Feinmechanik.

224. Als Beauftragter im Sinne der §§ 82 ff. des Unfallversicherungsgesetzes vom 6. Juli 1884 ist Seitens der Berufsgenossenschaft der Feinmechanik für den hiesigen Regierungsbezirk vom 1. Oktober 1890 ab der Ingenieur P. Hosemann zu Berlin, Bandelstraße 20, bestellt worden.

Potsdam, den 23. Oktober 1890.

Der Regierungs-Präsident.

Erhebung einer Abgabe am Lieper See.

225. Der im 37. Stück des Amtsblatts von 1887 Seite 350 ff. zum Abdruck gelangte Bollwerks- und Stättegeldtarif der Ablage am Lieper See ist auf drei Jahre verlängert worden.

Potsdam, den 25. Oktober 1890.

Der Regierungs-Präsident.

Viehseuchen.

226. Festgestellt ist:

der Milzbrand bei einer Kuh des Bauerguts-besitzers Werdermann zu Gutenpaaren, Kreis West-havelland, und bei einer Kuh des Gastwirths Schmidt zu Michelsdorf, Kreis Zauch-Belzig;

die Influenza (Brustseuche) unter den Remonten des zum Königlichen Remontedepot Bärenklau gehörigen Vorwerks Vehlefanz, Kreis Osthavelland;

die Maul- und Klauenseuche unter den Kühen des [illegible] zu Wagenitz, Kreis Westhavelland, des Rittergutes Selchow, Kreis Teltow, unter dem Rindvieh der Rittergüter Gnewikow und Langen, Kreis Ruppin, und unter den Rindviehbeständen der Gutsbesitzer Gottlieb Wäger, Friedrich Bochow und Wilhelm Jonas zu Schmergow, Kreis Zauch-Belzig.

Erloschen ist:

der Milzbrand unter den Rindern des Büdners Kühne zu Wensickendorf, Kreis Niederbarnim;

die Influenza unter den Pferden des Gemeindevorstehers Stolp zu Dallgow, Kreis Osthavelland;

die Maul- und Klauenseuche in Wustermark, Kreis Osthavelland, in Berge, Kreis Westhavelland und unter dem Rindviehbestande des Gutsbesitzers Wilhelm Schmidt zu Schmergow, Kreis Zauch-Belzig;

der Bläschenausschlag unter den Kühen der Bauergutsbesitzer Johann Scheel und Wilhelm Scheel zu Görike, Kreis Ostprignitz.

Wegen Verdachts der Behaftung mit der Rotzkrankheit ist unter Beobachtung gestellt je ein Pferd des Hotelbesitzers Bergschmidt zu Jüterbog und des Schlächtermeisters Are zu Luckenwalde, Kreis Jüterbog-Luckenwalde.

Potsdam, den 28. Oktober 1890.

Der Regierungs-Präsident.

Bekanntmachungen der Königlichen Regierung.

Versicherung von Gebäuden, auf denen Renten für den Domainen-Fiskus haften, gegen Feuersgefahr.

12. Die den Besitzern von domainenrentenpflichtigen Grundstücken obliegende Verbindlichkeit, ihre Gebäude gegen Feuersgefahr zu versichern, kann nunmehr auch bei der „Oldenburger Versicherungs-Gesellschaft" zu Oldenburg bis zu dem nach den Grundsätzen derselben zulässigen Werthe erfüllt werden.

Dies bringen wir hierdurch zur öffentlichen Kenntniß.

Potsdam, den 14. Oktober 1890.

Königliche Regierung,
Abtheilung für direkte Steuern, Domainen und Forsten.

Bekanntmachungen des Königlichen Polizei-Präsidenten von Berlin.

Vorschriften für die öffentlich anzustellenden Metall-Probirer.

82. Auf Grund des § 36 der Gewerbe-Ordnung vom 21. Juni 1869 und einer von Seiten des Ministers für Handel rc. ertheilten Ermächtigung werden hiermit in Beziehung auf die öffentliche Anstellung und Beeidigung von Personen, welche die Feststellung des Feingehaltes edler Metalle als Gewerbe betreiben (Metallprobirern), sowie in Beziehung auf den Geschäftsbetrieb der angestellten Metallprobirer für den Bezirk des Königlichen Polizei-Präsidiums unter Aufhebung der Vorschriften vom 3. Juni 1874 folgende Vorschriften ertheilt:

§ 1. Die Beeidigung und öffentliche Anstellung von Metallprobirern erfolgt durch das Polizei-Präsidium nach Maßgabe des Bedürfnisses.

§ 2. Als Metallprobirer werden nur Personen angestellt, von deren Befähigung, Unbescholtenheit und Zuverlässigkeit sich das Polizei-Präsidium überzeugt hat.

§ 3. Wer als Metallprobirer angestellt wird, hat folgenden Eid zu leisten:

„ich rc. schwöre, daß ich, nachdem ich zum Metallprobirer bestellt worden bin, alle mir obliegenden Berufspflichten, insbesondere die Vorschriften für die öffentlich anzustellenden Metallprobirer nach meinem besten Wissen und Gewissen genau erfüllen will. So wahr rc."

und erhält durch das Polizei-Präsidium eine Bestallung über seine Anstellung.

§ 4. Die Metallprobirer führen ein Siegel, welches — außer der Angabe ihres Namens und Wohnorts — die Umschrift „vereideter Metallprobirer" enthält. Zur Abstempelung der Barren bedienen sie sich eines kleineren, mit ihrem Namen versehenen Stempels.

§ 5. Die Metallprobirer sind der Aufsicht des Polizei-Präsidiums unterworfen. Letzteres ist befugt, Pflichtwidrigkeiten der Metallprobirer — unbeschadet der etwa verwirkten gerichtlichen Strafe — mittelst Verweises oder Ordnungsstrafe bis zum Betrage von 15 Mark zu ahnden.

Die Zurücknahme der Bestallung erfolgt eintretenden Falles nach Maßgabe der §§ 53, 54 der Gewerbe-Ordnung vom 21. Juni 1869.

§ 6. Zur Bestimmung des Feingehalts des **Goldes** ist das durch die Wiener Münzconvention vom Jahre 1857 vorgeschriebene Goldprobirverfahren, dagegen zur Bestimmung des Feingehalts des **Silbers** das von Gay-Lussac erfundene Verfahren, auf nassem Wege, bei geringen Feingehalten die Coupellation maßgebend und erfolgt die Feingehaltsangabe des Goldes, wie des Silbers in den zum Probiren eingebrachten Metallen nach **Tausendtheilen** der Probirgewichts-Einheit. Der zur Gehaltsangabe dienende kleinste Gewichtstheil ist demnach in der Regel **ein** Tausendtheil und kann eine Gehaltsangabe unter einem Tausendtheil nicht verlangt werden.

§ 7. Von jedem Metallbarren bezw. König, der dem Metallprobirer zur Bestimmung des Feingehalts übergeben wird, kann bezw. muß derselbe, wenn solches der Gestalt nach zulässig ist, von der oberen und unteren Fläche einen Aushieb zum Probiren entnehmen und möglichst gleiche Theile der beiden Parteien zur Probeeinwägung verwenden. Es ist ihm aber gestattet, die Probe mittelst Bohrers aus dem Innern des Barrens bezw. Königs zu entnehmen. Ebenso ist ihm gestattet, eingelieferte Stücke oder Körnerproben auf ihren Feingehalt zu untersuchen. Sämmtliche Probemetalle sind, bevor sie zur Wägung verwendet werden, mit einem Magneten zu durchziehen, um etwa vorhandene Eisentheilchen zu entfernen. Auf den Barren hat er eine Nummer und seinen Stempel, wenn Platz dazu vorhanden ist, andernfalls wenigstens seine Namen-Chiffre einzuschlagen.

§ 8. Für das Aushauen eines Barrens bezw. Königs, das Aufschlagen einer Nummer und des Namens des Probirers, kann derselbe 15 Pfennige für das Stück sich vergütigen lassen.

§ 9. Bei Gehaltsunterschieden einer zum Probiren eingelieferten Probe oder zweier Aushiebproben eines Barrens oder Königs muß stets der niedrigste Feingehalt angegeben und der gefundene Gehaltsunterschied auf dem Probirschein bemerkt werden.

§ 10. Das für eine Gehaltsprüfung einzubringende, dem Probirer verbleibende Probemetall soll im Gewicht nicht mehr betragen als höchstens:

a. für eine Goldprobe . . . . . . 1,5 Gramm,
b. für eine Güldisch-Silberprobe . . 5 Gramm,
c. für eine Silberprobe . . . . . . 5 Gramm.

§ 11. An für die Feingehalts-Ermittelung und Feststellung zu zahlenden Probirgebühren darf der Metallprobirer nicht mehr verlangen, als höchstens:

a. für eine Goldprobe einschl. Silbergehaltsangabe . . . . 2 Mark,
b. für eine Güldisch-Silberprobe oder goldhaltige Kupferprobe . . . . 1,25 Mark,
c. für eine Silberprobe . . . . . . 0,75 Mark,
d. für eine Krätzprobe mit Gold- und Silberbestimmung mittelst Ansieden oder Schmelzen im Tiegel oder Tute 6 Mark.

§ 12. Proben, die im Laufe des Vormittags bis 11 Uhr dem Metallprobirer Behufs Ermittelung des Feingehalts übergeben werden, müssen, insofern nicht besondere Hindernisse entgegenstehen, noch an demselben Tage angefertigt und auch die Probirscheine darüber verabfolgt werden. — Für Proben, die von 11 Uhr Vormittags ab eingehen und einer sofortigen Prüfung unterzogen werden sollen, können erhöhte Probirgebühren verlangt werden. —

§ 13. Der Metallprobirer stellt gegen Bezahlung der Probirgebühren über den Feingehaltsbefund einen Probirschein aus, auf welchem die Nummer der Probe beziehungsweise des Barrens angegeben und der Feingehalt in Zahlen und Buchstaben ausgedrückt ist. Dem Probegeber muß eine Abschrift des Probirscheins unentgeltlich auf Verlangen verabfolgt werden; ist dieses Verlangen auf mehrere Ausfertigungen gerichtet, so kann der Probirer dafür eine Vergütigung bis zu 20 Pfennigen für das Stück fordern.

§ 14. Der Metallprobirer ist für die auf dem Probirschein gemachte Gehaltsangabe verantwortlich und bleibt für den durch eine falsche Gehaltsangabe, — gleichviel ob solche aus einem mangelhaften Probirverfahren, Irrthum oder Schreibfehler hervorgegangen ist — entstehenden Schaden civilrechtlich haftbar.

Soweit es bei der über die Geschäftsführung des Probirers zu übenden Aufsicht auf eine technische Beurtheilung ankommt, namentlich bezüglich der zu gestattenden Fehlergrenze und der wegen etwaiger Ungleichheiten im Metall als unvermeidlich zu duldenden Abweichungen in den Gehaltsangaben, ist für den Metallprobirer das darüber einzuholende Gutachten des Königlichen Ober-Münzwardeins maßgebend.

§ 15. Ueber die angefertigten Proben hat der Probirer ein Journal zu führen, in welches die einzelnen Proben der Reihe nach, wie sie eingehen, täglich in der Art eingetragen werden, daß darin Monat und Datum, der Name des Probegebers, die Nummer der Probe bezw. des Barrens, Königs ꝛc., der Feingehalt derselben, sowie die eingezahlten Probirgebühren leicht zu übersehen sind. Das Journal muß ordnungsmäßig zur Einsicht der Polizei-Behörde stets bereit liegen.

§ 16. Der Ein- und Verkauf von edlen Metallen ist dem Metallprobirer gänzlich untersagt. Der Metallprobirer darf in keinerlei Zusammenhang, selbst nicht in einem räumlichen, mit Scheideanstalten, Edelmetallhandlungen, Fabriken, welche Edelmetall verwenden u. s. w., stehen.

Berlin, den 8. Oktober 1890.

Königliches Polizei-Präsidium. von Richthofen.

Bekanntmachung.

93. Diesem Stücke des Amtsblattes ist eine Extrabeilage beigefügt, welche die in der General-Versammlung vom 28. Mai d. J. beschlossenen Aenderungen der Revidirten Statuten der Lebensversicherungs- und Ersparniß-Bank in Stuttgart sowie die darauf bezügliche Genehmigungs-Urkunde vom 23. August d. J. enthält.

Ich weise darauf mit dem Bemerken hin, daß die Konzession für diese Bank zum Geschäftsbetriebe in Preußen im Stück 32 des Amtsblattes der Königlichen Regierung zu Potsdam und der Stadt Berlin vom 9. August 1861 und die Revidirten Statuten nebst Aenderungen ꝛc. im Stück 25 desselben Blattes vom 24. Juni 1887 bezw. in der Extrabeilage zum Stück 11 vom 15. März 1889 veröffentlicht worden sind.

Berlin, den 19. September 1890.

Der Polizei-Präsident.

Bekanntmachungen der Kaiserlichen Ober-Postdirektion zu Berlin.

Unanbringliche Briefe mit Werthinhalt.

94. Bei der Ober-Postdirektion in Berlin lagern folgende, bei hiesigen Postanstalten an den bezeichneten Tagen aufgelieferte Briefe, in welchen bei der Eröffnung die daneben vermerkten Beträge vorgefunden worden sind: an Madame Acquavica in Neapel 100 Mark, 10. Februar 1890, an Pohl in Hamburg 1 Mark, 2. Juni 1890, an Emmy Fischer in Berlin 50 Mark, 3. Juni 1890, an Frau Agnes Schwanzer in Hirschberg (Schles.) 60 Mark, 12. Juni 1890, an Lemmer, Düsseldorf, 1 Mark, 23. Juni 1890, an Matthias, Berlin, Charité, 2 M. 90 Pf., 16. August 1890, an Müller, Straßburg (Westpr.) 50 Pf., 21. August 1890. Die unbekannten Absender der vorbezeichneten Briefe werden ersucht, spätestens innerhalb 4 Wochen

— vom Tage der Erscheinens gegenwärtiger Bekanntmachung an gerechnet — bei der Ober-Postdirektion schriftlich sich zu melden, widrigenfalls die in den Sendungen vorgefundenen Beträge der Post-Armenkasse überwiesen werden.

Berlin C., den 23. Oktober 1890.

Der Kaiserliche Ober-Postdirektor.

Unanbringliche Postanweisungen.

95. Bei der Ober-Postdirektion in Berlin lagern folgende bei hiesigen Postanstalten an den bezeichneten Tagen aufgelieferte, unanbringliche Postanweisungen an: Schrader & Co. in Bremen über 17 M., 23. Dezember 1889, Birkendorf in Cassel über 3 M., 8. März 1890, Husemann in Hörter über 50 Pf., 11. März 1890, Pagenkopf in Rathenow über 2 M. 50 Pf., 11. März 1890, Gerichtskasse in Straußberg über 80 Pf., 12. März 1890, Ortskrankenkasse der Zimmerer in Berlin über 30 Pf., 26. März 1890, Chemische Laboratorium von Dr. Pitsche Berlin über 2 M. 90 Pf., 31. März 1890, Siebner, Berlin, Klosterstraße 42, über 1 M. 20 Pf., 11. April 1890, Ortskrankenkasse der Maler in Berlin über 1 M. 45 Pf., 17. April 1890, Böhm, Neustädt. Kirchstraße 11, über 15 M., 19. April 1890, Bühr in Bergen über 4 M., 12. Mai 1890, Kirchhofs-Inspektion in Berlin über 5 M., 13. Mai 1890, Fleck in Berlin, U. d. Linden, über 6 M. 53 Pf., 13. Mai 1890, Rohland in Berlin, Potsdamerstraße 134, über 15 M., 22. Mai 1890, Amtsgericht I. in Berlin über 95 Pf., 31. Mai 1890, Horstmann in Bünde (Westf.) über 6 M., 4. Juni 1890, Gerichtskasse in Bialla über 20 Pf., 4. Juni 1890, Brauer in Rummelsburg (Bln.) über 6 M. 60 Pf., 10. Juni 1890, Stahl in Bredow b. Stettin über 15 M., 10. Juni 1890, Schimpf in Leipzig über 20 M., 1. Juli 1890, Leibusch Rosenberg in Dt. Krone über 20 M. 50 Pf., 2. Juli 1890, Ferd. Klinghardt in Seifersdorf (Schles.) über 12 M., 12. Juli 1890, Golitz in Berlin, Belle-Alliancestraße 107, über 20 Pf., 13. Juli 1890, Gerichtskasse in Cöln über 4 M. 60 Pf., 15. Juli 1890, Hannes in Dresden über 4 M., 24. Juli 1890, Gerolla in Neidenburg über 6 M., 21. August 1890, Staatsanwaltschaft beim Landgericht I. in Berlin über 4 M., 1. September 1890, Meerges in Schmölln über 5 M., 9. September 1890.

Die unbekannten Absender der vorbezeichneten Postanweisungen werden ersucht, spätestens innerhalb vier Wochen — vom Tage des Erscheinens gegenwärtiger Bekanntmachung an gerechnet — bei der Ober-Postdirektion schriftlich sich zu melden, widrigenfalls die Beträge der Postarmenkasse überwiesen werden.

Berlin C., den 23. Oktober 1890.

Der Kaiserliche Ober-Postdirektor.

Unbestellbare Einschreibbriefe.

96. Bei der Ober-Postdirektion lagern folgende an den angegebenen Tagen im Jahre 1890 zur Post gegebene Einschreibbriefe:

A. Aufgeliefert in Berlin, mit dem Bestimmungsort Berlin.

An le comte du Chastel de la Howadris 14ten Januar, an M. Wolter 24. Mai, an Regensburger 2. Juni, an Majert 2. Juni, an Krause 4. Juni, an Richter 4. Juni, an v. Forkenbeck 4. Juni, an Nitschke 6. Juni, an Noak 9. Juni, an Albrecht 12. Juni, an Förster 13. Juni, an Holtz 14. Juni, an Tosti 18. Juni, an Aschenbrenner 20. Juni, an Käsebier 21. Juni, an Gotthardt'sche Verlag 23. Juni, an Müller 24. Juni, an Bertle 25. Juni, an Meier 26. Juni, an Boldt 27. Juni, an Hacke 27. Juni, an Micholowsky 27. Juni, an Goldfeder 28. Juni, an Nowka 28. Juni, an Zöllner 28. Juni, an Pribbenow 28. Juni, an C. L. Schmidt 30. Juni, an Meier 30. Juni, an Jentsch 30. Juni, an Spahr 1. Juli, an Stiefler 3. Juli, an Cohn 3. Juli, an Junge 7. Juli, an Röhl 8. Juli, an Breyer 8. Juli, an Krüger 12. Juli, an Kaufmann 14. Juli, an Senff 20. Juli, an A. Baumann 28. Juli, an P. Klenke 1. August, an C. Mattuscheck 1. August, an Tilzner 5. August, an Klaus 7. August, an Broda 9. August, an G. Neubeck 12. August, an Krause 14. August, an Henr. Arnold 14. August, an Wittwe Mende 20. August.

B. Aufgeliefert in Berlin, mit anderen Bestimmungsorten.

An Stauke, Rosario, 5. Januar, an v. Krause, Halle (S.), 7. Januar, an Müller, Charkow, 7ten März, an The Bank of the State, Chicago, 5. April, an Anna Scheer, Friedrichshagen, 15. April, an John Mangold in Omaha, Nebraska (Amerika), 24. April, an Joh. Spohr, Moskau, 2. Mai, an M. O. Wolff, Moskau, 2. Mai, an Marie Debicka, Menton, 7. Mai, an Stefanowitz, B. Baden, 22. Mai, an Rendant Koch, Genthin, 29. Mai, an Helene Cohn, Warschau, 30. Mai, an Taubert, Hamburg, 2. Juni, an Wartyzka, Leipzig, 3. Juni, an Gerwien, Mannheim, 3. Juni, an Noster, Neu-Weißensee, 4. Juni, an Palecek, Moste (Böhmen), 12. Juni, an Gropp, Braunschweig, 13. Juni, an Hübner, Straßburg Nmk., 13. Juni, an Geyer, Mariaschein bei Teplitz, 16. Juni, an Krasewski, Kjoge, 17. Juni, an Lichtenstaedt, Karlsbad, 24. Juni, an Bronna, Charlottenburg, 26. Juni, an Scholwien & Peters, Hamburg, 26. Juni, an L. P. Magnus, Frankfurt (M.), 26. Juni, an Mahlow, Friedrichsberg, 27. Juni, an Cappel, Cöln (Rhein), 27. Juni, an Totalisator-Verwalter, Hamburg, 27. Juni, an Seidel, Schweidnitz, 28sten Juni, an Strehlow, Friedrichsberg, 30. Juni, an Raabe, Friedrichsberg, 30. Juni, an C. Herrmann, Lemberg, 2. Juli, an Wernecke, Pfaffendorf, 9. Juli, an A. Schultze, Herzfelde, 11. Juli, an Diesler, Worfelde, 13. Juli, an Beeken, Martinickenfelde, 14. Juli, an Magdeb. Hagel-Versicherung, Magdeburg,

14. Juli, an Haferstroh, Schöneberg, 14. Juli, an E. Maier, Magdeburg, 14. Juli, an Graßnick, Spreenhagen, 16. Juli, an Friedrich, Brielow bei Brandenburg a. H., 23. Juli, an Harryers, Stettin (2 Briefe), 28. Juli, an Fr. Träbert, Charlottenburg, 30. Juli, an Hoppe, Königsberg (Preußen), 1. August, an Ratan, Hamburg, 5. August, an Hepprich, Nordsawen bei Jarotschin (Psn.), 5. August, an v. Alten, Frauenfeld (Schweiz), 5. August, an Hirschberg, Rogowo (Bez. Bbg.), 5. August, an K. Ratan, Hamburg, 8. August, an Eichholz, Bremen, 12. August, an Aug. Brandt, Gelfeld bei Bergfriede Ostpr., 12. August, an Hirschberg, Rogowo (Bez. Bbg.), 30. August, an Milkau in Straußberg (Bhf.), 31. August, 1 Postauftrag nach Nordhausen, 29. April, 1 Postauftrag nach Berlin (Invalidenstr.), 17. Mai, 1 Postauftrag nach Arnstadt, 11. Juni, 1 Postauftrag nach Nordhausen, 11. Juni, 1 Postauftrag nach Leipzig, 11. Juni.

Die unbekannten Absender der vorbezeichneten Sendungen werden ersucht, zur Empfangnahme derselben spätestens innerhalb vier Wochen — vom Tage des Erscheinens gegenwärtiger Bekanntmachung an gerechnet — bei der hiesigen Ober-Postdirektion sich zu melden, widrigenfalls mit den Sendungen nach den gesetzlichen Vorschriften verfahren werden wird.

Berlin C., 23. Oktober 1890.

Der Kaiserliche Ober-Postdirektor.

Bekanntmachung.

97. Bei dem Postamt 90 (Veteranenstraße) wird am 1. November der Telegraphenbetrieb eingerichtet. Die Dienststunden für den Verkehr mit dem Publikum werden für die betreffende Geschäftsstelle an den Wochentagen von 8 Uhr Morgens bis 7 Uhr Abends und an den Sonn- und Feiertagen von 8 bis 9 Uhr Morgens und von 5 bis 7 Uhr Abends festgesetzt.

Berlin C., den 23. Oktober 1890.

Der Kaiserliche Ober-Postdirector.

Verlegung des Postamts 48 (Friedrichstraße).

98. Am 31. Oktober Abends nach Dienstschluß wird das Postamt 48 von dem Hause Friedrichstraße № 231 nach dem Hause № 227 derselben Straße verlegt.

Berlin C., den 25. Oktober 1890.

Der Kaiserliche Ober-Postdirektor.

Bekanntmachungen der Königlichen Kontrolle der Staatspapiere.

Bekanntmachung.

25. In Gemäßheit des § 20 des Ausführungsgesetzes zur Civilprozeßordnung vom 24. März 1879 (G.-S. S. 281) und des § 6 der Verordnung vom 16. Juni 1819 (G.-S. S. 157) wird bekannt gemacht, daß dem Fräulein Koncordia Blumner zu Bautzen, Kasernenstr. 7 II. die Schuldverschreibungen der konsolidirten 3½ %igen Staatsanleihe a. von 1885 Lit. D. № 15612, 15613, 15614 über je 500 M., b. von 1886 Lit. E. № 40343 über 300 M., c. von 1887/1888 Lit. C. № 141582 bis 141586 über je 1000 M. und Lit. D. № 169139 über 500 M. beim Umzuge von Altenburg nach Bautzen angeblich abhanden gekommen sind. Es werden diejenigen, welche sich im Besitze dieser Urkunden befinden, hiermit aufgefordert, solches der unterzeichneten Kontrolle der Staatspapiere oder dem Fräulein Blumner anzuzeigen, widrigenfalls das gerichtliche Aufgebotsverfahren behufs Kraftloserklärung der Urkunden beantragt werden wird.

Berlin, den 20. Oktober 1890.

Königliche Kontrolle der Staatspapiere.

Bekanntmachungen der Königl. Direktion der Rentenbank der Provinz Brandenburg.

Bekanntmachung.

12. Nach Vorschrift der §§ 39, 41, 46 und 47 des Gesetzes vom 2. März 1850, betreffend die Errichtung von Rentenbanken (Ges.-S. 1850 S. 119) wird **am 15. November d. J. Vormittags 10 Uhr,** in unserem Geschäftslokale, Klosterstraße Nr. 76 hierselbst, die halbjährliche Ausloosung von Rentenbriefen, sowie die Vernichtung früher ausgeloofter und eingelieferter Rentenbriefe nebst Coupons, unter Zuziehung der von der Provinzial-Vertretung gewählten Abgeordneten und eines Notars stattfinden.

Berlin, den 22. Oktober 1890.

Königliche Direction
der Rentenbank für die Provinz Brandenburg.

Bekanntmachungen der Königlichen Eisenbahn-Direktion zu Berlin.

42. Mit Gültigkeit vom 1. November d. J. wird die für die Stationen Altenwillershagen, Bergsdorf, Gelbensande, Hammelspring, Horst i. Vorpomm., Kenz, Klein-Mutz, Neuhof i. d. M., Rövershagen, Saatel und Vogelsang bestehende Beschränkung, nach welcher Sendungen mit Nachnahmebelastung im Versande ausgeschlossen sind, aufgehoben.

Berlin, im Oktober 1890.

Königliche Eisenbahn-Direktion.

Bekanntmachungen der Königlichen Eisenbahn-Direktion zu Bromberg.

Bekanntmachung.

68. Am 1. November 1890 gelangt zum **Staatsbahn-Gütertarif Bromberg-Magdeburg** vom 1. August 1889 der Nachtrag IV. zur Einführung. Derselbe enthält: 1) Kontrol-Vorschriften für Ausfuhrgüter über Binnenstationen; 2) Aenderung der Vorbemerkungen zum Kilometerzeiger; 3) Aufhebung bestehender Entfernungen und Tarifsätze mit der Marienburg-Mlawkaer Eisenbahn; 4) Neue Entfernungen und Frachtsätze für die Stationen des Direktionsbezirks Magdeburg: Anderbeck, Badersleben, Dedeleben, Dingelstedt, Eilenstedt, Meine, Rienburg a. S., Rötgesbüttel, Schwanebeck und Vogelsdorf; für die Station der Stendal-Tangermünder Eisenbahn: Tangermünde; für die Station des Direktionsbezirks Bromberg: Sehlen. Ferner anderweite ermäßigte Entfernungen und Frachtsätze für die Stationen des Direktionsbezirks Magdeburg: Baalberge, Bebitz, Bernburg, Biendorf, Cönnern,

Gerlebogk, Nauendorf und Wallwitz; 5) Berichtigungen und Ergänzungen. Die vorstehend unter 1 genannten Kontrolvorschriften gelten auch für den Verkehr zwischen den Stationen des Direktionsbezirks Bromberg unter einander, sowie zwischen diesen und den Stationen der sämmtlichen übrigen preußischen Staatsbahnen. Die Nachträge sind durch Vermittelung der Fahrkarten-Ausgaben unseres Direktionsbezirks zu beziehen.

Bromberg, den 15. Oktober 1890.

Königliche Eisenbahn-Direktion.

Bekanntmachungen der Kreisausschüsse.

36.

Nachweisung

der von dem Kreis-Ausschusse des Kreises Zauch-Belzig genehmigten Communalbezirks-Veränderungen

Lfd. Nr.	Bezeichnung der in Betracht kommenden Grundstücke.	Bisheriger Guts- resp. Gemeindebezirk.	Künftiger Guts- resp. Gemeindebezirk.
1	Fiskalische Dorfstraßenparzelle von 1 a 02 qm Flächeninhalt zu Michendorf (Kartenblatt 2 Flächenabschnitt 294/190), jetzt dem Eigenthümer Friedrich Rummler zu Michendorf gehörig.	Fiskalischer Gutsverband.	Gemeindebezirk Michendorf.
2	Parzelle des im Grundbuche von Michendorf Band III. Blatt 94 verzeichneten (Wels'schen) Grundstücks von 1 a 02 qm Flächeninhalt (Kartenblatt 2 Flächenabschnitt 292/160, jetzt dem Königlichen Domainen-Fiskus gehörig.	Gemeindebezirk Michendorf.	Fiskalischer Gutsverband.

Belzig, den 13. Oktober 1890.

Der Kreis-Ausschuß des Kreises Zauch-Belzig.

Personal-Chronik.

Im Kreise Angermünde ist an Stelle des nach Freienwalde verzogenen Gräflich von Rodern'schen Generaldirektors Brunner der Generaldirektor Hahn zu Greiffenberg zum Amtsvorsteher-Stellvertreter des 21. Bezirks Günterberg ernannt worden.

Im Kreise Ostprignitz sind der Gutspächter Neubauer zu Gantikow und der Rittergutsbesitzer Weber zu Klosterhof nach Ablauf ihrer Amtszeit auf's Neue zum Amtsvorsteher bezw. dessen Stellvertreter für den Amtsbezirk XLI. Mechow ernannt worden.

Die Försterstelle Wildfang in der Oberförsterei Pechteich ist vom 1. Dezember d. J. ab dem Förster Hücker zu Klein-Dölln, Oberförsterei Groß-Schoenebeck, übertragen worden.

Der versorgungsberechtigte Vice-Feldwebel Forstaufseher Meißner zu Melzow in der Oberförsterei Gramzow ist zum Königlichen Förster ernannt und demselben die Försterstelle Klein-Dölln in der Oberförsterei Groß-Schoenebeck vom 1. Dezember d. J. ab übertragen worden.

Die Aufseher der Königlichen Strafanstalt zu Brandenburg Wilhelm Schmidt I. und Carl Altenkirch treten mit dem 1. November d. J. in den Ruhestand.

Bei der Königlichen Direktion für die Verwaltung der direkten Steuern in Berlin sind: 1) der Geheime Rechnungsrath Meyer als Kataster-Inspektor bestellt, 2) den Katasterkontroleuren Schaefer und Buth die Verwaltung der Katasterämter Berlin I. Nordwest bezw. Centrum übertragen, 3) die Kataster-Kontroleure Piehler und Stötzer in Folge Ernennung zu Kataster-Inspektoren bei den Königlichen Regierungen zu Königsberg i. Pr. bezw. Potsdam ausgeschieden, 4) der Secretariats-Assistent Kroll zum Regierungs-Secretair befördert, 5) der Civilsupernumerar Wolter als Secretariats-Assistent angestellt, 6) die Civilanwärter Busse, Gustke, Raabe II., Eisenach, Rabe II., Herwich als Civilsupernumerare angenommen, 7) der Steuererheber und Vollziehungsbeamte Bönisch II. in den Ruhestand versetzt, 8) der Steuererheber und Vollziehungsbeamte Kluth in Folge Uebertritts zum Königlichen Leihamt ausgeschieden, 9) der Militairanwärter Lehmann als Kanzleidiätar angenommen, 10) der Militairanwärter Großmann als Kanzleidiener angestellt und 11) der Rendant der Steuerkasse, Rechnungsrath Schäffer, sowie der Regierungssecretair Popioleck verstorben.

Der Königlichen Ministerial-Militär- und Bau-Kommission sind:

überwiesen: der Bau-Inspektor Böttger, bisher im Königlichen Ministerium der öffentlichen Arbeiten, die Regierungs-Assessoren Dr. von Lepell und Pohlandt von der Königlichen Regierung zu Lüneburg bezw. Magdeburg;

angenommen: die Militäranwärter, Vice-Wachtmeister Wilhelm Voigt, Zahlmeister-Aspirant Theodor Koerber, Kanzlei-Diätar Karl Kohlmann, Bauschreiber Karl Thepl, als Bureau-Diätare, der Primaner Albert Schulz und der Justiz-Anwärter Richard Lebus als Zivil-Supernumerare, der Militäranwärter, Vize-Feldwebel Hugo Sennewald, als Kanzlei-Diätar, der Lazarethwärter Johann Froelich als Hauswächter;

ausgeschieden: der Regierungsrath Stolzmann,

sowie der Bauinspektor Klutmann in Folge ihrer Versetzung an die Königliche Regierung in Marienwerder bezw. Cassel, der Bureau-Diatar Lenz in Folge Anstellung beim Königlichen Ober-Hofmarschall-Amt, der Bureau-Diätar Opitz in Folge Anstellung bei der Königlichen General-Staatskasse, der Kanzlei-Diätar Voß, sowie der Hauswächter Pidde in Folge ihres Uebertritts zum Reichs-Versicherungsamt bezw. in den Kommunaldienst.

Der bisherige Pfarrer in Niederwerbig, Otto Hermann Rupprecht, ist zum Pfarrer der Parochie Haseloff, Diözese Belzig, bestellt worden.

Der bisherige Hülfsprediger Dr. Gerhard Martin Friedrich Karl Schwabe ist zum Pfarrer der Parochie Rietdorf, Diözese Dahme, bestellt worden.

Dem Küster, Organisten und Hauptlehrer Johann Gottlieb Karl Hübner zu Alt-Glienicke, Diözese Cölln-Land II., ist der Titel „Kantor" verliehen worden.

Personal-Veränderungen des Königlichen Oberbergamts in Halle a. S. im Bezirke der Königlichen Regierung in Potsdam während des 3. Vierteljahres 1890.

Der bisher bei der Königlichen Berginspection in Staßfurt beschäftigt gewesene Bergsekretar Hartnuß wurde an die Königliche Berginspection in Rüdersdorf versetzt. Bei letzterer trat der Bergsekretär Pichin in den Ruhestand. Die Stelle des Buchhalters und Kassenkontroleurs daselbst wurde dem Schichtmeister Hoffmeyer übertragen.

Vermischte Nachrichten.

Bekanntmachung.

Während des Geschäftsjahres 1891 werden die Gerichtstage in Putlitz am 5. und 19. Januar, 2. und 16. Februar, 2. und 16. März, 6. und 20. April, 4. und 11. Mai, 8. und 22. Juni, 6. und 13. Juli, 14. und 28. September, 12. und 26. Oktober, 9. und 23. November, 7. und 21. Dezember in dem im Rathhause zu Putlitz befindlichen Gerichtszimmer abgehalten werden. Auf den Gerichtstagen können auch Anträge auf Eintragungen in die Landgüterrolle gestellt werden.

Pritzwalk, den 15. Oktober 1890.

Königliches Amtsgericht.

Bekanntmachung.

Für das Geschäftsjahr 1891 sind die Gerichtstage in Warnow auf den 5. Januar, 2. Februar, 9. März, 4. Mai, 6. Juli, 5. Oktober, 2. November, 14. Dezember festgesetzt und werden in dem Carl Müllerschen Gasthofe abgehalten.

Perleberg, den 11. Oktober 1890.

Königliches Amtsgericht.

Oeffentliche Bekanntmachung.

Die Gerichtstage in Lehnin sind für das Jahr 1891 auf folgende Tage festgesetzt: den 15. und 16. Januar, 19. und 20. Februar, 19. und 20. März, 16. und 17. April, 14. und 15. Mai, 11. und 12. Juni, 9. und 10. Juli, 13. und 14. August, 17. und 18ten September, 15. und 16. Oktober, 12. und 13. November, 10. und 11. Dezember. An jedem zweiten Gerichtstage (Freitag) werden Erklärungen und Anträge in Grundbuchsachen und Handlungen der freiwilligen Gerichtsbarkeit entgegengenommen.

Brandenburg a. H., den 7. Oktober 1890.

Königliches Amtsgericht.

Ausweisung von Ausländern aus dem Reichsgebiete.

Lauf. Nr.	Name und Stand des Ausgewiesenen.	Alter und Heimath des Ausgewiesenen.	Grund der Bestrafung.	Behörde, welche die Ausweisung beschlossen hat.	Datum des Ausweisungs-Beschlusses.
1.	2.	3.	4.	5.	6.
		a. Auf Grund des § 39 des Strafgesetzbuchs:			
1	Wilhelm Kleis, Schuhmacher,	geboren am 29. Mai 1860 zu Basel, Schweiz, ortsangehörig ebendaselbst,	einfacher und schwerer Diebstahl (1 Jahr drei Monate Zuchthaus laut Erkenntniß vom 23. Juli 1889),	Kaiserlicher Bezirks-präsident zu Colmar,	20. September 1890.
2	Isidor Rosenzweig, Handelsmann,	geboren am 28. Oktober 1860 zu Podgorze, Galizien, ortsangehörig ebendaselbst,	einfacher und schwerer Diebstahl und Hehlerei (5 Jahre Zuchthaus laut Erkenntniß vom 1. Oktober 1885),	Königlich Preußischer Regierungspräsident zu Posen,	desgleichen.
3	Peter Wydryr, Gutsbesitzer,	geboren am 14. Juli 1852 zu Hallist, Kreis Pernau-Fellin, Gouvernement Livland, Rußland, ortsangehörig zu Penne-Kiell, Gouvernement Livland,	Münzverbrechen (6 Jahre Zuchthaus laut Erkenntniß vom 11. Juli 1884),	Königlich Preußischer Regierungspräsident zu Frankfurt a. O.,	3. Mai 1890.

Lauf. Nr.	Name und Stand des Ausgewiesenen.	Alter und Heimath des Ausgewiesenen.	Grund der Bestrafung.	Behörde, welche die Ausweisung beschlossen hat.	Datum des Ausweisungs-Beschlusses.
1.	2.	3.	4.	5.	6.
		b. Auf Grund des § 362 des Strafgesetzbuchs:			
4	Ludwig Bielawski (Bielawska), Schuhmacher,	30 Jahre alt, geboren und ortsangehörig zu Kolbuskowa, Galizien,	Landstreichen,	Kaiserlicher Bezirkspräsident zu Straßburg,	20. September 1890.
5	Johann Nepomuk Kraus, Dienstknecht,	geboren am 27. Mai 1866 zu Waltenbach, Gemeinde Mühlthal, Bezirk Leoben, Steiermark, ortsangehörig zu Roßhaupt, Bez. Tachau, Böhmen,	Landstreichen und Betteln,	Königlich Bayerisches Bezirksamt Laufen,	19. September 1890.
6	Franz Sokol, Arbeiter,	geboren im Jahre 1852 zu Eilowitz, Bezirk Wagstadt, Oesterreich, ortsangehörig ebendas.,	desgleichen,	Königlich Preußischer Regierungspräsident zu Oppeln,	22. September 1890.
7	Eduard Stastny, Goldarbeitergehülfe,	geboren am 22. Februar 1847 zu Wien, Oesterreich, ortsangehörig zu Pisek, Böhmen,	desgleichen,	Königlich Bayerisches Bezirksamt Eggenfelden,	7. Juli 1890.

Hierzu
eine Extra-Beilage, enthaltend die Aenderungen der Revidirten Statuten der Lebensversicherungs- und Ersparniß-Bank in Stuttgart,
sowie Drei Oeffentliche Anzeiger.

(Die Insertionsgebühren betragen für eine einspaltige Druckzeile 20 Pf. Belagsblätter werden der Bogen mit 10 Pf. berechnet.)

Redigirt von der Königlichen Regierung zu Potsdam.

Potsdam, Buchdruckerei der A. W. Hayn'schen Erben (E. Hayn, Hof-Buchdrucker).

Extra-Beilage zum Königlichen Regierungs- und Amtsblat

Den angeschlossenen, in der Generalversammlung vom 28. Mai d. J. beschlossenen, Seitens der Königlich 2 schen Staatsregierung unter dem 12. Juni d. J. genehmigten

Änderungen der Revidirten Statuten der Lebensversicherungs- und Ersparnis-Bank in

wird die in der Concession zum Geschäftsbetriebe in Preußen vom 15. Mai 1860 vorbehaltene Genehmigung — u Rechte der Beteiligten — hierdurch erteilt.

Berlin, den 23. August 1890.

Der Minister des In

Genehmigungsurkunde
I. A. 7090.

(L. S.)

Im Auftrage:
(gez.) Todemann.

Statuten-Änderungen.

Zu § 4 Seite 8, erste Linie, statt „1. Januar 1889“ einzusetzen:

„1. Juli 1890“.

Zu § 23. Nach 5jähriger Zurückhaltung werden die Überschüsse an die Bankmitglieder (auf Todesfall Versicherte) als Dividende zurückvergütet und zwar wird die prozentuelle Höhe der in einem Kalenderjahr zur Verteilung kommenden Dividende je im November des vorhergehenden Jahres nach dem Durchschnitt berechnet, welcher sich aus den jeweilig im Sicherheitsfonds ruhenden verfügbaren Überschüssen nach Maßgabe der daran teilnehmenden Prämien ergibt.

Sollten im laufenden Rechnungsjahr bis zur Zeit der Ausscheidung außergewöhnliche Schadenfälle eingetreten sein, so ist bei Feststellung der Dividende hierauf entsprechende Rücksicht zu nehmen.

Zu § 25 A. II. in der 4. Linie nach dem Worte „ab“ — einzuschalten:

„infolge Vererbung dieser Dividenden“

und am Schlusse dieses Paragraphen (hinter der Anmerkung) anzufügen:

„Die Feststellung sämtlicher Dividendensätze erfolgt durch die Direktion mit Genehmigung des Verwaltungsrats.“

Zu § 28 Z. 1. „Die zu versichernde Person soll in Europa ihren Wohnsitz haben; Ausnahmen sind mit Genehmigung des Verwaltungsrats zulässig.“

Zu § 38 Seite 33 in der ersten Linie hinter dem Worte „benützt“ einzuschalten:

„oder wird das Gesuch um Inkraftsetzun abgelehnt“.

Zu § 45. Im Falle der Selbstentleibun der Versicherte an den Folgen einer versuchten Se stirbt, wird die volle Versicherungssumme ausbezal Versicherung schon mindestens fünf Jahre in Kra wenn bei kürzerer Dauer der Versicherung die weisbar infolge von Geistesstörung oder schwerei Krankheit begangen wurde. Die Entscheidung einer der beiden letzteren Fälle vorliegt, steht aus Direktion und im Falle der Berufung an den Ve dieser Stelle zu. Eine Nachvergütung rückständige findet nicht statt.

In allen andern Fällen wird das auf die angesammelte volle Deckungskapital — im Falle de nebst rückständiger Dividende — vergütet.

Die gleiche Abfertigung wie in Absatz 2 e an dem Versicherten zufolge gerichtlichen Urteils di vollzogen wurde oder derselbe aus Anlaß eines r übten oder versuchten Verbrechens das Leben ver

Wurde der Tod durch diejenige Person, wel sicherte Summe zufallen würde, vorsätzlich herb fällt die versicherte Summe nebst Dividende der 2 Hat in letzterem Fall der Schuldige nur auf ei Versicherung Anspruch, so findet die vorstehende auch nur auf diesen Teil Anwendung.

Zu § 57 in der 2. Linie hinter dem W einzuschalten:

„desjenigen, der über die Police zu rechtigt ist“.

dagegen die Worte „des Versicherten“ zu streiche

t.

Württembergi-

Stuttgart

nbeschadet der

nern.

g der Police

g oder wenn
lbstentleibung
hlt, wenn die
ft war, oder
Thai nach-
körperlicher
darüber, ob
schließlich der
rwaltungsrat
r Dividenden

Versicherung
s § 25 A. I.

rfolgt, wenn
e Todesstrafe
von ihm ver-
lor.

cher die ver-
eigeführt, so
Bank anheim.
nen Teil der
Bestimmung

orte „seiten"

verfügen be-

Amtsblatt

der Königlichen Regierung zu Potsdam und der Stadt Berlin.

Stück 45. Den 7. November **1890.**

Bekanntmachungen des Königlichen Regierungs-Präsidenten.

Fähigkeits-Zeugnisse für beamtete Thierärzte.

227. Der 2. Absatz im § 3 des **Regulativs für die Prüfung der Thierärzte, welche das Fähigkeits-Zeugniß für die Anstellung als beamteter Thierarzt zu erwerben beabsichtigen,** ist seitens des Herrn Ministers für Landwirthschaft, Domainen und Forsten unterm 22. d. M. aufgehoben und durch folgende Bestimmung ersetzt:

„Bei dem Prädikat „Sehr gut" und „Gut" in der Approbation erfolgt die Zulassung frühestens 2 Jahr, in allen anderen Fällen frühestens 3 Jahr nach erfolgter Approbation."

Potsdam und Berlin, den 31. Oktober 1890.

Der Regierungs-Präsident. Der Polizei-Präsident.

228. Nachweisung der an den Pegeln der Spree und Havel im Monat September 1890 beobachteten Wasserstände.

Datum.	Berlin. Ober- N. N. Wasser.	Berlin. Unter- N. N. Wasser.	Spandau. Ober-Wasser.	Spandau. Unter-Wasser.	Potsdam.	Brandenburg. Ober-Wasser.	Brandenburg. Unter-Wasser.	Rathenow. Ober-Wasser.	Rathenow. Unter-Wasser.	Havelberg.
	Meter.	Meter.	Meter.	Meter.	Meter.	Meter.	Meter.	Meter.	Meter.	Meter.
1	32,34	30,60	2,06	0,52	0,97	2,02	0,94	1,32	0,60	1,60
2	32,36	30,58	2,08	0,50	0,97	2,02	0,94	1,32	0,58	1,70
3	32,36	30,60	2,16	0,48	0,96	2,04	0,92	1,32	0,58	1,84
4	32,36	30,60	2,14	0,50	0,95	2,02	0,90	1,32	0,56	1,88
5	32,36	30,60	2,16	0,52	0,95	2,04	0,90	1,32	0,56	1,92
6	32,36	30,62	2,16	0,52	0,94	2,04	0,90	1,32	0,56	2,04
7	32,32	30,60	2,18	0,48	0,95	2,00	0,92	1,32	0,56	2,20
8	32,34	30,60	2,18	0,52	0,95	2,00	0,90	1,32	0,54	2,36
9	32,34	30,62	2,18	0,50	0,94	2,02	0,90	1,32	0,54	2,62
10	32,34	30,64	2,20	0,52	0,94	2,02	0,90	1,32	0,54	2,92
11	32,32	30,60	2,18	0,52	0,94	1,98	0,88	1,32	0,54	3,68
12	32,30	30,60	2,18	0,52	0,96	1,98	0,88	1,32	0,58	4,08
13	32,34	30,60	2,18	0,52	0,95	2,00	0,90	1,32	0,62	4,28
14	32,34	30,60	2,16	0,46	0,93	2,02	0,90	1,32	0,66	4,34
15	32,34	30,60	2,16	0,50	0,93	2,02	0,92	1,32	0,74	4,34
16	32,34	30,60	2,18	0,46	0,92	2,04	0,90	1,32	0,78	4,30
17	32,38	30,60	2,16	0,46	0,91	2,02	0,90	1,32	0,78	4,18
18	32,36	30,60	2,16	0,44	0,89	2,04	0,90	1,32	0,78	4,08
19	32,35	30,58	2,16	0,44	0,88	2,04	0,90	1,32	0,78	3,98
20	32,35	30,60	2,14	0,46	0,88	2,00	0,90	1,32	0,74	3,86
21	32,33	30,56	2,16	0,44	0,87	2,00	0,90	1,32	0,72	3,74
22	32,34	30,56	2,16	0,46	0,87	1,98	0,88	1,32	0,70	3,60
23	32,32	30,58	2,16	0,42	0,86	1,98	0,88	1,32	0,68	3,44
24	32,30	30,56	2,14	0,40	0,86	1,96	0,86	1,32	0,68	3,26
25	32,30	30,54	2,16	0,40	0,85	1,96	0,86	1,32	0,64	3,08
26	32,30	30,56	2,14	0,40	0,85	1,94	0,84	1,32	0,64	2,90
27	32,28	30,54	2,14	0,42	0,87	1,90	0,84	1,32	0,58	2,74
28	32,30	30,56	2,12	0,42	0,87	1,92	0,78	1,32	0,56	2,60
29	32,32	30,58	2,14	0,42	0,86	1,92	0,78	1,32	0,54	2,46
30	32,32	30,56	2,14	0,44	0,85	1,90	0,76	1,32	0,54	2,36

Potsdam, den 1. November 1890. Der Regierungs-Präsident.

Bekanntmachung des Herrn Reichskanzlers, betreffend allgemeine polizeiliche Bestimmungen über die Anlegung von Dampfkesseln, vom 5. August 1890.

229. Auf Grund der Bestimmung im § 24 der Gewerbeordnung hat der Bundesrath nachstehende

Allgemeine polizeiliche Bestimmungen über die Anlegung von Dampfkesseln

erlassen.

I. Bau der Dampfkessel.

Kesselwandungen.

§ 1. Die vom Feuer berührten Wandungen der Dampfkessel, der Feuerröhren und der Siederöhren dürfen nicht aus Gußeisen hergestellt werden, sofern deren lichte Weite bei cylindrischer Gestalt fünfundzwanzig Centimeter, bei Kugelgestalt dreißig Centimeter übersteigt.

Die Verwendung von Messingblech ist nur für Feuerröhren, deren lichte Weite zehn Centimeter nicht übersteigt, gestattet.

Feuerzüge.

§ 2. Die um oder durch einen Dampfkessel gehenden Feuerzüge müssen an ihrer höchsten Stelle in einem Abstand von mindestens zehn Centimeter unter dem festgesetzten niedrigsten Wasserspiegel des Kessels liegen. Dieser Minimalabstand muß für Kessel auf Fluß- und Landseeschiffen bei einem Neigungswinkel der Schiffsbreite gegen die Horizontalebene von vier Grad, für Kessel auf Seeschiffen bei einem Neigungswinkel von acht Grad noch gewahrt sein.

Diese Bestimmungen finden keine Anwendung auf Dampfkessel, welche aus Sieveröhren von weniger als zehn Centimeter Weite bestehen, sowie auf solche Feuerzüge, in welchen ein Erglühen des mit dem Dampfraum in Berührung stehenden Theiles der Wandungen nicht zu befürchten ist. Die Gefahr des Erglühens ist in der Regel als ausgeschlossen zu betrachten, wenn die vom Wasser bespülte Kesselfläche, welche von dem Feuer vor Erreichung der vom Dampf bespülten Kesselfläche bestrichen wird, bei natürlichem Luftzug mindestens zwanzigmal, bei künstlichem Luftzug mindestens vierzig mal so groß ist, als die Fläche des Feuerrostes.

II. Ausrüstung der Dampfkessel.

Speisung.

§ 3. An jedem Dampfkessel muß ein Speiseventil angebracht sein, welches bei Abstellung der Speisevorrichtung durch den Druck des Kesselwassers geschlossen wird.

§ 4. Jeder Dampfkessel muß mit zwei zuverlässigen Vorrichtungen zur Speisung versehen sein, welche nicht von derselben Betriebsvorrichtung abhängig sind; und von denen jede für sich im Stande ist, dem Kessel die zur Speisung erforderliche Wassermenge zuzuführen. Mehrere zu einem Betriebe vereinigte Dampfkessel werden hierbei als ein Kessel angesehen.

Wasserstandszeiger.

§ 5. Jeder Dampfkessel muß mit einem Wasserstandsglase und mit einer zweiten geeigneten Vorrichtung zur Erkennung seines Wasserstandes versehen sein. Jede dieser Vorrichtungen muß eine gesonderte Verbindung mit dem Innern des Kessels haben, es sei denn, daß die gemeinschaftliche Verbindung durch ein Rohr von mindestens sechzig Quadratcentimeter lichtem Querschnitt hergestellt ist.

§ 6. Werden Probirhähne zur Anwendung gebracht, so ist der unterste derselben in der Ebene des festgesetzten niedrigsten Wasserstandes anzubringen. Alle Probirhähne müssen so eingerichtet sein, daß man behufs Entfernung von Kesselstein in gerader Richtung hindurchstoßen kann.

Wasserstandsmarke.

§ 7. Der für den Dampfkessel festgesetzte niedrigste Wasserstand ist an dem Wasserstandsglase, sowie an der Kesselwandung oder dem Kesselmauerwerk durch eine in die Augen fallende Marke zu bezeichnen.

An der Außenwand jedes Dampfschiffskessels ist die Lage der höchsten Feuerzüge nach der Richtung der Schiffsbreite in leicht erkennbarer, dauerhafter Weise kenntlich zu machen; ferner sind an derselben zwei Wasserstandsgläser in einer zur Längenrichtung des Schiffes normalen Ebene, in gleicher Höhe, symmetrisch zur Kesselmitte und möglichst weit von ihr nach rechts und links abstehend anzubringen. Durch das hierdurch bei Dampfschiffskesseln geforderte zweite Wasserstandsglas wird die im § 5 angeordnete zweite Vorrichtung zur Erkennung des Wasserstandes nicht entbehrlich gemacht.

Sicherheitsventil.

§ 8. Jeder Dampfkessel muß mit wenigstens einem zuverlässigen Sicherheitsventil versehen sein.

Wenn mehrere Kessel einen gemeinsamen Dampfsammler haben, von welchem sie nicht einzeln abgesperrt werden können, so genügen für dieselben zwei Sicherheitsventile.

Dampfschiffs-, Lokomobil- und Lokomotivkessel müssen immer mindestens zwei Sicherheitsventile haben. Bei Dampfschiffskesseln, mit Ausschluß derjenigen auf Seeschiffen, ist dem einen Ventil eine solche Stellung zu geben, daß die vorgeschriebene Belastung vom Verdeck aus mit Leichtigkeit untersucht werden kann.

Die Sicherheitsventile müssen jederzeit gelüftet werden können. Sie sind höchstens so zu belasten, daß sie bei Eintritt der für den Kessel festgesetzten Dampfspannung den Dampf entweichen lassen.

Manometer.

§ 9. An jedem Dampfkessel muß ein zuverlässiges Manometer angebracht sein, an welchem die festgesetzte höchste Dampfspannung durch eine in die Augen fallende Marke zu bezeichnen ist.

An Dampfschiffskesseln müssen zwei dergleichen Manometer angebracht werden, von denen sich das eine im Gesichtskreise des Kesselwärters, das andere mit Ausnahme der Seeschiffe auf dem Verdeck an einer für die Beobachtung bequemen Stelle befindet. Sind auf einem Dampfschiffe mehrere Kessel vorhanden, deren

Dampfräume mit einander in Verbindung stehen, so genügt es, wenn außer den an den einzelnen Kesseln befindlichen Manometern auf dem Verdeck ein Manometer angebracht ist.

Fabrikschild.

§ 10. An jedem Dampfkessel muß die festgesetzte höchste Dampfspannung, der Name des Fabrikanten, die laufende Fabriknummer und das Jahr der Anfertigung, bei Dampfschiffskesseln außerdem die Maaßziffer des festgesetzten niedrigsten Wasserstandes auf eine leicht erkennbare und dauerhafte Weise angegeben sein.

Diese Angaben sind auf einem metallenen Schilde (Fabrikschild) anzubringen, welches mit Kupfernieten so am Kessel befestigt ist, daß es auch nach der Ummantelung oder Einmauerung des letzteren sichtbar bleibt.

III. Prüfung der Dampfkessel.

Druckprobe.

§ 11. Jeder neu aufzustellende Dampfkessel muß nach seiner letzten Zusammensetzung vor der Einmauerung oder Ummantelung unter Verschluß sämmtlicher Oeffnungen mit Wasserdruck geprüft werden.

Die Prüfung erfolgt bei Dampfkesseln, welche für eine Dampfspannung von nicht mehr als fünf Atmosphären Ueberdruck bestimmt sind, mit dem zweifachen Betrage des beabsichtigten Ueberdrucks, bei allen übrigen Dampfkesseln mit einem Druck, welcher den beabsichtigten Ueberdruck um fünf Atmosphären übersteigt. Unter Atmosphärendruck wird ein Druck von einem Kilogramm auf das Quadratcentimeter verstanden.

Die Kesselwandungen müssen dem Probedruck widerstehen, ohne eine bleibende Veränderung ihrer Form zu zeigen und ohne undicht zu werden. Sie sind für undicht zu erachten, wenn das Wasser bei dem höchsten Druck in anderer Form als der von Nebel oder feinen Perlen durch die Fugen dringt.

Nachdem die Prüfung mit befriedigendem Erfolge stattgefunden hat, sind von dem Beamten oder staatlich ermächtigten Sachverständigen, welcher dieselbe vorgenommen hat, die Niete, mit welchen das Fabrikschild am Kessel befestigt ist (§ 10), mit einem Stempel zu versehen. Dieser ist in der über die Prüfung aufzunehmenden Verhandlung (Prüfungszeugniß) zum Abdruck zu bringen.

§ 12. Wenn Dampfkessel eine Ausbesserung in der Kesselfabrik erfahren haben, oder wenn sie behufs der Ausbesserung an der Betriebsstätte ganz blos gelegt worden sind, so müssen sie in gleicher Weise, wie neu aufzustellende Kessel, der Prüfung mittelst Wasserdrucks unterworfen werden.

Wenn bei Kesseln mit innerem Feuerrohr ein solches Rohr und bei den nach Art der Lokomotivkessel gebauten Kesseln die Feuerbüchse behufs Ausbesserung oder Erneuerung herausgenommen, oder wenn bei cylindrischen und Siedekesseln eine oder mehrere Platten neu eingezogen werden, so ist nach der Ausbesserung oder Erneuerung ebenfalls die Prüfung mittelst Wasserdrucks vorzunehmen. Der völligen Bloslegung des Kessels bedarf es hier nicht.

Prüfungsmanometer.

§ 13. Der bei der Prüfung ausgeübte Druck darf nur durch ein genügend hohes offenes Quecksilbermanometer oder durch das von dem prüfenden Beamten geführte amtliche Manometer festgestellt werden.

An jedem Dampfkessel muß sich eine Einrichtung befinden, welche dem prüfenden Beamten die Anbringnng des amtlichen Manometers gestattet.

IV. Aufstellung der Dampfkessel.

Aufstellungsort.

§ 14. Dampfkessel, welche für mehr als sechs Atmosphären Ueberdruck bestimmt sind, und solche, bei welchen das Produkt aus der feuerberührten Fläche in Quadratmetern und der Dampfspannung in Atmosphären Ueberdruck mehr als dreißig beträgt, dürfen unter Räumen, in welchen Menschen sich aufzuhalten pflegen, nicht aufgestellt werden. Innerhalb solcher Räume ist ihre Aufstellung unzulässig, wenn dieselben überwölbt oder mit fester Balkendecke versehen sind.

An jedem Dampfkessel, welcher unter Räumen, in welchen Menschen sich aufzuhalten pflegen, aufgestellt wird, muß die Feuerung so eingerichtet sein, daß die Einwirkung des Feuers auf den Kessel sofort gehemmt werden kann.

Dampfkessel, welche aus Sieberöhren von weniger als zehn Centimeter Weite bestehen, und solche, welche in Bergwerken unterirdisch oder in Schiffen aufgestellt werden, unterliegen diesen Bestimmungen nicht.

Kesselmauerung.

§ 15. Zwischen dem Mauerwerk, welches den Feuerraum und die Feuerzüge feststehender Dampfkessel einschließt, und den dasselbe umgebenden Wänden muß ein Zwischenraum von mindestens 8 Centimete. verbleiben, welcher oben abgedeckt und an den Enden verschlossen werden darf.

V. Bewegliche Dampfkessel (Lokomobilen).

§ 16. Bei jedem Dampfentwickler, welcher als beweglicher Dampfkessel (Lokomobile) zum Betriebe an wechselnden Betriebsstätten benutzt werden soll, müssen sich befinden:

1) Eine Ausfertigung der Urkunde über seine Genehmigung, welche die Angaben des Fabrikschildes (§ 10) enthält und mit einer Beschreibung und maaßstäblichen Zeichnung, dem Prüfungszeugniß (§ 11 Absatz 4), der im § 24 Absatz 3 der Gewerbeordnung vorgeschriebenen Bescheinigung und einem Vermerk über die zulässige Belastung der Sicherheitsventile verbunden ist.
2) Ein Revisionsbuch, welches die Angaben des Fabrikschildes (§ 10) enthält. Die Bescheinigungen über die Vornahme der im § 12 vorgeschriebenen Prüfungen und der periodischen Untersuchungen müssen in das Revisionsbuch eingetragen oder demselben beigefügt sein.

Die Genehmigungsurkunde und das Revisionsbuch sind an der Betriebsstätte des Kessels aufzubewahren und jedem zur Aufsicht zuständigen Beamten oder Sachverständigen auf Verlangen vorzulegen.

§ 17. Als bewegliche Dampfkessel dürfen nur solche Dampfentwickler betrieben werden, zu deren Aufstellung und Inbetriebnahme die Herstellung von Mauerwerk, welches den Kessel umgiebt, nicht erforderlich ist.

§ 18. Die Bestimmungen der §§ 16 und 17 treten außer Anwendung, wenn ein beweglicher Dampfkessel an einem Betriebsorte zu dauernder Benutzung aufgestellt wird.

VI. Dampfschiffskessel.

§ 19. Die Bestimmungen des § 16 finden auf jeden mit einem Schiffe dauernd verbundenen Dampfkessel (Dampfschiffskessel) mit der Maßgabe Anwendung, daß die vorgeschriebene maaßstäbliche Zeichnung sich auch auf den Schiffstheil, an welchem der Kessel eingebaut oder aufgestellt ist, zu erstrecken hat.

VII. Allgemeine Bestimmungen.

§ 20. Wenn Dampfkesselanlagen, die sich zur Zeit bereits im Betriebe befinden, den vorstehenden Bestimmungen aber nicht entsprechen, eine Veränderung der Betriebsstätte erfahren sollen, so kann bei deren Genehmigung eine Abänderung in dem Bau der Kessel nach Maßgabe der §§ 1 und 2 nicht gefordert werden. Im Uebrigen finden die vorstehenden Bestimmungen auch für solche Fälle Anwendung, jedoch mit der Maßgabe, daß für Lokomobilen und Dampfschiffskessel den Vorschriften in den §§ 10, 11, 16 bis zum 1. Januar 1892 zu entsprechen ist.

§ 21. Die Zentralbehörden der einzelnen Bundesstaaten sind befugt, in einzelnen Fällen von der Beachtung der vorstehenden Bestimmungen zu entbinden.

§ 22. Die vorstehenden Bestimmungen finden keine Anwendung:

1) auf Kochgefäße, in welchen mittelst Dampfes, der einem anderweitigen Dampfentwickler entnommen ist, gekocht wird;
2) auf Dampfüberhitzer oder Behälter, in welchen Dampf, der einem anderweitigen Dampfentwickler entnommen ist, durch Einwirkung von Feuer besonders erhitzt wird;
3) auf Kochkessel, in welchen Dampf aus Wasser durch Einwirkung von Feuer erzeugt wird, wofern dieselben mit der Atmosphäre durch ein unverschließbares, in den Wasserraum hinabreichendes Standrohr von nicht über fünf Meter Höhe und mindestens acht Centimeter Weite oder durch eine andere von der Zentralbehörde des Bundesstaates genehmigte Sicherheitsvorrichtung verbunden sind.

§ 23. In Bezug auf die Kessel in Eisenbahnlokomotiven bleiben die Bestimmungen des Bahnpolizei-Reglements für die Eisenbahnen Deutschlands in der Fassung vom 30. November 1885 und der Bahnordnung für deutsche Eisenbahnen untergeordneter Bedeutung vom 12. Juni 1878 in Geltung.

§ 24. Die Bekanntmachung, betreffend allgemeine polizeiliche Bestimmungen über die Anlegung von Dampfkesseln, vom 29. Mai 1871 (Reichs-Gesetzbl. S. 122) und die diese Bekanntmachung abändernden Bekanntmachungen vom 18. Juli 1883 (Reichs-Gesetzbl. S. 245) und vom 27. Juli 1889 (Reichs-Gesetzbl. S. 173) werden aufgehoben.

Berlin, den 5. August 1890.

Der Reichskanzler.

In Vertretung: von Boetticher.

* *

Vorstehende im Reichsgesetzblatt für 1890 Seite 163ff. veröffentlichte Bekanntmachung ꝛc. wird hierdurch den Betheiligten zur besonderen Kenntniß mit Hinweis auf die Veröffentlichung des Herrn Polizei-Präsidenten zu Berlin vom 14. Oktober 1890 Amtsblatt Stück 43 Seite 386/87 gebracht.

Potsdam, den 25. Oktober 1890.

Der Regierungs-Präsident.

Beschluß,

betreffend die Aufhebung einer Polizeiverordnung des Amtsbezirks Steglitz.

230. Die vom Amtsvorsteher zu Steglitz erlassene, den Amtsbezirk Steglitz umfassende Polizei-Verordnung über die Lagerung von Theerölen aller Art und der daraus hergestellten Carbolineum-Fabrikate vom 10. Februar 1890 wird hierdurch unter Zustimmung des Bezirks-Ausschusses in Gemäßheit der § 145 des Gesetzes über die allgemeine Landesverwaltung außer Kraft gesetzt.

Potsdam, den 24. September 1890.

Der Regierungs-Präsident.

Anweisung, betreffend das Verfahren bei der Ausstellung und dem Umtausch von Quittungskarten.

231. Der vorliegenden Nummer des Amtsblattes ist die Ministerial-Anweisung vom 17. Oktober 1890 über das Verfahren bei der Ausstellung und dem Umtausch, sowie bei der Erneuerung (Ersetzung) von Quittungskarten (§§ 101 fg. des Gesetzes, betreffend die Invaliditäts- und Altersversicherung vom 22. Juni 1889, Reichsgesetzblatt S. 97) als besondere Beilage beigegeben, worauf die Betheiligten hierdurch besonders hingewiesen werden.

Potsdam, den 1. November 1890.

Der Regierungs-Präsident.

Betreffend Ernennung eines Schiedsgerichts-Vorsitzenden bezw. Stellvertreters.

232. Die Herren Minister des Innern, für Handel und Gewerbe, sowie der öffentlichen Arbeiten haben mittels Erlasses vom 25. Oktober d. J. den Regierungsrath Freiherrn von Speßhardt zu Potsdam zum Vorsitzenden des in der Stadt Perleberg für die Regiebauten des Kreiskommunalverbandes Westprignitz errichteten Schiedsgerichts ernannt. Der Regierungsassessor Heckmann zu Potsdam ist sodann seitens der erwähnten Herren Minister zum stellvertretenden Vorsitzenden folgender Schiedsgerichte ernannt worden:

1) für die Section II. der Nordöstlichen Baugewerks-Berufsgenossenschaft,
2) für die Section III. der Fuhrwerks-Berufsgenossenschaft,
3) für die staatliche Bau-Unfallversicherung im Bereich des Regierungsbezirks Potsdam,
4) des in der Stadt Jüterbog für die Regiebauten

des Kreiskommunalverbandes Jüterbog-Luckenwalde errichteten Schiedsgerichts,

5) des in der Stadt Perleberg für die Regiebauten des Kreiskommunalverbandes der Westprignitz gebildeten Schiedsgerichts.

Potsdam, den 3. November 1890.

Der Regierungs-Präsident.

Schifffahrtssperre.

233. Für die Schifffahrt und Flößerei werden gesperrt **für die Zeit vom 15. Dezember 1890 bis 15. Februar 1891** der Friedrich-Wilhelms-Kanal und **für die Zeit vom 1. Januar bis 28. Februar 1891** der Oranienburger Kanal. Beladene Fahrzeuge dürfen zwischen den Eberswalder Schleusen und den Stecher Schleusen, sowie zwischen den Zerpener Schleusen und den Ruhlsdorfer Schleusen im Finow-Kanal und im unteren Theile des Werbellin-Kanals bis zur Rosenbecker Schleuse nicht überwintern.

Potsdam, den 5. November 1890.

Der Regierungs-Präsident.

Berichtigung.

234. Unter Bezugnahme auf meine Bekanntmachung vom 8. Mai 1888 (A.-Bl. S. 178/9) bringe ich zur Kenntniß, daß der Durchschnitts-Marktpreis für 100 klg Roggen im Monat April 1888 im Kreise Templin nicht, wie angegeben, 11 M., sondern 11 M. 50 Pf. betragen hat.

Potsdam, den 4. November 1890.

Der Regierungs-Präsident.

Viehseuchen.

235. Festgestellt ist:

die Brustseuche bei einem Pferde des Schmiedemeisters und Gastwirths Wollgast zu Chorin, Kreis Angermünde; dieselbe ist indessen bereits wieder erloschen;

die Maul- und Klauenseuche in den Rindviehbeständen des Gemeindevorstehers Schmidt zu Markau und des Oberamtmanns Mankiewicz zu Falkenrehde, Kreis Osthavelland.

Erloschen ist:

der Milzbrand in der Ortschaft Uetz, Kreis Osthavelland;

die Maul- und Klauenseuche unter dem Rindviehbestande des Rittergutes Zeestow I., Kreis Osthavelland, und in Tremmen, Kreis Westhavelland.

Potsdam, den 4. November 1890.

Der Regierungs-Präsident.

Bekanntmachungen der Kreisausschüsse.

37.

Nachweisung

der vom Kreis-Ausschuß des Kreises Ruppin auf Grund des § 1 des Gesetzes vom 14. April 1856, in Verbindung mit § 25 des Zuständigkeits-Gesetzes vom 1. August 1883 genehmigten Veränderungen an Gemeinde- und Gutsbezirks-Grenzen.

Lfd. Nr.	Bezeichnung der in Betracht kommenden Grundstücke	seitherigen Gemeinde- resp. Gutsbezirke	künftigen Gemeinde- resp. Gutsbezirke
1	Die von dem Zweihüfner Wilhelm Wegener zu Bechlin von der fiskalischen Dorfaue daselbst erworbene Parcelle von 1 ar 72 qm.	Fiskalische Dorfaue zu Bechlin.	Gemeindebezirk Bechlin.
2	Die von dem Schneidermeister Wilhelm Brandt jun. zu Bechlin von der fiskalischen Dorfaue daselbst erworbene Parcelle von 74 qm.	Desgleichen.	Desgleichen.
3	Die von dem Halbbauer Wilhelm Hesterberg zu Bechlin von der fiskalischen Dorfaue daselbst erworbene Parcelle von 38 qm.	Desgleichen.	Desgleichen.
4	Die von dem Halbbauer Wilhelm Alter zu Bechlin von der fiskalischen Dorfaue daselbst erworbene Parcelle von 18 qm.	Desgleichen.	Desgleichen.
5	Die von dem Kossäth Zieten zu Bechlin von der fiskalischen Dorfaue daselbst erworbene Parcelle von 38 qm.	Desgleichen.	Desgleichen.
6	Die von dem Oeconomen Hermann Leinitz zu Bechlin von der fiskalischen Dorfaue daselbst erworbene Parcelle von 47 qm.	Desgleichen.	Desgleichen.
7	Die von dem Kossäthen Hermann Rogge zu Bechlin von der fiskalischen Dorfaue daselbst erworbene Parcelle von 39 qm.	Desgleichen.	Desgleichen.
8	Die von dem Halbbauer Hermann Kügow zu Bechlin von der fiskalischen Dorfaue daselbst erworbene Parcelle von 49 qm.	Desgleichen.	Desgleichen.
9	Die von dem Tischlermeister Hermann Bünger zu Bechlin von der fiskalischen Dorfaue daselbst erworbene Parcelle von 70 qm.	Desgleichen.	Desgleichen.

Neu-Ruppin, den 19. Oktober 1890. Der Kreis-Ausschuß.

Bekanntmachungen der Königlichen Eisenbahn-Direktion zu Bromberg.

Bekanntmachung.

64. Mit dem 1. November 1890 wird die Haltestelle Lusin auch für den Stückgut- und Vieh-Verkehr eröffnet. Die Abfertigung von Wagenladungsgütern findet fernerhin nur mit der Einschränkung statt, daß die Ver- oder Entladung schwerwiegender Fahrzeuge auf der Haltestelle Lusin ausgeschlossen ist.

Bromberg, den 25. Oktober 1890.

Königliche Eisenbahn-Direktion.

Bekanntmachungen anderer Behörden.

Die Ausreichung der Zinsscheine Serie XII. über die Zinsen vom 1. Januar 1891 bis ult. Dezember 1895 zu den Schlesischen 4% Pfandbriefen Litt. B. wird in der Zeit vom **27. Oktober bis incl. 6. Dezember d. J.** an den Wochentagen Vormittags bei der Königlichen Instituten-Kasse hierselbst, im Regierungsgebäude am Lessingplatze, dergestalt stattfinden, daß von 9 bis 11 Uhr die Annahme der Pfandbriefe gegen Quittung der gedachten Kasse und nach einigen Tagen von 11 bis 1 Uhr deren Rückgabe erfolgt. Bei Vorlegung der Pfandbriefe behufs Abstempelung der Zinsscheine ist ein Verzeichniß der Pfandbriefe, wozu Formulare in der Kasse unentgeltlich verabfolgt werden, abzugeben. Die Wiederausgabe der Pfandbriefe mit den Zinsscheinen erfolgt nur gegen Rückgabe der von der Königlichen Instituten-Kasse ertheilten Quittung ohne Prüfung der Legitimation des Empfängers. Auf einen Schriftwechsel mit Privatpersonen behufs Uebersendung der Zinsscheine können wir uns nicht einlassen, vielmehr muß die Einreichung und der Rückempfang der Pfandbriefe persönlich beziehungsweise durch einen Beauftragten erfolgen. Die Ausgabe der Zinsscheine zu den in der obenbezeichneten Zeit nicht eingereichten Pfandbriefen kann erst in einigen Monaten stattfinden, worüber besondere Bekanntmachung erfolgen wird.

Breslau, den 14. Oktober 1890.

Königliches Kredit-Institut für Schlesien.

Personal-Chronik.

Seine Majestät der Kaiser und König haben Allergnädigst geruht, dem praktischen Arzt, Stabs-Arzt a. D. Dr. Ernst Flach zu Brandenburg a. H. den Charakter als „Sanitäts-Rath" zu verleihen.

Bei der Königlichen Ministerial-Bau-Kommission zu Berlin ist im Laufe des dritten Kalenderquartals d. J. der Königliche Regierungs-Bauführer Eduard Wilhelm Peters vereidigt worden.

Der Kanzleirath am Königlichen Charité-Krankenhause Franz Mehring ist vom 1. Januar 1891 in den Ruhestand versetzt worden.

Der bisherige Pfarrer Julius Max Albert Kuhnert zu Schwiebus, Diözese Züllichau, ist zum dritten Diakonus der evangelischen Gemeinde der Zwölf-Apostel-Kirche hierselbst, Diözese Friedrichswerder, bestellt worden.

Der bisherige Pfarrer Max Emil Alfred Böhm in Bietmannsdorf, Diözese Templin, ist zum Hilfsprediger in Reinickendorf, Parochie Rosenthal, Diözese Berlin Land II., bestellt worden.

Der bisherige Predigtamts-Kandidat Georg Ewald Niese ist zum Diakonus in Perleberg und zum Pfarrer von Düpow, Diözese Perleberg, bestellt worden.

Die unter privatem Patronat stehende Pfarrstelle zu Gulow, Diözese Perleberg, ist durch das Ableben des Pfarrers Raguse am 12. September d. J. zur Erledigung gekommen.

Ausweisung von Ausländern aus dem Reichsgebiete.

Lauf. Nr.	Name und Stand (des Ausgewiesenen)	Alter und Heimath (des Ausgewiesenen)	Grund der Bestrafung.	Behörde, welche die Ausweisung beschlossen hat.	Datum des Ausweisungs-Beschlusses.
1.	2.	3.	4.	5.	6.
	Auf Grund des § 362 des Strafgesetzbuchs:				
1	Mette Catharine Berthelsen, Kellnerin,	geboren am 9. September 1864 zu Randlew, Jütland, ortsangehörig zu Randlew-Bjerager, ebendaselbst,	gewerbsmäßige Unzucht,	Königlich Preußischer Regierungspräsident zu Schleswig,	1. Oktober 1890.
2	Wenzel Brezina, Schmiedegeselle,	67 Jahre alt, geboren und ortsangehörig zu Ontesenovic, Bezirk Kuttenberg, Böhmen,	Landstreichen und Betteln,	Königlich Bayerisches Bezirksamt Eggenfelden,	desgleichen.

Hierzu eine Beilage, enthaltend die Anweisung, betreffend das Verfahren bei der Ausstellung und dem Umtausch, sowie bei der Erneuerung (Ersetzung) von Quittungskarten (§§ 101 ff. des Gesetzes, betreffend die Invaliditäts- und Altersversicherung, vom 22. Juni 1889, Reichs-Gesetzbl. S. 97), sowie Vier Oeffentliche Anzeiger.

(Die Insertionsgebühren betragen für eine einspaltige Druckzeile 20 Pf. Belagsblätter werden der Bogen mit 10 Pf. berechnet.)

Redigirt von der Königlichen Regierung zu Potsdam.

Potsdam, Buchdruckerei der A. W. Hayn'schen Erben.

Amtsblatt
der Königlichen Regierung zu Potsdam
und der Stadt Berlin.

Stück 46. Den 14. November 1890.

Reichs-Gesetz-Blatt.

Stück 27. (№ 1916.) Bekanntmachung, betreffend die technische Einheit im Eisenbahnwesen. Vom 15. September 1890.

Stück 28. (№ 1917.) Allerhöchster Erlaß, betreffend die Festsetzung des Zinsfußes für die zufolge der Allerhöchsten Erlasse vom 17. Dezember 1888, 7. September 1889 und 17. März 1890 noch zu begebenden Anleihebeträge. Vom 17. September 1890.

Stück 29. (№ 1918.) Allerhöchster Erlaß, betreffend die Errichtung eines Kolonialraths. Vom 10. Oktober 1890.

Gesetz-Sammlung für die Königlichen Preußischen Staaten.

Stück 36. (№ 9416.) Gesetz, betreffend die in Ansehung der ehemaligen Wallgrundstücke in der Stadt Frankfurt a. M. unter dem Namen „Wallservitut" bestehenden Bau- und Benutzungsbeschränkungen. Vom 15. Juli 1890.

Stück 37. (№ 9417.) Gesetz, betreffend den Territorialersatz für die Abtretung der Braunschweigischen Hoheitsrechte über die Goslarsche Stadtforst und den Rechtszustand der Stadtforst. Vom 3. Mai 1890.

(№ 9418.) Bekanntmachung des Ministers des Innern und des Finanzministers, betreffend das Gesetz vom 3. Mai 1890 wegen des Territorialersatzes für die Abtretung der Braunschweigischen Hoheitsrechte über die Goslarsche Stadtforst und den Rechtszustand der Stadtforst. Vom 21. August 1890.

(№ 9419.) Verfügung des Justizministers, betreffend die Anlegung des Grundbuchs für einen Theil des Bezirks des Amtsgerichts Goslar. Vom 6. September 1890.

Stück 38. (№ 9420.) Staatsvertrag zwischen der Königlich Preußischen und der Herzoglich Braunschweigischen Regierung wegen der Aufhebung der parochialen Verbindung dreier Höfe in der Braunschweigischen Ortschaft Kästorf mit der Preußischen Kirchengemeinde Wolfsburg. Vom 16./31. Januar 1890.

(№ 9421.) Bekanntmachung der Ministerial-Erklärung vom 16. Juni 1890, betreffend den Staatsvertrag zwischen der Königlich Preußischen und der Herzoglich Braunschweigischen Regierung wegen der Aufhebung der parochialen Verbindung dreier Höfe in der Braunschweigischen Ortschaft Kästorf mit der Preußischen Kirchengemeinde Wolfsburg. Vom 31. August 1890.

(№ 9422.) Verfügung des Justizministers, betreffend die Anlegung des Grundbuchs für einen Theil der Bezirke der Amtsgerichte Aachen, Blankenheim, Düren, Sobernheim, Meisenheim, Simmern, Castellaun, Adenau, Boppard, St. Goar, Sinzig, Stromberg, Cöln, Mühlheim am Rhein, Ratingen, Wermelskirchen, Opladen, Lennep, Wipperfürth, Barmen, Mettmann, Grumbach, St. Wendel, Baumholder und Trier. Vom 13. September 1890.

Stück 39. (№ 9423.) Verordnung wegen Einberufung der beiden Häuser des Landtages. Vom 21. Oktober 1890.

(№ 9424.) Verfügung des Justizministers, betreffend die Anlegung des Grundbuchs für einen Theil der Bezirke der Amtsgerichte Düren, Stolberg bei Aachen, Bonn, Xanten, Cleve, Zell, Trarbach, Kreuznach, Wiehl, Cöln, Düsseldorf, Grumbach, Saarbrücken und Saarlouis. Vom 8. Oktober 1890.

Bekanntmachungen des Königlichen Ober-Präsidenten.

Polizei-Verordnung

für die Provinz Brandenburg, betreffend Abänderung der über die Untersuchung des Schweinefleisches auf Trichinen erlassenen Polizei-Verordnung vom 17. März 1886.

26. Auf Grund der §§ 137 und 139 des Gesetzes über die allgemeine Landesverwaltung vom 30. Juli 1883 (G.-S. S. 195) sowie der §§ 6, 12 und 15 des Gesetzes über die Polizei-Verwaltung vom 11. März 1850 (G.-S. S. 265) wird unter Zustimmung des Provinzialrathes für die Provinz Brandenburg hierdurch verordnet, was folgt:

An Stelle des § 3 Absatz 1 der Polizei-Verordnung für die Provinz Brandenburg, betreffend die Untersuchung des Schweinefleisches auf Trichinen vom 17. März 1886 (Amtsblatt der Königlichen Regierung zu Potsdam S. 145 ff., Amtsblatt der Königlichen Regierung zu Frankfurt a. O., Außerordentliche Beilage zum Stück 14) tritt vom 1. Januar 1891 ab folgende Vorschrift:

Zur Untersuchung frisch geschlachteter Schweine sind aus den Muskeln am Kehlkopfe und am Halse, den Kaumuskeln, aus der Zungenwurzel, den Bauchmuskeln und ganz besonders aus dem s. g. Zwerchfellpfeiler (pars lumbalis diaphragmatis) stets und ausnahmslos Probestücke zu entnehmen. Aus jedem dieser Probestücke sind mindestens fünf angemessene

Präparate zu fertigen und mikroskopisch zu untersuchen.

Potsdam, den 2. Oktober 1890.

Der Ober-Präsident, Staatsminister
von Achenbach.

Bekanntmachungen des Königlichen Regierungs-Präsidenten.

236. Auf Grund des § 22 № 1 des Reichsgesetzes vom 22. Juni 1889 setze ich den Jahresdurchschnittsverdienst für die in der Land- und Forstwirthschaft beschäftigten Personen, soweit nicht Ziffer 4 Platz greift, d. h. insoweit solche Personen nicht Mitglieder einer Orts-, Betriebs- (Fabrik-), Bau- oder Innungs-Krankenkasse sind und alsdann der für ihre Krankenkassen-Beiträge maßgebende durchschnittliche Tagelohn bezw. der wirkliche Arbeitsverdienst der Berechnung des Jahresdurchschnittsverdienstes zu Grunde gelegt werden muß, folgendermaßen fest:

1) **Kreis Angermünde**

	männl. Personen,	weibl. Personen
A. Plattes Land:	420 M.	225 M.
B. Städte:		
a. Angermünde	525 „	255 „
b. Greiffenberg	375 „	225 „
c. Joachimsthal	375 „	210 „
d. Oderberg	450 „	240 „
e. Schwedt a. O.	450 „	330 „
f. Vierraden	375 „	300 „

2) **Stadtkreis Brandenburg:**

α. für landwirthschaftliche Arbeiter	600 M.	300 M.
β. für forstwirthschaftliche Arbeiter	510 „	300 „

3) **Kreis Niederbarnim:** 450 „ 360 „

In einem erheblichen Theile des Kreises ist die Versicherungspflicht der land- und forstwirthschaftlichen Arbeiter eingeführt und Letztere sind den Ortskrankenkassen überwiesen.

4) **Kreis Oberbarnim,** ausschl. Eberswalde:

	männl. Personen,	weibl. Personen
	390 M.	240 M.
5) **Kreis Beeskow-Storkow:**	375 „	270 „
6) **Stadtkreis Charlottenburg:**	750 „	450 „
7) **Kreis Osthavelland:**	525 „	275 „
8) **Kreis Westhavelland:**		
a. ausschl. der Stadt Rathenow	500 M.	300 M.
b. Stadt Rathenow	540 „	300 „

9) **Kreis Jüterbog-Luckenwalde:**

	männl. Personen,	weibl. Personen
a. ausschl. der Stadt Luckenwalde:	375 M.	240 M.
b. Stadt Luckenwalde:		
α. für landwirthschaftliche Arbeiter	535 „	275 „
β. für forstwirthschaftliche Arbeiter	460 „	305 „
10) **Stadtkreis Potsdam:**	655 M.	302 M.
11) **Kreis Prenzlau:**		
a. Städte Prenzlau, Strasburg U.-M. und Brüssow:	450 M.	270 M.
b. für den übrigen Kreis:	420 M.	240 M.
12) **Kreis Ostprignitz:**	450 M.	300 M.
13) **Kreis Westprignitz:**		
a. Stadt Wittenberge:	530 M.	300 M.
b. für den übrigen Kreis:	450 M.	300 M.
14) **Kreis Ruppin:**		
a. Stadt Neu-Ruppin:	540 M.	300 M.
b. für den übrigen Kreis:	451 M.	230 M.

15) **Stadtkreis Spandau:** Die Festsetzung erübrigt sich, da die betheiligten Personen sämmtlich einer Ortskrankenkasse angehören.

16) **Kreis Teltow:**

Gemeindebezirk Rixdorf:

männl. Personen,	weibl. Personen
600 M.	300 M.

Für den übrigen Kreis ist durch Kreis-Statut die Krankenversicherungspflicht der land- und forstwirthschaftlichen Arbeiter eingeführt und sind Letztere den Ortskrankenkassen überwiesen.

17) **Kreis Templin:**

	männl. Personen,	weibl. Personen
	420 M.	225 M.
18) **Kreis Zauch-Belzig:**	365 M.	220 M.

Potsdam, den 6. November 1890.

Der Regierungs-Präsident.

Revision der Dampfkessel im Bezirk der Wasserbauinspektion Fürstenwalde a. Spree.

237. Es wird hierdurch zur öffentlichen Kenntniß gebracht, daß der mit der Verwaltung der Wasserbauinspection Fürstenwalde a. Spree beauftragte Königliche Wasserbauinspektor Michelmann in Fürstenwalde mit der Revision der Dampfkessel innerhalb dieses Baukreises in Gemäßheit meiner Verordnung vom 20. September 1882 (Amtsblatt Stück 39 S. 379) betraut worden ist.

Potsdam, den 4. November 1890.

Der Regierungs-Präsident.

Belobigung für Rettung aus Lebensgefahr.

238. Der Schüler Richard Brandt zu Wilmersdorf hat im Verein mit dem Primaner des Königsstädtischen

Real-Gymnasiums zu Berlin, Freiherr Kraft von Bodenhausen am 20. Februar d. J. den Schauspieler Alfred Meyer aus Berlin vom Tode des Ertrinkens im Wilmersdorfer See gerettet. Diese von Muth und Entschlossenheit zeugende That wird hiermit belobigend zur allgemeinen Kenntniß gebracht.

Potsdam, den 4. November 1890.

Der Regierungs-Präsident.

Aenderungen des Pferde-Aushebungs-Reglements für Preuß n.

239. Nachstehende Abänderungen des Pferde-Aushebungs-Reglements für Preußen werden hiermit zur öffentlichen Kenntniß gebracht:

Seite 9. Im § 6 ist in Zeile 5 von oben statt: „und Vorderpferde" zu setzen:

Vorderpferde und besonders schwere Zugpferde (zu Belagerungstrains u. s. w. — siehe auch Anlage B —)

Seite 12. Im § 16, erster Absatz, 3. bis 9. Zeile sind die Worte: „über die entsprechenden . . . . . . u. s. w. bis . . . . . . gewährt." zu streichen und dafür zu setzen:

gewährt, welche über die entsprechenden Kompetenzen bei der Abschätzung von Flurschäden durch die unterm 30. August 1887 Allerhöchst genehmigte Instruktion zur Ausführung des Gesetzes über die Naturalleistungen für die bewaffnete Macht im Frieden vom 13. Februar 1875 und der dazu ergangenen abändernden Bestimmungen des Gesetzes vom 21. Juni 1887 unter „Abschnitt III. zu § 14" getroffen sind.

Seite 14. Im § 21 vierter Absatz ist in der Klammer der 4. Zeile hinter den Worten: „und Vorderpferde" einzuschalten:

sowie besonders schwere Zugpferde [zu Belagerungstrains u. s. w. — siehe auch Anlage B —])

Seite 18. § 29. In der fünften Zeile ist hinter dem Worte „zwei" einzuschalten:

mindestens 2 Meter langen

Seite 19. § 33. Im ersten Absatz, 3. Zeile von unten sind die Worte: „oder der Ersatzreserve I. Klasse" zu streichen.

Seite 20. Daselbst, dritter Absatz. In der 1. und 2. Zeile ist für: „Marsch- und Fahrtableaus" zu setzen:

Marschübersichten und Fahrtlisten

Seite 20. Daselbst, fünfter Absatz:

a. In der 3. Zeile ist anstatt: „Eisenbahn-Requisitionsscheine" zu setzen:

Militär-Fahrscheine,

b. an Stelle der drei letzten Zeilen von: „letztere nach dem . . . . . ." ab ist zu setzen:

erhalten, letztere nach dem Tagessatze von 12000 g Hafer, 3000 g Heu und 3000 g Stroh für besonders schwere Zugpferde (zu Belagerungstrains u. s. w. — siehe auch Anlage B —) und von 6000 g Hafer, 1500 g Heu und 1500 g Stroh für alle übrigen Pferde.

Seite 24. Im § 39, zweiter Absatz, 2. Zeile ist für: „Requisitionsscheinen" zu setzen:

Militär-Fahrscheinen

Seite 27. / Seite 31. Anlagen A 1 und 2. In der Kolonne 6 ist hinter der Rubrik: „Vorder-" (Pferde) als neue Spalte einzufügen:

	besonders schwere Zugpferde.

Seite 33. Anlage B. Im ersten Absatz, 3. Zeile von oben ist für: „1 m 65 cm" zu setzen:

1 m 62 cm

und als Anmerkung zum ersten Absatze:

*) Mobilmachungspferde werden mit dem Bandmaße gemessen.

hinzuzufügen.

Seite 33. Daselbst. Im zweiten Absatz, 4. bis 6. Zeile ist der Satz: „Aeußerstenfalls kann . . . . . ." u. s. w. bis „genügend angesehen werden" zu streichen und dafür zu setzen:

Aeußerstenfalls können unter den Reitpferden der Fußtruppen und des Trains auch solche von einer Größe von 1 m 53 cm genommen werden, wenn sie sonst den Anforderungen entsprechen.

Seite 34. Daselbst. Auf Seite 34 ist als letzter Absatz hinzuzufügen:

Als besonders schwere Zugpferde (zu Belagerungstrains u. s. w.) sind Pferde aller Schläge anzusehen, welche durch ihr schweres Gebäude zu Trab- und Galoppbewegungen ungeeignet, jedoch gewöhnt sind, große Lasten gleichmäßig zu ziehen.

Seite 37. Anlage C. In Kolonne 8 ist hinter der Spalte: „Vorder-" (Pferde) als neue Spalte einzufügen:

	besonders schwere Zugpferde.

Notiz: Die neue Spalte kann in den vorhandenen Formularen auch an einer anderen Stelle der Gesammtspalte 8 eingefügt werden, wenn der vorhandene Raum solches zweckmäßig erscheinen läßt und die Deutlichkeit darunter nicht leidet.

Seite 40. Anlage E, Ziffer 4. Die 7. Zeile: „1 Striegel" ist zu streichen.

Am Schlusse der „Bemerkung" ist hinzuzufügen:

Gelangen für Etappen-Fuhrpark-Kolonnen besonders schwere Zugpferde zur Aushebung, so dürfen auch Fahrzeuge angekauft werden, welche bei größerer Tragfähigkeit entsprechend schwerer als 15 Ctr sind.

Seite 42. Anlage F. Die Kolonne 14: „Striegel" ist zu streichen.

Seite 46 und 47. Anlage H. In den Kolonnen 5 bis 11 ist hinter der Rubrik: „Vorder-" (Pferde) eine neue Spalte — eventl. unter Theilung der Rubrik: „Vorder-" — einzuschieben:

besonders schwere Zugpferde

Potsdam, den 4. November 1890.

Der Regierungs-Präsident.

240. **Nachweisung der Markt- ꝛc.**

Laufende Nummer	Namen der Städte	Getreide				Uebrige Markt-									
		Es kosten je 100 Kilogramm											Es		
													Rindfleisch	
		Weizen M. Pf.	Roggen M. Pf.	Gerste M. Pf.	Hafer M. Pf.	Erbsen M. Pf.	Speisebohnen M. Pf.	Linsen M. Pf.	Eßkartoffeln M. Pf.	Richtstroh M. Pf.	Krummstroh M. Pf.	Heu M. Pf.	von der Keule M. Pf.	Bauchfleisch M. Pf.
1	Angermünde	18 16	16 75	15 82	13 46	27 20	28 29	35 —	3 94	3 25	1 50	3 50	1 60	1 30
2	Beeskow	18 03	16 80	14 96	12 98	25 —	32 50	40 —	3 90	3 25	— —	4 25	1 40	1 20
3	Bernau	18 72	17 15	16 99	14 43	27 25	31 75	41 50	5 29	4 46	— —	5 34	1 50	1 20
4	Brandenburg	19 65	17 34	14 78	14 72	30 —	35 —	45 —	4 90	3 50	— —	4 20	1 50	1 20
5	Dahme	18 82	17 26	15 71	13 50	25 —	32 —	45 —	4 50	4 —	3 —	5 —	1 20	1 20
6	Eberswalde	18 95	16 57	17 33	14 39	23 —	23 —	30 —	4 62	4 —	— —	4 50	1 40	1 20
7	Havelberg	19 32	17 10	15 —	13 50	25 —	45 —	55 —	5 50	5 —	2 72	4 39	1 50	1 20
8	Jüterbog	19 —	18 33	16 08	14 83	28 —	30 —	50 —	5 50	4 —	— —	5 —	1 30	1 20
9	Luckenwalde	18 06	17 49	14 41	14 10	33 —	33 —	40 —	4 75	3 17	— —	4 75	1 40	1 40
10	Perleberg	19 39	17 —	16 61	14 25	27 —	35 —	50 —	5 —	4 —	— —	4 50	1 40	1 20
11	Potsdam	19 65	17 04	17 58	15 21	23 —	27 50	34 —	5 63	4 38	— —	5 05	1 55	1 35
12	Prenzlau	18 24	16 43	16 10	13 30	18 —	22 50	25 —	4 50	3 50	2 —	4 50	1 35	1 15
13	Pritzwalk	18 50	15 80	15 50	12 20	18 —	30 —	34 —	4 07	2 75	2 13	3 25	1 40	1 20
14	Rathenow	18 —	16 08	14 75	12 50	30 —	35 —	44 —	4 64	3 17	— —	3 25	1 80	1 40
15	Neu-Ruppin	19 50	16 03	15 28	13 97	30 —	32 —	50 —	4 26	4 50	— —	5 —	1 50	1 15
16	Schwedt	19 60	17 36	16 80	14 29	26 67	31 25	31 25	5 —	3 60	— —	4 67	1 40	1 20
17	Spandau	18 75	17 15	16 —	14 55	25 —	30 —	39 50	4 40	3 75	— —	5 —	1 60	1 25
18	Strausberg	19 40	17 01	18 —	15 91	21 78	34 11	35 56	4 78	4 68	— —	6 77	1 51	1 26
19	Teltow	18 78	17 12	17 —	15 07	40 —	40 —	55 —	4 25	4 50	3 25	6 50	1 80	1 30
20	Templin	18 75	16 75	16 50	14 —	18 —	45 —	40 —	4 —	4 —	3 —	4 50	1 30	— —
21	Treuenbrietzen	19 07	17 37	13 72	14 —	26 —	24 —	30 —	4 50	3 20	— —	4 —	1 40	1 20
22	Wittstock	18 73	16 19	15 13	12 35	14 90	40 —	50 —	3 70	2 78	2 —	4 —	1 30	1 16
23	Wriezen a. O.	18 36	16 99	16 60	14 16	26 60	27 40	34 80	4 50	2 86	1 81	4 25	1 50	1 20
	Durchschnitt	18 85	16 92	15 94	13 99	— —	— —	— —	4,61	3,75	— —	4 62	— —	— —

Potsdam, den 11. November 1890.

241. **Nachweisung**

des Monatsdurchschnitts der gezahlten höchsten Tagespreise einschließlich 5 % Aufschlag im Monat Oktober 1890 in den Hauptmarktorten des Regierungs-Bezirks Potsdam.

Laufende Nummer.	Es kosteten je 50 Kilogramm.	Beeskow für Kreis Beeskow-Storkow M. Pf.	Brandenburg für Brandenburg und Kreis Westhavelland. M. Pf.	Luckenwalde für Kreis Jüterbog-Luckenwalde. M. Pf.	Perleberg für Kreis Westprignitz. M. Pf.	Potsdam für Potsdam und Kreis Zauch-Belzig. M. Pf.	Prenzlau für die Kreise Prenzlau und Templin. M. Pf.	Neu-Ruppin für Kreis Ruppin. M. Pf.	Schwedt für Kreis Angermünde. M. Pf.	Wittstock für Kreis Ostprignitz. M. Pf.	Bemerkungen
1.	Hafer	7 —	8 19	7 68	7 70	8 40	7 11	7 49,7	7 49,5	6 64,5	Für die Kreise Oberbarnim, Niederbarnim, Osthavelland und Teltow und für Stadt Spandau gilt Berlin als Hauptmarktort.
2.	Heu	2 36	2 52	2 63	2 63	3 06	3 15	2 62,5	2 44,5	2 10	
3.	Richtstroh	1 83	2 10	1 75	2 36	2 45	2 10	2 30	1 89	1 45,5	

Potsdam, den 11. November 1890.

Der Regierungs-Präsident.

Preise im Monat Oktober 1890.

Artikel kostet je 1 Kilogramm Schweinefleisch	Kalbfleisch	Hammelfleisch	Speck	Butter	Ein Schock Eier.	Ladenpreise in den letzten Tagen des Monats Es kostet je 1 Kilogramm. Mehl Weizen Nr. 1.	Roggen Nr. 1.	Gerste Graupe	Grütze	Buchweizengrütze	Hafergrütze	Hirse	Reis, Java	Java-Kaffee mittler in gebr. Bohnen	gelber in gebr. Bohnen	Speisesalz	Schweineschmalz, hiesig.
M. Pf	M. Pf	M. Pf	M. Pf	M. Pf	M. Pf	M. Pf	M. Pf	M. Pf	M. Pf	M. Pf	M. Pf	M. Pf	M. Pf	M. Pf	M. Pf	M. Pf	M. Pf
1 50	1 —	1 29	2 —	2 48	4 45	— 35	— 25	— 50	— 40	— 45	— 50	— 50	— 60	3 40	3 60	— 20	1 60
1 30	1 —	1 20	2 —	2 30	3 66	— 40	— 26	— 50	— 60	— 50	— 80	— 60	— 60	2 60	3 60	— 20	1 60
1 50	1 50	1 40	1 70	2 30	4 —	— 20	— 20	— 30	— 30	— 70	— 40	— 30	— 30	3 —	3 10	— 20	1 60
1 35	1 25	1 30	1 80	2 30	3 95	— 35	— 30	— 50	— 40	— 50	— 50	— 45	— 50	3 60	3 80	— 20	1 60
1 60	1 —	1 20	1 80	2 20	3 20	— 32	— 26	— 60	— 40	— 50	— —	— 50	— 50	2 80	3 60	— 20	1 40
1 40	1 20	1 20	2 —	2 40	4 40	— 32	— 30	— 60	— 60	— 50	— —	— 60	— 60	3 20	3 60	— 20	2
1 48	1 44	1 25	1 90	2 35	3 81	— 40	— 26	— 50	— 60	— 60	— 60	— 70	— 60	3 —	4 50	— 20	1 80
1 30	1 10	1 40	1 70	2 20	4 —	— 34	— 28	— 40	— 50	— 40	— 60	— 40	— 40	3 —	3 60	— 20	1 60
1 40	1 —	1 20	1 60	2 30	4 —	— 36	24	— 50	— 40	— 40	— 60	— 36	— 60	2 50	3 60	— 20	1 60
1 50	1 50	1 30	2 10	2 06	3 50	— 50	36	— 50	— 40	— 50	— 50	— 40	— 50	4 —	3 80	— 20	2 20
1 50	1 33	1 49	1 80	2 24	4 54	40	30	— 55	— 55	— 55	— 55	— 50	— 60	3 20	3 90	— 20	1 80
1 39	95	1 18	1 90	2 40	4 13	— 32	— 28	— 45	— 40	— 50	— 60	— 50	— 60	3 40	3 80	— 20	2
1 40	1 20	1 15	2 —	1 88	3 22	— 28	— 25	— 40	— 40	— 50	— 50	— 40	— 50	3 20	3 60	— 20	1 60
1 50	1 —	1 20	1 60	2 60	3 75	— 30	— 26	— 40	— 44	— 45	— 44	— 40	— 60	3 25	3 50	— 20	1 60
1 30	1 10	1 20	1 70	2 40	4 36	— 40	— 30	— 60	— 60	— 50	— 60	— 50	— 60	3 25	3 58	— 20	1 60
1 40	1	1 20	2 —	2 40	4 —	35	— 25	— 50	— 40	— 50	— 50	50	— 60	3 20	3 40	— 20	2 —
1 50	1 40	1 50	1 80	2 40	4 —	— 40	30	— 50	— 50	55	— 50	— 50	— 55	3 40	3 80	— 20	1 40
1 51	1 20	1 40	1 80	2 40	3 02	— 35	— 25	55	— 50	— 50	50	— 55	— 60	3 20	3 60	— 20	1 40
1 50	1 50	1 50	1 50	2 30	3 32	40	30	— 50	50	— 40	— 60	— 50	— 55	2 40	3 60	— 20	1 20
1 40	1 20	1 30	2 —	2 50	4 —	40	30	60	50	— 50	— 60	— 50	— 60	3 60	3 80	— 20	1 20
1 40	1 10	1 20	1 80	2 20	3 60	36	— 28	50	— —	— 40	— 50	— 30	— 50	3 30	3 60	— 20	1 60
1 29	92	1 26	1 84	2 03	3 62	30	— 26	50	— 50	— 50	— 60	— 50	— 50	3 20	3 60	— 20	2
1 40	1 30	1 20	1 80	2 20	4 08	— 25	— 27	— 50	— 40	— 40	— 50	— 50	— 60	3 50	3 75	— 20	1 40

Der Regierungs-Präsident.

242.

Nachweisung

der Namen und Bezirke der Vertrauensmänner der Elbschifffahrts-Berufsgenossenschaft im Regierungsbezirk Potsdam.

Vertrauensmänner-Bezirk	Kreise	Vertrauensmänner	Wohnort	Vertrauens-Ersatzmänner	Wohnort
VII. a.	Zauch-Belzig und Potsdam (Stadtkreis)	Fr. Galle	Lehnin	Herm. Witte	Brandenburg a. H.
VII. b.	Osthavelland	Fr. Galle	Lehnin	J. G. Lange i. Firma Lene & Co.	Spandau.
VII. c.	Westhavelland, West- und Ost-Prignitz	Ferd. Schoppe	Havelberg	Bühnenmeister Schütze	Havelberg.

Potsdam, den 5. November 1890.

Der Regierungs-Präsident.

Viehseuchen.

243. Festgestellt ist:

der Milzbrand bei einem 3 Monate alten Kalbe des Domainenpächters Badicke zu Kienberg, Kreis Osthavelland;

die Maul- und Klauenseuche unter den Kühen des Kossäthen Müller zu Falkenberg, Kreis

Nieder-Barnim, sowie in dem Rindviehbestande des Bauern Schrobsdorff und des Schlächters und Händlers Zinke zu **Wustermark, Kreis Osthavelland.**

Die Ortschaft **Wustermark** ist deshalb gegen das Durchtreiben von Wiederkäuern und Schweinen gesperrt worden. Potsdam, den 11. November 1890.

Der Regierungs-Präsident.

Bekanntmachungen der Königlichen Regierung.

Bekanntmachung

wegen Ausreichung der Zinsscheine Reihe XXI. zu den Preußischen 3½ %igen Staatsschuldscheinen von 1842 und der Zinsscheine Reihe II zu den Schuldverschreibungen der Preußischen konsolidirten 4 %igen Staatsanleihe von 1881.

18. Die Zinsscheine Reihe XXI. № 1 bis 8 zu den Preußischen 3½ %igen Staatsschuldscheinen von 1842 über die Zinsen für die Zeit vom 1. Januar 1891 bis 31. Dezember 1894, sowie die Zinsscheine Reihe II. № 1 bis 20 zu den Schuldverschreibungen der Preußischen konsolidirten 4 %igen Staatsanleihe von 1881 über die Zinsen für die Zeit vom 1. Januar 1891 bis 31. Dezember 1900 nebst den Anweisungen zur Abhebung der folgenden Reihe werden vom 1. Dezember d. J. ab von der Kontrolle der Staatspapiere hierselbst, Oranienstraße 92/94 unten links, Vormittags von 9 bis 1 Uhr, mit Ausnahme der Sonn- und Festtage und der letzten drei Geschäftstage jeden Monats, ausgereicht werden.

Die Zinsscheine können bei der Kontrolle selbst in Empfang genommen oder durch die Regierungs-Hauptkassen, sowie in Frankfurt a. M. durch die Kreiskasse bezogen werden. Wer die Empfangnahme bei der Kontrolle selbst wünscht, hat derselben persönlich oder durch einen Beauftragten die zur Abhebung der neuen Reihe berechtigenden Zinsscheinanweisungen mit einem für jede der beiden genannten Schuldgattungen getrennt aufzustellenden Verzeichnisse zu übergeben, zu welchem Formulare ebenda und in Hamburg bei dem Kaiserlichen Postamte Nr. 1 unentgeltlich zu haben sind. Genügt dem Einreicher eine numerirte Marke als Empfangsbescheinigung, so ist das Verzeichniß einfach, wünscht er eine ausdrückliche Bescheinigung, so ist es doppelt vorzulegen. Im letzteren Fall erhalten die Einreicher das eine Exemplar mit einer Empfangsbescheinigung versehen, sofort zurück. Die Marke oder Empfangsbescheinigung ist bei der Ausreichung der neuen Zinsscheine zurückzugeben.

In Schriftwechsel kann die Kontrolle der Staatspapiere sich mit den Inhabern der Zinsscheinanweisungen nicht einlassen.

Wer die Zinsscheine durch eine der oben genannten Provinzialkassen beziehen will, hat derselben die Anweisungen mit einem doppelten Verzeichnisse einzureichen. Das eine Verzeichniß wird mit einer Empfangsbescheinigung versehen sogleich zurückgegeben und ist bei Aushändigung der Zinsscheine wieder abzuliefern. Formulare zu diesen Verzeichnissen sind bei den gedachten Provinzialkassen und den von den Königlichen Regierungen in den Amtsblättern zu bezeichnenden sonstigen Kassen unentgeltlich zu haben.

Der Einreichung der Schuldverschreibungen bedarf es zur Erlangung der neuen Zinsscheine nur dann, wenn die Zinsscheinanweisungen abhanden gekommen sind; in diesem Falle sind die Schuldverschreibungen an die Kontrolle der Staatspapiere oder an eine der genannten Provinzialkassen mittels besonderer Eingabe einzureichen.

Berlin, den 28. Oktober 1890.

Königliche Hauptverwaltung der Staatsschulden.

* * *

Vorstehende Bekanntmachung wird mit dem Bemerken zur öffentlichen Kenntniß gebracht, daß Formulare zu den Verzeichnissen von unserer Hauptkasse, den Königlichen Kreis- und Forstkassen und den Königlichen Haupt-Steuer-Aemtern bezogen werden können.

Potsdam, den 6. November 1890.

Der Regierungs-Präsident.

Bekanntmachungen des Königlichen Polizei-Präsidenten von Berlin.

84. Bekanntmachung.

Dritter Nachtrag

zu dem Statute des „Nordstern, Unfall- und Altersversorgungs-Actien-Gesellschaft" zu Berlin.

In § 4 ist der zweite und dritte Satz zu streichen. § 4 lautet deshalb fortan:

§ 4.

Das Grundkapital der Gesellschaft beträgt drei Millionen Mark, eingetheilt in Eintausend Aktien, das Stück zu drei Tausend Mark, dasselbe kann auf Beschluß der General-Versammlung mit staatlicher Genehmigung bis auf Fünfzehn Millionen Mark erhöht werden, gleichfalls eingetheilt in Aktien, das Stück zu drei Tausend Mark.

Dem vorstehenden, in Folge der Beschlüsse der General-Versammlung vom 19. April dieses Jahres aufgestellten

Dritten Nachtrage zu dem Statute des „Nordstern", Unfall- und Altersversicherungs-Actien-Gesellschaft zu Berlin, de conf. 20. November 1880

wird hierdurch die staatliche Genehmigung ertheilt.

Berlin, den 9. Juli 1890.

(L. S.)

Der Minister des Innern.
Im Auftrage.
gez. Braunbehrens.

Der Minister für Handel und Gewerbe.
Im Auftrage.
gez. von Wendt.

Genehmigungsurkunde.
M. d. J. I. A. 6362
M. f. H. u. G. A. 2404.

Vorstehenden **Dritten Nachtrag** zu dem Statut des „Nordstern", Unfall- und Alters-Versicherungs-Actien-Gesellschaft zu Berlin nebst der staatlichen Genehmigungs-Urkunde vom 9. Juli 1890 bringe ich mit dem Bemerken hierdurch zur öffentlichen Kenntniß, daß das **Gesellschafts-Statut** vom 27. September / 20. November 1880 in der Extrabeilage zum 5. Stück des Amtsblattes der Königlichen Regierung zu Potsdam und der Stadt Berlin vom 4. Februar 1881, der **erste Nachtrag** zu diesem Statut in Stück 3 desselben Blattes vom 15. Januar 1886 und der **zweite Nachtrag** zu diesem Statut im Stück 40 desselben Blattes vom 5. Oktober 1888 veröffentlicht worden ist.

Berlin, den 6. November 1890.

Der Polizei-Präsident.

Freiher von Richthofen.

Berliner und Charlottenburger Preise im Monat Oktober 1890.

85. A. Engros-Marktpreise im Monatsdurchschnitt.

In Berlin:

für 100 Klgr.	Weizen (gut)	19	Mark	20 Pf.,
= = =	do. (mittel)	18	=	56 =
= = =	do. (gering)	17	=	95 =
= = =	Roggen (gut)	17	=	50 =
= = =	do. (mittel)	17	=	18 =
= = =	do. (gering)	16	=	88 =
= = =	Gerste (gut)	19	=	21 =
= = =	do. (mittel)	16	=	67 =
= = =	do. (gering)	15	=	02 =
= = =	Hafer (gut)	15	=	09 =
= = =	do. (mittel)	14	=	39 =
= = =	do. (gering)	13	=	86 =
für 100 Klgr.	Erbsen (gut)	19	=	13 =
= = =	do. (mittel)	17	=	74 =
= = =	do. (gering)	17	=	07 =
= = =	Richtstroh	4	=	47 =
= = =	Heu	5	=	32 =

Monats-Durchschnitt der höchsten Berliner Tagespreise **einschließlich 5% Aufschlag** für 50 Klgr.

	Hafer	Stroh	Heu
im Monat Oktober	8,09 Mk.,	2,52 Mk.,	3,47 Mk.

B. Detail-Marktpreise im Monatsdurchschnitt.

1) In Berlin:

für 100 Klgr.	Erbsen (gelbe z. Kochen)	28	Mark	35 Pf.,
= = =	Speisebohnen (weiße)	31	=	94 =
= = =	Linsen	41	=	78 =
= = =	Kartoffeln	6	=	25 =
= 1 Klgr.	Rindfleisch v. d. Keule	1	=	50 =
= 1 =	= (Bauchfleisch)	1	=	20 =
= 1 =	Schweinefleisch	1	=	50 =
= 1 =	Kalbfleisch	1	=	50 =
= 1 =	Hammelfleisch	1	=	39 =
= 1 =	Speck (geräuchert)	1	=	74 =
= 1 =	Eßbutter	2	=	32 =
= 60 Stück	Eier	4	=	— =

2) In Charlottenburg:

für 100 Klgr.	Erbsen (gelbe z. Kochen)	32	Mark	50 Pf.,
= = =	Speisebohnen (weiße)	35	=	— =
= = =	Linsen	45	=	— =
= = =	Kartoffeln	5	=	28 =
= 1 Klgr.	Rindfleisch v. d. Keule	1	=	40 =
= 1 =	= (Bauchfleisch)	1	=	02 =
= 1 =	Schweinefleisch	1	=	50 =
= 1 =	Kalbfleisch	1	=	45 =
= 1 =	Hammelfleisch	1	=	45 =
= 1 =	Speck (geräuchert)	1	=	60 =
= 1 =	Eßbutter	2	=	35 =
= 60 Stück	Eier	4	=	50 =

C. Ladenpreise in den letzten Tagen des Monats Oktober 1890:

1) In Berlin:

für 1 Klgr.	Weizenmehl № 1			36 Pf.,
= 1 =	Roggenmehl № 1			33 =
= 1 =	Gerstengraupe			48 =
= 1 =	Gerstengrütze			40 =
= 1 =	Buchweizengrütze			42 =
= 1 =	Hirse			40 =
= 1 =	Reis (Java)			70 =
= 1 =	Java-Kaffee (mittler)	2	Mark	75 =
= 1 =	= (gelb in gebr. Bohnen)	3	=	78 =
= 1 =	Speisesalz			20 =
= 1 =	Schweineschmalz (hiesiges)	1	=	15 =

2) In Charlottenburg:

für 1 Klgr.	Weizenmehl № 1			50 =
= 1 =	Roggenmehl № 1			40 =
= 1 =	Gerstengraupe			60 =
= 1 =	Gerstengrütze			50 =
für 1 Klgr.	Buchweizengrütze			50 =
= 1 =	Hirse			50 =
= 1 =	Reis (Java)			70 =
= 1 =	Java-Kaffee (mittler)	2	Mark	60 =
= 1 =	= (gelb in gebr. Bohnen)	3	=	60 =
= 1 =	Speisesalz			20 =
= 1 =	Schweineschmalz (hiesiges)	1	=	30 =

Berlin, den 7. November 1890.

Königl. Polizei-Präsidium. Erste Abtheilung.

Bekanntmachung.

86. Personen, welche die Prüfung für Heilgehülfen abzulegen wünschen, haben zu diesem Zwecke zunächst 6 Mark Prüfungsgebühren bei der Königlichen Polizei-Hauptkasse, Am Alexanderplatz Nr. 5 im Erdgeschoß, Eingang II. von der Alexanderstraße, in den Vormittagsstunden von 9 bis 1 Uhr gegen Quittung einzuzahlen.

Die Anmeldung ist **nicht** bei dem Königlichen Polizei-Präsidium, sondern **lediglich** bei dem Königlichen **Stadtphysikus**, Tempelhofer Ufer Nr. 29 I., bis 9 Uhr Vormittags **persönlich** unter Vorlegung der erhaltenen Quittung zu machen. Dem Stadtphysikus ist außerdem ein ortspolizeiliches Zeugniß über sittliche Führung des Antragstellers, sowie darüber vorzulegen, daß Antragsteller seinen dauernden Wohnsitz in Berlin hat. Personen, welche sich nur vorübergehend hierselbst aufhalten, haben ihre Prüfungsgesuche bei dem für ihren dauernden Wohnsitz zuständigen Königlichen Regierungs-Präsidenten einzubringen.

Berlin, den 3. November 1890.

Der Polizei-Präsident.

Bekanntmachungen der Kaiserlichen Ober-Postdirektion zu Potsdam.

Bekanntmachung.

99. Die Postagentur mit Telegraphenbetrieb in Schöpfurth wird vom 16. November d. J. ab in ein Postamt III. umgewandelt.

Potsdam, den 4. November 1890.

Der Kaiserliche Ober-Postdirector.

Bekanntmachungen der Königlichen Kontrolle der Staatspapiere.

Bekanntmachung.

26. In Gemäßheit des § 20 des Ausführungsgesetzes zur Civilprozeßordnung vom 24. März 1879 (G.-S. S. 281) und des § 6 der Verordnung vom 16. Juni 1819 (G.-S. S. 157) wird bekannt gemacht, daß dem Hotelbesitzer Rob. Grasnick zu Stuhm, Regierungsbezirk Marienwerder, die Schuldverschreibungen der konsolidirten 4%igen Staatsanleihe

a. von 1881 Lit. D. № 221905 über 500 M.,
b. von 1884 Lit. F. № 333456 über 200 M.,

in der Nacht vom 27. zum 28. Juli d. J. angeblich verbrannt sind. Es werden diejenigen, welche sich im Besitze dieser Urkunden befinden, hiermit aufgefordert, solches der unterzeichneten Kontrolle der Staatspapiere oder dem ꝛc. Grasnick anzuzeigen, widrigenfalls das gerichtliche Aufgebotsverfahren behufs Kraftloserklärung der Urkunden beantragt werden wird.

Berlin, den 1. November 1890.

Königliche Kontrolle der Staatspapiere.

Bekanntmachungen des Provinzial-Steuer-Direktors.

Erhebung der Wildpretsteuer von Rebhühnern und wilden Gänsen beim Eingange in die Stadt Potsdam

12. Durch Erlaß des Herrn Minister des Innern und der Finanzen vom **26. August d. J.** ist genehmigt worden, daß die Stadtgemeinde Potsdam von Rebhühnern und von wilden Gänsen bei deren Eingang in die Stadt eine Steuer von je zehn Pfennigen für das Stück erhebe.

Diese Steuer wird nach Maßgabe des in der Extrabeilage zum 15. Stück des Amtsblatts der Königlichen Regierung in Potsdam und der Stadt Berlin für 1889 bekannt gemachten Regulativs vom 1. April 1889, betreffend die Erhebung und Beaufsichtigung der auf Grund der Gesetze vom 25. Mai 1873 und 30sten Mai 1820 angeordneten Schlachtsteuer als Kommunalsteuer für die Stadt Potsdam, vom 1. Dezember d. J. ab erhoben werden.

Berlin, den 3. Oktober 1890.

Der Provinzial-Steuer-Direktor

v. Pommer-Esche.

Bekanntmachung.

13. Die bisher von dem Buchdruckereibesitzer Emil Pilger verwaltete Stempel-Distribution in Pankow bei Berlin ist dem Buchbindermeister und Buchhändler Theodor Arnold zu Pankow, Breitestraße 22, widerruflich übertragen worden.

Berlin, den 27. Oktober 1890.

Der Provinzial-Steuer-Direktor.

v. Pommer-Esche.

Bekanntmachungen der Königlichen Eisenbahn-Direktion zu Berlin.

Ungarisch-österreichisch-deutscher Holz- und Verkehrverkehr

47. Am 1. Dezember d. J. tritt zum Ausnahmetarife für den obenbezeichneten Verkehr ein Nachtrag II. in Kraft. Derselbe enthält eine Bestimmung über die Anwendung der Courszuschläge, Abänderungen der besonderen Bestimmungen, theilweise neue, theilweise abgeänderte Frachtsätze für verschiedene deutsche und ungärische Stationen, Abfertigungsbestimmungen für Sendungen nach Spandau, Aufhebung einzelner Frachtsätze, sowie eine Ergänzung der Zuschlagstabellen und des Kilometerzeigers. Exemplare des Nachtrags sind für den Preis von 0,68 M. für das Stück bei der Güter-Kasse zu Stettin und dem hiesigen Auskunfts-Büreau, Bahnhof Alexanderplatz, käuflich zu haben.

Berlin, den 29. Oktober 1890.

Königliche Eisenbahn-Direktion.

Erweiterung der Abfertigungs-Befugniße der Station Rummelsburg-Rangirbahnhof.

48. Vom 10. November d. J. ab ist auf der Station Rummelsburg-Rangirbahnhof die Wiederverladung der daselbst entladenen, zur Weiterbeförderung bestimmten Gänsesendungen gestattet. Insoweit für Rummelsburg-Rangirbahnhof direkte Sätze nicht bestehen, finden die Sätze für Berlin, Schlesischer Bahnhof, Anwendung. Berlin, den 3. November 1890.

Königliche Eisenbahn-Direktion.

Bekanntmachungen der Königlichen Eisenbahn-Direktion zu Bromberg.

Bekanntmachung.

65. Von der Königlich Preußischen Staats-Eisenbahn-Verwaltung wird vom 15. November 1890 ab im Hause der Spediteure Gebr. Fritz u. Albert Schulz zu Friedeberg N.-M. eine **Königliche Eisenbahn-Güter-Nebenstelle** eröffnet. Die Güter-Nebenstelle dient zur Annahme und Ausgabe von Eisenbahn-Eil- und Frachtstückgut aller Art, soweit nicht nachstehend bestimmte Ausnahmen festgesetzt sind, und gehört zum Verkehrsbereich der Güter-Abfertigungsstelle zu Friedeberg N.-M. Die Verwaltung derselben ist den Spediteuren Gebr. Fritz u. Albert Schulz als Agenten übertragen. Soweit der Güter-Abfertigungsstelle in Friedeberg N.-M. nicht anderweite schriftliche Verfügungen ertheilt sind, werden die auf der Eisenbahnstation Friedeberg N.-M. für Friedeberg N.-M. Stadt und deren Vorstadte eingehenden Sendungen dem Empfänger bahnamtlich zugestellt. Außerhalb des Bezirks der Nebenstelle wohnenden Empfängern werden, wenn sie ein dahin gehendes Verlangen bei der Güter-Abfertigungsstelle in Friedeberg N.-M. angemeldet haben, angekommene Güter nach vorheriger Avisirung an der Nebenstelle ausgeliefert. Abgehendes Gut kann bei der Nebenstelle selbst aufgeliefert werden, wird auch auf Verlangen aus der Wohnung der Versender abgeholt. Die Güter-Nebenstelle steht in Bezug auf den Abschluß und die Erfüllung des Eisenbahn-Fracht-Vertrages anderen Güter-Abfertigungsstellen gleich. Frachtbriefe mit der Vorschrift dieser Güter-Nebenstelle werden angenommen. Die Annahme und Ausgabe der Stückgüter erfolgt an Wochentagen von 8 Uhr Vormittags bis 7 Uhr Nachmittags. Die Abrollung findet nach dem untenstehenden Fahrplan zu den dort angegebenen Gebühren statt. Ausgeschlossen von der Annahme und von der Auslieferung auf der Güter-Nebenstelle bezw. von der Beförderung zwischen dieser und der Station Friedeberg N.-M. sind: 1) Stückgüter (Eil- und Frachtgüter) im Einzelgewicht von mehr als 500 kg; 2) solche Güter, welche sich wegen ihrer Form, ihres Umfanges oder sonstiger Beschaffenheit nach dem Ermessen des Verwalters der Nebenstelle bezw. der Güter-Abfertigungsstelle Friedeberg N.-M. zur Beförderung auf einem gewöhnlichen Lastwagen nicht eignen; 3) die in Gemäßheit des § 48 des Betriebs-Reglements für die Eisenbahnen Deutschlands von der Eisenbahn-Beförderung ausgeschlossenen oder nur bedingungsweise zugelassenen Güter; 4) lebende Thiere mit Ausnahme der Sendungen von kleinem Vieh (einschl. Hunde) in Käfigen, Kisten, Körben und dergl., soweit dasselbe als Frachtgut nach den Bestimmungen des Gütertarifs aufgegeben werden kann. Im Uebrigen verbleibt es bei der Erhebung der nach den bestehenden Tarifen für die Station Friedeberg N.-M. maßgebenden Frachten und Nebengebühren. Beschwerden sind an das Königliche Eisenbahn-Betriebs-Amt zu Berlin Cüstrinerplatz zu richten. Für die Berechnung der Lieferzeit sind die für die Station Friedeberg N.-M. bestehenden Lieferfristen maßgebend.

Fahrplan.

Ab Friedeberg N.-M. Stadt 9 Uhr Vorm.,
an Friedeberg N.-M. Bahnhof $10^1/_2$ Uhr Vorm.,
ab Friedeberg N.-M. Bahnhof $12^1/_2$ Uhr Nachm.,
an Friedeberg N.-M. Stadt $2^1/_2$ Uhr Nachm.

Rollgebühren.

Für die Beförderung von Eil- und Frachtgütern von Friedeberg N.-M. Stadt nach Friedeberg N.-M. Bahnhof und umgekehrt werden erhoben: I. Für Eilgüter, sperrige Güter, leicht zerbrechliche Gegenstände, unverpackt und Steuergüter, wenn letztere behufs steueramtlicher Behandlung nach Lagerhäusern ꝛc. zu befördern sind, falls die Beförderung spätestens 3 Stunden nach Auflieferung der betreffenden Sendungen bei der Nebenstelle, bezw. bei ankommenden Gütern nach Eintreffen auf der Station Friedeberg und mit einem anderen als dem fahrplanmäßigen Fuhrwerk erfolgt: Das ein- und einhalbfache der unter II. zu erhebenden Gebühr mindestens 80 Pfennig für jede Sendung. II. Bei fahrplanmäßiger Beförderung der Eil- und Stückgüter ausnahmslos für 100 kg 30 Pfennig, mindestens 30 Pfennig.

Bromberg, den 1. November 1890.

Königliche Eisenbahn-Direktion.

Bekanntmachungen anderer Behörden.

Bekanntmachung,
betreffend die für die Invaliditäts- und Altersversicherung zu verwendenden Beitrags- und Zusatzmarken.
Vom 9. September 1890.

Auf Grund der §§ 99 und 121 des Gesetzes, betreffend die Invaliditäts- und Altersversicherung, vom 22. Juni 1889 (Reichs-Gesetzblatt Seite 97) werden über die Unterscheidungsmerkmale und die Gültigkeitsdauer der zum Zweck der Erhebung der Beiträge zu verwendenden Beitrags- und Zusatzmarken nachfolgende Bestimmungen erlassen:

I. Beitragsmarken.

1) Die von den Versicherungsanstalten auszugebenden Beitragsmarken sind in Form eines Rechtecks auf weißem Papier, und zwar die Marken

im Werthbetrage von 14 Pfennig
(Lohnklasse I., das ist bei einem Jahresarbeitsverdienst bis zu 350 Mark einschließlich)
in rothem Druck,
im Werthbetrage von 20 Pfennig
(Lohnklasse II, das ist bei einem Jahresarbeitsverdienst von mehr als 350 bis 550 Mark)
in blauem Druck,
im Werthbetrage von 24 Pfennig
(Lohnklasse III., das ist bei einem Jahresarbeitsverdienst von mehr als 550 bis 850 Mark)
in grünem Druck,
im Werthbetrage von 30 Pfennig
(Lohnklasse IV., das ist bei einem Jahresarbeitsverdienst von mehr als 850 Mark)
in rothbraunem Druck

herzustellen.

2) Auf den Beitragsmarken ist die betreffende Lohnklasse durch dunkle römische Zahlen auf hellem Grunde, die Werthangabe durch helle arabische Zahlen und helle Buchstaben (Pf.) auf dunklem Grunde zu bezeichnen.

3) Die Beitragsmarken tragen den Reichsadler und enthalten auf einem weißen Streifen, welcher die Marken

der Lohnklasse I. in der Mitte,
der Lohnklasse II. unten,
der Lohnklasse III. von links oben nach rechts unten,
der Lohnklasse IV. von links unten nach rechts oben,

durchzieht, die Bezeichnung der ausgebenden Versicherungsanstalt mit lateinischen Buchstaben in schwarzem Druck.

4) Für die nach der Bekanntmachung des Reichs-

kanzlers vom 15. März 1890 (Deutscher Reichs-Anzeiger Nr. 71 vom 20. März 1890) errichteten 31 Versicherungsanstalten werden zum Zwecke des Aufdrucks auf die Beitrags- und Zusatzmarken (vergleiche unten II.) folgende Bezeichnungen festgesetzt: Ostpreußen, Westpreußen, Brandenburg, Pommern, Posen, Schlesien, Westfalen, Berlin, Schleswig-Holstein, Rheinprovinz, Sachsen-Anhalt, Hannover, Hessen-Nassau, Oberbayern, Niederbayern, Pfalz, Oberpfalz, Oberfranken, Mittelfranken, Unterfranken, Schwaben, Kgr. Sachsen, Württemberg, Baden, Gr. Hessen, Mecklenburg, Thüringen, Oldenburg, Braunschweig, Hansestädte, Elsaß-Lothringen.

5) Im Uebrigen ist Form und Zeichnung der Beitragsmarken aus den nachstehenden Mustern, in welchen auch der Name der ausgebenden Versicherungsanstalt probeweise abgedruckt ist, ersichtlich:

[Bezüglich der Muster selbst wird auf Nr. 219 für 1890 des Deutschen Reichs- und Königl. Preußischen Staats-Anzeigers verwiesen.]

II. Zusatzmarken (Doppelmarken).

6) Nachdem der Bundesrath sich damit einverstanden erklärt hat, daß von der besonderen Herstellung der Zusatzmarken des Reichs abgesehen, und statt dessen für jede Versicherungsanstalt eine Doppelmarke hergestellt wird, welche die Zusatzmarke mit einer Beitragsmarke der Lohnklasse II. verbindet, wird hinsichtlich dieser Doppelmarke Folgendes bestimmt:

Die Doppelmarke besteht aus zwei Abtheilungen. Sie zeigt auf dem linksseitigen, in blauem Druck hergestellten Theile die Beitragsmarke der Lohnklasse II. Die Lohnklasse ist durch eine dunkle römische Zahl (II.) auf hellem Grunde, der Geldwerth von 20 Pfennig durch helle arabische Zahlen und helle Buchstaben (Pf.) auf dunklem Grunde bezeichnet. Auf dem die Beitragsmarke von links unten nach rechts oben durchziehenden weißen Streifen befindet sich der Name der ausgebenden Versicherungsanstalt mit lateinischen Buchstaben in schwarzem Druck. Der rechtsseitige Theil stellt in orangefarbenem Druck die einen Reichsadler enthaltende Zusatzmarke zum Geldwerthe von 8 Pfennig dar. Auf dem hellen Grunde der Zusatzmarke befinden sich oberhalb des Reichsadlers auf der einen Seite der Buchstabe Z., auf der anderen Seite der Buchstabe M. (als Abkürzung für Zusatzmarke), unterhalb des Reichsadlers auf der einen Seite die arabische Zahl 8, auf der anderen die Buchstaben Pf.

Im Uebrigen ist Form und Zeichnung der Doppelmarke aus dem nachstehenden Muster ersichtlich:

[Siehe wie oben.]

III. Gemeinsame Bestimmungen.

7) Die Beitrags- und Doppelmarken müssen gleichmäßig je 23,5 mm breit und 14 mm hoch sein.

8) Das Markenpapier muß reines Lumpenpapier und aus sogenanntem feinen Briefstoff angefertigt sein; es muß sehr fein gemahlen und in der Durchsicht vollkommen gleichmäßig sein. Die mittlere Reißlänge desselben muß 3 300 m, die mittlere Dehnung 1,9 Prozent der Länge und der Aschengehalt 12 Prozent betragen.

Das Markenpapier ist mit einem unsichtbaren Aufdruck zu versehen, welcher die Möglichkeit gewährt, die Echtheit der Marken jederzeit zu prüfen. Die Verwendung eines Wasserzeichens an Stelle des Aufdrucks bedarf der besonderen Genehmigung des Reichs-Versicherungsamts.

10) Die Beitrags- und Doppelmarken sind in Bogen zu je 100 Stück herzustellen. Auf dem Bogen müssen sich über- und nebeneinander je 10 Marken befinden; die Ränder der Marken sind mit Bohrlöchern zu versehen, so daß die Lostrennung der Marken ohne Zuhülfenahme eines Schneidewerkzeuges durch bloßes Abreißen bewirkt werden kann. Die genaue Größe der bedruckten Fläche eines Markenbogens zu 100 Stück muß in den Durchlochungslinien gemessen 235×140 mm betragen. Auf der Rückseite sind die Markenbogen mit bestem Klebestoff zu versehen.

11) Die Herstellung der Doppelmarken hat wegen der Betheiligung des Reichs an deren Erlös und Herstellungskosten ausschließlich durch die Reichsdruckerei zu erfolgen. Sofern Beitragsmarken nicht durch die Reichsdruckerei hergestellt sind, müssen Proben derselben, bevor sie zur Ausgabe gelangen, dem Reichs-Versicherungsamt zur Prüfung vorgelegt werden.

12) Die in Gemäßheit dieser Bekanntmachung hergestellten Beitrags- und Doppelmarken behalten bis auf Weiteres ihre Gültigkeit.

Berlin, den 9. September 1890.

Das Reichs-Versicherungsamt. Dr. Bödiker.

Personal-Chronik.

Der mit der commissarischen Verwaltung des Landraths-Amts im Kreise Jüterbog-Luckenwalde beauftragte Landrath von Cossel hat die bezüglichen Geschäfte am 6. November d. J. übernommen.

Im Kreise Ruppin ist der Königliche Oberförster von Gustedt zu Neu-Glienicke nach Ablauf seiner Amtszeit auf's Neue zum Amtsvorsteher des 16. Bezirks Neu-Glienicke ernannt worden.

Im Kreise Ruppin ist der Rittergutspächter, Hauptmann a. D. Bielhaack zu Segeletz und der Schulze Beerbaum zu Laestkow nach Ablauf ihrer Amtszeit auf's Neue zum Amtsvorsteher bezw. -Stellvertreter für den 6. Bezirk Nackel ernannt worden.

Der bisherige Pfarrer Johann Karl Friedrich Wilhelm Schlaeger zu Petkus ist zum Pfarrer der Parochie Stralau-Rummelsburg bestellt worden.

Der bisherige Predigtamts-Kandidat Richard Hermann Theodor Kittlaus ist zum ordinirten Hilfsprediger für die Parochie Charlottenburg, Diözese Cöln-Land I., bestellt worden.

Die unter dem Patronat der Königlichen Hofkammer der Königlichen Familiengüter hierselbst stehende Pfarrstelle zu Falkenrehde, Diözese Potsdam II., ist durch das Ableben des Pfarrers Wernicke am 24. September d. J. zur Erledigung gekommen.

Ausweisung von Ausländern aus dem Reichsgebiete.

Lauf. Nr.	Name und Stand des Ausgewiesenen	Alter und Heimath des Ausgewiesenen	Grund der Bestrafung.	Behörde, welche die Ausweisung beschlossen hat.	Datum des Ausweisungs-Beschlusses.
1.	2.	3.	4.	5.	6.
		a. Auf Grund des § 39 des Strafgesetzbuchs:			
1	Emil Heinzel, Gerbergeselle,	geboren am 28. November 1864 zu Hotzenplotz, Bezirk Jägerndorf, Oesterreich-Schlesien, ortsangehörig ebendaselbst,	einfacher Diebstahl im Rückfall (1 Jahr drei Monate Zuchthaus laut Erkenntniß vom 1. Juni 1889),	Königlich Preußischer Regierungspräsident zu Oppeln,	24. Juni 1890.
2	Josas Ledas (alias Mathes Lipons), Arbeiter,	25 Jahre alt, geboren zu Cranzen, Kreis Mariampol, Gouvernement Suwalki, Russisch-Polen, russischer Unterthan,	1 schwerer und 2 einfache Diebstähle (zwei Jahre 9 Monate Zuchthaus laut Erkenntniß vom 17. Dezember 1887),	Königlich Preußischer Regierungspräsident zu Königsberg,	30. September 1890.
		b. Auf Grund des § 362 des Strafgesetzbuchs:			
3	Anton Curth, Steinhauer,	geboren am 14. Februar 1872 zu Portalegre, Brasilien, ortsangehörig ebendaselbst,	Landstreichen u. Betteln,	Kaiserlicher Bezirkspräsident zu Colmar,	2. Oktober 1890.
4	Franz Duschanek, Tischler,	geboren am 25. Mai 1841 zu Rehberg, Bezirk Reichenau, Böhmen, ortsangehörig ebendaselbst,	Betteln im wiederholten Rückfall,	Königlich Preußischer Regierungspräsident zu Breslau,	30. September 1890.
5	Franz Malek, Schuhmacher,	geboren im Jahre 1854 zu Wieliczka, Bezirk Krakau, Galizien,	Landstreichen und Betteln,	Königlich Preußischer Regierungspräsident zu Oppeln,	17. September 1890.
6	Theodor Montanari, Tagner,	geboren am 13. Februar 1866 zu Biadana, Italien, ortsangehörig ebendaselbst,	Landstreichen,	Kaiserlicher Bezirkspräsident zu Colmar,	27. September 1890.
7	Johann Pietrzykowski, Arbeiter,	22 Jahre alt, geboren zu Kowno, Rußland,	Landstreichen,	Königlich Preußischer Regierungspräsident zu Potsdam,	4. Oktober 1890.
8	Robert Volkmer, Mühlbursche,	geboren am 24. Februar 1861 zu Krautenwalde, Bezirk Freiwaldau, Oesterreich-Schlesien, ortsangehörig ebendas.,	desgleichen,	Königlich Bayerisches Bezirksamt Wasserburg,	5. September 1890.
9	Samuel Christian Wilhelmsson, Korkschneider,	geboren am 7. August 1856 zu Stockholm, Schweden,	Betteln im wiederholten Rückfall,	Chef der Polizei in Hamburg,	23. September 1890.
10	Samuel Kanteman, Metzger,	geboren am 20. September 1871 zu Enschede, Niederlande, ortsangehörig ebendas.,	Landstreichen,	Kaiserlicher Bezirkspräsident zu Straßburg,	10. Oktober 1890.
11	Franz Xaver Kaßner, Sattler,	geboren am 20. April 1851 zu Selz, Kreis Weißenburg, Elsaß-Lothringen, ortsangehörig zu Belfort, Frankreich,	desgleichen,	derselbe,	7. Oktober 1890.

Lauf. Nr.	Name und Stand des Ausgewiesenen.	Alter und Heimath des Ausgewiesenen.	Grund der Bestrafung.	Behörde, welche die Ausweisung beschlossen hat.	Datum des Ausweisungs-Beschlusses.
1.	2.	3.	4.	5.	6.
12	Eberwein Dessel, Arbeiter,	geboren am 25. April 1844 zu Niederelsungen, Kreis Wolfhagen, Preußen, ortsangehörig zu Illinois, Amerika,	Betteln,	Königlich Preußischer Regierungspräsident zu Hannover,	13. Oktober 1890.
13	Sidonie Sime Grad, verheirathet, und deren Kinder:	geboren im September 1848 zu Rzeszow, Galizien, ortsangehörig ebendaselbst,	Landstreichen,	Königlich Preußischer Regierungspräsident zu Cassel,	7. Oktober 1890.
	a. Moses Aron,	geboren am 10. August 1885,			
	b. Abraham,	geboren am 25. Oktober 1887,			
14	Ferdinand Schenk, Tischlergeselle,	geboren am 15. Oktober 1837 zu Kallich, Bezirk Komotau, Böhmen, ortsangehörig ebendas.,	Betteln,	Königlich Sächsische Kreishauptmannschaft Zwickau,	12. September 1890.
15	Jakob Wolfensberger, Conditor,	geboren am 22. Februar 1848 zu Lipperschwendi, Schweiz, ortsangehörig ebendaselbst,	Landstreichen,	Kaiserlicher Bezirks-Präsident zu Straßburg,	10. Oktober 1890.
16	Wilhelm Fuhrmann, Klempner,	geboren am 16. Oktober 1858 zu Lodz, Gouvernement Warschau, Russisch-Polen,	Landstreichen und Betteln,	Königlich Preußischer Regierungspräsident zu Potsdam,	15. Oktober 1890.
17	Itzek Lubelski, Händler,	geboren am 4. April 1843 zu Kolno, Gouvernement Lomza, Russisch-Polen, ortsangehörig ebendaselbst,	Landstreichen,	Kaiserlicher Bezirkspräsident zu Straßburg,	17. Oktober 1890.
18	Charles Rischard, Kellner,	geboren am 18. August 1856 zu Luxemburg,	Betteln,	Herzoglich Braunschweigische Kreisdirektion zu Wolfenbüttel,	13. Oktober 1890.
19	Franz Vetter, Seiler,	geboren am 3. Dezember 1842 zu Neufeld, Komitat Oedenburg, Ungarn, ortsangehörig zu Petschin, ebendaselbst,	Landstreichen,	Königlich Bayerisches Bezirksamt Berchtesgaden,	10. Oktober 1890.
20	Georg Vetter, Gymnastiker,	geboren im Jahre 1837 zu Neufeld, ortsangehörig zu Petschin,	desgleichen,	dasselbe,	desgleichen.
21	Albert Vogt, Metzgergeselle,	geboren am 13. Dezember 1861 zu Schönbuch, Schweiz, ortsangehörig ebendaselbst,	desgleichen,	Kaiserlicher Bezirkspräsident zu Colmar,	4. Oktober 1890.

Hierzu Vier Oeffentliche Anzeiger.

(Die Insertionsgebühren betragen für eine einspaltige Druckzeile 20 Pf. Belagsblätter werden der Bogen mit 10 Pf. berechnet.)

Redigirt von der Königlichen Regierung zu Potsdam.

Potsdam, Buchdruckerei der A. W. Hayn'schen Erben.

Amtsblatt
der Königlichen Regierung zu Potsdam und der Stadt Berlin.

Stück 47. Den 21. November **1890.**

Reichs-Gesetz-Blatt.

Stück 30. (№ 1919.) Allerhöchster Erlaß, betreffend die Abänderung der Instruktion vom 30. August 1887 zur Ausführung des Gesetzes über die Naturalleistungen für die bewaffnete Macht im Frieden vom 13. Februar 1875 und der dazu ergangenen abändernden Bestimmungen des Gesetzes vom 21. Juni 1887. Vom 15. Oktober 1890.

Stück 31. (№ 1920.) Verordnung, betreffend die Konsulargerichtsbarkeit in Samoa. Vom 29. Oktober 1890.

Gesetz-Sammlung für die Königlichen Preußischen Staaten.

Stück 40. (№ 9425.) Verordnung, betreffend die Kautionen der Beamten aus dem Bereiche des Ministeriums der geistlichen, Unterrichts- und Medizinal-Angelegenheiten. Vom 16. Oktober 1890.

Bekanntmachungen der Königlichen Ministerien.

30. In Gemäßheit des § 5 des Gesetzes vom 27. Juli 1885, betreffend Ergänzung und Abänderung einiger Bestimmungen über Erhebung der auf das Einkommen gelegten direkten Kommunalabgaben (G.-S. S. 327), wird hierdurch das für die Kommunalbesteuerung im Steuerjahre 1890/91 in Betracht kommende Reineinkommen der gesammten Preußischen Staats- und für Rechnung des Staates verwalteten Eisenbahnen auf den Betrag von 170 329 503 Mark festgestellt.

Von diesem Gesammteinkommen unterliegen nach dem Verhältnisse der erwachsenen Ausgaben an Löhnen und Gehältern der Besteuerung:

A. durch die Preußischen Gemeinden 150 168 262 M.,
B. durch die Preußischen Kreise 155 415 822 M.

Berlin, den 4. November 1890.

Der Minister der öffentlichen Arbeiten. Maybach.

Bekanntmachungen des Königlichen Ober-Präsidenten.

Bekanntmachung.

26. Nach einem Beschlusse des Bundesrathes wird am 1. Dezember d. J. eine allgemeine Volkszählung im Deutschen Reiche stattfinden. Indem ich dieses hiermit zur öffentlichen Kenntniß bringe und auf die Wichtigkeit der Zählung für die Staats- und Gemeindeverwaltung sowie für die Förderung wissenschaftlicher und gemeinnütziger Zwecke unter Bezugnahme auf die besonders veröffentlichte Ansprache des Königlichen statistischen Büreaus an die Bevölkerung hinweise, bemerke ich, daß wie früher, so auch diesmal bei der Austheilung, Ausfüllung und Wiedereinsammlung der Zählpapiere eine Mitwirkung der selbstständigen Ortseinwohner in Aussicht genommen worden ist. Ich hege die zuversichtliche Hoffnung, daß es an Bereitwilligkeit hierzu nicht fehlen werde, und daß alle Betheiligte die freiwillig übernommenen Aufgaben mit Eifer und Sorgfalt gern erfüllen werden.

Potsdam, den 14. November 1890.

Der Ober-Präsident, Staatsminister von Achenbach.

Bekanntmachungen des Königlichen Regierungs-Präsidenten.

Bekanntmachung.

244. Nachstehend werden die Zeiten, während welcher die Drehbrücke über die Havel bei Spandau im Zuge der Berlin—Hamburger Eisenbahn für die Zeit vom 1. Oktober 1890 bis 31. Mai 1891 geschlossen bezw. für den Schifffahrtsverkehr geöffnet sein wird, zur allgemeinen Kenntniß gebracht.

Die Brücke ist voraussichtlich täglich

geschlossen				für die Schifffahrt geöffnet			
von	12 00 Uhr	bis	3 25 Uhr,	von	3 25 Uhr	bis	4 40 Uhr,
„	4 40 „	„	6 35 „	„	6 35 „	„	6 50 „
„	6 50 „	„	8 52 „	„	8 52 „	„	9 12 „
„	9 12 „	„	10 12 „	„	10 12 „	„	10 57 „
„	10 57 „	„	11 36 „	„	11 36 „	„	11 56 „
„	11 56 „	„	1 50 „	„	1 50 „	„	2 17 „
„	2 17 „	„	3 06 „	„	3 06 „	„	3 39 „
„	3 39 „	„	4 35 „	„	4 35 „	„	5 18 „
„	5 18 „	„	5 40 „	„	5 40 „	„	6 02 „
„	6 02 „	„	6 45 „	„	6 45 „	„	7 04 „
„	7 04 „	„	12 00 „				

Potsdam, den 14. November 1890.

Der Regierungs-Präsident.

245. Nachweisung der an den Pegeln der Spree und Havel im Monat Oktober 1890 beobachteten Wasserstände.

Datum.	Berlin. Ober- N. N. Wasser.	Berlin. Unter- N. N. Wasser.	Spandau. Ober- Wasser.	Spandau. Unter- Wasser.	Potsdam.	Brandenburg. Ober- Wasser.	Brandenburg. Unter- Wasser.	Rathenow. Ober- Wasser.	Rathenow. Unter- Wasser.	Havelberg.
	Meter.	Meter.	Meter.	Meter.	Meter.	Meter.	Meter.	Meter.	Meter.	Meter.
1	32,32	30,56	2,12	0,44	0,86	1,92	0,78	1,32	0,54	2,24
2	32,28	30,54	2,14	0,52	0,87	1,70	0,72	1,32	0,50	2,14
3	32,29	30,54	2,14	0,48	0,88	1,88	0,72	1,32	0,48	2,08
4	32,28	30,58	2,12	0,48	0,90	1,84	0,72	1,32	0,48	2,02
5	32,34	30,54	2,14	0,44	0,90	1,94	0,74	1,32	0,48	1,96
6	32,34	30,58	2,16	0,48	0,90	1,96	0,70	1,32	0,46	1,90
7	32,34	30,58	2,16	0,50	0,90	2,00	0,72	1,32	0,42	1,84
8	32,36	30,60	2,20	0,50	0,92	2,04	0,76	1,32	0,42	1,80
9	32,38	30,60	2,20	0,50	0,92	2,02	0,76	1,32	0,42	1,76
10	32,34	30,60	2,18	0,52	0,93	2,02	0,78	1,32	0,42	1,72
11	32,38	30,60	2,20	0,52	0,93	2,04	0,78	1,32	0,42	1,68
12	32,38	30,60	2,22	0,48	0,94	2,02	0,76	1,32	0,42	1,66
13	32,40	30,58	2,20	0,50	0,93	2,02	0,76	1,32	0,44	1,64
14	32,42	30,60	2,20	0,50	0,92	2,04	0,78	1,32	0,44	1,60
15	32,42	30,60	2,20	0,50	0,92	2,04	0,80	1,32	0,44	1,56
16	32,42	30,60	2,22	0,52	0,92	2,02	0,82	1,32	0,44	1,54
17	32,42	30,59	2,20	0,52	0,92	2,00	0,82	1,32	0,46	1,54
18	32,42	30,60	2,20	0,50	0,93	2,00	0,84	1,32	0,46	1,56
19	32,42	30,59	2,22	0,48	0,93	2,04	0,84	1,32	0,46	1,56
20	32,44	30,58	2,24	0,50	0,94	2,04	0,86	1,32	0,48	1,56
21	32,44	30,58	2,26	0,48	0,92	2,04	0,86	1,32	0,50	1,54
22	32,42	30,60	2,26	0,48	0,92	2,04	0,84	1,32	0,50	1,52
23	32,46	30,59	2,22	0,52	0,92	2,02	0,86	1,32	0,50	1,52
24	32,46	30,60	2,22	0,52	0,92	2,04	0,86	1,32	0,54	1,56
25	32,48	30,60	2,22	0,50	0,92	2,02	0,86	1,32	0,56	1,60
26	32,48	30,60	2,22	0,54	0,92	1,98	0,84	1,32	0,56	1,70
27	32,48	30,59	2,24	0,56	0,93	1,96	0,86	1,32	0,56	1,78
28	32,48	30,60	2,24	0,54	0,94	2,00	0,86	1,32	0,56	1,82
29	32,48	30,60	2,26	0,54	0,95	2,06	0,88	1,32	0,56	1,82
30	32,50	30,60	2,24	0,58	0,95	2,08	0,88	1,32	0,58	1,80
31	32,52	30,60	2,26	0,54	0,95	2,08	0,88	1,32	0,58	1,80

Potsdam, den 18. November 1890. Der Regierungs-Präsident.

300 Mark Belohnung.

246. Im September und Oktober d. J. haben in dem Dorfe Klein-Mutz (Kreis Templin) wiederholt Brände stattgefunden, deren Entstehung auf Brandstiftung zurückzuführen ist. Für die Ermittelung des oder der Thäter wird hiermit eine Belohnung von 300 M. ausgesetzt. Etwaige Anzeigen sind an den Herrn Ersten Staatsanwalt beim Königlichen Landgericht zu Prenzlau zu erstatten.

Potsdam, den 13. November 1890.
Der Regierungs-Präsident.

Bekanntmachung, betreffend die Spreebrücke zu Spandau im Zuge der Berlin-Hamburger Eisenbahn.

247. Während der Montirung der eisernen Spreebrücke bei Spandau beträgt die lichte Höhe des Montirungsgerüstes 3,20 m über dem Mittelwasser von 1,40 m am Unterpregel zu Spandau.

Dampfboote, welche das Montirungsgerüst durchfahren, haben dabei ihre Geschwindigkeit so zu mäßigen, daß nur die Steuerfähigkeit der Fahrzeuge noch erhalten bleibt.

Potsdam, den 15. November 1890.
Der Regierungs-Präsident.

Theilweise Sperrung der Havelbrücke bei Werder

248. Anläßlich der Arbeiten zur Höherlegung der Eisenbahnbrücke über die Havel bei Werder wird in der nächsten Zeit eine der beiden Durchfahrtsöffnungen dieser Brücke für den Schifffahrtsverkehr gesperrt sein.

Potsdam, den 15. November 1890.
Der Regierungs-Präsident.

Die Mecklenburgische Hagel-Versicherungs-Gesellschaft zu Neubrandenburg betreffend.

249. In der General-Versammlung der Mecklenburgischen Hagel- und Mobiliar-Brandversicherungs-Gesellschaft zu Neubrandenburg vom 3. März d. J. ist die Abänderung

1) des Artikel 5 der Vereinbarung der Hagelschadens-Versicherungs-Gesellschaft, sowie

2) des Artikel 31 Absatz 2 und des Artikel 37 a. Absatz 2 Satz 4 bis 6 der Vereinbarungen beider Gesellschaften beschlossen und dieser Beschluß Seitens der beiden Großherzoglich Mecklenburgischen Landesregierungen zu Neustrelitz und Schwerin am 25. August bezw. 11. September d. J. bestätigt worden.

Nach Maßgabe des hiernach abgeänderten Statuts wird der genannten Gesellschaft der Betrieb der Versicherung gegen Hagelschaden im Königreich Preußen in dem bisherigen Umfange und unter den seitherigen Bedingungen auch fernerhin widerruflich gestattet.

Berlin, den 5. November 1890.

(L. S.)

Der Minister für Landwirthschaft, Domänen u. Forsten.
In Vertretung.
gez. v. Marcard.

Genehmigungs-Urkunde.
Zu I. 1882 3.

* * *

Vorstehende Genehmigungsurkunde wird hierdurch zur öffentlichen Kenntniß gebracht.

Potsdam, den 17. November 1890.

Der Regierungs-Präsident.

250. Nachweisung

derjenigen ländlichen Polizeibezirke, in welchen öffentliche Fleischbeschauer zur Untersuchung des Schweinefleisches auf Trichinen bisher noch **nicht** angestellt worden sind.

Kreis Ober-Barnim: Amtsbezirke (Forstreviere) Biesenthal, Eberswalde und Sonnenburg-Torgelow.

Kreis Prenzlau: Gemeinden Kleptow und Cremzow im Amtsbezirk Klockow.

Kreis Ostprignitz: Gemeinden Redlin und Klein-Pankow.
Gutsbezirke Neuendorf bei Neustadt a. D., Oberförsterei Neuendorf bei Wittstock.

Kreis Ruppin: Amtsbezirke Plaenitz, Linow, Rheinsberg, Groß-Zerlang, Häsen und Gnewikow.

Kreis Teltow: Amtsbezirke Cummersdorf'er und Hammer'sche Forst.

Kreis Templin: Gutsbezirke Arnimshain, Boisterfelde, Fürstenau und Mellenau.

Für sämmtliche städtische Polizeibezirke, sowie für die vorstehend nicht aufgeführten ländlichen Polizeibezirke des Regierungsbezirks Potsdam sind öffentliche Fleischbeschauer angestellt.

Potsdam, den 17. November 1890.

Der Regierungs-Präsident.

Die Befugnisse der Dampfkessel-Ingenieure zur Prüfung und Abnahme von Dampfkesseln betreffend.

251. Der Herr Minister für Handel und Gewerbe hat genehmigt, daß dem Ober-Ingenieur Abel, sowie den Ingenieuren Münster und Krueger beim Märkischen Dampfkessel-Ueberwachungs-Verein zu Frankfurt a. O. die nachgesuchte Berechtigung zur Vornahme der Wasserdruckprobe nach Hauptreparaturen bei allen von Vereinsmitgliedern reparirten Kesseln widerruflich unter den üblichen Bedingungen ertheilt werde.

Potsdam, den 18. November 1890.

Der Regierungs-Präsident.

Die Befugnisse der Dampfkessel-Ingenieure zur Prüfung und Abnahme von Dampfkesseln betreffend.

252. Der Herr Minister für Handel und Gewerbe hat genehmigt, daß den Ingenieuren Hilliger und Tschorn beim Dampfkessel-Revisions-Verein zu Berlin die nachgesuchte Berechtigung zur Vornahme der Vorprüfung von Concessionsgesuchen widerruflich unter den üblichen Bedingungen ertheilt werde.

Potsdam, den 18. November 1890.

Der Regierungs-Präsident.

Viehseuchen.

253. Festgestellt ist:
die Maul- und Klauenseuche unter dem Rindviehbestande des Bauergutsbesitzers Philipp zu Bornim, Kreis Osthavelland.

Die Ortschaft Bornim ist daher gegen das Durchtreiben von Wiederkäuern und Schweinen gesperrt worden.

Erloschen ist:
die Influenza unter den Pferden des Ritterguts Blankensee, Kreis Templin.

Potsdam, den 18. November 1890.

Der Regierungs-Präsident.

Bekanntmachungen des Königlichen Polizei-Präsidenten zu Berlin.

Bekanntmachung.

87. Mit Bezug auf die unter dem 8. Oktober dieses Jahres erlassenen Vorschriften für die öffentlich anzustellenden Metall-Probirer wird hierdurch zur öffentlichen Kenntniß gebracht, daß der Chemiker Emil Eckhardt hierselbst zum Metall-Probirer für den Bezirk des Polizei-Präsidiums bestellt und vereidigt worden ist.

Berlin, den 11. November 1890.

Der Polizei-Präsident.

Bekanntmachung.

88. Auf Grund des § 100 f. der Reichsgewerbe-Ordnung bestimme ich hiermit für den, den Gemeindebezirk Berlin umfassenden Bezirk der (älteren) **„Bäcker-Innung zu Berlin"** daß Arbeitgeber, welche, obwohl sie ein in der genannten Innung vertretenes Gewerbe betreiben, dieser Innung nicht angehören, und deren Gesellen zu den Kosten: 1) der von der Innung für das Herbergswesen und den Nachweis für Gesellenarbeit getroffenen, beziehungsweise unternommenen Einrichtungen (§ 97 Ziffer 2 der Gewerbeordnung), 2) derjenigen Einrichtungen, welche von der Innung zur Förderung der gewerblichen und technischen Ausbildung der Gesellen und Lehrlinge getroffen sind (Innungs-Fachschule), beziehungsweise unternommen werden (§§ 97 Ziffer 3, 97 a. Ziffer 1 und 2 der Gewerbe-Ordnung), 3) des von der Innung errichteten Schiedsgerichts (§ 97 a. Ziffer 6 der Gewerbe-Ordnung) in derselben

Weise und nach demselben Maßstabe beizutragen verpflichtet sind, wie die Innungsmitglieder und deren Gesellen, jedoch mit der Maßgabe, daß die Mitglieder der Bäcker-Innung „Concordia" zu Berlin und deren Gesellen hierdurch nicht getroffen werden. Diese Bestimmung tritt mit dem 1. Januar 1891 in Kraft.

Berlin, den 11. November 1890.

Der Polizei-Präsident.

Bekanntmachung.

89. Dem Auswanderungsagenten Karl Stangen, Mohrenstraße Nr. 10, hierselbst ist auch für das Jahr 1891 die Genehmigung ertheilt worden, als Generalagent des Auswanderer-Beförderungs-Unternehmers, Schiffsmaklers Theodor Ichon zu Bremen innerhalb des Preußischen Staates — mit Ausnahme der Provinz Hannover — Verträge mit Auswanderern behufs deren Beförderung von Bremen oder Hamburg aus nach den Vereinigten Staaten von Nordamerika, Canada, Australien und Südamerika — mit Ausschluß von Brasilien und Venezuela — zu vermitteln und Unteragenten zu bestellen.

Berlin, den 15. November 1890.

Der Polizei-Präsident. von Richthofen.

Bekanntmachungen des Königlichen Consistoriums der Provinz Brandenburg.

Errichtung einer neuen geistlichen Stelle an der St. Andreas-Kirche in Berlin.

15. Mit der im Einverständnisse des Herrn Ministers der geistlichen, Unterrichts- und Medizinal-Angelegenheiten ertheilten Genehmigung des Evangelischen Ober-Kirchenraths und auf Grund des Beschlusses der Gemeindeorgane der St. Andreas-Kirche vom 19ten August d. J., sowie unter Zustimmung des Magistrats hiesiger Königlichen Haupt- und Residenzstadt, als Patrons dieser Kirche, wird in deren Parochie eine neue (dritte) geistliche Stelle mit dem Sitz in Berlin errichtet und mit einem Jahresgehalt von 3600 M., so lange eine Amtswohnung nicht gewährt werden kann, auch mit einem jährlichen Wohnungsgeldzuschusse von 1200 M. aus der St. Andreaskirchenkasse ausgestattet. Die Besetzung steht gemäß §§ 327 ff. 587 Allgemeinen Landrechts Theil II. Titel 11 dem hiesigen Magistrat als Patron zu.

Berlin, den 26. Oktober 1890. (L. S.) Der Königliche Polizei-Präsident.	Berlin, den 16. Oktober 1890. (L. S.) Das Königliche Konsistorium der Provinz Brandenburg.

Erektionsdekret.

Bekanntmachungen des Königlichen Provinzial-Schul-Kollegiums.

Bekanntmachung.

16. Die Prüfung für den Unterricht in weiblichen Handarbeiten wird in Berlin in der Königlichen Augusta-Schule, Kleinbeerenstraße 16/19 hier, vom **4. Mai 1891** ab stattfinden. Zur Prüfung werden zugelassen: 1) Bewerberinnen, welche bereits die Befähigung zur Ertheilung von Schulunterricht vorschriftsmäßig nachgewiesen haben; 2) sonstige Bewerberinnen, wenn sie eine ausreichende Schulbildung nachweisen und wenn sie am Tage der Prüfung das 18. Lebensjahr vollendet haben. Die Anmeldungen zu derselben sind spätestens bis zum 6. April 1891 an uns einzureichen und sind denselben beizufügen: a. von solchen, welche bereits eine Prüfung als Lehrerin bestanden haben: 1) das Zeugniß über diese Prüfung; 2) ein amtliches Zeugniß über ihre bisherige Thätigkeit als Lehrerin; b. von den übrigen bezeichneten Bewerberinnen: 1) ein selbstgefertigter, in deutscher Sprache abgefaßter Lebenslauf, auf dessen Titelblatte der vollständige Name, der Geburtsort, das Alter, die Konfession, der Wohnort der Bewerberin und die Art der gewünschten Prüfung (ob für mittlere und höhere Mädchenschulen oder für Volksschulen) anzugeben ist; 2) ein Tauf- bezw. ein Geburtsschein; 3) ein Gesundheitsattest, ausgestellt von einem Arzte, der zur Führung eines Dienstsiegels berechtigt ist; 4) ein Zeugniß über die von der Bewerberin erworbene Schulbildung und die Zeugnisse über die etwa schon abgelegte Prüfung als Turnlehrerin, Zeichenlehrerin u. s. w., 5) ein Zeugniß über die erlangte Ausbildung als Handarbeitslehrerin; 6) ein amtliches Führungszeugniß, ausgestellt von einem Geistlichen oder von der Ortsbehörde. Die Prüfung ist eine praktische und theoretische. In praktischer Beziehung haben die Bewerberinnen 1) eine Probe ihrer technischen Fertigkeit in den weiblichen Handarbeiten abzulegen. Zu diesem Zwecke haben sie einzureichen: a. einen neuen Strumpf, gezeichnet mit zwei Buchstaben und einer Zahl in Gnerstich, dazu ein angefangenes Strickzeug; b. ein Häkeltuch mit 70 bis 90 Maschen Anschlag, welches mehrere Muster enthält und mit einer gehäkelten Kante umgeben ist; c. ein gewöhnliches Mannshemd (Herren-Nachthemd); d. ein Frauenhemd; e. einen alten Strumpf, in welchem ein Hacken neu eingestrickt und eine Gitterstopfe, sowie eine Strickstopfe ausgeführt ist; f. vier bis sechs kleine Proben von verschiedenen mittelfeinen Stoffen, wie dieselben im Hausstande vorzukommen pflegen, jede etwa 12 zu 12 cm groß. Dieselben können sowohl einzeln als auch zu einem Tuche verbunden abgegeben werden und sollen enthalten: einen aufgesetzten und einen eingesetzten Flicken; eine weiße und eine bunt karirte Gitterstopfe; eine Köperstopfe; zwei gezeichnete Buchstaben in Kreuzstich, zwei ebensolche in Rosenstich; drei gestickte lateinische Buchstaben und zwei Ziffern in rothem Garn, drei ebensolche gothische Buchstaben und zwei Ziffern in weißem Garn und ein gesticktes Monogramm aus den Namensbuchstaben der Bewerberin. Die unter f. aufgezählten Arbeiten müssen vor allem dem gewählten Stoffe gemäß ausgeführt sein. Sämmtliche Arbeiten sollen schulgerecht und deshalb auch nur in Stoffen und aus Garnen von mittlerer Feinheit hergestellt werden. Die Arbeiten werden durch die Einreichung von den Bewerberinnen ausdrücklich als selbstgefertigt bezeugt; die Hemden sind indessen nicht ganz zu vollenden, damit nach Anweisung der Prüfungs-Kommission und unter Aufsicht derselben an der Arbeit fortgefahren werden kann. 2) Außerdem hat jede Bewerberin in der Prüfung eine Probelektion in der Ertheilung des Handarbeitsunterrichts in einer Schulklasse zu halten. Beim Eintritt in die Prüfung sind 6 M. Prüfungs- und 1 M. 50 Pf. Stempelgebühren zu entrichten, welch' letztere der Examinandin im Falle des Nichtbestehens der Prüfung wieder zurückgezahlt werden.

Berlin, den 3. November 1890.

Königliches Provinzial-Schul-Kollegium.

Bekanntmachung.

17. Die Schulvorsteherinnen-Prüfung wird hier **am 21. Mai 1891** abgehalten werden. Zu dieser Prüfung werden nur solche Lehrerinnen zugelassen, welche den Nachweis einer mindestens fünfjährigen Lehrthätigkeit zu führen vermögen und mindestens zwei Jahre in Schulen unterrichtet haben. Die Anmeldungen sind an uns **bis zum 21. Februar 1891** einzureichen und sind denselben beizufügen: 1) ein selbstgefertigter Lebenslauf, auf dessen Titelblatt der vollständige Name, der Geburtsort, das Alter, die Confession und der Wohnort der Bewerberinnen angegeben ist, 2) der Geburtsschein, 3) die Zeugnisse über die schon bestandenen Prüfungen, 4) ein amtliches Führungsattest, 5) ein Zeugniß über die Lehrthätigkeit, 6) ein von einem zur Führung eines Amtssiegels berechtigten Arzte ausgestelltes Attest über normalen Gesundheitszustand.

Berlin, den 3. November 1890.

Königliches Provinzial-Schul-Kollegium.

Bekanntmachung.

18. Die Lehrerinnen-Prüfung zu Potsdam wird **am 19. beziehw. 20. März 1891** abgehalten werden. Zu dieser Prüfung werden nur solche Bewerberinnen zugelassen, welche das achtzehnte Lebensjahr vollendet haben. Die Anmeldungen, in denen anzugeben ist, ob die Prüfung für Volksschulen oder mittlere und höhere Mädchenschulen gewünscht wird, sind **spätestens bis zum 19. Februar 1891** an uns einzureichen und sind denselben beizufügen: 1) ein selbstgefertigter Lebenslauf, auf dessen Titelblatte der vollständige Name, der Geburtsort, das Alter, die Confession und der Wohnort der Bewerberin anzugeben ist, 2) der Geburtsschein, 3) die Zeugnisse über die bisher empfangene Schulbildung und die etwa schon bestandenen Prüfungen, 4) ein amtliches Führungsattest und 5) ein von einem zur Führung eines Dienstsiegels berechtigten Arzte ausgestelltes Attest über normalen Gesundheitszustand. Beim Eintritt in die Prüfung haben die Bewerberinnen eine von ihnen gefertigte Probeschrift auf einem halben Bogen Querfolio mit deutschen und lateinischen Lettern und eine Probezeichnung abzugeben.

Berlin, den 1. November 1890.

Königliches Provinzial-Schul Kollegium.

Bekanntmachung.

19. Die Lehrerinnen-Prüfung wird hier **vom 27. April 1891 an** abgehalten werden. Zu dieser Prüfung werden nur solche Bewerberinnen zugelassen, welche das achtzehnte Lebensjahr vollendet haben. Die Anmeldungen, in denen anzugeben ist, ob die Prüfung für Volksschulen oder mittlere und höhere Mädchenschulen gewünscht wird, sind **spätestens bis zum 31. März 1891** an uns einzureichen und sind denselben beizufügen: 1) ein selbstgefertigter Lebenslauf, auf dessen Titelblatte der vollständige Name, der Geburtsort, das Alter, die Confession und der Wohnort der Bewerberin anzugeben ist, 2) der Geburtsschein, 3) die Zeugnisse über die bisher empfangene Schulbildung und die etwa schon bestandenen Prüfungen, 4) ein amtliches Führungsattest und 5) ein von einem zur Führung eines Dienstsiegels berechtigten Arzte ausgestelltes Attest über normalen Gesundheitszustand. Bejm Eintritt in die Prüfung haben die Bewerberinnen eine von ihnen gefertigte Probeschrift auf einem halben Bogen Querfolio mit deutschen und lateinischen Lettern und eine Probezeichnung abzugeben.

Berlin, den 3. November 1890.

Königliches Provinzial-Schul-Kollegium.

Bekanntmachung.

20. Die Prüfung zur Erlangung der Lehrbefähigung für den französischen und englischen Sprachunterricht an mittleren und höheren Mädchenschulen wird in Berlin in der Königlichen Augustaschule, Kleinbeerenstraße 16/19, **am 1. Juni 1891** stattfinden. Zu der Prüfung werden nur solche Bewerberinnen zugelassen, welche das achtzehnte Lebensjahr vollendet und ihre sittliche Unbescholtenheit, sowie ihre körperliche Befähigung zur Verwaltung eines Lehramtes nachgewiesen haben. Die Meldungen zu dieser Prüfung sind spätestens bis zum 2. Mai 1891 an uns einzureichen und es ist in dem Gesuche anzugeben, ob die Ablegung der Prüfung in beiden Sprachen und wenn nur in einer, in welcher von beiden sie beabsichtigt wird. Der Meldung ist beizufügen 1) ein selbstgefertigter Lebenslauf, auf dessen Titelblatte der vollständige Name, der Geburtsort, das Alter, die Confession und der Wohnort der Bewerberin anzugeben ist, 2) ein Tauf- bezw. Geburtsschein. 3) Zeugnisse über die bisher empfangene Schulbildung und über etwa schon bestandene Prüfungen, 4) ein amtliches Führungszeugniß, 5) ein von einem zur Führung eines Dienstsiegels berechtigten Arzte ausgestelltes Zeugniß über den Gesundheitszustand. Beim Eintritt in die Prüfung sind 12 M. Prüfungsgebühren und 1,50 M. Stempelgebühren zu entrichten. Die letzteren werden der Examinandin im Falle des Nichtbestehens der Prüfung wieder zurückgezahlt werden.

Berlin, den 3. November 1890.

Königliches Provinzial-Schul-Kollegium.

Bekanntmachung.

21. Die Mittelschullehrer-Prüfung wird hier vom **14. bis 18. April bezw. 26. bis 30. Mai 1891** abgehalten werden. Die Anmeldungen mit der bestimmten Angabe, in welchen Fächern der Kandidat (cfr. Allg. Bestimmungen vom 15. Oktober 1872 § 12) die Befähigung als Lehrer an Mittelschulen und höheren Mädchenschulen zu erlangen wünscht, sind an uns bis zum 31. Januar 1891 von den im Amte stehenden

Lehrern durch die bezüglichen Kreis-Schulinspektoren einzureichen und sind denselben beizufügen: 1) ein selbstgefertigter Lebenslauf, auf dessen Titelblatte der vollständige Name, der Geburtsort, das Alter und das augenblickliche Amtsverhältniß des Kandidaten angegeben ist, 2) das Zeugniß über die bisher empfangene Schul- oder Universitätsbildung und über die bisher abgelegten Prüfungen, 3) ein amtliches Führungsattest. Diejenigen, welche noch kein öffentliches Amt bekleiden, haben noch einzureichen 4) ein von einem zur Führung eines Dienstsiegels berechtigten Arzte ausgestelltes Attest über normalen Gesundheitszustand.

Berlin, den 1. November 1890.

Königliches Provinzial-Schul-Kollegium.

Bekanntmachung.

22. Die Aufnahme-Prüfung am Königlichen Schullehrer-Seminar zu Neu-Ruppin wird **am 11. bis 13. März 1891** abgehalten werden. Die Anmeldungen sind **bis zum 12. Februar 1891** an den Herrn Seminar-Director Hoffmann einzureichen und denselben beizufügen: 1) der Lebenslauf, 2) der Geburtsschein, 3) der Impfschein, der Revaccinationsschein und ein Gesundheitsattest, ausgestellt von einem zur Führung eines Dienstsiegels berechtigten Arzte, 4) ein amtliches Führungsattest, 5) die Erklärung des Vaters oder an dessen Stelle des Nächstverpflichteten, daß er die Mittel zum Unterhalte des Aspiranten während der Dauer des Seminarkursus gewähren werde, mit der Bescheinigung der Ortsbehörde, daß er über die dazu nöthigen Mittel verfüge.

Berlin, den 10. November 1890.

Königliches Provinzial-Schul-Kollegium.

Bekanntmachung.

23. Die Aufnahme-Prüfung am Königlichen Seminar für Stadtschullehrer in Berlin wird **am 11. und 12. März 1891** abgehalten werden. Die Anmeldungen sind **bis zum 17. Februar 1891** an den Herrn Seminar-Direktor Paasche einzureichen und denselben beizufügen: 1) der Lebenslauf, 2) der Geburtsschein, 3) der Impfschein, der Revaccinationsschein und ein Gesundheitsattest, ausgestellt von einem zur Führung eines Dienstsiegels berechtigten Arzte, 4) ein amtliches Führungsattest, 5) die Erklärung des Vaters oder an dessen Stelle des Nächstverpflichteten, daß er die Mittel zum Unterhalte des Aspiranten während der Dauer des Seminarkursus gewähren werde, mit der Bescheinigung der Ortsbehörde, daß er über die dazu nöthigen Mittel verfüge.

Berlin, den 10. November 1890.

Königliches Provinzial-Schul-Kollegium.

Bekanntmachung.

24. Die Entlassungs-Prüfung im Königlichen Schullehrer-Seminar zu Neu-Ruppin wird **vom 5. bis 11. März 1891** abgehalten werden. Zu dieser Prüfung werden auch nicht im Seminare gebildete Schulamts-Candidaten, welche das zwanzigste Lebensjahr zurückgelegt haben, zugelassen. Die Anmeldungen sind **bis zum 7. Februar 1891** an uns einzureichen und denselben beizufügen: 1) der Lebenslauf, 2) der Geburtsschein, 3) das Zeugniß eines zur Führung eines Dienstsiegels berechtigten Arztes über normalen Gesundheitszustand, 4) ein amtliches Führungsattest, 5) eine Probeschrift mit deutschen und lateinischen Lettern und 6) eine Probezeichnung. Erfolgt auf die Meldung kein ablehnender Bescheid, so haben sich die betreffenden Schulamts-Aspiranten am Tage vor Beginn der Prüfung dem Herrn Seminar-Direktor um 5 Uhr Nachmittags vorzustellen.

Berlin, den 10. November 1890.

Königliches Provinzial-Schul-Kollegium.

Bekanntmachung.

25. Die zweite Lehrerprüfung im Königlichen Schullehrer-Seminar zu Neu-Ruppin wird **am 28sten April bis 1. Mai 1891** abgehalten werden. Die Anmeldungen nur solcher Lehrer, die in dem Regierungsbezirk Potsdam im Lehramte stehen, sind **bis zum 30. März 1891** durch die bezüglichen Kreis-Schul-Inspektoren an uns einzureichen und denselben beizufügen: 1) das Original-Prüfungszeugniß über die bestandene erste Prüfung, 2) ein Zeugniß des Lokal-Schul-Inspektors, 3) eine von dem Examinanden selbstständig gefertigte Ausarbeitung über ein von ihm selbst gewähltes Thema, mit der Versicherung, daß er keine anderen als die angegebenen Quellen dazu benutzt habe, 4) eine Probezeichnung und 5) eine Probeschrift, beide mit der Versicherung, daß sie der Einsender selbstständig angefertigt hat. Erfolgt auf die Meldung kein ablehnender Bescheid, so haben sich die betreffenden Lehrer am Tage vor Beginn der schriftlichen Prüfung dem Herrn Seminar-Direktor um 5 Uhr Nachmittags vorzustellen.

Berlin, den 10. November 1890.

Königliches Provinzial-Schul-Kollegium.

Bekanntmachung.

26. Die Entlassungs-Prüfung im Königlichen Schullehrer-Seminar zu Berlin wird **vom 5. bis 10. März 1891** abgehalten werden. Zu dieser Prüfung werden auch nicht im Seminare gebildete Schulamts-Candidaten, welche das zwanzigste Lebensjahr zurückgelegt haben, zugelassen. Die Anmeldungen sind **bis zum 4. Februar 1891** an uns einzureichen und denselben beizufügen: 1) der Lebenslauf, 2) der Geburtsschein, 3) das Zeugniß eines zur Führung eines Dienstsiegels berechtigten Arztes über normalen Gesundheitszustand, 4) ein amtliches Führungsattest, 5) eine Probeschrift mit deutschen und lateinischen Lettern und 6) eine Probezeichnung. Erfolgt auf die Meldung kein ablehnender Bescheid, so haben sich die betreffenden Schulamts-Aspiranten am Tage vor Beginn der Prüfung dem Herrn Seminar-Direktor um 5 Uhr Nachmittags vorzustellen.

Berlin, den 10. November 1890.

Königliches Provinzial-Schul-Kollegium.

Bekanntmachung.

27. Die Aufnahme-Prüfung am Königlichen Schullehrer-Seminar zu Cöpenick wird **am 25. bis**

27. Februar 1891 abgehalten werden. Die Anmeldungen sind **bis zum 1. Februar 1891** an den Herrn Seminar-Direktor Dr. Plath einzureichen und denselben beizufügen: 1) der Lebenslauf, 2) der Geburtsschein, 3) der Impfschein, der Revaccinationsschein und ein Gesundheitsattest, ausgestellt von einem zur Führung eines Dienstsiegels berechtigten Arzte, 4) ein amtliches Führungsattest, 5) die Erklärung des Vaters oder an dessen Stelle des Nächstverpflichteten, daß er die Mittel zum Unterhalte des Aspiranten während der Dauer des Seminarkursus gewähren werde, mit der Bescheinigung der Ortsbehörde, daß er über die dazu nöthigen Mittel verfüge.

Berlin, den 4. November 1890.

Königliches Provinzial-Schul-Kollegium.

Bekanntmachung.

28. Die zweite Lehrerprüfung im Königlichen Schullehrer-Seminar zu Cöpenick wird **am 12. bis 15. Mai 1891** abgehalten werden. Die Anmeldungen nur solcher Lehrer, die in dem Regierungsbezirk Potsdam im Lehramte stehen, sind **bis zum 12. April 1891** durch die bezüglichen Kreis-Schulinspektoren an uns einzureichen und denselben beizufügen: 1) das Original-Prüfungszeugniß über die bestandene erste Prüfung, 2) ein Zeugniß des Lokal-Schulinspektors, 3) eine von dem Examinanden selbstständig gefertigte Ausarbeitung über ein von ihm selbst gewähltes Thema, mit der Versicherung, daß er keine anderen als die angegebenen Quellen dazu benutzt habe, 4) eine Probezeichnung und 5) eine Probeschrift, beide mit der Versicherung, daß sie der Einsender selbstständig angefertigt hat. Erfolgt auf die Meldung kein ablehnender Bescheid, so haben sich die betreffenden Lehrer am Tage vor Beginn der schriftlichen Prüfung dem Herrn Seminar-Direktor um 5 Uhr Nachmittags vorzustellen.

Berlin, den 4. November 1890.

Königliches Provinzial-Schul-Kollegium.

Bekanntmachung.

29. Die Rektorats-Prüfung wird hier am **23. und 24. April bezw. am 2. und 3. Juni 1891** abgehalten werden. Die Anmeldungen sind an uns bis zum 31. Januar 1891 einzureichen, und zwar von den im Amte stehenden Lehrern durch die bezüglichen Kreis-Schulinspektoren und sind denselben beizufügen: 1) ein selbstgefertigter Lebenslauf, auf dessen Titelblatte der vollständige Name, der Geburtsort, das Alter, die Confession und das augenblickliche Amtsverhältniß des Kandidaten angegeben ist, 2) die Zeugnisse über die empfangene Schul- oder Universitätsbildung und über die bisher abgelegten Prüfungen, 3) ein amtliches Führungsattest, 4) Angabe, ob Examinand die absolute (auf Grund einer für zwei fremde Sprachen abzulegenden Prüfung) oder nur die beschränkte Befähigung für ein Rektorat an einer bestimmten Schule, zu dem er von den Besetzungsberechtigten bereits in Aussicht genommen ist, zu erlangen wünscht.

Berlin, den 1. November 1890.

Königliches Provinzial-Schul-Kollegium.

Bekanntmachung.

30. Die Entlassungs-Prüfung im Königlichen Schullehrer-Seminar zu Cöpenick wird **vom 19. bis 25. Februar 1891** abgehalten werden. Zu dieser Prüfung werden auch nicht im Seminare gebildete Schulamts-Candidaten, welche das zwanzigste Lebensjahr zurückgelegt haben, zugelassen. Die Anmeldungen sind **bis zum 25. Januar 1891** an uns einzureichen und denselben beizufügen: 1) der Lebenslauf, 2) der Geburtsschein, 3) das Zeugniß eines zur Führung eines Dienstsiegels berechtigten Arztes über normalen Gesundheitszustand, 4) ein amtliches Führungsattest, 5) eine Probeschrift mit deutschen und lateinischen Lettern und 6) eine Probezeichnung. Erfolgt auf die Meldung kein ablehnender Bescheid, so haben sich die betreffenden Schulamts-Aspiranten am Tage vor Beginn der Prüfung dem Herrn Seminar-Direktor um 5 Uhr Nachmittags vorzustellen.

Berlin, den 4. November 1890.

Königliches Provinzial-Schul-Kollegium.

Bekanntmachung.

31. Die Prüfung der Lehrer an Taubstummen-Anstalten beginnt hier am **5. September 1891.** Zu dieser Prüfung werden zugelassen Geistliche, Kandidaten der Theologie oder der Philologie, sowie solche Volksschullehrer, welche die zweite Prüfung bestanden und sich mindestens zwei Jahre mit Taubstummen-Unterricht beschäftigt haben. Die Anmeldungen sind an uns bis zum 6. Juni 1891 einzureichen und denselben beizufügen: 1) ein selbstgefertigter Lebenslauf, auf dessen Titelblatt der vollständige Name, der Geburtsort, das Alter, die Konfession und das augenblickliche Amtsverhältniß des Bewerbers anzugeben ist; 2) die Zeugnisse über die empfangene Schul- oder Universitätsbildung, sowie über die bisher abgelegten Prüfungen; 3) ein Zeugniß über die bisherige Thätigkeit des Bewerbers im Taubstummen-Unterricht; 4) ein amtliches Führungsattest; 5) ein von einem zur Führung eines Dienstsiegels berechtigten Arzte ausgestelltes Zeugniß über normalen Gesundheitszustand.

Berlin, den 5. November 1890.

Königliches Provinzial-Schul-Kollegium.

Bekanntmachung.

32. Die Aufnahme-Prüfung im hiesigen Königlichen Lehrerinnen-Seminar wird **am 16. und 17. Februar 1891** abgehalten werden. Die Anmeldungen sind **bis zum 16. Januar 1891** an den Herrn Seminar-Direktor Supprian, S. W. Kleinbeerenstraße 16/19 zu richten und denselben beizufügen: 1) ein kurzer Lebenslauf, 2) der Geburtsschein, 3) das Zeugniß über die bisher empfangene Schul- beziehw. private Vorbildung, 4) ein amtliches Führungsattest — nur von Denjenigen beizubringen, welche z. Zt. der Aufnahme-Prüfung keine Schule mehr besuchen —, 5) ein ärztliches Attest über normalen Gesundheitszustand. Zugelassen werden zur Aufnahme-Prüfung nur solche Bewerberinnen, welche vor dem 1. April 1891 das 16te Lebensjahr vollenden, doch ist, wenn das Ergebniß der

Prüfung ein günstiges und der Gesundheitszustand der Bewerberin ein befriedigender ist, ein Dispens wegen Mangels an dem bezeichneten Alter bis zu 3 Monaten zulässig.

Berlin, den 4. November 1890.

Königliches Provinzial-Schul-Kollegium.

Bekanntmachungen der Königlichen Kontrolle der Staatspapiere.

Bekanntmachung.

27. In Gemäßheit des § 20 des Ausführungsgesetzes zur Civilprozeßordnung vom 24. März 1879 (G.-S. S. 281) und des § 6 der Verordnung vom 16. Juni 1819 (G.-S. S. 157) wird bekannt gemacht, daß dem Gutsbesitzer Fr. Müller zu Bisdorf, Regierungsbezirk Magdeburg, die Schuldverschreibung der konsolidirten 4 % Staatsanleihe von 1880 Lit. C. № 89995 über 1000 M. am 30. Juni d. J. auf dem Wege von Egeln nach Bisdorf angeblich abhanden gekommen ist. Es wird derjenige, welcher sich im Besitze dieser Urkunde befindet, hiermit aufgefordert, solches der unterzeichneten Kontrolle der Staatspapiere oder dem Gutsbesitzer Müller anzuzeigen, widrigenfalls das gerichtliche Aufgebotsverfahren behufs Kraftloserklärung der Urkunde beantragt werden wird.

Berlin, den 7. November 1890.

Königliche Kontrolle der Staatspapiere.

Bekanntmachung.

28. In Gemäßheit des § 20 des Ausführungsgesetzes zur Civilprozeßordnung vom 24. März 1879 (G.-S. S. 281) und des § 6 der Verordnung vom 16. Juni 1819 (G.-S. S. 157) wird bekannt gemacht, daß dem ehemaligen Postboten Carl Müller zu Leipzig der Staatsschuldschein von 1842 Lit. G. № 34183 über 50 Thlr. angeblich am 24. oder 25. Oktober d. J. zu Leipzig gestohlen worden ist. Es wird derjenige, welcher sich im Besitze dieser Urkunde befindet, hiermit aufgefordert, solches der unterzeichneten Kontrolle der Staatspapiere oder dem Herrn G. Stöber (Gastwirthsbureau), Leipzig Petersstr. 27, anzuzeigen, widrigenfalls das gerichtliche Aufgebotsverfahren behufs Kraftloserklärung der Urkunde beantragt werden wird.

Berlin, den 8. November 1890.

Königliche Kontrolle der Staatspapiere.

Bekanntmachung.

29. In Gemäßheit des § 20 des Ausführungsgesetzes zur Civilprozeßordnung vom 24. März 1879 (G.-S. S. 281) und des § 6 der Verordnung vom 16. Juni 1819 (G.-S. S. 157) wird bekannt gemacht, daß der verwittweten Frau Dr. Sommer, geb. Schmitt, zu Hamburg, Billhorner Röhrendammstr. 4 IV., die Schuldverschreibung der konsolidirten 4 %igen Staatsanleihe von 1882 Lit. F. № 236608 über 200 M. angeblich abhanden gekommen ist. Es wird Derjenige, welcher sich im Besitze dieser Urkunde befindet, hiermit aufgefordert, solches der unterzeichneten Kontrolle der Staatspapiere oder der Frau Dr. Sommer anzuzeigen, widrigenfalls das gerichtliche Aufgebotsverfahren behufs Kraftloserklärung der Urkunde beantragt werden wird.

Berlin, den 12. November 1890.

Königliche Kontrolle der Staatspapiere.

Bekanntmachungen der Königlichen Eisenbahn-Direktion zu Berlin.

49. Vom 1. Dezember d. J. ab werden auf der Strecke Freienwalde a. O.—Frankfurt a. O. die Züge № 763 und 772, welche bisher nur bis bezw. von Wriezen befördert wurden, bis bezw. von Seelow verkehren und zwar nach folgendem Fahrplane:

Zug 763		Ortszeit		Zug 772
Vm.				Nchm.
8 22	ab	Freienwalde	an	5 12
8 30	„	Alt-Ranft	ab	5 03
8 40	an	Wriezen	ab	4 54
8 45	ab		an	4 52
8 59	↓	Neutrebbin	↑	4 42
9 08		Sietzing		4 37
9 18		Letschin		4 30
9 31		Werbig		4 19
9.37	an	Seelow	ab	4 09

Auf der Strecke Eberswalde—Freienwalde a. O. bleiben diese Züge unverändert.

Berlin, im November 1890.

Königliche Eisenbahn-Direktion.

Ablauf der Gültigkeit der einfachen Fahrkarten auf der Berliner Stadt- und Ringbahn.

50. Mit dem Ablauf des 31. Dezember d. J. verlieren die für den inneren Verkehr der Berliner Stadtbahn und der Berliner Ringbahn, sowie die für den Stadtring-Verkehr bestehenden einfachen Fahrkarten für Erwachsene und Kinder, welche mit dem Aufdruck: „Gültig bis 31. Dezember 1890" versehen sind, ihre Gültigkeit. Die mit demselben Aufdruck versehenen Fahrkarten für Hunde werden mit Ablauf des bezeichneten Termins ebenfalls ungültig.

Berlin, den 13. November 1890.

Königliche Eisenbahn-Direktion.

Bekanntmachungen der Königlichen Eisenbahn-Direktion zu Bromberg.

Bekanntmachung.

66. Am 20. November d. J. kommen für den Direktionsbezirk Bromberg zur Einführung:

1) Der Nachtrag 13 zum Kilometerzeiger vom 1. April 1888, enthaltend Entfernungen für Kamlarken, Neuschottland P. H., Ostrowke P. H., Regerteln, Stempuchowo und Wossarken P. H. Die Entfernungen für Regerteln treten erst mit dem Tage der Betriebs-Eröffnung in Kraft.
2) Besondere Ausnahmefrachtsätze für Getreide und Holz im Verkehre mit Alt-Damm, Carolinenhorst, Stargard und Stettin. Dieselben sind bei den Stationen unseres Bezirks zu erfahren.

Bromberg, den 13. November 1890.

Königliche Eisenbahn-Direktion.

Bekanntmachung.

67. Für die in der nachstehenden Zusammenstellung näher bezeichneten Thiere und Gegenstände, welche auf den daselbst erwähnten Ausstellungen ausgestellt werden und unverkauft bleiben, wird eine Frachtbegünstigung in der Art gewährt, daß nur für die Hinbeförderung die volle tarifmäßige Fracht berechnet wird, die Rückbeförderung an die Versandstation und den Aussteller aber frachtfrei erfolgt, wenn durch Vorlage des ursprünglichen Frachtbriefes bezw. des Duplikat-Transportscheines für den Hinweg, sowie durch eine Bescheinigung der dazu ermächtigten Stelle nachgewiesen wird, daß die Thiere bezw. Gegenstände ausgestellt gewesen und unverkauft geblieben sind, und wenn die Rückbeförderung innerhalb der unten angegebenen Zeit stattfindet.

In den ursprünglichen Frachtbriefen bezw. Duplikat-Transportscheinen für die Hinsendung ist ausdrücklich zu vermerken, daß die mit denselben aufgegebenen Sendungen durchweg aus Ausstellungsgut bestehen:

№	Art der Ausstellung	Ort	Zeit 1890	Die Frachtbegünstigung wird gewährt für	auf den Strecken der	Zur Ausfertigung der Bescheinigung sind ermächtigt	Die Rückbeförderung muß erfolgen innerhalb
1	Geflügel-Ausstellung.	Königsberg i. Pr.	22. bis 25. November.	Thiere, sowie Geräthe und Erzeugnisse der Geflügel- und Vogelzucht.	Preußischen Staatsbahnen.	Ausstellungs-Kommission.	4 Wochen } nach Schluß der Ausstellung.
2	Desgl.	Posen.	29. November bis 1. Dezember.	Desgl.	Königlichen Eisenbahn-Direktionen Berlin, Breslau, Bromberg, Erfurt und Magdeburg.	Desgl.	8 Tage } nach Schluß der Ausstellung.

Bromberg, den 8. November 1890. Königliche Eisenbahn-Direktion.

Bekanntmachung.

68. Vom 20. November d. J. wird die auf der Bahnstrecke Elsenau—Rogasen zwischen Elsenau und Rombschin gelegene Haltestelle Stempuchowo für den Personen-, Gepack- und beschränkten Wagenladungsgüter-Verkehr eröffnet. Die Berechnung der Beförderungspreise erfolgt auf Grund des Nachtrags 13 zum Kilometerzeiger und der Preis-Tafel des Lokal-Personen-Tarifs für den Eisenbahn-Direktions-Bezirk Bromberg. Es werden in Stempuchowo sämmtliche Züge behufs Vermittelung des Personen-Verkehrs nach Bedarf anhalten, und findet die Abfahrt der Züge von der Haltestelle Stempuchowo wie folgt statt:

Richtung Elsenau—Inowrazlaw.

Zug 981 um 7 Uhr 15 Min. Vorm.
„ 983 „ 10 „ 32 „ „
„ 985 „ 3 „ 23 „ Nachm.
„ 987 „ 8 „ 08 „ Abds.

Richtung Rombschin—Rogasen.

Zug 984 um 11 Uhr 09 Min. Vorm.
„ 986 „ 4 „ 02 „ Nachm.
„ 988 „ 10 „ 32 „ Abds.
„ 998 „ 7 „ 59 „ Vorm.

Gütersendungen nach Stempuchowo werden nur frankirt, von Stempuchowo nur unfrankirt und in beiden Richtungen ohne Nachnahmebelastung angenommen.

Näheres ist auf allen Stationen und Haltestellen zu erfahren.

Bromberg, den 6. November 1890.

Königliche Eisenbahn-Direktion.

Bekanntmachung.

69. Am 1. Dezember 1890 tritt zu dem seit 1. April 1890 giltigen Tarife für die Beförderung von Personen und Reisegepäck im Verkehre zwischen den Stationen des Eisenbahn-Direktions-Bezirks Bromberg der Nachtrag 1 in Kraft. Derselbe enthält außer bereits veröffentlichten Tarifänderungen theilweise ermäßigte Preise für den Verkehr zwischen den Stationen der Bahnstrecke Lichtenberg-Friedrichsfelde bis Strausberg und Rüdersdorf einerseits und den Stationen der Berliner Stadtbahn andererseits, sowie ermäßigte Preise für Arbeiter-Tageskarten und Arbeiter-Rückfahrkarten. Näheres ist bei den Fahrkarten-Ausgabestellen zu erfahren.

Bromberg, den 10. November 1890.

Königliche Eisenbahn-Direktion.

Bekanntmachungen anderer Behörden.

Bekanntmachung.

Diejenigen in Berlin und dem Regierungs-Bezirk Potsdam wohnhaften jungen Leute, welche die Berechtigung zum einjährig-freiwilligen Militairdienst nachsuchen wollen, haben sich in der Zeit vom zurückgelegten 17. Lebensjahr bis zum 1. Februar ihres ersten Militairpflichtjahres, d. i. des Kalenderjahres, in welchem sie das 20. Lebensjahr vollenden, bei der unterzeichneten Kommission schriftlich zu melden. Dieser Meldung sind beizufügen: a. ein Geburtszeugniß, b. eine Erklärung des Vaters oder Vormundes über die Bereitwilligkeit, den Freiwilligen während einer einjährigen aktiven Dienstzeit zu bekleiden, auszurüsten, sowie die

Kosten für Wohnung und Unterhalt zu übernehmen. Die Fähigkeit hierzu ist obrigkeitlich zu bescheinigen, c. ein Unbescholtenheits-Zeugniß, welches für Zöglinge von höheren Schulen (Gymnasien, Realgymnasien, Ober-Realschulen, Progymnasien, Realschulen, Real-Progymnasien, höheren Bürgerschulen und den übrigen militairberechtigten Lehranstalten) durch den Direktor der Lehranstalt, für alle übrigen jungen Leute durch die Polizei-Obrigkeit oder ihre vorgesetzte Dienstbehörde auszustellen ist, d. ein über die wissenschaftliche Befähigung ausgestelltes Schulzeugniß. Die Einreichung des letztgenannten Zeugnisses darf bis zum 1. April des ersten Militairpflichtjahres ausgesetzt werden. Für diejenigen, welche den Nachweis der wissenschaftlichen Befähigung durch Ablegung einer Prüfung erbringen wollen, finden alljährlich zwei Prüfungen statt, die eine im Frühjahr, die andere im Herbst. Das Gesuch um Zulassung zu der nächstjährigen Frühjahrsprüfung muß unter Einreichung der ad a.—c. erwähnten Schriftstücke, eines selbstgeschriebenen Lebenslaufs und einer amtlich beglaubigten Photographie, sowie mit der Angabe, in welchen zwei fremden Sprachen der sich Meldende geprüft sein will, spätestens **bis zum 1. Februar k. J.** angebracht werden. Die unterzeichnete Kommission fordert diejenigen jungen Leute, welche in Berlin und dem Regierungsbezirk Potsdam im Jahre 1891 gestellungspflichtig werden und die Berechtigung zum einjährig-freiwilligen Militairdienst zu erlangen beabsichtigen, hierdurch auf, die vorgeschriebenen Meldungen möglichst bald, spätestens jedoch bis zum 1sten Februar 1891 in ihrem Geschäftslokal — Am Molkenmarkt 3 — anzubringen.

Berlin, den 13. November 1890.

Königliche Prüfungs-Kommission
für Einjährig-Freiwillige.

Bekanntmachung.

Im Interesse der Eigenthümer, Nießbraucher und Administratoren der im Weichbilde der Stadt Berlin gelegenen Gebäude wird zur öffentlichen Kenntniß gebracht, daß den Königlichen Kataster-Aemtern:

Berlin I. — Centrum — Hinter dem Gießhause № 1,
Berlin I. — Nordost — desgl.,
Berlin I. — Nordwest — Stendalerstraße № 32,
Berlin I. — Süd — Katzbachstraße № 5,

für deren Geschäftsbezirk bei Vermeidung der im § 17 des Gesetzes vom 21. Mai 1861 — Gesetzsammlung Seite 317 — angedrohten Strafen, soweit dieses noch nicht geschehen ist, gemeldet werden müssen:

1) Bis Ende Dezember 1890:
die vom 1. April 1888 bis 31. März 1889 benutzbar beziehungsweise bewohnbar gewordenen Neubauten bezw. Vergrößerungsbauten. (Aufsetzen eines Stockwerkes, Anbau eines Gebäudetheiles ꝛc.)

2) Bis Ende Juni 1891:
die vom 1. April 1890 bis 31. März 1891 eingetretenen bezw. noch eintretenden Veränderungen in der Einrichtung oder in der Benutzung, wonach bisher ausschließlich oder vorzugsweise zum Gewerbebetriebe dienende Gebäude vorwiegend zum Bewohnen verwendet werden.

Berlin, den 6. November 1890.

Königliche Direction
für die Verwaltung der directen Steuern in Berlin.

Ansprache an die Bevölkerung

über

das Wesen und die Bedeutung der Volkszählung

am 1. Dezember 1890.

In den letzten Tagen dieses Monates werden Hunderttausende ehrenamtlicher Zähler in den Wohnungen ihrer Mitbürger vorsprechen, um denselben einen Zählbrief zu übergeben, welcher eine Anzahl von Zählkarten einschließt. Diese Zählbriefe und Zählkarten nebst den von den Zählern selbst aufzustellenden Kontrollisten dienen als Handwerkszeug der Volkszählung, welche auf Beschluß des Bundesrathes am 1. Dezember d. Js. im ganzen Deutschen Reiche stattfinden wird.

In Preußen empfängt jeder Haushaltungsvorstand und jede einzeln lebende Person, welche eine besondere Wohnung inne hat und eigene Hauswirthschaft führt, einen solchen Zählbrief und wird darin ersucht, für jede in der Nacht vom 30. November zum 1. Dezember d. Js. in der Haushaltung — wenn auch nur vorübergehend — anwesende Person in eine gelbliche Zählkarte A. den Namen, die Stellung zum Haushaltungsvorstande, das Geschlecht, das Alter, den Familienstand, den Beruf bezw. Nahrungszweig, die Geburtsgemeinde, das Religionsbekenntniß, die Staatsangehörigkeit und die Muttersprache, für bundesangehörige aktive Militär- und Marinepersonen ferner die Charge und den Truppentheil, für nur vorübergehend in der Haushaltung Anwesende endlich noch deren Wohnort einzuschreiben. Ebenso hat der Haushaltungsvorstand für jeden am Zähltage aus vorübergehendem Anlasse abwesenden Haushaltsangehörigen, welcher dort noch seine Wohnung bezw. Schlafstelle besitzt, in eine röthliche Zählkarte a. den Namen, die Stellung zum Haushaltungsvorstande, das Geschlecht, das Alter, den Familienstand, den Berufs- bezw. Nahrungszweig, den vermuthlichen Aufenthaltsort und für bundesangehörige aktive Militär- und Marinepersonen die Charge und den Truppentheil einzutragen. Ingleichen hat derselbe ein Haushaltungsverzeichniß zu aufzustellen, welches Namen, Verwandtschaft bezw. Stellung zum Haushaltungsvorstande, Religionsbekenntniß, An- oder Abwesenheit der Haushaltungsmitglieder bezw. die lediglich vorübergehende Anwesenheit anderer in der Haushaltung gezählter Personen nachweist. Der Zählbrief enthält auf seiner Innenseite eine Anleitung nebst Mustern zur richtigen Ausfüllung der vorerwähnten Zählkarten und ist mit den ausgefüllten Zählpapieren vom 1. Dezember Mittags ab zur Abholung durch den Zähler bereit zu halten. Sollte am Nachmittage des 1. Dezember Niemand in der Wohnung verbleiben, so ist in geeigneter Weise Fürsorge zu treffen, daß der Zählbrief mit den ausgefüllten Zählkarten und den etwa übrig gebliebenen Formularen durch Nachbaren u. s. w. dem zur Einsammlung erscheinenden Zähler übergeben und diesem sich freiwillig und unentgeltlich dem öffentlichen Dienste widmenden Beamten die Erfüllung seines Amtes möglichst erleichtert wird. Die Mühwaltung, welche dem einzelnen Haushaltungsvorstande aus der Ausfüllung der Zählkarten und des Haushaltungsverzeichnisses persönlich erwächst, ist sehr gering und beansprucht selbst in größeren Haushaltungen kaum eine nennenswerthe Zeit. Der Staat darf von seinen Bürgern wohl erwarten, daß sie sich in jedem fünften Jahre einmal dieser auf andere Weise nicht wohl zu ersetzenden Arbeitsleistung bereitwillig unterziehen.

Die Volkszählung ist bei uns nicht allein unentbehrlich für vielerlei Aufgaben der Reichs-, Staats- und Gemeindeverwaltung; sie dient auch der Wissenschaft und ist das beste Mittel, das Volk in seiner Wesenheit thunlichst kennen zu lernen. Schon die bloße Volkszahl giebt ein Bild von der Macht der Staaten. Wie sehr Preußens Stärke im Laufe dieses Jahrhunderts zugenommen hat, ergiebt sich aus Folgendem. Die Bevölkerung Preußens stellte sich zu Ende des Jahres 1810 auf 4 498 000, 1820 auf 11 272 000, 1830 auf 13 002 000, 1840 auf 14 929 000, 1850 auf 16 608 000, 1860 auf 18 279 000, 1870 auf 24 597 000 und 1880 auf 27 296 000; sie betrug Ende 1885 28 336 000 und wird zu Ende dieses Jahres wohl mindestens 29¾ Millionen erreichen. Aus der Vergleichung der Volkszahl mit der Größe des Staatsgebietes ergiebt sich die Dichtigkeit des Beisammenwohnens; eine dichte Bevölkerung aber bedingt zu ihrer Erhaltung starke gewerbliche Thätigkeit und giebt den Antrieb zur wirthschaftlichen Ausnutzung der vorhandenen Kräfte. Die starke Volkszunahme des Deutschen Reiches wie des Preußischen Staates ist die wichtigste Ursache von deren hoher Machtstellung und wirthschaftlichen Größe gewesen. Aber die Ermittelung der bloßen Volkszahl ist nicht die alleinige Aufgabe der Volkszählung; sie soll vielmehr in den durch die Zählpapiere erforderten Nachrichten die Unterlagen für alle Untersuchungen über die Volkskraft und das Volksleben liefern. Besäße man nicht die Ergebnisse der Volkszählung, so müßte auf derartige Untersuchungen überhaupt verzichtet werden, da die bezüglichen Nachrichten auf anderem Wege nicht beschafft werden können. Jede im Haushaltungsverzeichnisse und in den Zählkarten verlangte Auskunft ist unentbehrlich. Deshalb ist es die Pflicht jedes Empfängers eines Zählbriefes, die Antworten auf die gestellten Fragen nach bestem Wissen richtig, auch so vollständig wie möglich zu geben und damit seinerseits nach Kräften zum Gelingen dieser Aufgabe beizutragen.

Niemand hat von der wahrheitsgemäßen Beantwortung der in den Zählpapieren gestellten Fragen für sich selbst oder seine Haushaltungsgenossen den geringsten Nachtheil zu befürchten; denn seitens des Königlichen statistischen Bureau's werden durch die Volkszählung gewonnene Nachrichten über einzelne Personen niemals veröffentlicht oder irgend wohin, auch nicht an Behörden, mitgetheilt. Ebensowenig werden diese Nachrichten seitens der Steuerverwaltung oder sonst zu fiskalischen Zwecken verwerthet. Man kann sich versichert halten, daß die in die Zählkarten eingetragenen Nachrichten über das Alter, den Familienstand, die Stellung im Berufe u. s. w. gelegentlich der Bearbeitung des Zählungsergebnisses lediglich in die statistischen Tabellen übergeben, in denen der einzelne Mensch nicht mehr erkennbar ist. Nach beendigter Auszählung werden die hier verbliebenen Zählkarten eingestampft.

Nächst den Haushaltungsvorständen und einzeln lebenden Personen mit besonderer Wohnung und eigener Hauswirthschaft sind es namentlich die Zähler, welche durch zweckmäßige Vertheilung der Zählpapiere, durch sachgemäße Prüfung und Ergänzung beim Wiedereinsammeln sowie durch richtige Aufnahme der Wohnstätten sehr viel zum Gelingen der Volkszählung beizutragen vermögen. Diese Männer walten eines Ehrenamtes und haben in Ausübung desselben die Eigenschaft öffentlicher Beamten. Dabei haben sie eine sehr viel größere Menge Zeit und persönlicher Mühwaltung aufzuwenden als die Empfänger der Zählbriefe; sie sind allzeit bereit, auf Erfordern fehlende Formulare an die Haushaltungsvorstände ihres Zählbezirkes abzugeben und dieselben über etwa bei der Ausfüllung der Zählpapiere entstehende Zweifel aufzuklären. Möchten recht viele gemeinnützig gesinnte und befähigte Männer dieses für Staat und Gemeinde gleich wichtige Amt übernehmen!

Bei innigem Zusammenwirken der Behörden, der Zählkommissionen, der Zähler und der Bewohner selbst wird auch die bevorstehende Volkszählung wie die vorhergegangenen dem Preußischen Staate verläßliche Auskunft über die Zahl und den gegenwärtigen Zustand seiner Bevölkerung geben. Das Königliche statistische Bureau aber wird keine Mühe scheuen, um zunächst die Hauptzahlen der Aufnahme, welche begreiflicherweise allgemein mit Spannung erwartet werden, so schnell wie möglich festzustellen und zur öffentlichen Kenntniß zu bringen, diesen dann aber das ausführliche Ergebniß der Zählung baldigst folgen zu lassen.

Berlin, im November 1890.

Königliches statistisches Bureau.

Nachweisung

der von den im Jahre 1889 durch Königliche Brandenburgische Landbeschäler gedeckten Stuten im Jahre 1890 gefallenen Fohlen im Regierungs-Bezirk Potsdam.

Nummer	Namen der Beschäl-Station	Daselbst standen im Jahre 1889 Landbeschäler			Diese haben Stuten gedeckt.	Davon sind			Von den tragend gewesenen Stuten				Im Jahre 1890	
									haben verfohlt	sind lebende Fohlen geboren.			standen daselbst Beschäler	diese haben Stuten gedeckt
		alte	4jährige	Summa		güst geblieben	tragend geworden	verkauft, gestorben und nicht nachgewiesen		Hengste	Stuten	Summa		
1	Friedr.-Wilh.-Gestüt	5	1	6	109	40	63	6	6	35	22	57	7	121
2	Lindow [1]	3	—	3	88	31	55	2	3	29	23	52	—	—
	Herzberg	—	—	—	—	—	—	—	—	—	—	—	3	83
3	Blandikow [2]	2	—	2	81	25	54	2	4	20	31	51	3	82
4	Frehne [3]	2	—	2	62	17	43	2	4	15	24	39	—	—
	Triglitz	—	—	—	—	—	—	—	—	—	—	—	2	43
5	Dannenwalde	1	1	2	64	20	43	1	6	19	18	37	2	62
6	Barenthin	1	1	2	89	16	69	4	7	25	37	62	3	93
7	Lenzen [4]	3	—	3	120	29	85	6	6	40	41	81	4	180
8	Wilsnack [5]	2	—	2	90	26	62	2	2	29	32	61	3	115
9	Blüthen	3	—	3	83	42	40	1	4	21	15	36	3	65
10	Cumlosen	3	—	3	140	53	86	1	6	37	43	80	3	158
	Dalmin [6]	—	—	—	—	—	—	—	—	—	—	—	1	25
11	Kotzen	2	—	2	62	16	43	3	1	20	22	42	2	86
12	Fehrbellin [7]	2	—	2	92	15	73	4	8	34	31	65	—	—
	Tarmow	—	—	—	—	—	—	—	—	—	—	—	2	91
13	Michendorf [8]	2	—	2	29	8	19	2	1	12	6	18	—	—
	Buchholz	—	—	—	—	—	—	—	—	—	—	—	2	53
14	Metzdorf	2	1	3	122	36	81	5	13	32	36	68	3	117
15	Eberswalde	2	—	2	62	17	43	2	2	23	18	41	2	74
16	Bernau	2	—	2	81	25	50	6	7	23	20	43	2	103
17	Gr.-Schönebeck	2	—	2	83	30	49	4	4	20	25	45	2	87
18	Hoppegarten	1	—	1	36	19	12	5	—	5	7	12	1	47
19	Falkenthal	3	—	3	101	46	54	1	1	21	32	53	3	103
20	Boitzenburg	3	—	3	97	31	66	—	5	36	25	61	3	93
21	Templin	2	—	2	78	16	60	2	6	27	27	54	2	81
22	Angermünde	2	1	3	112	40	65	7	6	33	26	59	3	137
23	Gramzow [9]	3	—	3	158	73	84	1	3	43	39	82	3	167
24	Prenzlau [10]	3	—	3	155	69	78	8	7	38	34	72	3	180
25	Zützen	1	—	1	36	18	18	—	1	13	4	17	1	38
26	Rossow	2	1	3	110	17	93	—	15	34	44	78	3	113
27	Neuensund	1	—	1	40	10	29	1	3	11	15	26	1	51
28	Malchow	1	—	1	36	16	20	—	2	7	11	18	1	27
29	Kl.-Luckow	1	—	1	26	6	14	6	—	7	7	14	1	29
30	Kohlsdorf [11]	3	—	3	109	36	71	2	6	33	32	65	—	—
	Beeskow	—	—	—	—	—	—	—	—	—	—	—	3	108
31	Storkow	2	—	2	87	31	53	3	5	27	21	48	2	98
32	Zossen	2	—	2	66	25	39	2	4	17	18	35	2	131
33	Dahme	1	1	2	38	3	32	3	—	13	19	32	2	121
34	Baruth [12]	2	1	3	48	12	34	2	6	15	13	28	—	—
	Summa	72	8	80	2790	914	1780	96	154	814	818	1632	83	3162

[1]) nach Herzberg verlegt, [2]) 1 Zwillingsgeburt, [3]) nach Triglitz verlegt, [4]) 2 Zwillingsgeburten, [5]) 1 Zwillingsgeburt, [6]) neu errichtet, [7]) nach Tarmow verlegt, [8]) nach Buchholz verlegt, [9]) 1 Zwillingsgeburt, [10]) 1 Zwillingsgeburt, [11]) nach Beeskow verlegt, [12]) eingegangen.

Friedrich-Wilhelms-Gestüt, den 7. November 1890. Der Königliche Gestüt-Director.

Bekanntmachung.

In Gemäßheit des § 142 des revidirten Reglements der Land-Feuer-Societät für die Kurmark Brandenburg, das Markgrafthum Niederlausitz und die Distrikte Jüterbog und Belzig, vom 15. Januar 1855, bringen wir Nachstehendes zur öffentlichen Kenntniß:

I. Resultate der Jahres-Rechnungen für das Jahr 1889.

A. Rechnung über den laufenden Entschädigungs-Fonds.

	Soll. Mark	Pf.	Ist. Mark	Pf.	Rest. Mark	Pf.
Einnahme.						
I. Bestand aus voriger Rechnung	374 181	05	374 181	05	—	—
II. Ueberträge " " " (Immobiliar)	251	53	251	53	—	—
III. Beiträge inkl. 6092 M. 59 Pf. Eintrittsgelder (Immobiliar)	1 043 280	71	1 043 258	24	22	47
III. Beiträge " 936 " 17 " Eintrittsgelder (Mobiliar)	101 160	66	101 075	31	85	35
IV. Extraordinaria, inkl. 25596 M. 10 Pf. Zinsen (Immobiliar)	41 574	67	41 574	67	—	—
(Mobiliar)	3 383	25	3 383	25	—	—
V. Erstattete Vorschüsse (Immobiliar)	175	70	175	70	—	—
Summa	1 564 007	57	1 563 899	75	107	82
Ausgabe.						
I. Ueberträge aus voriger Rechnung (Immobiliar)	269 963	08	224 264	47	45 698	61
(Mobiliar)	3 574	79	3 357	25	217	54
II. Verwaltungskosten (Immobiliar)	100 342	10	100 342	10	—	—
(Mobiliar)	9 307	20	9 307	20	—	—
III. Reisekosten (Immobiliar)	5 017	60	5 017	60	—	—
IV. Brand-Entschädigungsgelder (inkl. Spritzen- und Wasserwagen-Prämien, Pertinenzschäden-Vergütungen und Abschätzungskosten) (Immobiliar)	1 019 116	57	890 531	82	128 584	75
(Mobiliar)	49 151	36	49 151	36	—	—
V. Extraordinaria (Immobiliar)	40 274	01	40 274	01	—	—
(Mobiliar)	2 543	96	2 543	96	—	—
VI. Dem eisernen Bestands-Fonds überwiesene Eintrittsgelder (Immobiliar)	6 092	59	6 092	59	—	—
(Mobiliar)	936	17	936	17	—	—
VII. Vorschüsse (Immobiliar)	175	70	175	70	—	—
Summa	1 506 495	13	1 331 994	23	174 500	90
Die Einnahme beträgt	1 564 007	57	1 563 899	75	—	—
Ergiebt Bestand	57 512	44	231 905	52	—	—

B. Rechnung über den eisernen Bestands-Fonds.

	Soll. Mark	Pf.	Ist. Mark	Pf.	Rest. Mark	Pf.
Einnahme.						
A. Bestand aus voriger Rechnung	499 775	15	499 775	15	—	—
B. Kapitalien	165 746	50	165 746	50	—	—
I. Zinsen	15 759	80	15 759	80	—	—
II. Eintrittsgelder	7 028	76	7 028	76	—	—
Summa	688 310	21	688 310	21	—	—
Ausgabe.						
A. Kapitalien	161 494	50	161 494	50	—	—
I. Zinsen	15 182	30	15 182	30	—	—
Summa	176 676	80	176 676	80	—	—
Die Einnahme beträgt	688 310	21	688 310	21	—	—
Ergiebt Bestand	511 633	41	511 633	41	—	—
davon in Werthpapieren 454 000 M. — Pf., und in baar 57 633 " 41 "						

II. Brand- und Blitzschäden und dafür gezahlte Entschädigungsgelder.

Die Societät ist im Laufe des Jahres 1889 von 294 Bränden und 46 nicht zündenden Blitzschlägen betroffen worden, durch welche 441 Versicherte an ihrem Immobiliar und 28 Versicherte an ihrem Mobiliar Schaden erlitten haben. Es sind 443 Gebäude total vernichtet und 384 partiell beschädigt.

Aus Anlaß dieser Brand- und Blitzschäden, einschließlich der Bewilligungen für resp. aus Anlaß von Bränden aus dem Jahre 1888 und früher sind festgesetzt.

	für Immobiliar	für Mobiliar
1. Brand-Entschädigungsgelder in Klasse I.	166 714 M. 28 Pf.	7 064 M. 25 Pf.
= = II.	282 187 = 61 =	4 629 = 67 =
= = III.	529 225 = 17 =	31 472 = 12 =
= = IV.	4 767 = 20 =	5 552 = 22 =
Schäden-Abschätzungskosten	5 077 = 05 =	433 = 10 =
zusammen	987 971 M. 31 Pf.	49 151 M. 36 Pf.
2. Spritzen-Prämien	15 300 = — =	
3. Wasserwagen-Prämien	4 760 = — =	
4. Pertinenzschäden-Vergütungen	11 085 = 26 =	
Ueberhaupt	1 019 116 M. 57 Pf.	

III. Beiträge der Societäts-Mitglieder.

Zur Deckung der vorbemerkten Schäden und der sonstigen Ausgaben wurden ausgeschrieben:

im I. Halbjahr 1889	für 277 348 850 M. Immobiliar-Versicherung, Klasse I. 4 Pf. pro 100 M.		110 939 M. 54 Pf.
	= 128 884 625 = = = = II. 8 = = = =		103 107 = 70 =
	= 71 087 000 = = = = III. 28 = = = =		199 043 = 60 =
	= 277 900 = = = = IV. 48 = = = =		1 333 = 92 =
	zusammen 477 598 375 M. Immobiliar-Versicherung		414 424 M. 76 Pf.
im II. Halbjahr 1889	für 283 849 150 M. Immobiliar-Versicherung, Klasse I. 6 Pf. pro 100 M.	170 309 M. 49 Pf.	
	= 130 026 375 = Immobiliar-Versicherung, Klasse II. 12 Pf. pro 100 M.	156 031 = 65 =	
	= 70 117 075 = Immobiliar-Versicherung, Klasse III. 42 Pf. pro 100 M.	294 491 = 72 =	
	= 268 125 = Immobiliar-Versicherung, Klasse IV. 72 Pf. pro 100 M.	1 930 = 50 =	
	zusammen für 484 260 725 M. Immobiliar-Versicherung		622 763 = 36 =
		Zusammen	1 037 188 M. 12 Pf.

Ferner sind im Jahre 1889 an Beiträgen der Mobiliar-Versicherten aufgebracht,

a. für die klassifizirten Versicherungen, welche am Schlusse des Jahres 1889 betrugen:

21 155 925 M. in Klasse I.	25 510 M. 06 Pf.
11 788 800 = = = II.	26 920 = 49 =
8 298 100 = = = III.	45 920 = 94 =
Zusammen 41 242 825 M.	98 351 M. 49 Pf.
b. für die nicht klassifizirten Versicherungen (Miethen ꝛc.) im Betrage von 414 225 M.	1 873 = — =
Zusammen	100 224 M. 49 Pf.

Berlin, den 6. November 1890.

Ständische General-Direktion der Land-Feuer-Societät der Kurmark und der Niederlausitz.

Ausweisung von Ausländern aus dem Reichsgebiete.

Lauf. Nr.	Name und Stand des Ausgewiesenen	Alter und Heimath des Ausgewiesenen	Grund der Bestrafung.	Behörde, welche die Ausweisung beschlossen hat.	Datum des Ausweisungs-Beschlusses.
1.	2.	3.	4.	5.	6.
		a. Auf Grund des § 39 des Strafgesetzbuchs:			
1	Robert Bartsch, Müller,	geboren am 23. August 1857 zu Sörgsdorf, Bezirk Freiwaldau, Oesterreichisch-Schlesien, ortsangehörig ebendaselbst,	schwerer Diebstahl (vier Jahre Zuchthaus laut Erkenntniß vom 20. Oktober 1886),	Königlich Preußischer Regierungspräsident zu Oppeln,	10. August 1890.

Lauf. Nr.	Name und Stand des Ausgewiesenen.	Alter und Heimath des Ausgewiesenen.	Grund der Bestrafung.	Behörde, welche die Ausweisung beschlossen hat.	Datum des Ausweisungs-Beschlusses.
1.	2.	3.	4.	5.	6.
	b. Auf Grund des § 362 des Strafgesetzbuchs:				
1	Reinerius Nikolaas Brouwer, Arbeiter,	geboren am 30. Januar 1863 zu Alkmaar, Niederlande, ortsangehörig ebendaselbst,	Landstreichen,	Königlich Preußischer Regierungspräsident zu Lüneburg,	27. Oktober 1890.
2	Franz Bruggmann, Tapetendruckergehilfe,	geboren am 27. Oktober 1852 zu Hötting, Bezirk Innsbruck, ortsangehörig ebendaselbst,	Betteln,	Königlich Bayerisches Bezirksamt Landsberg,	14. Oktober 1890.
3	Nikolaus Bürger, Korbmacher,	geboren am 6. Oktober 1868 zu Waldbillig, Luxemburg, ortsangehörig ebendaselbst,	Landstreichen,	Kaiserlicher Bezirkspräsident zu Metz,	25. Oktober 1890.
4	Wenzel Capek, Schuhmacher,	geboren am 26. September 1864 zu Buchslanitz, Bezirk Kuttenberg, Böhmen, ortsangehörig zu Petrowitz, ebendaselbst,	desgleichen,	Stadtmagistrat zu Nürnberg, Bayern,	19. Oktober 1890.
5	Josef Chalupnick, Schneidergeselle,	geboren am 16. Juni 1855 zu Prosec, Böhmen, ortsangehörig ebendaselbst,	Betteln,	Königlich Preußischer Regierungspräsident zu Potsdam,	23. Oktober 1890.
6	Wilhelm Deutsch, Arbeiter,	geboren im Jahre 1874 zu Tolcsva, Ungarn,	Landstreichen,	Königlich Preußischer Regierungspräsident zu Magdeburg,	18. Oktober 1890.
7	Johann Kandolf, Bäckergeselle,	geboren am 28. August 1868 zu Hermagor, Kärnthen, ortsangehörig ebendaselbst,	Betteln,	Königlich Preußischer Regierungspräsident zu Potsdam,	23. Oktober 1890.
8	Carl Christian Nielsen, Schuhmacher,	geboren am 11. Juli 1832 zu Horsens, Dänemark,	desgleichen,	Chef der Polizei in Hamburg,	22. August 1890.
9	Die Zigeunerinnen:				
a.	Elisabetha Roschitschka, Ehefrau,	a. 25 Jahre alt,	Landstreichen,	Königlich Bayerisches Bezirksamt Grafenau,	17. Oktober 1890.
b.	Emilie Roschitschka, Ehefrau,	b. 26 Jahre alt,			
c.	Franziska Roschitschka, ledig,	c. 13 Jahre alt, sämmtlich ortsangehörig zu Opatowitz, Bezirk Pardubitz, Böhmen,			
10	Josef Schedlbauer, Müllergeselle,	geboren am 15. März 1862 zu Wotic, Bezirk Tabor, Böhmen,	desgleichen,	Königlich Preußischer Regierungspräsident zu Oppeln,	29. September 1890.
11	Ragnhilde Emilie Terndrup, Kellnerin,	geboren am 15. Januar 1872 zu Langheitstrup, Dänemark, ortsangehörig zu Aarslev, Gemeinde Horning, ebendaselbst,	gewerbsmäßige Unzucht,	Königlich Preußischer Regierungspräsident zu Schleswig,	21. Oktober 1890.

Personal-Chronik.

Seine Majestät der Kaiser und König haben Allergnädigst geruht, dem praktischen Arzte Dr. med. Hornig zu Oranienburg den Charakter als „Sanitäts-Rath" zu verleihen.

Die bisherigen Gerichts-Referendare von Behr und Dr. Wilms sind zu Regierungs-Referendarien ernannt worden.

Im Kreise Angermünde ist der Rittergutsbesitzer Bertrand zu Britz nach Ablauf seiner Amtszeit auf's Neue zum Amtsvorsteher-Stellvertreter für den 16. Bezirk Golzow ernannt worden.

Der bisherige Pfarrer Georg Gustav Ernsthold Johannes Curds zu Goerne, Diözese Rathenow, ist zum Pfarrer der Parochie Liepe, Diözese Rathenow, bestellt worden.

Der bisherige Predigtamts-Kandidat Friedrich August Hübener ist zum Archidiakonus zu Luckenwalde und Pfarrer von Liebätz mit Märtensmühle, Ruhlsdorf und Woltersdorf, Diözese Luckenwalde, bestellt worden.

Die unter Königlichem Patronat stehende Pfarrstelle zu D.-Wilmersdorf, Diözese Cöln-Land I., kommt durch die nach altem Rechte erfolgende Emeritirung ihres bisherigen Inhabers, des Pfarrers Andreae, zum 1. April k. J. zur Erledigung.

Die unter Königlichem Patronat stehende Pfarrstelle zu Buckow, Diözese Beeskow, ist durch das Ableben ihres bisherigen Inhabers, des Pfarrers Liphardt, zum 10. Oktober d. J. zur Erledigung gekommen. Die Wiederbesetzung dieser Stelle erfolgt durch Gemeindewahl nach Maßgabe des Kirchengesetzes, betreffend das im § 32 № 2 der Kirchengemeinde- und Synodal-Ordnung vom 10. September 1873 vorgesehenen Pfarrwahlrecht vom 15. März 1886 — Kirchl. Ges.- und Verordn.-Bl. de 1886 S. 39. — Bewerbungen um diese Stelle sind schriftlich bei dem Königlichen Konsistorium der Provinz Brandenburg einzureichen. § 6 a. a. O.

Das unter magistratualischem Patronat stehende Diakonat an der St. Katharinen-Kirche zu Brandenburg a. H., Diözese Neustadt-Brandenburg, kommt durch das Aufrücken des derzeitigen Inhabers, des Diakonus Pfeiffer, Ende April k. Js. zur Erledigung.

Der bisherige Schulamtskandidat Emil Scheffler ist als ordentlicher Lehrer an der 3. höheren Bürgerschule in Berlin angestellt worden.

Personalveränderungen im Bezirk der Kaiserlichen Ober-Postdirektion in Berlin.

Im Laufe des Monats Oktober sind **ernannt:** zu Postkassirern die Ober-Postdirectionssecretaire Voigt und Niermeyer, zu Telegraphenamtskassirern die Ober-Postdirectionssecretaire Bähr und Heitmüller, zu Ober-Postdirectionssecretairen die Postsecretaire Günther, Stein und Zech, zu Ober-Postsecretairen die Postsecretaire Röper und Sorge, zum Ober-Telegraphensecretair der Telegraphensecretair Reichelt, zum Kanzlisten der Büreauassistent Kahnke, zu Ober-Postassistenten der Kanzlist Hesse, die Postassistenten Hirseland, Klebba, Peters, Salomon und Sibilski; **angestellt:** als Postsecretaire die Postpraktikanten Brade, Fechner, Flaschenträger, Gollinge, Heisig, Krug, Quasthöff, Petermann, Starcke und Zobus, als Postassistenten die Postassistenten Gundlach, Wilh. Müller, Schön, Selpin, Völkel, die Postanwärter Petri, Schultz und Virchow, als Telegraphenassistenten die Telegraphenanwärter Böhme, Brandt, Daasch, Diener, Edert, Eifler, Haupt, Hoffmann, Lindenblatt, Machalke, Moser, Neesemann, Tilgner, Vollmann, Werner und Weber, als Postverwalter der Postassistent Beck in Tegeler Landstraße; **versetzt:** der Postmeister Gutzmann von Kreuz (Ostbahn) nach Weißensee bei Berlin, von Berlin die Postsecretaire Dufayel nach Liegnitz, Möschter nach Metz, Suckau nach Michelstadt, Weithase nach Straßburg (Elf.), die Postassistenten Bütow nach Stolp (Pom.), Voß nach Corbach, nach Berlin der Postsecretair Krause von Cassel, der Postassistent Lier von Stolp (Pom.); **in den Ruhestand versetzt:** der Telegraphensecretair Athenstädt, die Ober-Telegraphenassistenten Kolbe und Schilling; **gestorben:** der Ober-Postsecretair Woyciechowski, der Ober-Telegraphenassistent Schäfer.

Personalveränderungen im Bezirk der Kaiserlichen Ober-Postdirection in Potsdam.

Etatsmäßig angestellt sind: der Postanwärter Krohn als Postverwalter in Seehausen (Uckermark), der Telegraphenanwärter Kohl als Telegraphenassistent in Neuruppin.

Versetzt sind: der Postverwalter Döring von Falkenrehde nach Bornim (Mark), der Postinspector Kröhnke von Halle (Saale) nach Potsdam, der Ober-Postdirections-Secretair Mayer in Magdeburg als c. Postkassirer nach Spandau, der Telegraphen-Inspector Sydow in Potsdam als c. Geheimer expedirender Secretair nach Berlin (Reichs-Postamt), der Postkassirer Wichert in Spandau als c. Postinspektor nach Königsberg (Preußen) und der Postdirector Zimmermann von Recklinghausen nach Angermünde.

In den Ruhestand versetzt: Müldner von Mülnheim, Postdirector in Angermünde.

Hierzu Drei Oeffentliche Anzeiger.

(Die Insertionsgebühren betragen für eine einspaltige Druckzeile 20 Pf. Belagsblätter werden der Bogen mit 10 Pf. berechnet.)

Redigirt von der Königlichen Regierung zu Potsdam.

Potsdam, Buchdruckerei der A. W. Hayn'schen Erben.

Extra-Blatt

zum Amtsblatt

der Königlichen Regierung zu Potsdam und der Stadt Berlin.

Ausgegeben den 22sten November 1890.

Privilegium

wegen Ausfertigung auf den Inhaber lautender Obligationen der Deutsch-Ostafrikanischen Gesellschaft zu Berlin im Betrage von 10556000 Mark.

Wir Wilhelm,
von Gottes Gnaden König von Preußen ꝛc.
thun kund und fügen hiermit zu wissen:

Nachdem die Deutsch-Ostafrikanische Gesellschaft zu Berlin auf Grund des von dem Reichskanzler als Aufsichtsbehörde genehmigten Beschlusses der Hauptversammlung ihrer Mitglieder vom 20. November 1890 darum nachgesucht hat, daß ihr Zwecks Aufbringung der Mittel für die Bezahlung der Seiner Hoheit dem Sultan von Zanzibar für die Abtretung der Hoheitsrechte über das der Deutschen Interessensphäre in Ostafrika vorgelagerte Küstengebiet sammt dessen Zubehörungen und der Insel Mafia zu gewährenden Entschädigung von 4 Millionen Mark, sowie Zwecks Aufbringung der Mittel für dauernde wirthschaftliche Anlagen in dem Deutsch-Ostafrikanischen Gebiete und für die Beförderung des Verkehrs nach demselben die Aufnahme einer Anleihe im Gesammtbetrage von 10556000 Mark gegen Ausgabe von auf jeden Inhaber lautenden, mit Zinsscheinen versehenen Obligationen gestattet werden möge, so wollen Wir, da sich hiergegen nichts zu erinnern gefunden, gemäß § 2 des Gesetzes vom 17. Juni 1833 der Deutsch-Ostafrikanischen Gesellschaft zu Berlin durch gegenwärtiges Privilegium die Befugniß ertheilen, auf jeden Inhaber lautende, mit Zinsscheinen versehene, seitens der Gläubiger unkündbare, nach anliegendem Muster auszufertigende, Obligationen im Gesammtbetrage von 10556000 Mark, in Buchstaben: zehn Millionen fünfhundertsechsundfünfzigtausend Mark, in folgenden Abschnitten:

6456 Stück zu 1000 Mark = 6456000 Mark,
4000 Stück zu 500 Mark = 2000000 Mark,
7000 Stück zu 300 Mark = 2100000 Mark

auszustellen, welche mit jährlich 5 Procent zu verzinsen und nach dem festgestellten Tilgungsplane mittelst Verloosung halbjährlich, vom 1. Juli des auf die Ausstellung folgenden Kalenderjahres ab, mit wenigstens 0,3257 des Kapitals zuzüglich der aus den ersparten Zinsen tilgbaren Nominalbeträge zu amortisiren und zum Course von 105 Procent einzulösen sind. Die Ertheilung des Privilegiums erfolgt mit der rechtlichen Wirkung, daß ein jeder Inhaber der Obligationen die daraus sich ergebenden Rechte geltend zu machen befugt ist, ohne zu dem Nachweise der Uebertragung des Eigenthums verpflichtet zu sein. Durch vorstehendes Privilegium, welches Wir vorbehaltlich der Rechte Dritter ertheilen, wird für die Befriedigung der Inhaber der Obligationen eine Gewährleistung seitens des Staates nicht übernommen.

Urkundlich unter Unserer Höchsteigenhändigen Unterschrift und beigedrucktem Königlichen Insiegel.

Gegeben Berlin, den 20. November 1890.

(L. S.)
gez. **Wilhelm R.**
ggez. v. Caprivi. Miquel.

Littera .... No. .... Mark.

5%ige

Deutsch-Ostafrikanische Zollobligation

ausgegeben von der

Deutsch-Ostafrikanischen Gesellschaft zu Berlin

über

.... **Mark Reichswährung.**

Ausgefertigt in Gemäßheit des landesherrlichen Privilegiums vom .... 1890.
(Amtsblatt der Königlichen Regierung zu Potsdam vom .... 1890. № ....
Seite .... , Gesetz-Sammlung für 1890, Seite .... , laufende № ....)

Auf Grund des von dem Herrn Reichskanzler als Aufsichtsbehörde genehmigten Beschlusses der Hauptversammlung der Mitglieder der Deutsch-Ostafrikanischen Gesellschaft zu Berlin vom 20. November 1890 wegen Aufnahme einer Schuld von Mark 10556000 bekennt sich die Deutsch-Ostafrikanische Gesellschaft durch diese, für jeden Inhaber gültige, Seitens des Gläubigers unkündbare, Verschreibung zu einer Darlehnsschuld von

.... **Mark,**

welcher Betrag an die Deutsch-Ostafrikanische Gesellschaft baar gezahlt ist und vom 1. Januar 1891 ab am 1. Juli und 2. Januar jeden Jahres mit fünf vom Hundert jährlich verzinst wird.

Die Rückzahlung der ganzen Schuld von Mark 10556000, über welche 6456 Schuldverschreibungen Littera A zu je Mark 1000, 4000 Schuldverschreibungen Littera B zu je Mark 500 und 7000 Schuldverschreibungen Littera C zu je Mark 300 ausgegeben sind, erfolgt nach Maßgabe des umstehend abgedruckten Tilgungsplanes mittelst Verloosung der Anleihescheine in den Jahren 1891 bis 1935 einschließlich. Die Verloosung findet in den Geschäftsräumen der Deutsch-Ostafrikanischen Gesellschaft unter Leitung eines Notars im Juni und im Dezember jeden Jahres statt, und es gelangen an jedem Verloosungstermin 0,3257 % des Nominalbetrages von 10556000 Mark zuzüglich der aus den ersparten Zinsen tilgbaren Nominalbeträge zur Auslosung. Der Deutsch-Ostafrikanischen Gesellschaft steht vom Jahre 1900 ab das Recht zu, jederzeit auch einen größeren als den vorgenannten Betrag zur Verloosung zu bringen oder auch die ganze jeweilig noch im Umlauf befindliche Anleihe nach vorausgegangener 6monatiger Kündigung zurückzuzahlen.

Die ausgelooften Schuldverschreibungen werden am nächsten auf die Verloosung folgenden Zinszahlungstermin, die gekündigten Schuldverschreibungen werden am Fälligkeitstage zum Course von 105 % eingelöst. Die ausgelooften Stücke werden unter Bezeichnung der Nummern und Beträge, sowie des Termins, an welchem die Rückzahlung erfolgen soll, öffentlich bekannt gemacht. Alle die Anleihe betreffenden Bekanntmachungen erfolgen in dem „Deutschen Reichs- und Preußischen Staats-Anzeiger" und außerdem in zwei in Berlin erscheinenden Zeitungen und einer in Frankfurt am Main erscheinenden Zeitung.

Mit dem Tage der Fälligkeit des Kapitals hört die Verzinsung auf.

Die Auszahlung der Zinsen und des Kapitals erfolgt gegen bloße Rückgabe der fällig gewordenen Zinsscheine bezw. dieser Schuldverschreibung bei der Königlichen Haupt-Seehandlungs-Kasse zu Berlin. Mit der zur Empfangnahme des Kapitals eingereichten Schuldverschreibung sind die dazu gehörigen Zinsscheine der späteren Fälligkeitstermine zurückzuliefern; für fehlende Zinsscheine wird der entsprechende Betrag vom Kapital abgezogen. Die ausgelooften bezw. gekündigten Kapitalbeträge, welche innerhalb 30 Jahren nach dem Fälligkeitstermine nicht erhoben werden, sowie die innerhalb vier Jahren nach Ablauf des Kalenderjahres, in welchem sie fällig geworden, nicht erhobenen Zinsen sind zu Gunsten der Deutsch-Ostafrikanischen Gesellschaft verjährt.

Das Aufgebot und die Kraftloserklärung verlorener oder vernichteter Schuldverschreibungen erfolgt im Wege des gerichtlichen Aufgebotsverfahrens.

Zinsscheine und Talons können weder aufgeboten noch für kraftlos erklärt werden. Doch soll Demjenigen, welcher den Verlust von Zinsscheinen vor Ablauf der Verjährungsfrist bei der Deutsch-Ostafrikanischen Gesellschaft anmeldet und den früheren Besitz der Zinsscheine durch Vorzeigung der Schuldverschreibung oder in sonst glaubhafter Weise darthut, nach Ablauf der Verjährungsfrist der Betrag der angemeldeten und bis dahin nicht zur Zahlung vorgelegten Zinsscheine gegen Quittung ausgezahlt werden.

Mit dieser Schuldverschreibung sind halbjährige Zinsscheine bis zum Schlusse des Jahres 1900 und eine Anweisung zur Empfangnahme weiterer Zinsscheine ausgegeben.

Für die vorstehend eingegangenen Verpflichtungen haftet die Deutsch-Ostafrikanische Gesellschaft mit ihrem gesammten Vermögen. Zur besonderen Sicherung des Dienstes der Anleihe hat die Deutsch-Ostafrikanische Gesellschaft den ihr aus dem Vertrage mit der Kaiserlichen Regierung vom 20. November 1890 gegen die Kaiserliche Regierung zustehenden Anspruch auf die Brutto-Erträge der Zölle des Deutsch-Ostafrikanischen Gebiets bis zum Jahresbetrage von 600 000 Mark durch Vertrag vom 21. November 1890 an die Königliche General-Direktion der Seehandlungs-Societät cedirt und es hat die Königliche General-Direktion der Seehandlungs-Societät im gleichen Vertrag sowohl gegenüber der Deutsch-Ostafrikanischen Gesellschaft als gegenüber den Inhabern der auf Grund des genannten Vertrages auszugebenden Schuldverschreibungen die Verpflichtung übernommen, die von der Kaiserlichen Regierung auf Grund der Cession bezahlten Beträge vorweg zur planmäßigen Verzinsung und Tilgung der Anleihe zu verwenden.

Berlin, den ....

Deutsch-Ostafrikanische Gesellschaft.
(Zwei Unterschriften.)

3) Der Transport der Schweine von der Entladestelle des Bestimmungsorts nach der Schlachtanstalt hat mittelst gut schließender Wagen zu erfolgen, sofern die Anstalt mit der Eisenbahn durch Schienenstränge nicht in unmittelbarer Verbindung stehen sollte.

4) In der Schlachtanstalt dürfen die Schweine bis zur Abschlachtung, welche unter polizeilicher Kontrole zu erfolgen hat, mit zum Weiterverkauf aufgetriebenem Vieh in keinerlei Berührung kommen.

Die Regierungen der Süddeutschen Staaten haben die Grenzbehörden mit der erforderlichen Anweisung versehen.

Vorstehendes wird mit dem Bemerken zur Kenntniß der Betheiligten gebracht, daß die zur Verhütung eines Mißbrauchs der ertheilten Bewilligung zu erlassenden Ueberwachungsvorschriften nach ihrer Feststellung durch die Polizeiverwaltungen zu Brandenburg und Spandau werden bekannt gegeben werden.

Potsdam, den 25. November 1890.

Der Regierungs-Präsident.

Viehseuchen.

258. Festgestellt ist:

der Rotz bei zwei Pferden des Molkereibesitzers Wendt zu Friedenau, Kreis Teltow;

die Maul- und Klauenseuche in dem Rindviehbestande des Bauergutsbesitzers Lagenstein zu Brädickow, Kreis Westhavelland.

Erloschen ist:

die Maul- und Klauenseuche in Markee und unter dem Rindvieh des Rittergutes Markau, Kreis Osthavelland, unter dem Rindviehbestande des Rittergutes Langen, Kreis Ruppin, unter den Kühen des Rittergutes Selchow, Kreis Teltow, und in Schmergow, Kreis Zauch-Belzig.

Die Ortssperre in Markau, Kreis Osthavelland, ist noch nicht aufgehoben, da die Seuche im Gemeindebezirk Markau noch weiter herrscht.

Potsdam, den 25. November 1890.

Der Regierungs-Präsident.

259. s. Seite 444.

Bekanntmachungen des Königlichen Polizei-Präsidenten zu Berlin.

Bekanntmachung.

90. Auf Ihren Bericht vom 29. Oktober dieses Jahres will Ich der Stadtgemeinde Berlin zur Erwerbung und zur dauernden Beschränkung des für die ihr nach dem Vertrage vom $\frac{17. \text{ Februar}}{24. \text{ Juni}}$ 1888 obliegenden baulichen Ausführungen zur Verbesserung des Spreelaufs innerhalb der Stadt Berlin und bis zur Einmündung der Spree in die Havel erforderlichen Grundeigenthums das Enteignungsrecht hiermit verleihen. Die eingereichten drei Pläne erfolgen anbei zurück.

Neues Palais, den 3. November 1890.

gez. **Wilhelm R.**

gegengez. von Maybach.

An den Minister der öffentlichen Arbeiten.

* * *

Vorstehender Allerhöchster Erlaß wird in Gemäßheit des § 2 des Enteignungsgesetzes vom 11. Juni 1874 hierdurch zur öffentlichen Kenntniß gebracht.

Berlin, den 18. November 1890.

Der Polizei-Präsident.

Bekanntmachungen der Kaiserlichen Ober-Postdirektion zu Berlin.

Bekanntmachung.

100. Am 1. Dezember tritt in Berlin NW., Lessingstraße Nr. 7/8, eine Postanstalt mit Telegraphenbetrieb in Wirksamkeit, welche die Bezeichnung Berlin NW. 23 erhält. Bei dieser Postanstalt können Postsendungen jeder Art mit Einschluß von Rohrpostsendungen eingeliefert werden. Die Dienststunden für den Verkehr mit dem Publikum sind festgesetzt: An Wochentagen von 7 (im Winterhalbjahr von 8) Uhr Vormittags bis 8 Uhr Nachmittags, an Sonn- und gesetzlichen Feiertagen, sowie am Geburtstage S. M. des Kaisers von 7 bz. 8 Uhr bis 9 Uhr Vormittags und von 5 bis 7 Uhr Nachmittags, außerdem von 12—1 Uhr Mittags für den Telegraphenbetrieb. Ferner ist das Postamt verpflichtet, außerhalb der vorbezeichneten Dienststunden Telegramme vom Publikum anzunehmen und zu befördern oder eintretenden Falls am Apparat aufzunehmen, sofern ein Beamter ohnehin in den Diensträumen anwesend ist. Die Annahme gewöhnlicher Packete erfolgt täglich nur bis 7 Uhr Nachmittags.

Berlin C., den 18. November 1890.

Der Kaiserliche Ober-Postdirector.

Unanbringliche Postsendungen.

101. Bei der Ober-Postdirektion in Berlin lagern:

A. Packete in Berlin zur Post gegeben.

an Nelle in Berlin	1 kg,	15. Mai 1890,
an Ihre Majestät die Kaiserin Friedrich in Homburg (v. d. Höhe)	1 kg,	30. Mai 1890,
an Hering in Schildau (Bober)	½ kg,	10. Juni 1890,
an Buske in Tempelburg	3½ kg,	21. Juni 1890,
an F. S. Postlagernd in Cüstrin I.	1½ kg,	16. Juli 1890,
an Stein in Forst N.-L.	4 kg,	30. Juli 1890,
an Klette in Berlin	1½ kg,	31. Juli 1890.

B. Gegenstände, welche in Packeten ohne Aufschrift enthalten gewesen bez. Postsendungen entfallen oder bei hiesigen Postanstalten aufgefunden worden sind.

1 Thürdrücker von Messing, Etikettes, Holzschachteln, Taschentücher, rohe Seide, Stempeltypen, Blechmarken, Geldtäschchen, 1 Büchse Cacao, Chocolade, 1 eisernes Gitter, Stangen, Handschuhe, 1 Scheere, Cigarren, 1 Mundharmonika, Schlüsselschilder, Strümpfe, Perlmuttergriffe, 1 Revolver, Fensterhaken, 1 Uhrpendel, Stecknadeln, Gummi, Patronenhülsen, 1 Blechkapsel, 1 Holzleiste, 1 Stempel, Tabacк, 1 Modell zu Eisenbahnschienen, 1 Zirkel, mehrere Messingtheile, 1 Schlüssel, 1 Ledergürtel, 1 Kante, Gardinenhalter, Schlösser, Maschinen- und Eisentheile, Rüschen, Regenschirme,

1 Kleiderbürste, Band, 1 Rolle Draht, 1 Cliché, Papierkragen, Taschenmesser, 3 Pinsel, Steinproben, 1 Fläschchen Tinktur, goldene Ringe, 1 Paar Lackschuhe, leere Butterfässer, Tuchmuster, Wolle, Stickmuster, 1 Schlüssel, 1 Etuis mit 2 Armbändern, Uhrketten, 1 Hundertgrammstück, 1 Schachtel Pillen, 1 Blechbüchse, Perlmutterknöpfe, Drellhandtücher, 1 Petschaft, Räucherkerzen, Papier-Verzierungen, Halsbinden, Haarnadeln, 1 Taubenbalg, Proben von Hülsenfrüchten, Korbhenkel, Schlüsselringe, Scheeren, 1 Zahn, Schminke, Uhrgewichtsketten, Handwaagen, Lederproben, Corsetstäbe, 1 Cravatte, Borsten, 1 Briefwaage, Kupfernieten, Wachs, 1 Münze, 1 Broche, Tuchstücke mit eingestickten Anker, Zeug-Schnallen, Papierkarten, 1 Fläschchen Stempelfarbe, Kinderspielzeugtheile, Kinder-Saugpfropfen, 1 Fläschchen Oel, Watte, Thee, 1 Damen-Nachthemd, 1 Paar künstliche Augen, 1 Ohrring, Bücher verschiedenen Inhalts.

Die unbekannten Absender bez. Eigenthümer der vorbezeichneten Sendungen werden aufgefordert spätestens innerhalb vier Wochen — vom Tage des Erscheinens gegenwärtiger Bekanntmachung an gerechnet — bei der Ober-Postdirektion schriftlich sich zu melden, widrigenfalls die Gegenstände zum Besten des Postarmenfonds werden versteigert werden.

Berlin C., den 20. November 1890.

Der Kaiserliche Ober-Postdirektor.

Bekanntmachungen der Kaiserlichen Ober-Postdirektion zu Potsdam.

102. Bei der Kaiserlichen Ober-Post-Direction in **Potsdam** lagern nachbezeichnete Postsendungen, welche den Absendern bz. den Eigenthümern nicht haben zurückgegeben werden können.

A. Packete.

An August Baade in Hamburg, 4½ kg, aufgeliefert am 15. Dezember 1887 in Lenzen (Elbe), an Kaufmann Carl Wust in Hamburg, 4 kg, aufgeliefert am 2. Juli d. Js. in Nauen; an Kaufmann Franz Zimmermann in Hamburg, 5½ kg, aufgeliefert am 2. Juli d. J. in Nauen.

B. Postanweisungen.

An die Königliche Gerichtskasse in Berlin, Hallesches Ufer 29, über 2 M. 90 Pf., aufgeliefert am 9. Juli d. J. in Friedrichshagen; an Ebert in Reinickendorf bei Berlin über 1 Mark 50 Pf., aufgeliefert am 8. September d. J. in Potsdam.

C. Einschreibbrief.

An Julius Nowack in Sydney, aufgeliefert am 3. Dezember 1887 in Spandau.

Lose sind aufgefunden worden:

4 Herren-Stehkragen, 1 Paar wollene Strümpfe, 1 Einmarkstück und 1 runder schwarz polirter Holzklotz.

Die unbekannten Absender bz. Eigenthümer der vorstehend bezeichneten Postsendungen werden aufgefordert, binnen 4 Wochen ihre Ansprüche geltend zu machen, widrigenfalls nach Maßgabe der gesetzlichen Bestimmungen verfahren werden wird.

Potsdam, den 20. November 1890.

Der Kaiserliche Ober-Postdirector.

Bekanntmachung.

103. Das im Kreise Westprignitz belegene Dorf Seddin nebst Abbauten wird vom 1. Dezember d. J. ab von dem Landbestellbezirk des Kaiserlichen Postamts in Perleberg abgezweigt und dem Bezirk des Kaiserlichen Postamts in Groß-Pankow (Prignitz) zugetheilt.

Potsdam, den 21. November 1890.

Der Kaiserliche Ober-Postdirektor.

Bekanntmachung.

104. In dem zum Kreise Westhavelland gehörenden Kirchdorfe **Premnitz** wird am 1. Dezember eine Postagentur in Wirksamkeit treten. Diese Postagentur erhält Verbindung mit dem Kaiserlichen Postamte in Rathenow durch das zwischen Rathenow und Milow in nachbezeichneter Weise verkehrende Privat-Personenfuhrwerk mit Postsachenbeförderung:

7^{10} V.	4^{25} N. ↓	Rathenow 110	↑ 12^{50} N.	9^{10} N.
7^{45} „	5^{0} „	Mögelin Posthülfstelle	12^{15} „	8^{35} „
8^{15} „	5^{30} „	Premnitz Ag.	11^{45} V.	8^{10} „
8^{40} „	5^{55} „ ↓	Milow Ag.	11^{20} „	7^{40} „

Dem Landbestellbezirke von Premnitz werden folgende Ortschaften u. s. w. zugetheilt:

Döberitz, | Bode's
Gapel, | Vogt's } Ziegeleien und
Brösigkeslake, | Täge's
Meyer's Schiffbauanstalt.

Die Posthülfstelle in Premnitz tritt mit dem 30sten November außer Wirksamkeit.

Potsdam, 21. November 1890.

Der Kaiserliche Ober-Postdirector.

Bekanntmachungen der Königl. Direktion der Rentenbank der Provinz Brandenburg.

Bekanntmachung.

12. Bei der in Folge unserer Bekanntmachung vom 22. v. M. am 15. d. M. geschehenen öffentlichen Verloosung **von Rentenbriefen der Provinz Brandenburg** sind folgende Apoints gezogen worden:

Litt. A. zu 3000 M. (1000 Thlr.)

159 Stück und zwar die Nummern:

378 640 884 905 1071 1337 1423 1503 1563 1583
1628 1861 2171 2257 2616 2826 2868 2911 3128
3346 3419 3593 3696 4407 4574 4702 4731 4798
4816 5295 5919 6018 6066 6931 6420 6530 6705
6709 6783 6828 6936 6998 7006 7120 7438 7448
7454 7498 7878 7921 8121 8309 8319 8361 8369
8722 8755 8769 8816 8817 8959 9034 9174 9260
9398 9403 9406 9424 9473 9863 9952 10051
10087 10133 10173 10247 10564 10879 10902
10980 11614 11615 11638 11793 11842 12102
12117 12244 12260 12394 12465 12528 12962
13003 13011 13191 13243 13311 13327 13394
13638 13676 13874 14103 14210 14505 14567
14611 14628 14748 14768 14823 14989 15063
15259 15264 15276 15425 15540 15609 15634
15798 15849 15889 15950 15965 16060 16111
16284 16294 16324 16500 16889 16907 17042

17048 17098 17115 17116 17134 17142 17195
17219 17259 17427 17615 17619 17828 17967
17973 18028 18296 18335 18388 18596 18669
18776 18799 19013.

Litt. B. zu 1500 M. (500 Thlr.)

54 Stück und zwar die Nummern:

256 491 790 934 1006 1213 1250 1397 1498 1512
1800 1855 1896 1907 2227 2275 2276 2349 2561
2649 2852 3050 3289 3304 3570 3699 3948 4031
4106 4147 4272 4421 4423 4513 4684 4756 4929
4933 4945 5041 5302 5370 5402 5430 5572 5674
5862 6107 6202 6204 6280 6326 6454 6699.

Litt. C. zu 300 M. (100 Thlr.)

212 Stück und zwar die Nummern:

156 203 533 554 569 779 849 1246 1300 1351
1418 1476 1962 2010 2352 2864 2927 2947 3622
3646 3820 3848 3978 3996 4067 4167 4177 4228
4760 4887 5182 5190 5356 5495 5656 5957 6153
6472 6630 6723 6835 6924 7122 7164 7258 7350
7421 7585 7748 7783 7994 8001 8081 8568 8722
8853 9105 9425 9456 9520 9617 9620 9674 9679
9696 9737 9787 9821 9894 9921 9948 9963 10063
10104 10372 10413 10431 10508 10583 10931
10949 10982 11037 11066 11113 11222 11275
11404 11427 11436 11653 11781 11879 12356
12413 12537 12666 12695 12786 13225 13413
13419 13675 14045 14311 14418 14538 14540
14668 14685 14713 15259 15262 15531 15580
15583 15597 15766 15802 15820 15962 16150
16168 16230 16410 16457 16464 16599 16787
16899 16917 17006 17077 17078 17096 17155
17354 17358 17508 17520 17576 17625 17764
17876 17942 17985 18152 18189 18210 18394
18478 18497 18559 18676 18733 18819 19126
19180 19269 19297 19427 19607 19670 19746
19935. 20270 20505 20539 20762 20768 20999
21420 21471 21584 21586 21618 21664 21849
21893 21943 22053 22055 22083 22246 22287
22327 22332 22402 22409 22502 22998 23023
23072 23217 23300 23423 23504 23527 23563
23630 23640 23684 23710 23723 23805 23926
23940 24047 24106 24381 24487 24577.

Litt. D. zu 75 M. (25 Thlr.)

177 Stück und zwar die Nummern:

71 113 284 325 404 557 670 744 747 775 818
892 958 992 1408 1416 1528 1884 2341 2879
2914 3090 3449 3920 4017 4301 4463 4713 4980
5151 5189 5480 5898 5920 6047 6671 6681 6771
6857 6896 6923 7321 7433 7452 7499 7522 7586
7656 7693 8118 8122 8152 8154 8174 8215 8434
8521 8621 8656 8913 8966 9009 9016 9123 9221
9333 9479 9492 9578 9629 9733 9773 9795 9943
9994 10087 10284 10364 10442 10493 10657 10761
10859 11049 11222 11256 11462 11635 11723
11809 11891 11916 11928 12485 12493 12568
12874 12892 13018 13694 13771 13846 13851
13929 14022 14361 14410 14834 15017 15037
15288 15373 15395 15399 15440 15513 16042
16252 16303 16440 16808 16826 16855 16923
16951 16976 16996 17001 17132 17193 17483
17944 18103 18180 18221 18291 18403 18410
18453 18547 18550 18558 18587 18666 18753
18760 18762 18790 18870 18950 18957 18974
19087 19207 19321 19401 19408 19466 19556
19567 19569 19606 19685 19697 19742 19787
19837 19877 19948 20342 20460 20489 20499
20505 20513 20515 20516.

Die Inhaber dieser Rentenbriefe werden aufgefordert, dieselben in coursfähigem Zustande, mit den dazu gehörigen Coupons Ser. VI. № 2—16 nebst Talon bei der hiesigen Rentenbank-Kasse, Klosterstraße 76 I., vom 1. April k. J. ab an den Wochentagen von 9 bis 1 Uhr einzuliefern, um hiergegen und gegen Quittung den Nennwerth der Rentenbriefe in Empfang zu nehmen. Vom 1. April k. J. ab hört die Verzinsung der ausgeloosten Rentenbriefe auf, diese selbst verjähren mit dem Schlusse des Jahres 1901 zum Vortheil der Rentenbank.

Die Einlieferung ausgelooster Rentenbriefe an die Rentenbank-Kasse kann auch durch die Post, portofrei, und mit dem Antrage erfolgen, daß der Geldbetrag auf gleichem Wege übermittelt werde. Die Zusendung des Geldes geschieht dann auf Gefahr und Kosten des Empfängers und zwar bei Summen bis zu 400 M. durch Postanweisung. Sofern es sich um Summen über 400 M. handelt, ist einem solchen Antrage eine ordnungsmäßige Quittung beizufügen.

Berlin, den 17. November 1890.

Königliche Direktion
der Rentenbank für die Provinz Brandenburg.

Bekanntmachungen der Königlichen Eisenbahn-Direktion zu Berlin.

Eröffnung der Station Adlershof für den Wagenladungs- und beschränkten Stück-Güter-Verkehr

51. Am 1. Dezember d. J. wird die bisher nur dem Personenverkehr dienende Station Adlershof auch für den Stück- und Wagenladungs-Güter-Verkehr eröffnet und zwar mit der Einschränkung bis auf Weiteres, daß Sendungen nach dieser Station nur frankirt, von derselben nur unfrankirt, in beiden Fällen ohne Nachnahme angenommen und Stückgüter nur im Einzelgewicht von höchstens 250 kg zugelassen werden. Von demselben Tage ab gelten die im Staatsbahntarife Berlin—Breslau für den Verkehr von Stationen des Bezirks Breslau nach Berlin, Görlitzer Bahnhof, und umgekehrt bestehenden Ausnahmefrachtsätze für Blei &c., Zink &c. und Eisen &c. (Ausnahmetarife 3, 4 und 7), ferner die Ausnahmesätze für Blei &c., Zink &c. von Breslau, Märkischer und Oberschlesischer Bahnhof nach Berlin, Görlitzer Bahnhof und umgekehrt sowie die Ausnahmesätze für Braunkohlen &c. von Görlitz, Gr. Räschen, Langenöls, Olgaweiche, Muskau, Petershain, Senftenberg, Straßgräbchen und Weißwasser nach Berlin,

Görlitzer Bahnhof im diesseitigen Lokal-Güter-Tarife (Ausnahmetarife 10, 11 und 12 A. in gleicher Höhe für Sendungen nach bezw. von Adlershof. Nähere Auskunft ertheilen das Auskunftsbureau hierselbst, Bahnhof Alexanderplatz, sowie die betheiligten Güterabfertigungsstellen.

Berlin, im November 1890.

Königliche Eisenbahn-Direktion.

Ansprache an die Bevölkerung

über

das Wesen und die Bedeutung der Volkszählung

am 1. Dezember 1890.

In den letzten Tagen dieses Monates werden Hunderttausende ehrenamtlicher Zähler in den Wohnungen ihrer Mitbürger vorsprechen, um denselben einen Zählbrief zu übergeben, welcher eine Anzahl von Zählkarten einschließt. Diese Zählbriefe und Zählkarten nebst den von den Zählern selbst aufzustellenden Kontrollisten dienen als Handwerkszeug der Volkszählung, welche auf Beschluß des Bundesrathes am 1. Dezember d. Js. im ganzen Deutschen Reiche stattfinden wird.

In Preußen empfängt jeder Haushaltungsvorstand und jede einzeln lebende Person, *welche eine besondere Wohnung inne hat und eigene Hauswirthschaft führt*, einen solchen Zählbrief und wird darin ersucht, für jede in der Nacht vom 30. November zum 1. Dezember d. Js. in der Haushaltung — wenn auch nur vorübergehend — *anwesende* Person in eine gelbliche Zählkarte A. den Namen, die Stellung zum Haushaltungsvorstande, das Geschlecht, das Alter, den Familienstand, den Beruf bezw. Nahrungszweig, die Geburtsgemeinde, das Religionsbekenntniß, die Staatsangehörigkeit und die Muttersprache, für bundesangehörige *aktive* Militär- und Marinepersonen, ferner die Charge und den Truppentheil, für nur *vorübergehend* in der Haushaltung Anwesende endlich noch deren Wohnort einzuschreiben. Ebenso hat der Haushaltungsvorstand für jeden am Zähltage aus *vorübergehendem* Anlasse *abwesenden* Haushaltsangehörigen, *welcher dort noch seine Wohnung* bezw. *Schlafstelle besitzt*, in eine röthliche Zählkarte a. den Namen, die Stellung zum Haushaltungsvorstande, das Geschlecht, das Alter, den Familienstand, den Berufs- bezw. Nahrungszweig, den vermuthlichen Aufenthaltsort und für bundesangehörige *aktive* Militär- und Marinepersonen die Charge und den Truppentheil einzutragen. Ingleichen hat derselbe ein Haushaltungsverzeichniß B. aufzustellen, welches Namen, Verwandtschaft bezw. Stellung zum Haushaltungsvorstande, Religionsbekenntniß, An- oder Abwesenheit der Haushaltungsmitglieder bezw. die lediglich vorübergehende Anwesenheit anderer, in der Haushaltung gezählter Personen nachweist. Der Zählbrief enthält auf seiner Innenseite eine Anleitung nebst Mustern zur richtigen Ausfüllung der vorerwähnten Zählkarten und ist mit den ausgefüllten Zählpapieren vom 1. Dezember Mittags ab zur Abholung durch den Zähler bereit zu halten. Sollte am Nachmittage des 1. Dezember Niemand in der Wohnung verbleiben, so ist in geeigneter Weise Fürsorge zu treffen, daß der Zählbrief mit den ausgefüllten Zählkarten und den etwa übrig gebliebenen Formularen durch Nachbaren u. s. w. dem zur Einsammlung erscheinenden Zähler übergeben und diesem sich freiwillig und unentgeltlich dem öffentlichen Dienste widmenden Beamten die Erfüllung seines Amtes möglichst erleichtert wird. Die Mühwaltung, welche dem einzelnen Haushaltungsvorstande aus der Ausfüllung der Zählkarten und des Haushaltungsverzeichnisses persönlich erwächst, ist sehr gering und beansprucht selbst in größeren Haushaltungen kaum eine nennenswerthe Zeit. Der Staat darf von seinen Bürgern wohl erwarten, daß sie sich in jedem fünften Jahre einmal dieser auf andere Weise nicht wohl zu ersetzenden Arbeitsleistung bereitwillig unterziehen.

Die Volkszählung ist bei uns nicht allein unentbehrlich für vielerlei Aufgaben der Reichs-, Staats- und Gemeindeverwaltung; sie dient auch der Wissenschaft und ist das beste Mittel, das Volk in seiner Wesenheit thunlichst kennen zu lernen. Schon die bloße Volkszahl giebt ein Bild von der Macht der Staaten. Wie sehr Preußens Stärke im Laufe dieses Jahrhunderts zugenommen hat, ergiebt sich aus Folgendem. Die Bevölkerung Preußens stellte sich zu Ende des Jahres 1810 auf 4 498 000, 1820 auf 11 272 000, 1830 auf 13 002 000, 1840 auf 14 929 000, 1850 auf 16 608 000, 1860 auf 18 279 000, 1870 auf 24 597 000 und 1880 auf 27 296 000; sie betrug Ende 1885 28 336 000 und wird zu Ende dieses Jahres wohl mindestens 29¾ Millionen erreichen. Aus der Vergleichung der Volkszahl mit der Größe des Staatsgebietes ergiebt sich die Dichtigkeit des Beisammenwohnens; eine dichte Bevölkerung aber bedingt zu ihrer Erhaltung starke gewerbliche Thätigkeit und giebt den Antrieb zur wirthschaftlichen Ausnutzung der vorhandenen Kräfte. Die starke Volkszunahme des Deutschen Reiches wie des Preußischen Staates ist die wichtigste Ursache von deren hoher Machtstellung und wirthschaftlichen Größe gewesen. Aber die Ermittelung der bloßen Volkszahl ist nicht die alleinige Aufgabe der Volkszählung; sie soll vielmehr in den durch die Zählpapiere erforderten Nachrichten die Unterlagen für alle Untersuchungen über die Volkskraft und das Volksleben liefern. Besäße man nicht die Ergebnisse der Volkszählung, so müßte auf derartige Untersuchungen überhaupt verzichtet werden, da die bezüglichen Nachrichten auf anderem Wege nicht beschafft werden können. Jede im Haushaltungsverzeichnisse und in den Zählkarten verlangte Auskunft ist unentbehrlich. Deshalb ist es die Pflicht jedes Empfängers eines Zählbriefes, die Antworten auf die gestellten Fragen nach bestem Wissen richtig, auch so vollständig wie möglich zu geben und damit seinerseits nach Kräften zum Gelingen dieser Aufgabe beizutragen.

Niemand hat von der wahrheitsgemäßen Beantwortung der in den Zählpapieren gestellten Fragen für sich selbst oder seine Haushaltungsgenossen den geringsten Nachtheil zu befürchten; denn seitens des Königlichen statistischen Bureau's werden durch die Volkszählung gewonnene Nachrichten über einzelne Personen niemals veröffentlicht oder irgend wohin, auch nicht an Behörden, mitgetheilt. Ebensowenig werden diese Nachrichten seitens der Steuerverwaltung oder sonst zu fiskalischen Zwecken verwerthet. Man kann sich versichert halten, daß die in die Zählkarten eingetragenen Nachrichten über das Alter, den Familienstand, die Stellung im Berufe u. s. w. gelegentlich der Bearbeitung des Zählungsergebnisses lediglich in die statistischen Tabellen übergehen, in denen der einzelne Mensch nicht mehr erkennbar ist. Nach beendigter Auszählung werden die hier verbliebenen Zählkarten eingestampft.

Nächst den Haushaltungsvorständen und einzeln lebenden Personen mit besonderer Wohnung und eigener Hauswirthschaft sind es namentlich die Zähler, welche durch zweckmäßige Vertheilung der Zählpapiere, durch sachgemäße Prüfung und Ergänzung beim Wiedereinsammeln sowie durch richtige Aufnahme der Wohnstätten sehr viel zum Gelingen der Volkszählung beizutragen vermögen. Diese Männer walten eines Ehrenamtes und haben in Ausübung desselben die Eigenschaft öffentlicher Beamten. Dabei haben sie eine sehr viel größere Menge Zeit und persönlicher Mühwaltung aufzuwenden als die Empfänger der Zählbriefe; sie sind allzeit bereit, auf Erfordern fehlende Formulare an die Haushaltungsvorstände ihres Zählbezirkes abzugeben und dieselben über etwa bei der Ausfüllung der Zählpapiere entstehende Zweifel aufzuklären. Möchten recht viele gemeinnützig gesinnte und befähigte Männer dieses für Staat und Gemeinde gleich wichtige Amt übernehmen!

Bei innigem Zusammenwirken der Behörden, der Zählkommissionen, der Zähler und der Bewohner selbst wird auch die bevorstehende Volkszählung wie die vorhergegangenen dem Preußischen Staate verläßliche Auskunft über die Zahl und den gegenwärtigen Zustand seiner Bevölkerung geben. Das Königliche statistische Bureau aber wird keine Mühe scheuen, um zunächst die Hauptzahlen der Aufnahme, welche begreiflicherweise allgemein mit Spannung erwartet werden, so schnell wie möglich festzustellen und zur öffentlichen Kenntniß zu bringen, diesen dann aber das ausführliche Ergebniß der Zählung baldigst folgen zu lassen.

Berlin, im November 1890.

Königliches statistisches Bureau.

Personal-Chronik.

Im Kreise Beeskow-Storkow ist der Königliche Oberförster Neumann zu Klein-Wasserburg nach Ablauf seiner Amtszeit auf's Neue zum Amtsvorsteher des 13. Bezirks Münchehofe ernannt worden.

Im Kreise Zauch-Belzig ist an Stelle des von der Verwaltung des Amtsbezirks 31 — Sandberg — entbundenen Bürgermeisters Wallbaum zu Belzig der Gutsbesitzer Koreuber zu Sandberg zum Amtsvorsteher dieses Bezirkes, und an Stelle des Posthalters Tornow zu Großkreutz, welcher sein Amt niedergelegt hat, der Amtmann Koch zu Großkreutz zum Amtsvorsteher-Stellvertreter des 11. Bezirks Großkreutz ernannt worden.

Im Kreise Ruppin ist der Schulze Etzien zu Radensleben zum Amtsvorsteher-Stellvertreter des 30. Bezirks Karwe ernannt worden.

Die Buhnenmeisterstelle in Müllrose ist dem civilversorgungsberechtigten Buhnenmeister Adolf Gartzke verliehen worden.

Der bisherige Oberpfarrer Ludwig Friedrich Nesemann zu Wilsnack, Diözese Havelberg-Wilsnack, ist zum zweiten Diakonus an der St. Nicolai-Kirche zu Spandau und zum zweiten Prediger an der Filialkirche zu Staaken, Diözese Spandau, bestellt worden.

Der bisherige Pfarrer Dr. Johann Friedrich Wilhelm Lindemann zu Garlitz, Diözese Dom Brandenburg, ist zum Pfarrer der Parochie Tremmen, in derselben Diözese, bestellt worden.

Der bisherige Pfarrer Julius Werner Richter zu Pröttlin, Diözese Lenzen, ist zum Pfarrer der Parochie Rheinsberg, Diözese Neu-Ruppin, bestellt worden.

Der bisherige Pfarrer zu Bentwisch Friedrich Wilhelm Albert Hirsch ist zum Diakonus an der St. Golgatha-Kirche hierselbst, Diözese Berlin II., bestellt worden.

Der bisherige Prediger am Königlichen Strafgefängniß zu Plötzensee bei Berlin, Andreas Rudolf Clemens Pippow, ist zum Pfarrer der Parochie Flieth, Diözese Prenzlau I., bestellt worden.

Der bisherige Hilfsprediger Friedrich Eduard Paul Hosemann in Templin ist zum Pfarrer der Parochie Fredersdorf, Diözese Berlin-Land I., bestellt worden.

Der bisherige Hilfsprediger Friedrich Karl Leopold Caesar in Förderstedt ist zum Pfarrer der Parochie Lohm, Diözese Kyritz, bestellt worden.

Der bisherige Hilfsprediger Julius Böhmer in Charlottenburg, Diözese Cöln-Land I., ist zum Pfarrer der Parochie Kemnitz, Diözese Pritzwalk, bestellt worden.

Der bisherige Hülfsprediger Richard Martin Schoenian ist zum Pfarrer der Parochie Vietmannsdorf, Diözese Templin, bestellt worden.

Personalveränderungen im Bezirke des Kammergerichts im Monat Oktober 1890.

I. Richterliche Beamte.

Ernannt ist zum Amtsrichter der Gerichtsassessor Ziegel beim Amtsgericht in Sonnenburg.

Versetzt sind der Amtsgerichtsrath Peters in Schwedt als Landgerichtsrath an das Landgericht in Potsdam, der Landrichter Stoeckel in Gnesen als Amtsrichter an das Amtsgericht I. in Berlin.

Pensionirt ist der Amtsgerichtsrath Schaede in Züllichau.

Verstorben ist der Landgerichts-Präsident, Geheime Ober-Justizrath Oebler in Guben.

II. Assessoren.

Zu Gerichtsassessoren sind ernannt die Referendare Emil Prost, Bachmann, Albert Glatzel, Belgardt, Kyritz, Salge, Dr. Weber und Dr. Misch.

Entlassen sind: Loewenhardt zwecks Uebertritts in die Militärverwaltung, Dethlefffen in Folge seiner Ernennung zum Auditeur, Kayser zwecks Uebertritts in den Reichs-Justizdienst.

III. Rechtsanwälte und Notare.

Gelöscht ist in der Liste der Rechtsanwälte der Rechtsanwalt Dr. Arthur Salomon beim Landgericht I. in Berlin.

Eingetragen sind in die Liste der Rechtsanwälte die Gerichtsassessoren Boerne, Schlomann, Davidsohn, Hennigson, Güterbock, Gustav Jacobsohn, Schönborn und die Rechtsanwälte Dr. Gabriel aus Glogau und Brühl aus Graetz beim Landgericht I. in Berlin.

Zum Notar ist ernannt der Rechtsanwalt Flaminius in Brandenburg a. H.

Verstorben ist der Rechtsanwalt und Notar Dr. Haenisch in Berlin.

IV. Referendare.

Zu Referendaren sind ernannt die bisherigen Rechtskandidaten von Tilly, Rost, Rocca, Dr. phil. Meyer, Hasselbach, von Winterfeld, Weber, Jacusiel, Näke.

Uebernommen ist: von Wolf aus dem Bezirk des Oberlandesgerichts zu Naumburg a. S.

Entlassen sind: Schacht zwecks Uebertritts zum Polizei-Präsidium in Berlin, Possien und Schmidt.

V. Subalternbeamte.

Ernannt sind: der etatsmäßige Gerichtsschreibergehülfe Oertel beim Kammergericht zum Gerichtsschreiber bei derselben Behörde, der etatsmäßige Assistent Geiseler bei der Oberstaatsanwaltschaft in Berlin zum Sekretär bei derselben Behörde, der etatsmäßige Assistent Lüders bei der Staatsanwaltschaft II. in Berlin zum Gerichtsschreiber beim Amtsgericht I. daselbst, die etatsmäßigen Gerichtsschreibergehülfen Hartung in Freienwalde a. O., Meyer beim Amtsgericht I. in Berlin, und Kaemnitz in Fürstenwalde zu Gerichtsschreibern bei den Amtsgerichten in Strasburg U.-M. bezw. Angermünde und Fürstenberg a. O., der diätarische Assistent Janke bei der Staatsanwaltschaft in Potsdam zum etatsmäßigen Assistenten bei der Oberstaatsanwaltschaft in Berlin, der diätarische Gerichtsschreibergehülfe Wollenberg beim Kammergericht zum etatsmäßigen Gerichtsschreibergehülfen bei derselben Behörde. Der diätarische Assistent Weber in Berlin und die diätarischen Gerichtsschreibergehülfen Ihlenfeldt in Spandau, Buchholz in Charlottenburg, Werth in Beeskow und Kriewitz in Brandenburg zu etatsmäßigen Gerichtsschreibergehülfen beim Amtsgericht I. in Berlin bezw. beim Amtsgericht II. daselbst, und bei den Amtsgerichten Freienwalde a. O., Fürstenwalde und Senftenberg.

Versetzt sind: der Sekretär Lietzmann von der Oberstaatsanwaltschaft als Gerichtsschreiber an das Kammergericht, der Gerichtsschreiber Gewertsheim in Strasburg U.-M. als Sekretär an die Staatsanwaltschaft zu Prenzlau, der Gerichtsschreiber Plog in Fürstenberg a. O. an das Amtsgericht in Züllichau, der etatsmäßige Gerichtsschreibergehülfe Huhn in Senftenberg als Assistent an die Staatsanwaltschaft II. in Berlin.

Pensionirt ist der Gerichtsvollzieher Kehrberg in Potsdam.

Verstorben sind: der Erste Gerichtsschreiber Kanzleirath Loeser beim Landgericht I. in Berlin und der Gerichtsvollzieher Wolburg beim Amtsgericht I. in Berlin.

Ausweisung von Ausländern aus dem Reichsgebiete.

Lauf. Nr.	Name und Stand des Ausgewiesenen.	Alter und Heimath des Ausgewiesenen.	Grund der Bestrafung.	Behörde, welche die Ausweisung beschlossen hat.	Datum des Ausweisungs-Beschlusses.
1.	2.	3.	4.	5.	6.
	Auf Grund des § 362 des Strafgesetzbuchs:				
1	Rosa Borowski, Wittwe,	geboren im Jahre 1824 zu Bendzin, Russisch-Polen, ortsangehörig ebendaselbst,	Landstreichen,	Königlich Preußischer Regierungspräsident zu Oppeln,	24. Oktober 1890.
2	Bertha Borowski, ledig,	geboren im Jahre 1872 zu Bendzin, ortsangehörig ebendaselbst,	desgleichen,	derselbe,	desgleichen.

Lauf. Nr.	Name und Stand des Ausgewiesenen.	Alter und Heimath des Ausgewiesenen.	Grund der Bestrafung.	Behörde, welche die Ausweisung beschlossen hat.	Datum des Ausweisungs-Beschlusses.
1.	2.	3.	4.	5.	6.
3	Karl Elsner, Brauer,	geboren am 2. Juli (Juni) 1858 zu Jauernig, Bezirk Freiwaldau, Oesterreichisch-Schlesien, ortsangehörig ebendaselbst,	Landstreichen,	Königlich Preußischer Regierungspräsident zu Potsdam,	30. Oktober 1890.
4	Heinrich Hönig, Schneider,	geboren am 4. November 1873 zu Roermond, Niederlande, ortsangehörig ebendas.,	desgleichen,	Königlich Preußischer Regierungspräsident zu Düsseldorf,	3. November 1890.
5	Rudolf Huber, Arbeiter,	geboren am 28. August 1842 zu Neutitschein, Mähren, ortsangehörig ebendaselbst,	Landstreichen und Betteln,	Königlicher Polizei-Präsident zu Berlin,	1. Oktober 1890.
6	Friederike Marsenger, lediges Dienstmädchen,	geboren am 10. Dezember 1870 zu Kerndorf, Bezirk Senftenberg, Böhmen, ortsangehörig zu Schwarzwasser, ebendaselbst,	gewerbsmäßige Unzucht,	Königlich Preußischer Regierungspräsident zu Oppeln,	15. August 1890.
7	Vitus Wagner, Eisenbahnarbeiter,	35 Jahre alt, geboren zu Klein-Zdikau, Bezirk Strakonitz, Böhmen,	Betteln,	Stadtmagistrat zu Amberg, Bayern,	30. September 1890.

Bekanntmachungen des Königlichen Regierungs-Präsidenten. (Fortsetzung.)

Ersatzwahl eines Landtags-Abgeordneten.

259. Nachdem das Mitglied des Hauses der Abgeordneten für den 8. Wahlbezirk (Jüterbog-Luckenwalde) Landrath **von Oertzen** in Folge seiner Ernennung zum Ober-Regierungsrath ausgeschieden ist, hat eine Ersatzwahl stattzufinden.

Zu diesem Zwecke habe ich den Herrn Landrath **von Cossel** zu Jüterbog zum Wahlcommissar ernannt und den Tag der Wahlmänner-Ersatzwahlen **auf den 9. Dezember d. J.**, den Tag zur Wahl des Abgeordneten **auf den 16. Dezember d. J.** festgesetzt.

Potsdam, den 26. November 1890. Der Regierungs-Präsident.

Hierzu eine Extra-Beilage, enthaltend die Anleitung, betreffend den Kreis der nach dem Invaliditäts- und Altersversicherungsgesetz versicherten Personen, sowie Vier Oeffentliche Anzeiger.

(Die Insertionsgebühren betragen für eine einspaltige Druckzeile 20 Pf. Belagsblätter werden der Bogen mit 10 Pf. berechnet.)

Redigirt von der Königlichen Regierung zu Potsdam.

Potsdam, Buchdruckerei der A. W. Hayn'schen Erben.

1

Extra-Beilage

zum 48sten Stück des Amtsblatts

der Königlichen Regierung zu Potsdam und der Stadt Berlin.

Den 28. November 1890.

Anleitung,

betreffend den Kreis der nach dem Invaliditäts- und Altersversicherungsgesetz versicherten Personen.

Vom 31. Oktober 1890.

I. Nach § 1 des Gesetzes, betreffend die Invaliditäts- und Altersversicherung, vom 22. Juni 1889 (Reichs-Gesetzbl. Seite 97) unterliegen vom vollendeten sechszehnten Lebensjahre ab der Versicherungspflicht:

1. Personen, welche als Arbeiter, Gehülfen, Gesellen, Lehrlinge oder Dienstboten gegen Lohn oder Gehalt beschäftigt werden.

2. Betriebsbeamte, sowie Handlungsgehülfen und -Lehrlinge (ausschließlich der in Apotheken beschäftigten Gehülfen und Lehrlinge), welche Lohn oder Gehalt beziehen, deren regelmäßiger Jahresarbeitsverdienst an Lohn oder Gehalt aber 2000 Mark nicht übersteigt.

3. Die gegen Lohn oder Gehalt beschäftigten Personen der Schiffsbesatzung deutscher Seefahrzeuge (Seeleute) und von Fahrzeugen der Binnenschiffahrt.

II. Nach §§ 2 und 8 des Gesetzes*) sind berechtigt, sich selbst zu versichern:

1. Betriebsunternehmer, welche nicht regelmäßig wenigstens einen Lohnarbeiter beschäftigen. Hierunter fallen diejenigen Betriebsunternehmer, bei welchen die Beschäftigung des Lohnarbeiters keinen ständigen Charakter hat, vielmehr nur gelegentlich und ausnahmsweise stattfindet.

2. Hausgewerbetreibende, das sind ohne Rücksicht auf die Zahl der von ihnen beschäftigten Lohnarbeiter solche selbständige Gewerbetreibende, welche in eigenen Betriebsstätten im Auftrage und für Rechnung anderer Gewerbetreibenden mit der Herstellung oder Bearbeitung gewerblicher Erzeugnisse beschäftigt werden, und zwar auch dann, wenn dieselben die Roh- und Hülfsstoffe selbst beschaffen, und auch für die Zeit, während welcher sie vorübergehend für eigene Rechnung arbeiten.

Die Selbstversicherung der unter Ziffer 1 und 2 bezeichneten Personen ist aber nur insoweit zugelassen, als diese Personen bei dem Eintritt der Selbstversicherung zwar das sechszehnte, jedoch noch nicht das vierzigste Lebensjahr vollendet haben, und als sie nicht im Sinne des § 4 Absatz 2 des Gesetzes bereits dauernd erwerbsunfähig sind (vergleiche Nr. III. Ziffer 4 dieser Anleitung).

*) Unter der Bezeichnung „das Gesetz" ist in der Folge überall das J.- und A. V. G. vom 22. Juni 1889 verstanden.

III. Ausgeschlossen von der Versicherung sind:

1. Beamte des Reichs und der Bundesstaaten (§ 4 Absatz 1 des Gesetzes).

2. Die mit Pensionsberechtigung angestellten Beamten von Kommunalverbänden (§ 4 Absatz 1 des Gesetzes). Zu letzteren gehören nicht nur die weiteren, sondern auch die engeren Kommunalverbände (Provinzen, Bezirke, Kreise, Stadt- und Landgemeinden, selbständige Gutsbezirke rc.).

Darüber, welche Personen als „Beamte" des Reichs, der Bundesstaaten und der Kommunalverbände anzusehen sind, entscheiden die für dieselben geltenden dienstpragmatischen Bestimmungen.

3. Die dienstlich als Arbeiter beschäftigten Personen des Soldatenstandes (§ 4 Absatz 1 des Gesetzes), und zwar sowohl die im Deutschen Heere wie in der Kaiserlichen Marine Dienenden. Dagegen unterliegen z. B. Soldaten, welche beurlaubt werden, um zur Erntezeit in der Landwirthschaft zu helfen, der Versicherung.

4. Diejenigen Personen, welche auf Grund des Invaliditäts- und Altersversicherungsgesetzes bereits eine Invalidenrente beziehen oder doch soweit erwerbsbeschränkt sind, daß sie in Folge ihres körperlichen oder geistigen Zustandes dauernd nicht mehr im Stande sind, durch eine ihren Kräften und Fähigkeiten entsprechende Lohnarbeit mindestens ein Drittel des für ihren Beschäftigungsort nach § 8 des Krankenversicherungsgesetzes vom 15. Juni 1883 (Reichs-Gesetzbl. Seite 73) festgesetzten Tagelohnes gewöhnlicher Tagearbeiter zu verdienen (§ 4 Absatz 2, § 8 des Gesetzes). Personen, welche über das vorstehend angeführte Maß hinaus noch erwerbsfähig sind, unterliegen der Versicherung auch dann, wenn sie eine Altersrente — welche nur einen von der Erwerbsunfähigkeit unabhängigen Zuschuß zu dem Arbeitsverdienst darstellt — beziehen, oder wenn sie vom Reich, von einem Bundesstaate oder einem Kommunalverbande Pensionen oder Wartegelder, oder wenn sie auf Grund der reichsgesetzlichen Bestimmungen über Unfallversicherung — z. B. wegen nur theilweiser Erwerbsunfähigkeit oder als hinterbliebene Wittwen oder als Aszendenten verunglückter Arbeiter — eine Rente empfangen. Nur wenn die Pensionen, Wartegelder oder Unfallrenten den Mindestbetrag der Invalidenrente erreichen, sind die Empfänger dieser Bezüge auf ihren Antrag durch die untere Verwaltungsbehörde ihres Beschäftigungsortes von der Versicherungspflicht zu befreien (§ 4 Absatz 3 des Gesetzes).

IV. Abweichend von den Reichsgesetzen über die Kranken- und Unfallversicherung, welche den Eintritt der Versicherung an bestimmte Betriebe knüpfen, wird von dem Invaliditäts- und Altersversicherungsgesetz die arbeitende Bevölkerung sämmtlicher Berufszweige erfaßt, und werden alle Personen, welche als Arbeiter oder als untergeordnete Betriebsbeamte ihre Arbeitskraft gegen Lohn für Andere verwerthen, dem Versicherungszwange unterworfen. Es fallen daher sowohl die in der Landwirthschaft, der Industrie und dem Handel, wie die in der Hauswirthschaft, im Reichs-, Staats- oder Kommunaldienste, für kirchliche und Schulzwecke rc. als Arbeiter, Gehülfen, Gesellen, Lehrlinge, Dienstboten, Betriebsbeamte, Handlungsgehülfen oder Handlungslehrlinge Beschäftigten unter das Gesetz, sofern die sonstigen gesetzlichen Voraussetzungen der Versicherungspflicht bei ihnen zutreffen. Diejenigen Personen dagegen, welche nicht mit ausführenden Arbeiten vorwiegend materieller Art, sondern mit einer ihrer Natur nach höheren, mehr geistigen (wissenschaftlichen, künstlerischen rc.) Thätigkeit beschäftigt werden, und durch ihre soziale Stellung über den Personenkreis sich erheben, der nach dem gewöhnlichen Sprachgebrauch und vom Standpunkt wirthschaftlicher Auffassung dem Arbeiter- und niederen Betriebsbeamtenstande angehört, unterliegen nicht der Versicherungspflicht.

V. Die Versicherungspflicht wie die Versicherungsberechtigung erstreckt sich gleichmäßig auf männliche und weibliche, verheirathete und unverheirathete Personen. Auch die im Inlande beschäftigten Ausländer sind als versicherungspflichtig (versicherungsberechtigt) anzusehen.

VI. Von der Dauer der Beschäftigung, welche für die Krankenversicherung von entscheidender Bedeutung ist, wird die Versicherungspflicht nach dem Gesetz nicht abhängig gemacht. Auch eine nur vorübergehende Dienstleistung, mag dieselbe ihrer Natur nach oder aus mehr zufälligen Gründen, wie z. B. vorübergehende Hülfsleistung in der Ernte, auf nur kurze Zeit beschränkt sein, begründet die Versicherungspflicht. Jedoch kann durch Beschluß des Bundesraths bestimmt werden, inwieweit vorübergehende Dienstleistungen als Beschäftigung im Sinne des Gesetzes nicht anzusehen sind (§ 3 Absatz 3 des Gesetzes).

VII. Diejenigen Personen, welche berufsmäßig einzelne persönliche Dienstleistungen bei wechselnden Arbeitgebern übernehmen, z. B. Hafenarbeiter, Kofferträger, Dienstmänner, Lohndiener, Führer, Friseusen, Krankenpflegerinnen, ferner Aufwartefrauen, Waschfrauen, Nähterinnen, Büglerinnen, die auf jedesmalige Bestellung in den Häusern der Kunden arbeiten, unterliegen der Versicherungspflicht dann, wenn sie als Arbeiter, dagegen nicht, wenn sie als selbständige Gewerbetreibende anzusehen sind. Welcher dieser letzteren Fälle vorliegt, wird nach den jedesmal obwaltenden Verhältnissen zu entscheiden sein. Im Allgemeinen werden die sogenannten unständigen Arbeiter, wie die freien landwirthschaftlichen Arbeiter, die Hafenarbeiter, die Wegearbeiter, die Waschfrauen rc., welche von Haus zu Haus gehen, als unselbständige Lohnarbeiter, dagegen die selbständigen Kofferträger, Führer, Dienstmänner (vergleiche § 37 der Gewerbeordnung, Reichs-Gesetzbl. 1883 Seite 177), Lohndiener, Krankenpflegerinnen, Friseusen in der Regel als gewerbliche Unternehmer zu behandeln sein.

VIII. Auch diejenigen Personen, welche von Gewerbetreibenden außerhalb ihrer Betriebsstätten beschäftigt werden (§ 2 Ziffer 4 des Krankenversicherungsgesetzes), sind als versicherungspflichtige Lohnarbeiter anzusehen, sofern sie nicht Hausgewerbetreibende sind (vergleiche Nr. XIX).

IX. Verwandte des Arbeitgebers, insbesondere Hauskinder, welche zu diesem in einem die Versicherung begründenden Verhältnisse stehen, unterliegen gleichfalls den Vorschriften des Gesetzes (vergleiche jedoch hierzu Nr. X.). Eine Ausnahme machen nur die Eheleute unter einander, da zwischen ihnen nach dem Wesen der Ehe niemals eines der für die Begründung der Versicherung erforderlichen Abhängigkeitsverhältnisse bestehen kann.

X. Das Invaliditäts- und Altersversicherungsgesetz versichert abweichend von den Unfallversicherungsgesetzen nur die gegen Lohn oder Gehalt beschäftigten Arbeiter rc. Um das Versicherungsverhältniß zu begründen, ist es jedoch nicht erforderlich, daß der für die Beschäftigung gewährte Entgelt in baarem Gelde besteht. Es genügt vielmehr hierzu auch die Gewährung von Naturalbezügen, z. B. Wohnung, Feuerung, Kleidung, Gartennutzung, Kuhweide, Kartoffelland u. s. w. (§ 3 Absatz 1 des Gesetzes).

Ohne Belang ist auch die Art der Lohnzahlung; es kann der Lohn als Tagelohn oder sonstiger Zeitlohn, als Stücklohn oder als Antheil an der Einnahme (Tantieme) gezahlt werden. Hiernach ist beispielsweise ein Kutscher, welcher einen Wagen von einem Lohnfuhrherrn mit der Bedingung übernimmt, daß ihm ein Theilbetrag oder der eine festgesetzte Summe übersteigende Theil der Tageseinnahme als Entgelt gewährt wird, als gelöhnter Arbeiter des Fuhrherrn anzusehen. Desgleichen sind als Lohnarbeiter anzusehen Kahnführer, welche von den Schiffseigenthümern gegen einen bestimmten Antheil an der Fracht angenommen sind.

Als Werth der Tantiemen und Naturalbezüge wird der von der unteren Verwaltungsbehörde festzusetzende Durchschnittswerth in Ansatz gebracht (§ 3 Absatz 1 des Gesetzes).

Diejenigen Personen, welche als Entgelt für ihre Beschäftigung nur freien Unterhalt beziehen, deren Naturalbezüge also auf die Befriedigung ihrer persönlichen Lebensbedürfnisse (Nahrung, Wohnung, Kleidung) beschränkt sind, werden von der Versicherung ausgenommen (§ 3 Absatz 2 des Gesetzes). Hiernach fallen z. B. die in gewerblichen Betrieben oder in der Landwirthschaft ihrer Eltern beschäftigten Hauskinder, sowie Lehrlinge, welchen zwar freier Unterhalt, aber nicht ein darüber hinausgehender Lohn oder Gehalt gewährt wird, nicht unter die Versicherung. Diese Personen werden auch dadurch nicht versicherungspflichtig, daß sie ein Taschengeld erhalten; denn letzteres stellt sich regelmäßig als Geschenk dar oder fällt doch, soweit es allgemein üblich ist, unter den Begriff des freien Unterhalts.

XI. Die Anwendbarkeit des Gesetzes ist beschränkt auf die freien Arbeiter. Es fallen somit aus der Versicherung die Strafgefangenen, mögen dieselben innerhalb oder außerhalb der Gefangenanstalt beschäftigt werden, sowie die in Arbeitshäusern, Besserungsanstalten u. s. w. untergebrachten Personen.

Dagegen sind die in Arbeiterkolonien oder Wanderverpflegungsstationen, in Armenhäusern, Irrenanstalten, Blindenanstalten, Idiotenhäusern oder Anstalten für Epileptische beschäftigten Personen als versicherungspflichtig anzusehen, soweit sie einen den freien Unterhalt übersteigenden Lohn oder Gehalt für ihre Arbeit erhalten.

XII. Der Begriff des „Gesellen" ist im Wesentlichen dem § 121 der Gewerbeordnung entnommen und bezeichnet die unselbständigen im Handwerk technisch ausgebildeten Personen. Dagegen ist der Begriff „Gehülfe" nicht in dem engen Sinne des gewerblichen Hülfspersonals, sondern in der weiteren Bedeutung eines Arbeitsgehülfen zu verstehen und umfaßt alle Hülfspersonen eines Arbeitgebers, deren Thätigkeit in wirthschaftlicher und sozialer Beziehung derjenigen des Arbeiters, Gesellen oder Dienstboten im Allgemeinen gleichwerthig ist.

Hiernach werden z. B. die bei Reichs-, Staats-, Kommunalbehörden, sowie die in den Büreaus der Rechtsanwälte, Notare, Patentanwälte, Gerichtsvollzieher, Auktionatoren, Berufsgenossenschaften u. s. w. beschäftigten Schreiber, Kanzlisten, Kassenboten, Kanzleidiener, Polizeidiener, Gemeindediener, Nachtwächter, Flurhüter, Feuerwehrleute und ähnliche Angestellte, welche vermöge der mehr mechanischen, auf die Verwendung ihrer körperlichen Kräfte und Fähigkeiten gerichteten Dienstleistungen mit den Arbeitern u. s. w. auf gleicher oder doch annähernd gleicher Stufe stehen, zu den Gehülfen zu rechnen sein, sofern dieselben nicht nach den dienstpragmatischen Vorschriften als Reichs- oder Staatsbeamte oder als pensionsberechtigte Kommunalbeamte anzusehen sind (vergleiche № III. Ziffer 1 und 2). Dagegen werden die in dem sogenannten höheren Büreaudienst beschäftigten Expedienten, Registratoren u. s. w. als Gehülfen nicht anzusehen sein. Ebensowenig werden Assessoren u. s. w., welche als Hülfsarbeiter bei Behörden, Rechtsanwälten u. s. w. thätig sind, als Gehülfen gelten können.

XIII. Zu den Dienstboten im Sinne des Gesetzes gehören die gegen Kost und Lohn oder auch nur gegen Lohn zu häuslichen Diensten verpflichteten Personen, sowie die in der Landwirthschaft des Dienstherrn beschäftigten Arbeiter, soweit sie im Hausstande des Dienstherrn leben (Haus- und Wirthschaftsgesinde). Die in der Hauswirthschaft beschäftigten Personen mit wissenschaftlicher oder künstlerischer Bildung und in höherer über den Stand der Dienstboten hinausragender sozialer Stellung, z. B. Erzieher, Erzieherinnen, Privatsekretäre, Gesellschafterinnen, Hausdamen, Leibärzte, Hausgeistliche, Hauslehrer, Hausbibliothekare u. s. w. sind nicht versicherungspflichtig, da sie übrigens auch als Betriebsbeamte nicht anzusehen sind (vergleiche Nr. XIV).

XIV. Als Betrieb im Sinne des Gesetzes ist ein Inbegriff fortdauernder wirthschaftlicher Thätigkeiten anzusehen. Die Hauswirthschaft als solche ist als Betrieb nicht zu erachten. Die Verwaltungen des Reichs, der Bundesstaaten und der Kommunalverbände können, soweit die Ausübung der sogenannten regiminellen Thätigkeit in Frage kommt, gleichfalls nicht als Betriebe angesehen werden, dagegen muß der Inbegriff gewisser wirthschaftlicher Thätigkeiten des Reichs u. s. w., wie die Post-, Telegraphen-Verwaltungen, staatliche Eisenbahn-Verwaltungen, Berg- und Hüttenwerke, staatliche und kommunale Land- und Forstwirthschaft, Staats- und Kommunalbauten, Kommunalbrauereien, Kommunalschlachthäuser, Kommunalirrenanstalten, städtische Gas- und Wasserwerke u. s. w., überall als Betrieb gelten. Desgleichen sind die Geschäfte der Rechtsanwälte, Notare, Gerichtsvollzieher u. s. w., deren Gesammtheit ein wirthschaftliches Unternehmen darstellt, als Betriebe anzusehen.

Als Betriebsbeamte im Sinne des Gesetzes haben hiernach diejenigen Personen zu gelten, welche in Betrieben der vorgedachten Art mit einer über die Thätigkeit des Arbeiters oder Gehülfen hinausgehenden, leitenden oder beaufsichtigenden Funktion betraut sind (vergleiche jedoch Nr. III. Ziffer 1 und 2). Der Schwerpunkt der Beschäftigung des Betriebsbeamten liegt nicht im persönlichen Eingreifen bei der eigentlichen Arbeitsthätigkeit, vielmehr muß dem Betriebsbeamten eine gewisse Betheiligung an der Betriebsleitung und eine Aufsichtsstellung gegenüber den Arbeitern zustehen, so daß derselbe nicht wie ein Vorarbeiter sich an der Spitze der Arbeiter oder einer Arbeitergruppe des Betriebes befindet, sondern als Vertreter der Betriebsleitung den Arbeitern gegenübertritt. Hiernach wird auch im Einzelfalle zu beurtheilen sein, ob sogenannte Werkmeister oder Werkführer als Betriebsbeamte oder Arbeiter zu behandeln sind.

Die Vorstandsmitglieder von Aktien- und ähnlichen Gesellschaften, die Prokuristen und Handlungsbevollmächtigten sind nur dann versicherungspflichtige Betriebsbeamte, wenn ihr regelmäßiger Jahresarbeitsverdienst an Lohn oder Gehalt 2000 Mark nicht übersteigt (vergleiche Nr. XVI.). Die Aufsichtsrathsmitglieder fallen, da ihnen lediglich eine überwachende Thätigkeit obliegt, ohne daß sie Angestellte der betreffenden Gesellschaft sind, nicht unter die Versicherung.

XV. Unter die „Handlungsgehülfen und -Lehrlinge" fallen alle im Handelsgewerbe mit Diensten kaufmännischer Art (Mitwirkung bei Handelsgeschäften, Buchführung, Korrespondenz) beschäftigten Personen. Die Versicherungspflicht umfaßt daher sowohl die vorgenannten Handlungsbevollmächtigten und Prokuristen als auch die Buchhalter und Kassirer, die Handlungsreisenden, Kommis und Verkäuferinnen. Vollständig ausgeschlossen von der gesetzlichen Versicherung sind nach § 1 Ziffer 2 des Gesetzes die in Apotheken beschäftigten Gehülfen und Lehrlinge. Indessen ist diese Ausnahmebestimmung nur für die eigentlichen Apotheken, nicht auch für ähnliche gewerbliche Unternehmungen, wie Droguen- und Parfümeriehandlungen, oder die mit Apotheken verbundenen Mineralwasser- rc. Fabriken rc. maßgebend.

XVI. Die Versicherungspflicht ist bei Betriebsbeamten, Handlungsgehülfen und -Lehrlingen (vergleiche Nr. XIV. und XV.) auf diejenigen beschränkt, deren regelmäßiger Jahresarbeitsverdienst an Lohn oder Gehalt 2000 Mark nicht übersteigt. Der Umstand, daß ein Betriebsbeamter rc. eigenes Vermögen besitzt, und in Folge dessen sein gesammtes Jahreseinkommen 2000 Mark übersteigt, schließt die Versicherungspflicht nicht aus. Als regelmäßiger Arbeitsverdienst ist derjenige anzusehen, welchen der Betriebsbeamte rc. eine Reihe von Jahren hindurch in einer gewissen gleichmäßigen Höhe bezogen hat, oder auf den er, von besonderen nicht vorauszusehenden Zufällen abgesehen, mit Bestimmtheit rechnen kann. Ist ein Betriebsbeamter rc. gleichzeitig bei mehreren Arbeitgebern beschäftigt und bezieht hierfür insgesammt an Lohn oder Gehalt regelmäßig mehr als 2000 Mark, so ist derselbe nicht versicherungspflichtig.

XVII. Seeleute sind diejenigen Personen, welche als Schiffer, Personen der Schiffsmannschaft, Maschinisten, Aufwärter oder in anderer Eigenschaft zur Schiffsbesatzung gehören (§ 1 des Seeunfallversicherungsgesetzes vom 13. Juli 1887, Reichs-Gesetzbl. Seite 329). Ein deutsches Seefahrzeug ist nach § 2 des Seeunfallversicherungsgesetzes jedes ausschließlich oder vorzugsweise zur Seefahrt benutzte Fahrzeug, welches unter deutscher Flagge fährt. Auf die Größe des Fahrzeuges kommt es — abweichend vom Seeunfallversicherungsgesetz (§ 1 Absatz 2 a. a. O.) — hier nicht an. Der Führer (Kapitän) eines Fahrzeuges unterliegt der Versicherungspflicht, auch wenn sein regelmäßiger Jahresarbeitsverdienst an Lohn oder Gehalt 2000 Mark übersteigt.

XVIII. Als Arbeitgeber im Sinne des Gesetzes ist derjenige anzusehen, für dessen Rechnung der Lohn gezahlt wird. Dies trifft auch dann zu, wenn die den Lohn oder Gehalt darstellenden Beträge von Seiten Dritter gezahlt werden, sofern nur die Arbeiter rc. auf diese Bezüge von dem Arbeitgeber als Entgelt der ihm geleisteten Arbeit verwiesen sind. Dies gilt beispielsweise von Kellnern, welche auf Trinkgelder der Gäste, bei Arbeitern rc. in Betrieben des Reichs, des Staats oder der Kommunalverwaltungen, welche auf Gebühren angewiesen sind.

Die bei sogenannten Akkordverhältnissen oft zweifelhafte Frage, ob der Akkordant, welcher thatsächlich den Lohn an die Arbeiter zahlt, als Arbeitgeber in obigem Sinne oder aber mit Rücksicht darauf, daß er die gezahlten Löhne in dem ihm gewährten Akkordlohn erstattet erhält, als Mittelsperson des eigentlichen Arbeitgebers anzusehen ist, wird sich nur nach Lage der gesammten Verhältnisse des Einzelfalles entscheiden lassen. Dabei kommen als maßgebende Gesichtspunkte in Betracht das Maß der Abhängigkeit oder Selbständigkeit des Akkordanten in Beziehung auf die Arbeitsthätigkeit und sein persönliches Verhalten bei derselben, die allgemeine soziale Stellung des Akkordanten, der Umfang seiner Verantwortlichkeit für die Ausführung der ihm übertragenen Arbeit, die Höhe des Entgelts, sowie der Umstand, ob der Entgelt einen eigentlichen Unternehmergewinn für den Arbeitenden oder lediglich einen dem Durchschnittswerth entsprechenden Lohn der Arbeit darstellt. Hiernach wird beispielsweise im Allgemeinen der Gutsherr, nicht der Gutstagelöhner (Instmann, Kathenmann, Freimann rc.), als Arbeitgeber des auf dem Gute thätigen Hofgängers, Scharwerkers rc. anzusehen sein; denn für seine Rechnung wird die Arbeit des Hofgängers rc. gelohnt, wenn auch der Lohn dem letzteren nicht von dem Gutsherrn selbst, sondern von dem Gutstagelöhner rc., der ihn gestellt hat, ausgehändigt werden sollte.

XIX. Für den Begriff der Hausgewerbetreibenden (vergleiche Nr. II. und VIII.) hat das Gesetz folgende Kennzeichen aufgestellt:

1. das Vorhandensein einer eigenen Betriebsstätte, in welcher der Gewerbetreibende mit seinen etwaigen Arbeitern die Arbeit ausführt,
2. die Abhängigkeit von einem oder mehreren anderen Gewerbetreibenden, insofern er in deren Auftrage und für deren Rechnung, sei es mit den von ihm selbst beschafften oder mit den von den Ersteren ihm gelieferten Rohstoffen, gewerbliche Erzeugnisse herstellt oder bearbeitet,
3. die Ausübung eines selbständigen Gewerbes im Gegensatz zu der Beschäftigung der unselbständigen Lohnarbeiter, welche von Gewerbetreibenden außerhalb deren Betriebsstätten verwendet werden.

Der Hausgewerbetreibende setzt die hergestellten oder bearbeiteten Erzeugnisse in der Regel nicht unmittelbar an die Konsumenten ab, sondern liefert dieselben an andere Gewerbetreibende, welche ihrerseits aus dem Absatz der von den Hausgewerbetreibenden angefertigten Produkte einen Unternehmergewinn erzielen.

Es wird hiernach weder ein Schneidergeselle, der wegen Mangels an Raum in der Werkstätte des Schneidermeisters oder aus anderen Gründen seine Näharbeit zu Hause verrichtet, noch auch ein Schneider oder Schuhmacher, welcher für beliebige Kunden Waaren anfertigt, als Hausgewerbetreibender gelten können. Vielmehr werden der Erstere als Lohnarbeiter, die Letzteren als selbständige Unternehmer anzusehen sein. Die Frage, ob Personen, welche im Auftrage und für Rechnung anderer Gewerbetreibender in eigenen Betriebsstätten gewerbliche Erzeugnisse herstellen oder bearbeiten, Hausgewerbetreibende oder unselbständige Lohnarbeiter sind, wird nur nach den besonderen Verhältnissen des Einzelfalles zu entscheiden sein. Die zu Nr. XVIII. aufgestellten Gesichtspunkte für die Prüfung der Arbeitgebereigenschaft eines sogenannten Akkordanten finden hier entsprechende Anwendung.

XX. Welche Versicherungsanstalt für die einzelnen Versicherten zuständig ist, ergiebt sich aus §§ 41 und 120 des Gesetzes. Nach diesen Bestimmungen erfolgt die Versicherung in derjenigen Versicherungsanstalt, in deren Bezirk der Beschäftigungsort des Versicherten liegt. Soweit jedoch die Beschäftigung in einem „Betriebe" stattfindet, dessen Sitz im Inlande belegen ist, gilt als Beschäftigungsort ausnahmslos, nicht blos im Zweifel, der Sitz des Betriebes (§ 41 Absatz 3 des Gesetzes).

Betriebssitz ist derjenige Ort, an welchem sich der Mittelpunkt (wirthschaftliche Schwerpunkt) des Unternehmens befindet. Der Sitz des Betriebes kann durch das Vorhandensein von Betriebsanlagen, Verkaufsstätten, Waarenlagern äußerlich erkennbar, oder aus Eintragungen in Firmen- oder Gewerberegister zu entnehmen sein. Mit dem Wohnsitz des Unternehmers braucht der Betriebssitz nicht zusammen zu fallen.

Hiernach sind die Arbeiter ꝛc., welche außerhalb des Betriebssitzes Arbeiten ausführen, nicht an dem Orte, wo die Arbeiten stattfinden, an der jeweiligen Arbeitsstätte, sondern an dem Sitze des Betriebes zu versichern. Jedoch kann eine dauernde oder besonders umfangreiche Ausführung von Arbeiten an einem von dem Betriebssitze verschiedenen Orte unter Umständen den Charakter eines selbständigen Betriebes mit einem besonderen geschäftlichen Mittelpunkt annehmen.

Bezüglich der Frage nach dem Sitz eines land- und forstwirthschaftlichen Betriebes kommen die Bestimmungen im § 44 Absatz 2 und 3 des landwirthschaftlichen Unfallversicherungsgesetzes vom 5. Mai 1886 (Reichs-Gesetzbl. Seite 132) in Betracht.

Für den Sitz gemischter, aus Haupt- und Nebenbetrieb bestehender Betriebe entscheidet der Sitz des Hauptbetriebes.

Werden im Auslande Personen beschäftigt, welche als Arbeiter ꝛc. eines inländischen Betriebes anzusehen sind, so erfolgt ihre Versicherung gleichfalls am Orte des inländischen Betriebssitzes. Hiernach unterliegt z. B. der Monteur einer inländischen Maschinenfabrik, welcher eine in dieser Fabrik gefertigte Maschine im Auslande aufstellt, auch für die Zeit seiner Beschäftigung im Auslande den Bestimmungen des Gesetzes.

Wenn dagegen Personen im Inlande beschäftigt werden, welche einem im Auslande belegenen Betriebe angehören, so ist stets der Ort der thatsächlichen inländischen Beschäftigung für die Zuständigkeit der Versicherungsanstalt entscheidend.

Seeleute sind nach § 136 des Gesetzes bei derjenigen Versicherungsanstalt zu versichern, in deren Bezirk sich der Heimathshafen des Schiffes befindet. Als Heimathshafen (Registerhafen) gilt derjenige Hafen, von welchem aus mit dem Schiffe die Seefahrt betrieben wird (Artikel 435 des Handelsgesetzbuchs, Bundes-Gesetzbl. 1869 Seite 379).

Berlin, den 31. Oktober 1890.

Das Reichs-Versicherungsamt.
Dr. Bödiker.

* * *

Vorstehende Anleitung wird hiermit zur öffentlichen Kenntniß gebracht. An alle zur Ausstellung u. s. w. der Quittungskarten (§§ 101 fg. des Reichsgesetzes vom 22. Juni 1889) und zur Entscheidung von Streitigkeiten über die Versicherungs- und Beitragspflicht berufenen Behörden und Beamten richte ich das Ersuchen, im Allgemeinen nach Maßgabe dieser Anleitung zu verfahren.

Potsdam, den 25. November 1890.

Der Regierungs-Präsident.

Potsdam, Buchdruckerei der A. W. Hayn'schen Erben.

Amtsblatt
der Königlichen Regierung zu Potsdam und der Stadt Berlin.

Stück 49. Den 5. Dezember **1890.**

Rechtzeitige Erneuerung der Bestellung des Amtsblatts für das Jahr 1891.

Wenngleich die Verpflichtung der Beamten, sowie der Gast- und Schankwirthe, einschließlich der Krüger, zum Halten der Regierungs-Amtsblätter aufgehoben ist, so ist doch anzunehmen, daß viele derselben das Amtsblatt auch fernerhin **freiwillig** zu halten wünschen.

Ich bringe deshalb die **rechtzeitige** Erneuerung der Bestellung für das Jahr 1891, welche bei den Kaiserlichen Postanstalten zu bewirken ist, mit dem Bemerken in Erinnerung, daß bei den **erst nach Ablauf des Jahres 1890** eingehenden Bestellungen die vollständige Nachlieferung der bereits erschienenen Stücke für 1891 wohl kaum mehr würde erfolgen können.

Potsdam, den 21. November 1890. Der Regierungs-Präsident.

Bekanntmachungen des Königlichen Regierungs-Präsidenten.

Schifffahrtssperre.

260. Die im 45. Stück des diesjährigen Amtsblatts auf Seite 403 veröffentlichte Bekanntmachung über die Schifffahrtssperren in diesem Winter wird wie folgt ergänzt bezw. in ihrem Schlußsatze abgeändert. Für die Schifffahrt und Flößerei werden ferner gesperrt **für die Zeit vom 15. Dezember 1890 bis 15. März 1891** die Zehdenicker Schleuse, **für die Zeit vom 15. Dezember 1890 bis 31. März 1891** der Finowkanal und der Werbellinkanal. Beladene Fahrzeuge dürfen im Finowkanal zwischen den Eberswalder Schleusen und den Stecherschleusen, und zwischen den Zerpener Schleusen und den Grafenbrücker Schleusen, sowie im Werbellinkanal von der Eichhorster Schleuse abwärts nicht überwintern.

Potsdam, den 1. Dezember 1890.

Der Regierungs-Präsident.

Standesamtsbezirks-Veränderung betreffend.

261. Vom 1. Januar 1891 ab wird die Gemeinde Boxhagen-Rummelsburg von dem Standesamtsbezirk 6 „Stralau" im Kreise Niederbarnim abgezweigt und daraus ein selbstständiger Standesamtsbezirk unter der Bezeichnung 6a. „Boxhagen-Rummelsburg" gebildet werden.

Potsdam, den 1. Dezember 1890.

Der Regierungs-Präsident.

Arzneibuch für das Deutsche Reich III. Ausg.

262. Da nach der Bekanntmachung des Herren Reichskanzlers vom 17. Juni 1890 (Centralblatt für das Deutsche Reich Seite 282) das im Verlage der R. von Decker'schen Verlagsbuchhandlung (G. Schenk) zu Berlin unter dem Titel „Arzneibuch für das Deutsche Reich. Dritte Ausgabe. Pharmacopoea Germanica, editio III.)" erschienene Arzneibuch mit dem 1. Januar 1891 an die Stelle der seit dem 1. Januar 1883 in Geltung befindlichen Pharmacopoea Germanica. Editio altera tritt, so wird unter Hinweis auf § 367 № 5 des Strafgesetzbuches für das Deutsche Reich und unter Aufhebung aller entgegenstehenden Bestimmungen hierdurch verordnet:

1) Nach Maßgabe des in der A. Hirschwald-schen Verlagsbuchhandlung hierselbst erschienenen, amtlich aufgestellten Arzneiverzeichnisses, welches bei den Apotheken-Visitationen zur Notirung der betreffenden Revisionsbemerkungen zu verwenden ist, sind die mit einem Stern (*) bezeichneten Arzeimittel in sämmtlichen Apotheken jederzeit vorräthig zu halten.

2) Die Apotheker sind für die Güte und Reinheit sämmtlicher in ihren Vorräthen befindlichen Arzneimittel und Präparate, sowohl der selbstbereiteten, als auch der aus anderen Apotheken oder sonstigen Bezugsquellen entnommenen verantwortlich.

3) Die zur Prüfung der Arzneimittel erforderlichen, auf Seite 343 bis 350 des Arzneibuches benannten Reagentien und volumetrischen Lösungen sind stets in einem tadelfreien Zustande zu erhalten und, soweit erstere nicht bereits unter den übrigen Arzneimitteln aufbewahrt werden, besonders zusammenzustellen.

4) Wenn von den in der Tabelle A. des Arzneibuches auf Seite 354 bis 357 aufgeführten Arzneimitteln zum innerlichen Gebrauch vom Arzte eine größere Gabe verordnet wird, als daselbst angegeben ist, so darf der Apotheker die Verordnung nicht ausführen, es sei denn, daß der Arzt der verordneten Gabe ein Ausrufungszeichen beigefügt habe. Entstehen dem Apotheker auch dann noch Zweifel wegen der Angemessenheit der verordneten Gabe, oder fehlt das Ausrufungszeichen des Arztes, so hat er vor Verabreichung der Arznei mit diesem Rücksprache zu nehmen.

5) Die in der Tabelle B. des Arzneibuches zusammengestellten, gewöhnlich Gifte genannten Arzneimittel gehören, mit Ausnahme des im Keller vorschriftsmäßig zu verwahrenden Phosphors, in den

Giftschrank. Derselbe ist in einem von den übrigen Waaren und Arzneimitteln getrennten nur für ihn bestimmten verschließbaren Raum bezw. hinter einem eigenen, mit Verschluß versehenen sicheren Verschlage innerhalb eines der übrigen Vorrathsräume aufzustellen und in seinem Innern so einzurichten, daß darin jede der drei in der Tabelle B. aufgeführten Gruppen bezw. die Arsenicalia, Mercurialia und die Alkaloide ihr besonders verschließbares Behältniß (Fach) erhält. Außerdem ist die Thüre jeder dieser Abtheilungen für sich, sowie die gemeinschaftliche Thüre des ganzen Giftschrankes außen mit der erforderlichen Signatur zu versehen.

Für die bei der täglichen Receptur unentbehrlichen kleineren Mengen der beiden zuletzt genannten Kategorien der Arzneistoffe der Tabelle B., für einen kleinen Vorrath arsenikhaltigen Fliegenpapiers, sowie des Liquor Kalii arsenicosi und anderer von den Aerzten verordneter arsenikhaltiger Präparate ist in der Offizin ein kleines, nach denselben Grundsätzen eingerichtetes Giftschränkchen gestattet.

6) Die in der Tabelle C. aufgeführten, von den übrigen getrennt und vorsichtig aufzubewahrenden Arzneimittel sind zwar innerhalb der gewöhnlichen Vorrathsräume, aber auf besonderen Repositorien, getrennt von den übrigen Arzneimitteln, zusammenzustellen.

7) Bei Neueinrichtungen von Apotheken und bei Erneuerungen oder Ergänzungen von Signaturen oder Aufbewahrungsgefäßen in den bereits im Betriebe befindlichen Apotheken ist ausschließlich die Nomenclatur des zur Zeit giltigen Arzneibuches anzuwenden.

8) Zur Verhütung von Verwechslungen beim Geschäftsbetriebe in den Apotheken sind bei Neueinrichtungen in allen Geschäftsräumen in gleichmäßiger Weise die Gefäße und Behältnisse für die indifferenten Arzneimittel mit schwarzer Schrift auf weißem Grunde, für die Arzneimittel der Tabelle B. mit weißer Schrift auf schwarzem Grunde, für die Arzneimittel der Tabelle C. mit rother Schrift auf weißem Grunde zu versehen; für die bereits im Betriebe befindlichen Apotheken können bis auf Weiteres die bisherigen anders beschaffenen Signaturen beibehalten werden, falls sie für jede der drei genannten Kategorien eine besondere, dieselben unter einander auffallend unterscheidende, in allen Geschäftsräumen gleichmäßig durchgeführte Farbe haben.

9) In jeder Apotheke ist mindestens ein Exemplar des Arzneibuches für das Deutsche Reich. Dritte Ausgabe. (Pharmacopoea Germanica, editio III.) vorräthig zu halten.

Die vorstehenden Bestimmungen treten mit dem 1. Januar 1891 in Kraft.

Berlin, den 21. November 1890.

Der Minister
der geistlichen, Unterrichts- u. Medizinal-Angelegenheiten.
Goßler.

* * *

Vorstehende Verfügung wird hierdurch mit dem Bemerken zur allgemeinen Kenntniß gebracht, daß das Arzneibuch im Wege des Buchhandels zum Preise von 2 M. für ein brochirtes und von 2 M. 30 Pf. für ein gebundenes Exemplar, das amtliche Arzneiverzeichniß zum Preise von 60 Pf. zu beziehen ist.

Potsdam und Berlin, den 1. Dezember 1890.

Der Königliche Regierungs-Präsident. Der Königliche Polizei-Präsident.

Viehseuchen.

263. Festgestellt ist:

die Maul- und Klauenseuche in dem Rindviehbestande des Büdners Carl Miethke zu Pfaffendorf, Kreis Beeskow-Storkow, der Bauergutsbesitzer F. Schulz und Bachmann zu Dallgow, Kreis Osthavelland, bei einer Kuh des Chaussee-Aufsehers Hildebrand zu Schmarsow und unter dem Viehbestande des Rittergutes Nieden, Kreis Prenzlau.

Die Ortschaft Dallgow, Kreis Osthavelland, ist gegen das Durchtreiben von Wiederkäuern und Schweinen gesperrt worden.

Festgestellt ist ferner die Räude bei einem Pferde des Kaufmanns Hermann Thiele zu Zehlendorf, Kreis Teltow.

Erloschen ist:

die Maul- und Klauenseuche unter den Rindviehständen des Bauern Schrobsdorf und des Gemeindevorstehers Schmidt zu Markau, Kreis Osthavelland.

Potsdam, den 2. Dezember 1890.

Der Regierungs-Präsident.

Bekanntmachungen des Königlichen Polizei-Präsidenten zu Berlin.

Polizei-Verordnung

über die Metallbrennereien (Metallbeizen) für den Stadtkreis Berlin

91. Auf Grund der §§ 143 und 144 des Gesetzes über die allgemeine Landes-Verwaltung vom 30. Juli 1883 (Gesetz-Sammlung Seite 195 u. ff.) und der §§ 5 und 6 zu f. des Gesetzes über die Polizei-Verwaltung vom 11. März 1850 (Gesetz-Sammlung Seite 265 u. ff.) wird mit Zustimmung des Gemeinde-Vorstandes für die Metallbrennereien (Metallbeizen) im Stadtbezirke Berlin, in welchen mehr als drei Arbeiter beschäftigt werden, das Folgende verordnet:

1) Der Fußboden des Raumes, in welchem das Brennen von Metallen vorgenommen wird, ist so abzudecken, daß keine Säure über denselben hin aus abfließen oder in das Erdreich eindringen kann. Die verschütteten Säuren und Spülwasser sind vielmehr in einem, im Fußboden anzubringenden Behälter zu sammeln und bevor sie weiter abfließen, durch Kalk zu neutralisiren.

2) Die Gefäße, in denen sich die Säuren befinden, müssen so hoch gestellt werden, daß ihre Oberkante 75 cm bis 1 m über den Fußboden hinauf reicht.

3) Ueber den Gefäßen müssen die Säuredämpfe ab-

gefangen und durch einen engen Schornstein mindestens 1 bis 2 m über die Nachbargebäude vollständig hinweggeführt werden. Die vollständige Abführung dieser Dämpfe ist durch maschinelle Absauge-Vorrichtungen bezw. da, wo Dampfkraft nicht vorhanden ist, durch eine im Schornstein anzubringende Gasflamme sicher zu stellen.

Zuwiderhandlungen der Gewerbe-Unternehmer gegen die Bestimmungen dieser Verordnung werden mit Geldbuße bis zu 30 Mark oder entsprechender Haft bestraft.

Diese Verordnung tritt mit dem 1. April 1891 in Kraft.

Berlin, den 21. November 1890.

Der Polizei-Präsident.
Freiherr von Richthofen.

Bekanntmachungen des Staatssekretairs des Reichs-Postamts.

Wegfall der gestempelten Briefumschläge und der gestempelten Streifbänder.

26. Vom 10. Dezember 1890 ab werden gestempelte Briefumschläge und gestempelte Streifbänder Seitens der Verkehrsanstalten nicht mehr verkauft. Von demselben Zeitpunkte ab wird die Reichs-Postverwaltung derartige Postwerthzeichen überhaupt nicht mehr herstellen lassen und zum Verkauf bringen; dem Publikum bleibt überlassen, ungestempelte Briefumschläge und Streifbänder zu verwenden und mit den erforderlichen Freimarken zu bekleben.

Die am 10. Dezember 1890 noch in den Händen des Publikums befindlichen gestempelten Briefumschläge und gestempelten Streifbänder neuerer Art können weiter verwendet werden. Dagegen behalten die Briefumschläge und Streifbänder mit Werthzeichen älterer Art nur noch bis zum 31. Januar 1891 ihre Gültigkeit.

Berlin W., 27. November 1890.

Der Staatssecretair des Reichs-Postamts.

Einziehung der Postwerthzeichen älterer Art

27. Vom 1. Dezember 1890 ab werden die Verkehrsanstalten nur noch Postwerthzeichen neuerer Art verkaufen.

Die alsdann noch in den Händen des Publikums befindlichen Postwerthzeichen älterer Art (Freimarken, sowie gestempelte Briefumschläge, Postkarten, Streifbänder und Postanweisungs-Formulare) können noch bis zum **31. Januar 1891** zur Frankirung von Postsendungen verwendet werden.

Vom 1. Februar 1891 ab verlieren die älteren Postwerthzeichen ihre Gültigkeit. Dem Publikum soll indeß gestattet sein, die bis dahin nicht verwendeten Postwerthzeichen älterer Art bis spätestens zum 31. März 1891 gegen neuere Werthzeichen gleicher Gattung und von entsprechendem Werthe umzutauschen. Gestempelte Briefumschläge und gestempelte Streifbänder werden gegen Freimarken zu 10 und 3 Pfennig umgetauscht, die Herstellungskosten werden mit 1 Pfennig für jeden gestempelten Briefumschlag und ½ Pfennig für jedes gestempelte Streifband baar erstattet. Der Umtausch der älteren Postwerthzeichen gegen neue wird an den Postschaltern bewirkt.

Postsendungen, welche nach dem 31. Januar 1891 noch mit Werthzeichen älterer Art zur Auflieferung gelangen, werden dem Absender zurückgegeben, oder wenn dies nicht thunlich sein sollte, als unfrankirt behandelt werden.

Vom 1. April 1891 ab sind die Verkehrsanstalten zum Umtausch älterer Postwerthzeichen nicht mehr befugt.

Berlin W., 27. November 1890.

Der Staatssecretair des Reichs-Postamts.

Die Weihnachtssendungen betreffend.

28. Das Reichs-Postamt richtet auch in diesem Jahre an das Publikum das Ersuchen, mit den Weihnachtsversendungen bald zu beginnen, damit die Packetmassen sich nicht in den letzten Tagen vor dem Feste zu sehr zusammendrängen, wodurch die Pünktlichkeit in der Beförderung leidet. Die Packete sind dauerhaft zu verpacken. Dünne Pappkasten, schwache Schachteln, Cigarrenkisten &c. sind nicht zu benutzen. Die Aufschrift der Packete muß deutlich, vollständig und haltbar hergestellt sein. Kann die Aufschrift nicht in deutlicher Weise auf das Packet gesetzt werden, so empfiehlt sich die Verwendung eines Blattes weißen Papiers, welches der ganzen Fläche nach fest aufgeklebt werden muß. Am zweckmäßigsten sind gedruckte Aufschriften auf weißem Papier. Dagegen dürfen Formulare zu Post-Packetadressen für Packetaufschriften nicht verwendet werden. Der Name des Bestimmungsorts muß stets recht groß und kräftig gedruckt oder geschrieben sein. Die Packetaufschrift muß sämmtliche Angaben der Begleitadresse enthalten, zutreffendenfalls also den Frankovermerk, den Nachnahmebetrag nebst Namen und Wohnung des Absenders, den Vermerk der Eilbestellung u. s. w., damit im Falle des Verlustes der Begleitadresse das Packet auch ohne dieselbe dem Empfänger ausgehändigt werden kann. Auf Packeten nach größeren Orten ist die Wohnung des Empfängers, auf Packeten nach Berlin auch der Buchstabe des Postbezirks (C., W., SO. u. s. w.) anzugeben. Zur Beschleunigung des Betriebes trägt es wesentlich bei, wenn die Packete **frankirt** aufgeliefert werden. Das Porto für Packete ohne angegebenen Werth nach Orten des Deutschen Reichs-Postgebiets beträgt bis zum Gewicht von 5 Kilogramm: 25 Pf. auf Entfernungen bis 10 Meilen, 50 Pf. auf weitere Entfernungen.

Berlin W., 27. November 1890.

Reichs-Postamt, Abtheilung I.

Bekanntmachungen der Kaiserlichen Ober-Postdirektion zu Potsdam.

Bekanntmachung.

105. Das im Kreise Teltow belegene Kaiserliche Postamt in Nowawes wird künftig, entsprechend der

Benennung der Eisenbahnstation dortselbst, die Bezeichnung „Nowawes—Neuendorf" führen.

Potsdam, 29. November 1890.

Der Kaiserliche Ober-Postdirector.

Bekanntmachungen des Königlichen Consistoriums der Provinz Brandenburg.

Errichtung einer neuen geistlichen Stelle bei der Nazareth-Kirche in Berlin.

16. Mit der im Einverständnisse des Herrn Ministers der geistlichen, Unterrichts- und Medizinal-Angelegenheiten ertheilten Genehmigung des Evangelischen Ober-Kirchenraths und auf Grund des Beschlusses der Gemeinde-Organe der Nazareth-Kirche vom 1. Juli 1890 wird in der Parochie dieser Kirche eine zweite geistliche Stelle, welche als Diakonat neben die Pfarrstelle tritt, mit dem Sitze in Berlin errichtet. Die Besetzung des Diakonats erfolgt gemäß dem Kirchengesetze, betreffend das im § 32 № 2 der Kirchengemeinde- und Synodal-Ordnung vom 10. September 1873 und im Allerhöchsten Erlaß vom 28. Juli 1876 vorgesehene Pfarrwahlrecht vom 15. März 1886.

Berlin, den 18. November 1890.	Berlin, den 7. November 1890.
(L. S.)	(L. S.)
Der Königliche Polizei-Präsident.	Das Königliche Konsistorium der Provinz Brandenburg.

Bekanntmachungen der Königlichen Hauptverwaltung der Staatsschulden.

Bekanntmachung.

22. Der Kaufmann H. Schlegel hierselbst, Ziegelstraße 18/19, hat im Auftrage des Kaufmanns Albert Schlegel in Alsleben a. S. auf Umschreibung der Schuldverschreibung der konsolidirten 4%igen Staatsanleihe von 1880 Lit. D. № 149382 über 500 M. angetragen, weil sich auf der Rückseite derselben ein Außerkurssetzungsvermerk des Königlichen Amtsgerichts in Alsleben a. S. vom 18. Oktober 1881 befindet.

In Gemäßheit des § 3 des Gesetzes vom 4. Mai 1843 (Ges.-S. S. 177) wird deshalb Jeder, der an diesem Papier ein Anrecht zu haben vermeint, aufgefordert, dasselbe binnen 6 Monaten und spätestens

am 5. Februar 1891

uns anzuzeigen, widrigenfalls das Papier kassirt und dem Antragsteller ein neues kursfähiges ausgehändigt werden wird. Berlin, den 19. Juli 1890.

Hauptverwaltung der Staatsschulden.

Bekanntmachungen der Königl. Direktion der Rentenbank der Provinz Brandenburg.

Bekanntmachung.

13. Die nachstehende Verhandlung

Geschehen Berlin, den 15. November 1890.

Auf Grund der §§ 46, 47 und 48 des Rentenbank-Gesetzes vom 2. März 1850 wurden von ausgeloosten Rentenbriefen der Provinz Brandenburg, welche nach dem vorgelegten Verzeichnisse gegen Baarzahlung zurückgegeben sind, und zwar:

157 Stücke Litt. A. zu 3000 M. =	471000 M.,
53 Stücke Litt. B. zu 1500 M. =	79500 M.,
195 Stücke Litt. C. zu 300 M. =	58500 M.,
159 Stücke Litt. D. zu 75 M. =	11925 M.
zusammen 564 Stücke über	620925 M.

nebst den dazu gehörigen, im vorgedachten Verzeichnisse aufgeführten 56 Coupons und 564 Talons heute in Gegenwart der Unterzeichneten durch Feuer vernichtet.

v. g. u.

gez. Lazarus.	gez. Witte.
Abgeordneter des Provinzial-Landtages.	Abgeordneter des Provinzial-Landtages.

gez. König als Notar.

a. u. s.

gez. Schreiber,	gez. Behrens,
Provinzial-Rentmeister.	Buchhalter.

wird hierdurch zur öffentlichen Kenntniß gebracht.

Berlin, den 19. November 1890.

Königliche Direktion der Rentenbank für die Provinz Brandenburg.

Bekanntmachungen des Provinzial-Steuer-Direktors.

Tarif,

nach welchem das Fährgeld für das Uebersetzen über die Havel bei Caputh im Kreise Zauch-Belzig des Regierungsbezirks Potsdam zu erheben ist.

14. Es wird entrichtet für das jedesmalige Uebersetzen:

I. von Personen, einschließlich dessen, was sie tragen, von jeder Person,
   a. wenn sie zu den Bewohnern von Caputh, Alt- und Neu-Geltow gehören 4 Pf.,
   b. wenn dies nicht der Fall ist 10 Pf.,
   zur Nachtzeit, das heißt von 9 Uhr Abends bis 5 Uhr Morgens,
   a. wenn sie zu den Bewohnern von Caputh, Alt- und Neu-Geltow gehören 10 Pf.,
   b. wenn dies nicht der Fall ist
      1) für eine und 2 Personen je 20 Pf.,
      2) für mehr als 2 Personen gleichzeitig für jede 13 Pf.

Anmerkung: Personen, welche mittelst eines Fuhrwerks befördert werden, oder welche Thiere reiten, führen oder treiben, für welche die Abgabe nach den Sätzen zu II. entrichtet wird, sind frei.

II. von Thieren:
   a. für ein Pferd, Maulthier oder Maulesel,
      1) wenn das Uebersetzen einzeln erfolgt 25 Pf.,
      2) wenn das Uebersetzen mit mehreren Pferden 2c. oder mit einem Fuhrwerk geschieht 13 Pf.,
   b. für ein Stück Rindvieh oder Esel
      1) wenn das Uebersetzen einzeln erfolgt 25 Pf.,
      2) wenn das Uebersetzen mehrerer dieser Thiere

oder eines derselben mit einem Fuhrwerke zugleich geschieht 13 Pf.,

c. für Fohlen, Kälber, Schaafe, Ziegen, Schweine oder anderes kleines Vieh, welches frei getrieben oder geführt wird und zwar
1) von 1 bis 10 Stück 25 Pf.,
2) bei einer größeren Zahl für jedes Stück 3 Pf.,

d. für Federvieh, welches getrieben wird, für jede 10 Stück 13 Pf., Federvieh in geringerer Zahl als 10 Stück ist frei.

Anmerkung: Für Thiere, welche auf einem Fuhrwerke oder in einem Tragkorbe oder in einer Kiepe übergesetzt werden, wird kein besonderes Fährgeld entrichtet.

III. von Fuhrwerken neben der Abgabe für das Gespann zu II.

a. für ein Frachtfuhrwerk, beladen oder unbeladen 38 Pf.,

b. für eine Kutsche, einen Kaleschwagen oder ein anderes Reisefuhrwerk, sowie für ein landwirthschaftliches Fuhrwerk, beladen oder unbeladen 25 Pf.,

c. für einen Handwagen, Handschlitten, beladen oder unbeladen 13 Pf.

Anmerkung: Die Bewohner von Caputh, Alt- und Neu-Geltow haben für das Uebersetzen einspänniger Fuhrwerke aller Art, beladen oder unbeladen, einschließlich des Gespannes nur 25 Pf. zu entrichten.

IV. Von unverladenen Gegenständen wird die Abgabe erhoben, welche die Personen, das Fuhrwerk oder die Thiere treffen würde, wodurch sie zur Abfahrtsstelle gebracht sind.

V. Befreiungen.

Frei sind überzusetzen:

1) die Allerhöchsten und höchsten Herrschaften wie deren Gefolge,
2) Equipagen und Thiere, welche den Hofhaltungen des Königlichen Hauses, des Fürstlichen Hauses Hohenzollern, oder den Königlichen Gestüten angehören,
3) kommandirte Militairs, einberufene Rekruten, Reservisten oder Landwehrmänner, Fuhrwerke und Thiere, welche der Armee oder den Truppen auf dem Marsche angehören, Kriegsvorspann und Kriegslieferungsfuhren, Pferde, welche auf Grund des Kriegsleistungsgesetzes vom 13. Juni 1873 zu oder von den Vormusterungs-, Musterungs- oder Aushebungsplätzen gebracht werden, sowie deren Führer,
4) öffentliche Beamte, deren Fuhrwerke und Thiere bei Dienstreisen, wenn sie sich gehörig legitimiren, Steuer- und Polizeibeamte in Uniform auch ohne besondere Legitimation, sowie der Pfarrer zu Caputh bei Amtsverrichtungen innerhalb seiner Parochie,
5) Transporte, die für unmittelbare Rechnung des Staates oder des Reiches geschehen,
6) ordentliche Posten nebst deren Beiwagen, einschließlich Schnell-, Cariol- und Reit-Posten, öffentliche Kuriere und Estafetten und alle von Postbeförderungen leer zurückkommenden Postfuhrwerke und Postpferde, die Briefträger und Postboten, ingleichen Personenfuhrwerke, welche durch Privatunternehmer eingerichtet und als Ersatz für ordentliche Posten ausschließlich zur Beförderung von Reisenden, deren Effekten und von Postsendungen benutzt werden,
7) die Personen, Fuhren- und Viehtransporte des Gutes Caputh,
8) Hülfsfuhren bei Feuersbrünsten und ähnlichen Nothständen.

VI. Allgemeine Bestimmungen.

1) Die vorbezeichneten Fährgeldsätze sind bei jedem Wasserstande ohne Rücksicht auf dessen Höhe zu entrichten.
2) Bei vorhandener Eisbahn, für deren gehörigen Zustand von dem Hebungsberechtigten zu sorgen ist, wird nur die Hälfte der unter I. bis IV. vorgeschriebenen Sätze bezahlt.

Bruchpfennige werden hierbei für voll gerechnet.

* * *

Vorstehender Tarif wird hiermit zur öffentlichen Kenntniß gebracht. Der Tarif vom 14. Juli 1884 (Amtsblatt 1884 S. 288 und 289) wird aufgehoben.

Berlin, den 28. November 1890.

Der Provinzial-Steuer-Direktor.

Bekanntmachungen der Königlichen Eisenbahn-Direktion zu Berlin.

Deutscher Levante-Verkehr über Hamburg seewärts.

52. Mit Gültigkeit vom 25. November d. J. ist der Nachtrag 3 zum Tarif für den obenbezeichneten Verkehr in Kraft getreten, welcher Abänderungen und Ergänzungen der Beförderungs-Bestimmungen, der Güterklassifikation, der Tariftabellen und des Verzeichnisses der Namen der Agenten enthält, sowie nachrichtlich die Zuschlagsfrachten bei Beförderung von Gütern nach **Nicht-Anlaufhäfen** der Deutschen Levante-Linie bekannt giebt. Die Beförderungs-Bestimmungen erfahren im Interesse des Verkehrs u. A. dadurch eine Aenderung, daß eine Anmeldung der Güter bei der Deutschen Levantelinie erst bei Mengen von **30000 kg und darüber** — statt bisher 1000 kg — verlangt wird, daß ferner die **Nachnahme- und Incasso-Provision** von 5 % auf **2 %** herabgesetzt werden. Abzüge des Nachtrages sind bei der Güterkasse Stettin sowie im hiesigen Auskunftsbüreau auf dem Stadtbahnhof Alexanderplatz unentgeltlich zu haben.

Berlin, den 27. November 1890.

Königliche Eisenbahn-Direktion.

Bekanntmachungen der Königlichen Eisenbahn-Direktion zu Magdeburg.

22. Am 1. Januar 1891 kommt der Nachtrag 2 zum diesseitigen Lokal-Gütertarif zur Einführung. Derselbe enthält: Vorschriften über Beförderung von Oelsaaten und Hülsenfrüchten in loser Schüttung, sowie

a. Controlvorschriften für Ausfuhrgüter über Binnenstationen, b. bereits früher eingeführte Tarif- und Abfertigungsbefugnisse der Stationen Spandau (Lehrter Bahnhof) und Rogätz, c. Entfernungen für den Verkehr mit der Station Münchehof, d. Ausnahmefrachtsätze für gebrannte Steine für den Verkehr von Nienburg a. d. Saale nach den Berliner Bahnhöfen und Ringbahnstationen, e. Ergänzungen und Aenderungen der bestehenden Ausnahmetarife für Wegebaumaterialien für Staubkalk (Kalkasche) zum Düngen, für Mergel zum Düngen und für Düngemittel ꝛc. und f. Berichtigungen einiger im Tarifnachtrag 1 enthaltenen Entfernungen. Exemplare des Nachtrages sind vom 25. Dezember d. J. ab bei den diesseitigen Güter-Abfertigungsstellen zu haben.

Magdeburg, den 24. November 1890.

Königliche Eisenbahn-Direktion.

Bekanntmachungen anderer Behörden.

Polizei-Verordnung,

betreffend die Benutzung des fiskalischen Winterhafens bei Wittenberge.

Auf Grund des § 138 des Gesetzes über die allgemeine Landesverwaltung vom 30. Juli 1883 werden hiermit für die Benutzung des Winterhafens folgende Bestimmungen getroffen.

A. Für die Schiffahrtszeit.

§ 1. In der Zeit vom 16. März bis 30. November ist die Benutzung des Winterhafens zum Lagern sowie zum Verkehr von Fahrzeugen Jedermann unentgeltlich gestattet.

§ 2. In der Fahrstraße der Hafenmündung dürfen Fahrzeuge nicht vor Anker gehen, auch darf daselbst weder das Richten und Niederlegen von Masten, noch ein Ableichten oder Ueberladen von einem Fahrzeuge in das andere stattfinden.

§ 3. An denjenigen Uferstrecken, an denen ein Ueberladeverkehr stattfindet, dürfen nur Fahrzeuge anlegen, welche daselbst be- oder entladen werden sollen. Die Zu- und Abfahrten zu bezw. von den Anlagestellen und Werftplätzen dürfen nicht verlegt werden, auch ist eine Fahrstraße von genügender Breite innerhalb des Hafens stets frei zu halten.

An den Uferstrecken, welche durch Verbotstafeln bezeichnet sind, dürfen Fahrzeuge und Flöße überhaupt nicht anlegen.

§ 4. Innerhalb der Hafenanlage dürfen Fahrzeuge nicht segeln und Dampfschiffe höchstens mit halber Maschinenkraft bewegt werden.

B. Für die Ueberwinterungszeit.

§ 5. Vor dem 1. Dezember sind die im Hafen liegenden privaten Fahrzeuge, Flöße und dergleichen, soweit nicht deren Ueberwinterung oder Entlöschung oder Beladung beabsichtigt ist, aus der Hafenanlage herauszuschaffen.

Fahruntüchtige Schiffe, soweit dieselben nicht zur Aufnahme auf Stapel bestimmt sind, sowie unverbundene Floßhölzer werden zur Ueberwinterung im Hafen nicht zugelassen.

§ 6. Diejenigen privaten Fahrzeuge, bezw. Badeanstalten, Flöße und dergleichen, welche beim Beginn der Ueberwinterungszeit im Hafen liegen und diesen weiter benutzen sollen, sind seitens der Führer bezw. Besitzer bis zum 1. Dezember dem Hafenaufsichtsbeamten anzumelden. Die Lagerung oder etwa erforderliche Verlegung dieser Fahrzeuge ꝛc. hat unter Berücksichtigung des Schiffs- und Ladeverkehrs nach Anordnung des Hafenaufsichtsbeamten zu erfolgen.

Jedes Fahrzeug, Floß ꝛc., welches nach dem 1. Dezember in den Hafen gebracht werden soll, ist vorher durch den Schiffsführer bezw. Floßführer dem Hafenaufsichtsbeamten anzumelden. Dieser bestimmt dann für das Fahrzeug ꝛc. den Liegeplatz und darf solcher nicht eigenmächtig verändert werden.

Die Reihenfolge, in der die Schiffe in den Hafen einzufahren haben, richtet sich im Allgemeinen nach der Zeit der Anmeldung, so zwar, daß das zuerst angemeldete Fahrzeug vor dem später angemeldeten den Vorzug hat. Wenn jedoch ein angemeldetes Fahrzeug zu der Zeit, wo die Reihe an es kommt, nicht an der Mündung des Hafens liegt, oder die Einfahrt nicht sogleich bewerkstelligt, so hat das vor ihm an der Hafenmündung eingetroffene und zur Einfahrt bereite Fahrzeug den Vorrang. In Zweifelsfällen wird die Reihenfolge durch den Hafenaufsichtsbeamten bestimmt.

Schiffs- oder Floßführer, welche sich weigern, diesen Vorschriften oder den nach Maßgabe derselben ertheilten Weisungen des Hafenaufsichtsbeamten nachzukommen, können von der Ueberwinterungsanlage ausgeschlossen und ihre Fahrzeuge nöthigenfalls auf Kosten der Schiffseigener aus derselben herausgeschafft werden.

§ 7. Binnen 48 Stunden nach Festlegung der Fahrzeuge ꝛc. hat jeder Schiffs- oder Floßführer, unter Vorlegung des Meßbriefes oder sonstiger über die Tragfähigkeit lautender amtlicher Bescheinigungen, bei der für den Hafen bestimmten Steuerhebestelle eine nach dem vorgeschriebenen Formulare doppelt anzufertigende Meldung abzugeben, auf welcher der Tag des Einlaufens durch den Hafenaufsichtsbeamten bescheinigt und aus welcher, sofern nicht Abgabenfreiheit auf Grund der im Tarife gewährten Befreiungen beansprucht wird, ersichtlich sein muß, ob die Abgabe für die ganze Winterliegezeit im Voraus oder für eine tageweise Bergungsdauer entrichtet werden soll. Die tarifmäßige Hafenabgabe für die ganze Winterliegezeit ist gleichzeitig mit dieser Anmeldung, für eine tageweise Bergungsdauer dagegen erst vor dem Verlassen der Ueberwinterungsanlage zu entrichten. Für Fahrzeuge, welche am 1. Dezember bereits im Hafen lagen, hat die Anmeldung bezw. Abgabeentrichtung bis spätestens den 3. dess. Monats nach Maßgabe vorstehender Bestimmungen zu erfolgen.

Die Quittungen über bezahlte Hafengelder sind seitens der Schiffsführer bezw. Floßführer dem Hafenaufsichtsbeamten vor dem Verlassen des Hafens vorzulegen.

Fahrzeuge, welche während einer Ueberwinterungszeit den Hafen wiederholt besuchen, sind von einer nochmaligen steueramtlichen Anmeldung entbunden, falls für dieselben vorher bereits in demselben Winter die für den Hafen festgesetzten Liegegebühren für die gesammte Ueberwinterungszeit entrichtet worden sind.

Bei einer tageweisen Bergungsdauer hat dagegen die Anmeldung stets von Neuem zu erfolgen.

Die fiskalischen Fahrzeuge unterliegen der Anmeldepflicht nicht.

§ 8. Der Hafenaufsichtsbeamte hat von den Quittungen über bezahlte Hafengelder Einsicht zu nehmen und solche Schiffsführer ꝛc., welche die Entrichtung der Abgabe zu spät oder augenscheinlich in zu niedrigem Betrage oder überhaupt nicht nachweisen, bei der Hebestelle zur Anzeige zu bringen, sowie das Auslaufen des Fahrzeugs ꝛc. aus der Ueberwinterungsanlage erst auf Grund des Ausweises über Entrichtung der Abgabe zu gestatten.

§ 9. Die Steuerverwaltung ist befugt, durch ihre Aufsichtsbeamten die geschehene rechtzeitige Anmeldung sowie die Entrichtung des Hafengeldes zu kontroliren, bezw. sich auf geeignete Weise Ueberzeugung davon zu verschaffen, ob den Bedingungen, von denen die in Anspruch genommenen Abgabebefreiungen abhängig sind, genügt wird. Zu diesem Zwecke haben die Schiffs- ꝛc. Führer oder Eigner denselben die bezüglichen Anmeldungen, Quittungen, Meßbriefe ꝛc. vorzulegen, auch bei etwaiger Nachmessung der Fahrzeuge ꝛc. die erforderliche Hülfe zu leisten.

§ 10. Während der Ueberwinterung dürfen die Fahrzeuge nicht die Anker an der Kaffe hängen haben.

Jedes Fahrzeug muß so befestigt werden, daß es auch bei dem Ausbruche eines heftigen Sturmes keine Gefahr für die anderen Fahrzeuge hervorrufen kann.

Dem Hafenaufsichtsbeamten liegt die Prüfung und Entscheidung über etwa nothwendige vermehrte Befestigung ob.

Für etwaige Beschädigung der in dem Hafen befindlichen Fahrzeuge und ihrer Ladungen bei Sturm, Hochwasser, Eisgang, beim Aufeisen u. s. w. leistet der Königliche Fiskus keinerlei Ersatz.

§ 11. Mit Pulver oder anderen explosiven Stoffen beladene Fahrzeuge dürfen in die Ueberwinterungsanlage nicht einlaufen. Fahrzeuge, welche Petroleum oder andere leicht entzündliche Stoffe führen, müssen, sofern sie nach den bestehenden Vorschriften und dem vorhandenen Raume überhaupt zugelassen sind, einen abgesonderten Liegeplatz nach Anweisung des Hafenaufsichtsbeamten einnehmen. Im Uebrigen haben die Schiffsführer die für den Verkehr bezw. die Aufbewahrung von dergleichen Stoffen bestehenden polizeilichen Bestimmungen sorgfältig zu beachten.

§ 12. Der Gebrauch von Feuer auf den Fahrzeugen ist in dem in der Kajüte befindlichen Ofen, jedoch (mit Ausnahme der Dampfschiffe) nur nach Anzeige beim Hafenaufsichtsbeamten gestattet.

Die von letzterem nach örtlicher Untersuchung aus Sicherheitsrücksichten etwa für nöthig erachteten besonderen Vorkehrungen — namentlich auch dahin, daß den Schornsteinen keine Funken entfliegen können — haben die Schiffer noch vor dem Anmachen des Feuers zu treffen. Freie Feuer, auch solche auf offenen Herden, sind verboten.

Von 10 Uhr Abends bis 6 Uhr Morgens darf, außer bei Sturm, Eisgang, Hochwasser oder in Krankheitsfällen, kein Feuer in den Kajüten geführt werden; etwaiges Licht ist dann nur noch in Laternen gestattet.

So lange eine Eisdecke im Hafen vorhanden ist, ist unmittelbar neben jedem Fahrzeuge stets ein Wasserloch offen zu halten.

Beim Ausbruch eines Brandes ist es dem Hafenaufsichtsbeamten gestattet, in Brand gerathene Fahrzeuge, wenn es zur Erhaltung anderer Werthe nöthig, durch Anbohren oder Einschlagen von Löchern ꝛc. zu versenken, ohne daß der betreffende Schiffseigener dieserhalb eine Entschädigung zu beanspruchen hat.

§ 13. Die zur Aufeisung der Ueberwinterungsanlage und zur Entfernung des Eises aus derselben erforderlichen Mannschaften und Geräthe haben die Besitzer der überwinternden Fahrzeuge nach Anweisung des Hafenaufsichtsbeamten binnen 24 Stunden nach erlassener Aufforderung unentgeltlich zu stellen, und zwar für ein leeres Fahrzeug bis zu 5000 Ctr. Tragfähigkeit je 1 Mann, für größere bezw. beladene Fahrzeuge je 2 Mann.

§ 14. Ein- und Ausladungen dürfen während der Winterzeit so lange vorgenommen werden, als der Zugang zu den Uferanlagen möglich ist.

Nach Wiedereröffnung der Schiffahrt haben die im Hafen etwa noch zurückbleibenden Fahrzeuge die Liegestellen vor den Ueberlade- und Werftplätzen sowie die für den Schiffsverkehr erforderlichen Fahrstraßen frei zu geben.

C. Allgemeine Bestimmungen.

§ 15. Jedes in der Hafenanlage befindliche Fahrzeug muß unter der Aufsicht eines erwachsenen Mannes stehen, jedoch ist es gestattet, daß ein Wächter bis zu 5 bei einander liegende Fahrzeuge bewacht. Der Wächter hat sich auch während der Nacht auf einen der ihm anvertrauten Fahrzeuge, oder aber in der Nähe derselben in einer Wächterbude auf dem Ufer aufzuhalten. Die Entlassung eines unzuverlässigen und die Annahme eines geeigneten Wächters auf Kosten des betreffenden Schiffseigners kann auf Antrag des Hafenaufsichtsbeamten durch den Königlichen Wasserbauinspektor angeordnet werden.

Sämmtliche Wächter der im Hafen liegenden Fahrzeuge sind bei Ausbruch eines Schiffsbrandes zur Hülfeleistung verpflichtet.

§ 16. Gegenstände, welche das Wasser verunreinigen oder die Fahrtiefe beeinträchtigen, als Kehricht, Asche, Steine, Schlacken u. s. w. dürfen nicht in den Hafen geworfen werden. Asche muß in einem feuersicheren Behälter verwahrt und demnächst an einen vom Hafenaufsichtsbeamten anzuweisenden Ort gebracht werden.

§ 17. Bauausführungen an den Ufern des Hafens,

sowie etwaige Veränderungen an den Böschungen desselben sind nur mit Genehmigung der Elbstrom-Bauverwaltung gestattet.

Die Beschädigung der Ufer, Böschungen, Dämme u. s. w. ist untersagt, auch dürfen darauf keinerlei Arbeiten, wie Zerkleinern von Holz und dergleichen vorgenommen werden.

Jeder Schiffer muß sich den Uebergang über sein Fahrzeug seitens der Mannschaft der nachbarlich gelegenen Fahrzeuge gefallen lassen, auch zur Erleichterung desselben Querbretter vorhalten und verlegen.

§ 18. Uebertretungen dieser Vorschriften, bezw. Zuwiderhandlungen gegen die von dem Hafenaufsichtsbeamten auf Grund der vorstehenden Bestimmungen getroffenen Anordnungen werden, sofern nicht allgemeine Strafgesetze höhere Strafen vorschreiben, mit Geldbußen bis zu 30 M. oder mit entsprechender Haft geahndet. Außerdem haben die Schiffseigner ꝛc. zu gewärtigen, daß bei Unterlassung der ihnen in Vorstehendem zur Pflicht gemachten Handlungen die Ausführung derselben auf ihre Kosten im Zwangswege herbeigeführt werden wird.

§ 19. Diese Polizei-Verordnung tritt mit dem 1. Dezember 1890 in Kraft. Von demselben Tage ab sind die für die Benutzung der Hafenanlage bestehenden Polizeivorschriften aufgehoben.

Magdeburg, den 20. November 1890.

Der Chef der Elbstrom-Bauverwaltung,
Ober-Präsident der Provinz Sachsen,
in Vertretung v. Arnstedt.

Bekanntmachung.

Der Stromaufseher Gaedecke zu Wittenberge ist zum Hafenaufsichtsbeamten für den fiskalischen Winterhafen daselbst bestellt und dem Lagerhofverwalter Tuche zu Wittenberge die Vertretung des Hafenaufsichtsbeamten in Behinderungsfällen übertragen worden.

Magdeburg, den 25. November 1890.

Der Chef der Elbstrom-Bauverwaltung,
Ober-Präsident der Provinz Sachsen.

Personal-Chronik.

Der der Königlichen Regierung überwiesene Regierungs-Assessor Dr. Budde ist in das Regierungs-Kollegium eingeführt worden.

Die Stelle eines Königlichen Pritzstabels zu Spandau ist dem Oberbootsmannsmaat Conrad Anton Witte vom 1. November d. J. ab vorläufig probeweise auf sechs Monate übertragen worden.

Der bisherige Pfarrer am Militär-Mädchen-Waisenhause zu Schloß Pretzsch Johannes Martin Fürchtegott Rauchstein ist zum dritten Hausgeistlichen beim neuen Strafgefängniß am Plötzensee bei Berlin berufen worden.

Der bisherige Prediger an der deutschen St. Georgs-Kirche in London Oskar August Leopold Stieglitz ist zum Diakonus der evangelischen Gemeinde der St. Johannis-Evangelist-Kirche zu Berlin, Diözese Berlin II., bestellt worden.

Der bisherige Pfarrer Johannes Hermann Gustav Kanitz in Bromberg ist zum Oberpfarrer in Wittstock, Diözese gleichen Namens, bestellt worden.

Der bisherige Diakonus Heinrich Meinhard Konrad Schmidt in Groß-Schönebeck, Diözese Bernau, ist zum Pfarrer der Parochie Krampfer, Diözese Perleberg, bestellt worden.

Der bisherige Predigtamts-Kandidat August Ernst Borchmann ist zum Pfarrer der Parochie Niederwerbig, Diözese Belzig, bestellt worden.

Der bisherige Predigtamtskandidat Albert Wilhelm Julius Sydow ist zum Pfarrer der Parochie Schönwerder, Diözese Prenzlau I., bestellt worden.

Der bisherige geistliche Erzieher am Civil-Waisenhause in Potsdam Karl Klemens Bassenge ist zum Hilfsprediger an der Hof- und Garnison-Kirche ebenda bestellt worden.

Vermischte Nachrichten.

Abhaltung der Gerichtstage in Gramzow.

Die Gerichtstage in Gramzow sind für das Jahr 1891 festgesetzt auf den 6. und 7. Januar, 3. und 4. Februar, 3. und 4. März, 7. und 8. April, 5. und 6. Mai, 2. und 3. Juni, 7. und 8. Juli, 6. und 7. Oktober, 3. und 4. November, 1. und 2. Dezember. Der zweite Terminstag ist vorzugsweise zur Aufnahme von Anträgen und Verhandlungen und zur Auskunftsertheilung u. s. w. in denjenigen Fällen bestimmt, in welchen sich die Betheiligten einfinden, ohne geladen zu sein. Es wird jedoch darauf aufmerksam gemacht, daß sich auch in diesen Fällen eine rechtzeitige vorherige Anmeldung des Erscheinens mit kurzer Angabe des Zwecks derselben häufig dringend empfiehlt, damit die betreffenden Akten herbeigeschafft und Hindernisse, welche sonst etwa der alsbaldigen Erledigung der Sache entgegen stehen würden, beseitigt werden können. Namentlich trifft dies zu in Vormundschafts-, Nachlaß- und Grundbuchsachen, sowie in sonstigen Sachen der sogenannten freiwilligen Gerichtsbarkeit. Auflassungserklärungen können ohne solche Anmeldung regelmäßig nicht aufgenommen werden. Schließlich wird ausdrücklich bemerkt, daß auch Anträge auf Eintragung in die Landgüterrolle auf dem Gerichtstage gestellt werden können.

Angermünde, den 17. November 1890.

Königliches Amtsgericht.

Hierzu Drei Oeffentliche Anzeiger.

(Die Insertionsgebühren betragen für eine einspaltige Druckzeile 20 Pf.
Belagsblätter werden der Bogen mit 10 Pf. berechnet.)

Redigirt von der Königlichen Regierung zu Potsdam.
Potsdam, Buchdruckerei der A. W. Hayn'schen Erben.

Amtsblatt

der Königlichen Regierung zu Potsdam und der Stadt Berlin.

Stück 50. Den 12. Dezember **1890.**

Rechtzeitige Erneuerung der Bestellung des Amtsblatts für das Jahr 1891.

Wenngleich die Verpflichtung der Beamten, sowie der Gast- und Schankwirthe, einschließlich der Krüger, zum Halten der Regierungs-Amtsblätter aufgehoben ist, so ist doch anzunehmen, daß viele derselben das Amtsblatt auch fernerhin **freiwillig** zu halten wünschen.

Ich bringe deshalb die **rechtzeitige** Erneuerung der Bestellung für das Jahr 1891, welche bei den Kaiserlichen Postanstalten zu bewirken ist, mit dem Bemerken in Erinnerung, daß bei den **erst nach Ablauf des Jahres 1890** eingehenden Bestellungen die vollständige Nachlieferung der bereits erschienenen Stücke für 1891 wohl kaum mehr würde erfolgen können.

Potsdam, den 21. November 1890. Der Regierungs-Präsident.

Behufs rechtzeitiger Fertigstellung des **am 26. d. M.** zur Ausgabe gelangenden letzten diesjährigen Amtsblattsstücks ist es nothwendig, daß die für dasselbe bestimmten Bekanntmachungen nicht erst, wie dies bisher bestimmt war, spätestens Dienstag früh, sondern **spätestens Montag, den 22. d. M. früh bei der Amtsblatts-Redaction** eingehen.

Später eingehende Bekanntmachungen würden **erst in das erste Stück des kommenden Jahres,** welches am **2. Januar** erscheint, aufgenommen werden können.

Potsdam, den 5. Dezember 1890. Der Regierungs-Präsident.

Bekanntmachungen des Königlichen Ober-Präsidenten.

Eröffnung des Kommunallandtages der Kurmark.

27. Der nächste Kommunallandtag der Kurmark wird am 15. Januar 1891 in Berlin eröffnet werden. Die verwaltenden Behörden der ständischen Institute, sowie der Kreise und Gemeinden haben diejenigen Gegenstände, welche sie auf diesem Landtage zur Sprache zu bringen beabsichtigen, bei dem Herrn Vorsitzenden, Major a. D. von Rochow auf Plessow bei Werder anzumelden, die Königlichen Behörden aber sich wegen solcher Gegenstände an mich zu wenden.

Potsdam, den 7. Dezember 1890.

Der Oberpräsident der Provinz Brandenburg,
Staatsminister von Achenbach.

Bekanntmachungen des Königlichen Regierungs-Präsidenten.

Bekanntmachung,

betreffend die Prämientarife für die Versicherungsanstalten der Tiefbau-Berufsgenossenschaft und der ausschließlich vom Reichsversicherungsamt ressortirenden Baugewerks-Berufsgenossenschaften (§ 24 des Bau-Unfallversicherungsgesetzes vom 11. Juli 1887). Vom 24. November 1890.

264. Auf Grund des § 24 des Bau-Unfallversicherungsgesetzes vom 11. Juli 1887 (Reichs-Gesetzblatt Seite 287) wird nach Anhörung der betheiligten Genossenschaftsvorstände Folgendes bestimmt:

A. Die durch die Bekanntmachung vom 10. Dezember 1887 (Reichs-Anzeiger № 293 vom 14. Dezember 1887, 2. Beilage, Amtliche Nachrichten des R. V. A. 1888 Seite 21 ff.) festgesetzten Prämientarife für die Versicherungsanstalten

1) der Nordöstlichen Baugewerks-Berufsgenossenschaft,
2) der Schlesisch-Posenschen " "
3) der Magdeburgischen " "
4) der Sächsischen " "
5) der Thüringischen " "
6) der Hessen-Nassauischen " "
7) der Rheinisch-Westfälischen " "
8) der Südwestlichen " "

sowie die durch die Bekanntmachung vom 11. September 1889 (Reichs-Anzeiger № 219 vom 14. September 1889, Amtliche Nachrichten des R. V. A. 1889 Seite 376) beziehungsweise vom 18. April 1889 (Reichs-Anzeiger № 96 vom 20. April 1889, Central-Blatt für das Deutsche Reich 1889 Seite 275, Amtliche Nachrichten des R. V. A. 1889 Seite 309) festgesetzten revidirten Prämientarife für die Versicherungsanstalten,

9) der Hamburgischen Baugewerks-Berufsgenossenschaft und
10) der Tiefbau-Berufsgenossenschaft

bleiben vom 1. Januar 1891 ab für die nächsten drei Jahre — vorbehaltlich anderweiter Festsetzung noch vor Ablauf dieser Zeit — mit folgenden Maßgaben in Geltung:

I. Bei den vorstehend unter 3, 4 und 7 aufgeführten Berufsgenossenschaften werden die nachbezeichneten Bauarbeiten, wie folgt, versetzt:

a. bei der Magdeburgischen Baugewerks-Berufsgenossenschaft die Arbeiten der Baulackirer, Bauanstreicher, Baumaler, Tüncher, Verputzer und Weißbinder aus der Gefahrenklasse IV. in die Gefahrenklasse III.,

b. bei der Sächsischen Baugewerks-Berufsgenossenschaft die Arbeiten der Bauglaser aus der Gefahrenklasse VIII. in die Gefahrenklasse VI. und

c. bei der Rheinisch-Westfälischen Baugewerks-Berufsgenossenschaft die Arbeiten der Anstreicher, Bohner und Bauglaser aus der Gefahrenklasse III. in die Gefahrenklasse II.

II. Bei der Tiefbau-Berufsgenossenschaft wird für diejenigen Arbeiten, welche in die Gefahrenklasse C. gehören (sämmtliche Sprengarbeiten, Stollen- und Schachtbau), der Lohnprozentsatz von 8 auf 5 Prozent und somit der auf jede angefangene halbe Mark des in Betracht kommenden Lohnes entfallende Prämienbetrag von 4 auf 2½ Pfennig ermäßigt.

B. Der Prämientarif für die Versicherungsanstalt der Hannoverschen Baugewerks-Berufsgenossenschaft wird für die oben angegebene Zeit und unter dem gleichen Vorbehalt, wie folgt, festgesetzt:

Revidirter Prämientarif

für die Versicherungsanstalt der Hannoverschen Baugewerks-Berufsgenossenschaft.

Gültig vom 1. Januar 1891 an.

Laufende №	Betriebsarten	Gefahren-Klasse.	Lohn-Prozente, welche als Prämie zu entrichten sind. Prozent.	Betrag der für jede angefangene halbe Mark des in Betracht kommenden Lohnes zu entrichtenden Prämie. Pfennig.
1	Kunstmaler, Kunstbildhauer, Ofensetzer, Tapetenankleber, Anbringung und Abnahme von Wetterrouleaus (Marquisen, Jalousien), Glaser, Stubenmaler, Staffirer, Anstreicher, Tüncher (Weißbinder), Stubenbohner, Stuckateure, Asphaltirer und Steinsetzer, Baulackirer, Bauschreiner (-Tischler), Bauklempner	I.	1,4	0,70
2	Maurer, Steinmetzen, Steinhauer, Bau-Einsetzer, -Schlosser, -Anschläger, Einrichter von Gas- und Wasseranlagen, Schiffbau in Holz, Rauchabsteller, Bauaufsicht, Bauwächter	II.	2,8	1,4
3	Bühnenbauarbeit	III.	3,0	1,5
4	Zimmerer	IV.	3,5	1,75
5	Dachdecker (Ziegel-, Schiefer-, Schindel-, Stroh-), Wassermühlenbau in Holz, Holzzurichtung und Konservirung, Brückenbau-, Schacht- und Uferbefestigungsarbeiten	V.	4,0	2,0
6	Brunnenmacher, Windmühlenbau in Holz, Blitzableiter-Anbringung und Reparatur, Steinbruchsarbeiten, Fuhrwesen	VI.	4,2	2,10
7	Fabrikschornsteinmaurer	VII.	4,6	2,30
8	Abbruchunternehmung, Rammarbeiten	VIII.	5,0	2,50

Sonstige Bestimmungen.

Hinsichtlich der in dem vorstehenden Prämientarif nicht besonders aufgeführten Kategorien von Arbeiten (Nebenarbeiten) ist zunächst festzustellen, ob die betreffende Kategorie in dem berufsgenossenschaftlichen Gefahrentarif klassifizirt worden ist. Trifft dies zu, so ist für die bezügliche Arbeit die der betreffenden Gefahrenklasse entsprechende Prämie zu entrichten; für alle übrigen im Gefahren- und Prämientarif nicht klassifizirten Bauarbeiten ist der Prämiensatz der vorstehenden Klasse III. mit 1,5 Pfennig für jede angefangene halbe Mark des in Betracht kommenden Lohnes maßgebend.

Berlin, den 24. November 1890. Das Reichs-Versicherungsamt.

* * *

Hierbei wird auf die Bekanntmachung vom 16. Dezember 1887 in Stück 51 S. 455 des Amtsblattes für 1887 verwiesen.

Potsdam, den 6. Dezember 1890. Der Regierungs-Präsident.

Bekanntmachung.

265. Behufs Ausführung größerer Reparatur-Arbeiten wird die Stadtschleuse zu Brandenburg a. H. vom 15. d. M. ab bis voraussichtlich zum 1. März k. J. gesperrt, und geht der Schifffahrtsverkehr während dieser Zeit ausschließlich durch die Vorstadtschleuse.

Potsdam, den 8. Dezember 1890.

Der Regierungs-Präsident.

Viehseuchen.

266. Festgestellt ist:

der Milzbrand bei einer Kuh des Eigenthümers Linkerhand zu Demerthin, Kreis Ostprignitz, und bei einem Ochsen des Rittergutsbesitzers von Ribbeck auf dem zum Rittergute Ribbeck gehörigen Vorwerk: von Ribbeck's Meierei, Kreis Westhavelland;

die Influenza unter den Pferden des Landwirths Bandelow zu Templin (Ausbau), Kreis Templin;

die Maul- und Klauenseuche unter dem Rindviehbestande der Domaine Weselitz, Kreis Prenzlau.

Erloschen ist:

der Milzbrand unter dem Rindviehbestande des Lehnschulzengutsbesitzers Hermann Schultze zu Krielow, Kreis Zauch-Belzig;

die Maul- und Klauenseuche unter den Kühen des Kossäthen Müller zu Falkenberg, Kreis Niederbarnim, unter den Rindviehbeständen der Bauergutsbesitzer Gutschmidt und Böttcher zu Uetz, und zu Etzin, Kreis Osthavelland, und unter dem Rindviehbestande des Rittergutes Gnewikow, Kreis Ruppin.

Potsdam, den 9. Dezember 1890.

Der Regierungs-Präsident.

Bekanntmachungen der Königlichen Regierung.

Bekanntmachung.

14. Mit Genehmigung des Evangelischen Oberkirchenraths und des Herrn Ministers der geistlichen, Unterrichts- und Medizinal-Angelegenheiten ordnen wir hierdurch an:

1) Das nach der Allerhöchsten Cabinetsordre vom 30. April bezw. dem Ministerial-Rescript vom 5. Mai 1830 jedem in die Stadt Alt-Landsberg von auswärts Zuziehenden evangelischer Konfession zustehende Wahlrecht bezüglich des Anschlusses an eine der dortigen beiden evangelischen Kirchengemeinden ist an eine Präklusivfrist von einem Jahre vom Tage des Anzuges ab gebunden.
2) Die Ausübung dieses Wahlrechts geschieht, mag der Anschluß an die Stadtkirchengemeinde oder die Schloßkirchengemeinde erfolgen, in allen Fällen durch eine Erklärung zu Protokoll des Pfarrers der gewählten Gemeinde.
3) Wer das ihm zustehende Wahlrecht während der Frist von einem Jahre vom Tage seines Anzuges nach Alt-Landsberg nicht ausübt, wird als zur Stadtkirchengemeinde gehörig betrachtet.
4) Am Schlusse eines jeden Kalenderjahres theilen die Pfarrer der Stadtkirche und der Schloßkirche einander ein Verzeichniß der im Laufe dieses Jahres in vorstehender Weise von ihnen als Mitglieder ihrer Kirchengemeinden aufgenommenen Personen mit.

Berlin, den 17. November 1890.

Königliches Konsistorium der Provinz Brandenburg.

Potsdam, den 1. Dezember 1890.

Königliche Regierung,

Abtheilung für Kirchen- und Schulwesen.

Bekanntmachungen des Königlichen Polizei-Präsidenten zu Berlin.

Polizei-Verordnung.

92. Auf Grund der §§ 143 und 144 des Gesetzes über die allgemeine Landesverwaltung vom 30. Juli 1883 (Gesetz-Sammlung Seite 195 ff.) und der §§ 5 ff. des Gesetzes über die Polizei-Verwaltung vom 11. März 1850 (Gesetz-Sammlung Seite 265 ff.) wird hierdurch nach Zustimmung des Gemeinde-Vorstandes Folgendes bestimmt:

Die Polizei-Verordnung vom 7. Februar 1887, betreffend Desinfektion bei ansteckenden Krankheiten, wird durch folgende Bestimmungen ergänzt.

§ 1a.

Zu den im § 1 genannten ansteckenden Krankheiten, welche unbedingt die vorschriftsmäßige Desinfektion erheischen, treten alle Erkrankungen und Sterbefälle an Lungen-, Kehlkopf- und Darm-Tuberculose hinzu, welche in **dem öffentlichen Verkehr** dienenden Aufenthalts-Einrichtungen (siehe § 1b.) vorkommen.

§ 1b.

Zu den Haushaltungs-Vorständen bezw. Stellvertretern (in Anstalten die Leiter, Verwalter, Hausväter rc.), welche zur Desinfektion verpflichtet sind, gehören auch die Unternehmer von Privat-Kranken-Anstalten, sowie die Besitzer und Leiter aller dem öffentlichen Verkehr dienenden Aufenthalts-Einrichtungen, wie Gasthöfe, Logirhäuser, Herbergen, Pensionate, Chambres-garnies, Schlafstellen und dergl. m.

§ 1c.

Aerzte, welche an Lungen-, Kehlkopf- und Darm-Tuberculose Erkrankte in den vorbezeichneten Aufenthalts-Einrichtungen rc. behandeln oder aus denselben anderweitig übernehmen, sind verpflichtet, hiervon der Sanitäts-Kommission binnen 24 Stunden auf den üblichen Meldekarten Anzeige zu machen.

§ 2.

Die vorstehenden Bestimmungen treten mit dem Tage ihrer Verkündigung in Kraft.

Berlin, den 8. Dezember 1890.

Der Polizei-Präsident. Freiherr von Richthofen.

Bekanntmachung.

93. Die Anstellung des Schornsteinfegermeisters Bussewitz, Thurmstraße 84, als Bezirks-Schornsteinfegermeister im Stadtkreis Berlin ist gemäß § 19a. und b. des Regulativs für den Betrieb des Schornsteinfeger-Gewerbes vom 16. November 1888 widerrufen worden. Berlin, den 22. November 1890.

Königliches Polizei-Präsidium.

Magistrat hiesiger Königlichen Haupt- und Residenzstadt.

Berliner und Charlottenburger Preise im Monat November 1890.

94. A. Engros-Marktpreise im Monatsdurchschnitt.

In Berlin:

			Mark	Pf.
für 100 Klgr.	Weizen	(gut)	19 Mark	26 Pf.,
= = =	do.	(mittel)	18 =	70 =
= = =	do.	(gering)	18 =	29 =
= = =	Roggen	(gut)	18 =	22 =
= = =	do.	(mittel)	17 =	90 =
= = =	do.	(gering)	17 =	58 =
= = =	Gerste	(gut)	18 =	87 =
= = =	do.	(mittel)	16 =	48 =
= = =	do.	(gering)	14 =	69 =
= = =	Hafer	(gut)	15 =	22 =
= = =	do.	(mittel)	14 =	52 =
= = =	do.	(gering)	14 =	07 =
= = =	Erbsen	(gut)	18 =	74 =
= = =	do.	(mittel)	16 =	92 =
= = =	do.	(gering)	16 =	26 =
= = =	Richtstroh		4 =	32 =
= = =	Heu		5 =	35 =

Monats-Durchschnitt der höchsten Berliner Tagespreise **einschließlich 5 % Aufschlag** für 50 Klgr.

	Hafer	Stroh	Heu
im Monat November	8,15 Mk.,	2,51 Mk.,	3,37 Mk.

B. Detail-Marktpreise im Monatsdurchschnitt.

1) In Berlin:

		Mark	Pf.
für 100 Klgr.	Erbsen (gelbe z. Kochen)	31 Mark	00 Pf.,
= = =	Speisebohnen (weiße)	32 =	60 =
= = =	Linsen	41 =	64 =
= = =	Kartoffeln	6 =	13 =
= 1 Klgr.	Rindfleisch v. d. Keule	1 =	44 =
= 1 =	= (Bauchfleisch)	1 =	23 =
= 1 =	Schweinefleisch	1 =	50 =
= 1 =	Kalbfleisch	1 =	43 =
= 1 =	Hammelfleisch	1 =	36 =
= 1 =	Speck (geräuchert)	1 =	61 =
= 1 =	Eßbutter	2 =	39 =
= 60 Stück	Eier	3 =	93 =

2) In Charlottenburg:

		Mark	Pf.
für 100 Klgr.	Erbsen (gelbe z. Kochen)	32 Mark	50 Pf.,
= = =	Speisebohnen (weiße)	35 =	— =
= = =	Linsen	45 =	— =
= = =	Kartoffeln	5 =	50 =
= 1 Klgr.	Rindfleisch v. d. Keule	1 =	45 =
= 1 =	= (Bauchfleisch)	1 =	20 =
= 1 =	Schweinefleisch	1 =	45 =
= 1 =	Kalbfleisch	1 =	35 =
= 1 =	Hammelfleisch	1 =	35 =
= 1 =	Speck (geräuchert)	1 =	60 =
= 1 =	Eßbutter	2 =	30 =
= 60 Stück	Eier	4 =	81 =

C. Ladenpreise in den letzten Tagen des Monats November 1890:

1) In Berlin:

		Mark	Pf.
für 1 Klgr.	Weizenmehl № 1		36 Pf.,
für 1 Klgr.	Roggenmehl № 1		33 Pf.,
= 1 =	Gerstengraupe		48 =
= 1 =	Gerstengrütze		41 =
= 1 =	Buchweizengrütze		43 =
= 1 =	Hirse		40 =
= 1 =	Reis (Java)		71 =
= 1 =	Java-Kaffee (mittler)	2 Mark	75 =
= 1 =	= (gelb in gebr. Bohnen)	3 =	78 =
= 1 =	Speisesalz		20 =
= 1 =	Schweineschmalz (hiesiges)	1 =	15 =

2) In Charlottenburg:

		Mark	Pf.
für 1 Klgr.	Weizenmehl № 1		50 =
= 1 =	Roggenmehl № 1		30 =
= 1 =	Gerstengraupe		60 =
= 1 =	Gerstengrütze		50 =
= 1 =	Buchweizengrütze		50 =
= 1 =	Hirse		50 =
= 1 =	Reis (Java)		60 =
= 1 =	Java-Kaffee (mittler)	3 Mark	— =
= 1 =	= (gelb in gebr. Bohnen)	4 =	— =
= 1 =	Speisesalz		20 =
= 1 =	Schweineschmalz (hiesiges)	1 =	40 =

Berlin, den 6. Dezember 1890.

Königl. Polizei-Präsidium. Erste Abtheilung.

Bekanntmachung.

95. Der Wittwe Louise Graffenberger, *geborenen* Hintze, Rosenthalerstraße Nr. 66 *hierselbst* wohnhaft, ist durch rechtskräftiges Erkenntniß des Bezirks-Ausschusses zu Berlin vom 7. Oktober 1890 das Hebammen-Prüfungszeugniß aberkannt worden. Die rc. Graffenberger ist deshalb als **Hebeamme nicht mehr anzusehen.**

Berlin, den 6. Dezember 1890.

Der Polizei-Präsident.

Bekanntmachungen des Königlichen Consistoriums der Provinz Brandenburg.

Errichtung einer neuen geistlichen Stelle bei der St. Pauls-Kirche in Berlin.

17. Mit der im Einverständniß des Herrn Ministers der geistlichen, Unterrichts- und Medizinal-Angelegenheiten ertheilten Genehmigung des Evangelischen Ober-Kirchenraths und auf Grund der Beschlüsse der Gemeindeorgane der St. Paulskirche vom 26. Juni resp. 2. Juli d. J. wird in der Parochie dieser Kirche eine zweite geistliche Stelle, welche als Diakonat neben die Pfarrstelle tritt, mit dem Sitze in Berlin errichtet. Die Besetzung des Diakonats erfolgt gemäß dem Kirchengesetze, betreffend das in § 32 № 2 der Kirchengemeinde- und Synodal-Ordnung vom 10. September 1873 und im Allerhöchsten Erlaß vom 28. Juli 1876 vorgesehene Pfarrwahlrecht vom 15. März 1886.

Berlin, den 9. November 1890.

Der Königliche Polizei-Präsident.

Berlin, den 21. Oktober 1890.

Das Königliche Konsistorium der Provinz Brandenburg.

Bekanntmachungen der Königlichen Eisenbahn-Direktion zu Berlin.

53. Vom 15. Dezember d. J. ab fallen die Züge 235 und 236 zwischen Spandau H. B. und Charlottenburg (ab Spandau 11 30 Nachm. bezw. an Spandau 11 12 Nachm.) aus. An Stelle derselben werden vom gedachten Zeitpunkte an zwei neue Züge zwischen Berlin, Schlesischer Bahnhof—Spandau und zurück eingelegt, welche wie folgt verkehren:

1066 Nachm.				1067 Vorm.	
10 23	ab	Schlesischer Bahnhof	an	12 46	
10 29	↓	Alexanderplatz	↑	12 40	
10 34		Friedrichstraße		12 34	
10 44		Zoologischer Garten		12 24	
10 51		Charlottenburg		12 18	
11 06	an	Spandau, H. B.	ab	12 00	Nachts.

Ferner wird vom 15. Dezember d. J. ab der Zug 1677 Charlottenburg ab 10 51 Nachm. Johannisthal—Niederschönweide an 11 43 Nachm. an Wochentagen um 11 39 Nachm. in Baumschulenweg halten.

Berlin, im November 1890.

Königliche Eisenbahn-Direktion.

Eröffnung des Haltepunktes Neuhof i. d. M. für den Wagenladungs-Güter-Verkehr und für den Viehverkehr, sowie Einführung von Ausnahmesätzen für gebrannte Steine nach Berlin.

54. Am 15. Dezember d. J. wird die bisher nur dem Personen- und Stückgut-Verkehr dienende Station Neuhof i. d. M. auch für den Wagenladungs-, Güter- und Vieh-Verkehr eröffnet. Mit demselben Tage kommen für die Beförderung gebrannter Steine in Wagenladungen von mindestens 10000 kg von Neuhof i. d. M. nach den Berliner Staatsbahnhöfen und Ringbahnstationen Ausnahmefrachtsätze zur Einführung. Nähere Auskunft ertheilen das Auskunfts-Bureau hierselbst, Bahnhof Alexanderplatz, sowie die betheiligten Güterabfertigungsstellen.

Berlin, im Dezember 1890.

Königliche Eisenbahn-Direktion.

Bekanntmachungen der Königl. General-Kommission für die Provinzen Brandenburg und Pommern.

1.

Nachweisung

der Martini-Durchschnitts-Marktpreise von Getreide, Kartoffeln, Heu und Stroh in den Normal-Marktorten des Regierungs-Bezirks Potsdam für das Jahr 1890.

ad § 20 des Ablösungs-Gesetzes vom 2. März 1850.

Lfd. №	Namen der Städte.	Getreide: Weizen pro 100 kg M. Pf.	Weizen pro Scheffel M. Pf.	Roggen pro 100 kg M. Pf.	Roggen pro Scheffel M. Pf.	Große Gerste pro 100 kg M. Pf.	Große Gerste pro Scheffel M. Pf.	Kleine Gerste pro 100 kg M. Pf.	Kleine Gerste pro Scheffel M. Pf.	Hafer pro 100 kg M. Pf.	Hafer pro Scheffel M. Pf.	Erbsen pro 100 kg M. Pf.	Erbsen pro Scheffel M. Pf.	Kartoffeln pro 100 kg M. Pf.	Kartoffeln pro Scheffel M. Pf.	Rauchfutter: Heu pro 100 kg M. Pf.	Stroh pro 100 kg M. Pf.
1	Berlin	18 63	7 12	17 60	6 38	16 51	5 41	—	—	14 75	3 53	18 —	7 21	4 75	1 81	5 15	4 20
2	Beeskow	18 45	7 04	16 80	6 33	15 55	4 82	—	—	13 27	2 99	25 —	10 38	3 70	1 67	4 25	3 25
3	Brandenburg a. H.	19 70	7 68	17 65	6 53	15 20	4 86	—	—	14 65	3 22	30 —	12 60	4 90	2 16	4 20	3 50
4	Dahme	18 82	7 25	17 27	6 30	15 —	4 80	—	—	13 50	3 04	25 —	10 25	4 —	1 82	5 —	4
5	Fürstenwalde (Spree)	18 20	6 68	17 27	5 93	17 05	5 57	—	—	14 30	3 21	—	—	4 80	1 84	—	—
6	Havelberg	19 50	7 51	17 50	6 65	15 —	4 88	—	—	14 50	3 26	25 —	11 —	5 50	2 26	4 50	5 —
7	Jüterbog	19 —	7 22	18 —	6 48	16 —	4 96	—	—	15 —	3 45	22	9 24	5 —	2 —	5 —	4 —
8	Lübben	18 —	7 56	17 50	6 83	15 —	5 25	—	—	14 —	3 22	25	10 50	4 25	2 —	4 60	3 26
9	Luckenwalde	18 33	7 33	17 41	6 51	14 76	4 52	—	—	13 46	3 06	36 —	13 50	2 50	1 14	4 75	3 17
10	Perleberg	—	—	17 —	5 95	—	—	—	—	13 13	2 95	—	—	5 —	1 84	—	—
11	Potsdam	19 95	8 01	17 75	6 21	17 25	6 61	—	—	15 28	3 65	25 —	11 25	5 40	2 07	5 —	4 —
12	Prenzlau	17 92	6 54	16 93	6 26	16 17	5 53	—	—	13 52	3 24	14 85	6 24	4 50	1 67	4 75	3 50
13	Pritzwalk	17 88	6 65	16 25	5 80	15 50	4 66	—	—	12 43	2 84	15 45	6 28	3 75	1 41	3 25	2 75
14	Rathenow	18 —	6 74	16 55	6 02	14 75	4 37	—	—	13 25	3 02	19 —	7 74	4 25	1 76	—	—
15	Neu-Ruppin	19 50	7 41	16 80	6 18	14 60	4 67	—	—	13 70	3 14	25 —	10 13	4 10	1 58	5 —	4 50
16	Schwedt a. O.	19 20	7 39	17 70	6 46	17 —	4 76	—	—	14 40	3 31	16 80	6 80	4 50	2 05	4 70	3 80
17	Templin	18 25	7 12	16 75	6 03	16 25	5 36	—	—	13 75	3 30	15 —	5 85	4 —	1 80	5 —	4 50
18	Treuenbrietzen	18 50	7 12	17 25	6 30	15 50	4 96	—	—	14 —	3 15	25 —	10 13	4 25	1 91	3 40	3 20
19	Wittstock	18 65	6 90	16 73	6 21	15 —	5 33	—	—	12 88	2 90	14 —	5 67	3 67	1 43	3 —	3 33
20	Wittenberg	18 50	7 12	17 50	6 39	16 —	5 12	14 00	4 27	15 —	3 30	—	—	5 —	1 93	5 50	4
21	Wriezen a. O.	18 28	6 98	17 25	6 30	16 18	5 15	—	—	14 50	3 31	25 —	10 25	4 —	1 68	4 25	3 17

Frankfurt a. Oder, den 5. Dezember 1890.

Königliche General-Kommission für die Provinzen Brandenburg und Pommern.

2.

Nachweisung

der 24jährigen Martini-Durchschnitts-Marktpreise des Getreides in den Normal-Marktorten des Regierungs-Bezirks Potsdam nach Abzug der beiden höchsten und der beiden niedrigsten Jahrespreise für das Jahr 1890.

ad § 19 des Ablösungs-Gesetzes vom 2. März 1850.

Lfd. №	Namen der Städte.	Weizen.		Roggen.		Große Gerste.		Kleine Gerste.		Hafer.		Erbsen.	
		pro Neuscheffel											
		Mark	Pf.	Mark	Pf.	Mark	Pf.	Mark	Pf.	Mark	Pf.	Mark	Pf.
1	Berlin	7	57	5	78	5	22	—	—	3	44	7	55
2	Beeskow	—	—	6	09	4	97	—	—	3	60	—	—
3	Brandenburg a. H.	—	—	6	26	4	76	—	—	3	57	—	—
4	Dahme	7	76	5	82	4	82	—	—	3	17	12	77
5	Fürstenwalde (Spree)	—	—	5	87	5	11	—	—	3	45	—	—
6	Havelberg	—	—	6	13	4	93	—	—	3	35	—	—
7	Jüterbog	7	70	6	00	4	76	—	—	3	41	—	—
8	Lübben	8	48	6	33	5	39	—	—	3	39	—	—
9	Luckenwalde	7	91	6	25	4	60	—	—	3	41	—	—
10	Perleberg	—	—	5	89	—	—	—	—	3	24	—	—
11	Potsdam	—	—	5	95	5	21	—	—	3	72	—	—
12	Prenzlau	7	29	5	87	4	97	—	—	3	17	6	78
13	Pritzwalk	7	55	5	74	—	—	—	—	3	22	6	66
14	Rathenow	7	27	5	87	4	91	—	—	3	28	8	01
15	Neu-Ruppin	7	76	5	83	4	71	—	—	3	31	8	53
16	Schwedt a. O.	—	—	6	21	4	99	—	—	3	56	7	06
17	Templin	7	68	5	69	5	09	—	—	3	25	6	96
18	Treuenbrietzen	7	60	5	94	4	63	—	—	3	27	—	—
19	Wittstock	7	63	5	88	4	71	—	—	3	11	6	89
20	Wittenberg	7	50	6	03	5	05	—	—	3	29	—	—
21	Wriezen a. O.	—	—	5	93	4	85	—	—	3	27	8	18

Wegen der vorstehend fehlenden Getreide-Durchschnittspreise wird auf die für dieselben eingesetzten, in der Beilage zum Amtsblatt № 29 der Königlichen Regierung zu Potsdam und der Stadt Berlin pro 1873 bekannt gemachten Normalpreise verwiesen.

Frankfurt a Oder, den 5. Dezember 1890.

Königliche General-Kommission für die Provinzen Brandenburg und Pommern.

Bekanntmachungen des Königlichen Ober-Bergamts zu Halle.

27. Nachstehende Verleihungsurkunde:

„Im Namen des Königs.

Auf Grund der am 16. September 1890 mit Präsentationsvermerk versehenen Muthung wird dem Ziegeleibesitzer Friedrich Robert Lehmann zu Hankels Ablage, Station der Berlin-Görlitzer Eisenbahn, unter dem Namen **Zernsdorf X.** das Bergwerkseigenthum in dem Felde, dessen Begrenzung auf dem heute von uns beglaubigten Situationsrisse mit den Buchstaben: a b c d a bezeichnet ist, und welches, einen Flächeninhalt von 2 189 000 qm, geschrieben: Zwei Millionen einhundertneunundachtzig Tausend Quadratmeter umfassend, in den Gemarkungen Zernsdorf im Kreise Teltow, Niederlöhme und Königliche Forst Friedersdorf im Kreise Beeskow-Storkow des Regierungsbezirks Potsdam und im Oberbergamtsbezirke Halle gelegen ist, zur Gewinnung der in dem Felde vorkommenden Braunkohlen hierdurch verliehen",

urkundlich ausgefertigt am heutigen Tage, wird mit dem Bemerken, daß der Situationsriß in dem Büreau des Königlichen Bergrevierbeamten zu Eberswalde zur Einsicht offen liegt, unter Verweisung auf die Paragraphen 35 und 36 des Allgemeinen Berggesetzes vom 24. Juni 1865 hierdurch zur öffentlichen Kenntniß gebracht.

Halle a. S., den 2. Dezember 1890.

Königliches Oberbergamt.

28. Nachstehende Verleihungsurkunde:

„Im Namen des Königs.

Auf Grund der am 16. September 1890 mit Präsentationsvermerk versehenen Muthung wird dem Ziegeleibesitzer Friedrich Robert Lehmann zu Hankels Ablage, Station der Berlin-Görlitzer Eisenbahn, unter dem Namen **Zernsdorf XI.** das Bergwerkseigenthum in dem Felde, dessen Begrenzung auf dem heute von uns beglaubigten Situationsrisse mit den Buchstaben: a b c d a bezeichnet ist und welches, einen Flächeninhalt von 2 189 000 qm, geschrieben: Zwei Millionen einhundertneunundachtzig Tausend Quadratmeter umfassend, in den Gemarkungen Zernsdorf im Kreise Teltow, Niederlöhme und Königliche Forst Friedersdorf im Kreise Beeskow-Storkow des Regierungsbezirks Potsdam und im Oberbergamtsbezirke Halle gelegen ist, zur Gewinnung der in dem Felde vorkommenden Braunkohlen hierdurch verliehen",

urkundlich ausgefertigt am heutigen Tage, wird mit dem Bemerken, daß der Situationsriß in dem Büreau des Königlichen Bergrevierbeamten zu Eberswalde zur Einsicht offen liegt, unter Verweisung auf die Paragraphen 35 und 36 des Allgemeinen Berggesetzes vom 24. Juni 1865 hierdurch zur öffentlichen Kenntniß gebracht.

Halle a. S., den 2. Dezember 1890.

Königliches Oberbergamt.

29. Nachstehende Verleihungsurkunde:

„Im Namen des Königs.

Auf Grund der am 16. September 1890 mit Präsentationsvermerk versehenen Muthung wird dem Ziegeleibesitzer Friedrich Robert Lehmann zu Hankels Ablage Station der Berlin-Görlitzer Eisenbahn unter dem Namen — **Zernsdorf XII.** — das Bergwerkseigenthum in dem Felde, dessen Begrenzung auf dem heute von uns beglaubigten Situationsrisse mit den Buchstaben: a b c d a bezeichnet ist, und welches, einen Flächeninhalt von 2189000 qm, geschrieben: Zwei Millionen einhundert neunundachtzig Tausend Quadratmeter umfassend, in den Gemarkungen Zernsdorf im Kreise Teltow und Königliche Forst Friedersdorf im Kreise Beeskow-Storkow des Regierungsbezirks Potsdam und im Oberbergamtsbezirke Halle gelegen ist, zur Gewinnung der in dem Felde vorkommenden Braunkohlen hierdurch verliehen",

urkundlich ausgefertigt am heutigen Tage, wird mit dem Bemerken, daß der Situationsriß in dem Büreau des Königlichen Bergrevierbeamten zu Eberswalde zur Einsicht offen liegt, unter Verweisung auf die Paragraphen 35 und 36 des Allgemeinen Berggesetzes vom 24. Juni 1865 hierdurch zur öffentlichen Kenntniß gebracht.

Halle a. S., den 2. Dezember 1890.

Königliches Oberbergamt.

30. Nachstehende Verleihungsurkunde:

„Im Namen des Königs.

Auf Grund der am 16. September 1890 mit Präsentationsvermerk versehenen Muthung wird dem Ziegeleibesitzer Friedrich Robert Lehmann zu Hankels Ablage, Station der Berlin-Görlitzer Eisenbahn, unter dem Namen **Zernsdorf XIII.** das Bergwerkseigenthum in dem Felde, dessen Begrenzung auf dem heute von uns beglaubigten Situationsrisse mit den Buchstaben: a b c d e f g h i a bezeichnet ist und welches, einen Flächeninhalt von 2 189 000 qm, geschrieben: Zwei Millionen einhundert neunundachtzig Tausend Quadratmeter umfassend, in den Gemarkungen Zernsdorf im Kreise Teltow und Cablow und Königliche Forst Friedersdorf im Kreise Beeskow-Storkow des Regierungsbezirks Potsdam und im Oberbergamtsbezirke Halle gelegen ist, zur Gewinnung der in dem Felde vorkommenden Braunkohlen hierdurch verliehen",

urkundlich ausgefertigt am heutigen Tage, wird mit dem Bemerken, daß der Situationsriß in dem Büreau des Königlichen Bergrevierbeamten zu Eberswalde zur Einsicht offen liegt, unter Verweisung auf die Paragraphen 35 und 36 des Allgemeinen Berggesetzes vom 24. Juni 1865 hierdurch zur öffentlichen Kenntniß gebracht.

Halle a. S., den 2. Dezember 1890.

Königliches Oberbergamt.

31. Nachstehende Verleihungsurkunde:

„Im Namen des Königs.

Auf Grund der am 6. August 1890 mit Präsentationsvermerk versehenen Muthung wird dem Ziegeleibesitzer Friedrich Robert Lehmann zu Hankels Ablage, Station der Berlin-Görlitzer Eisenbahn unter dem Namen — **Zernsdorf XIV.** — das Bergwerkseigenthum in dem Felde, dessen Begrenzung auf dem heute von uns beglaubigten Situationsrisse mit den Buchstaben: a b c d e f g h i k l m n a bezeichnet ist, und welches, einen Flächeninhalt von 1672373 qm, geschrieben: Eine Million sechshundert zweiundsiebzig Tausend dreihundert dreiundsiebzig Quadratmeter umfassend, in den Gemarkungen Zernsdorf im Kreise Teltow und Cablow im Kreise Beeskow-Storkow des Regierungsbezirks Potsdam und im Oberbergamtsbezirke Halle gelegen ist, zur Gewinnung der in dem Felde vorkommenden Braunkohlen hierdurch verliehen",

urkundlich ausgefertigt am heutigen Tage, wird mit dem Bemerken, daß der Situationsriß in dem Büreau des Königlichen Bergrevierbeamten zu Eberswalde zur Einsicht offen liegt, unter Verweisung auf die Paragraphen 35 und 36 des Allgemeinen Berggesetzes vom 24. Juni 1865 hierdurch zur öffentlichen Kenntniß gebracht.

Halle a. S., den 2. Dezember 1890.

Königliches Oberbergamt.

Bekanntmachungen der Königlichen Kontrolle der Staatspapiere.

Bekanntmachung.

30. In Gemäßheit des § 20 des Ausführungsgesetzes zur Civilprozeßordnung vom 24. März 1879 (G.-S. S. 281) und des § 6 der Verordnung vom 16. Juni 1819 (G.-S. S. 157) wird bekannt gemacht, daß der verwittweten Frau Kustos Hundt, Dorothea geb. Kranemann zu Calbe a. S. die Schuldverschreibung der konsolidirten 4 %. Staatsanleihe von 1881 Lit. C. № 170284 über 1000 M. angeblich abhanden gekommen ist. Es wird derjenige, welcher sich im Besitze dieser Urkunde befindet, hiermit aufgefordert, solches der unterzeichneten Kontrolle der Staatspapiere oder der Frau Hundt anzuzeigen, widrigenfalls das gerichtliche Aufgebotsverfahren behufs Kraftloserklärung der Urkunde beantragt werden wird.

Berlin, den 29. November 1890.

Königliche Kontrolle der Staatspapiere.

Bekanntmachungen anderer Behörden.

Zur Ausführung der nothwendigen Ausbesserungen an den Bauwerken des Bromberger Kanals, der kanalisirten Brahe und obern Netze und Aufräumung der Verflachungen in den Kanalfeldern, werden die hiesigen künstlichen Wasserstraßen mit Eintritt des Frostwetters bezw. des Eisstandes, spätestens jedoch am **31. Dezember d. Js. bis Ende März 1891** für die Schifffahrt und Flößerei gesperrt werden.

Bromberg, den 28. November 1890.

Der Regierungs-Präsident.

Personal-Chronik.

Im Kreise Oberbarnim ist an Stelle des verstorbenen Rittergutsbesitzers Grafen von Hacke zu Alt-Ranft dessen Sohn, der Rittergutsbesitzer Graf Erich von Hacke ebenda zum Amtsvorsteher des 22. Bezirks Alt-Ranft ernannt worden.

Der Kanzlei-Gehülfe Peter in Lychen ist zum Stellvertreter des Amts-Anwalts bei dem Königl. Amtsgericht das. ernannt worden.

Der Schleusenmeister Trautmann, bisher zu Ragowschleuse, ist zum 1. Dezember 1890 in die Schleusenmeisterstelle zu Bredereiche versetzt worden.

Der bisherige Domhilfsprediger Bernhard Gottlob Wilhelm Thiele ist zum dritten Prediger bei der Evangelischen Gemeinde der Sophien-Kirche zu Berlin, Diözese Berlin II., bestellt worden.

Der bisherige Predigtamts-Kandidat Heinrich Christian Theodor Molsen ist zum Diakonus zu Kalkberge-Rüdersdorf, Parochie Rüdersdorf, Diözese Strausberg, bestellt worden.

Die unter Privat-Patronat stehende Pfarrstelle zu Friedland, Diözese Wriezen a. O., kommt durch die Versetzung des Pfarrers Krause demnächst zur Erledigung.

Die unter privatem Patronat stehende Pfarrstelle zu Gollwitz, Diözese Dom Brandenburg, kommt durch die Versetzung des Pfarrers Petrenz demnächst zur Erledigung.

Die unter Königlichem Patronat stehende Pfarrstelle zu Beblesanz, Diözese Spandau, kommt durch die Emeritirung des Pfarrers Stechert zum 1. Januar 1891 zur Erledigung. Die Wiederbesetzung der Stelle steht in diesem Falle dem Kirchenregiment zu.

Die unter Königlichem Patronat stehende Pfarrstelle zu Neuendorf, Diözese Potsdam I., kommt durch die Emeritirung des Pfarrers Endemann am 1sten April 1891 zur Erledigung. Die Wiederbesetzung erfolgt im vorliegenden Falle durch das Kirchenregiment.

Der Schulamtskandidat Dr. Hugo Krause ist als ordentlicher Lehrer an der II. höheren Bürgerschule in Berlin angestellt worden.

Der bisherige Schulamtskandidat Dr. Gericke ist als ordentlicher Lehrer am Leibniz-Gymnasium in Berlin angestellt worden.

Der wissenschaftliche Hülfslehrer Louis in Berlin ist als ordentl. Lehrer an der ersten höheren Bürgerschule ebenda angestellt worden.

Die Lehrerinnen Gfrörer, Bonns, Stort, Neumann VI., Sachse, Krampff, Reich, Rose, Baer, Heinrichsdorff, Loeser und Martiny sind als Gemeindeschullehrerinnen in Berlin angestellt worden.

Der ordentliche Lehrer Dr. Richard Eichner an der 4. höheren Bürgerschule zu Berlin ist zum Oberlehrer an derselben Anstalt befördert worden.

Der bisherige Gemeindeschullehrer Erdmann Arndt ist als ordentlicher Lehrer an der 4. höheren Bürgerschule zu Berlin angestellt worden.

Der bisherige wissenschaftliche Hülfslehrer Georg Günzel ist als ordentlicher Lehrer an der 8. höheren Bürgerschule zu Berlin angestellt worden.

Der bisherige wissenschaftliche Hülfslehrer Johannes Achelis ist als ordentlicher Lehrer an der 5ten höheren Bürgerschule zu Berlin angestellt worden.

Personalveränderungen im Bezirk der Kaiserlichen Ober-Postdirektion in Berlin.

Im Laufe des Monats November sind:

ernannt: zum Postdirector der Postkassirer Johannesson.

versetzt: nach Berlin die Postsecretaire H. R. Müller von Lissa (Bez. Posen), Schäffer von Bremen; von Berlin die Postsecretaire Jüngling nach Cassel, Sachs nach Heilsberg;

in den Ruhestand versetzt: Postsecretair Dubau, die Ober-Telegraphenassistenten Fiebig, A. W. Müller, Weiland, Wuthnow, der Postassistent Fr. Grunert;

gestorben: der Ober-Telegraphensecretair Lehmann, Postsecretair Rothe, Postverwalter Scharmberg.

Personalveränderungen im Bezirk der Kaiserlichen Ober-Postdirection in Potsdam.

Etatsmäßig angestellt sind: der Postpraktikant Clauß als Postsekretär in Potsdam, der Postassistent Neusitzer in Wittenberge (Bez. Potsdam) 2 (Bhf.).

Ernannt ist: der Postassistent Kierstedt in Wittenberge (Bez. Potsdam) 2 (Bhf.) zum Ober-Postassistenten.

Versetzt sind: der Ober-Postassistent Kamien von Neuruppin nach Potsdam, der Telegraphenassistent Bindseil von Wittenberge (Bez. Potsdam) 2 (Bhf.) nach Neuruppin, der Postverwalter Kühn von Zernitz nach Schöpfurth, der Postassistent Neusitzer von Flöha (Sachsen) nach Wittenberge (Bez. Potsdam) 2 (Bhf.).

Vermischte Nachrichten.

Die Eintragungen in das hiesige Handels-, Genossenschafts-, Zeichen- und Musterregister werden im Jahre 1891 durch 1) den Deutschen Reichs- und Königlich Preußischen Staatsanzeiger, 2) das Amtsblatt der Königlichen Regierung zu Potsdam, 3) das Kreisblatt für die Ost-Prignitz, 4) den Stadt- und Landboten zu Kyritz, 5) die Kyritzer Zeitung, 6) die Berliner Börsen Zeitung bekannt gemacht. Die auf die Führung dieser Register sich beziehenden Geschäfte werden von dem Amtsrichter Dr. Menz unter Mitwirkung des Secretair Büllgraf erledigt.

Kyritz, den 4. Dezember 1890.

Königliches Amtsgericht, Abtheilung II.

Ausweisung von Ausländern aus dem Reichsgebiete.

Lauf. Nr.	Name und Stand des Ausgewiesenen.	Alter und Heimath des Ausgewiesenen.	Grund der Bestrafung.	Behörde, welche die Ausweisung beschlossen hat.	Datum des Ausweisungs-Beschlusses.
1.	2.	3.	4.	5.	6.
		a. Auf Grund des § 39 des Strafgesetzbuchs:			
1	Josef Dite, Weber,	geboren am 24. August 1854 zu Kramolna, Bezirk Nachod, Böhmen, ortsangehörig ebendaselbst,	vorsätzliche Brandstiftung (5 Jahre Zuchthaus laut Erkenntniß vom 12. Januar 1885),	Königlich Preußischer Regierungspräsident zu Breslau,	6. November 1890.
2	Ferdinand Friedl, Metzger,	geboren am 7. März 1859 zu Tachau, Böhman, ortsangehörig ebendaselbst,	Diebstahl im Rückfall (2 Jahre Zuchthaus laut Erkenntniß vom 9. Dezember 1887),	Königlich Bayerisches Bezirksamt Ansbach,	23. November 1889.
		b. Auf Grund des § 362 des Strafgesetzbuchs:			
3	Alois Bauer, Eisengießer,	geboren am 19. Januar 1863 zu Graz, Steiermark, ortsangehörig zu Radkersburg, ebendaselbst,	Landstreichen,	Königliche Polizei-Direktion zu München,	3. November 1890.
4	Josef Dürmaier, Metzger,	geboren im Jahre 1837 zu Kalham, Bezirk Schaerding, Oesterreich, ortsangehörig ebendaselbst,	desgleichen,	Stadtmagistrat Passau, Bayern,	24. Oktober 1890.
5	Emilie Flegel, unverehelichte Arbeiterin,	geboren im Jahre 1843 zu Neujahrsdorf, Bezirk Königinhof, Böhmen, ortsangehörig ebendaselbst,	desgleichen,	Königlich Preußischer Regierungspräsident zu Breslau,	4. November 1890.
6	Karl Geißler, Kellner,	geboren am 2. November 1871 zu Zeltweg, Bezirk Judenburg, Oesterreich, ortsangehörig zu St. Paul, Bezirk Wolfsberg, ebendas.,	desgleichen,	Königliche Polizei-Direktion zu München,	28. Oktober 1890.
7	Josef Kerin, Arbeiter,	geboren am 19. Februar 1848 zu Triest, Oesterreich, ortsangehörig ebendaselbst,	desgleichen,	Kaiserlicher Bezirkspräsident zu Metz,	3. November 1890.
8	Anna Peksa, Tagelöhnerintochter,	15 Jahre alt, geboren und ortsangehörig zu Wilhelmsau, Bezirk Deutschbrod, Böhmen,	desgleichen,	Königlich Bayerisches Bezirksamt zu Ebersberg,	24. September 1890.
9	Karl Petersohn, Gerbergeselle,	geboren am 15. Oktober 1854 zu Upsala, Schweden,	Betteln,	Polizeiamt zu Lübeck,	31. Oktober 1890.
10	Vinzenz Twrdeck, Schuhmacher,	geboren am 6. Januar 1848 zu St. Maria, Bezirk Prachatitz, Böhmen, ortsangehörig ebendaselbst,	Landstreichen,	Stadtmagistrat Passau, Bayern,	24. Oktober 1890.

Bekanntmachung.

Die Eintragungen in das Handels- und Muster-Register des unterzeichneten Amtsgerichts werden im Laufe des Jahres 1891 durch folgende Blätter: 1) den Deutschen Reichs- und Königlich Preußischen Staats-Anzeiger, 2) die Berliner Börsenzeitung, 3) das Kreisblatt für die Ost-Prignitz, 4) die Prignitzer Zeitung öffentlich bekannt gemacht werden.

Wittstock, den 1. Dezember 1890.

Königliches Amtsgericht.

Bekanntmachung.

Die im Laufe des Jahres 1891 von dem unterzeichneten Amtsgerichte zur Veröffentlichung gelangenden Bekanntmachungen über die Eintragungen in das Zeichen- und Muster-Register werden durch den Deutschen Reichs- und Königlich Preußischen Staatsanzeiger, diejenigen über Eintragungen in das Handels- und Genossenschafts-Register außer dem Reichs- und Staatsanzeiger durch a. die Berliner Börsenzeitung, b. das Regierungs-Amtsblatt zu Potsdam, c. das Teltower resp. Jüterbog'er Kreisblatt, d. das Trebbiner Wochenblatt publizirt werden.

Trebbin, den 4. Dezember 1890.

Königliches Amtsgericht.

Bekanntmachung.

Die im Laufe des Jahres 1891 von dem unterzeichneten Amtsgerichte zur Veröffentlichung gelangenden Bekanntmachungen über die Eintragung in die Handels-, Genossenschafts- und Musterregister werden durch folgende Blätter publicirt werden: 1) durch den Deutschen Reichs- und Preußischen Staatsanzeiger, 2) durch das Regierungs-Amtsblatt zu Potsdam, 3) durch die Berliner Börsenzeitung, 4) durch das Kreisblatt der Westprignitz, 5) durch die Zeitung für die West- und Ostprignitz zu Lenzen.

Lenzen a. E., den 1. Dezember 1890.

Königliches Amtsgericht.

Bekanntmachung.

Die Veröffentlichung der Eintragungen in das Handels-, Genossenschafts-, Zeichen-, Muster- und Modellregister, welche im Laufe des Jahres 1891 beim hiesigen Amtsgericht vorkommen, erfolgt durch den Deutschen Reichs- und Preußischen Staats-Anzeiger, für das Handels- und Genossenschafts-Register auch noch durch die Berliner Börsenzeitung in Berlin.

Jüterbog, den 2. Dezember 1890.

Königliches Amtsgericht.

Bekanntmachung.

Die auf die Führung der Handels-, Genossenschafts-, Marken- und Muster-Register sich beziehenden Geschäfte in dem Bezirk des Amtsgerichts in Potsdam werden von dem Amtsgericht Abtheilung I. in Potsdam bearbeitet werden und zwar für das Jahr 1891 durch den Amtsgerichts-Rath Möllendorf unter Mitwirkung des Gerichtsschreibers Walter. Die Veröffentlichung der Eintragungen erfolgt: 1) durch den Deutschen Reichs- und Preußischen Staatsanzeiger, 2) die Berliner Börsenzeitung, 3) das hiesige Intelligenz-Blatt, für die Musterregister jedoch nur durch den Deutschen Reichs- und Preußischen Staatsanzeiger.

Potsdam, den 2. Dezember 1890.

Königliches Amtsgericht. Abtheilung I.

Bekanntmachung.

Im Geschäftsjahr 1891 erfolgt die Bekanntmachung der Eintragungen des Firmen-, Gesellschafts- und Prokuren-Registers durch: a. den Reichsanzeiger, b. die Berliner Börsenzeitung, c. das Teltower Kreisblatt, der Eintragungen des Genossenschaftsregisters auch durch das Amtsblatt der Königlichen Regierung zu Potsdam, derjenigen des Zeichen- und Musterregisters allein durch den Reichsanzeiger. Die auf die gedachten Register bezüglichen Anmeldungen und Anträge werden an jedem Mittwoch Vormittags von 9 bis 12 Uhr entgegengenommen

Königs-Wusterhausen, den 1. Dezember 1890.

Königliches Amtsgericht.

Bekanntmachung.

Im Jahre 1891 werden an folgenden Sonnabenden Gerichtstage abgehalten werden: A. in **Boitzenburg:** 17. Januar, 21. Februar, 21. März, 18. April, 30. Mai, 27. Juni, 8. August, 19. September, 17. Oktober, 21. November, 19. Dezember, B. in **Gerswalde:** 24. Januar, 7. März, 25. April, 6. Juni, 11. Juli, 5. September, 24. Oktober, 12. Dezember. An diesen Tagen werden Anträge auf Eintragungen aller Art in das Grundbuch und in die Landgüter-Rolle entgegengenommen.

Templin, den 20. November 1890.

Königliches Amtsgericht.

Bekanntmachung.

Die Gerichtstage für den Gerichtstagsbezirk Joachimsthal sind für das Jahr 1891 auf nachgenannte Tage festgesetzt: 6. und 20. Januar, 3. und 17. Februar, 3. und 17. März, 6. und 21. April, 5. und 19. Mai, 2. und 16. Juni, 7. Juli, 18. August, 8. und 22. September, 6. und 20. Oktober, 3. und 17. November, 1. und 15. Dezember. Das Gerichtstagslokal ist das der frühern Gerichtskommission Joachimsthal.

Eberswalde, den 27. November 1890.

Königliches Amtsgericht.

Hierzu Fünf Oeffentliche Anzeiger.

(Die Insertionsgebühren betragen für eine einspaltige Druckzeile 20 Pf. Belagsblätter werden der Bogen mit 10 Pf. berechnet.)

Redigirt von der Königlichen Regierung zu Potsdam.

Potsdam, Buchdruckerei der A. W. Hayn'schen Erben.

Amtsblatt

der Königlichen Regierung zu Potsdam und der Stadt Berlin.

Stück 51. Den 19. Dezember **1890.**

Behufs rechtzeitiger Fertigstellung des **am 26. d. M.** zur Ausgabe gelangenden letzten diesjährigen Amtsblattsstücks ist es nothwendig, daß die für dasselbe bestimmten Bekanntmachungen nicht erst, wie dies bisher bestimmt war, spätestens Dienstag früh, sondern **spätestens Montag, den 22. d. M. früh bei der Amtsblatts-Redaction** eingehen.

Später eingehende Bekanntmachungen würden **erst in das erste Stück des kommenden Jahres,** welches am **2. Januar** erscheint, aufgenommen werden können.

Potsdam, den 5. Dezember 1890. Der Regierungs-Präsident.

Reichs-Gesetz-Blatt.

(Stück 32) № 1921. Verordnung über die Inkraftsetzung des Gesetzes, betreffend die Invaliditäts- und Altersversicherung, vom 22. Juni 1889. Vom 25. November 1890.

(Stück 33) № 1922. Verordnung, betreffend das Verfahren vor den auf Grund des Invaliditäts- und Altersversicherungsgesetzes errichteten Schiedsgerichten. Vom 1. Dezember 1890.

Gesetz-Sammlung für die Königlichen Preußischen Staaten.

(Stück 41) № 9246. Verfügung des Justizministers, betreffend die Anlegung des Grundbuchs für einen Theil der Bezirke der Amtsgerichte Eschweiler, Aldenhoven, Stolberg bei Aachen, Aachen, Düren, Geilenkirchen, Erkelenz, Eupen, Siegburg, Mörs, Boppard, Coblenz, Cochem, Kirchberg, Meisenheim, Adenau, Ahrweiler, Mayen, Daun, Cöln, Bensberg, Uerdingen, Gerresheim, Düsseldorf, Lennep, Sankt Wendel, Saarbrücken, Trier und Merzig. Vom 7. November 1890.

Bekanntmachungen des Königlichen Ober-Präsidenten.

Bekanntmachung.

28. In Gemäßheit des § 7 Abs. 5 der Allerhöchsten Verordnung vom 25. Mai 1887, betreffend die Einrichtung einer ärztlichen Standesvertretung (G.-S. S. 169) wird hiermit zur öffentlichen Kenntniß gebracht, daß in die Aerztekammer für die Provinz Brandenburg und den Stadtkreis Berlin gewählt sind:

A. Mitglieder:

I. Stadtbezirk Berlin.

1) Geheimer Sanitäts-Rath Dr. Körte, Hafenplatz Nr. 7,
2) Sanitäts-Rath Dr. Schoeneberg, Kaiser Franz Grenadier-Platz Nr. 5,
3) Professor Dr. Guttstadt, Maaßenstraße Nr. 11,
4) Geheimer Sanitäts-Rath Dr. Rintel, Wallstraße Nr. 87,
5) Sanitäts-Rath Dr. Heinrich, Königgrätzerstraße Nr. 89,
6) Professor Dr. Mendel, Schiffbauerdamm Nr. 20,
7) Dr. Martin, Alexanderufer Nr. 1,
8) Dr. Thielen, Kurfürstenstraße Nr. 51,
9) Geheimer Sanitäts-Rath Dr. Beuster, Königgrätzerstraße Nr. 6,
10) Sanitäts-Rath Dr. Becher, Münzstraße Nr. 4,
11) Sanitäts-Rath Dr. Bartels, Karlsbald Nr. 14,
12) Sanitäts-Rath Dr. R. Ruge, Kochstraße Nr. 73,
13) Sanitäts-Rath Dr. C. Küster, Tempelhoferufer Nr. 21,
14) Sanitäts-Rath Dr. Oldendorf, Charlottenstraße Nr. 82,
15) Sanitäts-Rath Dr. Paprosch, Neue Königstraße Nr. 47,
16) Sanitäts-Rath Dr. Selberg, Invalidenstraße Nr. 111,
17) Sanitäts-Rath Dr. Solger, Reinickendorferstraße Nr. 1,
18) Dr. Benicke, Stralauerstraße Nr. 56,
19) Dr. A. Hartmann, Hindersinstraße Nr. 12.
20) Sanitäts-Rath Dr. Braehmer, Friedrichstraße Nr. 128,
21) Dr. Wallmüller, Louisenstraße Nr. 18,
22) Sanitäts-Rath Dr. Möllendorff, Kurfürstenstraße Nr. 154,
23) Dr. Henius, Kurfürstenstraße Nr. 155,
24) Sanitäts-Rath Dr. Elsner, Stralauerstraße Nr. 35,
25) Professor Dr. Busch, Alexanderufer Nr. 6,
26) Sanitäts-Rath Dr. S. Guttmann, Matthäikirchstraße Nr. 16,
27) Professor Dr. B. Fraenkel, Neustädtische Kirchstraße Nr. 12.

II. Regierungsbezirk Potsdam.

28) Geheimer Sanitäts-Rath Dr. Zinn, Eberswalde,
29) Dr. Großer, Prenzlau,
30) Kreisphysikus Dr. Gleitsmann, Belzig,
31) Dr. Ipscher, Wusterhausen a. D.,

32) Sanitäts-Rath Dr. Bosdorf, Potsdam,
33) Geheimer Sanitäts-Rath Dr. Liebert, Charlottenburg,
34) Geheimer Sanitäts-Rath Dr. Laehr, Zehlendorf (Schweizer Hof),
35) Sanitäts-Rath Dr. Appel, Brandenburg a. H.,
36) Dr. Dreibholz, Wilsnack.

III. Regierungsbezirk Frankfurt a. O.

37) Regierungs- und Medicinal-Rath Dr. Wiebecke, Frankfurt a. O.,
38) Geheimer Sanitäts-Rath, Kreisphysikus Dr. Liersch, Cottbus,
39) Sanitäts-Rath Dr. Goepel, Frankfurt a. O.,
40) Dr. Lehmann, Landsberg a. W.,
41) Sanitäts-Rath Dr. Gansel, Reppen.

B. Stellvertreter:

I. Stadtbezirk Berlin.

1) Geheimer Sanitäts-Rath Dr. Kauffmann, Neue Grünstraße Nr. 18,
2) Dr. Reinsdorff, Louisenstraße Nr. 20,
3) Dr. Borchert, Friedrichstraße Nr. 24,
4) Geheimer Sanitäts-Rath Dr. Baer, Calvinstraße Nr. 4,
5) Dr. Wedel, Gneisenaustraße Nr. 113,
6) Sanitäts-Rath Dr. Jastrowitz, Louisenstraße Nr. 29,
7) Dr. Windels, Belle-Alliancestraße Nr. 23,
8) Bezirks-Physikus Dr. Granier, Alte Jacobstraße Nr. 92,
9) Sanitäts-Rath Dr. Wanjura, Perlebergerstraße Nr. 23,
10) Sanitäts-Rath Dr. Altmann, Potsdamerstraße Nr. 76b.,
11) Dr. R. Schmidt, Sigismundstraße Nr. 7,
12) Professor Dr. Horstmann, Potsdamerstraße Nr. 6,
13) Sanitäts-Rath Dr. Koch, Ritterstraße Nr. 91,
14) Dr. Peters, Bellevuestraße Nr. 19,
15) Professor Dr. Schüller, Schönebergerufer Nr. 31,
16) Privat-Docent Dr. Dührßen, Louisenstraße Nr. 51,
17) Dr. Kalischer, Schmidtstraße Nr. 5,
18) Kreisphysikus Dr. Philipp, Großbeerenstraße Nr. 3,
19) Sanitäts-Rath Dr. Rothmann, Hafenplatz Nr. 5,
20) Professor Dr. Gluck, Potsdamerstraße Nr. 139,
21) Sanitäts-Rath Dr. David, Rosenthalerstraße Nr. 44,
22) Geheimer Sanitäts-Rath Dr. Marcuse, Kurfürstenstraße Nr. 23,
23) Dr. Graßnick, Grünerweg Nr. 85,
24) Dr. Settegast, Andreasstraße Nr. 28,
25) Dr. Witte, Küstriner Platz Nr. 6,
26) Dr. Brussatis, Kleine Frankfurterstraße Nr. 10,
27) Dr. Ulrich, am Schlesischen Bahnhof Nr. 1.

II. Regierungsbezirk Potsdam.

28) Sanitäts-Rath Dr. Mylius, Rathenow,
29) Kreisphysikus Dr. Struntz, Jüterbog,
30) Oberstabsarzt Dr. Vater, Spandau,
31) Dr. Hausmann, Potsdam,
32) Dr. Meyerwisch, Freienwalde,
33) Dr. Brunck, Zehdenick,
34) Geheimer Sanitäts-Rath Dr. Bollert, Rummelsburg,
35) Dr. Görlitz, Schwedt a. O.,
36) Dr. Reuter, Wittstock.

III. Regierungsbezirk Frankfurt a. O.

37) Dr. Kade, Sorau,
38) Dr. Gock, Landsberg a. W., Direktor der Provinzial-Irrenanstalt,
39) Geheimer Sanitäts-Rath, Kreisphysikus Dr. Tietze, Frankfurt a. O.,
40) Sanitäts-Rath, Kreisphysikus Dr. Klamroth, Guben,
41) Dr. Stumpf, Woldenberg.

Potsdam, den 6. Dezember 1890.

Der Ober-Präsident,
Staatsminister von Achenbach.

Bekanntmachung.

29. Auf Antrag des Direktors der Städte-Feuer-Sozietät der Provinz Brandenburg bestimme ich hiermit gemäß § 125 des 2. Nachtrages vom $\frac{13. \text{März}}{21. \text{Mai}}$ 1890 zum revidirten Reglement der Städte-Feuer-Sozietät der Provinz Brandenburg vom $\frac{6. \text{März}}{23. \text{April}}$ 1885 (Amtsblatt der Königlichen Regierung zu Potsdam bezw. Frankfurt a. O. Jahrgang 1890 Seite 224 bezw. 156) den 1. Januar 1891 als den Zeitpunkt, mit welchem der Artikel III. dieses Nachtrages, betreffend die Versicherung beweglicher Sachen in Kraft tritt.

Potsdam, den 10. Dezember 1890.

Der Oberpräsident der Provinz Brandenburg,
Staatsminister von Achenbach.

Bekanntmachungen des Königlichen Regierungs-Präsidenten.

267. Zur Ergänzung der Amtsblattbekanntmachung vom 4. November l. J. (Amtsbl. f. 1890 St. 46 S. 406) wird hiermit bekannt gemacht, daß im Gemeindebezirke Rixdorf Teltower Kreises die obligatorische Krankenversicherungspflicht der land- und forstwirthschaftlichen Arbeiter mittelst Orts-Statutes vom $\frac{27. \text{Juni}}{21. \text{Juli}}$ 1885 eingeführt worden ist.

Potsdam, den 17. Dezember 1890.

Der Regierungs-Präsident.

Schifffahrtssperre.

268. In Abänderung der im 49. Stück des diesjährigen Amtsblatts auf Seite 445 veröffentlichten Bekanntmachung über die Sperrung des Finowkanals und anderer Wasserstraßen wird verfügt, daß der Finowkanal bis zum 31. Dezember 1890 für die Schifffahrt geöffnet bleibt. Die Sperrung tritt also vom 1. Januar bis zum 31. März 1891 ein.

Potsdam, den 11. Dezember 1890.

Der Regierungs-Präsident.

Verloosung von Equipagen, Pferden, Pferdegeschirren ꝛc.

269. Der Herr Minister des Innern hat dem landwirthschaftlichen Vereine zu Frankfurt a. M. am 2ten d. M. die Genehmigung ertheilt, bei Gelegenheit der im April und September nächsten Jahres daselbst abzuhaltenden beiden Pferdemärkte je eine öffentliche Verloosung von Equipagen, Pferden und Pferdegeschirren ꝛc. zu veranstalten und die für jede der beiden Lotterien in Aussicht genommenen 40 000 Loose zu je 3 Mark im ganzen Bereiche der Monarchie zu vertreiben.

Potsdam und Berlin, den 11. Dezember 1890.

Der Regierungs-Präsident. Der Polizei-Präsident.

Veränderung der Laichschon-Reviere in den der Stadt Lychen gehörigen See'n betreffend.

270. Im Anschlusse an die Bekanntmachung vom 7. Juli 1878 — Amtsbl. Stück 28 Seite 218/19 — werden mit Genehmigung des Herrn Ministers für Landwirthschaft, Domänen und Forsten die Laichschon-Reviere, welche in den der Stadt Lychen — Kreis Templin — gehörigen See'n, nämlich dem Nessel-Pfuhl, dem Lychen'er Kämmerei-See, dem Wurdel-See, dem Ober-Pfuhl-See, dem Zeens-See und dem Platkow-See, aufgehoben und an deren Stelle folgende Gewässerstrecken zu Laichschon-Revieren bestimmt:

1) **Im Nessel-Pfuhl:** vom Garten des Landwirths August Türcke bis zur Lanke,
2) **Im Lychen'er Kämmerei-See:** vom Garten des Kaufmanns Büttner bis zum Haus-Garten des Eigenthümers Friedrich Schley,
3) **Im Wurdel-See:** von der Wurdel'schen Fluth links bis zu Ende der Koppel-Gärten,
4) **Im Ober-Pfuhl-See:**
   a. von der Hauswiese des Fuhrmanns Helm bis zum Acker der verwittweten Seilermeister Pietsch,
   b. vom ersten Werder bis zur Ecke des zweiten Werders (Dreckort),
5) **Im Zeens-See:**
   a. von der sog. Lake bis zum rothen Hause (Zeens-Haus),
   b. vom Graben des Gr...chen-See's bis zum Wassersteg bei Wuppgarten,
6) **Im Platkow-See:**
   a. von der Wuppgartenfließ-Brücke links bis zur gräflich Boitzenburger Forst,
   b. von den Plachter-Gärten bis zur Ablage gegenüber.

Lagepläne, auf welchen die örtlichen Grenzen dieser Laichschon-Reviere bezeichnet sind, werden in der Registratur des Königlichen Landrathsamtes zu Templin aufbewahrt.

Von der Aenderung bleiben die in der Eingangs bezeichneten Amtsblatts-Bekanntmachung unter I. b.—g. aufgeführten Laichschon-Reviere unberührt.

Dabei wird wiederholt auf die Vorschrift des § 30, 31 u. 50 № 5 des Fischerei-Gesetzes aufmerksam gemacht, wonach bei Vermeidung von Strafe in Schon-Revieren jede Art des Fischfanges untersagt ist, und in Laichschon-Revieren die Räumung, das Mähen von Schilf und Gras, die Ausführung von Sand, Steinen und Schlamm u. s. w. und jede anderweite, die Fortpflanzung der Fische gefährdende Störung während der Laichzeit unterbleiben muß, soweit es die Interessen der Vorfluth und der Landeskultur gestatten.

Potsdam, den 11. Dezember 1890.

Der Regierungs-Präsident.

Bekanntmachung betreffend die Zuständigkeit in Strom- und Schifffahrtspolizei-Angelegenheiten an der Havelmündung.

271. Die Zuständigkeit in Angelegenheiten der Strom- und Schifffahrtspolizei-Verwaltung an der Havelmündung wird zwischen dem Oberpräsidenten der Provinz Magdeburg und dem Regierungspräsidenten in Potsdam vom 1. Januar 1891 dahin geregelt, daß die Fährstelle Werben-Quitzöbel die Grenze zwischen den beiderseitigen Bezirken nach Maßgabe der in den §§ 2 und 3 der allgemeinen Verfügung vom 22. Januar 1889 — Amtsblatt 1889 Stück 6 Seite 38/39 — getroffenen Festsetzungen bildet.

Potsdam, den 16. Dezember 1890.

Der Regierungs-Präsident.

272. **Nachweisung**

des Monatsdurchschnitts der gezahlten höchsten Tagespreise einschließlich 5 % Aufschlag im Monat November 1890 in den Hauptmarktorten des Regierungs-Bezirks Potsdam.

Laufende Nummer.	Es kosteten je 50 Kilogramm	Beeskow für Kreis Beeskow-Storkow.		Brandenburg für Brandenburg und Kreis Westhavelland.		Luckenwalde für Kreis Jüterbog-Luckenwalde.		Perleberg für Kreis Westprignitz.		Potsdam für Potsdam und Kreis Zauch-Belzig.		Prenzlau für die Kreise Prenzlau und Templin		Neu-Ruppin für Kreis Ruppin.		Schwedt für Kreis Angermünde.		Wittstock für Kreis Ostprignitz.		Bemerkungen
		M.	Pf.	M.	Pf.	M.	Pf.	M.	Pf.	M.	Pf.	M.	Pf.	M.	Pf.	M.	Pf.	M.	Pf.	
1.	Hafer	7	19	8	02,5	7	28	7	37	8	17	7	27	7	46,5	7	58	6	88,5	Für die Kreise Oberbarnim, Niederbarnim, Osthavelland und Teltow und für Stadt Spandau gilt Berlin als Hauptmarktort.
2.	Heu	2	36	2	52	2	63	2	63	2	77	3	15	2	62,5	2	43,5	1	57,5	
3.	Richtstroh	1	83	2	02	1	75	2	36	2	29	2	10	2	36	1	98	1	75	

Potsdam, den 15. Dezember 1890.

Der Regierungs-Präsident.

273. **Nachweisung der Markt- ꝛc.**

Laufende Nummer	Namen der Städte	Getreide				Uebrige Markt-								
		Es kosten je 100 Kilogramm											Es	
													Rindfleisch	
		Weizen	Roggen	Gerste	Hafer	Erbsen	Speisebohnen	Linsen	Eßkartoffeln	Richtstroh	Krummstroh	Heu	von der Keule	Bauchfleisch
		M. Pf.	M. Pf.	M. Pf.	M. Pf.	M. Pf.	M. Pf.	M. Pf.	M. Pf.	M. Pf.	M. Pf.	M. Pf.	M. Pf.	M. Pf.
1	Angermünde	18 30	17 27	15 97	13 48	27 25	28 —	35 —	4 21	3 25	1 50	3 50	1 56	1 29
2	Beeskow	18 41	16 81	15 54	13 32	25 —	32 50	40 —	3 70	3 25	— —	4 25	1 40	1 20
3	Bernau	18 75	17 80	16 70	14 56	31 —	36 —	43 —	5 25	4 50	— —	5 40	1 48	1 23
4	Brandenburg	19 70	17 87	15 12	14 65	30 —	40 —	45 —	5 02	3 50	— —	4 20	1 50	1 20
5	Dahme	19 06	17 53	15 64	13 72	25 —	32 —	45 —	4 —	4 —	3 —	5 —	1 20	1 20
6	Eberswalde	18 93	17 57	17 33	14 43	23 —	23 —	30 —	5 —	4 44	— —	5 39	1 40	1 20
7	Havelberg	19 50	17 50	15 —	14 50	25 —	45 —	55 —	5 50	5 —	2 50	4 50	1 50	1 20
8	Jüterbog	19 —	18 —	16 83	15 03	28 —	30 —	50 —	5 50	4 —	— —	5 —	1 30	1 20
9	Luckenwalde	18 33	17 41	14 89	13 46	36 —	36 —	40 —	2 50	3 17	— —	4 75	1 40	1 40
10	Perleberg	18 93	17 08	15 42	13 31	27 —	35 —	50 —	4 61	4 —	— —	4 50	1 50	1 30
11	Potsdam	19 96	17 76	17 27	15 03	25 —	27 50	34 —	5 30	4 03	— —	4 73	1 55	1 30
12	Prenzlau	18 07	17 03	16 23	13 53	18 —	22 50	24 50	4 50	3 50	2 —	4 50	1 35	1 15
13	Pritzwalk	18 30	16 42	15 23	12 68	17 50	30 —	34 —	3 91	2 75	2 13	3 25	1 40	1 20
14	Rathenow	18 —	16 44	14 75	13 25	30 —	35 —	44 —	4 25	3 17	— —	3 75	1 80	1 40
15	Neu-Ruppin	19 50	16 45	14 60	13 75	30 —	32 —	60 —	4 13	4 50	— —	5 —	1 50	1 15
16	Schwedt	19 20	17 87	17 —	14 44	26 67	31 25	31 25	5 —	3 78	— —	4 64	1 40	1 20
17	Spandau	18 50	17 55	15 75	14 50	26 50	31 —	38 50	5 —	3 75	— —	5 —	1 60	1 25
18	Strausberg	19 40	17 60	18 —	15 94	22 —	35 —	36 —	5 —	5 16	— —	6 83	1 60	1 30
19	Teltow	18 80	17 12	17 —	15 07	40 —	40 —	55 —	4 25	4 50	3 25	6 50	1 80	1 30
20	Templin	18 50	17 —	16 50	14 —	15 —	40 —	40 —	4 —	4 50	3 —	5 —	1 20	1 —
21	Treuenbrietzen	18 90	17 02	14 89	14 —	26 —	24 —	30 —	4 50	3 20	— —	3 40	1 40	1 20
22	Wittstock	18 78	16 80	15 —	12 57	14 12	40 —	50 —	3 63	3 33	2 —	3 —	1 31	1 19
23	Wriezen a. O.	18 32	17 25	16 08	14 50	25 —	27 —	35 —	4 —	3 19	2 —	4 25	1 50	1 20
	Durchschnitt	18 83	17 27	15 94	14 07	— —	— —	— —	4 47	3 85	— —	4 62	— —	— —

Potsdam, den 15. Dezember 1890.

Vermehrung der Pferde-Märkte in Neu-Weißensee.

274. Der Provinzialrath der Provinz Brandenburg hat sich mit der Vermehrung der in Neu-Weißensee stattfindenden Pferdemärkte um zwei in den Monaten **Februar und Juni anzusetzende Märkte vorbehaltlich** jederzeitigen Widerrufs einverstanden erklärt.

Für das Jahr 1891 sind diese Märkte **auf den 17. Februar und 16. Juni** festgesetzt worden.

Potsdam, den 15. Dezember 1890.

Der Regierungs-Präsident.

Bekanntmachung, die Ermittelung des Ernteertrages im Jahre 1890 betreffend.

275. Wie seit einiger Zeit alljährlich, findet auch für das Jahr 1890 eine Ermittelung des Ernteertrages statt, welche den Zweck hat, durch unmittelbare Anfrage bei den Betheiligten möglichst zuverlässige Angaben über die 1890 wirklich geerntete Menge an Bodenerzeugnissen zu gewinnen.

Die Ermittelung wird in der zweiten Hälfte des Monats Februar 1891 vorgenommen werden.

In Anbetracht der Wichtigkeit dieser Ernte-Ermittelungen hoffe ich, daß allseitig eine bereitwillige Mitwirkung zur Beschaffung der Unterlagen erfolgen wird und daß insbesondere die Mitglieder der landwirthschaftlichen Vereine sowie alle übrigen darum ersuchten Landwirthe und angesessenen Ortseinwohner die etwa zu bildenden Schätzungs-Ausschüsse unterstützen und zu ihrem Theile mit für die pünktliche und zuverlässige Ausfüllung der Erhebungsformulare beitragen.

Potsdam, den 16. Dezember 1890.

Der Regierungs-Präsident.

Viehseuchen.

276. Festgestellt ist:

der Milzbrand bei einer Kuh auf dem Gute Felchow, Kreis Angermünde, und unter dem Schafbestande des Rittergutes Brunn, Kreis Ruppin;

der Rotz bei den Pferden der Droschkenbesitzer Ziegan und Perlewitz zu Spandau;

die Maul- und Klauenseuche unter dem Rindviehstande der Güter Güstow und Gramzow,

Preise im Monat November 1890.

Artikel: kostet je 1 Kilogramm										Ein Schock		Ladenpreise in den letzten Tagen des Monats. Es kostet je 1 Kilogramm.					
Schweinefleisch		Kalbfleisch		Hammelfleisch		Speck		Butter		Eier		Mehl: Weizen Nr. 1		Mehl: Roggen Nr. 1		Gerste: Graupe	
M.	Pf.	M.	Pf.	M.	Pf.	M.	Pf.	M.	Pf.	M.	Pf.	M.	Pf.	M.	Pf.	M.	Pf.
1	44	1	04	1	26	1	91	2	33	4	64	—	35	—	25	—	50
1	30	1	—	1	20	2	—	2	30	3	80	—	40	—	26	—	50
1	50	1	48	1	35	1	70	2	30	3	95	—	30	—	20	—	30
1	35	1	25	1	30	1	80	2	30	4	40	—	35	—	30	—	50
1	60	1	—	1	20	1	80	2	20	3	20	—	32	—	26	—	60
1	40	1	20	1	20	2	—	2	40	4	40	—	32	—	30	—	60
1	40	1	47	1	25	1	83	2	33	4	06	—	40	—	28	—	60
1	30	1	20	1	40	1	70	2	40	4	50	—	34	—	28	—	40
1	40	1	—	1	40	1	80	2	30	4	—	—	36	—	24	—	50
1	40	1	50	1	30	2	10	2	16	3	61	—	50	—	36	—	50
1	50	1	31	1	42	1	80	2	26	4	72	—	40	—	30	—	55
1	30	—	95	1	10	1	90	2	40	4	40	—	32	—	28	—	45
1	40	1	20	1	15	2	—	2	03	3	38	—	28	—	25	—	40
1	50	1	—	1	20	1	60	2	60	4	13	—	30	—	27	—	40
1	30	1	10	1	20	1	70	2	40	4	80	—	40	—	30	—	60
1	40	1	—	1	20	2	—	2	20	4	80	—	35	—	25	—	50
1	50	1	40	1	50	1	80	2	50	4	20	—	40	—	30	—	50
1	60	1	20	1	40	1	80	2	40	3	56	—	35	—	25	—	55
1	50	1	50	1	50	1	50	2	30	3	30	—	40	—	30	—	50
1	30	1	—	1	30	1	80	2	50	5	—	—	40	—	30	—	60
1	40	1	10	1	20	1	80	2	20	3	78	—	36	—	28	—	50
1	27	—	72	1	25	2	—	1	97	3	78	—	30	—	26	—	50
1	38	1	30	1	20	1	80	2	20	4	53	—	25	—	26	—	50

Gerste: Grütze		Buchweizengrütze		Hafergrütze		Hirse		Reis, Java		Java-Kaffee mittler in gebr. Bohnen		Java-Kaffee gelber in gebr. Bohnen		Speisesalz		Schweineschmalz, hiesig.	
M.	Pf.	M.	Pf.	M.	Pf.	M.	Pf.	M.	Pf.	M.	Pf.	M.	Pf.	M.	Pf.	M.	Pf.
—	40	—	40	—	45	—	50	—	60	3	40	3	80	—	20	1	60
—	60	—	50	—	80	—	60	—	60	2	60	3	60	—	20	1	60
—	30	—	70	—	40	—	40	—	40	3	—	3	10	—	20	1	60
—	40	—	50	—	50	—	50	—	50	3	60	4	—	—	20	1	60
—	40	—	50	—	—	—	50	—	50	2	80	3	60	—	20	1	20
—	60	—	50	—	—	—	60	—	60	3	20	3	60	—	20	2	—
—	60	—	60	—	60	—	70	—	60	3	—	4	50	—	20	1	80
—	50	—	40	—	60	—	40	—	40	3	—	3	60	—	20	1	60
—	40	—	40	—	60	—	36	—	60	2	50	3	60	—	20	1	60
—	40	—	50	—	50	—	40	—	50	4	—	3	80	—	20	2	20
—	55	—	55	—	55	—	50	—	65	3	20	3	90	—	20	1	80
—	40	—	50	—	60	—	50	—	60	3	40	3	80	—	20	2	—
—	40	—	50	—	50	—	40	—	50	3	20	3	60	—	20	1	60
—	44	—	45	—	40	—	60	—	60	3	25	3	50	—	20	1	60
—	60	—	50	—	60	—	50	—	60	3	25	3	58	—	20	1	60
—	40	—	50	—	50	—	50	—	60	3	20	3	40	—	20	2	—
—	50	—	55	—	50	—	50	—	55	2	80	3	80	—	20	1	40
—	50	—	50	—	50	—	55	—	60	3	20	3	60	—	20	1	40
—	50	—	40	—	50	—	60	—	55	2	80	3	60	—	20	1	20
—	50	—	50	—	60	—	50	—	60	4	—	4	—	—	20	1	40
—		—	40	—	50	—	30	—	50	3	80	3	60	—	20	1	60
—	50	—	50	—	60	—	50	—	50	3	20	3	60	—	20	2	—
—	40	—	40	—	50	—	50	—	60	3	50	3	75	—	20	1	40

Der Regierungs-Präsident.

sowie mehrerer bäuerlicher Besitzer zu Gramzow und Bertikow, Kreis Angermünde, und unter den Rindern des Dominiums Klein-Kienitz, Kreis Teltow.

Ueber die Dörfer Gramzow und Bertikow, Kreis Angermünde, ist die Orts- und Feldmarksperre verhängt worden.

Erloschen ist: der Rotz unter den Pferden des Molkereibesitzers Wendt zu Friedenau, Kreis Teltow; die Maul- und Klauenseuche unter dem Rindviehstande des Oberamtmanns Mankiewicz zu Falkenrehde, Kreis Osthavelland, und unter dem Rindvieh des Ritterguts und der Gemeinde Wagenitz, Kreis Westhavelland.

Potsdam, den 16. Dezember 1890.

Der Regierungs-Präsident.

Bekanntmachungen des Königlichen Polizei-Präsidenten zu Berlin.

Bekanntmachung.

97. Auf den Bericht vom 26. September dieses Jahres will Ich bei Rückgabe der Anlage genehmigen, daß das der Preußischen Hypotheken-Aktien-Bank zu Berlin unter dem 18. Mai 1864 ertheilte Privilegium auch bei Abänderung der §§ 5, 6, 38 und 49 des Gesellschafts-Statuts, wie solche nach dem notariellen Protokoll vom 12. März 1890 beschlossen worden, in Kraft bleibe, jedoch unter der Voraussetzung, daß die Eintragung jener Statutenänderungen in das Handelsregister unbeanstandet erfolgt.

Budweis, den 8. Oktober 1890.

gez. **Wilhelm.**

gegengez. Freiherr Lucius von Ballhausen.
Herrfurth. Miquel.

An die Minister für Landwirthschaft, Domainen und Forsten, des Innern und der Finanzen.

* *

Anlage.

Nach der von der General-Versammlung der Aktionäre der Preußischen Hypotheken-Aktien-Bank in Berlin am 12. März 1890 beschlossenen Statutenänderung lauten die Paragraphen 5, 6, 38 und 49 des Statuts fortan wie folgt:

§ 5.

Das Grundkapital der Gesellschaft beträgt 9960000 Mark, eingetheilt in 10000 Aktien à 600 M. und in 3300 Aktien à 1200 M. Dasselbe kann mit ministerieller Genehmigung auf Beschluß der Generalversammlung bis auf 30000000 M. erhöht werden. Eine weitere Erhöhung des Grundkapitals kann nur auf Beschluß der General-Versammlung mit landesherrlicher Genehmigung stattfinden.

§ 6, Absatz 1.

Wenn im Falle der Erhöhung des Grundkapitals neue Aktien ausgegeben werden, so soll der Betrag jeder neuen Aktie auf 1200 M. gestellt werden.

§ 38, Absatz 5, Satz 1.

Jede Aktie à 600 M. gewährt eine und jede Aktie à 1200 M. gewährt zwei Stimmen.

§ 49, Absatz 2.

In einer General-Versammlung, welche über die Auflösung der Gesellschaft Beschluß fassen soll, müssen wenigstens ³/₄ sämmtlicher Aktien vertreten sein. (Die übrigen Absätze der §§ 6, 38 und 49 bleiben ungeändert.)

* * *

Vorstehenden Allerhöchsten Erlaß nebst den darin erwähnten Abänderungen des Statuts der Preußischen Hypotheken-Aktien-Bank zu Berlin bringe ich mit dem Bemerken hierdurch zur öffentlichen Kenntniß, daß die Eintragung dieser Statutänderungen in das Handelsregister erfolgt ist.

Berlin, den 11. Dezember 1890.

Der Polizei-Präsident.
Freiherr von Richthofen.

Bekanntmachungen des Reichs-Postamts.

Die Weihnachtssendungen betreffend.

29. Das Reichs-Postamt richtet auch in diesem Jahre an das Publikum das Ersuchen, mit den Weihnachtsversendungen bald zu beginnen, damit die Packetmassen sich nicht in den letzten Tagen vor dem Feste zu sehr zusammendrängen, wodurch die Pünktlichkeit in der Beförderung leidet. Die Packete sind dauerhaft zu verpacken. Dünne Pappkasten, schwache Schachteln, Cigarrenkisten ꝛc. sind nicht zu benutzen. Die Aufschrift der Packete muß deutlich, vollständig und haltbar hergestellt sein. Kann die Aufschrift nicht in deutlicher Weise auf das Packet gesetzt werden, so empfiehlt sich die Verwendung eines Blattes weißen Papiers, welches der ganzen Fläche nach fest aufgeklebt werden muß. Am zweckmäßigsten sind gedruckte Aufschriften auf weißem Papier. Dagegen dürfen Formulare zu Post-Packetadressen für Packetaufschriften nicht verwendet werden. Der Name des Bestimmungsorts muß stets recht groß und kräftig gedruckt oder geschrieben sein. Die Packetaufschrift muß sämmtliche Angaben der Begleitadresse enthalten, zutreffendenfalls also den Frankovermerk, den Nachnahmebetrag nebst Namen und Wohnung des Absenders, den Vermerk der Eilbestellung u. s. w., damit im Falle des Verlustes der Begleitadresse das Packet auch ohne dieselbe dem Empfänger ausgehändigt werden kann. Auf Packeten nach größeren Orten ist die Wohnung des Empfängers, auf Packeten nach Berlin auch der Buchstabe des Postbezirks (C., W., SO. u. s. w.) anzugeben. Zur Beschleunigung des Betriebes trägt es wesentlich bei, wenn die Packete **frankirt** aufgeliefert werden. Das Porto für Packete ohne angegebenen Werth nach Orten des Deutschen Reichs-Postgebiets beträgt bis zum Gewicht von 5 Kilogramm: 25 Pf. auf Entfernungen bis 10 Meilen, 50 Pf. auf weitere Entfernungen.

Berlin W., 27. November 1890.

Reichs-Postamt, Abtheilung I.

Bekanntmachungen der Kaiserlichen Ober-Postdirektion zu Berlin.

Verlegung des Postamts Nr. 11 (Anhalter Bahnhof).

106. Am 11. Dezember Abends nach Dienstschluß werden die Betriebsstellen des Postamts № 11 mit Ausnahme der Annahmestelle für gewöhnliche Packete aus dem alten Eisenbahnverwaltungsgebäude des Anhalter Bahnhofes nach dem Hause Bahnhofstraße Nr. 3 verlegt. Das Postamt behält nach wie vor die Bezeichnung Postamt 11 (Anhalter Bahnhof).

Berlin C., den 9. Dezember 1890.

Der Kaiserliche Ober-Postdirektor.

Bekanntmachungen der Königlichen Hauptverwaltung der Staatsschulden.

Bekanntmachung.

23. Die am 1. Januar 1891 fälligen **Zinsscheine der Preußischen Staatsschulden** werden bei der Staatsschulden-Tilgungskasse, W. Taubenstraße 29 hierselbst, bei der Reichsbankhauptkasse, sowie bei den früher zur Einlösung benutzten Königlichen Kassen und Reichsbankanstalten vom **24. d. M.** ab eingelöst.

Die Zinsscheine sind, nach den einzelnen Schuldgattungen und Werthabschnitten geordnet, den Einlösungsstellen mit einem Verzeichniß vorzulegen, welches die **Stückzahl** und den **Betrag** für jeden Werthabschnitt angiebt, aufgerechnet ist und des Einliefernden Namen und Wohnung ersichtlich macht.

Wegen Zahlung der am 1. Januar fälligen Zinsen für die in das **Staatsschuldbuch** eingetragenen Forderungen bemerken wir, daß die **Zusendung** dieser Zinsen mittels der **Post,** sowie ihre Gutschrift auf den Reichsbank-Girokonten der Empfangsberechtigten zwischen dem **18. Dezember und 8. Januar** erfolgt; die **Baarzahlung** aber bei der **Staatsschulden-Tilgungskasse am 18. Dezember, bei den Regierungs-Hauptkassen am 24. Dezember** und bei den mit der Annahme direkter Staatssteuern außerhalb Berlins betrauten Kassen am **2. Januar** beginnt.

Die Staatsschulden-Tilgungskasse ist **für die Zinszahlungen** werktäglich von 9 bis 1 Uhr mit Ausschluß des vorletzten Tages in jedem Monat, am letzten Monatstage aber von 11 bis 1 Uhr geöffnet.

Die Inhaber Preußischer 4prozentiger und 3½prozentiger Konsols machen wir

wiederholt auf die durch uns veröffentlichten „Amtlichen Nachrichten über das Preußische Staatsschuldbuch" aufmerksam, welche durch jede Buchhandlung für 40 Pfennig, oder von dem Verleger J. Guttentag (D. Collin) in Berlin durch die Post für 45 Pfennig franko zu beziehen sind.

Berlin, den 2. Dezember 1890.

Hauptverwaltung der Staatsschulden.

Bekanntmachungen des Provinzial-Steuer-Direktors.

Bekanntmachung.

15. Auf Anordnung des Herrn Finanz-Ministers wird hierdurch zur öffentlichen Kenntniß gebracht, daß die dem Königlichen Steueramte I. Klasse in Zossen im Bezirk des Königlichen Haupt-Steuer-Amts zu Potsdam seiner Zeit ertheilte Befugniß zur Erhebung von Reichs-Stempel-Abgaben, demselben vom 1. Januar 1891 ab wieder entzogen wird.

Berlin, den 29. November 1890.

Der Provinzial-Steuer-Direktor.

Bekanntmachungen der Königlichen Eisenbahn-Direktion zu Berlin.

55. Mit dem Ablauf des 31. Dezember d. Js. verlieren die für den inneren Verkehr der Berliner Stadtbahn und der Berliner Ringbahn, sowie die für den Stadtring-Verkehr bestehenden einfachen Fahrkarten für Erwachsene und Kinder, welche mit dem Aufdruck: „Gültig bis 31. Dezember 1890" versehen sind, ihre Gültigkeit. Die mit demselben Aufdruck versehenen Fahrkarten für Hunde werden mit Ablauf des bezeichneten Termins ebenfalls ungültig.

Berlin, den 11. Dezember 1890.

Königliche Eisenbahn-Direktion.

Bekanntmachungen der Königlichen Eisenbahn-Direktion zu Bromberg.

Bekanntmachung.

70. Am 1. Januar 1891 wird die auf der Bahnstrecke Güldenboden-Allenstein zwischen Pr. Holland und Grünhagen gelegene Haltestelle Neuendorf-Friedheim für den unbeschränkten Personen- und Gepäck-Verkehr eröffnet. Die Berechnung der Beförderungspreise erfolgt auf Grund der Entfernungen des Kilometerzeigers und der Preistafel des Lokal-Personen-Tarifs für den Eisenbahn-Direktions-Bezirk Bromberg. Näheres ist auf allen Stationen und Haltestellen zu erfahren.

Bromberg, den 5. Dezember 1890.

Königliche Eisenbahn-Direktion.

Bekanntmachungen anderer Behörden.

Bekanntmachung.

Für den weiteren Kommunalverband der Provinz Brandenburg ist in Ausführung des Reichs-Gesetzes vom 22. Juni 1889 eine Versicherungsanstalt unter dem Namen „Invaliditäts- und Alters-Versicherungsanstalt der Provinz Brandenburg" mit dem Sitze in Berlin errichtet.

Vorsitzender des Vorstandes dieser Anstalt ist der Landesdirector von Levetzow.

Berlin W., Matthäikirchstraße Nr. 19,
den 4. Dezember 1890.

Der Vorstand der Invaliditäts- und Altersversicherungsanstalt der Provinz Brandenburg.

von Levetzow.

Personal-Chronik.

Seine Majestät der Kaiser und König haben dem Regierungs- und Baurath Dieckhoff zu Potsdam den Character als „Geheimer Baurath" Allergnädigst zu verleihen geruht.

Im Kreise Teltow sind der Königliche Oberamtmann Zacher zu Rotzis und der Königliche Oberamtmann Schmidt zu Carlshof nach Ablauf ihrer bisherigen Amtszeit aufs Neue zum Amtsvorsteher bezw. dessen Stellvertreter für den XXXII. Amtsbezirk Groß-Kienitz ernannt worden.

Der Schulamtskandidat Heino Belling ist als ordentlicher Lehrer am Askanischen Gymnasium zu Berlin angestellt worden.

Der Schulamtskandidat Dr. Julius Schneider ist als ordentlicher Lehrer am Falk-Realgymnasium in Berlin angestellt worden.

Der Schulamtskandidat Dr. Julius Siede ist als ordentlicher Lehrer am Königstädtischen Realgymnasium in Berlin angestellt worden.

Der wissenschaftliche Hilfslehrer Borgward ist als ordentlicher Lehrer an der sechsten höheren Bürgerschule in Berlin angestellt worden.

Vermischte Nachrichten.

Die Veröffentlichungen der Eintragungen in das Handels-, Genossenschafts-, Zeichen- und Musterregister, welche im Laufe des Kalenderjahres 1891 beim hiesigen Amtsgericht vorkommen, erfolgt durch den Deutschen Reichs- und Königlich Preußischen Staatsanzeiger, für das Handels- und Genossenschafts-Register außerdem durch die Berliner Börsenzeitung, die Märkische Zeitung zu Neu-Ruppin und die Gransee'er Zeitung.

Gransee, den 5. Dezember 1890.

Königliches Amtsgericht.

Gemäß Artikel 14 des Handels-Gesetz-Buchs wird hiermit bekannt gemacht, daß die in dem Artikel 13 des Handels-Gesetz-Buchs vorgeschriebenen Bekanntmachungen der unterzeichneten Behörde im Laufe des nächstfolgenden Kalenderjahres 1891 im Amtsblatte der Königlichen Regierung in Potsdam, im Reichsanzeiger, in der Berliner Börsenzeitung, in der Beelitzer Zeitung erfolgen werden.

Beelitz, den 12. Dezember 1890.

Königliches Amtsgericht.

Die im Laufe des Jahres 1891 zu bewirkenden Eintragungen in das hiesige Handelsregister werden veröffentlicht werden durch: 1) den deutschen Reichs- und Königlich Preußischen Staatsanzeiger, 2) die Vossische Zeitung, 3) die Berliner Börsenzeitung, 4) je nach dem Orte der Niederlassung durch das Teltower bezw. Nieder-Barnimer bezw. Beeskow-Storkower Kreisblatt. Die Eintragungen in das Genossenschaftsregister werden durch dieselben Blätter und außerdem durch den Oeffentlichen Anzeiger des Amtsblatts der Königlichen Regierung zu Potsdam bekannt gemacht werden. Bezüglich kleinerer Genossenschaften wird jedoch die Bekanntmachung lediglich durch den deutschen Reichsanzeiger und durch das betreffende Kreisblatt erfolgen. Die Eintragungen in das Zeichen- und Musterregister werden nur durch den deutschen Reichsanzeiger veröffentlicht werden.

Coepenick, den 5. Dezember 1890.

Königliches Amtsgericht.

Bekanntmachung.

Im Geschäftsjahre 1891 werden die vorgeschriebenen, auf das Handels-, Genossenschafts-, Zeichen- und Musterregister bezüglichen diesseitigen Bekanntmachungen durch 1) den Deutschen Reichs- und Königlich Preußischen Staatsanzeiger, 2) die Berliner Börsenzeitung, 3) das Amtsblatt der Königlichen Regierung zu Potsdam, 4) das Strausberger Wochenblatt erfolgen.

Strausberg, den 4. Dezember 1890.

Königliches Amtsgericht.

Bekanntmachung.

Im Jahre 1891 erfolgen die im Artikel 13 des Handelsgesetzbuchs vorgeschriebenen, sowie die nach dem Genossenschaftsgesetze vom 1. Mai 1889 erforderlichen Bekanntmachungen 1) im Deutschen Reichs- und Königlich Preußischen Staatsanzeiger, 2) im Anzeiger für Werder a. H., Lehnin und Umgegend.

Werder a. H., den 10. Dezember 1890.

Königliches Amtsgericht.

Beschluß.

Die Eintragungen in die Handels- und Muster-Register werden im Jahre 1891 im Deutschen Reichs- und Preußischen Staatsanzeiger, in der Berliner Börsen-Zeitung und im Amtsblatt des Königlichen Regierung zu Potsdam, die Eintragungen in das Genossenschafts-Register im Deutschen Reichs- und Preußischen Staats-Anzeiger und im Zehdenicker Anzeiger bekannt gemacht werden. Zehdenick, den 8. Dezember 1890.

Königliches Amtsgericht. Abtheilung 1.

Bekanntmachung.

Im Jahre 1891 soll seitens des unterzeichneten Gerichts die in Art. 13 des Handelsgesetzbuchs vorgeschriebene Bekanntmachung der Eintragungen in das Handelsregister durch den Deutschen Reichs- und Preußischen Staatsanzeiger, die Berliner Börsen-, die Stettiner Ostsee- und die Schwedter Zeitung, die in § 147 des Reichsgesetzes, betreffend die Erwerbs- und Wirthschaftsgenossenschaften, vom 1. Mai 1889 angeordnete Bekanntmachung der Eintragungen in das Genossenschaftsregister durch dieselben Blätter, für kleinere Genossenschaften jedoch nur durch den Deutschen Reichs- und Preußischen Staatsanzeiger und durch die Schwedter Zeitung erfolgen.

Schwedt, den 9. Dezember 1890.

Königliches Amtsgericht.

Bekanntmachung.

Die Eintragungen in das Handels-, Muster- und Genossenschaftsregister des unterzeichneten Gerichts werden im Jahre 1891 durch den Deutschen Reichs- und Königlich Preußischen Staatsanzeiger, die Berliner Börsenzeitung und den Baruth-Golßener Anzeiger und soweit sie kleinere Genossenschaften betreffen, durch den Deutschen Reichs- und Königlich Preußischen Staatsanzeiger, sowie den Baruth-Golßener Anzeiger erfolgen.

Baruth, den 6. Dezember 1890.

Königliches Amtsgericht.

Bekanntmachung.

Im Laufe des Jahres 1891 werden die Eintragungen in das Handels-, Genossenschafts-, Zeichen- und Musterregister seitens des Königlichen Amtsgerichts zu Oranienburg durch den Deutschen Reichsanzeiger, den Oeffentlichen Anzeiger des Regierungs-Amtsblattes zu Potsdam, die Berliner Börsenzeitung und die Zeitung für Nieder-Barnim bekannt gemacht werden. Die Bekanntmachungen für kleinere Genossenschaften werden außer in dem Deutschen Reichsanzeiger nur in der Zeitung für Nieder-Barnim erfolgen.

Oranienburg, den 4. Dezember 1890.

Königliches Amtsgericht.

Bekanntmachung.

Im Geschäftsjahre 1891 werden die öffentlichen Bekanntmachungen außer durch den Deutschen Reichs-Anzeiger erfolgen in Angelegenheiten: a. des Firmen-, Gesellschafts- und Procuren-Registers durch die Berliner Börsenzeitung und das Kreisblatt für das Westhavelland, b. des Genossenschafts-Registers durch das Kreisblatt für das Westhavelland resp. die Rathenower Zeitung und resp. durch das Friesacker Wochenblatt, c. des Zeichen- und Musterschutz-Registers dagegen nur durch den Deutschen Reichsanzeiger.

Rathenow, den 6. Dezember 1890.

Königliches Amtsgericht.

Hierzu
eine Extra-Beilage, enthaltend die Erlaubniß zum Geschäftsbetriebe in Preußen und im Auszug das Gesellschafts-Statut der zu London unter der Firma Davenière & Comp. limited bestehenden Actien-Gesellschaft, sowie Vier Oeffentliche Anzeiger.

(Die Insertionsgebühren betragen für eine einspaltige Druckzeile 20 Pf. Belagsblätter werden der Bogen mit 10 Pf berechnet.)

Redigirt von der Königlichen Regierung zu Potsdam.

Potsdam, Buchdruckerei der A. W. Hayn'schen Erben.

Extra-Beilage

zum 51sten Stück des Amtsblatts
der Königlichen Regierung zu Potsdam und der Stadt Berlin.
Den 19. Dezember 1890.

96. Bekanntmachung des Königl. Polizei-Präsidenten zu Berlin.

Der zu London unter der Firma Davenière & Comp. limited bestehenden Actien-Gesellschaft ist vom Herrn Minister für Handel und Gewerbe am 13. November 1890 die Erlaubniß zum Geschäftsbetriebe in Preußen ertheilt worden.

Nachstehend bringe ich diese Erlaubniß, sowie im Auszug das Gesellschaftsstatut (Assoziations-Memorandum und Assoziations-Artikel) mit dem Bemerken zur öffentlichen Kenntniß, daß der Jerusalemerstraße No. 26. II. hierselbst wohnhafte Ferd. Oppenheimer Vertreter der Gesellschaft ist.

Berlin, den 28. November 1890.

Der Polizei-Präsident.
Freiherr von Richthofen.

* * *

Der zu London unter der Firma Davenière & Comp. limited bestehenden Actiengesellschaft wird die Erlaubniß zum Geschäftsbetriebe in Preußen auf Grund des § 18 der Gewerbe-Ordnung vom 17. Januar 1845 in der Fassung des Gesetzes vom 22. Juni 1861 (§ 12 der Gewerbe-Ordnung vom 21. Juni 1869) hiermit unter folgenden Bedingungen ertheilt:

1. Die Erlaubniß und ein von dem Königlichen Polizei-Präsidenten zu Berlin festzustellender Auszug des Statuts und etwaige Aenderungen der in diesem Auszuge enthaltenen Bestimmungen sind auf Kosten der Gesellschaft in dem Amtsblatt der Königlichen Regierung zu Potsdam und der Stadt Berlin in deutscher Uebersetzung zu öffentlicher Kenntniß zu bringen.

2. Für jede Aenderung oder Ergänzung des Statuts ist die Zustimmung des Königlich Preußischen Ministers für Handel und Gewerbe zu erwirken.

3. In allen Prospekten und Bekanntmachungen der Gesellschaft ist als Gesellschaftsvermögen und Grundkapital nur das wirklich gezeichnete Actien-Kapital aufzuführen.

4. Die Gesellschaft ist verpflichtet, in Berlin eine Zweigniederlassung mit einem Geschäftslokale und einem dort domicilirten General-Bevollmächtigten zu begründen und von diesem Orte aus regelmäßig ihre Verträge mit Preußischen Unterthanen abzuschließen, sowie auch wegen aller aus ihren Geschäften mit solchen entstehenden Verbindlichkeiten bei den Gerichten jenes Ortes als Beklagte Recht zu nehmen.

5. Dem Königlichen Polizei-Präsidenten zu Berlin ist in den ersten vier Monaten jedes Geschäftsjahrs

a. die General-Bilanz der Gesellschaft,
b. eine Spezial-Bilanz der Preußischen Geschäftsniederlassung, in welcher das in Preußen befindliche Activum abgesondert von den übrigen Activis nachzuweisen ist, einzureichen.

Dem genannten Königlichen Polizei-Präsidenten bleibt vorbehalten, nähere Grundsätze für die Aufstellung der Spezial-Bilanz festzusetzen und nähere Erläuterungen über die darin aufzunehmenden Positionen zu verlangen.

6. Der General-Bevollmächtigte hat sich auf Erfordern des Königlichen Polizei-Präsidenten zu Berlin zum Vortheile sämmtlicher Preußischen Gläubiger der Gesellschaft persönlich und erforderlichen Falls unter Stellung zulänglicher Sicherheit zu verpflichten, für die Richtigkeit der eingereichten Spezial-Bilanz einzustehen.

7. Die Erlaubniß kann zu jeder Zeit und ohne daß es der Angabe von Gründen bedarf, nach dem Ermessen der Königlich Preußischen Staatsregierung zurückgenommen und für erloschen erklärt werden.

8. Die Befugniß zum Erwerbe von Grundeigenthum in Preußen wird nicht schon durch diese Erlaubniß, sondern erst durch besondere, in jedem einzelnen Falle nachzusuchende landesherrliche Erlaubniß erlangt.

Berlin, den 13. November 1890.

(L. S.)

Der Minister für Handel und Gewerbe.
In Vertretung.
gez. **Magdeburg.**

Erlaubniß zum Geschäftsbetriebe in Preußen für die zu London unter der Firma Davenière & Comp. limited bestehende Actiengesellschaft.

B. 7165.

* * *

Assoziations-Memorandum von Davenière & Co. Limited.

1. Der Name der Gesellschaft ist „Davenière & Co., Limited“.

2. Das in das Handelsregister eingetragene Büreau wird in England belegen sein.

3. Die Zwecke, für welche die Gesellschaft gegründet ist, sind:

(1.) Zu erwerben und zu übernehmen als gehenden Betrieb das Geschäft eines Fabrikanten von Spitzen, das gegenwärtig in Calais, Frankreich, unter der Benennung oder Firma Emile Davenière betrieben wird, und alle oder einige der in Verbindung damit stehenden Aktiva und Passiva des Besitzers jenes Geschäfts, mit der Absicht, den in Paragraph 3 der Assoziations-Artikel der Gesellschaft in Bezug genommenen Vertrag zu schließen.

(2.) Das Geschäft von Spitzenfabrikanten und Inhabern eines Waarenlagers zu betreiben, und zu kaufen, verkaufen, fabriziren, kämmen, herrichten, spinnen, färben und Handel zu treiben in Spitzen, Seide, Baumwolle, Garn, Strumpfwaaren, Haar, Alpaka, Flachs, Hanf, Jute, Mohair und Wollenwaaren; Bänder, Borden und alle andere Arten von gelöcherten, netzartigen, gefilzten und Textilfabrikaten; desgleichen alle Arten von Waaren, die ganz oder zum Theil aus derartigen Fabrikaten bestehen, oder zu deren Fabrikation gebraucht werden, einschließlich Jacquard-Karten, Webestühle, Geräthe, Lochpreß- und andere Maschinen.

(3.) Zu betreiben das Geschäft von Maschinen-Ingenieuren, fabrizirenden (praktischen) Chemikern und Droguisten, Metallurgisten (Hüttenkundigen) und Besitzern von Kohlengruben; desgleichen irgend welche andere Geschäfte betreiben, die der Gesellschaft zum Betriebe passend erscheinen in Verbindung mit einem der oben erwähnten Geschäfte, oder die geeignet sind, den Werth des Eigenthums oder der Rechte der Gesellschaft auf direkte oder indirekte Weise zu erhöhen, oder dasselbe gewinnbringend zu machen.

(4.) Zur Anlage (Herrichtung) von Ländereien zum Zwecke der Bebauung, dieselben zu bebauen, zu amelioriren und zu verpachten; Geldvorschüsse solchen Personen zu gewähren, welche diese Ländereien bebauen oder sie in einer solchen Weise verbessern, wie es den Interessen der Gesellschaft dienlich erscheinen mag.

(5.) Zu kaufen oder anderweitig zu erwerben Patente, brevets d'inventions, Konzessionen und dergleichen, die ein ausschließliches oder nicht ausschließliches oder beschränktes Recht verleihen zur Nutzbarmachung einer geheimen oder andern Mittheilung mit Bezug auf eine Erfindung, die für irgend welche Zwecke der Gesellschaft benutzt werden kann, oder deren Erwerbung geeignet erscheinen mag, der Gesellschaft auf direkte oder indirekte Weise von Vortheil zu sein; ferner das Eigenthum, die Rechte und die derart erworbene Kenntniß auszunutzen, auszuüben, Konzessionen betreffs desselben zu gewähren oder dieselben sonstwie nutzbringend zu machen.

(6.) Das gesammte oder einen Theil des Geschäfts, Eigenthums, desgleichen die Verbindlichkeiten (Passiva) von Personen oder Gesellschaften, die ein solches Geschäft betreiben, das die Gesellschaft zu betreiben gleichfalls ermächtigt ist — zu kaufen oder anderweitig zu erwerben und zu übernehmen; oder (von Personen oder Gesellschaften), welche Eigenthum in Besitz haben, das für die Zwecke der Gesellschaft passend ist, dasselbe zu kaufen oder anderweitig zu erwerben und zu übernehmen.

(7.) Landstraßen, Wege, Trammwege, Eisenbahnen, Zweig- oder Nebenlinien, Brücken, Reservoire, Kanäle, Docks, Werfte, Wasserläufe, hydraulische Werke, Gaswerke, Elektrizitätswerke, Speicher und andere Werke zu bauen, auszuführen, unterhalten, verbessern, leiten, in Betrieb zu nehmen, kontroliren und zu beaufsichtigen, wie auch andere Erleichterungen, welche den Zwecken der Gesellschaft direkt oder indirekt förderlich sein mögen; desgleichen an irgend welchen derartigen Geschäftsoperationen sich zu betheiligen, dazu beizusteuern oder sonstwie behilflich zu sein.

(8.) Mit den Regierungen oder den höchsten Munizipal-Lokal- oder sonstigen Behörden Arrangements zu treffen, und von einer solchen Regierung oder Behörde alle Rechte, Konzessionen und Privilegien zu erlangen suchen, die den Zwecken der Gesellschaft möglicherweise förderlich sein können.

(9.) Mit Personen oder Gesellschaften in Handelsgenossenschaft zu treten oder ein Uebereinkommen abzuschließen bezüglich der Theilnahme am Gewinne, der Vereinigung der Interessen, der gegenseitigen Konzessionen oder Kooperation, die ein Geschäft betreiben oder zu betreiben die Absicht haben, welches zu betreiben diese Gesellschaft befugt ist, oder ein Geschäft oder eine geschäftliche Transaktion, die so geleitet werden kann, daß dieser Gesellschaft ein direkter oder indirekter Nutzen daraus erwachse; ferner Aktien, Stocks oder Sicherheiten einer solchen Gesellschaft zu übernehmen oder anderweitig zu erwerben, und derselben Beisteuern zu leisten (subsidize) und behilflich zu sein, und solche Aktien oder Sicherheiten zu verkaufen, halten (besitzen), wieder auszugeben mit oder ohne Garantie oder anderweitig damit zu verfahren.

(10.) Im Allgemeinen Real- oder Personaleigenthum zu kaufen, pachten oder umzutauschen, zu miethen oder anderweitig zu erwerben; desgleichen Rechte oder Privilegien, welche die Gesellschaft für nothwendig oder angemessen hält mit Bezug auf diese Zwecke, oder die sie glaubt, nutzbringend verwerthen zu können in

Verbindung mit dem derzeitigen Eigenthum oder mit den Rechten der Gesellschaft; insbesondere Land, Gebäude, Servitute, Lizenzen, Patente, Maschinerie, Schiffe, Boote, rollendes Material, Geräthschaften und Waarenläger.

(11.) Assoziationen und Institutionen zu gründen und zu subventioniren oder bei deren Gründung und Subventionirung wirksam zu sein, oder Erleichterungen, welche geeignet sind, Personen, die von der Gesellschaft beschäftigt werden oder in geschäftlichem Verkehr mit ihr stehen, Vortheile zu gewähren; ferner Gelder zu zeichnen zu wohlthätigen Zwecken, dieselben zu beschaffen oder zu garantiren; desgleichen für Ausstellungen oder für die Ermuthigung von Erfindungen, für Zwecke der Reklame oder für andere öffentliche, allgemeine oder nützliche Zwecke.

(12.) Das Unternehmen der Gesellschaft oder einen Theil desselben zu verkaufen und zwar gegen eine solche Entschädigung, welche die Gesellschaft für angemessen hält; insbesondere gegen Aktien, Schuldobligationen oder Sicherheiten einer andern Gesellschaft, welche im Ganzen oder zum Theil ähnliche Zwecke verfolgt, wie diese Gesellschaft. Zum Zwecke der Förderung anderer Gesellschaften in dem Erwerbe des gesammten oder eines Theils des Eigenthums, der Rechte und Verbindlichkeiten dieser Gesellschaft oder für andere Zwecke, welche für diese Gesellschaft direkt oder indirekt nutzbringend erscheinen mögen.

(13.) Die Gelder der Gesellschaft, welche für solche Sicherheiten nicht unmittelbar erforderlich sind, zinstragend anzulegen und in solcher Weise mit denselben zu verfahren, wie es von Zeit zu Zeit bestimmt werden mag.

(14.) Gelder auszuleihen an solche Parteien und unter solchen Bedingungen, wie es angemessen erscheint, insbesondere an Kunden und Personen, die in geschäftlichem Verkehr mit der Gesellschaft stehen; desgleichen die Ausführung von Kontrakten durch Mitglieder oder Personen, welche in geschäftlichem Verkehr mit der Gesellschaft stehen, zu garantiren, wie im Allgemeinen die Geschäfte von Banquiers, Kapitalisten und Financiers zu betreiben.

(15.) Eine provisorische Verfügung des Handelsamts oder eine Akte des Parlaments zu beschaffen, um die Gesellschaft in den Stand zu setzen, irgend welche ihrer Zwecke auszuführen, oder um Aenderungen in der Konstitution der Gesellschaft vorzunehmen.

(16.) Gelder aufzunehmen oder zu borgen, oder deren Zahlung in solcher Weise und unter solchen Bedingungen zu führen, wie es angemessen erscheinen mag; insbesondere durch Ausgabe von Schuld-Dokumenten oder Stocks, fortdauernd oder anderswie, und unter Belastung oder Nichtbelastung des ganzen oder eines Theils des gegenwärtigen oder zukünftigen Eigenthums der Gesellschaft (einschließlich des uneingezahlten Kapitals).

(17.) Parteien, welche der Gesellschaft Dienste geleistet haben oder solche leisten werden für Unterbringung von Aktien des Kapitals der Gesellschaft, oder von Schulddokumenten oder andern Sicherheiten, zu remuneriren, oder für deren Thätigkeit bei der Gründung und Förderung der Gesellschaft.

(18.) Promessen, Wechsel, Verladungsscheine und andere negotiir oder übertragbare Instrumente zu ziehen, auszustellen, zu acceptiren, zu vollziehen und auszugeben.

(19.) Irgend welche Personen oder Gesellschaften zuzulassen an der Theilnahme am Gewinne der Gesellschaft, oder am Gewinne einer besondern Abtheilung oder einer besondern geschäftlichen Transaktion.

(20.) Alles Obengenannte in irgend einem Theile der Welt zu thun entweder als Prinzipal, Agent, Unternehmer oder anderswie, ferner entweder allein oder in Verbindung mit andern Personen oder durch Agenten, Sub-Unternehmer oder Bevollmächtigte.

(21.) Das Eigenthum und die Rechte der Gesellschaft zu verkaufen, verbessern, leiten, fördern, verpachten, verpfänden, darüber zu verfügen, es nutzbringend zu machen oder in anderer Weise damit zu verfahren.

(22.) Alles zu thun, was dazu beiträgt, die oben bezeichneten Zwecke zu erreichen, so daß das Wort „Gesellschaft" in diesem Paragraphen, wenn es nicht mit Bezug auf diese Gesellschaft angewendet wird, irgend eine Handelsgenossenschaft oder Körperschaft von Personen bezeichnen soll, gleichviel ob eine solche inkorporirt ist oder nicht, ob domizilirt in dem Vereinigten Königreich oder an anderen Orten.

4. Die Haftbarkeit der Mitglieder ist beschränkt.

5. Das Kapital der Gesellschaft besteht aus 200,000 Pfund, getheilt in 20,000 Aktien zu je 10 Pfund, von denen 10,000 Prioritäts-Aktien sind, die eine kumulative Prioritäts-Dividende von 7 Prozent per annum tragen und ein Vorzugsrecht haben mit Bezug auf das Kapital; desgleichen 10,000 gewöhnliche Aktien. Die Dividenden werden gezahlt in baarem Gelde, Schulddokumenten, in eigenen Aktivis (assets) oder anderswie.

Assoziations-Artikel
von
Davenière & Co. Limited.

Eingetragen $\frac{1354.}{17.\ \text{Januar}\ 1890.}$

Einleitung.

Interpretation.

1. Die Marginal-Noten sollen die Auslegung der gegenwärtigen Urkunde nicht beeinflussen, wenn nicht in dem Gegenstande selbst oder im Kontext etwas vorhanden, was unvereinbar damit ist.

Spezial- und außerordentlicher Beschluß.

„Spezial-Beschluß" und „Außerordentlicher Beschluß" haben diejenige Bedeutung, welche ihnen beigelegt ist in der Companies Act 1862. (Absch. 51 und 129).

Büreau.

„Das Büreau" bedeutet das jezeitige registrirte Büreau der Gesellschaft.

„Die Direktoren" bedeutet die jezeitigen Direktoren.

„Das Register" bedeutet das zufolge Abschnitt 25 der Companies Act vom Jahre 1862 zu führende Verzeichniß der Mitglieder.

„Monat" bedeutet Kalender-Monat.

„Schriftlich" bedeutet geschrieben oder gedruckt, oder theils geschrieben und theils gedruckt.

Worte, die nur den Singular bezeichnen, bezeichnen auch den Plural und umgekehrt.

Worte, die nur das Maskulinum bezeichnen, bezeichnen auch das Femininum.

Worte, die Personen bezeichnen, schließen auch Korporationen ein.

2. Die in Tabelle A. des ersten Anhangs zur Companies Act von 1862 enthaltenen Vorschriften sollen sich nicht auf die Gesellschaft beziehen.

3. Die Gesellschaft soll sofort mit Herrn Emile Davenière unter Grundlegung der Bedingungen des Entwurfs einen Vertrag schließen, von welchem zum Zwecke der Identifizirung eine Abschrift von einem Anwalt am Höchsten Gerichtshof unterzeichnet worden ist. Die Direktoren sollen den in Rede stehenden Vertrag ausführen mit der Ermächtigung indessen, daß sie von Zeit zu Zeit irgend welche Aenderungen der Bestimmungen des gedachten Vertrages ihre Genehmigung zu ertheilen entweder vor oder nach Vollziehung desselben.

Die Aktien der Gesellschaft sollen nicht gekauft werden.

4. Die Direktoren sollen die Fonds der Gesellschaft oder einen Theil derselben nicht verwenden zum Ankauf oder zur Beleihung von Aktien der Gesellschaft.

Wann mit dem Geschäft angefangen werden darf.

5. Das Geschäft der Gesellschaft kann angefangen werden, so bald nach geschehener Inkorporirung der Gesellschaft die Direktoren es für angemessen halten ungeachtet des Umstandes, daß nur ein Theil der Aktien begeben sein mag.

Zuertheilung von Aktien.

6. Die Aktien stehen unter Kontrole der Direktoren, welche dieselben solchen Personen unter solchen Bedingungen und zu solchen Zeiten zuertheilen und darüber verfügen können, wie sie es für gerathen erachten, vorbehaltlich indessen der in dem gedachten Vertrage enthaltenen Bestimmungen mit Bezug auf Aktien, die zufolge Inhalts desselben begeben werden sollen.

Aktien können ausgegeben werden unter verschiedenen Bedingungen, als: Ausschreibung zur Einzahlung u. s. w.

7. Nach der Ausgabe von Aktien kann die Gesellschaft Arrangements treffen mit Bezug auf den Unterschied zwischen den Inhabern von solchen Aktien betreffs des auf ausgeschriebenen Einzahlungen zu leistenden Betrages und der Zeit der Zahlung solcher Raten.

Ratenzahlungen auf Aktien müssen vorschriftsmäßig gezahlt werden.

8. Wenn auf Grund der Bedingungen betreffend die Begebung von Aktien der ganze oder nur ein Theil des Betrages derselben mittels Ratenzahlungen gezahlt werden soll, dann soll eine jede solche Ratenzahlung, wenn fällig, der Gesellschaft von den Inhabern der betreffenden Aktie gezahlt werden.

Haftbarkeit der Mitinhaber von Aktien.

9. Die Mitinhaber einer Aktie sind wegen Zahlung der sämmtlichen Raten und ausgeschriebenen Einzahlungen auf Aktien solidarisch haftbar.

Trusts werden nicht anerkannt.

10. Die Gesellschaft ist berechtigt, die eingetragenen Inhaber von Aktien als absolute Eigenthümer derselben zu betrachten und soll demzufolge (mit Ausnahme der hierin enthaltenen Bestimmung) verpflichtet sein, einen Anspruch einer andern Person auf solche Aktien von Seiten der Billigkeit, oder anderswie, anzuerkennen.

Certifikate.

11. Die Certifikate, den Rechtstitel von Aktien betreffend, werden ausgestellt unter dem Siegel der Gesellschaft und unterzeichnet von zwei Direktoren und gegengezeichnet von dem von den Direktoren ernannten Sekretair oder von einer andern Person. Ein jedes Mitglied ist berechtigt zu einem Certifikat für die auf seinen Namen eingetragenen Aktien, oder zu mehr als einem Certifikat für je einen Theil derselben. Ein jedes Aktien-Certifikat muß die Zahl der Aktien, für die es ausgegeben ist, angegeben enthalten, wie auch den darauf eingezahlten Betrag.

Ausgabe neuer Certifikate für verloren gegangene oder vernichtete.

12. Wenn ein Certifikat abgenutzt ist oder verunstaltet worden, dann können die Direktoren nach Einreichung desselben es ungültig erklären und ein neues dafür ausgeben. Ist dagegen ein Certifikat verloren gegangen oder vernichtet worden, dann können die Direktoren nach geschehenem Beweise und gegen eine Entschädigung, wie sie für angemessen halten werden, derjenigen Partei, welche auf ein dergestalt verlorenes oder vernichtetes Certifikat rechtlichen An-

spruch hat, ein neues Certifikat an Stelle desselben aushändigen. Für ein jedes kraft dieses Paragraphen ausgegebene Certifikat können die Direktoren, wenn sie es für angemessen halten, Zahlung einer Gebühr bis zum Betrage von 2 Schilling und 6 Pence verlangen.

Ausschreibung von Einzahlungen.

13. Den Direktoren steht es von Zeit zu Zeit frei, für die Mitglieder Einzahlungen auszuschreiben betreffs aller Aktien, die sie im Besitz haben und auf welche die betreffenden Gelder noch nicht gezahlt worden, und zwar zu einem solchen Betrage, wie sie ihn für angemessen halten, und diese Beträge zu einer bestimmten Zeit zahlbar zu machen. Ein jedes Mitglied soll den Betrag einer jeden derart von ihm verlangten Einzahlung an die von den Direktoren dazu ernannten Personen, wie auch zu der bestimmten Zeit und an dem bestimmten Orte zahlen.

Beschränkung der Befugniß zur Ausschreibung von Einzahlungen.

14. Eine Einzahlung darf ein Fünftel des Nominalbetrages der Aktie nicht übersteigen oder früher zu zahlen sein als zwei Monate nach der letzt vorhergegangenen Einzahlung.

Anzeige, betreffend Aufruf zur Einzahlung.

15. Von einer jeden Einzahlung ist einen Monat vorher Anzeige zu machen, und muß in einer jeden solchen Anzeige Zeit und Ort der Zahlung wie auch diejenige Person namhaft gemacht sein, an welche die Einzahlung zu leisten ist.

Wann die Zinsen von Einzahlungen oder Raten zu zahlen.

16. Wenn die Summe, welche als Einzahlung oder Rate zu leisten ist, an oder vor dem zur Zahlung bestimmten Tage nicht gezahlt wird, dann hat der jeweilige Inhaber der Aktie, für welche die Zahlung zu machen war oder die Rate fällig wurde, Zinsen zu zahlen nach dem Satze von zehn Prozent per annum von dem zur Zahlung bestimmten Tage bis zur Zeit der wirklichen Zahlung.

Leistung der Zahlung im Voraus.

17. Die Direktoren können, wenn sie es für gut befinden, von denjenigen Mitgliedern, die geneigt dazu sind, den ganzen oder einen Theil des für die von dem betreffenden Mitgliede besessenen Aktien zu zahlenden Betrages, der höher ist als die wirklich zur Einzahlung aufgerufene Summe, annehmen, und nachdem die Gelder oder ein solcher Theil vorausgezahlt worden, der die Höhe der Einzahlung übersteigt, der dann betreffs der Aktien gemacht wird, für die ein derartiger Vorschuß gezahlt worden, es der Gesellschaft freistehen soll, den Mitgliedern, die eine solche Summe im Voraus hingegeben, Zinsen zu zahlen zu einem Satze, wie ihn die Mitglieder und die Direktoren vereinbaren werden.

Verfall und Retentionsrecht.

Im Falle nicht geleisteter Einzahlung oder gezahlter Rate kann Anzeige erstattet werden.

18. Wenn ein Mitglied es verabsäumt, an oder vor dem zur Zahlung bestimmten Tage eine Einzahlung zu machen oder eine Rate zu zahlen, dann können die Direktoren jederzeit danach, so lange die Einzahlung oder Rate ungezahlt bleibt, einem solchem Mitgliede Anzeige zugehen lassen und es auffordern, die Einzahlung oder Rate zu zahlen nebst den Zinsen, die möglicherweise erwachsen sind und allen Ausgaben, die in Folge Nichtzahlung seitens der Gesellschaft gemacht worden.

Form der Anzeige.

19. In der Anzeige muß ein Tag angegeben sein (nicht früher als vierzehn Tage vor dem Datum der Anzeige), desgleichen der Ort oder die Orte, an welchen die betreffende Einzahlung oder Rate, die Zinsen und Ausgaben, wie vorbesagt, zu zahlen sind. Die Anzeige muß ferner angegeben enthalten, daß, falls Zahlung zur festgesetzten Zeit und an dem bestimmten Orte nicht erfolgt, daß dann die Aktien bezüglich deren der Aufruf erlassen wurde oder die Rate zu zahlen war, als verfallen werden betrachtet werden.

Falls der Anzeige nicht nachgekommen wird, können die Aktien als verfallen erklärt werden.

20. Wenn der Forderung einer solchen Anzeige, wie vorbesagt, nicht entsprochen wird, können die Aktien betreffs deren die Anzeige erlassen wurde, jederzeit danach vor Zahlung sämmtlicher Einzahlungen, Raten, Zinsen und Ausgaben, die darauf zu zahlen sind, auf Beschluß der Direktoren für verfallen erklärt werden. Ein derartiger Beschluß zieht nach sich den Verlust sämmtlicher Dividenden, die für die verfallenen Aktien festgesetzt und vor dem Verfall thatsächlich nicht gezahlt worden sind.

Anzeige nach dem Verfall.

21. Nachdem eine Aktie derart für verfallen erklärt worden, muß dem Mitgliede, auf dessen Namen sie vor dem Verfall eingetragen stand, von dem Beschluß Anzeige gemacht und in das Register ein Vermerk, den Verfall betreffend, unter Angabe des Datums eingetragen werden.

Verfallene Aktien werden Eigenthum der Gesellschaft.

22. Dergestalt verfallene Aktien werden Eigenthum der Gesellschaft. Die Direktoren können dieselben in solcher Weise verkaufen, wieder begeben und anderweitig darüber verfügen, wie sie es für angemessen halten.

Befugniß zum Widerruf des Verfalls.

23. Die Direktoren können mit Bezug auf dergestalt verfallene Aktien die vor dem Verkauf, der Wiederbegebung oder der anderweiten Verfügung darüber beschlossene Verfallserklärung jederzeit unter solchen Bedingungen annulliren, wie sie es für angemessen erachten.

Rückständige Zahlungen müssen geleistet werden trotz Verfalls.

24. Mitglieder, deren Aktien für verfallen erklärt worden, sollen dennoch zur Zahlung verpflichtet sein und der Gesellschaft die sämmtlichen Einzahlungen, Raten, Zinsen und Ausgaben, die zur Zeit des Verfalls der betreffenden Aktien im Rückstande waren, sofort zahlen mit den darauf fälligen Zinsen von der Zeit

der Verfallserklärung an bis zur Zahlung von zehn Prozent per annum, und können die Direktoren, wenn sie für gut befinden, Zahlung erzwingen.

Pfandrecht der Gesellschaft auf Aktien.

25. Die Gesellschaft hat ein erstes und oberstes Recht der Retention aller derjenigen Aktien, die auf den Namen eines jeden Mitgliedes im Register verzeichnet stehen betreffs dessen Schulden, Verbindlichkeiten und Verpflichtungen der Gesellschaft gegenüber, gleichviel ob die Zeit für die Zahlung, Erfüllung oder Tilgung derselben thatsächlich herangekommen ist oder nicht. Ein solches Recht der Retention soll sich auch erstrecken auf die von Zeit zu Zeit für die betreffenden Aktien festgesetzten Dividenden.

Retention zu erzwingen durch Verkauf.

26. Um ein solches Recht der Retention zu erzwingen, steht es den Direktoren frei, die der Retention unterliegenden Aktien in solcher Weise zum Verkauf zu bringen, wie es die Direktoren für angemessen halten. Ein Verkauf soll indeß erst dann stattfinden, nachdem die oben erwähnte Zeit herangekommen und dem betreffenden Mitgliede, dessen Testamentsvollstreckern und Administratoren schriftliche Anzeige von dem beabsichtigten Verkauf infolge während der Zeit von sieben Tagen nicht geschehener Zahlung, Erfüllung oder Tilgung solcher Schulden, Verbindlichkeiten oder Verpflichtungen.

Verwendung des Erlöses aus dem Verkauf.

27. Der Nettoerlös aus einem solchen Verkauf soll verwendet werden zur Tilgung der Schulden, Verpflichtungen und Verbindlichkeiten und der Rest (wenn vorhanden) dem betreffenden Mitgliede oder dessen Testamentsvollstreckern oder Administratoren herausgezahlt werden.

Giltigkeit des Verkaufs.

28. Nach dem Verkauf infolge Verfalls und der Erzwingung des Rechtes der Retention können die Direktoren in Ausübung der ihnen vorstehend ertheilten Befugnisse den Namen des Käufers in das Register eintragen lassen als Besitzers von Aktien oder Stocks, die ihm verkauft wurden. Der Käufer soll nicht verpflichtet sein, die Regelrichtigkeit des Verfahrens oder die Verwendung des Kaufgeldes zu kontroliren. Nachdem sein Name in das Register eingetragen worden, soll die Rechtsgiltigkeit des Verkaufs von Niemand angefochten werden können. Regreß, welchen Personen nehmen, die sich durch den Verkauf geschädigt vermeinen, kann wegen Schadenersatz ausschließlich nur gegen die Gesellschaft angestrengt werden.

Cession und Uebertragung von Aktien.

Vollziehung des Cessionsinstruments.

29. Das Cessionsinstrument, Aktien betreffend, muß sowohl von dem Cessionar wie von dem Cedenten unterzeichnet werden. Der Cedent soll so lange als Inhaber einer solchen Aktie angesehen werden, bis der Name des Cessionars in das Register eingetragen worden ist.

Ausfertigung des Cessionsformulars.

30. Das Cessionsformular, Aktien betreffend, muß in der gewöhnlich üblichen Form schriftlich abgefaßt sein und zwar in folgender Weise, oder nahezu so, je nachdem die Umstände es gestatten:

Ich .... zu .... übertrage hiermit dem Herrn .... zu ...., hierin später genannt der Cessionar, gegen Zahlung der Summe von ..... Pfund .... Aktien, numerirt .... des Unternehmens, genannt Davenière & Co., Limited, zu seinem, des besagten Cessionars wie seiner Testamentsvollstrecker, Administratoren und Rechtsnachfolger Besitz unter Vorbehalt jedoch der verschiedenen Bedingungen, Grund welcher ich vor Vollziehung von Gegenwärtigem dieselben besessen habe. Und ich, der genannte Cessionar, genehmige die Annahme der betreffenden Aktien unter Vorbehalt der oben gedachten Bedingungen.

Urkundlich dessen unsere Unterschrift am ..... Tage des .... 18.. ....

In welchem Falle die Direktoren die Eintragung der Cession ablehnen können.

31. Den Direktoren steht es frei, die Eintragung einer Cession von Aktien in das Register abzulehnen, betreffs deren sie ein Pfandrecht haben. In den Fällen, wo Aktien nicht voll eingezahlt sind, können sie die Eintragung einer Cession auf einen Cessionar ablehnen, der ihnen nicht genehm ist; auch können sie ferner die Eintragung einer Cession von weniger als zehn Aktien zurückweisen.

Cession im Büreau zu hinterlegen und Besitztitel beizubringen

32. Ein jedes Cessionsinstrument muß nebst dem zu übertragenden Aktien-Certifikat behufs Eintragung in dem Büreau hinterlegt und mit Bezug auf den Rechtstitel des Cedenten der Beweis geführt werden, daß er zur Uebertragung der Aktien berechtigt war.

33. Alle Cessionsinstrumente, die eingetragen werden sollen, werden von der Gesellschaft zurückbehalten. Ein Cessionsinstrument jedoch, dessen Eintragung die Direktoren ablehnen, wird auf Antrag derjenigen Person, die es hinterlegt hat, zurückgegeben.

Gebühren für die Cession.

34. Eine Gebühr im Betrage von 2 Schilling und 6 Pence kann für jede Cession verlangt werden und muß auf Verlangen der Direktoren vor der Eintragung gezahlt werden.

Schließung der Cessionsbücher

35. Die Cessionsbücher können so lange geschlossen werden, wie die Direktoren es für angemessen halten; doch darf diese Zeit dreißig Tage nicht übersteigen.

Uebertragung eingetragener Aktien.

36. Die Testamentsexekutoren oder Administratoren eines verstorbenen Mitgliedes, das nicht einer von mehreren Mitbesitzern ist, sind die alleinigen Personen, welche von der Gesellschaft als diejenigen anerkannt werden, die einen Rechtstitel auf im Namen eines solchen Mitgliedes eingetragene Aktien oder Stocks be-

sitzen. Falls einer oder der andere der Mitbesitzer von eingetragenen Aktien oder Stocks mit Tode abgehen sollte, dann sind seine Nachbleibenden die einzigen Personen, welche von der Gesellschaft dahin anerkannt werden, daß sie einen Rechtstitel auf solche Aktien oder Stocks besitzen, oder daß sie daran betheiligt sind.

Uebertragung von Aktien unmündiger oder geistesschwacher Personen.

37. Der Vormund eines unmündigen und der Kurator eines geistesschwachen Mitgliedes, oder solche Personen, die infolge des Todes, Bankerotts oder Liquidirung eines Mitgliedes Rechte auf Aktien erwerben, können, nachdem sie Beweis darüber geführt, daß sie diejenigen Personen sind, die auf Grund des gegenwärtigen Paragraphen als solche auftreten, solche Aktien unter Vorbehalt der hierin vorher enthaltenen Bestimmungen mit Bezug auf Cessionen, auf sich selber oder auf eine andere Person übertragen.

Aktien-Warrants.

Befugniß zur Ausgabe von Aktien-Warrants.

38. Die Gesellschaft ist ermächtigt, für voll eingezahlte Aktien oder Stocks Warrants (hierin später genannt: Aktien-Warrants) auszugeben, in denen angegeben sein muß, daß der Inhaber dieser Warrants einen rechtlichen Anspruch auf die darin des Näheren spezifizirten Aktien oder Stocks hat. Die Gesellschaft kann ferner mit Bezug auf die Zahlung zukünftiger Dividenden für die in den betreffenden Warrants bezeichneten Aktien oder Stocks, durch Coupons, oder anderswie, Vorsorge treffen.

Bedingungen, unter denen Aktien-Warrants auszugeben.

39. Die Direktoren können die Bedingungen bestimmen und von Zeit zu Zeit wieder abändern, unter denen Aktien-Warrants auszugeben sind, insbesondere diejenigen Bedingungen, Grund welcher neue Aktien-Warrants oder Coupons ausgegeben werden an Stelle eines abgenutzten, entstellten, verloren gegangenen oder vernichteten Warrants oder Coupons, laut dessen der Inhaber berechtigt ist, den Generalversammlungen beizuwohnen und abzustimmen, wonach dann ein Aktien-Warrant ausgegeben und der Name des Inhabers in das Register mit Bezug auf die darin angegebenen Aktien oder Stocks eingetragen werden kann. Vorbehaltlich solcher Bedingungen wie vorbehaltlich der gegenwärtigen Urkunde muß der Inhaber eines Aktien-Warrants ein Mitglied sein im vollen Sinne des Wortes. Der Inhaber eines Aktien-Warrants untersteht den zur Zeit in Kraft bestehenden Bedingungen, gleichviel ob diese vor oder nach der Ausgabe eines solchen Warrants festgesetzt worden sind.

Konvertirung von Aktien in Stocks.

Konvertirung in Stocks.

40. Die Gesellschaft kann eingezahlte Aktien in der Generalversammlung in Stocks konvertiren. Wenn Aktien in Stocks konvertirt werden, können die verschiedenen Inhaber solcher Stocks von der Zeit an ihre respektiven Interessen in der gleichen Weise und unter denselben Bedingungen übertragen, unter denen Aktien des Gesellschaftskapitals übertragen werden können, oder nahezu ebenso, wie die Verhältnisse es gestatten werden. Den Direktoren, falls sie es für angezeigt halten, steht es indessen frei, den Minimum-Betrag der übertragbaren Stocks festzusetzen und die Bestimmung zu treffen, daß Bruchtheile eines Pfundes nicht in Rechnung gezogen werden; nichtsdestoweniger sind sie ihrem Ermessen nach befugt, besonderen Falls derartige Bestimmungen wieder aufzuheben. Die Stocks verleihen deren Inhabern dieselben Privilegien und Vortheile mit Bezug auf Theilnahme am Gewinn, Stimmabgabe in den Versammlungen der Gesellschaft, wie auch mit Bezug auf andere Zwecke, die ihnen verliehen worden wären durch den Besitz von Aktien des Gesellschaftskapitals von gleichem Betrage, aber nicht, daß solche Privilegien oder Vortheile — die Theilnahme am Gewinn ausgeschlossen — verliehen werden durch einen aliquoten Theil konsolidirter Stocks, die, wenn sie in Aktien beständen, solche Privilegien oder Vortheile verliehen haben würden. Außerdem sollen, wie vorbesagt, alle hierin enthaltenen Bestimmungen (soweit die Umstände dies zulassen) Bezug haben sowohl auf Stocks wie auf Aktien. Keine derartige Konvertirung soll ein Vorzugs- oder anderes besonderes Privileg irgend wie berühren oder beeinträchtigen.

Erhöhung und Reduktion des Kapitals.

Befugniß zur Kapitalserhöhung.

41. Die Gesellschaft kann in der Generalversammlung das Kapital von Zeit zu Zeit erhöhen durch Kreirung neuer Aktien zu solchem Betrage, wie es rathsam erscheinen mag.

Unter welchen Bedingungen neue Aktien ausgegeben werden dürfen. Vorzugsrechte.

42. Die neuen Aktien sind auszugeben unter solchen Bedingungen und unter Beilegung solcher Rechte und Privilegien, wie es die Generalversammlung bei der Beschlußfassung über deren Kreirung bestimmen wird, und wenn keine Bestimmung darüber getroffen wird, wie die Direktoren es bestimmen werden. Insbesondere können solche Aktien ausgegeben werden mit einem Vorzugs- oder mit einem beschränkten (qualified) Rechte in Bezug auf Dividenden wie auf die Vertheilung des Aktivvermögens der Gesellschaft, desgleichen mit einem Spezialrecht oder ohne das Recht der Stimmabgabe.

Befugniß, Rechte zu beschränken.

43. Wenn infolge Ausgabe von Prioritäts-Aktien oder anderswie, das Kapital zu irgend einer Zeit in verschiedene Aktienklassen getheilt wird, dann können alle Rechte und Privilegien, oder ein Theil derselben, die einer jeden Klasse zuerkannt worden, beschränkt werden im Wege Einverständnisses zwischen der Gesellschaft und andern Personen, die für die betreffende Klasse kontrahiren, vorausgesetzt, daß ein derartiges Uebereinkommen durch außerordentlichen Beschluß einer besondern Generalversammlung der Inhaber von Aktien jener Klasse be-

stätigt wird, und daß alle die hierin vorher enthaltenen Bestimmungen mit Bezug auf Generalversammlungen mutatis mutandis sich beziehen auf eine jede solche Versammlung, wie ferner, daß das Quorum derselben (die beschlußfähige Zahl) Mitglieder sind, die zwei Drittel des Nominalbetrages der ausgegebenen Aktien der betreffenden Klasse besitzen oder durch Stellvertreter repräsentiren.

Wann sie Herrn Davenière zu offeriren sind.

44. Alle neuen ordentlichen (Stamm?) Aktien, die auszugeben der Beschluß gefaßt worden, sollen, so lange der besagte Herr Emile Davenière im Besitz von 30,000 Pfund ordentlicher Aktien ist, zuerst ihm, dem Herrn Emile Davenière, al pari angeboten werden. Ein derartiges Angebot soll mittels schriftlicher Anzeige gemacht und darin die Zahl der Aktien, die zur Ausgabe kommen sollen; angegeben und auch die Zeit begrenzt werden, die nicht weniger als 60 Tage sein soll, innerhalb welcher der besagte Herr Emile Davenière seine Wahl zur Annahme zu treffen hat, entgegengesetzten Falls angenommen werden wird, daß er die Aktien zurückweise. Alle neue Aktien können so betrachtet werden, als wenn sie einen Theil der Aktien des Stammkapitals (original capital) bildeten.

Wie weit neue Aktien mit denen des Stammkapitals rangiren.

— 45. Soweit nicht anderswie Festsetzungen durch die Emissionsbedingungen oder durch die gegenwärtige Urkunde getroffen werden, soll das mittelst Kreirung neuer Aktien erhöhte Kapital als ordentliches (Aktien-) Kapital und als ein Theil des Stammkapitals betrachtet werden und den hierin enthaltenen Bestimmungen mit Bezug auf Leistung von Einzahlungen, auf Raten, Cession und Uebertragung, Verfall, Pfandrecht, Uebergabe u. s. w. unterliegen.

Reduktion des Kapitals.

46. Die Gesellschaft kann von Zeit zu Zeit in Folge Spezialbeschlusses den Betrag ihres Kapitals herabsetzen im Wege der Abzahlung, oder Kapital, welches verloren worden oder durch verfügbare Aktiva (Bestände) nicht repräsentirt wird, annulliren, oder die Haftbarkeit für Aktien reduziren, wie es eben gerathen erscheint; auch kann das Kapital abgezahlt werden in der Weise, daß es wieder ausgeschrieben werden darf. Die Gesellschaft kann ferner ihre Aktien oder einen Theil derselben in Unterabtheilungen zerlegen oder konsolidiren.

Unterabtheilung bevorzugter und gewöhnlicher Aktien.

47. Der Spezialbeschluß, kraft dessen Aktien in Klassen zerlegt werden können, kann die Bestimmung enthalten, daß, wie zwischen den Inhabern von Aktien, welche aus einer derartigen Zerlegung entstanden, die eine solcher Aktien vor der andern einen Vorzug haben soll und daß der Gewinn, der zur Zahlung von Dividenden verwendbar ist, demgemäß zugeeignet werden soll.

Befugniß zur Aufnahme von Geldern.

Aufnahme von Geldern.

48. Die Direktoren können für die Zwecke der Gesellschaft Gelder von Zeit zu Zeit nach Belieben aufnehmen, und zwar so, daß diejenigen Gelder, die zu einer Zeit geschuldet werden, ohne Genehmigung einer Generalversammlung die Summe von 30,000 Pfund nicht übersteigen dürfen. Nichtsdestoweniger soll ein Darleiher oder eine andere Person, welche mit der Gesellschaft in geschäftlichem Verkehr steht, nicht gehalten sein, darauf zu achten oder Nachfrage deswegen zu halten, ob auch diese Beschränkung beobachtet wird.

Bedingungen, unter denen Gelder aufgenommen werden dürfen

49. Die Direktoren dürfen Gelder aufnehmen und deren Rückzahlung in solcher Weise, und unter solchen Bedingungen sicher stellen in jeder Hinsicht und Beziehung, wie sie es für gut halten, insbesondere durch Ausstellung von Hypotheken, Schuldverschreibungen oder Stocks der Gesellschaft, mit denen das gesammte oder ein Theil des Eigenthums der Gesellschaft (das gegenwärtige sowohl, wie das zukünftige) dann zu belasten ist, einschließlich des zur Zeit noch nicht ausgeschriebenen Kapitals.

Sicherheiten — frei von Interpretation.

50. Eine jede von der Gesellschaft ausgestellte Schuldverschreibung oder andere Sicherheit kann so gefaßt sein, daß sie übertragbar und frei sei von jedweder gesetzlichen Interpretation zwischen der Gesellschaft und dem ursprünglichen oder den mittelbaren Inhabern. Schuldverschreibungen, Bonds oder andere Sicherheiten können ausgegeben werden mit einem Diskont, einer Prämie oder anderswie.

Hypothekenregister zu halten.

51. Die Direktoren sind in Gemäßheit von Abschnitt 43 der Companies Act von 1862 gehalten, über alle Hypotheken und Belastungen, die das Eigenthum der Gesellschaft betreffen, ein Register ordnungsmäßig zu führen.

Hypothek gelöschter Kapitalien.

52. Ist ein nicht gelöschtes Kapital der Gesellschaft in einer Hypothek oder andern Sicherheit mit einbegriffen, dann können die Direktoren mittels unter Siegel ausgestellter Urkunde derjenigen Person, zu deren Gunsten eine solche Hypothek oder Sicherheit als Kurator ausgestellt worden, die Befugniß ertheilen, an die Mitglieder Ausschreibungen ergehen zu lassen bezüglich des noch nicht eingerufenen Kapitals. Eine solche Befugniß kann ertheilt werden entweder bedingt oder unbedingt, gegenwärtig oder zufällig, entweder mit Ausschließung der Befugnisse der Direktoren oder anderswie; und sollen die hierin vorher mit Bezug auf Ausschreibungen enthaltenen Bestimmungen mutatis mutandis auch anwendbar sein auf Ausschreibungen, die kraft der ertheilten Befugniß erlassen worden; eine solche Befugniß soll auch übertragbar sein, wenn dies besonders ausgedrückt ist.

Generalversammlungen.

Wann die erste Generalversammlung abzuhalten ist.

53. Die erste Generalversammlung wird abgehalten nicht später als vier Monat nach Registrirung des Assoziations-Memorandums der Gesellschaft, und zwar an einem solchen Orte, wie die Direktoren bestimmen werden.

Wann die darauf folgenden Generalversammlungen abgehalten werden.

54. Nachherige Generalversammlungen werden einmal im Jahre 1890 abgehalten und in einem jeden folgenden Jahre zu solcher Zeit und an einem solchen Orte, wie es von der Gesellschaft in der General-Versammlung wird vorgeschrieben werden. Ist eine andere Zeit nicht vorgeschrieben, dann in den Monaten August oder September eines jeden Jahres zu solcher Zeit und an einem solchen Orte, wie es von den Direktoren bestimmt werden wird.

Unterscheidung zwischen gewöhnlichen und außerordentlichen Versammlungen.

55. Die oben erwähnten Generalversammlungen werden gewöhnliche Generalversammlungen genannt, alle andern Versammlungen der Gesellschaft werden außerordentliche Generalversammlungen genannt.

Wann außerordentliche Versammlungen berufen werden.

56. Die Direktoren können, wenn sie es für angemessen halten, eine außerordentliche Versammlung berufen; sie sind dazu aber verpflichtet auf die schriftliche Aufforderung von Mitgliedern, die in ihrer Gesammtheit ein Fünftel des ausgegebenen Kapitals besitzen.

Form der Requisition für die Versammlungen.

57. Eine jede solche Requisition muß den Zweck für die verlangte Versammlung angegeben enthalten, von den das Requisitionsschreiben erlassenden Mitgliedern unterzeichnet sein und in dem Büreau hinterlegt werden. Das Requisitionsschreiben kann aus mehreren Schriftstücken gleicher Form bestehen, von denen jedes einzelne von einer oder mehreren derjenigen Personen unterzeichnet sein muß, welche das Requisitionsschreiben erlassen haben. Die Versammlung muß berufen sein für die in der Requisition angegebenen Zwecke, und wenn sie nur von den Direktoren allein berufen worden, dann für diese Zwecke allein.

Wann Diejenigen, welche die Requisition erlassen, Versammlungen berufen.

58. Falls die Direktoren 14 Tage, nachdem das Requisitionsschreiben hinterlegt worden, es unterlassen, eine außerordentliche Versammlung zu berufen, die dann 21 Tage nach der Hinterlegung abzuhalten ist, dann sollen diejenigen Personen, welche das Schreiben erlassen haben, oder auch andere Mitglieder, die den gleichen Theil vom Kapital besitzen, befugt sein, eine Versammlung zu berufen, welche dann sechs Wochen nach geschehener Hinterlegung abzuhalten ist.

Anzeige der Versammlung.

59. Anzeige mit Angabe von Ort, Tag und Stunde soll gemacht werden mittels Bekanntmachung oder durch die Post sieben Tage vor der Versammlung. Im Falle eines besonderen Geschäfts ist die Art desselben im Allgemeinen anzugeben entweder im Wege der Bekanntmachung oder mittels Anzeige, die durch die Post zu befördern ist, wie hierin später vorgeschrieben ist.

Von Unterlassung der Anzeige.

60. Die zufällige Unterlassung einer Anzeige an die Mitglieder soll den in einer solchen Versammlung gefaßten Beschluß nicht rechtsungültig machen.

Verfahren in den Generalversammlungen.

Geschäfte der ordentlichen Versammlung.

61. Die Geschäfte der ordentlichen Versammlung bestehen: in der Entgegennahme und in Betrachtziehung der Bilanz, der Berichte der Direktoren und der Rechnungsrevisoren, der Wahl der Direktoren und der andern Beamten an Stelle derjenigen, die aus dem Amte scheiden, der Festsetzung der Dividenden, der Erledigung irgend anderer Geschäfte, die auf Grund der gegenwärtigen Urkunde in einer ordentlichen Versammlung zu erledigen sind. Alle andern Geschäfte, die in einer ordentlichen Versammlung, wie alle solche, die in einer außerordentlichen Versammlung zur Erledigung gelangen, sollen als besondere Geschäfte angesehen werden.

Quorum.

62. Drei in einer Generalversammlung persönlich anwesende Mitglieder bilden ein Quorum (eine beschlußfähige Anzahl) behufs Wahl eines Vorsitzenden, der Festsetzung der Dividende und der Vertagung der Versammlung. Für alle andern Zwecke muß das Quorum einer Generalversammlung bestehen aus drei Mitgliedern, die persönlich anwesend sind und nicht weniger besitzen als ein Zehntel des ausgegebenen Kapitals. Kein Geschäft darf in einer Generalversammlung erledigt werden, wenn beim Eintritt in das Geschäft das erforderliche Quorum nicht anwesend ist.

Vorsitzender der Generalversammlung.

63. Der Vorsitzende der Direktoren ist berechtigt, den Vorsitz in den General-Versammlungen zu führen. Ist ein Vorsitzender nicht vorhanden, oder ist in einer Versammlung der Vorsitzende nicht anwesend fünfzehn Minuten nach der für Abhaltung der Versammlung festgesetzten Zeit, dann sollen die anwesenden Mitglieder zur Wahl eines der Direktoren zum Vorsitzenden schreiten. Ist auch einer der Direktoren nicht anwesend, oder wenn sämmtliche der anwesenden Direktoren es ablehnen, den Vorsitz zu übernehmen, dann sollen die anwesenden Mitglieder aus ihrer Mitte einen Vorsitzenden wählen.

Wann bei nicht anwesendem Quorum die Versammlung aufzulösen oder wann sie zu vertagen ist.

64. Ist innerhalb einer halben Stunde nach der zur Abhaltung der Versammlung festgesetzten Zeit ein Quorum nicht anwesend, dann soll die infolge Requisitionsschreibens berufene Versammlung aufgelöst werden, andernfalls soll sie verlegt werden auf denselben Tag

der nächsten Woche und sich versammeln zu derselben Zeit am selben Orte. Ist in einer derart vertagten Versammlung ein Quorum nicht anwesend, dann sollen die anwesenden Mitglieder zu einem Quorum zusammentreten und die Erledigung des Geschäfts vornehmen, für welches die Versammlung berufen wurde.

Wie in den Versammlungen Fragen entschieden werden

65. Eine jede der Versammlung unterbreitete Frage wird zuerst entschieden durch Handaufheben; im Falle von Stimmengleichheit soll der Vorsitzende außer der oder den Stimmen, zu denen er als Mitglied berechtigt ist, sowohl beim Handaufheben wie bei der Abstimmung eine entscheidende Stimme haben.

66. In einer Generalversammlung soll, wenn von wenigstens drei Mitgliedern, die mindestens ein Fünftel des in der Versammlung repräsentirten Kapitals besitzen oder durch Stellvertreter repräsentiren, Stimmenzählung beantragt wird, die Erklärung des Vorsitzenden, dahin lautend, daß ein Beschluß angenommen, oder von einer besondern Majorität gefaßt worden ist; desgleichen, daß ein Vermerk in das Protokoll der Versammlung zu diesem Zwecke eingetragen worden, das endgültige Zeugniß für die betreffende Sache sein soll, ohne weiteren Beweises zu bedürfen betreffs der Anzahl oder des Verhältnisses der für oder gegen einen solchen Beschluß als abgegeben eingetragenen Stimmen.

Namentliche Abstimmung.

67. Wird Abstimmung, wie vorbesagt, durch Namensaufruf verlangt, dann soll dieselbe in solcher Weise, zu solcher Zeit und an einem solchen Orte vorgenommen werden, wie der Vorsitzende der Versammlung es bestimmen wird, d. h. entweder sofort, oder nach einer Zwischenzeit, einer Vertagung oder anderswie, und soll das Ergebniß der Abstimmung betrachtet werden als Beschluß derjenigen Versammlung, in welcher die Abstimmung beantragt wurde.

Befugniß zur Vertagung einer Generalversammlung.

68. Dem Vorsitzenden einer Generalversammlung steht es frei, dieselbe mit deren Zustimmung von Zeit zu Zeit zu vertagen. In einer derart vertagten Versammlung darf indeß kein anderes Geschäft erledigt werden als das, welches in der vertagten Versammlung unerledigt geblieben ist.

Fortsetzung der Geschäftsberathung trotz namentlicher Abstimmung.

69. Das Verlangen nach namentlicher Abstimmung soll außer derjenigen Frage, betreffs welcher namentliche Abstimmung beantragt wurde, die Kontinuität einer Versammlung für Erledigung von Geschäften nicht unterbrechen.

In welchen Fällen keine Abstimmung.

70. Eine Abstimmung, welche bei der Wahl eines Vorsitzenden der Versammlung oder betreffs einer Frage der Vertagung verlangt wird, in der Versammlung vorgenommen werden, und zwar ohne Vertagung.

Stimmabgabe der Mitglieder.

Vota der Mitglieder betreffs Unmündiger, Geisteskranker u. s. w. Welchen Bedingungen unterliegend.

71. Jedes Mitglied hat Eine Stimme für je 10 von ihm in Besitz gehaltene Aktien; ferner Eine weitere Stimme für jede 10 über die ersten 10 von ihm gehaltenen. Ein Vormund oder eine andere Person, der oder die auf Grund des Paragraphen, betreffend Uebertragungen, berechtigt ist, Aktien zu übertragen, kann in einer Generalversammlung seine Stimme auf Grund dieses Paragraphen in ganz derselben Weise abgeben, als wenn er eingetragener Besitzer dieser Aktien wäre, vorausgesetzt, daß er wenigstens 48 Stunden vor Abhaltung derjenigen Versammlung, in welcher er seine Stimme abzugeben beabsichtigt, sein Recht zur Uebertragung solcher Aktien den Direktoren nachweise, es sei denn, daß dieselben sein Recht auf Stimmabgabe in einer solchen Versammlung schon vorher anerkannt haben.

Verbundene Inhaber.

72. Wird eine Aktie von mehr als einem eingetragenen Inhaber in Besitz gehalten, dann soll dasjenige Mitglied, dessen Name in dem Register zuerst aufgeführt steht (und zwar kein anderer oder andere der Mitinhaber), berechtigt sein, in der Generalversammlung anwesend zu sein.

Stellvertretungs-Instrumente müssen im Büreau hinterlegt werden.

73. Die Stimmen können abgegeben werden entweder persönlich oder von Stellvertretern. Das schriftliche Instrument, Inhalts dessen ein Stellvertreter ernannt wird, muß in schriftlicher Form abgefaßt und von Demjenigen unterzeichnet sein, der die Ernennung bewirkt. Ist eine solche Person eine Korporation, dann muß das betreffende Instrument unter dem Geschäftssiegel ausgefertigt sein. Niemand darf zum Stellvertreter ernannt werden, der nicht ein stimmberechtigtes Mitglied der Gesellschaft ist.

Stellvertretung gestattet.

74. Das schriftliche Instrument, Inhalts dessen ein Stellvertreter ernannt ist, muß in dem Büreau der Gesellschaft hinterlegt werden 48 Stunden vor Abhaltung derjenigen Versammlung, in welcher die in dem Instrument genannte Person zu stimmen beabsichtigt. Kein Stellvertretungs-Instrument ist länger giltig als 12 Monat nach dem Tage seiner Ausfertigung.

Wenn nach zurückgezogener Vollmacht das Votum des Stellvertreters noch giltig ist.

75. Eine auf Grund der Bestimmungen einer Stellvertretungsvollmacht abgegebene Stimme ist rechtsgiltig ungeachtet des Todes des Ausstellers, der Zurückziehung der Stellvertretung oder der Uebertragung der Aktie, betreffs welcher die Stimme abgegeben worden, vorausgesetzt daß eine schriftliche Anzeige des Todes, der Revokation oder Uebertragung vor Abhaltung der Versammlung in dem eingetragenen Büreau der Gesellschaft hinterlegt worden ist.

Besitzer von Aktien-Warrants dürfen mittels Stellvertretung nicht stimmen.

76. Die Besitzer von Aktien-Warrants sind nicht berechtigt, betreffs der in dem betreffenden Warrant verzeichneten Aktien mittels Stellvertreters ihre Stimme abzugeben.

Stellvertretungsformular.

77. Ein jedes Stellvertretungs-Instrument, gleichviel ob es für eine bestimmte Versammlung oder anderswie ausgestellt ist, muß, soweit die Umstände es gestatten, in folgender Form gefaßt sein:

Ich .... zu .... Grafschaft ...... Mitglied der ...., Gesellschaft, Limited, ernenne hiermit .... zu .... meinem Stellvertreter, um meine Stimme für mich abzugeben in der Ordentlichen Generalversammlung der Gesellschaft, welche am .... Tage des ...... abgehalten wird, oder in derjenigen Versammlung, welche eine Vertagung derselben ist.

Urkundlich dessen meine Unterschrift am .... Tage des ....

Kein Mitglied ist stimmberechtigt, so lange Einzahlungen rückständig, die der Gesellschaft zu leisten sind.

78. Kein Mitglied ist berechtigt, in einer Generalversammlung bei einer namentlichen Abstimmung oder als Mitglied eines Quorums anwesend zu sein und bei einer Frage entweder persönlich oder als Stellvertreter für ein anderes Mitglied seine Stimme abzugeben, so lange eine Einzahlung oder eine andere Summe für Aktien eines solchen Mitgliedes fällig und an die Gesellschaft zu zahlen ist.

Direktoren.

Zahl der Direktoren.

79. Die Zahl der Direktoren soll nicht unter vier und nicht größer als sieben sein. Die hierin später genannten Personen sind die ersten Direktoren:

Frank Debenham, Wigmore-St., W., und St. Paul's Church yard, London, E. C.
Arthur C. Biddle, 166 Oxford-Street, W.
Samuel Chick, 5. Newmann-Street, W.
John Augustus Josolyne, 28. King-Street, W.
Stephen Artaud, 17 Old-Change, E. C.,
Emile Davenière, Calais, Frankreich.

Befugniß der Direktoren zur Ernennung weiterer Direktoren.

80. Die Direktoren sind von Zeit zu Zeit, wie jederzeit befugt, andere Personen zu Direktoren zu ernennen, so jedoch, daß die Zahl der Direktoren zu keiner Zeit die in Vorstehendem festgesetzte Maximalzahl übersteigt. Auf Grund des gegenwärtigen Paragraphen soll keine Ernennung rechtswirksam sein, wenn nicht zwei Drittel der Direktoren damit übereinstimmen.

Qualifikation zum Direktor.

81. Die Qualifikation zum Direktor besteht darin, daß er in eigenem Rechte Inhaber von Aktien oder Stock der Gesellschaft sei zum Nominalwerthe von 500 Pfund.

Befugniß der Direktoren zur Niederlegung ihres Amtes.

82. Einem Direktor steht es frei, sein Amt niederzulegen, nachdem er von seiner Absicht, dies zu thun, der Gesellschaft einen Monat vorher schriftliche Anzeige davon gemacht hat. Eine solche Amtsniederlegung soll erst in Wirksamkeit treten nach Ablauf der betreffenden Anzeige oder deren früherer Annahme.

83. 2c.

Ungeachtet eingetretener Vakanz können die Direktoren ihre Funktionen weiter verrichten.

84. Die im Amte verbleibenden Direktoren können ungeachtet einer in ihrer Mitte eingetretenen Vakanz ihre Funktionen weiter verrichten.

85. Das Amt eines Direktors wird als vakant erachtet:

Wenn er außer dem Amte eines geschäftsführenden (leitenden) Direktors, eines Agenten oder Inhabers eines Waarenlagers von Spitzen, Departements-Geschäftsführers oder Rechnungsrevisors ein anderes Amt unter der Gesellschaft bekleidet;

wenn er in Konkurs geräth, seine Zahlungen einstellt oder mit seinen Gläubigern akkordirt;

wenn er in Wahnsinn verfällt oder geisteskrank wird;

wenn er den erforderlichen Betrag an Aktien oder Stock für die Qualifikation zu seinem Amte länger nicht besitzt, oder diesen Betrag innerhalb eines Monats nach geschehener Wahl oder Ernennung nicht erwirbt (nachweist);

wenn er den Versammlungen der Direktoren auf die Dauer von sechs Kalender-Monaten, ohne von den Direktoren besonderen Urlaub erhalten zu haben, fern bleibt;

wenn er von seinen sämmtlichen Mitdirektoren (Kollegen) schriftlich ersucht wird, zu resigniren.

Die Direktoren können mit der Gesellschaft kontrahiren.

86. Kein Direktor oder keine zu diesem Amte in bestimmte Aussicht genommene Person soll seines Amtes wegen disqualifizirt sein, in der Eigenschaft als Verkäufer, Käufer oder anderswie mit der Gesellschaft in kontraktliche Beziehung zu treten, noch soll ein solcher Kontrakt oder ein solches Uebereinkommen, oder ein von der Gesellschaft oder zu Gunsten derselben mit einer andern Gesellschaft oder Handelsgenossenschaft geschlossener Kontrakt oder getroffenes Uebereinkommen, in welcher einer der Direktoren, ein Mitglied oder in anderer Weise betheiligt ist (nicht geschlossen), vermieden werden; noch soll ferner ein derart in kontraktliche Beziehungen tretender Direktor, der ein solches Mitglied ist oder Interessen daran hat, gehalten sein, der Gesellschaft Rechnung zu legen mit Bezug auf den Kraft eines solchen Kontrakts oder eines solchen Uebereinkommens erzielten Gewinnes, einzig und allein deshalb, weil ein solcher Direktor jenes Amt bekleidet oder weil dadurch Vertrauensverhältnisse gegründet worden sind; nichtsdestoweniger wird hiermit erklärt, daß ein derart betheiligter Direktor in der Versammlung der Direktoren, in welcher der Kontrakt oder das Uebereinkommen beschlossen wird,

die Art des Interesses offen darzulegen hat (wenn ein solches dann besteht); oder aber in der ersten Versammlung der Direktoren, die nach Erwerbung jenes Interesses stattfindet. Es wird hiermit des Weitern erklärt, daß ein derartig interessirter Direktor nicht als solcher abstimmen soll bezüglich eines Kontrakts oder eines Uebereinkommens, bei oder an welchem er derart betheiligt ist, wenn er nicht dazu die Genehmigung einer Generalversammlung erhalten hat. Stimmt er dennoch mit, so soll seine Stimme nicht gezählt werden. — Diese Erklärung findet nicht Anwendung auf den in Paragraph 3 von Gegenwärtigem erwähnten Vertrag.

Amtswechsel der Direktoren.

Amtswechsel und Amtsniederlegung der Direktoren.

87. In der Generalversammlung des Jahres 1890 wie in jeder folgenden scheidet ein Drittel der Direktoren aus dem Amte, oder, wenn ihre Zahl nicht ein Vielfaches von drei ist, dann scheidet die dem am nächsten kommende Zahl aus. Mehr jedoch als ein Drittel sollen nicht aus dem Amte scheiden. Diese Bestimmung bezieht sich indessen nicht auf den die Geschäfte leitenden Direktor. Ein ausscheidender Direktor hat im Amte zu verbleiben bis zur Auflösung oder Vertagung der Versammlung, in welcher sein Nachfolger gewählt wird.

Welche der Direktoren ausscheiden sollen.

88. Das Drittel oder die dem nächste Zahl, welches in der ordentlichen Versammlung des Jahres 1891 ausscheidet, soll, falls die Direktoren unter sich nicht einig sind, durch das Loos bestimmt werden. In dem folgenden Jahre scheidet dasjenige Drittel oder die ihm nächste Zahl aus, die am längsten im Amte waren. Von zweien oder dreien, die eine gleiche Zeitdauer im Amte gewesen, soll derjenige der ausscheidenden Direktoren, betreffs dessen ein Einverständniß nicht vorhanden ist, durch das Loos bestimmt werden. Die Zeit, welche ein Direktor im Amte ist, wird gerechnet von seiner letzten Wahl oder Ernennung, vor welcher er sein Amt niederlegte. Ein aus dem Amte scheidender Direktor kann wieder gewählt werden.

Versammlung zur Ergänzung der Vakanzen.

89. Die Gesellschaft soll in der General-Versammlung, in welcher Direktoren in der vorgedachten Weise aus dem Amte scheiden, die vakanten Aemter ergänzen durch Wahl einer gleichen Zahl von Personen zu Direktoren und andere Vakanzen wieder besetzen.

Die aus dem Amte scheidenden Direktoren verbleiben in ihrer Stellung bis zur Ernennung ihrer Nachfolger.

90. Wenn in einer General-Versammlung, in welcher die Wahl von Direktoren stattfindet, die Stellen der ausscheidenden noch nicht ergänzt worden sind, dann sollen die ausscheidenden Direktoren, oder diejenigen von ihnen, deren Stellen noch nicht ergänzt worden, bis zur ordentlichen Versammlung des nächsten Jahres im Amte verbleiben, und so von Jahr zu Jahr, bis ihre Stellen ergänzt sind; es sei denn, daß in einer solchen Versammlung beschlossen wird, die Zahl der Direktoren zu reduziren.

Befugniß der Generalversammlung zur Vermehrung oder Verminderung der Zahl der Direktoren.

91. Die Gesellschaft in Generalversammlung kann von Zeit zu Zeit die Zahl der Direktoren vermehren oder vermindern, auch deren Qualifikation einer Aenderung unterziehen; die Gesellschaft kann ferner bestimmen, bei welchem Wechsel (Turnus) die so vermehrte oder verminderte Zahl aus dem Amte zu scheiden hat.

Befugniß, einen Direktor durch Spezialbeschluß zu entlassen.

92. Der Gesellschaft steht es auf Grund eines außerordentlichen Beschlusses frei, einen Direktor vor Ablauf seiner Amtsdauer zu entlassen und eine andere qualifizirte Person an seiner Statt zu ernennen. Die derart ernannte Person soll ihr Amt nur so lange bekleiden, wie derjenige Direktor, an dessen Statt die betreffende Person ernannt worden, es bekleidet haben würde, wenn er nicht entlassen worden wäre.

Wann der Kandidat für das Amt eines Direktors Anzeige machen muß.

93. Niemand, wenn er nicht einer der ausscheidenden Direktoren ist, soll in einer Generalversammlung zum Amte eines Direktors wieder wählbar sein, wenn er nicht von den Direktoren zur Wiederwahl empfohlen worden und er oder andere Mitglieder, die ihn in Vorschlag zu bringen beabsichtigen, mindestens sieben volle Tage vor der Versammlung im Büreau der Gesellschaft eine eigenhändige schriftliche Anzeige niedergelegt haben, in welcher er seine Kandidatur für das Amt, oder die Absicht der betreffenden Mitglieder, ihn in Vorschlag zu bringen, zur Kenntniß bringt.

Geschäftsleitende Direktoren.

Befugniß zur Ernennung geschäftsleitender Direktoren.

94. Der besagte Herr Emile Davenière soll der erste geschäftsleitende Direktor sein und als solcher die Berechtigung haben, sein Amt auf die Dauer von fünf Jahren zu bekleiden vom Tage der Registrirung der Gesellschaft gerechnet, unter der Bedingung, daß er während dieser ganzen Zeit 30,000 Pfund ordentliche Aktien der Gesellschaft in eigenem Rechte in Besitz hält. Nachdem er das Amt niedergelegt, können die Direktoren von Zeit zu Zeit einen oder mehrere aus ihrer Mitte zum leitenden Direktor oder zu leitenden Direktoren ernennen, entweder für eine bestimmte Zeit oder ohne Begrenzung der Zeitdauer, für welche er oder sie solches Amt bekleiden wird oder werden. Den Direktoren steht es ferner frei, von Zeit zu Zeit ihn oder sie des Amtes zu entkleiden und einen andern oder andere an seiner oder ihrer Stelle oder Stellen zu ernennen.

95. Ein leitender Direktor soll, so lange er jenes Amt bekleidet, dem Amtswechsel nicht unterworfen sein; er soll ferner bei der Entscheidung über den Amtswechsel der Direktoren nicht mit in Betracht gezogen werden, sondern soll, vorbehaltlich kontraktlicher Ab-

machungen zwischen ihm und der Gesellschaft, mit Bezug auf Amtsniederlegung und Amtsenthebung denselben Bestimmungen unterworfen sein, wie die Direktoren der Gesellschaft. Hört er indessen aus irgend einem Grunde auf, das Amt eines Direktors zu bekleiden, dann soll er ipso facto und sofort aufhören, leitender Direktor zu sein.

96. rc.

Befugnisse und Pflichten des leitenden Direktors.

97. Die Direktoren können einem derzeitigen leitenden Direktor solche der Befugnisse von Zeit zu Zeit übertragen, die kraft der gegenwärtigen Urkunde von den Direktoren auszuüben sind, wie sie es für angemessen halten; sie können ferner diese Befugnisse mit Bezug auf solche Zwecke und Absichten und für eine solche Zeitdauer übertragen und unter solchen Bedingungen und Einschränkungen, wie sie es für gut halten. Es steht ihnen ferner frei, diese Befugnisse zu übertragen entweder kollateral oder unter Ausschließung und Substituirung aller oder einiger der Befugnisse der Direktoren zu jenem Behufe, oder dieselben zurücknehmen, zurückziehen oder sie sammt und sonders abzuändern.

Verfahren in den Versammlungen der Direktoren.

Versammlung der Direktoren, Quorum u. s. w.

98. Den Direktoren steht es frei, behufs Erledigung der Geschäfte sich zu versammeln, ihre Versammlungen zu vertagen und sie anderweitig zu ordnen, wie sie es für angemessen erachten; sie können ferner das für die Erledigung von Geschäften nothwendige Quorum bestimmen, vorausgesetzt, daß ein solches Quorum von nicht weniger als drei Direktoren gebildet werde. Ein Direktor kann eine Versammlung der Direktoren jederzeit berufen; dem Sekretair steht dies nur frei auf Antrag eines der Direktoren. Fragen, die in einer Versammlung aufgeworfen werden, sollen durch Stimmenmehrheit entschieden werden und im Falle von Stimmengleichheit durch den Vorsitzenden, der eine entscheidende Stimme hat.

Vorsitzender.

99. Die Direktoren wählen den Vorsitzenden in ihrer Versammlung und bestimmen gleichzeitig die Zeitdauer, während der er sein Amt bekleidet. Wird ein Vorsitzender nicht gewählt, oder ist der Vorsitzende in einer Versammlung nicht anwesend zur festgesetzten Zeit, dann können die anwesenden Direktoren aus ihrer Mitte einen Vorsitzenden der Versammlung wählen.

Befugnisse der Versammlung.

100. Eine Versammlung der derzeitigen Direktoren, in welcher ein Quorum anwesend, ist kompetent zur Ausübung aller oder einiger der Befugnisse oder Entscheidungen nach Gutdünken (discretions), die auf Grund der Bestimmungen der Gesellschaft den Direktoren übertragen worden sind und im Allgemeinen von ihnen ausgeübt werden dürfen.

Befugnisse zur Einsetzung von Komitees. Delegation.

101. Die Direktoren können ihre Befugnisse oder einige derselben an Komitees übertragen, die aus Mitgliedern ihrer Körperschaft gebildet sind, wie sie es für gut finden. Ein dergestalt gebildetes Komitee soll alle die ihm übertragenen Befugnisse ausüben konform den Bestimmungen, die ihm von den Direktoren von Zeit zu Zeit werden übertragen werden.

Verhandlungen in den Komitees.

102. Die Versammlungen und Verhandlungen eines solchen aus zwei oder mehreren Mitgliedern bestehenden Komitees werden in Uebereinstimmung mit den in der gegenwärtigen Urkunde enthaltenen Bestimmungen zur Leitung der Versammlungen und Verhandlungen der Direktoren geleitet, in soweit sie darauf anwendbar und nicht aufgehoben worden durch Bestimmungen, die kraft des vorstehenden Paragraphen von den Direktoren erlassen worden sind.

Wann Amtshandlungen der Direktoren oder Komitees rechtsgiltig sind trotz mangelhafter Ernennung.

103. Die von den Direktoren oder einem Komitee derselben in einer Versammlung seitens einer als Direktor fungirenden andern Person vorgenommenen Amtshandlungen, sind, ungeachtet des Umstandes, daß sich späterhin bei der Ernennung der betreffenden Direktoren oder der andern, wie vorbesagt, fungirenden Personen ein Versehen herausstellen sollte, oder daß sie oder eine derselben nicht vorschriftsmäßig qualifizirt waren, eben so rechtsverbindlich, als wenn eine jede dieser Personen vorschriftsmäßig ernannt und zum Direktor qualifizirt gewesen wäre.

104. rc.

Protokolle.

Es werden Protokolle geführt.

105. Die Direktoren haben Protokolle zu führen und sie in ein zu diesem Zwecke anzulegendes Buch vorschriftsmäßig eintragen zu lassen:

über alle Ernennungen von Beamten;

über die Namen der in einer jeden Versammlung anwesenden Direktoren wie auch über das Komitee der Direktoren;

über alle Verfügungen, die von den Direktoren und dem Komitee der Direktoren erlassen werden;

über alle Beschlüsse und Verhandlungen der Generalversammlungen und der Versammlungen der Direktoren und der Komitees.

Ein jedes derartige Protokoll einer Versammlung der Direktoren oder eines Komitees der Gesellschaft soll, wenn es von dem Vorsitzenden einer solcher Versammlung oder dem Vorsitzenden der nächst folgenden Versammlung unterzeichnet ist, als prima facie Beweis der in einem solchen Protokoll niedergeschriebenen Angelegenheiten Giltigkeit haben.

Befugnisse der Direktoren.

Von der Gesellschaft den Direktoren übertragene Befugnisse.

106. Die Leitung der Geschäfte der Gesellschaft liegt in Händen der Direktoren. Dieselben können außer den ihnen ausdrücklich kraft der gegenwärtigen Urkunde verliehenen Befugnissen und Machtvollkommenheiten, alle solche Befugnisse, Handlungen und Sachen

ausüben, die von der Gesellschaft ausgeübt werden und nicht hiermit oder im Wege der Verordnung (statute) vorgeschrieben sind, von der Gesellschaft in der Generalversammlung vorgenommen und ausgeübt zu werden, vorbehaltlich der Bestimmungen der Companies Acts der Jahre 1862 und 1883 und der gegenwärtigen Urkunde, wie ferner unter Vorbehalt der von der Gesellschaft in der Generalversammlung erlassenen Verordnungen, vorausgesetzt, daß keine derartige Verordnung frühere Amtshandlungen der Direktoren invalidiren, die rechtsverbindlich gewesen sein würden, wenn eine solche Verordnung nicht erlassen worden wäre.

Besondere den Direktoren ertheilte Befugnisse.

107. Unbeschadet der in dem vorstehenden Paragraphen ertheilten allgemeinen Befugnisse, welche dieselben in keiner Weise limitiren oder beschränken dürfen, wie unbeschadet der andern, auf Grund der gegenwärtigen Urkunde ertheilten Befugnisse wird hiermit ausdrücklich erklärt, daß die Direktoren die folgenden Befugnisse haben sollen:

(1.) Für die Gesellschaft Eigenthum, Rechte oder Privilegien zu kaufen oder anderswie zu erwerben, welche dieselbe (die Gesellschaft) ermächtigt ist, zu einem solchen Preise und im Allgemeinen unter solchen Bedingungen zu erwerben, wie sie es für angemessen halten.

(2.) Für von der Gesellschaft erworbene Rechte oder für Dienste, die ihr geleistet worden, ganz oder theilweise baar zu bezahlen, oder in Aktien, Bonds, Schuldverschreibungen oder in andern Sicherheiten der Gesellschaft. Derartige Aktien können entweder als voll eingezahlt ausgegeben oder der Betrag als darauf eingezahlt gut geschrieben werden, je nachdem dies vereinbart wird. Solche Bonds, Schuldverschreibungen oder andere Sicherheiten können entweder dem gesammten oder einem Theil des Eigenthums der Gesellschaft besonders zu Lasten geschrieben werden oder nicht.

(3.) Die Erfüllung der von der Gesellschaft mittels Hypothek oder Belastung des gesammten oder eines Theils des Eigenthums der Gesellschaft und ihres zur Zeit noch nicht eingezahlten Kapitals geschlossenen Kontrakte oder eingegangenen Verpflichtungen sicher zu stellen oder in solcher Weise zu sekuriren, wie sie es für angemessen halten.

(4.) Managers, Sekretaire, Beamten, Schreiber, Agenten und Diener für fortdauernd, zeitweilig oder für außergewöhnlich geleistete Dienste zu ernennen und sie nach Gutdünken wieder zu entlassen, und deren Pflichten und Befugnisse zu bestimmen; deren Salaire oder Emolumente festzusetzen und Kaution in solchen Fällen und in solcher Höhe von ihnen zu verlangen, wie sie es für gut finden.

Ernennung von Treuhändern.

(5.) Personen zu ernennen, die irgendwelches Eigenthum in Empfang nehmen und in Treuhandbesitz halten sollen, oder an welchem die Gesellschaft einen Antheil hat; auch sollen diese Personen alle solche Urkunden und Sachen vollziehen, die mit Bezug auf einen solchen Treuhandbesitz erforderlich sind.

Anstellung von Klagen.

(6.) Irgend welches gerichtliche Verfahren, das von der Gesellschaft oder gegen sie, oder gegen deren Beamte, oder mit Bezug auf die Geschäfte der Gesellschaft anhängig gemacht ist, anzustellen, zu leiten, Widerspruch dagegen zu erheben, beizulegen oder einzustellen, desgleichen zu akkordiren, Frist zu gewähren für Zahlungen oder die Tilgung von fälligen Schuldforderungen, Ansprüchen oder Forderungen von der Gesellschaft oder gegen sie.

Ausstellung von Quittungen.

(7.) Quittungen, Verzichtleistungen und andere Dechargen auszustellen respective zu ertheilen für Gelder, die an die Gesellschaft zu zahlen sind, wie auch für Ansprüche und Forderungen derselben.

Sicherheit zu bestellen im Wege Indemnität.

(8.) Im Namen der Gesellschaft und für dieselbe zu Gunsten eines Direktors oder einer andern Person, die irgendwelche persönliche Verpflichtung übernommen hat oder zu nehmen im Begriff steht, Hypotheken auf Eigenthum der Gesellschaft (gegenwärtig oder zukünftig) auszustellen (wie sie es für gut finden). Eine solche Hypothek kann Vollmacht enthalten zum Verkauf und andere Befugnisse, Festsetzungen und Bestimmungen, wie sie werden vereinbart werden.

Bewilligung von Prozenten.

(9.) Beamten und andern von der Gesellschaft beschäftigten Personen (einschließlich des Herrn Stephen Artaud, und in seinem Falle außer der ihm als Direktor zu zahlenden Remuneration) eine Provision zu bewilligen von dem Gewinn irgend welchen besondern Geschäfts oder geschäftlichen Transaktion, oder einen Theil an dem allgemeinen Gewinn der Gesellschaft. Eine solche Provision oder ein solcher Theil des Gewinns soll als Theil der Geschäftsunkosten der Gesellschaft betrachtet werden.

Anlegung eines Reservefonds.

(10.) Vor Festsetzung einer Dividende von dem Gewinn der Gesellschaft nach Zahlung der Dividende auf die Prioritätsaktien solche Summen, nicht größer als 10 Prozent von der Bilanz des jährlichen Gewinns (wie sie es für gut finden), abzusetzen als Reservefonds für mögliche Fälle oder für Ausgleichung von Dividenden, für Reparaturen, Verbesserungen und Instandhaltung des Eigenthums der Gesellschaft und für solche andere Zwecke, wie die Direktoren nach ihrem alleinigen Ermessen den Interessen der Gesellschaft für förderlich halten; ferner die derart abgesetzten Summen zinstragend anzulegen, wie sie für gut befinden werden, von Zeit zu Zeit mit diesen Investirungen zu wechseln, über alle oder einen Theil derselben zu verfügen zum Nutzen der Gesellschaft und den Reservefonds in so viele Spezialfonds zu zerlegen, wie sie es für angemessen halten, mit der Befugniß, diejenigen Gelder, welche den Reservefonds bilden, in dem Geschäft der Gesellschaft zu verwenden, ohne verpflichtet zu sein, diesen Fonds von den übrigen Geldern getrennt zu halten.

Lokal-Verwaltung.

108. Die Direktoren können von Zeit zu Zeit Festsetzungen treffen für die Verwaltung und die Betreibung im Auslande, und dies in solcher Weise zu thun, wie sie es für erforderlich halten. Die in den drei folgenden Paragraphen enthaltenen Bestimmungen sollen den kraft dieses Paragraphen ertheilten Befugnissen keinen Abbruch thun.

Lokal-Direktionen.

109. Die Direktoren können von Zeit zu Zeit Lokal-Direktionen oder Agenturen einsetzen zur Leitung der Geschäfte im Auslande, oder Personen zu Mitgliedern oder Agenten solcher Lokal-Direktionen ernennen und deren Agenten eine Remuneration festsetzen. Die Direktoren können von Zeit zu Zeit wie jederzeit einer derartigen Person irgend welche von den Befugnissen, Machtvollkommenheiten und Freiheiten verleihen, die den derzeitigen Direktoren übertragen worden, mit Ausschluß der Befugniß, Einzahlungen auszuschreiben; sie können ferner die jeweiligen Mitglieder einer solchen Lokal-Direktion ermächtigen, Vakanzen derselben zu ergänzen und trotz solcher Vakanzen können sie Ernennungen oder Delegirungen unter solchen Bedingungen vornehmen, wie sie (die Direktoren) für gut halten. Den Direktoren steht es jederzeit frei, eine so ernannte Person ihres Amtes wieder zu entheben und die Delegation zu annulliren oder abzuändern.

Vollmacht.

110. Die Direktoren können von Zeit zu Zeit mittels Vollmacht, unter Siegel, Personen zu Bevollmächtigten der Gesellschaft für solche Zwecke ernennen und ihnen solche Befugnisse, Machtvollkommenheiten und Freiheiten ertheilen, mit Ausnahme jedoch von solchen, die kraft der gegenwärtigen Urkunde den Direktoren übertragen sind und von ihnen ausgeübt werden, für eine so lange Zeit und unter solchen Bedingungen, wie sie, die Direktoren, von Zeit zu Zeit für angemessen halten. Eine solche Ernennung kann (wenn die Direktoren es für gut halten) vorgenommen werden zu Gunsten der, wie vorbesagt, errichteten Lokal-Direktionen, oder zu Gunsten einer Gesellschaft oder der Mitglieder, Direktoren, Bevollmächtigten oder Managers einer solchen Gesellschaft oder Firma oder anderswie zu Gunsten einer fluktuirenden Vereinigung von Personen, gleichviel ob dieselben von den Direktoren direkt oder indirekt ernannt worden sind. Eine solche Vollmacht kann solche Befugnisse enthalten zum Schutz und für die Bequemlichkeit von Personen, die mit einem solchen Bevollmächtigten in geschäftlichem Verkehr stehen, wie die Direktoren es für angemessen halten.

Sub-Delegation.

111. Die vorbesagten Delegirten oder Bevollmächtigten können von den Direktoren ermächtigt werden, alle oder einige der Befugnisse, Machtvollkommenheiten und Freiheiten, die sie (die Direktoren) besitzen, weiter zu übertragen.

112. Die Gesellschaft kann die ihr durch die Companies' Seales Act, 1864 übertragenen Befugnisse ausüben, und solche Befugnisse sollen demnach auch den Direktoren übertragen sein.

Dividenden.

Recht auf Antheil am Gewinn.

113. Vorbehaltlich des Rechtes solcher Mitglieder, die Anspruch haben auf Aktien, die unter besondern Bedingungen ausgegeben, soll der Gewinn der Gesellschaft an die Mitglieder vertheilt werden nach Verhältniß des auf die von ihnen besessenen Aktien eingezahlten Betrages; vorausgesetzt, daß, wo Kapital auf Ausschreibungen im Voraus gezahlt worden mit der Maßgabe, daß das Kapital verzinst werden soll, dann soll das Kapital, so lange es verzinst wird, ein Recht auf Theilnahme am Gewinn nicht verleihen.

Festsetzung der Dividende.

114. Die Gesellschaft in Generalversammlung kann eine Dividende festsetzen und sie an die Mitglieder zahlen lassen nach Verhältniß von deren Rechten und Interessen am Gewinn.

Herabsetzung des Dividendenbetrags.

115. Eine höhere Dividende darf nicht festgesetzt werden, als wie sie von den Direktoren empfohlen worden. Die Gesellschaft in Generalversammlung kann indessen eine geringere Dividende festsetzen. Dividenden dürfen nur aus dem Gewinne der Gesellschaft gezahlt werden.

Interims-Dividende.

116. Die Direktoren können von Zeit zu Zeit a conto der nächsten Dividende den Mitgliedern eine solche Interims-Dividende zahlen, wie es ihrem Ermessen nach die Lage der Gesellschaft rechtfertigt.

Abzug von Schulden.

117. Die Direktoren können Dividenden reteniren, betreffs deren die Gesellschaft ein Pfandrecht hat; diese Dividenden können verwendet werden auf die Tilgung von Schulden und Verpflichtungen, für welche ein Pfandrecht besteht.

118. Eine ordentliche Generalversammlung, in welcher eine Dividende festgesetzt wird, kann auf Beschluß das auf die Aktien, für welche die Dividende

gezahlt werden soll, noch nicht eingezahlte Kapital ausschreiben und das infolge dessen zu zahlende Kapital als Dividende anrechnen, und zwar so, daß, wenn beschlossen, die Einzahlung mit der Dividende, oder mit einem kompetenten Theil derselben, kompensirt werden kann.

Dividenden auf Aktivbestände zu zahlen.

119. Eine Generalversammlung, in welcher eine Dividende zur Festsetzung gelangt, kann durch spätern Beschluß die Direktoren ermächtigen, solche Dividende ganz oder theilweise zu zahlen im Wege Vertheilung spezifischer Aktivbestände, speziell durch eingezahlte Aktien des Kapitals der Gesellschaft, oder durch Schuldverschreibungen der Gesellschaft, Aktien oder Stocks; oder durch Schuldverschreibungen einer andern Gesellschaft, oder theils in der einen und theils in der andern Weise. Die Direktoren können, wenn sie es für gut halten, einem solchen Beschlusse nachkommen. Wo Schwierigkeiten sich herausstellen mit Bezug auf die Vertheilung, können sie die Sache so ordnen, wie sie es für gut halten. Sie können insbesondere Bruch-Certifikate ausgeben und den Werth festsetzen für die Vertheilung solcher spezifischer Aktivbestände; sie können ferner bestimmen, daß Baarzahlung an die Mitglieder zu machen ist nach Maßgabe des so gezahlten Werthes (zu dem Zwecke), um die Rechte aller Parteien zu wahren; sie können ferner solche besondere Aktivbestände in treue Hand geben (Trustees), und zwar auf Grund solcher Bedingungen für diejenigen Personen, welche zum Empfange der Dividende berechtigt sind, wie es ihnen (den Direktoren) gerathen erscheint. Wo erforderlich, wird ein eigener Kontrakt eingereicht werden nach Abschnitt 25 der Companies Act 1867.

Befugniß zur Zurückbehaltung von Dividenden oder Aktien eines Unmündigen, Geisteskranken u. s. w.

120. Die Direktoren können die auf solche Aktien zu zahlenden Dividenden, zu denen Personen auf Grund des Cessions-Paragraphen berechtigt sind, Mitglieder zu werden oder eine Cession zu bewirken, so lange zurückbehalten, bis eine solche Person auf Grund solcher Aktien oder Stocks Mitglied wird, oder dieselben vorschriftsmäßig überträgt.

Dividende an Mitbesitzer.

121. Falls mehre Personen eingetragene Mitbesitzer von Aktien oder Stocks sind, kann irgend welche dieser Personen rechtswirksame Quittung ausstellen für alle Dividenden und Zahlungen, die für solche Aktien oder Stocks gezahlt werden.

Anzeige, betreffend Dividenden.

122. Den Inhabern eingetragener Aktien oder Stocks wird Anzeige gemacht von der Festsetzung einer Dividende, gleichviel ob Interimsdividende oder anderswie, in der hierin vorher vorgeschriebenen Weise.

Dividenden, zahlbar mittelst Cheque.

123. Dividenden können gezahlt werden mittelst Cheques, die mit der Post an die Adresse des empfangsberechtigten Mitgliedes zu senden sind, oder im Falle von mehreren Besitzern an denjenigen, dessen Name mit Bezug auf solche Aktien im Register zuerst aufgeführt steht. Ein jeder solcher Cheque muß zahlbar gemacht werden an die Ordre desjenigen, an den er gesandt wird.

Rechnungswesen.

Rechnung zu führen.

124. Die Direktoren sollen ordnungsmäßig Rechnung führen über alle Gelder, die von der Gesellschaft eingenommen und ausgegeben werden, und zwar unter Angabe der Sache, für welche solche Einnahmen und Ausgaben stattfinden, desgleichen unter Angabe der Aktivbestände, Guthaben und Verbindlichkeiten der Gesellschaft. Die Rechnungsbücher werden aufbewahrt im eingetragenen Büreau der Gesellschaft, oder an einem solchen andern Orte, wie die Direktoren es bestimmen werden.

Inspektion durch Mitglieder.

125. Die Direktoren haben von Zeit zu Zeit zu bestimmen, ob, in welchem Maße, zu welcher Zeit, an welchem Orte und unter welchen Bedingungen und Bestimmungen die Rechnungen und Bücher der Gesellschaft, oder ein Theil für Durchsicht der Mitglieder offen liegen sollen. Kein Mitglied soll das Recht haben, irgendwelche Rechnungen, Bücher oder Dokumente der Gesellschaft einer Durchsicht zu unterziehen, als nur die, welche die Direktoren kraft ihrer Vollmacht oder durch Beschluß der Gesellschaft in Generalversammlung genehmigt werden.

Jährliche Rechnungen und Bilanz.

126. In der ordentlichen Versammlung eines jeden Jahres sollen die Direktoren der Gesellschaft eine Bilanz vorlegen, welche eine Uebersicht des Eigenthums und der Verbindlichkeiten der Gesellschaft gestattet. Die Bilanz soll sich nicht länger zurückbeziehen als 6 Monat vor demjenigen Tage, an welchem die Versammlung stattfindet und die letzte Rechnungsaufstellung gemacht worden, oder, wenn es die erste Bilanz ist, vor der Inkorporirung der Gesellschaft.

Jahresbericht der Direktoren.

127. Einer jeden Rechnungsbilanz muß der Bericht der Direktoren beigegeben sein über den Stand und die Lage der Gesellschaft, die Höhe desjenigen Betrages, den sie als Dividende in Vorschlag bringen, die von dem Gewinn der Gesellschaft an die Mitglieder zu zahlen ist. Der Bilanz muß ferner beigegeben sein der Betrag (wenn ein solcher vorhanden), den die Direktoren auf Grund der zu diesem Behufe hierin vorher enthaltenen Bestimmungen vorschlagen, daß er an den Reservefonds abgeführt werde. Der Bericht sowohl wie die Bilanz müssen von zwei Direktoren unterzeichnet und von dem Sekretair gegengezeichnet sein.

Abschätzung des Stammkapitals.

128. So lange der besagte Herr Emile Davenière 30,000 Pfund Stammaktien besitzt, soll er, wenn irgend welche Differenzen zwischen ihm und der Gesellschaft, die durch ihre Direktoren fungirt, entstehen sollten mit Bezug auf die Richtigkeit derjenigen Summe, welche in der der ordentlichen Generalversammlung irgend welchen Jahres vorgelegten Bilanz als der Werth des Stammkapitals der Gesellschaft angegeben ist, berechtigt

sein zu verlangen, daß eine solche Differenz schiedsrichterlichem Verfahren unterbreitet werde. In solchen Fällen soll die Differenz demnach zwei Schiedsrichtern überwiesen werden, von denen eine jede der streitenden Parteien Einen zu ernennen hat. Die Ueberweisung an die Schiedsrichter soll zum Praejudiz (rule of bourt) in der gewöhnlichen Weise gemacht werden und die Kosten des schiedsrichterlichen Verfahrens sollen abhängig sein von dem Ergebniß desselben.

Rechnungsrevision.

Die Rechnungen werden jährlich geprüft.

129. Wenigstens einmal in einem jeden Jahre sollen die Rechnungen der Gesellschaft geprüft und die Richtigkeit des Gewinn- und Verlust-Contos und der Geschäftsbilanz von einem oder mehreren Rechnungsrevisoren festgestellt werden. Die Herren Josolyne, Miles und Blow, King Street, Cheapside, sind die ersten Rechnungsrevisoren. Die spätern Revisoren werden von der Gesellschaft in der ordentlichen Versammlung eines jeden Jahres ernannt. Die Remuneration der Revisoren wird bestimmt von der Gesellschaft in Generalversammlung. Ein Rechnungsrevisor, der aus dem Amte scheidet, kann wieder gewählt werden. Wird nur Ein Revisor ernannt, so sind auf ihn anwendbar alle in der gegenwärtigen Urkunde enthaltenen Bestimmungen. Die Rechnungsrevisoren können Mitglieder der Gesellschaft sein. Keine Firma soll disqualifizirt sein, als Rechnungsrevisor zu fungiren des Umstandes wegen, weil ein Mitglied einer solchen Firma einer der Direktoren der Gesellschaft ist.

Zufällige Vakanz

130. Falls im Amte des Rechnungsrevisors eine Vakanz entstehen sollte, dann haben die Direktoren dieselbe sofort zu ergänzen.

131. Den Rechnungsrevisoren sollen Exemplare der Bilanz übergeben werden, die der Gesellschaft in Generalversammlung wenigstens einundzwanzig Tage vor der Versammlung vorzulegen sind. Es ist Pflicht der Revisoren, die Bilanz mit den bezüglichen Rechnungen und Belägen zu prüfen und der Gesellschaft in Generalversammlung Bericht darüber zu erstatten.

Inspektion der Bücher durch die Revisoren.

132. Die Rechnungsrevisoren haben zu den Büchern und Rechnungen der Gesellschaft zu jeder angemessenen Zeit Zutritt und können von den Direktoren und den andern Beamten der Gesellschaft mit Bezug darauf Auskunft verlangen.

Wann Rechnungen definitiv als abgeschlossen gelten.

133. Eine jede Rechnung der Direktoren soll, nachdem sie von einer Generalversammlung geprüft und genehmigt worden, entscheidend sein, ausgenommen in dem Falle, wenn ein Irrthum darin entdeckt wird drei Monate nach geschehener Genehmigung. Stellt sich innerhalb dieser Zeit ein Irrthum heraus, dann soll die Rechnung sofort berichtigt werden, und von da an entscheidend sein.

Wie den Mitgliedern Anzeigen zugestellt werden.

134. Eine Anzeige kann einem Mitgliede von der Gesellschaft entweder persönlich oder mittels eines an das betreffende Mitglied unter seine eingetragene Adresse frankirten Briefes mit der Post zugesandt werden.

Im Auslande wohnende Mitglieder.

135. Ein jeder Inhaber von eingetragenen Aktien, dessen eingetragene Wohnung in dem Vereinigten Königreich nicht belegen ist, kann der Gesellschaft eine Adresse im Vereinigten Königreich schriftlich aufgeben, welche dann im Sinne des vorstehenden Paragraphen als seine eingetragene Wohnung angesehen werden soll.

Wenn keine Adresse aufgegeben.

136. Mit Bezug auf diejenigen Mitglieder, die im Vereinigten Königreich keine eingetragene Adresse haben, soll eine im Büreau angeschlagene Anzeige vierundzwanzig Stunden danach als vorschriftsmäßig zugestellt erachtet werden.

Keine Anzeige an Inhaber von Warrants.

137. Der Inhaber eines Aktien-Warrant soll, wenn darin nichts Anderes angegeben ist, mit Bezug auf den Warrant nicht berechtigt sein, eine Anzeige von der Generalversammlung der Gesellschaft zu erwarten.

Wann eine Anzeige durch die Zeitungen bekannt gemacht wird.

138. Eine Anzeige, die den Mitgliedern von der Gesellschaft zu machen ist, soll, wenn sie von der gegenwärtigen Urkunde nicht ausdrücklich vorgeschrieben ist, durch öffentliche Bekanntmachung als angezeigt gelten. Eine Anzeige, die gemacht werden muß oder durch öffentliche Bekanntmachung gemacht werden kann, soll einmal in zwei in London erscheinenden Zeitungen bekannt gemacht werden.

Anzeige an die Mitinhaber.

139. Alle Anzeigen mit Bezug auf eingetragene Aktien, auf welche Personen ein gemeinschaftliches Anrecht haben, können an diejenige Person gemacht werden, die in dem Aktienregister zuerst genannt ist; und soll eine dergestalt gemachte Anzeige mit Bezug auf sämmtliche Inhaber als genügend gemacht erachtet werden.

140. Eine mit der Post gesandte Anzeige soll als an dem Tage zugestellt gelten, der auf denjenigen folgt, an welchem der die Anzeige enthaltende Brief auf die Post gegeben wurde. Als Beweis einer solchen Zustellung soll es genügen, zu beweisen, daß der die Anzeige enthaltende Brief richtig adressirt zur Post gegeben ist.

Cessionare sind durch vorgängige Anzeige gebunden.

141. Ein Jeder, der durch die Wirksamkeit des Gesetzes, der Uebertragung oder durch irgend welche andere Mittel ein Recht auf Aktien erwirbt, ist gebunden durch eine jede Anzeige betreffs solcher Aktien oder Stock, die vor der Eintragung seines Namens und Adresse in das Register derjenigen ordnungsmäßig gemacht worden, von der er sein Recht auf solche Aktie oder Stock herleitet.

142. Eine Anzeige oder Dokument, welches zufolge der gegenwärtigen Urkunde an die eingetragene Adresse eines Mitgliedes übergeben oder mit der Post versandt werden soll, ungeachtet des Umstandes, daß ein

solches Mitglied dann mit Tode abgegangen (gleichviel ob die Gesellschaft Anzeige von dem Tode erhalten), so lange als vorschriftsmäßig zugestellt erachtet werden mit Bezug auf eingetragene Aktien, gleichviel ob sie allein oder in Gemeinschaft mit andern Personen von einem solchen Mitgliede besessen werden, bis ein Anderer an seine Stelle als Inhaber oder Mitinhaber derselben eingetragen wird. Eine solche Zustellung soll für alle Zwecke der gegenwärtigen Urkunde als eine genügende erachtet werden mit Bezug auf seine Erben, Testamentsexekutoren oder Administratoren und einen Jeden, der gemeinschaftlich mit ihm oder ihr an einer solchen Aktie betheiligt ist.

Liquidirung.

Baarvertheilung des Aktivbestandes.

143. Im Falle der Auflösung der Gesellschaft können die Liquidatoren (freiwillige oder amtliche) mit Genehmigung eines außerordentlichen Beschlusses einen Theil des Aktivbestandes der Gesellschaft an die Beitragenden zur Vertheilung bringen, und steht es ihnen frei (mit gleicher Genehmigung), einen Theil des Aktivbestandes zum Nutzen der Kontribuenten in Treuhand zu geben, wie die Liquidatoren es für angemessen halten.

144. Wenn die Liquidatoren der Gesellschaft einen Verkauf vornehmen oder zufolge Abschnitt 161 der Companies' Act 1862 sich in ein Arrangement einlassen, dann soll ein dissentirendes Mitglied, im Sinne jenes Abschnitts, die ihm darin zuerkannten Rechte nicht haben, sondern es kann durch schriftliche, an die Liquidatoren zu richtende Anzeige, die in dem Büreau nicht später als vierzehn Tage nach der Versammlung, in welcher der Spezialbeschluß zu einem solchen Verkauf oder Arrangement gefaßt worden, sie (die Liquidatoren) ersuchen, die Aktien, Stock, oder anderes Eigenthum, freie Wahl oder Privilegien, zu welchem es auf Grund des Arrangements sonst berechtigt gewesen wäre, zu verkaufen und den Nettoerlös ihm herauszuzahlen. Ein solcher Verkauf und eine solche Zahlung kann demnach gemacht respektive vorgenommen werden. Der letzt erwähnte Verkauf kann von den Liquidatoren in solcher Weise bewirkt werden, wie sie es für angemessen halten.

Spezial-Bestimmungen.

145. Ein solcher Verkauf oder Arrangement, oder der dasselbe genehmigende Spezialbeschluß kann Bestimmungen enthalten betreffs der Vertheilung oder Zueignung von Aktien, Baarzahlung oder andern Vortheilen zur Kompensirung mit den gesetzlichen Rechten der Beitragenden der Gesellschaft. Einer jeden besondern Klasse können Vorzugs- oder Sonderrechte ertheilt oder eine jede Klasse kann davon ausgeschlossen werden. Falls es aber zu einer derartigen Bestimmung kommen sollte, dann soll der vorstehende Paragraph nicht Bezug haben mit der Absicht, daß ein dissentirendes Mitglied in einem solchen Falle die in Abschnitt 161 der Companies' Act 1862 enthaltenen Rechte zuerkannt erhalten soll.

Indemnität.

146. Ein jeder Direktor, Manager, Sekretair und anderer Beamte oder Diener der Gesellschaft soll seitens derselben schadlos gehalten werden, und soll es die Pflicht der Direktoren sein, aus den Fonds der Gesellschaft alle Kosten, Verluste und Ausgaben zu zahlen, die ein solcher Beamter oder Diener infolge eines geschlossenen Vertrages oder infolge einer Handlung oder That auf sich genommen und in Ausübung seiner Amtspflicht vorgenommen hat.

Persönliche Verantwortlichkeit der Direktoren.

147. Kein Direktor oder anderer Beamter der Gesellschaft soll haftbar sein für Handlungen, Quittungen, Vernachlässigungen oder Versehen der andern Direktoren oder Beamten, oder deswegen, weil er einer Quittung oder einer andern Handlung der Konformität wegen beigetreten ist; oder wegen eines Verlustes, oder Ausgaben infolge der Mangelhaftigkeit des Rechtstitels von auf Verfügung der Direktoren für die Gesellschaft erworbenem Eigenthum; oder wegen Mangelhaftigkeit einer Sicherheit, in die irgend welche Gelder der Gesellschaft angelegt worden; oder wegen Verlustes oder Schadens infolge des Bankerotts, der Insolvenz oder der rechtsschädigenden Handlung von Personen, bei denen Gelder, Sicherheiten oder Effekten deponirt sind; oder wegen irgend welchen andern Verlustes, Schadens oder Unglücks, das in der Ausübung der Pflichten seines betreffenden Amtes sich ereignet hat oder in Beziehung damit steht — wenn es nicht durch seine eigene vorsätzliche Handlung oder Nachlässigkeit entstanden ist.

Potsdam, gedruckt bei A. W. Hayn's Erben.

Amtsblatt
der Königlichen Regierung zu Potsdam und der Stadt Berlin.

Stück 52. Den 26. Dezember **1890.**

Bekanntmachungen des Königlichen Ober-Präsidenten.

Bekanntmachung.

30. An Stelle des verstorbenen Bürgermeisters Sonnenburg zu Zielenzig ist der Beigeordnete Solf zu Sonnenburg zum Provinziallandtags-Abgeordneten des Kreises Ost-Sternberg gewählt worden. Solches wird gemäß § 21 der Provinzial-Ordnung vom 29sten Juni 1875 hiermit bekannt gemacht.

Potsdam, den 16. Dezember 1890.

Der Ober-Präsident, Staatsminister von Achenbach.

Bekanntmachungen des Königlichen Regierungs-Präsidenten.

Betrifft die schußfreien Tage auf dem Schießplatze bei Cummersdorf für 1890.

277. Unter Hinweis auf die Polizei-Verordnung vom 2. November 1875 Amtsblatt Seite — 366 — bringe ich hierdurch zur öffentlichen Kenntniß, daß die **schußfreien** Tage auf dem Schießplatze bei Cummersdorf für das Jahr 1890 wie folgt festgesetzt worden sind: **Dezember:** 26., 28., 31.

Potsdam, den 18. Dezember 1890.

Der Regierungs-Präsident.

Viehseuchen.

278. Festgestellt ist:

der Milzbrand bei einer verendeten Stärke des zu Wustrau gehörigen Vorwerks Albertinenhof, Kreis Ruppin;

die Klauenseuche unter den Schweinen des Bauergutsbesitzers Bonadel zu Fredersdorf, Kreis Angermünde;

die Maul- und Klauenseuche unter dem Rindviehbestande des Ritterguts Kartzow, Kreis Osthavelland; unter dem Rindviehbestande und unter den Schweinen der Bauerhofsbesitzer Stegemann und Müller zu Falkenwalde, unter dem Rindviehbestande der Domainen Carmzow, Wollin und Wittenhof, Kreis Prenzlau, unter dem Rindviehbestande des Gutsbesitzers Wölle zu Warnitz und mehrerer Besitzer zu Meichow und Fredersdorf, Kreis Angermünde.

Die Ortschaft Kartzow ist gegen das Durchtreiben von Wiederkäuern und Schweinen gesperrt worden.

Ueber die Ortschaften Warnitz, Meichow und Fredersdorf nebst deren Feldmarken ist nach Maßgabe des § 64 Abs. 2 der Instruktion vom 24. Februar 1881 die Sperre verhängt worden.

Erloschen ist:

der Milzbrand unter dem Rindvieh des Bauern Liepe zu Markau, Kreis Osthavelland;

die Influenza unter den Pferden des Landwirths Bandelow zu Templin (Ausbau), Kreis Templin;

die Maul- und Klauenseuche unter dem Rindviehbestande des Bauergutsbesitzers Philipp zu Bornim, Kreis Osthavelland, und in Schmarsow, Kreis Prenzlau.

Potsdam, den 22. Dezember 1890.

Der Regierungs-Präsident.

Bekanntmachungen der Königl. Regierung.

Bekanntmachung

wegen Ausreichung der Zinsscheine Reihe XXI. zu den Preußischen 3½ %igen Staatsschuldscheinen von 1842 und der Zinsscheine Reihe II zu den Schuldverschreibungen der Preußischen konsolidirten 4 %igen Staatsanleihe von 1881.

15. Die Zinsscheine Reihe XXI. № 1 bis 8 zu den Preußischen 3½ %igen Staatsschuldscheinen von 1842 über die Zinsen für die Zeit vom 1. Januar 1891 bis 31. Dezember 1894, sowie die Zinsscheine Reihe II. № 1 bis 20 zu den Schuldverschreibungen der Preußischen konsolidirten 4 %igen Staatsanleihe von 1881 über die Zinsen für die Zeit vom 1. Januar 1891 bis 31. Dezember 1900 nebst den Anweisungen zur Abhebung der folgenden Reihe werden vom 1. Dezember d. J. ab von der Kontrolle der Staatspapiere hierselbst, Oranienstraße 92/94 unten links, Vormittags von 9 bis 1 Uhr, mit Ausnahme der Sonn- und Festtage und der letzten drei Geschäftstage jeden Monats, ausgereicht werden.

Die Zinsscheine können bei der Kontrolle selbst in Empfang genommen oder durch die Regierungs-Hauptkassen, sowie in Frankfurt a. M. durch die Kreiskasse bezogen werden. Wer die Empfangnahme bei der Kontrolle selbst wünscht, hat derselben persönlich oder durch einen Beauftragten die zur Abhebung der neuen Reihe berechtigenden Zinsscheinanweisungen mit einem für jede der beiden genannten Schuldgattungen getrennt aufzustellenden Verzeichnisse zu übergeben, zu welchem Formulare ebenda und in Hamburg bei dem Kaiserlichen Postamte Nr. 1 unentgeltlich zu haben sind. Genügt dem Einreicher eine numerirte Marke als Empfangsbescheinigung, so ist das Verzeichniß einfach, wünscht er eine ausdrückliche Bescheinigung, so ist es doppelt vorzulegen. Im letzteren Fall erhalten die Einreicher das eine Exemplar mit einer Empfangsbescheinigung versehen, sofort zurück. Die Marke oder Empfangsbescheinigung ist bei der Ausreichung der neuen Zinsscheine zurückzugeben.

In Schriftwechsel kann die Kontrolle der Staatspapiere sich mit den Inhabern der Zinsscheinanweisungen nicht einlassen.

Wer die Zinsscheine durch eine der oben genannten Provinzialkassen beziehen will, hat derselben die Anweisungen mit einem doppelten Verzeichnisse einzureichen. Das eine Verzeichniß wird mit einer Empfangsbescheinigung versehen sogleich zurückgegeben und ist bei Aushändigung der Zinsscheine wieder abzuliefern. Formulare zu diesen Verzeichnissen sind bei den gedachten Provinzialkassen und den von den Königlichen Regierungen in den Amtsblättern zu bezeichnenden sonstigen Kassen unentgeltlich zu haben.

Der Einreichung der Schuldverschreibungen bedarf es zur Erlangung der neuen Zinsscheine nur dann, wenn die Zinsscheinanweisungen abhanden gekommen sind; in diesem Falle sind die Schuldverschreibungen an die Kontrolle der Staatspapiere oder an eine der genannten Provinzialkassen mittels besonderer Eingabe einzureichen.

Berlin, den 28. Oktober 1890.

Königliche Hauptverwaltung der Staatsschulden.

* * *

Vorstehende Bekanntmachung wird mit dem Bemerken zur öffentlichen Kenntniß gebracht, daß Formulare zu den Verzeichnissen von unserer Hauptkasse, den Königlichen Kreis- und Forstkassen und den Königlichen Haupt-Steuer-Aemtern bezogen werden können.

Potsdam, den 6. November 1890.

Der Regierungs-Präsident.

Bekanntmachungen der Bezirksausschüsse.

Schluß der kleinen Jagd.

14. Für den Regierungsbezirk Potsdam wird die Jagd auf

Auer-, Birk- und Fasanen-Hennen, Haselwild, Wachteln und Hasen

mit Ablauf des Sonnabend des 17. Januar 1891 geschlossen.

Potsdam, den 18. Dezember 1890.

Der Bezirksausschuß.

Bekanntmachungen des Königlichen Polizei-Präsidiums zu Berlin.

Bekanntmachung.

98. In Abänderung meiner auf Grund des § 100f. der Reichsgewerbe-Ordnung für den, den Gemeindebezirk Berlin umfassenden **Bezirk der Gastwirthe-Innung zu Berlin** erlassenen Bestimmung vom 26. Oktober 1889 (veröffentlicht im Amtsblatt der Königlichen Regierung zu Potsdam vom 8. November 1889 Stück 45 und in № 255 des Berliner Intelligenz-Blattes vom 31. Oktober 1889) bestimme ich hiermit, daß Gast- und Schankwirthe, welche, obwohl sie ein in der Innung vertretenes Gewerbe betreiben, derselben nicht angehören, und deren Gehilfen (Kellner) zu den Kosten:

1) der von der Innung für den Nachweis für Gehilfenarbeit getroffenen, beziehungsweise unternommenen Einrichtungen (§ 97 Ziffer 2 der Gewerbe-Ordnung),
2) des von der Innung errichteten Schiedsgerichts (§ 97a. Ziffer 6 der Gewerbe-Ordnung)

in derselben Weise und nach demselben Maßstabe beizutragen verpflichtet sind, wie die Innungsmitglieder und deren Gehilfen (Kellner).

Diese Bestimmung tritt mit dem 1. Januar 1891 in Kraft.

Hierzu bemerke ich, daß in der Innung das gesammte Gast- und Schankwirthschaftsgewerbe in Berlin vertreten ist, jedoch nur insoweit, als dasselbe mit mindestens einem männlichen Gewerbegehilfen und mit Ausschluß von weiblicher Bedienung (Kellnerinnen) betrieben wird.

Berlin, den 16. Dezember 1890.

Der Königliche Polizei-Präsident.

Bekanntmachungen der Königlichen Eisenbahn-Direktion zu Magdeburg.

Bekanntmachung.

23. Vom **Sonntag, den 21. Dezember d. Js.**, ab hält der Localpersonenzug P. 30 auch in Friedenau.

Hierdurch ändert sich der Fahrplan für diesen Zug in folgender Weise:

Abfahrt	Berlin	12 07	Nm.
"	Friedenau	12 15	"
"	Steglitz	12 20	"
"	Lichterfelde	12 25	"
"	Zehlendorf	12 31	"
"	Schlachtensee	12 37	"
"	Wannsee	12 43	"
"	Neubabelsberg	12 51	"
"	Nowawes-Neuendorf	12 57	"
Ankunft	Potsdam	1 01	"

Königliches Eisenbahn-Betriebsamt (Berlin-Magdeburg).

Bekanntmachungen der Kreisausschüsse.

38. **Nachweisung**

der vom Kreis-Ausschuß des Kreises Ruppin auf Grund des § 1 des Gesetzes vom 14. April 1856 in Verbindung mit § 25 des Zuständigkeitsgesetzes vom 1. August 1883 genehmigten Veränderungen an Gemeinde- und Gutsbezirks-Grenzen.

Bezeichnung der in Betracht kommenden Grundstücke.	seitherigen Gemeinde- resp. Gutsbezirke.	künftigen Gemeinde- resp Gutsbezirke.
Das bei Köritz belegene frühere Bismark'sche Freisassengut von 93 ha 02 ar 70 qm Größe,	Gemeindefrei.	Gemeindebezirk Köritz.

Neu-Ruppin, den 16. Dezember 1890.

Der Kreis-Ausschuß.

Bekanntmachungen des Königlichen Consistoriums der Provinz Brandenburg.

Uebersicht
der Martini-Marktpreise des Roggens, wie solche in den Jahren 1877—1890 einschließlich in den Kreisstädten des Regierungsbezirks Potsdam im Durchschnitte zu stehen gekommen sind.

18. Dieselben betragen für das Hektoliter im:

Jahre	Niederbarnim zu Berlin		Oberbarnim zu Wriezen a. O.		Beeskow-Storkow zu Beeskow		Jüterbog-Luckenwalde zu Jüterbog		Osthavelland zu Potsdam		Westhavelland zu Brandenburg a. H.		Ruppin zu Neu-Ruppin		Ostprignitz zu Wittstock		Westprignitz zu Perleberg		Prenzlau zu Prenzlau		Angermünde zu Schwedt a. O.		Teltow zu Berlin		Templin zu Templin		Zauch-Belzig zu Potsdam	
	M.	Pf.	M.	Pf.	M.	Pf.	M.	Pf.	M.	Pf.	M.	Pf.	M.	Pf.	M.	Pf.	M.	Pf.	M.	Pf.	M.	Pf.	M.	Pf.	M.	Pf.	M.	Pf.
1877	10	58	11	20	11	52	10	56	11	14	11	02	10	94	10	70	11	28	10	32	11	38	10	58	9	80	11	14
1878	9	44	8	58	9	82	9	44	9	66	9	50	9	82	8	68	9	14	9	18	9	30	9	44	9	46	9	66
1879	12	16	12	76	12	64	12	14	11	98	12	24	12	38	13	02	12	66	12	42	13	14	12	16	10	32	11	98
1880	14	56	15	76	17	46	15	64	15	74	16	32	14	92	15	08	15	26	15	34	15	98	14	56	14	52	15	74
1881	13	60	13	44	14	62	13	50	13	14	14	16	13	14	13	56	13	04	13	68	14	20	13	60	13	68	13	14
1882	9	82	9	44	10	46	10	80	9	84	10	30	9	38	9	28	9	52	9	60	10	30	9	82	8	76	9	84
1883	11	12	10	82	11	68	10	74	10	88	11	16	11	12	10	96	10	60	10	28	11	80	11	12	10	74	10	88
1884	9	98	9	88	10	34	10	54	10	32	10	08	10	36	9	52	9	70	9	46	10	34	9	98	10	08	10	32
1885	9	90	9	74	9	74	10	74	10	36	10	08	9	70	8	78	9	06	9	26	9	84	9	90	10	44	10	36
1886	9	30	9	14	9	34	9	62	9	16	9	54	9	10	8	78	9	04	8	94	9	24	9	30	8	28	9	16
1887	8	24	8	12	8	74	8	70	8	44	8	70	8	56	7	72	8	12	7	92	8	86	8	24	7	84	8	44
1888	11	02	11	34	12	44	12	28	11	10	11	84	11	06	11	96	11	26	11	30	11	80	11	02	11	26	11	10
1889	11	88	12	20	12	70	12	72	11	78	12	46	11	66	12	08	11	18	12	08	12	34	11	88	11	62	11	78
1890	12	76	12	60	12	66	12	96	12	42	13	06	12	36	12	42	11	90	12	52	12	92	12	76	12	06	12	42
in diesen 14 Jahren:	154	36	155	02	164	16	160	38	155	96	160	46	153	60	152	54	151	76	152	30	161	44	154	36	148	86	155	96
hiervon ab die beiden **höchsten** und die beiden **niedrigsten** Jahrespreise mit:																												
	14	56	15	76	17	46	15	64	15	74	16	32	14	92	15	08	15	26	15	34	15	98	14	56	14	52	15	74
	13	60	13	44	14	62	13	50	13	14	14	16	13	14	13	56	13	04	13	68	14	20	13	60	13	68	13	14
	9	30	8	58	9	34	9	44	9	16	9	50	8	92	8	68	9	04	8	94	9	24	9	30	8	28	9	16
	8	24	8	12	8	74	8	70	8	44	8	70	8	56	7	72	8	12	7	92	8	86	8	24	7	84	8	44
zusammen	45	70	45	90	50	16	47	28	46	48	48	68	45	54	45	04	45	46	45	88	48	28	45	70	44	32	46	48
bleiben für 10 Jahre:	108	66	109	12	114	00	113	10	109	48	111	78	108	06	107	50	106	30	106	42	113	16	108	66	104	54	109	48

Es beträgt daher der Martini-Durchschnittsmarktpreis für das Hektoliter Roggen, nach welchem die Getreide-Rente des Jahres 1890 in baarem Gelde zu vergüten ist:

	M.	Pf.	M.	Pf.	M.	Pf.	M.	Pf.	M.	Pf.	M.	Pf.	M.	Pf.	M.	Pf.	M.	Pf.	M.	Pf.	M.	Pf.	M.	Pf.	M.	Pf.	M.	Pf.
	10	87	10	91	11	40	11	31	10	95	11	18	10	81	10	75	10	63	10	64	11	32	10	87	10	45	10	95

Berlin, den 15. Dezember 1890.

Königl. Konsistorium der Provinz Brandenburg.

Bekanntmachungen der Königlichen Hauptverwaltung der Staatsschulden.

Bekanntmachung.

24. Bei der heute in Gegenwart eines Notars öffentlich bewirkten 20. Verloosung von Schuldverschreibungen der 4prozentigen Staatsanleihe von 1868 A. sind die in der Anlage verzeichneten Nummern gezogen worden. Dieselben werden den Besitzern zum 1. Juli 1891 mit der Aufforderung gekündigt, die in den ausgelooſten Nummern verschriebenen Kapitalbeträge vom 1. Juli 1891 ab gegen Quittung und Rückgabe der Schuldverschreibungen und der nach dem 1. Juli 1891 zahlbar werdenden Zinsscheine Reihe VI. № 8 nebst Anweisungen zur Reihe VII. bei der Staatsschulden-Tilgungskasse hierselbst, Taubenstraße Nr. 29, zu erheben. Die Zahlung erfolgt von 9 Uhr Vormittags bis 1 Uhr Nachmittags, mit Ausschluß der Sonn- und Festtage und der letzten drei Geschäftstage jeden Monats.

Die Einlösung geschieht auch bei den Regierungs-Hauptkassen und in Frankfurt a. M. bei der Kreiskasse. Zu diesem Zwecke können die Schuldverschreibungen nebst Zinsscheinen und Zinsschein-Anweisungen einer dieser Kassen schon vom 1. Juni 1891 ab eingereicht werden, welche sie der Staatsschulden-Tilgungskasse zur Prüfung vorzulegen hat und nach erfolgter Feststellung die Auszahlung vom 1. Juli 1891 ab bewirkt.

Der Betrag der etwa fehlenden Zinsscheine wird vom Kapitale zurückbehalten.

Mit dem 1. Juli 1891 hört die Verzinsung der verlooſten Schuldverschreibungen auf.

Zugleich werden die bereits früher ausgelooſten und gekündigten auf der Anlage verzeichneten, noch rückständigen Schuldverschreibungen der Staatsanleihen von 1868 A., 1850, 1852, 1853 und 1862 wiederholt und mit dem Bemerken aufgerufen, daß die Verzinsung derselben mit dem Tage ihrer Kündigung aufgehört hat.

Die Staatsschulden-Tilgungskasse kann sich in einen Schriftwechsel mit den Inhabern der. Schuldverschreibungen über die Zahlungsleistung nicht einlassen.

Formulare zu den Quittungen werden von den obengedachten Kassen unentgeltlich verabfolgt.

Schließlich benutzen wir diese Veröffentlichung, darauf aufmerksam zu machen, daß von den Schuldverschreibungen der **konsolidirten 4½ prozentigen Staatsanleihe,** welche gemäß § 2 des Gesetzes vom 4. März 1885 (Gef.-S. S. 55) und der diesseitigen Bekanntmachung vom 1. September 1885 in Verschreibungen der konsolidirten 4prozentigen Staatsanleihe umzutauschen waren, die in der Anlage unter IV. aufgeführten Nummern auch bis jetzt noch nicht eingereicht worden sind. Die Inhaber dieser Schuldverschreibungen werden deshalb wiederholt aufgefordert, den beregten Umtausch **zur Vermeidung von weiteren Zinsverlusten** alsbald zu bewirken, indem wir ausdrücklich bemerken, daß die zu den neuen 4prozentigen Verschreibungen von 1885 gehörigen Zinsscheine Reihe I. № 3 bis 20, von welchen die Scheine № 3 bis 12 bereits fällig geworden sind, bestimmungsmäßig vier Jahre nach ihrer Fälligkeit zu Gunsten der Staatskasse verjähren. Die Zinsscheine № 3 und 4, am 1. April bezw. 1. Oktober 1886 fällig geworden, sind demnach schon verjährt.

Berlin, den 2. Dezember 1890.

Hauptverwaltung der Staatsschulden.

Bekanntmachungen der Königlichen Kontrolle der Staatspapiere.

Bekanntmachung.

31. In Gemäßheit des § 20 des Ausführungsgesetzes zur Civilprozeßordnung vom 24. März 1879 (G.-S. S. 281) und des § 6 der Verordnung vom 16. Juni 1819 (G.-S. S. 157) wird bekannt gemacht, daß der verwittweten Frau Kaufmann **B. Wernicke** zu Frankfurt a. O. die Schuldverschreibung der konsolidirten 4% Staatsanleihe von 1876/79 Lit. F. № 57470 über 200 M. im August 1886 angeblich gestohlen worden ist. Es wird derjenige, welcher sich im Besitze dieser Urkunde befindet, hiermit aufgefordert, solches der unterzeichneten Kontrolle der Staatspapiere oder Herrn **Max Hübner** zu Breslau, Bartschstr. 15, anzuzeigen, widrigenfalls das gerichtliche Aufgebotsverfahren behufs Kraftloserklärung der Urkunde beantragt werden wird.

Berlin, den 13. Dezember 1890.

Königliche Kontrolle der Staatspapiere.

Bekanntmachung.

32. In Gemäßheit des § 20 des Ausführungsgesetzes zur Civilprozeßordnung vom 24. März 1879 (G.-S. S. 281) und des § 6 der Verordnung vom 16. Juni 1819 (G.-S. S. 157) wird bekannt gemacht, daß der Frau Droguist **Becker, Bertha geb. Hölzermann** zu Erkner bei Berlin die Schuldverschreibungen der konsolidirten 4%igen Staatsanleihe von 1885 Lit. H. № 125683, 125684, 125685 und 140159 über je 150 M. angeblich abhanden gekommen sind. Es werden Diejenigen, welche sich im Besitze dieser Urkunden befinden, hiermit aufgefordert, solches der unterzeichneten Kontrolle der Staatspapiere oder der Frau **Becker** anzuzeigen, widrigenfalls das gerichtliche Aufgebotsverfahren behufs Kraftloserklärung der Urkunden beantragt werden wird.

Berlin, den 15. Dezember 1890.

Königliche Kontrolle der Staatspapiere.

Bekanntmachungen der Königl. Direktion der Rentenbank der Provinz Brandenburg.

Bekanntmachung.

14. Bei der in Folge unserer Bekanntmachung vom 22. v. M. am 15. d. M. geschehenen öffentlichen Verloosung **von Rentenbriefen der Provinz Brandenburg** sind folgende Apoints gezogen worden:

Litt. A. zu 3000 M. (1000 Thlr.)

159 Stück und zwar die Nummern:

378 640 884 905 1071 1337 1423 1503 1563 1583
1628 1861 2171 2257 2616 2826 2868 2911 3128
3346 3419 3593 3696 4407 4574 4702 4731 4798
4816 5295 5919 6018 6066 6331 6420 6530 6705

6709 6783 6828 6936 6998 7006 7120 7438 7448 7454 7498 7878 7921 8121 8309 8319 8361 8369 8722 8755 8769 8816 8817 8959 9034 9174 9260 9398 9403 9406 9424 9473 9863. 9952 10051 10087 10133 10173 10247 10564 10879 10902 10980 11614 11615 11638 11793 11842 12102 12117 12244 12260 12394 12465 12528 12962 13003 13011 13191 13243 13311 13327 13394 13638 13676 13874 14103 14210 14505 14567 14611 14628 14748 14768 14823 14989 15063 15259 15264 15276 15425 15540 15609 15634 15798 15849 15889 15950 15965 16060 16111 16284 16294 16324 16500 16889 16907 17042 17048 17098 17115 17116 17134 17142 17195 17219 17259 17427 17615 17619 17828 17967 17973 18028 18296 18335 18388 18596 18669 18776 18799 19031.

Litt. B. zu 1500 M. (500 Thlr.)

54 Stück und zwar die Nummern:

256 491 790 934 1006 1213 1250 1397 1498 1512 1800 1855 1896 1907 2227 2275 2276 2349 2561 2649 2852 3050 3289 3304 3570 3699 3948 4031 4106 4147 4272 4421 4423 4513 4684 4756 4929 4933 4945 5041 5302 5370 5402 5430 5572 5674 5862 6107 6202 6204 6280 6326 6454 6699.

Litt. C. zu 300 M. (100 Thlr.)

212 Stück und zwar die Nummern:

156 203 533 554 569 779 849 1246 1300 1351 1418 1476 1962 2010 2352 2864 2927 2947 3622 3646 3820 3848 3978 3996 4067 4167 4177 4228 4760 4887 5182 5190 5356 5495 5656 5957 6153 6472 6630 6723 6835 6924 7122 7164 7258 7350 7421 7585 7748 7783 7994 8001 8081 8568 8722 8853 9105 9425 9456 9520 9617 9620 9674 9679 9696 9737 9787 9821 9894 9921 9948 9963 10063 10104 10372 10413 10431 10508 10583 10931 10949 10982 11037 11066 11113 11222 11275 11404 11427 11436 11653 11781 11879 12356 12413 12537 12666 12695 12786 13225 13413 13419 13675 14045 14311 14418 14538 14540 14668 14685 14713 15259 15262 15531 15580 15583 15597 15766 15802 15820 15962 16150 16168 16230 16410 16457 16464 16599 16787 16899 16917 17006 17077 17078 17096 17155 17354 17358 17508 17520 17576 17625 17764 17876 17942 17985 18152 18189 18210 18394 18478 18497 18559 18676 18738 18819 19126 19180 19269 19297 19427 19607 19670 19746 19935 20270 20505 20539 20762 20768 20999 21420 21471 21584 21586 21618 21664 21849 21893 21943 22053 22055 22083 22246 22287 22327 22332 22402 22409 22502 22998 23023 23072 23217 23300 23423 23504 23527 23563 23630 23640 23684 23710 23723 23805 23926 23940 24047 24106 24381 24487 24577.

Litt. D. zu 75 M. (25 Thlr.)

177 Stück und zwar die Nummern:

71 113 284 325 404 557 670 744 747 775 818 892 958 992 1408 1416 1528 1884 2341 2879 2914 3090 3449 3920 4017 4301 4463 4713 4980 5151 5189 5480 5898 5920 6047 6671 6681 6771 6857 6896 6923 7321 7433 7452 7499 7522 7586 7656 7693 8118 8122 8152 8154 8174 8215 8434 8521 8621 8656 8913 8966 9009 9016 9123 9221 9333 9479 9492 9578 9629 9733 9773 9795 9943 9994 10087 10284 10364 10442 10493 10657 10761 10859 11049 11222 11256 11462 11635 11723 11809 11891 11916 11928 12485 12493 12568 12874 12892 13018 13694 13771 13846 13851 13929 14022 14361 14410 14834 15017 15037 15288 15373 15395 15399 15440 15513 16042 16252 16303 16440 16808 16826 16855 16923 16951 16976 16996 17001 17132 17193 17483 17944 18103 18180 18221 18291 18403 18410 18453 18547 18550 18558 18587 18666 18753 18760 18762 18790 18870 18950 18957 18974 19087 19207 19321 19401 19408 19466 19556 19567 19569 19606 19685 19697 19742 19787 19837 19877 19948 20342 20460 20489 20499 20505 20513 20515 20516.

Die Inhaber dieser Rentenbriefe werden aufgefordert, dieselben in coursfähigem Zustande, mit den dazu gehörigen Coupons Ser. VI. № 2—16 nebst Talon bei der hiesigen Rentenbank-Kasse, Klosterstraße 76 I., vom 1. April k. J. ab an den Wochentagen von 9 bis 1 Uhr einzuliefern, um hiergegen und gegen Quittung den Nennwerth der Rentenbriefe in Empfang zu nehmen. Vom 1. April k. J. ab hört die Verzinsung der ausgeloosten Rentenbriefe auf, diese selbst verjähren mit dem Schlusse des Jahres 1901 zum Vortheil der Rentenbank.

Die Einlieferung ausgeloofter Rentenbriefe an die Rentenbank-Kasse kann auch durch die Post, portofrei, und mit dem Antrage erfolgen, daß der Geldbetrag auf gleichem Wege übermittelt werde. Die Zusendung des Geldes geschieht dann auf Gefahr und Kosten des Empfängers und zwar bei Summen bis zu 400 M. durch Postanweisung. Sofern es sich um Summen über 400 M. handelt, ist einem solchen Antrage eine ordnungsmäßige Quittung beizufügen.

Berlin, den 17. November 1890.

Königliche Direktion
der Rentenbank für die Provinz Brandenburg.

Personal-Chronik.

Die Kammer-Gerichts-Referendare von Jagow und Dr. Steiniger sind zu Regierungs-Referendaren ernannt worden.

In Neu-Weißensee, Ecke der Langhansstraße und des Heinersdorfer Weges, hat der Apotheker Theodor Eckert die auf Grund der unterm 26. Juni d. J. erhaltenen Concession angelegte Apotheke eröffnet.

Der bisherige Hülfsprediger Berthold Wilhelm Paul Fleischmann ist zum Diakonus zu Strausberg und zum Pfarrer von Klosterdorf, Diözese Strausberg, bestellt worden.

Der bisherige Predigtamtskandidat Otto Albert Wilhelm Lange ist zum Diakonus der Parochie Groß-Schönebeck, Diözese Bernau, bestellt worden.

Der Lehrer Nordon ist als Gemeindeschullehrer in Berlin angestellt worden.

Personalveränderungen im Bezirke des Kammergerichts im Monat November 1890.

I. Richterliche Beamte.

Ernannt sind: zu Amtsrichtern die Gerichtsassessoren Dr. Sarre, Sauer, Matthes und Dr. Eugen Wolff bei den Amtsgerichten in Arnswalde bezw. Niesky, Angermünde und Sorau N./L., zum Staatsanwalt der Gerichtsassessor Dr. Klette beim Landgericht in Neu-Ruppin, zu stellvertretenden Handelsrichtern die Kaufleute Lustig und Valentin in Berlin.

Versetzt sind: der Landgerichts-Präsident Schellbach in Schneidemühl an das Landgericht in Guben, die Amtsrichter Ziehm in Angermünde und Müller in Wendisch-Buchholz an das Amtsgericht in Cöpenick, der Amtsrichter Neumann in Mittenwalde an das Amtsgericht in Schwedt und der Amtsrichter Paul Friedländer in Bütow an das Amtsgericht in Züllichau. Der Landrichter Grzywacz in Berlin ist in Folge seiner Ernennung zum Regierungsrath und ständigen Hülfsarbeiter im Reichs-Justizamt aus dem Preußischen Justizdienste geschieden.

II. Assessoren.

Zu Gerichts-Assessoren sind ernannt die Referendare Ecke, Dr. Tiktin, Korn, Böninger, Kühne, Neumann, Riep, Alberti, Wehlan, Dr. Bergschmidt, Dr. Weymann, Seligo.

III. Rechtsanwälte und Notare.

Eingetragen sind in die Liste der Rechtsanwälte der Gerichtsassessor a. D. Günther, der Marinestations-Auditeur a. D. Justizrath Loos, der frühere Gerichtsassessor, Stadtrath a. D. Weber, der Rechtsanwalt Lehmann aus Gumbinnen und die Gerichts-Assessoren Dr. Schwering und Joseph bei dem Landgericht I. in Berlin, der Gerichtsassessor Franc bei dem Landgericht II. in Berlin. Verstorben ist der Rechtsanwalt und Notar, Justizrath Schwerin in Berlin.

IV. Referendare.

Zu Referendaren sind ernannt die bisherigen Rechtskandidaten Zindler, Richter, Friedeberg, Salman, Baerwolff, Nitsche, Holzapfel, Brückmann, Baumann, Roebe, Russell, Wulff, Nasch, von Rutkowski, Ulrich, von Krosigk, Borgmann. Entlassen sind: Dr. Wilms, von Loefen, von Loos, Tappenbeck zwecks Uebertritts in den höheren Verwaltungsdienst, von Quast, Ufer, Buder, Sydow und Koppe auf ihren Antrag.

V. Subalternbeamte.

Zu Gerichtsschreibern sind ernannt die etatsmäßigen Gerichtsschreibergehülfen Franke in Berlin bei dem Amtsgericht I. in Berlin, Mahling in Cottbus bei dem Amtsgericht in Beelitz, Klint in Driesen bei dem Amtsgericht in Werder. Versetzt sind die Gerichtsschreiber Jantke in Beelitz nach Sorau N./L. und Kolditz in Werder an das Amtsgericht in Potsdam. Pensionirt sind der Erste Gerichtsschreiber, Rechnungsrath Hubatsch beim Amtsgericht in Cottbus und der Gerichtsschreiber Beetz beim Amtsgericht I. in Berlin. Verstorben sind: der Gerichtsvollzieher Lobinsky in Landsberg a. W. und die Kanzlisten Gottschalk und Kreisel beim Landgericht I. in Berlin.

Bekanntmachung.

Seine Majestät der Kaiser und König haben Allergnädigst geruht, dem Wasserbauinspektor Fischer zu Wittenberge den Charakter als Baurath zu verleihen.

Magdeburg, den 17. Dezember 1890.

Der Chef der Elbstrom-Bauverwaltung, Ober-Präsident der Provinz Sachsen.

Vermischte Nachrichten.

Bekanntmachung.

Die Gerichtstage für den Gerichtstagsbezirk Biesenthal sind für das Jahr 1891 auf nachbezeichnete Tage festgesetzt: 9. und 23. Januar, 6. und 20. Februar, 6. und 20. März, 3. und 17. April, 1. und 15. Mai, 5. und 19. Juni, 10. Juli, 13. August, 15. und 25. September, 9. und 23. Oktober, 6. und 20. November, 4. und 18. Dezember. Das Gerichtstagslokal befindet sich im Rathhause zu Biesenthal.

Eberswalde, den 11. Dezember 1890.

Königliches Amtsgericht.

Für das Jahr 1891 sind für den Gerichtstagsbezirk Alte Grund folgende Gerichtstage in Aussicht genommen: 9., 10., 23., 24. Januar, 13., 14. Februar, 6., 7., 20., 21. März, 10., 11. April, 8., 9. Mai, 12., 13ten Juni, 10., 11. Juli, 21., 22. August, 25., 26. September, 16., 17. Oktober, 13., 14. November, 4., 5., 18., 19. Dezember.

Alt-Landsberg, den 13. Dezember 1890.

Königliches Amtsgericht.

Bekanntmachung.

An folgenden Tagen werden im Jahre 1891 Gerichtstage in Niemegk im Rathhause abgehalten werden, und zwar für den Stadtbezirk Niemegk, sowie für die Amtsbezirke Boßdorf, Dahmsdorf und Zeuden: 1) am 31. Januar, 2) am 28. Februar, 3) am 28. März, 4) am 25. April, 5) am 30. Mai, 6) am 27. Juni, 7) am 29. August, 8) am 26. September, 9) am 31. Oktober, 10) am 28. November, 11) am 23. Dezember. Ferner wird noch besonders darauf aufmerksam gemacht, daß den Eigenthümern eintragungsfähiger Grundstücke gestattet ist, Anträge auf Eintragung in die Landgüterrolle auf Grund des Gesetzes vom 10. Juli 1883 (Gesetzsammlung Seite 111) auch auf den außerhalb des Gerichtssitzes stattfindenden Gerichtstagen zu stellen.

Belzig, den 8. Dezember 1890.

Königliches Amtsgericht.

Bekanntmachung.

Im Geschäftsjahre 1891 werden für den Bezirk des unterzeichneten Gerichts die Bekanntmachungen

1) in Handelsregistersachen a. durch den Deutschen Reichs- und Königlich Preußischen Staatsanzeiger, b. die Berliner Börsenzeitung, c. die Vossische Zeitung, d. das Teltower Kreisblatt; 2) in Zeichen- und Musterregistersachen durch den Deutschen Reichs- und Königlich Preußischen Staatsanzeiger erfolgen.

Zossen, den 5. Dezember 1890.

Königliches Amtsgericht.

Bekanntmachung.

Die im Laufe des Jahres 1891 vorkommenden Eintragungen in das Firmen-, Gesellschafts-, Prokuren-, Zeichen- und Musterregister sollen durch den Deutschen Reichs- und Königlich Preußischen Staats-Anzeiger, die Berliner Börsenzeitung, das Amtsblatt der Königlichen Regierung zu Potsdam, das Kreisblatt zu Nauen und das Cremmen'er Wochenblatt veröffentlicht werden.

Cremmen, den 5. Dezember 1890.

Königliches Amtsgericht.

Bekanntmachung.

Die Veröffentlichung von Eintragungen in das Handels-, Genossenschafts-, Zeichen- und Muster-Register des unterzeichneten Königlichen Amtsgerichts erfolgt im Jahre 1891 durch Einrückung in 1) den Deutschen Reichsanzeiger und Königlich Preußischen Staatsanzeiger, 2) die Berliner Börsenzeitung, 3) das Amtsblatt der Königlichen Regierung zu Potsdam, 4) das Kreisblatt für die Ostprignitz zu Wittstock.

Meyenburg i. d. Prignitz, den 15. Dezember 1890.

Königliches Amtsgericht.

Bekanntmachung.

Die Eintragungen in das hiesige Handels-, Genossenschafts-, Zeichen- und Musterregister werden im Jahre 1891 durch 1) den Deutschen Reichs- und Königlich Preußischen Staatsanzeiger, 2) das Amtsblatt der Königlichen Regierung zu Potsdam, 3) die Märkische Zeitung, 4) die Berliner Börsen-Zeitung bekannt gemacht werden. Die auf die Führung dieser Register sich beziehenden Geschäfte werden von dem Amtsrichter Barth unter Mitwirkung des Secretairs Schultze erledigt.

Lindow, den 17. Dezember 1890.

Königliches Amtsgericht.

Bekanntmachung.

Die Eintragungen, welche in dem bei uns geführten Genossenschafts-Register erfolgen, werden in nachfolgenden Blättern: 1) dem Deutschen Reichsanzeiger, 2) dem Berliner Intelligenz-Blatt, 3) der Vossischen Zeitung, sofern dieselben aber kleinere Genossenschaften betreffen, nur in den beiden erst genannten Blättern bekannt gemacht werden.

Berlin, den 17. Dezember 1890.

Königliches Amtsgericht I. Abtheilung 56.

Beschluß.

Auf Grund des Artikel 14 des Allgemeinen Deutschen Handelsgesetzbuchs, sowie des § 147 des Reichsgesetzes, betreffend die Erwerbs- und Wirthschaftsgenossenschaften, werden hier durch das Fürstenwalder Wochenblatt und das Kreisblatt für den Kreis Beeskow-Storkow als diejenigen öffentlichen Blätter bestimmt, in welchen im Laufe sowohl des gegenwärtig noch laufenden, als des nächstfolgenden Jahres die auf die Eintragungen in das Handels-, Genossenschafts- und Musterregister bezüglichen Bekanntmachungen für den Bezirk des unterzeichneten Amtsgerichts erfolgen sollen, jedoch mit der Maßgabe, daß die Bekanntmachungen für kleinere Genossenschaften — außer in dem Deutschen Reichsanzeiger — lediglich in dem oben genannten Kreisblatte erfolgen sollen.

Storkow, den 14. Dezember 1890.

Königliches Amtsgericht.

Bekanntmachung.

Während des Geschäftsjahres 1891 werden die das Handels-, Genossenschafts-, Zeichen- und Muster-Register betreffenden Bekanntmachungen des unterzeichneten Gerichts durch den Deutschen Reichsanzeiger und die Berliner Börsen-Zeitung erfolgen.

Alt-Landsberg, den 12. Dezember 1890.

Königliches Amtsgericht.

Bekanntmachung.

Die Eintragungen in unser Handelsregister werden im Jahre 1891 durch den Deutschen Reichs- und Königlich Preußischen Staatsanzeiger, das Amtsblatt der Königlichen Regierung zu Potsdam und die Börsen-Zeitung bekannt gemacht werden.

Templin, den 5. Dezember 1890.

Königliches Amtsgericht.

Bekanntmachung.

Die Veröffentlichung der Eintragungen in das Handels-, Genossenschafts-, Zeichen- und Musterregister des Königlichen Amtsgerichts Rheinsberg erfolgt für das Jahr 1891 durch den Deutschen Reichs- und Königlich Preußischen Staatsanzeiger, die Veröffentlichung der Eintragungen in das Handelsregister außerdem durch die Berliner Börsen-Zeitung und die Märkische Zeitung. Die Register-Geschäfte werden von dem Amtsrichter Reis unter Mitwirkung des Ersten Gerichtsschreibers Secretair Krell erledigt.

Rheinsberg, den 15. Dezember 1890.

Königliches Amtsgericht.

Bekanntmachung.

Mit der Führung des Handels-, des Zeichen- und Muster-, sowie des Genossenschafts-Registers ist bei dem Amtsgericht zu Brandenburg für das Jahr 1891 der Amtsgerichtsrath Rabert unter Mitwirkung des Amtsgerichts-Sekretärs Pinczakowski beauftragt. Die Aufnahme der zu den Eintragungen erforderlichen Anträge findet jeden Donnerstag und Sonnabend von 11 bis 12 Uhr Vormittags im Zimmer Nr. 43 statt. Die öffentlichen Bekanntmachungen der Eintragungen erfolgen 1) für das Zeichen- und Musterregister nur durch den Deutschen Reichs- und Königlich Preußischen Staatsanzeiger, 2) für das Handelsregister und das Genossenschaftsregister bezüglich des Brandenburger und des Lehniner Vorschußvereins durch den Deutschen Reichs- und Königlich Preußischen Staatsanzeiger, durch die Börsenzeitung, den Brandenburger Anzeiger und das

Kurmärkische Wochenblatt, 3) für das Genossenschaftsregister bezüglich des Waaren-Einkaufs-Vereins zu Brandenburg und des Consum-Vereins Vorwärts zu Brandenburg nur durch den Deutschen Reichs- und Königlich Preußischen Staatsanzeiger und durch den Brandenburger Anzeiger.

Brandenburg a. H., den 15. Dezember 1890.

Königliches Amtsgericht.

Bekanntmachung.

Für das Geschäftsjahr 1891 wird die öffentliche Bekanntmachung der Eintragungen I. in das Firmen-, Gesellschafts- und Prokurenregister durch a. den Deutschen Reichs- und Königlich Preußischen Staatsanzeiger, b. die Berliner Börsenzeitung, c. das Niederbarnimer Kreisblatt, d. die Liebenwalder Zeitung, II. in das Genossenschaftsregister durch die a., b., d. bezeichneten Blätter und durch den Anzeiger des Regierungs-Amtsblatts; für kleinere Genossenschaften jedoch nur durch den Deutschen Reichsanzeiger und die Liebenwalder Zeitung, III. in das Zeichen- und Musterregister durch den Deutschen Reichsanzeiger erfolgen.

Liebenwalde, den 17. Dezember 1890.

Königliches Amtsgericht.

Bekanntmachung.

Die Veröffentlichung der Eintragungen in das Handels-, Genossenschafts-, Zeichen-, Muster- und Modell-Register, welche im Jahre 1891 beim hiesigen Amtsgericht vorkommen, erfolgt durch den Deutschen Reichs- und Preußischen Staatsanzeiger, für das Handels- und Genossenschafts-Register außerdem 1) durch die Berliner Börsenzeitung, 2) durch das Kreisblatt für die Westprignitz.

Perleberg, den 1. Dezember 1890.

Königliches Amtsgericht.

Bekanntmachung.

Die im Laufe des Jahres 1891 von dem unterzeichneten Amtsgerichte zur Veröffentlichung gelangenden Bekanntmachungen über die Eintragungen in das Firmen-, Gesellschafts- und Prokuren-Register erfolgen durch den Deutschen Reichs- und Königlich Preußischen Staats-Anzeiger, die Berliner Börsenzeitung, das Amtsblatt der Königlichen Regierung zu Potsdam, das Osthavelländische Kreisblatt zu Nauen und die Fehrbelliner Zeitung, diejenigen über Eintragungen in das Genossenschafts-, Zeichen- und Muster-Register erfolgen nur durch den Deutschen Reichs- und Königlich Preußischen Staats-Anzeiger und das Osthavelländische Kreisblatt zu Nauen.

Fehrbellin, den 13. Dezember 1890.

Königliches Amtsgericht.

Bekanntmachung.

Für das Jahr 1891 werden die Eintragungen in die Handels- Zeichen- und Musterregister durch den Deutschen Reichsanzeiger und die Berliner Börsenzeitung, die Eintragungen in das Genossenschaftsregister durch den Reichsanzeiger und die beiden hiesigen Wochenblätter bekannt gemacht werden.

Dahme, den 8. Dezember 1890.

Königliches Amtsgericht.

Bekanntmachung.

Im Jahre 1891 sollen die Eintragungen in das Handels- und Genossenschaftsregister außer im Deutschen Reichsanzeiger noch in der Berliner Börsenzeitung und den hiesigen Zeitungen „Neue Zeit" und „Neues Intelligenzblatt", für kleinere Genossenschaften nur in der „Neuen Zeit" veröffentlicht werden. Die auf die Führung dieser Register, sowie des Zeichen- und des Musterregisters sich beziehenden Geschäfte werden von dem Amtsrichter Kleinschmidt unter Mitwirkung des Sekretärs Zitscher bearbeitet.

Charlottenburg, den 17. Dezember 1890.

Königliches Amtsgericht.

Bekanntmachung.

Im Jahre 1891 werden die Eintragungen in unser Handelsregister durch 1) den Deutschen Reichs- und Preußischen Staatsanzeiger, 2) die Vossische Zeitung, 3) die Berliner Börsen-Zeitung, 4) die Rixdorfer Zeitung, die Eintragungen für Genossenschaften außerdem durch das Amtsblatt der Königlichen Regierung zu Potsdam und die Eintragungen im Zeichen- und Muster-Register allein durch das Blatt zu 1 bekannt gemacht werden.

Rixdorf, den 17. Dezember 1890.

Königliches Amtsgericht.

Ausweisung von Ausländern aus dem Reichsgebiete.

Lauf. Nr.	Name und Stand des Ausgewiesenen.	Alter und Heimath des Ausgewiesenen.	Grund der Bestrafung.	Behörde, welche die Ausweisung beschlossen hat.	Datum des Ausweisungs-Beschlusses.
1.	2.	3.	4.	5.	6.
		a. Auf Grund des § 39 des Strafgesetzbuchs:			
1	Louis François Contesenne, Fischer,	geboren am 21. August 1833 zu Meudon, Departement Seine et Oise, Frankreich, französischer Staatsangehöriger,	Münzverbrechen (sechs Jahre Zuchthaus laut Erkenntniß vom 2. Dezember 1884).	Kaiserlicher Bezirkspräsident zu Colmar,	12. November 1890.

Lauf. Nr.	Name und Stand des Ausgewiesenen.	Alter und Heimath des Ausgewiesenen.	Grund der Bestrafung.	Behörde, welche die Ausweisung beschlossen hat.	Datum des Ausweisungs-Beschlusses.
1.	2.	3.	4.	5.	6.
1	Josef Riedl, Metzger,	geboren am 25. Oktober 1858 zu Eisenthal, Bezirk Schüttenhofen, Böhmen, ortsangehörig zu Eisendorf, Bezirk Bischofteinitz, ebendaselbst,	Diebstahl (2 Jahre sechs Monate Zuchthaus laut Erkenntniß vom 8ten Mai 1888),	Königlich Bayerisches Bezirksamt Ansbach,	22. Oktober 1890.
2	Thomas Tesar, Schlosser u. Tagelöhner,	geboren am 10. Dezember 1859, ortsangehörig zu Ekyn, Bezirk Prachatitz, Böhmen,	Diebstahl (1 Jahr drei Monate Zuchthaus laut Erkenntniß vom 10ten August 1889),	dasselbe,	17. Oktober 1890.
3	Alois Wiesner, Schuster u. Tagelöhner,	22 Jahre alt, ortsangehörig zu Natschetin, Bezirk Bischofteinitz, Böhmen,	Diebstahl (2 Jahre drei Tage Zuchthaus laut Erkenntniß vom 6. November 1888),	dasselbe,	desgleichen.

b. Auf Grund des § 362 des Strafgesetzbuchs:

Lauf. Nr.	Name und Stand des Ausgewiesenen.	Alter und Heimath des Ausgewiesenen.	Grund der Bestrafung.	Behörde, welche die Ausweisung beschlossen hat.	Datum des Ausweisungs-Beschlusses.
1	Josef Gößl, Bäcker,	geboren am 21. Februar 1859 zu Kohling, Bezirk Graslitz, Böhmen, ortsangehörig ebendas.,	Betteln,	Königlich Bayerisches Bezirksamt Kempten,	4. November 1890.
2	Franz Gutbier, Fabrikarbeiter,	geboren am 11. Mai 1839 zu Heinersdorf, Bezirk Friedland, Böhmen, ortsangehörig ebendaselbst,	Landstreichen,	Königlich Sächsische Kreishauptmannschaft Bautzen,	27. Oktober 1890.
3	Gustav Handrick, Fleischergeselle,	geboren am 10. November 1870 zu Reichenberg, Böhmen,	desgleichen,	Königlich Preußischer Regierungspräsident zu Frankfurt a. O.,	18. Oktober 1890.
4	a. Anton Egger, Tagelöhner,	48 Jahre alt, geboren und ortsangehörig zu Uderns, Bezirk Schwaz, Tirol,	Landstreichen,	Königlich Bayerisches Bezirksamt Traunstein,	5. November 1890.
	b. dessen Ehefrau Juliana Egger, geb. Steiner,	46 Jahre alt, geboren zu Hart, Bez. Schwaz, ortsangehör. zu Uderns,			
5	Stefan Klinger, Strumpfwirker,	geboren am 22. April 1865 zu Schnauhübel, Bezirk Rumburg, Böhmen, ortsangehörig zu Schnauhübel-Wolfsberg, ebendaselbst,	desgleichen,	Königlich Sächsische Kreishauptmannschaft Bautzen,	desgleichen.
6	Sebastian Koch, Seifensieder,	21 Jahre alt, geboren und ortsangehörig zu Ainet, Bezirk Lienz, Tirol,	Betteln,	Stadtmagistrat Deggendorf, Bayern,	1. Oktober 1890.
7	Alois Liebisch, Tagearbeiter,	geboren am 17. August 1870 zu Frankenstein, Bezirk Rumburg, Böhmen, ortsangehörig zu Nieder-Ehrenberg, ebendaselbst,	Landstreichen,	Königlich Sächsische Kreishauptmannschaft Bautzen,	10. November 1890.

Lauf. Nr.	Name und Stand des Ausgewiesenen.	Alter und Heimath des Ausgewiesenen.	Grund der Bestrafung.	Behörde, welche die Ausweisung beschlossen hat.	Datum des Ausweisungs-Beschlusses.
1.	2.	3.	4.	5.	6.
8	Karl Oberst, Tagelöhner,	geboren am 2. Mai 1875 zu Sporitz, Bezirk Komotau, Böhmen, ortsangehörig ebendas.,	Landstreichen,	Königlich Bayerisches Bezirksamt Wasserburg,	18. November 1890.
9	Carl Christian Josef Petersen, Klempner,	geboren am 5. April 1852 zu Svendborg, Dänemark, ortsangehörig ebendaselbst,	Betteln,	Königlich Preußischer Regierungspräsident zu Schleswig,	19. November 1890.
10	Valentin Schinagl, Scheerenschleifer,	24 Jahre alt, geboren zu Weyeregg, Bezirk Vöcklabruck, Oesterreich, ortsangehörig zu Frankenburg, ebendaselbst,	Landstreichen,	Königlich Bayerisches Bezirksamt Traunstein,	5. November 1890.
11	Josef Scholz, Tischler,	39 Jahre alt, geboren und ortsangehörig zu Weisbach, Bez. Friedland, Böhmen,	Betteln,	dasselbe,	desgleichen.
12	Josef Wilde, Fleischer,	geboren am 19. März 1850 zu Sewus, Ungarn, ortsangehörig ebendaselbst,	desgleichen,	Königlich Sächsische Kreishauptmannschaft Zwickau,	7. Oktober 1890.
13	Josef Wenzel, Kutscher,	30 Jahre alt, geboren und ortsangehörig zu Iglau, Mähren,	Landstreichen,	Königlich Bayerisches Bezirksamt Traunstein,	3. November 1890.

Hierzu eine Beilage, enthaltend 1) das Verzeichniß der in der 20sten Verloosung gezogenen, durch die Bekanntmachung der Königlichen Hauptverwaltung der Staatsschulden vom 2. Dezember 1890 zur baaren Einlösung am 1. Juli 1891 gekündigten Schuldverschreibungen der Staatsanleihe vom Jahre 1868 A., 2) das Verzeichniß der aus früheren Verloosungen noch rückständigen Schuldverschreibungen der Staatsanleihen vom Jahre 1868 A., 3) das Verzeichniß der aus Verloosungen und Restkündigungen noch rückständigen Schuldverschreibungen der Staatsanleihen von 1850, 1852, 1853 und 1862, 4) das Verzeichniß derjenigen Schuldverschreibungen der konsolidirten $4\frac{1}{2}$ prozentigen Staatsanleihe, welche noch nicht zum Umtausch gegen Verschreibungen der konsolidirten 4 prozentigen Staatsanleihe eingereicht worden sind, sowie Drei Oeffentliche Anzeiger.

(Die Insertionsgebühren betragen für eine einspaltige Druckzeile 20 Pf
Belagsblätter werden der Bogen mit 10 Pf. berechnet.)

Redigirt von der Königlichen Regierung zu Potsdam.

Potsdam, Buchdruckerei der A. W. Hayn'schen Erben.

Lightning Source UK Ltd.
Milton Keynes UK
UKHW010621170119
335514UK00003B/252/P

9 780331 883619